S0-AGG-907

NUEVA ENCICLOPEDIA CUMBRE

NUEVA ENCICLOPEDIA CUMBRE

VOLUMEN 10

MURCIA – PASCO

PUERTO RICO

IMPRESO EN 2002

Caribe Grolier, Inc.
Calle del Parque 601
Santurce, Puerto Rico 00910

ISBN: 0-7172-5114-4 (Obra completa)

ISBN: 0-7172-5124-1 (Volumen 10)

Impreso en los Estados Unidos de América.

Murcia. Ciudad española perteneciente al antiguo reino de Murcia y capital de la provincia homónima. Se halla situada en medio de una admirable huerta –rival por su feracidad y riqueza de la de Valencia– atravesada por el río Segura. Centro de una fértil región agrícola de producción copiosa y variada: pimentón, tomates, naranjas, limones, almendras, melocotones, albaricoques, azafrán, cereales y legumbres. La abundancia de morera facilita la cría del gusano de seda. Su comercio es activo y la industria cuenta con manufacturas de tejidos de seda, fábricas de conservas, curtidos, papel, pólvora, etcétera. Es ciudad universitaria y entre sus edificios notables se destacan la catedral, las iglesias de San Esteban, de San Juan de Dios y algunos palacios. Expone en un museo las obras del gran imaginero Salzillo. Su población se eleva a 344,904 habitantes (1995).

Murcia. Provincia española, del sureste de la península, en la costa del Mediterráneo, con 1.109,977 habitantes (1995) en una superficie de 11,317 km². Entre sierras de rica minería –como la de Las Cabras, la España y Almenara– y el mar, se extienden las típicas huertas de clima templado por donde discurre el río Segura. Se cosecha trigo, maíz, pimiento, legumbres, hortalizas, naranjas, uvas, etcétera.

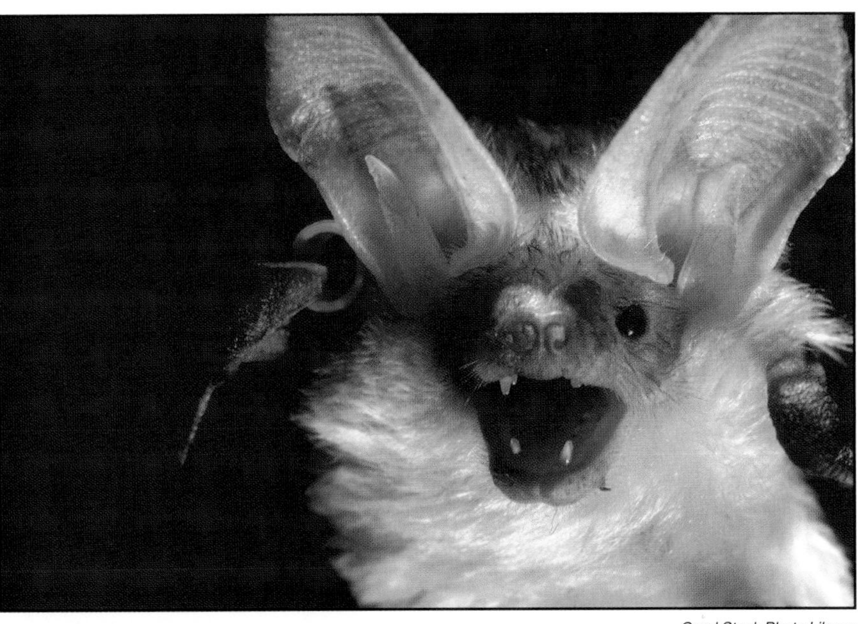

Corel Stock Photo Library

Acercamiento a la cabeza de un murciélago.

murciélago. Mamífero del orden de los quirópteros, único de los mamíferos que tiene la característica de volar, de donde proviene el nombre de quiróptero, que en griego significa *alas en las manos*.

La característica más importante del murciélago son las alas, formadas por una tenue membrana fina y sedosa al tacto, sostenida por las falanges, muy largas, de los cuatro dedos de la mano, exceptuando el pulgar, los miembros posteriores y la cola. La piel de las alas tiene en su parte interna una complicada red nerviosa. El murciélago se orienta sin necesidad de la vista gracias a su fino sentido del oído. Cuando vuela lanza continuamente sonidos de tono tan alto que son inaudibles para el humano. Las ondas sonoras se deforman al encontrar obstáculos en la trayectoria de vuelo del murciélago. Al volver el eco de los sonidos así deformados y ser percibidos por el aparato auditivo del murciélago, modifica instantáneamente su dirección para esquivar el obstáculo.

Los quirópteros se componen de 17 familias, que se dividen en dos grupos por su tipo de alimentación: los que se alimentan de frutos y sustancias vegetales y los que se alimentan de insectos y materias animales. Los primeros, llamados zorros voladores por la forma de su cabeza o también megaquirópteros por su gran tamaño, tienen como característica especial uñas en los dedos índice y pulgar; los insectívoros sólo tienen uña en el dedo pulgar.

Los insectívoros, llamados también microquirópteros por ser de pequeño tamaño, vuelan generalmente en el crepúsculo y al amanecer.

El mayor de los murciélagos es el zorro volador de Malaya, que llega a medir 30 cm de alto por unos dos metros de envergadura. Los murciélagos descansan durante el día colgados de las garras de los pies y envueltos en las alas, lo que les da un raro aspecto.

Murciélago colgado de sus patas.

Corel Stock Photo Library

Murdoch, Iris Jean (1919-1999). Novelista irlandesa en lengua inglesa. Estudiante en la Universidad de Oxford, se interesó por la filosofía y en 1953 publicó el ensayo *Sartre, el racionalista romántico*. Sus novelas presentan mundos cerrados en los que tanto la psicología de los personajes como el contexto social conforman un clima de tensa agonía. Escritora prolífica, cabe citar entre sus obras: *Bajo la red* (1954), *La campana* (1958); *La muchacha italiana* (1964); *Una derrota bastante honrosa* (1970); *El príncipe negro* (1973); *La máquina del amor sagrado y del amor profano* (1974), *El hijo de las palabras* (1975); y *El mar, el mar* (1978), *El buen aprendiz* (1986). Entre sus últimas obras destacan *Reflexiones filosóficas* (1992) y *El caballero verde* (1994).

Murena, Héctor A. (1923-1975). Poeta argentino, nacido en Buenos Aires. Su verdadero nombre era Héctor Alberto Álvarez. Autor de *La vida nueva*, *El juez*, *El círculo de los paraísos* y otras.

Mürger, Henri (1822-1861). Literato francés. Estudió pintura y fue secretario del conde Tolstoi. Vivió una existencia entre mísera y alegre, llamada entonces bohemia, del Barrio Latino de París. Su obra más conocida es, por eso, *Escenas de la vida bohemia* (1847).

Murillo, Bartolomé Esteban (1617-1682). Pintor español, algunos de cuyos cuadros, por la luminosidad de su colorido, lo acercan a los maestros de la pintura italiana. Nació en Sevilla, de familia humilde. El apellido con que ha pasado a la historia no le pertenece, pues su padre se llamaba Gaspar Esteban, pero habiéndose, quedado huérfano a los diez años, el cirujano Juan Agustín Lagares, tío suyo, lo recogió, y como la esposa de éste se llamaba Ana Murillo, el muchacho, cuando llegó a hombre, quiso, por agradecimiento, usar el patronímico de la que había sido su segunda madre. En su adolescencia fue aprendiz y criado del maestro Juan del Castillo, que lo llevó a Cádiz en 1639. Poco tiempo después volvió a Sevilla y a la amistad del pintor Pedro de Moya, condiscípulo suyo, quien hablándole de la fanática admiración que le inspiraba Anton Van Dick y de cómo había desertado de los tercios de Flandes para irse a Londres, donde residía su ídolo, le inspiró el deseo de marcharse a Italia. No lo hizo, acaso por carecer de recursos para un viaje tan largo, y se fue a Madrid. Diego Velázquez, que entonces alcanzaba la plenitud de su fama, lo recibió fraternalmente, le dio varias lecciones, que él supo aprovechar, y hasta quiso retenerlo a su lado. Pero, al provinciano la vida cortesana le desagradó, y transcurridos dos años regresó a Sevilla (1646); y a poco de llegar le pidieron once composiciones para el convento de San Francisco, labor que realizó en menos de tres años. Su espíritu, profundamente religioso, había encontrado su camino. La fortuna empezaba a sonreírle; a compás de su prestigio crecían sus ganancias.

En 1672, el renombrado don Miguel de Mañara (en cuya vida legendaria se basó Zorrilla para escribir *Don Juan Tenorio*) le encargó varios cuadros, que todavía pueden admirarse en la capilla del viejo Hospital de la Caridad. Entre sus obras más recordadas figuran *La huída a Egipto*, orgullo del Palacio Blanco de Génova; *Santa Ana dando lección a la Virgen, La adoración de los pastores, La Sagrada Familia del pajarito*, que se encuentra en el museo del Prado, *La escala de Jacob, San José con el Niño Jesús, la Concepción* y *Niños comiendo frutas*. Se calcula que pintó unos quinientos cuadros, de los cuales el de mayores proporciones, titulado *Aparición del Niño Dios a San Antonio de Padua*, ocupa lugar preferente en la capilla bautismal de la catedral de Sevilla. En 1874 un desconocido, que tenía tanto de artista como de ladrón, recortó la figura del santo, sustituyéndola por otra, tan parecida a la original, que casi se confundía con ella. Al cabo la auténtica reapareció, y el pintor Salvador Martínez Cubells la acomodó en su sitio, con tal arte, que la mutilación apenas se conoce. Pregonan la placidez de su inspiración su amor a la infancia (en casi todos sus cuadros hay niños), la severidad afectuosa que aquieta y ennoblece el rostro de sus figuras, genuinamente populares y de puro linaje español, y la luz suave y blanda, grata a los ojos, de sus interiores.

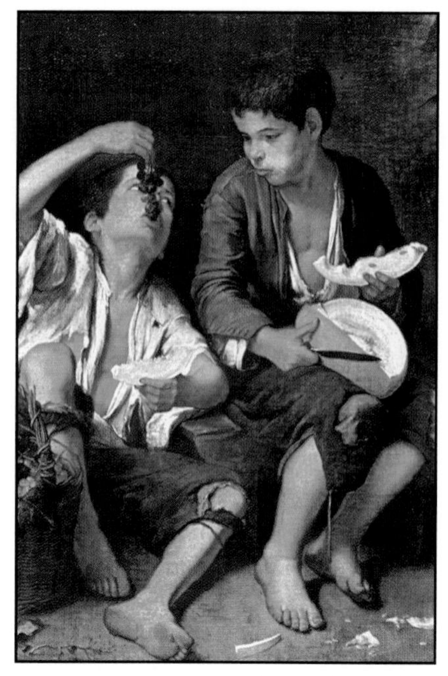

Corel Stock Photo Library

Los comedores de melones, *Bartolomé Esteban Murillo.*

Murillo, Gerardo (1878-1964). Pintor mexicano, conocido con el seudónimo de *Dr. Atl.* Nació en Guadalajara (Jalisco). Partiendo del posimpresionismo, se convirtió en innovador audaz, creó la perspectiva curvilínea e inventó los *colores Atl.* Pintor enamorado de los volcanes que trasladó a sus lienzos –*El Popocatépetl, El Iztaccíhuatl*– en arriesgadas excursiones alpinistas.

El muro de las lamentaciones y la cúpula de la roca en Jerusalén, Israel.

Corel Stock Photo Library

Murillo, Pedro Domingo (1768-1810). Patriota boliviano. Encabezó la independencia del 16 de julio de 1809 en La Paz. Depuso a las autoridades españolas y organizó una Junta, de la cual fue presidente. El virrey de Perú, temeroso de la propagación revolucionaria en su jurisdicción, envió al general realista José Manuel Goyeneche para castigar a los insurrectos. Murillo le presentó batalla en Chacaltaya. Muere ahorcado un 25 de octubre.

Murnau, Friedrich Wilhelm (1889-1931). Director de cine alemán. En la época muda del cine fue auténtico cultor del expresionismo: *La última carcajada, Tartufo, Fausto.* Figuró en Hollywood con *Tabú* en colaboración con Robert Flaherty.

muro. Pared construida ya sea con materiales naturales o artificiales, que son unidos con yeso, cal, cemento, etcétera. Los muros tienen varias funciones, entre ellas, la de aislar un espacio o delimitarlo, o el soportar cargas y pesos de techos o pisos superiores. Un muro se divide en varias partes: la inferior, llamada basamento, la superior, llamada coronación o cresta, y las laterales, llamadas haces, paramentos o castillos. Existen diversos tipos de muros, según los materiales con que estén hechos los de piedra natural, los de ladrillo, los de hormigón, los de paneles prefabricados, los de bloques huecos prefabricados y los de cortina.

muro de Berlín. *Véase* BERLÍN.

muro de las lamentaciones. Parte de la muralla de Haram-El-Sherif que subsiste en Jerusalén y que se asegura perteneció al templo de Salomón. Vino su denominación de que los árabes, dueños de la ciudad en el siglo VIII, permitían a los judíos llegar hasta ella cada viernes para sus clásicas oraciones de fin de semana, y los hijos de Israel, con la frente pegada al muro, voceaban allí sus lamentos, quejas y rezos.

Murphy, William Parry (1892-1987). Médico norteamericano. Profesor de la escuela médica de la Universidad de Harvard desde 1923. Sus principales trabajos de investigación fueron dedicados al estudio y tratamiento de la anemia perniciosa, mereciendo que, en unión de Georgr Hoyt Whipple y George Minot, le fuera concedido el Premio Nobel de Medicina o de fisiología en 1934. También recibió entre otras distinciones el Premio Cameron de la Universidad de Edimburgo (1930) y la Medalla de la Asociación Americana de Medicina (1934).

Murray, Joseph E. (1919-). Médico estadounidense, ganador del Premio Nobel de Medicina o Fisiología de 1990, junto con E. Donnall Thomas, por sus descubrimientos en transplante de órganos y tejidos en el tratamiento de enfermedades humanas; concretamente, el trabajo de Murray consistió en cómo reducir los riesgos de rechazo de órganos transplantados por parte del sistema inmunológico del cuerpo.

Joseph Murray, graduado de la escuela de medicina de Harvard y profesor emérito de cirugía plástica en el Hospital Brigham y en el de Mujeres, fue el primer médico en el mundo en realizar exitosamente un transplante de órgano: un riñón en 1954, y médula de hueso en 1956.

musas. Las nueve divinidades de las artes y las ciencias en la mitología griega. Eran las diosas que servían de inspiración a poetas y músicos. Sus nombres y atributos son los siguientes:

Calíope, musa de la poesía épica y de la elocuencia. Sus símbolos eran la tableta y el estilo o punzón del escritor.

Clío, musa de la historia, llevaba entre sus manos una corona de laurel y un manuscrito.

Euterpe, musa de la poesía lírica. Se la representaba como una doncella coronada con flores y rodeada de instrumentos musicales.

Erato, musa de la poesía amatoria, llevaba como símbolo una lira pequeña.

Melpómene, musa de la tragedia, tenía como emblemas la máscara dramática y una espada.

Polimnia, musa del canto sagrado y la danza religiosa. Los artistas la presentan en actitud meditativa, con pesadas vestiduras y desprovista de símbolos.

Terpsícore, musa de la danza, fue la creadora del coro dramático. Su símbolo es la cítara o la lira.

Talía, musa de la comedia y de la poesía pastoril, era representada llevando una máscara cómica, un cayado de pastor y una guirnalda de hiedra.

Urania, musa de la astronomía, tenía como símbolo el globo del universo.

muscarina. Alcaloide tóxico que se encuentra en algunos hongos venenosos. En los receptores periféricos del sistema parasimpático produce acciones idénticas a la acetilcolina. La muscarina es objeto de estudio, ya que permite investigar los distintos tipos de acción de la acetilcolina cuando actúa selectivamente sobre los receptores parasimpáticos posganglionares. La atropina corta los efectos de la muscarina. El nitrato de muscarina se utiliza en medicina.

muscular, contracción. Proceso a través del cual los músculos producen una fuerza de tensión. Cuando un músculo se contrae su forma puede cambiar, pero su volumen sigue igual. Durante el proceso de contracción la energía de las reacciones químicas en el músculo puede ser convertida en trabajo útil, permitiendo a los seres humanos moverse (locomoción) y realizar acciones directas. Una gran variedad de músculos se encuentran en el cuerpo de distintos animales, y la estructura de cada músculo está adaptada para una función particular. A pesar de la gran variedad de músculos, al parecer el mecanismo básico del proceso contráctil es siempre el mismo: el trifosfato de adenosina se divide e interactúa con dos proteínas, la miosina y la actina. Este proceso puede ser también responsable del movimiento en organismos como las amibas, que no tienen músculos como nosotros los reconocemos normalmente.

Dentro del cuerpo humano, los movimientos son producidos por la contracción del músculo cardiaco y liso, y su funcionamiento es coordinado por la acción del sistema nervioso y de las hormonas. El corazón se compone principalmente de músculo cardiaco, que tiene propiedades especiales que le permiten funcionar como una bomba. Su patrón rítmico de contracción es una característica intrínseca del músculo cardiaco. Las señales que vienen del sistema nervioso pueden modificar las contracciones del músculo, pero no son necesarias para mantener un ritmo cardiaco normal. El músculo liso se encuentra en las paredes del tracto digestivo, en el sistema reproductivo y en los vasos sanguíneos.

La locomoción del cuerpo es producida a través de la cooperación de los músculos y otros sistemas, como el esquelético, el nervioso y el circulatorio. El esqueleto proporciona un armazón para los músculos esqueléticos, la mayoría de los cuales se estiran y provocan el movimiento de más de una articulación. Debido a que la contracción de los músculos causa una acción de jalar, pero no de empujar, hasta el más simple movimiento necesita dos músculos, uno para doblar una articulación y otro para enderezarla de nuevo. En este caso, las acciones de los músculos son llamadas antagonistas.

El sistema nervioso controla la acción de los músculos; de esta forma la fuerza y el movimiento se unen para realizar el trabajo. El cerebro y la médula espinal coordinan esta acción al mandar señales en forma de potenciales de acción que viajan por las fibras nerviosas hacia los músculos. Una fibra nerviosa individual y las fibras del músculo que éstas activan son llamadas unidad motora. La forma en que los movimientos se coordinan es variando el número de unidades motoras que están activadas y la frecuencia de activación de las unidades simples. Las reacciones químicas suministran la energía para la contracción muscular, y la sangre lleva el combustible para esas reacciones hacia el músculo, retirando los residuos.

músculos. Órganos formados por fibras carnosas que producen los movimientos en los animales y en los seres humanos. Tienen la cualidad de contraerse y dilatarse y su elemento anatómico es la fibra

Ilustraciones que muestran las vistas frontal y trasera de los músculos externos al esqueleto humano. Los músculos se muestran en rojo, los tendones, las aponeurosis, y otros tejidos fibrosos que juntan a los músculos con los huesos, se muestran en blanco. El esqueleto o sistema muscular voluntario, es el responsable del movimiento del cuerpo. Estos músculos producen movimiento transformando la energía química en energía mecánica. Los más de 700 músculos jalan en una misma forma logrando el movimiento. Muchos músculos tienen más de una acción y la mayoría actúa en conjunto con otros músculos. La flexión y la extensión incrementan o reducen el ángulo entre dos huesos; la abducción y la aducción mueven a un dedo desde o hacia el tronco o el limbo. La corteza cerebral controla y coordina la actividad muscular voluntaria.

Del Ángel Diseño y Publicidad

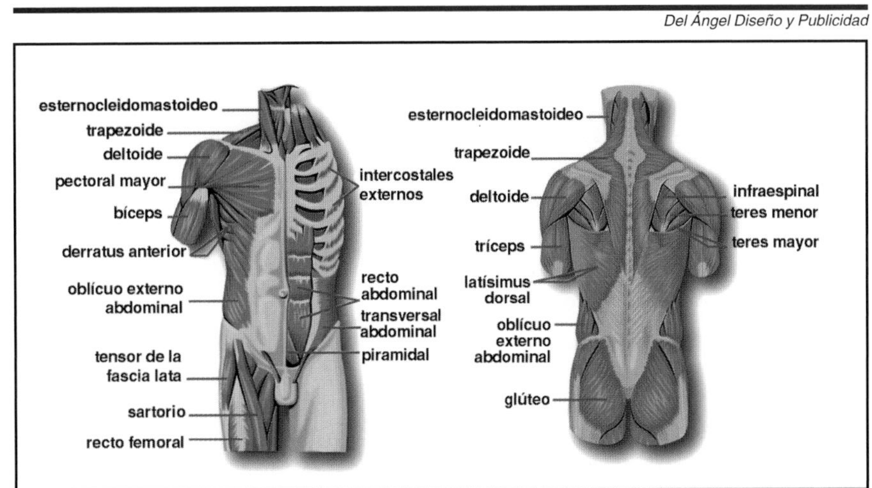

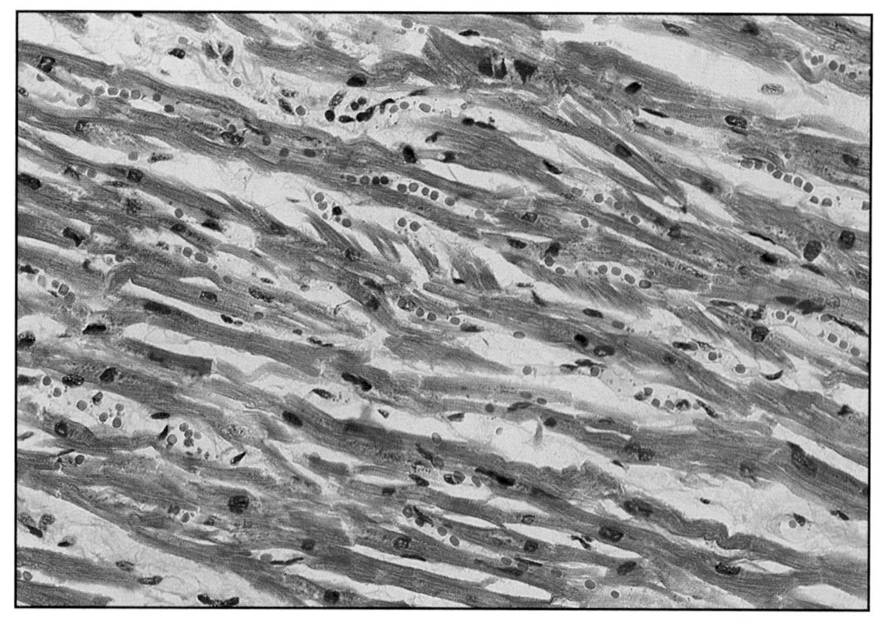

Corel Stock Photo Library

Vista microscópica del músculo cardíaco.

muscular, de la que hay dos especies: la lisa, o de la vida vegetativa, así llamada porque forma las capas musculares de los órganos dotados de movimientos voluntarios (excepto el corazón); y la estriada, o de la vida animal, que está formada por células gigantes y una membrana exterior, el sarcolema, fuerte y transparente. Todos los músculos tienen propiedades características fundamentales: la contractilidad que es la facultad de acortarse en una dimensión y ensancharse en otra; la elasticidad, cualidad de recuperar la forma después de haber sido deformada; la excitabilidad, capacidad de responder a un estímulo, y la conductibilidad, que es la facilidad para trasmitir un estado de excitación. El estado de excitación se comunica del nervio al músculo, pero no en sentido contrario, del músculo al nervio. Las proteínas constituyen 20% de la masa del músculo, el agua 75%, y el resto son sales y sustancias nitrogenadas.

El fisiólogo francés Claude Bernard realizó experimentos interesantes sobre la acción del curare en la excitación de los músculos y los nervios. El curare es una sustancia vegetal utilizada por los indios del Amazonas para envenenar sus flechas. En el organismo produce parálisis y muerte porque suprime la función de los músculos respiratorios, produciendo la asfixia. Bernard podo comprobar que el curare impide la excitación del músculo por el nervio, sin que el músculo pierda sus propiedades. Otros investigadores coincidieron con Bernard, ensayando drogas parecidas en su acción al curare, como la nicotina, la esparteína y la escopolamina.

La fatiga también llega a paralizar la acción del músculo. El reposo devuelve la normalidad. Tanto en el músculo normal como en el envenenado por curare hay variaciones eléctricas. El estudio de estas oscilaciones se ha perfeccionado con el empleo de aparatos llamados microelectrodos que registran las variaciones eléctricas de una fibra muscular, ya esté aislada o dentro del músculo. También se han estudiado fenómenos mecánicos en la contracción muscular y sus cambios se registran en miógrafos, en los que el músculo se somete a la contracción. En la contracción muscular la energía aumenta por los procesos físicos, químicos y eléctricos que ocurren. Esta energía puede medirse en forma de calor. Siendo muy pequeñas las cantidades producidas, se utilizan dispositivos termoeléctricos para medirlas. El rendimiento de un proceso mecánico viene a ser la relación entre la energía transformada en trabajo y la energía total empleada para producirlo. En cuanto a los músculos lisos, poseen las propiedades de todo tejido muscular, pero su función no tiene la constancia observada en los estriados y en el corazón. Hay diversos tipos de músculos lisos que dependen de un gran número de factores externos. Su importancia varía según las funciones que desempeñan en los diferentes órganos, como el esófago, estómago, intestinos y otros.

Pasan de 500 los músculos del cuerpo humano. Se clasifican según las regiones: músculos de la cabeza, entre los que citaremos, el frontal, que ocupa la frente, el orbicular de los párpados, que cierra y abre los párpados; el masetero, que ayuda a la masticación, y el elevador común del ala de la nariz y del labio superior, que moviliza estas partes. Entre los músculos que mueven el cuello el más potente es el esternocleidomastoideo. En el tronco ayudan a sus movimientos, el pectoral mayor, serrato posterior y superior menor, romboides mayor y menor y el gran dorsal. Entre los del abdomen están los rectos y los oblicuos mayores y menores. En la cadera, los glúteos y el psoas. En los miembros superiores, los más importantes son: el deltoides, bíceps y tríceps, cubital anterior y posterior y el extensor común de los dedos. Y en los miembros inferiores, el tensor de la fascia

Sección cruzada de músculo estriado.

Corel Stock Photo Library

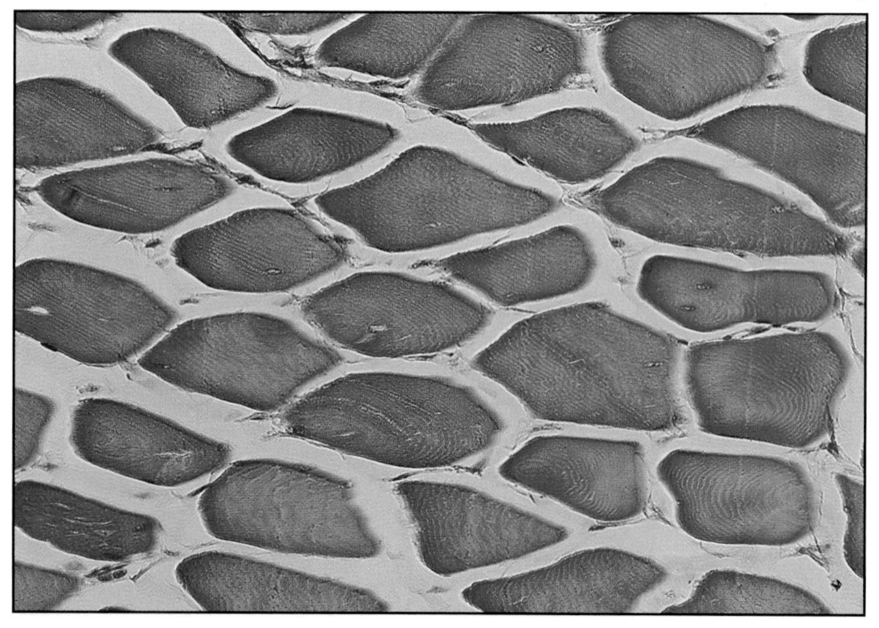

lata, recto anterior, vasto externo, sartorio, gemelos interno y externo, tibial anterior, sóleo, tendón de Aquiles y el pedio. Respecto a sus funciones, se llama abductor el que separa una parte del eje del cuerpo; aductor, el que aproxima una parte al eje del cuerpo, sinérgicos, a los que contribuyen a una misma acción, y antagonistas, a los que van contra la acción de otros músculos.

museo. Sitio en que se guardan objetos de valor estético o histórico, pertenecientes a las diversas ciencias y artes. Los griegos llamaban *mouseíon* a un templo consagrado a las musas; el antiguo significado de la palabra guarda relación con la acepción moderna, ya que las musas son las divinidades mitológicas que presiden las diversas artes. Los señores feudales atesoraron en sus castillos las primeras colecciones comparables a las de los museos actuales, las cuales aumentaron considerablemente en importancia al llegar el Renacimiento, cuando monarcas, príncipes, prelados y pontífices formaron valiosísimas colecciones pictóricas en sus palacios. A partir de la Revolución Francesa los museos se multiplicaron. En la actualidad los hay de carácter arqueológico, etnográfico, folclórico, histórico, naútico, militar, aeronáutico, pictórico, escultórico, etcétera.

Los museos más famosos del mundo son los de pintura y escultura, que agrupan las más valiosas manifestaciones de la belleza plástica. Entre los principales cabe citar la Galería de los Oficios (Florencia, Italia), el museo del Prado (Madrid, España), la Pinacoteca Antigua (Munich, Alemania), los del Louvre y Luxemburgo (París, Francia) y las diversas galerías de Amberes, Amsterdam, Berlín, Bruselas, Budapest, Copenhague, Dresde, Estocolmo, La Haya, Lisboa y Londres, sin olvidar los numerosos de Roma: galería de pinturas de la Academia de San Lucas, museo Ludovisi, galería Farnesina, museo Vaticano, galería Borghese, etcétera, y el célebre museo del Ermitage, de Leningrado. Durante el siglo actual han adquirido singular valor las colecciones de los museos norteamericanos favorecidos por las abundantes donaciones de numerosos filántropos. Entre los mismos descuellan los museos de Boston, Washington, Cleveland, Chicago y Philadelphia, y los diversos de la ciudad de New York. Mención especial merecen tres de los grandes museos de Londres: el Británico, la Galería Nacional y el museo Victoria y Alberto. El primero de ellos, fundado en 1753, posee una biblioteca que contiene cuatro millones de volúmenes y enormes colecciones de antigüedades egipcias, asirias, griegas, romanas y medievales, entre las que destacan la piedra de Rosetta y los mármoles de Elgin, procedentes de la Acrópolis de Atenas.

Corel Stock Photo Library

Museo de Arte de Barcelona, España.

Los museos de historia natural fueron iniciados durante el siglo XVI y tuvieron expresiones singulares en las colecciones sevillanas de Nicolás Monardes, Argote de Molina y Rodrigo Zamorano, que reunían numerosos objetos procedentes del continente americano. La primera colección sistemática de ciencias naturales fue organizada en Viena, en 1622, por miembros de la Compañía de Jesús. Un siglo más tarde la emperatriz Catalina de Rusia creó en San Petersburgo una institución similar. En 1739, bajo la jefatura de George Louis conde de Buffon, se creó en París el Jardín de Plantas, antecesor del museo actual, y 32 años más tarde el rey español Carlos III instituyó en Madrid una entidad similar. Posiblemente los dos mejores museos de ciencias naturales sean los de New York y Chicago, que contienen material proveniente del mundo entero. Los más importantes de América Latina son el Museo Nacional Bernardino Rivadavia, de Buenos Aires, el de la ciudad de La Plata, el de San Marcos de Lima y los de México y Santiago de Chile.

Museo de Arte de Philadelphia, EE.UU.

Corel Stock Photo Library

Corel Stock Photo Library

La museología considera el espacio arquitectónico como un elemento principal.

museología. Ciencia cuyo fin es el de organizar, montar y mantener en funcionamiento un museo. A diferencia de la museografía, que es la ciencia o técnica que tiene que ver principalmente con la construcción física de un museo, la museología se ocupa de la función de los museos en la sociedad, y se encarga de la selección y conservación de los objetos.

Existen varios tipos de museos: los de formación antigua o reciente, los de colecciones mixtas y tradicionales, los de carácter histórico o documental y los de arte, en donde el criterio estético es lo más importante. Los museos documentales son los históricos, es decir, militares, geográficos, etnográficos, de cera, de ciencias, de la técnica, etcétera. Finalmente, el objetivo fundamental de la museología es pedagógico.

musgaño o musaraña. Nombre de diversos mamíferos insectívoros de la familia de los sorícidos, extendidos por las regiones templadas, entre los que se cuentan los mamíferos más pequeños que se conocen. La musaraña del Mediterráneo o musgaño común, por ejemplo, no alcanza siete centímetros de largo, incluyendo la cola. Las diversas especies tienen el aspecto de ratoncillos, con la cabeza grande, comprimida lateralmente, y hocico largo y puntiagudo. Las orejas, aunque bien desarrolladas, están casi escondidas entre el pelo y tienen unos pliegues que les permiten cerrarlas cuando quieren. Las patas son cortas, y se hallan provistas de cinco uñas ganchudas, y el cuerpo está cubierto de un pelo corto, tupido y aterciopelado, cuyo color varía del gris al pardo negruzco, según la especie. La cola también está cubierta de pelo corto y su longitud varía con las especies. Son animales de vista muy escasa, buen oído y mejor olfato, y una gran sensibilidad táctil en las cerdas que rodean el hocico. Mueven constantemente la nariz, como orientándose por el olfato para encontrar sus presas; desprenden un característico olor, como de almizcle, producido por las glándulas cutáneas de sus costados. Se alimentan de insectos, larvas, arañas y lombrices de tierra, que comen con gran voracidad; su dentición, con incisivos y molares puntiagudos.

Musgo formado sobre el tronco de un roble.

Corel Stock Photo Library

musgo. Planta briófita, que crece en masas tupidas, formando especies de tapices en los lugares húmedos. Generalmente se desarrolla formando como pequeñas almohadillas sobre las piedras, tejados, cortezas de los árboles y en el suelo, pero hay también musgos que viven dentro del agua y en los pantanos. Prefieren los climas húmedos y fríos, aunque hay especies que viven en los climas más diversos y aun en lugares cálidos y secos. Tienen la curiosa propiedad de tomar un color marrón cuando están sometidos a una prolongada insolación o sequedad; pero, cuando las condiciones vuelven a ser favorables y encuentran agua suficiente, reviven y recobran su verdor y lozanía.

Los musgos son, como los líquenes, algas y hongos, plantas de organización primitiva y sencilla estructura, con órganos rudimentarios y poco diferenciados. Debieron ser de los grupos de plantas que primero aparecieron sobre la tierra. No tienen flores ni frutos y sus hojitas sencillas salen alrededor del tallo, en cuya parte inferior se diferencian unas radículas de forma de hilos rizoides.

música. Arte de combinar los sonidos de la voz humana o de ciertos instrumentos. La música se compone de dos elementos principales: sonido y movimiento, que encierran en sí la melodía, la armonía, el timbre, el ritmo, el acento, el colorido y la modulación. Algunos sabios opinan que la música nació de la imitación de las armonías naturales (el canto de los pájaros, el silbido del viento, el rumor de las aguas); a esta manifestación de la música, los filósofos de la antigüedad la llamaron *música mundana*; otros dicen que es expresión de la actividad y naturaleza del hombre. De la voz humana, por ejemplo, con sus altos y bajos, ha podido nacer la melodía, sucesión de sonidos de diferente altura. Los pasos, los latidos del corazón, los movimientos respiratorios tienen asimismo un ritmo regular, similar al de la música. A esta disposición armónica en que se encuentran todas las partes del cuerpo del hombre se le llamó *música humana*.

El arte musical europeo parece haber desarrollado más intensamente la melodía, el asiático y africano son, en cambio, esencialmente rítmicos. En las civilizaciones primitivas el sentido del ritmo es también muy notable. Los miembros de algunas tribus africanas, por ejemplo, son capaces de dar, sobre un instrumento, cuatro golpes con una mano mientras con la otra dan sólo tres, o golpear el suelo seis veces con un pie y al mismo tiempo dos con el otro. Esos ritmos complejos suelen parecer extraños al europeo o al americano; la música occidental es a su vez juzgada por los asiáticos como pobre y monótona. Del mismo modo la definición de la música como arte de sonidos no es exacta para algunos pueblos asiáticos que utilizan sistemáticamente el ruido en sus obras musicales. En esos pueblos, por ejemplo, el ruido que produce la respiración de los flautistas es muy apreciado por los entendidos. La concepción de la música es, en esas regiones, muy distinta de la nuestra.

Las ideas de un escritor francés que ha propuesto un arte musical basado en los ruidos más comunes de nuestra vida (el roce de los pies contra el suelo, los chirridos de puertas y ventanas, etcétera) y la tentativa de algunos músicos estadounidenses de introducir como instrumentos musicales motores de aviación y cajas registradoras no han tenido mucho éxito. Esas rarezas tenían un sentido, sin embargo, ya que se pretendía crear con ellas un arte musical más comprensible. Aunque se afirma comúnmente que la música es un arte universal, según las experiencias varias veces intentadas no hay dos personas que entiendan del mismo modo la melodía más simple. Algunos afirman que no es necesario, para gozar de la música, una comprensión inteligente, pues este arte es ante todo expresión de sentimientos. Sin embargo, no sólo no cabría separar de este modo la inteligencia de los sentimientos, sino que podría asegurarse que en el llamado periodo clásico de la música europea era muy estimada la perfección técnica de las composiciones que solían tener un desarrollo similar al de un teorema matemático. Otras veces hay en la música verdaderas ideas, pues el compositor ha intentado expresar con ella su concepción de las cosas del mundo.

El significado de la música no puede reducirse, pues, a la sucesión agradable de los sonidos; ellos son la revelación de un mundo complejo formado por circunstancias históricas de toda índole y por la personalidad del mismo compositor. Según los griegos la música era la esencia misma del universo; el mundo era música. Esta identificación de la naturaleza con la música es común a muchos pueblos. Los galos llegaban a creer que la música era anterior a la misma vida; los indonesios opinan aún que el universo está formado por sonidos armoniosos y que los intérpretes no hacen más que recoger y reproducir esas armonías. Algo similar afirmaba el griego Pitágoras; según este filósofo el movimiento de los astros en el espacio produce una música celestial. La importancia de la música, y su elevación sobre todas las artes, ha tenido siempre defensores. La vida espiritual, afirmaba el griego Aristóteles, sólo puede ser percibida por el oído. Es comprensible entonces que casi todos los pueblos crean que este arte es de origen divino. Afirman los hindúes que el propio dios Brahma entregó a los mortales el primer instrumento musical. La flauta fue ideada, según dicen los griegos, por el mismo dios Pan al advertir, mientras se hallaba descansando a orillas de un cañaveral, que su respiración producía, al pasar entre los tallos, un armonioso sonido.

Teoría de la música. Aunque, como hemos dicho, el ruido es utilizado a veces como elemento musical, todas las leyes clásicas de este arte han nacido de las propiedades del sonido. Sólo ciertos instrumentos metálicos y eléctricos dan sonidos simples; los otros emiten sonidos compuestos. Si escuchamos con atención una nota del piano, por ejemplo, podremos advertir que su sonido está compuesto por otros dos; uno más fuerte y grave; y otro más suave y alto. El primero se llama fundamental y el segundo armónico. Sabemos que el sonido no es más que una vibración del aire, producida por el choque de un cuerpo contra otro (como en los instrumentos de cuerda) o la impulsión del mismo aire contra ciertas superficies de madera o de metal. Del choque de ciertos sonidos con el mismo aire nace otro sonido, el armónico, que se distingue del primero por vibrar dos veces más rápidamente. Entre uno y otro hay una diferencia de altura perfectamente regular. El armónico es dos veces más alto que el fundamental.

Esa diferencia de altura que podríamos llamar natural, ya que se produce en todo sonido compuesto, ha sido dividida en las diversas civilizaciones de muy distinto modo. Estas divisiones tuvieron siempre como fin poner en manos de los compositores ciertos elementos sonoros regulares que pudieran servirles para expresar sus ideas y sentimientos; pero, es erróneo suponer que la división utilizada por la música clásica europea sea la más natural. La división de ese intervalo en doce semitonos u ocho notas, (llamadas *do, re, mi, fa, sol, la, si, do*), es totalmente convencional. En China, por ejemplo, se dividió esa diferencia de altura en cinco sonidos distintos; en la India en veintidós sonidos también independientes. La creencia de que la división

Corel Stock Photo Library

El saxofón, la guitarra, el piano y la batería, son los elementos clásicos del Jazz.

La música es de vital importancia en muchos ritos y ceremonias religiosas, como en este monasterio de la India.

Corel Stock Photo Library

Corel Stock Photo Library

La Orquesta Hofburg en Viena, Austria.

de la escala en doce semitonos era arbitraria y que, aunque útil en ciertas épocas, ya no convenía a los intereses y propósitos del compositor moderno, llevó a muchos músicos contemporáneos a ensayar otras divisiones. El compositor checo Alois Haba escribió música en la que la escala natural estaba dividida en cuartos de tono, es decir que podían contarse dentro de ella veinticuatro sonidos diferentes, el músico mexicano Julián Carrillo ha compuesto algunas obras en octavos de tono.

Las culturas más antiguas como los egipcios, ya representaban a la música en sus expresiones pictóricas.

Corel Stock Photo Library

Si el oído humano tuviera mayor sensibilidad, podríamos distinguir claramente en todo sonido compuesto una serie infinita de armónicos que, a medida que son más altos, están separados por intervalos de altura menores. En efecto, por encima del primer armónico hay otro, segundo armónico, en el que las vibraciones son tres veces más rápidas que en el sonido fundamental. La diferencia de altura entre esos dos armónicos ya no es, según la división clásica de una octava u ocho notas, sino de una quinta o cinco notas. Entre el segundo y el tercer armónico hay sólo cuatro notas; entre el tercero y el cuarto, tres; entre éste y el quinto, una y media, y así sucesivamente, hasta que la diferencia es infinitamente pequeña. Cualquier instrumento musical produce una serie similar de armónicos, pero no solamente altos sino también bajos. Según preponderen los armónicos bajos o altos así será el timbre o sea la cualidad particular del sonido por la cual distinguimos los instrumentos. En los que producen un sonido agudo o penetrante, como el oboe, los armónicos altos son más fuertes que los bajos; cuando al contrario, el sonido es más profundo, como en el corno, los armónicos bajos son los dominantes. Las relaciones del sonido fundamental con sus armónicos son de mucha importancia. La armonía (ciencia que estudia los acordes o unión de sonidos de diferente altura) y la tonalidad (principio que obligaba al músico clásico a mantenerse dentro de cierta escala o sucesión de notas) tienen en cuenta esas relaciones.

El sistema de escritura que se usa actualmente para anotar la música es muy simple si se compara con el que usaban los chinos o los griegos en la antigüedad. Los chinos utilizaban varias palabras para indicar cómo debía ser reproducido cada sonido; los griegos empleaban dos distintos sistemas de notación, ambos muy complejos, según se tratase de anotar los sonidos de la voz humana o los de los instrumentos. El sistema actual fue inventado en la Edad Media y perfeccionado con el transcurso de los años. Según este sistema la música se escribe con unos signos especiales que se colocan sobre un pentagrama. Éste está formado por cinco líneas paralelas, horizontales y equidistantes entre sí.

La nota colocada en una de las líneas o espacios superiores es más alta que la situada en los inferiores. Hoy se emplean también para indicar la altura del sonido unos signos llamados claves. Es decir, que una determinada nota en cierta línea o espacio del pentagrama tiene una altura que depende de ese signo. Si no se utilizara esta convención habría que escribir las notas muy altas o muy bajas fuera del pentagrama. En realidad este procedimiento ya se emplea en las escalas de cada clave, pero dentro de ciertos límites. Las principales claves son: la de *sol* en segunda línea que indica que la nota de sol va en la segunda línea (las líneas y espacios se cuentan de abajo a arriba); la clave de *do* en primera, segunda, tercera y cuarta línea señala que la nota do debe ir en la línea indicada; la de *fa* en tercera o cuarta línea indica que el fa de la escala va en la línea correspondiente a la clave. Las notas se escriben según su orden (*do, re, mi, fa, sol, la, si*) a partir de la nota y línea indicadas por la clave y en los espacios y líneas superiores e inferiores. Véase por ejemplo la escala de la clave de sol.

La altura de las notas se mide en la escala occidental, de ocho sonidos u octava, con doce divisiones llamadas semitonos. El pentagrama, con sus espacios y líneas, no puede indicar más que la nota misma; una leve modificación de la altura es señalada con signos especiales. Si se eleva la altura de la nota en un semitono se usa el signo llamado sostenido; para elevar la altura en un tono el doble sostenido; para bajar la altura de la nota en un semitono el bemol y para bajarla en dos semitonos el doble bemol. El semitono que existe entre dos notas consecutivas (la tercera y la cuarta; la séptima y la octava de la escala común) se llama diatónico; semitono cromático es el que separa dos notas del mismo nombre, pero de las cuales una está alterada. La diferencia es importante, pues de ella nacen las dos principales escalas de la música clásica: la diatónica y la cromática. La escala diatónica está compuesta por dos tonos consecutivos y un semitono y por tres tonos también consecutivos y otro semitono. La escala cromática en cambio, está formada sólo por semitonos diatónicos y cromáticos; es decir que aquellos intervalos que no son semitonos en la escala diatónica, sino tonos enteros, han sido transformados en semitonos cromáticos (intervalo entre una nota y la misma alterada). Esta escala cromática, muy usada por el alemán Richard Wagner en su ópera *Tristán* e *Isolda*, no debe confundirse con la escala de doce sonidos del músico Arnold Schoenberg. Aunque ambas tienen doce notas, en la de Schoenberg todos los sonidos tienen igual importancia y valor. El puesto que los semitonos ocupan en la escala sirve también para distinguir los modos de la misma: el mayor y el menor.

Una nota tiene, además de su altura, determinada duración. Esta duración (tiempo en que se oye el sonido) está indicada por la misma figura de la nota. Una nota redonda es igual a dos blancas y a cuatro negras. Éstas a su vez son iguales en duración a ocho corcheas, a dieciséis semicorcheas, a treinta y dos fusas y a sesenta y cuatro semifusas.

El silencio, tiempo en que no se oye ningún sonido, se indica también mediante ciertos signos. Estos signos señalan una duración igual a la de las notas correspondientes.

Las líneas divisorias que atraviesan perpendicularmente el pentagrama dividen el trozo musical en partes iguales. El conjunto de sonidos y silencios que están comprendidos entre esas líneas se llama compás. Todos los compases tienen la misma duración; pero, cada uno se subdivide a su vez en dos, tres o cuatro partes que se llaman tiempos y que pueden combinarse de muy distinto modo. El compás no debe confundirse con el movimiento, que es el grado de lentitud o velocidad con que ha de ejecutarse la música. El movimiento se indica al comienzo de la partitura, o música escrita, con una palabra italiana. Las más comunes son: *grave* el más lento de los movimientos; *largo*, amplio severo; *larghetto*, menos lento que el largo; *adagio*, pausado; *sostenuto*, sostenido; *maestoso*, majestuoso; *andante*, movimiento gracioso; *andantino*, menos lento que el andante; *allegreto*, algo alegre; *allegro*, alegre, vivo; *presto*, animado, veloz; *prestissimo*, impetuoso, muy veloz; *scherzando*, con ligereza, jugueteando; *brioso*, vivo, ágil. Otras palabras que a veces se añaden a éstas, indican también el carácter de la música. Por ejemplo *andante cantabile*, tiempo lento que tiene el carácter ondulante del canto. La intensidad del sonido se designa también con palabras italianas. *Pianissimo* indica muy suave; *piano*, suave; *forte*, fuerte; *fortissimo*, muy fuerte. El aumento gradual de la intensidad del sonido es señalado por la palabra *crescendo*.

Historia de la música. Nada o muy poco sabemos de la música de los pueblos antiguos, pues la escritura musical, gracias a la que podían haberse conservado algunas obras, apareció muy tarde, cuando ya no se recordaban los cantos y melodías de que habla la historia. Ya en el antiguo Egipto, era la música muy popular según puede verse en las esculturas, bajorrelieves y pinturas que han llegado hasta nosotros. El filósofo griego Platón afirmaba que la música egipcia tenía un propósito esencialmente educativo y religioso. El mismo carácter moral puede encontrarse en la música china. Según cuentan sus historiadores, casi tres mil años antes de Cristo ya se conocían en ese país los fenómenos de los armónicos y la escala china tenía cinco sonidos. En esa escala se distinguen claramente los sonidos (la nota aislada) de la nota musical misma (en relación con las demás). Esta distinción es exacta, pues el valor musical de un sonido no puede definirse sino por comparación. Cada una de las notas chinas tiene sin embargo un carácter particular. Las melodías religiosas evitan usar la segunda nota de la escala, considerada tradicionalmente como profana. Estas distinciones se extienden a los mismos instrumentos. Durante la dinastía Chou (1122-256 a. C.) se agregaron dos notas más a la escala y el príncipe Chutsai-yu en 1595 fijó la escala de 12 semitonos. Es muy común entre los chinos dividir, clasificar y comparar todos los elementos del universo, así las pasiones del hombre, los diferentes temperamentos y aun las actividades humanas tienen su ejemplo musical. El sonido que producen las campanas y timbales se utilizaba para representar la marcha de los ejércitos; las cuerdas hablaban de la vida austera del sabio; los instrumentos de viento simbolizaban a las grandes multitudes.

El arte musical griego nació de la influencia de la cultura oriental. En Grecia pronto se distinguieron dos géneros musicales distintos. El dionisíaco, empleado en las fiestas del dios del vino, Dioniso, expresaba dramáticamente toda clase de emociones. El instrumento más usado en esta música era la flauta, de sonido agudo y penetrante. La música apolínea era en cambio serena y reflexiva; su instrumento predilecto era la lira, creada por el mismo dios Apolo. Los temas de estas obras estaban inspirados en la vida y aventuras de los dioses. Se conoce la descripción (aunque la música misma no se conserva) de una obra para flauta en cinco movimientos en la que se narraba la lucha del dios Apolo y un dragón. Las tragedias griegas de Esquilo, Sófocles y Eurípides tenían también acompañamiento musical, aparentemente escrito por los mismos autores. Aunque no han llegado hasta nosotros ejemplos completos de música griega, y no es seguro que los que anotaron posteriormente esos sonidos hayan sabido dar de ellos una representación escrita exacta, puede afirmarse que los griegos no conocieron más que la melodía, una línea de sonidos simples y sin acompañamiento. Esta melodía solía tener en las fiestas religiosas un carácter dramático o dialogado.

La música cristiana primitiva comenzó a desarrollarse, probablemente por influencia griega, como un diálogo entre dos cantantes. Esta música es hoy conocida con el nombre de antifonía, palabra griega que podría traducirse libremente por *respuesta a una voz*. En el siglo IV san Ambrosio introdujo una novedad fundamental. La melodía se hizo más compleja y desapareció el diálogo. La invención de la escritura musical permitió a san Gregorio reunir casi toda esa música y trasmitirla a la posteridad sin alteraciones. En un principio se acostumbraba a poner sobre las sílabas de las palabras, unas señales que indicaban la altura y la duración del sonido. Guido de Arezzo, en la primera mitad del siglo XI, ideó un nuevo sistema de notación; cuatro líneas paralelas de distinto color indicaban la altura de las notas. Estas líneas fueron luego aumentadas a cinco y formaron así el pentagrama actual.

La música recogida por san Gregorio, conocida generalmente como canto llano o canto gregoriano, consistía esencialmente en una melodía destinada a ser cantada por un coro de voces uniformes y sin acompañamiento. El canto gregoriano tuvo una enorme importancia en el nacimiento de la música sinfónica, pero las innovaciones técnicas más audaces nacerían en un comienzo de la música popular de ese entonces. La armonía clásica (el estudio de los sonidos de diferente altura que se oyen a la vez) nació de las variaciones que los cantantes populares poco experimentados introdujeron en el canto. Cuando en un coro se unieron por error voces agudas y graves se advirtió que el resultado daba variedad insospechada a la melodía. Esta división entre las voces era desconocida en el canto gregoriano. Del mismo modo las distintas voces comenzaron a ser ejecutadas en el órgano a distinta velocidad, primeramente como ensayo y luego como práctica usual.

De la diferencia de altura de las voces y de su distinta velocidad, nació una de las técnicas de la música polifónica o de varias voces, el contrapunto, es decir el arte de combinar diversas melodías entre sí. La variedad más importante de la música polifónica fue el motete religioso, obra en la que se cantaban algunos versículos sagrados con acompañamiento de órgano o de otro instrumento. El motete es en realidad la transformación de una simple melodía antigua en otra compleja cantada por varias voces. Los compositores más interesantes de obras de este género fueron el italiano Giovanni Palestrina y el español Tomás Luis de Victoria.

La técnica polifónica modificó también el canto popular y originó un género nuevo: el madrigal dramático y el madrigal acompañado. El primero solía ser un diálogo cantado en forma alternada o una canción con estribillo. En el siglo XVI se escribieron madrigales que pueden ser considerados como la forma más primitiva de la ópera, pues en ellos diversos personajes cantaban alternativamente sus partes. En ese mismo siglo se conocieron en Florencia, ciudad de Italia donde había varias academias dedicadas al estudio de la música y el teatro, unos espectáculos escénicos con temas sagrados o mitológicos acompañados por música. El verdadero creador de la ópera, Claudio Monteverdi, no perteneció, sin embargo, a ninguna de esas academias, ni cultivó el estilo recitado preconizado por ellas, sino otro más expresivo que ya anuncia la melodía dramática moderna: el aria. Los continuadores italianos de Monteverdi tuvieron poca importancia; debe citarse en cambio al francés Jean Baptiste Lulli cuyo lenguaje musical se acerca al estilo del habla común, sin los adornos tan populares entre los italianos. Otro músico francés, Jean Philipe Rameau, gran conocedor de la técnica musical (es autor de uno de los primeros tratados de armonía), introdujo en la ópera numerosas innovaciones.

Del madrigal acompañado nacerá la música para instrumentos solos. En efecto, el instrumento que acompaña al cantante, al hacerse más compleja la música, se independiza. Al mismo tiempo esos instrumentos utilizan las técnicas ya comunes en el canto religioso. La fuga, por ejemplo, no es más que un motete instrumental. Como derivada de una forma polifónica, una de sus principales características es la utilización sistemática del contrapunto. La melodía principal de una fuga, el tema, puede considerarse la base de la obra. Sobre esta melodía se oye otra, llamada respuesta; una tercera repite el tema, y una cuarta, la respuesta. Escribieron fugas notables el italiano Frescobaldi y los alemanes Georg Friedrich Haendel y Johann Sebastian Bach.

Este último expuso en una obra monumental, titulada *El arte de la fuga*, todas las posibilidades de este arte. Estas composiciones revelan claramente el carácter matemático de la música culta de entonces. Muy diferentes son los conciertos y suites del mismo autor; en ellos aparecen por primera vez los gérmenes de la armonía moderna. La *suite* procede de las canciones y bailes populares; en efecto, sus diversos tiempos son siempre de danza: zarabandas, gavotas, minués, etcétera. La más importante de las innovaciones introducidas por la suite es la unión en una misma obra de diferentes partes llamadas tiempos. De ese modo la pieza musical adquiere una animación y variedad desconocidas hasta entonces. La sonata, derivada de la suite y cultivada por Bach y Rameau, fue perfeccionada por los compositores del siglo siguiente. En la sonata desaparecen casi todos los tiempos de danza de la suite, excepto el minué, que será usualmente el tercer tiempo de la obra. Junto con la suite apareció otra forma moderna de la música: el concierto. Los ochenta y cuatro conciertos del músico italiano Antonio Vivaldi estaban escritos para varios instrumentos y orquesta. Más tarde Carl Philipp Emmanuel Bach reduce estos solistas a uno solo.

Pintura de los músicos de un teatro, de Degas.

Corel Stock Photo Library

Aparentemente las obras de Franz Joseph Haydn y Wolfang Amadeus Mozart, compositores del siglo XVIII, son más simples que las de Bach. No se trata sino de un error de perspectiva al confundir la complicación de los medios técnicos con la música misma. Cuando en una fuga se oyen en contrapunto tres o cuatro voces a la vez, la impresión es de gran complejidad, pero en realidad la estructura es racional y clara. Haydn y Mozart introducen en cambio novedades de carácter armónico insólitas hasta entonces. La libertad que adquiere la frase musical en Haydn y Mozart (comparadas con el rigor matemático de algunas obras de Bach) significa indudablemente una verdadera revolución en la historia de la música, Haydn creó además una de las formas orquestales más fecundas: la sinfonía. Sus obras son una curiosa síntesis de humor y elegancia. Un sentimiento algo distinto inspira las obras de su continuador Mozart. La frase musical adquiere en él una flexibilidad completamente nueva y traduce por primera vez el mundo de los sentimientos más íntimos.

Esta humanización de la música, que pierde definitivamente todo espíritu matemático, es notable sobre todo en las óperas de este autor. En ellas la orquesta comenta la acción con un énfasis que se anticipa a obras muy posteriores. Las arias que cantan los protagonistas son quizá las más hermosas de toda la música dramática. De esas óperas las principales son *Las bodas de Fígaro* y *Don Juan*. Contemporáneo de Mozart fue el alemán Christoph Gluck. Durante mucho tiempo este compositor escribió obras de estilo italiano, sin ninguna importancia. Después de estrenar sin éxito cuarenta y nueve óperas similares, presentó de pronto en Viena la titulada *Orfeo* y *Eurídice*, que señala la aparición de un estilo dramático nuevo. La obertura, el coro, las danzas y los recitados, contribuyen en esa obra, y en las que la siguieron, a crear un clima lírico unido íntimamente a la acción. La ópera no fue intentada por Ludwig van Beethoven, músico alemán que continuó la obra de Haydn y Mozart, más que una sola vez; pero, las otras formas contemporáneas, la sonata, la música de cámara, la sinfonía, fueron repetidamente ensayadas por él. En esas obras, principalmente en las de su última época, encontramos una idea nueva del desarrollo musical, basado en un tema breve. En este sentido, Beethoven parece pretender una vuelta a la lógica de la música que Haydn y principalmente Mozart habían abandonado en beneficio del sentimiento. Hay en Beethoven indudablemente mucho sentimiento, tanto que podría llamársele el primero de los músicos románticos; pero este sentimiento parece estar refrenado constantemente por el deseo de no alterar la unidad lógica del desarrollo. En los carnets en que este compositor escribía los borradores de su música se han encontrado páginas enteras dedicadas a perfeccionar una frase cuya ejecución no hubiera llevado más que algunos segundos. Es indudable que la perfección de la melodía no preocupaba a Beethoven ya que era capaz de crear una frase muy hermosa sin titubeos. Con sus correcciones pretendía crear un tema del que pudiera nacer toda una obra. Esta idea del desarrollo musical lógico, que da una impresión de notable unidad a muchas de sus composiciones, influiría extraordinariamente en los músicos que le siguieron.

La música de Beethoven señala el fin del Clasicismo (época en que se cultivó un arte claro y sometido a reglas severas) y el comienzo del Romanticismo. La forma musical ya no es tan cerrada y limitada como en los clásicos, y la expresión de los sentimientos logra mayor libertad. El primer compositor claramente romántico fue el alemán Franz Schubert. En sus primeras obras este compositor parece desconocer las tentativas de Beethoven e inspirarse directamente en Haydn y Mozart. Aunque en sus últimas sinfonías la influencia de Beethoven es evidente, pueden oírse también en ellas ciertas novedades no sospechadas por su predecesor. Una de las más importantes es el uso de frases musicales consecutivas, de muy distinta duración. Aparecen también en esas obras, por primera vez, los contrastes violentos y las repeticiones casi íntegras de un mismo trozo, con lo que Schubert pretendía lograr una mayor intensidad de expresión. En ciertas canciones de este autor se anuncia, además, un descubrimiento que tendrá gran importancia para el arte vocal moderno: ciertas frases en vez de ser cantadas son casi declamadas.

Otro compositor alemán plenamente romántico fue Felix Mendelssohn. Sus obras más características, donde se combinan la gracia y la elegancia con un sentimiento poético natural, son quizá sus piezas para piano conocidas con el nombre de *Canciones sin palabras*. El piano, instrumento que puede ser tocado solo, ya que él mismo da la melodía y el acompañamiento, fue muy estimado por todos los músicos románticos. No es raro que apareciera entonces un músico que casi no escribió sino para ese instrumento: Frédéric Chopin. Un gran conocimiento de las posibilidades del piano es sin duda la virtud más evidente de este músico. Ninguna innovación introdujo en la historia de este arte, pero poseyó algo que faltó a otros más audaces: una inspiración continua, presente en todos los detalles. Otro gran pianista de la misma época fue Franz Liszt. Sus obras apenas ofrecen, salvo excepciones, verdadero interés musical, pero fueron muy estimadas por los compositores de entonces, que vieron en ellas extraordinarias sugerencias técnicas. Es notable, por ejemplo, su influencia sobre el músico alemán Richard Wagner. En algunas de sus obras menores parece adivinarse, además, el carácter evocador que daría a la música el francés Claude Debussy. Los mismos títulos de esas obras (*Juegos de agua en la Villa d'Este, Nubes grises*) revelan esa semejanza. Aunque vivió en plena época romántica, el músico alemán Johames Brahms creyó que la perfección consistía en imitar a los grandes músicos del pasado. En sus obras, poco inspiradas, es sin embargo notable la maestría técnica. Otro músico alemán de ese entonces, Robert Schumann, tiene en cambio ideas musicales de extraordinaria originalidad, pero parece carecer de paciencia y tenacidad para desarrollarlas.

Corel Stock Photo Library

Músicos urbanos en la República Checa.

El poema sinfónico es un género musical desconocido durante la época clásica que adquiere su forma definitiva durante el romanticismo. Sus orígenes pueden remontarse no obstante al siglo XVI, periodo en que algunos madrigales tenían el mismo desarrollo que un poema o una obra de teatro. El poema sinfónico puede definirse como una obra musical con argumento. El creador de este género musical fue el francés Héctor Berlioz. Su obra más importante es en este sentido su *Sinfonía fantástica*. El argumento, que narra las desventuras de un joven enamorado (según se dice el mismo Berlioz), puede olvidarse mientras se oye la música sin que nada pierda ésta, muy colorida y brillante. Las dos sinfonías de Franz Liszt pueden también ser consideradas poemas sinfónicos. César Auguste Franck, músico francés, escribió también obras de ese género, las mejores son *El cazador maldito, Psique, Las Eólidas*. Richard Strauss, muerto en el año 1949, fue autor de numerosos poemas sinfónicos.

En Rusia este género tuvo mucha popularidad. A mediados del siglo XIX fue estrenada *En las estepas del Asia Central*, obra de Aleksandr Borodin muy simple y sincera. Las piezas similares de Milij Balakirev y Glazunov tuvieron menor importancia. El gran poema sinfónico de la música rusa es *Scherezada* de Nicolai Rimsky-Korsakov, considerado como los de Berlioz un modelo de orquestación.

La ópera nacional italiana nació también en el siglo XIX. De Mozart aunque italianizado y con cierta inclinación a lo grotesco, procede Gioacchino Rossini. Su mejor obra es *El barbero de Sevilla*, una ópera bufa. Con el músico Vicenzo Bellini aparece la ópera cuya característica esencial es la importancia que cobra la voz humana. Casi todos los compositores italianos tratan de introducir desde entonces en sus obras dramáticas trozos dedicados casi exclusivamente al lucimiento de los cantantes. El defecto esencial de esta costumbre es muy evidente. Escribir arias para voces muy agudas (porque son los agudos penetrantes los que más agradan al público) reduce el valor de la música a un ejercicio vocal cuya eficacia depende de las condiciones físicas del cantante. Por otra parte, no todas las situaciones dramáticas son aptas para estos ejercicios, por lo que su abuso dio a la ópera italiana cierto aire de falsedad. Las óperas de Bellini (*La sonámbula, Norma*), de Gaetano Donizetti (*Lucía de Lammermoor, La favorita*) y las primeras óperas de Giuseppe Verdi (*Rigoletto, El trovador, La Traviata, Aída*) son ejemplos característicos. El arte de la ópera italiana tiene sin embargo dos obras maestras, las últimas de Verdi, *Otelo* y *Falstaff*, en las que es notable la influencia del alemán Wagner.

Entre los muchos precursores de Wagner debe citarse a su compatriota Karl María von Weber. La concepción general de las mejores óperas de Weber (*El francotirador, Euryanthe* y *Oberón*) parece en efecto anunciar, por su equilibrio dramático y la repetición de los temas musicales que simbolizan situaciones y personajes, algunas de las más importantes características wagnerianas. Pocas obras han provocado tantas y tan enconadas batallas como las del alemán Wagner. Sólo el entusiasmo de sus admiradores justifica la existencia, en las principales capitales del mundo, de las llamadas sociedades wagnerianas, dedicadas exclusivamente a exaltar su memoria.

El propósito de Wagner era el de crear con sus obras una unión de teatro, poesía y música desconocida hasta entonces. Eligió para ello sus argumentos en la mitología alemana, donde al interés de la narración se une otro simbólico, apropiado para el comentario musical. La acción en esas óperas no es, sin embargo, muy variada. Wagner eligió deliberadamente argumentos de acción lenta para facilitar el desarrollo de la música que, según él, describe el mundo interior de los personajes, sus sentimientos y propósitos vistos desde dentro. Los movimientos escénicos y las palabras del canto revelan en cambio el exterior del mismo mundo. Se establecía así una unión entre la poesía y la música muy superior a la de la canción común donde los instrumentos musicales se reducen a acompañar a la voz.

Para hacer comprender el sentido dramático de sus comentarios orquestales, Wagner recurrió a un artificio muy discutido que consistió en repetir en ocasiones similares la misma frase musical llamada tema. Esos motivos son, por ejemplo, el de la muerte, el amor, la guerra, o aun objetos, como una espada, un anillo, etcétera. Este músico fue también el creador de cierto tipo de melodía, llamada infinita por no desarrollarse totalmente, como es común, en el curso de unos pocos compases, sino poder ser prolongada indefinidamente. El final del drama *Tristán* e *Isolda* es característico, pues por el tema mismo de la muerte el autor ha dado a la melodía infinita con que concluye la obra, un énfasis particular. Pero, quizá la innovación fundamental de Wagner fue la de utilizar sistemáticamente la escala cromática, en la que las diferencias de altura entre las notas están reducidas en relación con las de la escala común.

De las últimas obras de Verdi nació en Italia una nueva ópera, llamada comúnmente verista por la preocupación de sus autores por representar la realidad de la vida, pero donde abundaban las situaciones terribles y exageradas. De los músicos de esta escuela los más conocidos son Ruggero Leoncavallo (*Los payasos*), Umberto Giordano (*Andrea Chenier*), Pietro Mascagni (*Cavallería rusticana*) y Giacomo Puccini (*Madame Butterfly, Tasca, La bohemia*). En las obras de este último músico hay realmente emoción, aunque algo desordenada. Quizá su mejor página es la *muerte de Mimí*, en el final de *La bohemia*, donde puede advertirse cierta inspiración trágica.

La historia de la ópera francesa moderna comenzó, después de los ensayos menos felices de Eduardo Lalo y Camille Saint-Säens, con el estreno de *Carmen* de Georges Bizet, tan elogiada por el filósofo alemán Friedrich Nietzsche, antes devoto de Wagner. La vivacidad de su música, la belleza y variedad de las melodías, no fueron apreciadas por el público de entonces y se afirma que el fracaso del estreno aceleró la muerte del autor. La ópera *Werther*, de Jules Massenet, aunque más popular en ese entonces, tiene menos importancia.

La aparición de la música nacional, que pretende representar el espíritu propio de un país, parece ser consecuencia de las numerosas guerras, revoluciones y movimientos sociales que se sucedieron en esa época. Eduard Grieg en Noruega y Antonín Dvorak en *Bohemia* escribieron música de ese carácter; pero, el movimiento nacionalista tuvo mayor importancia en la música rusa.

Los compositores rusos Milij Balakirev, César Cui, Aleksandr Borodin, Nicolás Rimsky-Korsakov y Modest Petrovich Mussorgsky, formaron un grupo llamado de *los cinco*. Mussorgsky fue el autor de la obra maestra de esta escuela, la ópera *Boris Godunov*.

A fines del siglo XIX aparecen en Europa varios músicos de importancia. Entre ellos podríamos citar al organista austriaco Anton Bruckner, autor de nuevas sinfonías y numerosas obras religiosas; a Hugo Wolf, que compuso hermosas canciones para piano y canto; a Jean Sibelius, autor de varios poemas sinfónicos y algunas sinfonías; a sir Edward Elgar, iniciador de la música moderna en Inglaterra; a Piotr Tchaikovsky, autor muy popular de óperas, sinfonías y ballets; a Federico Delius, creador de obras de una extraordinaria sugestión, algo relacionadas con el Impresionismo francés; al ruso Aleksandr Scriabin y al alemán Gustav Mahler. La obra de estos dos últimos músicos contiene numerosas novedades técnicas que serían luego recogidas y perfeccionadas por los compositores posteriores. De ambos, el más importante es Gustavo Mahler, uno de los creadores de la orquesta moderna. Todos los sonidos de las obras de Mahler pueden ser oídos con claridad; nunca se encuentran en sus obras esas masas orquestales enormes tan comunes en Beethoven y Brahms.

Así como Mahler fue llamado, no con mucha razón, el continuador de Wagner, el músico francés Claud Debussy fue juzgado también erróneamente como un perfecto antiwagneriano. Él mismo reconoció en varias ocasiones que había imitado al músico alemán; pero, su música es ante todo la exposición de las impresiones de los sentidos ante el mundo real, propósito que no puede encontrarse en su antecesor. El sonido parece así tener en sus obras un peso y una consistencia materiales. La ópera francesa anterior, de Emmanuel Chabrier, D'Indy y Gustave Charpentier, puede pasar inadvertida ante la aparición de *Peleas y Melisanda* de Debussy. Esta ópera, basada en un drama del belga Maurice Maeterlinck, se desarrolla en un tono declamado que su autor declara haber tomado de Rameau. Cada uno de los personajes declama según su carácter; el sombrío Goulaud de un modo monótono, la inquieta Melisanda a saltos. Estas declamaciones son acompañadas por una orquesta muy simple, pero de una notable sugestión. Las armonías, muy originales, evocan continuamente el paisaje, los sentimientos y llegan a sugerir el estado de ánimo de los personajes.

Como continuadores de Debussy, aunque no en el mismo estilo, pueden citarse al español Manuel de Falla y al francés Maurice Ravel.

En la música moderna se destacan netamente sobre sus contemporáneos dos figuras: Igor Stravinski, de origen ruso, y Arnold Schoenberg nacido en Austria. Stravinski, admirador de Verdi, antiwagneriano, pretende crear, aunque comúnmente se diga lo contrario, un arte clásico. En sus obras tiene, sin embargo, más importancia el elemento armónico o sonoro que el melódico. Su obra más importante es la titulada *Consagración de la primavera*. Una revolución más radical fue la introducida en la música europea por el compositor Schoenberg. Los músicos antiguos pensaban que la tonalidad es un sistema natural, como es natural para el hombre oír sólo ciertos sonidos. Sin embargo, ha habido grandes escuelas musicales que han ignorado este principio, principalmente en Oriente. Según la tonalidad los sonidos de una escala se encadenan unos con otros siguiendo ciertas leyes; en las obras de Schoenberg todos los elementos sonoros tienen la misma importancia. Con ese sistema ha compuesto este músico varias obras poco comprendidas por el público. Más popular es su discípulo Alban Berg, autor de *Wozzeck*, una de las óperas más notables de nuestro tiempo. Otro músico importante de esta escuela es Anton von Webern.

Musil, Robert von (1880-1942). Novelista austriaco. Nació en Klagenfurt. Ingeniero mecánico que se convirtió en literato después de estudios filosóficos y psicológicos. Emigrado debido al régimen nazi, se radicó en Suiza. Uno de los más notables novelistas en alemán en el siglo XX. Autor de *Las tribulaciones del estudiante Törless; Tres mujeres; El hombre sin cualidades* y otras. También dejó numerosos cuentos y unas memorias prepóstumas.

muslo. Parte de la pierna que se encuentra entre rodilla y cadera. El esqueleto del muslo lo forman el fémur, el hueso largo y dos espífisis: una superior y otra inferior. La musculatura se divide en tres regiones: la anteroexterna, la interna y la posterior. Éstas se ocupan del movimiento de diferentes partes del muslo. La irrigación del muslo se lleva a cabo gracias a la arteria, a la vena y al conducto femorales, así como al conducto de Hunter. Por último, la inervación del muslo la realizan tres nervios: el obturador, el crural y el ciático mayor.

Musset, Alfred de (1810-1857). Poeta, dramaturgo y novelista francés que fue una de las más altas expresiones del romanticismo del siglo XIX. A los 20 años de edad publicó sus primeras poesías, *Cuentos de España e Italia*, que merecieron aplauso unánime y una elogiosa crítica de Charles Saint Beuve. Ya pertenecía al círculo literario *Cenáculo*, encabezado por Víctor Hugo, del que luego se alejó llevado por su espíritu revolucionario contra lo tradicional. Enamorado de la escritora Aurore Dupin, conocida como *George Sand*, viajó con ella por Italia. Estas relaciones constituyeron de por sí una novela apasionada y dolorosa, e influyeron en su vida y estilo. Su poesía es inspirada, emocional y sencilla, y en sus novelas, cuentos y comedias vibra un sentimiento de ternura, elegancia y fina ironía. Entre sus mejores poesías, a más de la obra ya citada, se mencionan *Rolla*, *Las noches* y *Carta a Lamartine*. Entre sus novelas se destacan *Confesión de un hijo del siglo*, *Las dos amantes*, *El hijo del Tiziano*, *Margot* y *Croisilles*; y entre sus obras teatrales *Lorenzaccio*, *No se juega con el amor*, *En qué sueñan las jóvenes*, *Los caprichos de Mariana*, *No es preciso jurar nada* y *Un capricho*.

Mussolini, Benito (1883-1945). Político y periodista italiano, dictador y organizador del estado fascista en Italia. Trabajó en el diario *Il Popolo* e intervino en política, siendo secretario del Partido Socialista en la provincia de Forli. Por sus aptitudes y sagacidad se elevó en las filas de dicho partido hasta puestos directivos sufriendo encarcelamiento por sus actividades. En 1914 fundó el diario *Il Popolo d'Italia*, contrario a la neutralidad de Italia en la Primera Guerra Mundial. Su actividad intervencionista lo obligó a abandonar el Partido Socialista.

De 1915 a 1917 fue soldado y combatió en la Primera Guerra Mundial, resultando herido. Retornó al periodismo con una nueva ideología divergente del Socialismo marxista, basada en una economía controlada de acuerdo con el sindicalismo y con contenido nacionalista. Sus ideas hallaron eco popular en los años inmediatos al final de la guerra, cuando la revolución rusa había producido pánico entre los grandes financieros e industriales, quienes vieron en el programa de Mussolini el único medio eficaz de contrarrestar cualquier movimiento similar en Italia. En 1919, creó en Milán los *Fasci italiani di Combattimento*, formados por veteranos, revolucionarios y nacionalistas, que fueron origen del partido fascista. El objetivo primordial de su estrategia era la lucha contra los comunistas.

En 1921, se organizó el Partido Fascista y Mussolini fue elegido diputado. Con la connivencia de las autoridades gubernamentales se formaron cuadrillas armadas

Bibliothèque Nationale, París

Benito Mussolini, el Duce, *en 1938*.

que atacaron a los demás partidos, creando un estado de guerra civil. Mussolini supo explotar hábilmente la división de los partidos obreros y democráticos y ganar ascendiente y poder en el gobierno. En 1922 organizó la famosa marcha sobre Roma para obligar al rey a aceptar su dictadura. Obtuvo éxito: el gobierno cayó y el rey lo designó primer ministro. Con un gobierno totalmente sometido moldeó la gobernación de Italia a su antojo, dictando leyes para reprimir toda oposición, reformando la ley electoral y creando las *corporazioni*, cuerpos sindicales bajo su mando. Fue gobernante absoluto; los grupos fascistas a integrar las milicias del Estado y nuevas elecciones trajeron su definitiva victoria.

Uno de los actos más importantes de su gobierno fue la firma con el Vaticano del Tratado de Letrán, con el cual se devolvió el poder temporal a la Iglesia católica al crearse el Estado Independiente del Vaticano. En 1930, denunció el Tratado de Versalles, ganándose la enemistad de Francia.

Su deseo de poder lo llevó a arriesgarse en aventuras militares, como el ataque y conquista de Etiopía, condenado por la Sociedad de las Naciones.

La similitud de ideario y procedimientos, lo llevó a una amistosa relación con la Alemania de Hitler. Tras de enviar tropas a España para que combatieran junto a Francisco Franco en la guerra Civil Española (1936-1939), estableció el llamado Estado corporativo, y suprimió la Cámara de Diputados. Reforzó su unión con Hitler mediante el eje Roma-Berlín, intervino en el acuerdo de Munich (1938) y llevó a su país a intervenir en la Segunda Guerra Mundial, en contra del sentir general del pueblo italiano. Tras sufrir derrotas en África y Sicilia, las tropas aliadas invadieron Italia. Fue depuesto por su mismo Gran Consejo fascista y reducido a prisión. Rescatado por los alemanes fue llevado a Austria. Regresó al frente de una efímera República Fascista Italiana, mantenida por los alemanes. Cuando, ya totalmente derrotado, pretendía huir disfrazado a Suiza, fue capturado y fusilado por guerilleros italianos.

Mussorgsky, Modest Petrovich (1835-1881). Compositor ruso, miembro del famoso grupo de *los cinco*, que inició la corriente nacionalizadora de la música de su país. Nació en la aldea de Karevo, que dejó a los 13 años para ingresar en la Academia Militar de San Petersburgo; pero, sus aficiones musicales y la influencia de su amistad con Milij Alekseevic Balakirev hacen que abandone el ejército para consagrarse a la música. Sus primeros trabajos siguen las formas tradicionales de la composición, mas pronto se aparta de ellas y muestra su extraordinario individualismo. Dedica su obra a los humildes de su tierra, y expresa el alma del pueblo ruso, de los campesinos entre quienes pasó su infancia, pero no es comprendido y se ve obligado a volver al servicio del gobierno, lo que provoca en él una lucha íntima entre sus aspiraciones de libertad y las realidades de la vida. Se entrega al alcohol, mas no deja de componer, y escribe páginas musicales del más diverso carácter, en su mayoría de intenso dramatismo, como la ópera *Boris Godunov* o el lúgubre poema *Una noche en el Monte Pelado*, que contrastan con la ingenuidad de *Habitación infantil*, la descriptiva suite *Cuadros de una exposición* y la emotiva colección de canciones. Murió en San Petersburgo el 18 de marzo de 1881, dejando algunas obras sin terminar, entre ellas la ópera *Khovantchina*, que concluyó Rimsky-Korsakov.

Mustang. Aeronave diseñada por Raymond Rice y Edgar Schmued para ser utilizada en la Segunda Guerra Mundial, y que llegó a ser uno de los aviones de combate más efectivos de esta guerra. El Mustang North American P-51 fue desarrollado para cumplir al máximo con una especificación de principios de los años cuarenta de la Comisión Británica de Compras Aeronáuticas y así poder ser vendido a gran escala. El monoplaza P-51, de un solo motor, monoplano de alas bajas, con 11.3 m de envergadura, y con una sección aerodinámica, incorporó la experiencia adquirida del combate aéreo en Europa. El modelo original se rediseñó en 1942 como el P-51 B, con un motor Packard Merlin de 1,380 caballos de fuerza para alcanzar una mayor altitud. Modificaciones posteriores dieron origen al P-51 D, equipado con una cabi-

Corel Stock Photo Library

Avión P-51D Mustang *en Reno, Nevada, E.E.U.U.*

na de burbuja, y producido en mayor cantidad (casi 8,000) que todos los demás modelos. El Mustang demostró además ser un gran interceptor y escolta de largo alcance. Varias combinaciones de ametralladoras le fueron colocadas, y hasta se desarrolló una versión con lanza-cohetes. El Mustang fue también utilizado para atacar a objetivos en tierra, como avión de reconocimiento y como caza-bombardero.

mustela. *Véase* CAZÓN.

mustélidos. Mamíferos carnívoros de pezuña partida (fisípedos), normalmente de patas cortas, pelaje apretado, de talla chica o mediana y cuerpo alargado. En sus extremidades tienen 5 dedos, sin uñas retráctiles, es decir, que no las pueden retraer y esconder, y son además digitígrados (al caminar apoyan sólo los dedos), plantígrados (al caminar apoyan toda la planta) o semiplantígrados. Las glándulas anales de algunos mustélidos despiden sustancias de olor repulsivo. El hábitat de estos mamíferos varía mucho, aunque el terrestre es el más común. La familia de los mustélidos consta de 29 géneros y aproximadamente 70 especies que se dividen en 5 subfamilias: mustelinos, mefitinos, melivorinos, lutrinos y melinos.

mutación. Cada uno de los diferentes aspectos que se presentan en el teatro al cambiar la escena en que se desarrolla la obra. En la antigua Roma, mutación (*mutatio*) era el lugar donde se cambiaba el tiro a las sillas de posta. También la palabra mutación se aplica generalmente para determinar una teoría de evolución biológica observada a través del desarrollo de plantas y animales, y que siguen los adeptos a la escuela neodarwinista. Según esta teoría, la mutación puede aparecer en forma espontánea o bajo la influencia de una acción que afecte órganos vitales de una especie animal o vegetal. La teoría de la mutación fue introducida por el botánico holandés Hugo de Vries en 1901 y desde entonces ha sido objeto de ensayos y estudios. Los científicos que tratan de establecer las causas de la mutación han sometido a plantas y animales a la radiactividad y han observado que las células sufren alteraciones que modifican las propiedades de los cromosomas y los genes, causando la mutación en la descendencia del organismo sometido al experimento.

Mutis, Álvaro (1923-). Escritor colombiano radicado en México desde 1956. En su obra se encuentran: *La balanza* en colaboración con Carlos Patiño (1948), *Los trabajos perdidos* (1964), *Los elementos del desastre* (1953), *Reseña de los hospitales de ultramar* (1958), *Diario de Lecumberri* (1960), *Summa de Maqroll el gaviero* (poesía reunida), *La mansión de Araucaíma* (1973), *Caravansary* (1981), *Crónica regia y alabanza del reino* (1985), *La nieve del Almirante* (1986), *Llona llega con el viento, Un bel morir* y *La última escala del Tramp Steamer* (1988). En casi toda su obra aparece el personaje Maqroll. Mutis ha sido galardonado con el Premio de Letras de Colombia (1974), con el Xavier Villaurrutia (1988), y más recientemente con el Príncipe de Asturias (1997).

Mutis y Bosio, José Celestino (1732-1808). Naturalista español, nacido en Cádiz y muerto en Bogotá (Colombia). Estudió en su ciudad natal, luego en Sevilla y posteriormente en Madrid donde adquirió amplios conocimientos de botánica, la pasión de toda su vida. En 1760 se embarcó para América en compañía del marqués de la Vega, virrey de Nueva Granada, hoy Colombia. Allí Mutis se hizo eclesiástico en 1772, pero sin abandonar en ningún instante el cultivo de las ciencias. En presencia de la rica vegetación del trópico, sus aficiones por la botánica se acrecentaron aún más, y se dedicó de lleno a estudiar diversas especies y familias de plantas hasta entonces desconocidas. En Bogotá enseñó matemáticas y astronomía y benefició las minas en diversos distritos de Nueva Granada. Recorrió varias regiones del país y reunió gran cantidad de materiales para el estudio de la flora de las regiones equinocciales.

En méritos a esta labor, el gobierno español lo nombró director de la Comisión científica destinada al estudio de la flora ecuatorial. Con este poderoso auxilio, Mutis se dedicó con mayor empeño y recursos a sus investigaciones, y contrató la colaboración de dibujantes y estudiosos criollos. A partir de entonces el sabio español inició una copiosa correspondencia científica con Linné Carl von, que duró dieciocho años. Envió a Estocolmo numerosas memorias científicas y ejemplares de plantas de la América tropical, atención que el sabio sueco retribuyó dando el nombre de *mutisia* a una planta. Linné dio a conocer asimismo a la Academia Sueca algunas memorias del investigador español, y posteriormente se publicó parte de la correspondencia cambiada entre ambos en el volumen aparecido en Londres y titulado *Correspondencia entre Linné y otro naturalista.* En 1793 comenzó Mutis a publicar en un periódico de Bogotá un amplio y documentado estudio sobre la quina, que tituló *El arcano de la quina*, obra en la que demuestra que fue el primero que estudió a fondo la quina y dio a conocer brillantes conclusiones acerca de sus virtudes medicinales. Siendo ya anciano, Mutis hizo construir el Observatorio Astronómico de Bogotá, todavía existente.

Los materiales de su obra monumental, titulada *Flora de Santa Fe de Bogotá o de Nueva Granada*, permanecen aún inéditos, archivados en el Jardín Botánico de Madrid.

Mutsuhito (1852-1912). Emperador de Japón, llamado, también, Meiji Fenno. Sucedió en el trono a su padre, el emperador Komei Tenno a la muerte de éste en 1867. Fue el iniciador de la adaptación de costumbres y métodos occidentales en su país, bien que respetando siempre la tradición imperial y sus principios místicos y patrióticos. Fue el primer monarca nipón que vistió a la europea. Anuló las diferencias de castas y los excepcionales privilegios de que gozaba la nobleza. Dio al país una constitución que inició el sistema parlamentario (1889), organizó las instituciones armadas y estableció el servicio militar. Durante su reinado el ejército japonés, modernizado a la europea, obtuvo la victoria en dos guerras importantes que colocaron a Japón en el plano de primera potencia: contra China en 1894 y contra Rusia en 1904. Le sucedió en el trono su hijo Yoshihito.

mutualismo. Sistema de prestaciones mutuas que fue desarrollado a finales del siglo XVIII.

En ecología, es la agrupación de personas de diferente especie, que tiene como fin proporcionar algunas ventajas para ellas. Antes del siglo XVIII ya existía este tipo de agrupación (cofradías, hermandades, etcétera); sin embargo, no fue sino hasta entonces que el mutualismo, como tal, comenzó entre las masas trabajadoras que se originaron con la Revolución Industrial. En 1793 el gobierno británico lo reconoció oficialmente. Francia fue el país donde el mutualismo adquirió su máxima expresión, ya que solamente en París, durante la Restauración había 132 mutualidades, con 11,000 miembros. Con el fin de resolver los problemas sociales pacíficamente en Francia, Joseph Proudhon intentó que el mutualismo se convirtiera en la doctrina fundamental del movimiento obrero, y propuso además la creación del Banco del Pueblo como institución representativa del mutualismo. Aunque esto nunca se realizó, era ya una expresión de la inconformidad de ciertos aspectos del mutualismo y de aspiraciones mayores con respecto a éste. De hecho, en esos momentos, es decir, a mediados del siglo XIX, estaba naciendo en el proletariado francés una corriente que, como no se conformaba con lo poco que le ofrecía el mutualismo, quería una subversión total de las estructuras capitalistas y un nuevo orden social. A pesar de las luchas que estallaron en 1849 y a partir de las deliberaciones del Banco del Pueblo, en donde Proudhon pretendía que éste fuese un simple organismo financiero, mientras que una gran parte de trabajadores parisinos quería que fuese la base de un nuevo gobierno, el mutualismo permaneció como una de las fuerzas dominantes no sólo en Francia sino también en Inglaterra. Sin embargo, en este último país, el mutualismo, si bien tuvo un gran desarrollo durante 1850 y 1860, se dio como una tendencia conservadora dentro del movimiento obrero, opuesta al socialismo, por lo que las autoridades y la burguesía no lo atacaron tanto. En el último tercio del siglo XIX, los gobiernos europeos optaron por dar apoyo al mutualismo para oponerlo, así, a los avances del Socialismo y del Anarquismo dentro de las clases trabajadoras. Por ejemplo, en Alemania, Otto Leopold Bismarck defendió al mutualismo aun frente a la burguesía, y en Francia obtuvo un carácter oficial por parte de la III República. Para fines del siglo XIX, el mutualismo dejó de ser propiamente una fuerza independiente del proletariado, ya que en la mayoría de los casos se había convertido en un instrumento de la nueva acción social desarrollada por los gobiernos.

Corel Stock Photo Library

Pagoda Kyaikpun Pegu *en Myanmar.*

Por otra parte, en España, a partir de 1836, cuando los gremios desaparecieron, el mutualismo fue de gran importancia en la organización de las clases trabajadoras. Así, en 1849 se estableció oficialmente la Asociación Mutua de Obreros de la Industria Algodonera. No obstante, a partir de 1868 las doctrinas mutualistas perdieron fuerza a pesar de los importantes defensores de Proudhon, como Pi y Margall Francisco, a causa de la formación de la I Internacional y por el debate entre marxistas y bakunistas.

Myanmar (antes Birmania). Estado independiente del suroeste de Asia, entre la India, Bangladesh, el océano Índico, Thailandia, Laos y China. Su superficie es de 676,552 km^2 y su población asciende a 46.822,000 habitantes.

Varias cadenas montañosas la separan de la India, al oeste y de China, al este, y por ellas descienden los grandes ríos: el Irawadi, que fertiliza las tres cuartas partes del territorio y va al Golfo de Bengala con las nueve bocas de su delta; el Sittang y el Saluén, igualmente fecundantes, que desaguan en el Golfo de Martabán. La región montañosa, entre cuyos relieves destacan el monte Victoria (3,116 m), el Sarameti (4,170 m) y el volcán Popa (1,518 m), es llamada Alta Birmania. Se designa Baja Birmania a la tierra formada por los aluviones de los Aos, zona que durante la época terciaria era un golfo del océano. Los grandes ríos permiten un importante desarrollo agrícola a causa del rico légamo que arrastran sus aguas.

El principal cultivo es el del arroz, favorecido por el clima cálido y húmedo. En tierras de temperaturas más benignas y donde las lluvias son menores se producen además el mijo, el algodón y varias oleaginosas (sésamo, cacahuate). La especie de

Pagoda Shewezigon *en Myanmar.*

Corel Stock Photo Library

Corel Stock Photo Library

Pagoda Shwedagon Yangon *en Myanmar.*

ganado más importante es el vacuno. La zona sur de Baja Birmania, ha desarrollado plantaciones de árboles de caucho. En las grandes selvas tropicales que cubren la región montañosa, con su típica fauna de rinocerontes, tigres, leopardos, ciervos, cocodrilos y, sobre todo, elefantes; se prodiga el árbol de la teca, cuya madera, más dura que el roble, es muy apreciada. El elefante es muy útil en la explotación de la madera de teca, pues se le adiestra para que arrastre y hacine pesados troncos, uniendo tan útil colaboración a su antiguo prestigio de animal sagrado, cuya muerte se pagaba entre los birmanos más cara que la de un recién nacido. Volviendo a la selva, citaremos, además, entre sus dones, el árbol del hierro, la palmera y el bambú.

El subsuelo contiene abundantes recursos minerales, aunque esta riqueza potencial apenas está explotada. El petróleo surge de los pozos de Yenang-Yanng, en el valle del Irauadi. Se han explotado los placeres auríferos, criaderos de rubíes, zafiros y otras piedras preciosas, así como de minas de plata. Han tenido alguna importancia la minería del estaño, el antimonio, el tungsteno, el cobre, el plomo, el cinc y otros metales industriales.

De Yangon, capital del Myanmar (2.513,023 h.), parten, como los rayos de una rueda, algunas líneas de ferrocarril, que suman 3,137 kilómetros. En cuanto a carreteras, puede decirse que en Myanmar los ríos reemplazan a los caminos. Así, el Irauadi, que es navegable hasta Bhamo y cesa en la frontera china a 1,450 km del mar, es una de las vías más importantes de comunicación del país.

Los birmanos, de origen mongólico, llegaron de China en épocas remotas, pero su mayor contacto con la India, y el aislamiento de su topografía montañosa, les imprimió caracteres propios, siendo más afines a la India que a China. Hablan birmano y profesan en su gran mayoría el budismo. Entre ellos no hay castas.

Yangon, la capital, Mandalay y otras ciudades importantes tienen instituciones de enseñanza superior, a las que asisten 225,000 alumnos (1990); entre ellas hay varias de enseñanza técnica. La instrucción primaria dispone de 31,500 escuelas, a las que asisten 5.369,600 alumnos (1990).

Por los años en que Europa vivía su Edad Media, Myanmar fue un floreciente imperio, pero su historia moderna empieza en el siglo XVII, con el dominio inglés afianzado contra las pretensiones rivales de portugueses y holandeses, gracias a la Compañía de las Indias Orientales. A partir de 1854 se formalizó la ocupación británica de Birmania, lo que costó tres guerras sangrientas, y en 1886 se incorporó al gobierno de la India. En 1930 el espíritu autonomista de los birmanos consiguió que se le separara de la India. Por esta fecha, su problema esencial no provenía tanto de liberarse de los ingleses sino de los terratenientes indios que llegaron a ser una minoría poderosa, mediante préstamos de dinero sobre tierras que después se incautaban.

En 1942 ocurrió la invasión japonesa, coronada por el consiguiente gobierno títere que explotó políticamente el anhelo de independencia. No obstante, gran parte de la población birmana ayudó a la reconquista aliada y, de nuevo bajo la soberanía de Inglaterra se consideró en 1947 su estructuración como Dominio. Sin embargo, una Asamblea Popular optó por la definitiva independencia y, el 4 de enero de 1948 fue declarada la Unión de Birmania, que concentró la Alta y Baja Birmania y los Estados del norte y del sur. Se adoptó la forma republicana de gobierno, encarnada en un presidente, un consejo de ministros y un Parlamento compuesto por la Cámara de Diputados y la de Nacionalidades. La República fue combatida desde el principio por comunistas y hubo repetidos alzamientos militares que derrocaron a los gobiernos constituidos. En 1960, los problemas fronterizos con China fueron resueltos con la firma de un tratado de amistad. En 1962, un golpe militar encabezado por el general Ne Win derrocó al presidente Win Maung y constituyó un consejo revolucionario como órgano supremo y fundó al Partido del Programa Socialista. Al año siguiente, Ne Win nacionalizó los bancos y las industrias, el kyat sustituyó a la libra esterlina como moneda y tanto chinos como indios quedaron excluidos de las actividades económicas del país. En 1974 se promulgó una nueva constitución y el nombre del país fue cambiado por el de República Socialista de la Unión Birmana. En 1988, el general Saw Maung dio un golpe de estado y, en 1989, el gobierno militar cambió el nombre del país por el de Unión de Myanmar y el de la capital por Yangon.

Myrdal, Karl Gunnar (1898-1987); **Myrdal, Alva Reimer** (1902-1986). Karl Gunnar Myrdal sociólogo y economista sueco, compartió el Premio Nobel de Economía de 1974 con Friedrich von Hayek de Austria. El premio les fue otorgado por su trabajo en la teoría del dinero y su análisis de las relaciones sociales y económicas. Myrdal, profesor en la Universidad de Estocolmo por muchos años, también desempeñó el cargo de secretario ejecutivo de la Comisión de Economía de las Naciones Unidas para Europa de 1947 a 1957. Entre sus trabajos publicados se encuentran *Un dilema estadounidense: el problema de los negros y la democracia moderna* (1944), *El drama asiático* (1968) y *El desafío de la pobreza mundial: un esbozo de programa mundial antipobreza* (1970). Algunas veces, Myrdal colaboró con su esposa, Alva Reimer Myrdal, socióloga, ex-diplomática y ex-miembro del gabinete sueco. Uno de sus trabajos principales es *La crisis en el asunto de la población* (1934). Alva Myrdal desempeñó el cargo de negociadora en pro del desarme, a nombre de Suecia, en las Naciones Unidas (1962-1973), y de Ministra del Gabinete encargada del desarme y de los asuntos de la Iglesia (1966-1973). Desde 1973 ha escrito y dado conferencias sobre el desarme. Por todos estos esfuerzos, ganó el Premio Nobel de la Paz de 1982, junto con el mexicano Alfonso García Robles. *El juego del desarme* (1977) es el título de uno de sus libros.

N. Decimosexta letra del abecedario español y decimotercera de sus consonantes. Su nombre es *ene*. Es nasal, alveolar, fricativa y sonora. Se pronuncia aplicando la punta de la lengua a la parte anterior del paladar y separándola rápidamente para producir la segunda articulación. Cuando va al final de sílaba no es necesario este segundo movimiento. En los diccionarios suele ser abreviatura de *neutro*. En las obras geográficas y en los mapas, la letra N se emplea como abreviatura de norte.

naba. Planta bienal de la familia de las crucíferas que alcanza una altura de 40 a 60 cm. Tiene hojas grandes, gruesas, rugosas y ásperas; flores amarillas y pequeñas, en espigas; fruto seco en vainillas que encierran numerosas y menudas semillas esféricas, de color pardo y sabor picante; la raíz es muy grande y carnosa, amarilla o rojiza, esferoidal o ahusada y constituye un buen alimento para las personas y el ganado.

nabo. Planta anual de la familia de las crucíferas, que alcanza de 50 a 60 cm de altura, con hojas ásperas, rugosas, grandes, que constituyen un alimento rico en vitamina A, B y C, aunque para la alimentación humana se aprovecha con preferencia la raíz ahusada, amarillenta o blanca, carnosa y rellena. Crece rápidamente, da un fruto seco con 15 o 20 semillas agrupadas. Procede de China y se cultiva mucho en las huertas. Por su gran contenido en celulosa constituye un excelente regulador de las funciones intestinales y contribuye a dar un buen sabor a muchas comidas. Para su cultivo requiere tierras sueltas y húmedas.

Nabokov, Vladimir (1899-1977). Escritor ruso. Uno de los maestros de la novela del siglo XX. Nacido en una familia de cosmopolitas aristócratas rusos, a muy temprana edad aprendió inglés y francés, llegando a ser, en sus propias palabras, "un niño trilingüe perfectamente normal". Comenzó su carrera literaria siendo aún adolescente al publicar sus dos primeros volúmenes de poesía en ruso en 1914 y 1918, respectivamente. Obtuvo reconocimiento como experto en mariposas, afición que mostró toda su vida. Asistió a la Academia Tenishev en su natal San Petersburgo (antes Leningrado). Tras la Revolución Rusa, cuando él y su familia salieron exiliados, continuó sus estudios en la Universidad de Cambridge, donde obtuvo la licenciatura en lenguas eslavas y romances en 1922.

Los años que Nabokov pasó entre los círculos de inmigrantes en Berlín (1922-1937) y París (1937-1940) constituyeron la primera fase de la madurez de su carrera literaria. Ahí, además de poemas, obras de teatro y cuentos, publicó nueve novelas en ruso bajo el seudónimo de V. Sirin. Brillantemente festivas y de estilo, tono y punto de vista innovadores, estos trabajos –en particular *Risa en la oscuridad* (1932), *Desesperación* (1936) e *Invitación a una decapitación* (1938)– revelaron las afinidades que Nabokov tenía con aquellos que, de Lawrence Sterne a James Joyce, han tratado a la novela en parte como un juego.

Antes de trasladarse con su esposa e hijos a Estados Unidos en 1940, Nabokov puso a prueba sus habilidades como novelista en lengua inglesa al escribir *La verdadera vida de Sebastian Knight* (1941). Aunque incierto en su efecto final, el libro mostraba un alto nivel de destreza verbal y narrativa, y junto con una mejor lograda segunda novela en inglés, *Barra siniestra* (1938) le merecieron tanto el reconocimiento (las becas Guggenheim de literatura en 1943 y 1952) como un lugar en la docencia primero en Stanford, luego en Wellesley y finalmente en Cornell (1948-1959). Este último lugar le proporcionó la atmósfera para su satírico retrato de un inepto profesor ruso emigrado, *Pnin* (1957).

Nabokov alcanzó la fama en 1958 al publicarse la edición estadounidense de su frenéticamente divertida y extremadamente idiosincrática obra maestra, *Lolita* (publicada por primera vez en París en 1955). Tal éxito le permitió la independencia econó-

Nabos.

Corel Stock Photo Library

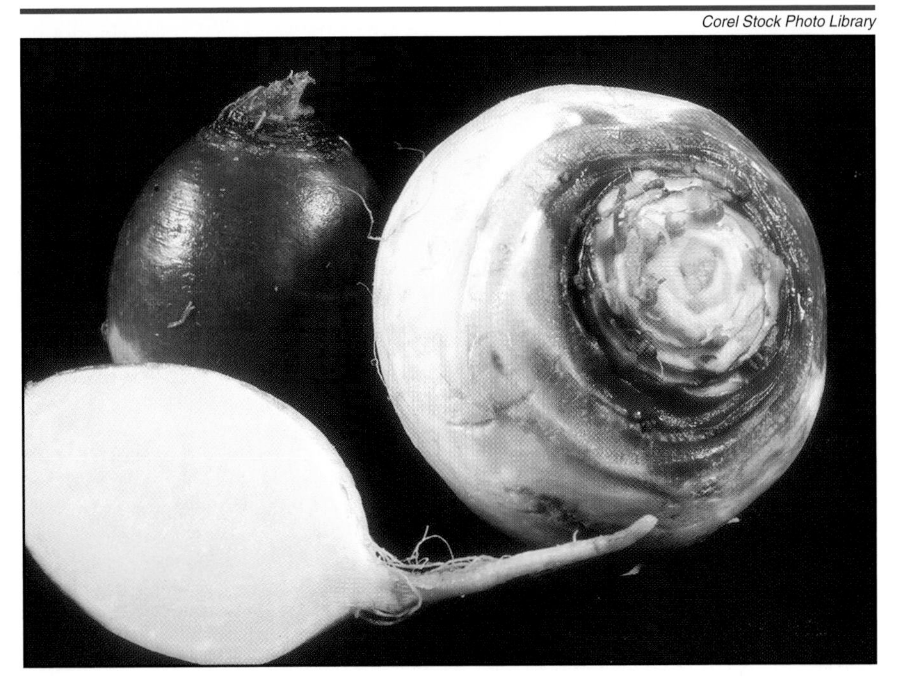

mica –abandonó su carrera docente para dedicarse a escribir tiempo completo y se trasladó a Suiza en 1959–, y la oportunidad de preparar las versiones al inglés de sus novelas en ruso.

La reputación de Nabokov llegó a la cúspide con la aparición de otras novelas en inglés. *Pálido fuego* (1962) resultó ser el más elaborado de los *juegos* de Nabokov. Compuesta de 999 versos, escritos supuestamente por un poeta estadounidense recién fallecido, y de un extenso comentario, escrito posiblemente por uno de los colegas universitarios del poeta, la novela se convierte más adelante en la confesión de un rey demente exiliado de un país muy parecido a Rusia.

La obsesión por los placeres eróticos prohibidos, a la que se debe gran parte del éxito y controversia que rodearon *Lolita*, fue explotada aún de manera más completa en *Ada* (1969). Se trata de las memorias del narrador, escritas por éste en su novena década de vida, y en las que rememora las relaciones amorosas que tuvo con su hermana, personaje que da título a la obra. Aunque atractivas, las novelas subsecuentes, *Cosas transparentes* (1972) y *¡Mira a los arlequines!* (1974) no resultan tan intensas como las anteriores. *El encantador*, novela de juventud que empleaba el tema de *Lolita*, fue brillantemente traducida por Dimitriv, hijo de Nabokov, y publicada en 1986. La versión corregida de la autobiografía de Nabokov, *¡Habla, memoria!*, se publicó en 1966. *The Stories of Vladimir Nabokov*, serie de historias ordenadas cronológicamente y encabezadas por los primeros cuentos de éste, apareció en 1995.

Por la manera tan apasionada como rechazó la novela en tanto vehículo de mensajes sociales y morales y la forma tan completa en que abrazó por ende la perspectiva estética, Nabokov provocó que un sinnúmero de lectores se alejaran de él. Pocos escritores, sin embargo, han logrado conjuntar la precisión y la viveza de sus imágenes, el lirismo de sus frases, o la complejidad y la riqueza formal de sus trabajos narrativos.

Nabopolasar. Rey de Babilonia y fundador del imperio caldeo-babilónico. Fue padre de Nabucodonosor. Gobernando como sátrapa de Babilonia, en nombre del rey asirio Sarak o Sardanápalo, se sublevó contra éste, proclamándose rey de Babilonia. Aliado con los reyes medas Fraortes y Ciaxares, atacó a Sarak, venciéndolo en dos batallas y apoderándose de la ciudad de Nínive después de un sitio de dos años. Murió en el año 605 antes de Cristo.

Nabuco de Araujo, Joaquín Aurelio (1849-1910). Diplomático, político y escritor brasileño. Propugnó de manera infatigable la abolición de la esclavitud, en discursos, polémicas y escritos, y desde las columnas del periódico de Río de Janeiro *O Pais* y en su célebre libro *El abolicionismo*. También fue un defensor entusiasta de la Constitución Federal del Estado, en la cual veía la solución más adecuada del problema político de su país. Fue el primer embajador que tuvo Brasil en Washington. Escribió, además, *Un estadista del imperio*.

Nabucodonosor II (620?-561 a. C.). Rey de Babilonia llamado *el Grande*, hijo de Nabopolasar, engrandeció sus dominios. Siendo príncipe heredero venció en el año 605 a Necao II, faraón egipcio que se había apoderado de Palestina y Siria, en la batalla de Karkemish. Poco después falleció su padre, y Nabucodonosor subió al trono del imperio caldeobabilónico. Conquistó territorios de Arabia y, en 587, atacó y destruyó el reino de Judá, arrasando a Jerusalén y llevando cautiva a su población. Durante 13 años, atacó sin éxito a Tiro. A pesar de sus empresas bélicas, destacóse más como constructor que como guerrero. Bajo su reinado Babilonia llegó a ser la ciudad más grande de Asia y con la ayuda de la mano de obra de los cautivos, la convirtió en *la reina de Asia*, brillando durante mucho tiempo por su civilización. Hizo construir palacios, templos, puentes y una muralla de 25 m de espesor para proteger la ciudad. A él se debe la construcción de los *Jardines colgantes* que llegaron a ser una de las siete maravillas del mundo. El libro de Daniel dice que Dios castigó su orgullo haciéndole creerse un animal salvaje e incitándolo a comer la hierba.

Pierre Trudeau, ex-primer ministro de Canadá..

Corel Stock Photo Library

nácar. Sustancia que reviste la parte interna de la concha de los moluscos, segregada por el manto de estos animales y que se va depositando en láminas finas de materia orgánica, conquiolina, y de carbonato cálcico en forma de cristales de aragonito. Posee un color iridiscente gris azulado, rosado, rojizo o verdoso, muy especial, llamado nacarado. Sucede en ciertos moluscos que se interpone un grano de arena o una partícula cualquiera entre el manto (tegumento que envuelve al animal y segrega el nácar) y las capas anteriores, y al quedar envuelta en la secreción da lugar a una perla. Lo mismo sucede con la madreperla u ostra perlífera, cuyo nácar, además, se utiliza en taraceas y en ornamentación artística. También es muy apreciado el nácar del molusco abulón, y el de algunas especies de almejas de agua dulce de los géneros *Anodonta* y *Unio*. Los moluscos cuyas conchas son más preciadas por la calidad de su nácar abundan en los mares que rodean a países tropicales como Filipinas, Panamá, norte de Australia y Ceilán. Además de sus fines ornamentales, también se destina el de ciertas clases para fabricación de artículos útiles como botones, fichas, abanicos, mangos de cortaplumas, etcétera.

nacimiento de Jesús. *Véanse* JESUCRISTO; NAVIDAD.

nación. Según la definición más extendida, la nación es el conjunto de los habitantes de un país regido por el mismo gobierno. El concepto de nación se relaciona con los de patria, estado y nacionalidad, entre otros y resulta conveniente conocer cuáles son los nexos y en qué estriban las diferencias que existen entre ellos.

Patria y nación. Etimológicamente, la patria es la *terra patria*, la tierra de los padres, de los antepasados. Esta etimología nos indica que la patria supone cierta proximidad, una especie de consanguinidad, una continuidad en el tiempo. Al decir *mi patria*, dos imágenes surgen de inmediato en nuestra mente. La primera es la del terruño, la del lugar natal: la ciudad, el barrio, el pueblo, la montaña, el campo y, ampliando más la visión, el departamento o la provincia. La segunda imagen es la del país: una porción unitaria del mapa terrestre, un idioma, una cultura, una historia, hasta un *aire de* familia que de manera convencional representan los dibujantes en sus caricaturas de los habitantes de un país determinado y creando personificaciones de amplio carácter nacional como John Bull, de Gran Bretaña; el Tío Sam, de Estados Unidos y Mariana, de Francia. El concepto de la patria comienza a tomar forma en nuestra inteligencia, pero no es fácil definirlo con precisión, porque lleva implícita una serie de elevados sentimientos.

La patria es una realidad compleja. No debemos confundirla con ninguno de sus elementos. ¿Será, por cierto, la comunidad de idioma? Por cierto que no: en Suiza se hablan cuatro idiomas y existe una sola patria. En Hispanoamérica se habla un solo idioma y existen veinte patrias. ¿Será entonces la raza? Tampoco, la raza es un hecho biológico, no un hecho cultural como la patria. En cada patria latinoamericana hay una compleja mezcla de las tres grandes razas de la humanidad (la caucasoide, la mongoloide y la negroide). Lo que a veces se llama raza hispánica o latina, por un evidente abuso del lenguaje, es, en rigor, lo que los antropólogos llaman un *etnos*, un *aire de familia*, a la vez biológico y psíquico. Prosigamos el análisis. ¿La patria será la religión?; el sentimiento religioso y el sentimiento patriótico coinciden en ciertos casos (Polonia, Irlanda), pero en la mayoría de los países se practican distintas religiones y existe un solo sentimiento patriótico. ¿Patria será sinónimo de civilización? Tampoco: Francia, Italia y España, por ejemplo, pertenecen a la civilización latina, fragmento de un conjunto más vasto que llamamos civilización occidental. Del patrimonio de la civilización, cada patria extrae una cultura más o menos independiente y vigorosa.

Elementos idiomáticos, étnicos, religiosos y culturales entran, por tanto, en cada patria. Cabe ahora preguntar cuál será el origen de este fundamental hecho humano. Los cultores de la nueva ciencia llamada geopolítica no vacilan en afirmar que tal origen se debe buscar en las influencias geográficas; la explicación contiene buena parte de verdad, pero ésta no es total. Dicen otros que la patria es un fenómeno simplemente político y que sólo existe bajo la égida del Estado, organismo jurídico-político que tutela y dirige a los individuos, esta explicación es falsa, porque la historia muestra muchas patrias sin gobierno propio, desmembradas y postradas, que seguían mereciendo la fidelidad de sus hijos. Aun dividida entre Prusia, Rusia y Austria, Polonia continuaba siendo la patria de los polacos, que derramaban su sangre por ella.

La tesis tradicionalista afirma, a su vez, que la patria es, ante todo, una tradición histórica, un "recuerdo de las grandes cosas hechas en común", como decía Ernest Renán. La idea es parcialmente exacta, porque a pesar de la influencia del pasado, toda patria está igualmente como tendida hacia el futuro. Una tesis marxista sostiene, por último, que la clase obrera es una especie de inmensa nación universal que hallo su patria en lo que fue la Unión Soviética. La experiencia histórica desmiente esta visión simplista: las diversidades nacionales subsistieron dentro de la Unión Soviética, cuyos jefes hicieron numerosas concesiones al sentimiento patriótico de los pueblos pertenecientes a su esfera de influencia.

Corel Stock Photo Library

Casa del Parlamento en Belfast, Irlanda del Norte.

El análisis nos ha mostrado que la patria es, al mismo tiempo, una tradición histórica, una voluntad política, una porción de la tierra y una cultura, todo ello vitalizado por una pujante voluntad de vida y progreso común. Como todos los sentimientos colectivos, el sentimiento patriótico tiende a expresarse por medio de símbolos: cantos, como el himno nacional y las canciones patrióticas; colores e insignias, como los del escudo y la bandera, y hasta símbolos florales (la flor de lis francesa, el trébol irlandés) o animales (el león británico, el águila alemana, la loba italiana). Advirtamos, por último, que no hay patrias inmortales; la patria es un fenómeno histórico y, por tanto, perecedero. Víctor Hugo pudo cantar a la *Francia eterna*, y otro tanto hicieron sus imitadores posrománicos de todo el mundo al cantar a sus países respectivos, pero la frase no pasa de ser una hipérbole poética. La historia nos muestra numerosos ejemplos de patrias que nacieron, prosperaron, declinaron y desaparecieron.

La nación es una variedad moderna del fenómeno de la patria. La palabra viene del latín *natio*, que deriva del verbo *nasci*, nacer. Por tanto, la nación es una comunidad determinada por el nacimiento. Pero es un tipo especial de comunidad: la que se encarna, o trata de encarnar, en la sociedad política llamada Estado. Así entendida, la nación ha aparecido en épocas recientes. La antigüedad y la Edad Media no la conocieron; en estas épocas el individuo pertenecía a grupos humanos más pequeños (la ciudad, el feudo, la comuna) o más grandes (el imperio romano, el sacro imperio romano germánico) que la nación actual. Ésta apareció en Europa hacia el siglo XIV; Francia, Inglaterra y España hallaron su unidad política bajo la égida de monarquías en las que cristalizaba el sentimiento patriótico. Así surgió la nación-estado de los tiempos modernos, en súbita ascendencia a partir de la Revolución Francesa. Italia, Alemania, Rusia, Japón, Estados Unidos y las repúblicas latinoamericanas adoptaron el mismo esquema durante el siglo pasado, y los países coloniales lo están adoptando en la actualidad. Utilizando una fórmula simple, podríamos decir: una patria = un estado + una nación. No es necesario que la nación esté ya convertida en Estado; basta que exista la tendencia, la voluntad colectiva. Los judíos eran una nación antes que naciera el Estado de Israel, que dio forma jurídica y política a sus anhelos patrióticos. La nación es una entidad más política que la patria. Pero, no se confunde con el Estado, como habremos de ver.

Nación y Estado. Los sociólogos dicen que la nación es una comunidad y que el Estado es una sociedad. La diferencia reside en que la comunidad surge espontáneamente, sin esfuerzo de la voluntad humana, mientras que la sociedad es un producto voluntario y deliberado que toma forma en un contrato (en el caso del Estado, este contrato se llama Constitución). La comunidad nacional argentina o mexicana, por ejemplo, es anterior y superior a la sociedad política llamada República Argentina o Estados Unidos Mexicanos. Como toda comunidad, la nación proviene de realidades naturales: el suelo, la sangre, el clima, la historia, el folclore... Nadie decide crearla, se impone como un hecho. Ade-

Corel Stock Photo Library

Casa del Parlamento en Canberra, Australia.

más, exige de sus miembros una fidelidad, una entrega que puede llegar hasta el sacrificio de la vida en su defensa. Por último, se exterioriza en una alegría particular, el gozo comunitario, que se advierte con mayor claridad en las fiestas patrióticas. El Estado puede recoger en su estructura muchos rasgos de la nación; puede, por ejemplo, adoptar el federalismo o respetar las autonomías locales porque en ellos se expresa mejor el genio nacional. Pero, la nación tiene una vida profunda, –un verdadero carácter colectivo– que no es alterada por los cambios políticos o legales.

Nacionalidad. De acuerdo con los tiempos, distintos criterios han imperado para la interpretación de la palabra o idea de la nacionalidad. Uno de los más simples es el que podría fijar la nacionalidad como el nexo que une a los que constituyen una nación, pero, como cristalización de una concepción abstracta, no existe principio definido que pueda llegar a una identificación definitiva del concepto. Así, algunos han presentado la identidad de lenguaje como base de la nacionalidad y ya se ha visto que no es posible sostener semejante juicio como absoluto, cuando existen casos de una nación con varios idiomas, y de un solo idioma para varias naciones, como ya se ha expuesto.

Opinan otros, que las fronteras naturales creadas por la naturaleza, como los sistemas orográficos o hidrográficos, podrían ser el principio ideal para la constitución de nacionalidades, como cotos cerrados en espacios determinados. En realidad, ninguna nación de las existentes puede dar por válida semejante aserción. La historia muestra actualmente el caso de Israel, cuyas características como nación preexistían perfectamente definidas en sus elementos dispersos y sin una tierra que pudiera llamarse propia, antes de su organización como Estado.

De hecho, la idea de la nacionalidad se robusteció a partir de 1815, después de la Revolución Francesa y el fracaso de Napoleón para la unificación política de Europa, cuando se impuso el concepto del principio de las nacionalidades según el cual, los hombres de la misma raza y lengua, con las mismas costumbres y afinidad de historia, debían constituirse en un solo estado y nación. La idea así formulada no pudo llegar a cristalización hasta el fin de la Primera Guerra Mundial, cuando Polonia, Checoslovaquia, Hungría y los países bálticos obtuvieron la que habría de ser efímera soberanía, perdida poco después para algunos de ellos y muy restringida para otros. Sin embargo, la nacionalidad de letones, latvios y estonios, por ejemplo, subsistió a pesar de que sus respectivos países hayan perdido su independencia, al ser absorbidos por la expansión política y territorial de la antigua Unión Soviética.

General Charles de Gaulle visitando St. Pierre, Canadá.

Corel Stock Photo Library

Mientras no existió la nación como tal, no podía comprenderse la idea de la nacionalidad en todo su alcance. La nacionalidad, como derivativo de nacional, puede, pues, entenderse como el lazo que une el individuo miembro de la comunidad, al superior concepto de nación como exponente de la colectividad.

También, hurgando en la definición de las distintas acepciones aplicables a la palabra, puede decirse que nacionalidad, tal y como puede ser interpretada actualmente, adquiere distintos sentidos en singular y plural. En singular, complicando aún más el problema, tiene dos acepciones. Según la primera, la nacionalidad es el vínculo jurídico que liga a una persona con el Estado y le permite participar en su gobierno. La segunda acepción tuvo gran importancia durante el siglo pasado cuando se aplicó el calificativo de nacionalidad a toda nación privada de estructura estatal y de la soberanía política. Así ocurrió con Servia, Bulgaria, Eslovaquia, Hungría, etcétera; en la misma situación se hallan hoy Marruecos, Argelia, las Guayanas y otras áreas coloniales. Una parte considerable de las nacionalidades de Europa, encabezadas por la alemana y la italiana, lograron convertirse en estados en el transcurso del siglo XIX.

El término adquiere otro sentido en plural: se llama principio de las nacionalidades a la norma del derecho de gentes según la cual toda nacionalidad tendría el derecho a convertirse en estado-nación. Este principio, admitido por casi todos los juristas y políticos del siglo pasado, sirvió a Thomas Wilson, Lloyd George y Clemenceau, para redactar los tratados de Versalles, Trianon y Saint Germain, al concluir la Primera Guerra Mundial. Estos tratados dieron origen a diversos estados pequeños y débiles, algunos de los cuales, al término de la Segunda Guerra Mundial y aunque subsistiendo en forma nominal, han sufrido la pérdida o el menoscabo de sus libertades e instituciones políticas ante la preponderancia de una poderosa nación vecina que los incluyó en su órbita de influencia.

Hoy parece evidente que el principio de las nacionalidades, tal como era concebido en el siglo pasado, empieza a sufrir un debilitamiento que ha de llevar, con más o menos tiempo, a otras formas de organización. Los problemas de orden económico y social, de amplitud internacional, derivan hacia la idea de que el sentido de nación debe integrarse en otros más amplios que puedan permitir la unificación de esfuerzos y planes, aun con el sacrificio de ciertos aspectos de soberanía generalmente admitidos, para la obtención de resultados que escapan a las posibilidades de una sola nación. Así nacieron la Comunidad Europea del Carbón y el Acero, la Unión Europea Occidental, la Organización de Estados Americanos y la Liga Árabe.

La idea de federaciones de países en amplias zonas geográficas, de acuerdo con necesidades económicas y sociales, crea la base para que el concepto de estado-nación, cristalización de la tradicional concepción de la nacionalidad, tienda a diluirse para dar paso a nuevos conceptos que modificarán posiblemente las estructuras del derecho internacional actual. *Véanse* CIUDADANÍA; CIVISMO; COMUNIDAD; ESTADO; PATRIA.

nacionalismo. Lazo espiritual que une a los miembros de una nacionalidad con las tradiciones, el modo de vida y la comunidad de aspiraciones que caracterizan a la misma. En sentido estricto es el conjunto de doctrinas y prácticas que tienden a afirmar los atributos de una nación, ya sea en un sector determinado (nacionalismo económico, musical, etcétera) o en todos los aspectos de la vida humana (nacionalismo extremo). Aunque sano y loable en sí mismo, puede transformarse en pasión destructora cuando convierte a la nación en un valor absoluto. *Véanse* CIVISMO; NACIÓN; PATRIA.

nacionalización. Acción y efecto de nacionalizar. Se llama así a la acción que, en un proceso regular jurídico o, en algunos casos, revolucionario, una autoridad o gobierno constituido, revierte o adquiere, para el Estado, una riqueza o industria determinada, que ha sido creada, organizada o desarrollada por particulares o con medios o capitales ajenos al propio gobierno o país en que se encuentra. Tal acción suele ser justificada como acto de legítima soberanía para la mejor organización y desenvolvimiento de dicha industria, servicio o riqueza, y en beneficio de la colectividad para que el estado pueda establecer mejores condiciones de bienestar general. Un acto de nacionalización puede ser realizado mediante previo acuerdo del gobierno con las empresas o intereses afectados por esa medida sobre la compensación que les corresponda por el capital invertido, o unilateralmente por parte del gobierno alegando el caso de utilidad pública, y obligándose a pagar posteriormente la indemnización que se fije. Puede existir el caso de nacionalización por un acto revolucionario, como aconteció en la Unión Soviética, que dejó sin apelación ni compensación a los afectados. En la actualidad, son numerosos los países que han nacionalizado servicios considerados de utilidad pública, como los ferrocarriles, el suministro de aguas, la extracción de ciertos productos minerales, petróleo, uranio, etcétera.

nacionalsindicalismo. Nombre adoptado en España por un movimiento y una doctrina de marcado carácter nacionalista, cristalizado en la Falange Española Tradicionalista y de las JONS, que presidió el general Francisco Franco. Dos organizaciones distintas dieron origen a este cuerpo de doctrina: las Juntas de Ofensiva nacionalsindicalista, fundadas en 1931 por Ramiro Ledesma Ramos y la Falange Española, de esencia nacionalista creada en 1933, por José Antonio Primo de Rivera. La consigna de nación-unidad-imperio preside la doctrina que se compone de 26 puntos o artículos. Sus principios de organización se hallan adaptados a una escala jerárquica, bajo un jefe supremo.

nacionalsocialismo. Doctrina del Partido Nacionalsocialista Obrero Alemán, fundado en Munich en 1919, y que adquirió gran empuje bajo la jefatura de Adolfo Hitler. A la gestación de su ideología contribuyeron los panegiristas de la patria alemana (Stefan George, Arthur Moeller, Heinrich von Treitschke, C. Helmut Schmitt), los exaltadores de la fuerza y la guerra (Nietzsche), el conde Reventlow, fundador de una religión alemana anticristiana; geopolíticos como Haussofer, y el teórico Rosenberg, que en Munich convirtió a Hitler a sus ideas antisemitas y racistas. Éste se inspiró, también, en las ideas y métodos que habían llevado a Mussolini al poder en Italia y adoptó un aparato externo parecido al del fascismo: camisa parda, saludo romano, bandera roja y blanca y la cruz gamada (*swástica*) tomada de la mitología nórdica. Sometió a sus correligionarios a una férrea disciplina militar y organizó a la manera de las milicias fascistas, un cuerpo de protección o secciones de asalto (S.S.). El programa, que unía las tendencias del militarismo alemán y las aspiraciones de orden racial y social, tuvo en un principio 25 puntos: reunión de todos los alemanes en una gran Alemania, abolición de los tratados de Versalles y Saint Germain, concesión de colonias a Alemania, antisemitismo, abolición de las rentas no procedentes del trabajo, estabilización de los trusts, eliminación del derecho romano, antiparlamentarismo, difusión del deporte, etcétera. Pero, la idea fundamental del nazismo era la consecución del *anschluss*, es decir, la reunión de todos los países de habla alemana en un gran imperio para ejercer la hegemonía directa sobre Europa y la económica sobre el resto del mundo. Se basaba sobre la *idea de razas*. Entre todas las razas del mundo, la aria, germánica nórdica tiene el deber de concentrarse alrededor del nucleo alemán y ejercer la autoridad que Dios le ha otorgado. La doctrina está contenida en los discursos y proclamas de Hitler, el *führer*, ante el Reichstag, en las conmemoraciones del golpe de mano de Munich (1923) y de la conquista del poder (1933) y, sobre todo, en *Mi lucha*, libro que Hitler escribió en la cárcel después del fracaso del golpe de mano aludido. El jefe superior del partido era el *führer*, asistido por los jefes de las distintas secciones que dirigían la actividad del nazismo.

Los afiliados, llamados nazis, se dividían en *gau* -en alemán distrito– que a su vez estaban integrados por círculos, lugares y células. Los jóvenes constituían la Juventud Hitleriana. Las muchachas se agrupaban aparte. Cuando Hitler ocupó el poder disolvió todos los partidos, impuso el partido único y estableció en Europa la gran dictadura. Aunque en un principio ésta consiguió cierto éxito económico y social, debido a la política del rearme, el culto exagerado a la raza, a la fuerza y a la violencia, arrastraron a Alemania a una guerra funesta que ocasionó la ruina del país y la destrucción del *orden nuevo* que pretendía consolidar el nazismo.

Naciones Unidas. Se designa así oficialmente a la entidad internacional integrada por 184 naciones, cuyos objetivos son los siguientes: 1) Mantener la paz internacional; 2) Fomentar las relaciones amistosas entre los pueblos; 3) Cooperar en la solución de los problemas internacionales de carácter económico, social y cultural, y estimular el respeto de los derechos y libertades del hombre; 4) Servir de centro que armonice los esfuerzos de las naciones para alcanzar estos propósitos comunes. La idea de asegurar la paz y el progreso mediante la unión de las sociedades políticas es tan antigua como la humanidad, pero se ha tornado más actual y urgente en nuestro siglo, que la ha visto cristalizar en dos grandes experiencias. La primera fue la extinta Sociedad de las Naciones, entidad creada después de la Primera Guerra Mundial; la segunda es la actual organización de las Naciones Unidas, que fue gestada durante la Segunda Guerra Mundial. El punto de partida de las Naciones Unidas se halla en la prolongada serie de acuerdos y reuniones efectuados durante la guerra con el propósito de forjar una alianza entre los países que luchaban contra el Eje. Iniciada con la famosa *Carta del Atlántico* y el programa llamado de *las cuatro libertades*, la alianza se fue convirtiendo paulatinamente en el esbozo de una organización

Corel Stock Photo Library

Edificio de las Naciones Unidas en New York, EE.UU.

permanente de carácter mundial. Con el nombre oficial de Organización de las Naciones Unidas (ONU), la nueva entidad quedó establecida en forma definitiva durante la conferencia inaugurada en San Francisco el 25 de abril de 1945, a la que asistieron representantes de cincuenta países, entre los cuales figuraban todos los estados americanos.

El núcleo básico de las Naciones Unidas está constituido por seis organismos: la Asamblea General, el Consejo de Seguridad, el Consejo Económico y Social, la Corte Internacional de Justicia, el Consejo de Administración Fiduciaria y la Secretaría.

1. **La Asamblea General.** Está formada por representantes de todos los Estados que pertenecen a la organización; cada delegación puede tener hasta cinco representantes, pero sólo posee un voto. La Asamblea se reúne por lo menos una vez al año, para estudiar los problemas internacionales que amenacen el mantenimiento de la paz, promover el progreso económico y social, estimular la cooperación cultural entre los pueblos y asegurar el respeto de los derechos y libertades fundamentales. Previa recomendación del Consejo de Seguridad, la Asamblea puede admitir, suspender o expulsar de la organización a cualquier estado. Para las votaciones importantes se requiere una mayoría de los dos tercios, que se reduce a mayoría simple para los asuntos ordinarios. La Asamblea elige su propio presidente para cada sesión, y está asistida en sus funciones por siete comisiones principales en las que todos los miembros tienen derecho a estar representados: La *Comisión Política y de Seguridad* (que incluye la reglamentación de armamentos); La *Comisión Política Especial* (para compartir el trabajo de la anterior); la de *Asuntos Económicos y Financieros*; la de *Asuntos Sociales, Humanitarios y Culturales*; la de *Administración fiduciaria* (incluyendo los territorios no autónomos); la de *Asuntos Administrativos y de Presupuesto* y la de *Asuntos Jurídicos*. Además, la *Mesa* (integrada por el presidente y los diecisiete vicepresidentes de la Asamblea, más los presidentes de las siete comisiones principales) se reúne con frecuencia durante el periodo de sesiones, para vigilar la buena marcha de los trabajos de la Asamblea. Existe también la *Comisión de Verificación de Poderes*, que examina las credenciales de los representantes. Dos comisiones permanentes ayudan a la Asamblea en sus trabajos: la *Comisión Consultiva en Asuntos Administrativos y del Presupuesto* y la *Comisión de Cuotas*. Los miembros de estas comisiones son elegidos por la Asamblea General con mandato de tres años. Cuando se requiere, se establecen órganos especiales y auxiliares.

Interior del edificio de las Naciones Unidas.

Corel Stock Photo Library

Atribución importantísima de la Asamblea es la de que si el *Consejo de Seguridad*, debido a falta de unanimidad de sus miembros, no adopta las resoluciones urgentes necesarias para preservar la paz internacional en casos de amenaza o actos de agresión, entonces la Asamblea se hará cargo inmediato del asunto y propondrá a los miembros la adopción de medidas colectivas que pueden llegar al empleo de fuerzas militares para mantener o restablecer la paz y seguridad. La Asamblea tiene su sede en New York.

2. **El Consejo de Seguridad.** Es un organismo de excepcional importancia, que asume la responsabilidad directa del mantenimiento de la paz mundial y el control de los armamentos. Las facultades y atribuciones del Consejo comprenden las de investigar las causas de cualquier conflicto internacional que pueda surgir y recomendar las medidas para solucionarlo. En el caso de que no se logre un arreglo pacífico, el Consejo puede determinar la aplicación de sanciones económicas contra el Estado que sea considerado agresor y, si fuere necesario, aplicar también medidas

militares. El Consejo está compuesto por cinco miembros permanentes (China, Estados Unidos, Francia, el Reino Unido y Rusia) y diez miembros no permanentes elegidos por la Asamblea General con mandato por dos años. Los miembros salientes no pueden ser reelegidos inmediatamente. Anteriormente el Consejo de Seguridad estaba formado por once miembros, pero en 1965 su número se amplió a quince. Varios estados latinoamericanos han formado parte del Consejo en diferentes periodos. El Consejo se halla en sesión permanente en la sede de la organización, pero puede reunirse donde lo crea conveniente. Las decisiones en materia de procedimiento requieren el voto afirmativo de nueve miembros; la decisión sobre asuntos que no sean de procedimiento requiere, además de esos nueve votos, los afirmativos de todos los miembros permanentes. El miembro que sea parte interesada se abstendrá de votar. La función de presidente del Consejo se desempeña durante un mes, en rotación, por cada uno de los Estados miembros que forman parte del Consejo, siguiendo el orden alfabético de sus nombres en inglés.

3. **El Consejo Económico y Social.** Desarrolla una tarea menos espectacular, pero, de alcances más vastos. Su misión consiste en el logro de los objetivos económicos y sociales de la organización, para lo cual crea comisiones, realiza estudios y encuestas, y aprovecha todos los medios que le brindan la ciencia y la técnica. Integran el Consejo representantes de veintisiete estados miembros (originalmente eran dieciocho, pero en 1965, en virtud de la enmienda a la Carta, su número fue ampliado a los veintisiete actuales) elegidos anualmente por rotación (nueva cada año) por la Asamblea General, para un periodo de tres años. Los miembros salientes pueden ser reelegidos de inmediato. El Consejo suele celebrar dos periodos de sesiones al año, aunque puede reunirse con la frecuencia que necesite para cumplir con sus obligaciones. Los acuerdos se obtienen por mayoría de votos. Bajo la autoridad del Consejo trabajan las siguientes comisiones orgánicas: *Comisión de Estadísticas, Comisión de Población, Comisión de Asuntos Sociales, Comisión de Derechos Humanos, Comisión de la Condición Jurídica y Social de la Mujer* y *Comisión de Estupefacientes.* Hay, además, cuatro comisiones económicas regionales, que estudian los problemas económicos de sus regiones: *Comisión Económica para Europa, Comisión Económica para Asia y el Lejano Oriente, Comisión Económica para América Latina y Comisión Económica para África.* También existe una *Subcomisión de Prevención de Discriminaciones y Protección a las Minorías,* que actúa bajo la *Comisión de Derechos Humanos.* El Consejo cuenta también con diversos comités y otros órganos auxiliares, como el *Comité de Vivienda, Construcción y Planificación* y el *Comité Asesor sobre la Aplicación de la Ciencia y la Tecnología al Desarrollo.*

Corel Stock Photo Library

Vista del primer nivel de asambleas de la ONU.

4. **El Consejo de Administración Fiduciaria.** Tiene a su cargo la administración de los territorios en fideicomiso que todavía no pueden gobernarse por sí mismos. Está integrado por los miembros de las Naciones Unidas que administran dichos territorios, los miembros permanentes del Consejo de Seguridad que no administran esos territorios y el número suficiente de otros miembros (elegidos por la Asamblea General con mandato por tres años), para igualar la cantidad de miembros administradores y los no administradores.

5. **La Corte Internacional de Justicia.** Es el máximo organismo judicial de las Naciones Unidas pronuncia sentencias en los asuntos sometidos a su consideración por los diversos estados, y formula opiniones legales a solicitud de la Asamblea y del Consejo de Seguridad. Está compuesta por quince magistrados que ejercen sus funciones por periodos de nueve años y son elegidos entre los juristas de mayor renombre internacional, por la Asamblea General y por el Consejo de Seguridad, en forma independiente. Las cuestiones se deciden por mayoría. Nueve jueces constituyen un quórum. La Corte tiene su sede en el Palacio de la Paz, situado en La Haya (Holanda), y tiene sesiones durante todo el año.

6. **La Secretaría.** Se encarga de las tareas administrativas. Tiene su sede en New York y está dirigida por un Secretario General nombrado por la Asamblea General a recomendación del Consejo de Seguridad. El Secretario General es el funcionario administrativo más alto de las Naciones Unidas. Actúa como principal funcionario de carácter administrativo en las sesiones que celebran la Asamblea General, el Consejo de Seguridad, el Consejo Social y Económico y el Consejo de Administración Fiduciaria. Está asistido en sus funciones por los subsecretarios y jefes de las distintas secciones y departamentos que integran la Secretaría.

El noruego Trygve Halvdan Lie, primer Secretario General, ocupó el cargo hasta 1953. Lo sucedió el sueco Dag Hammarskjöld, hasta su fallecimiento, en 1961. Asumió entonces la Secretaría U Thant de Birmania, quien fue relevado en 1972 por el austriaco Kurt Waldheim. En 1982 inició sus funciones como Secretario General Javier Pérez de Cuéllar, del Perú. En 1997 fue nombrado Secretario General Kofi Atta Annan, nativo de Ghana.

Los últimos años. Durante la década de 1980 la buena fortuna de la ONU parecía ir en declive. El interés del presidente norteamericano Ronald Reagan por renovar el conflicto Este-Oeste minimizó la importancia de la ONU, en donde el principal punto de interés era sobre las líneas Norte-Sur. La ONU también se encontraba financieramente mal, aunado a la negación de Estados Unidos de pagar su parte para los gastos de la organización. Sin embargo, en 1990, la ONU se había restablecido por el final de la guerra fría, lo que mantuvo la promesa de cooperación entre las grandes potencias que originalmente habían conformado la base de la fundación de la ONU.

Entonces la ONU se perfiló para desempeñar un papel importante, lo que el presidente George Bush llamó como el *nuevo orden mundial.* Cuando Iraq invadió Kuwait en agosto de 1990 el Consejo de Seguridad votó para demandar la expulsión de Iraq y utilizar la fuerza si no se retiraba el 15 de enero de 1991. Estos votos fueron particularmente significativos porque ni la gente de la República de China ni la de la URSS, que había sido un aliado cercano de Iraq, votaron. Después de que Iraq no retiró sus tropas ante el aviso de la ONU, una gran fuerza internacional, guiada por Estados Unidos, bombardeó e invadió Iraq (ver Guerra del Golfo Pérsico).

El papel de la ONU como guardián de la paz también creció después de 1990. Con el costo de sus operaciones en aumento, la ONU enfrentó la amenaza de más conflictos de origen étnico o de sectas en otras partes.

El que la ONU continúe para expandir su papel de guardián de la paz y de la seguridad como el tipo de organización que planearon sus creadores depende de varios factores. El más importante es la continua disposición de las grandes potencias para ayudar y cooperar de manera tal que los miembros menos poderosos no se separen. El segundo son los fondos, la necesidad por la que ha crecido grandemente. El tercer factor es el apoyo de las potencias emergentes, notablemente Alemania y Japón, el cual necesita buscar una fuerte presencia en la ONU, tal vez reorganizando el Consejo de Seguridad para convertirlos en miembros permanentes, con o sin el veto.

Organismos especializados y otras organizaciones autónomas dentro del sistema. Son instituciones intergubernamentales que han llegado a formar parte de las Naciones Unidas como organismos especializados, mediante acuerdos especiales con el ECOSOC (Consejo Económico y Social). Actualmente este grupo está constituido por dieciocho miembros: OIEA, OIT, FAO, UNESCO, OMS, BANCO MUNDIAL, AIF, CFI, FMI, OACI, UPU, UIT, OMM, OMI, OMPI, FIDA, GATT, ONUDI.

OIEA. El *Organismo Internacional de Energía Atómica* fue fundado en 1957. Sus funciones son las de promover el empleo de la energía atómica para fomentar la paz, la salud y la prosperidad en todo el mundo, y vigilar que los materiales atómicos que se suministran por su conducto sean utilizados solamente para fines pacíficos. Tiene su sede en Viena.

OIT. La *Organización Internacional del Trabajo* fue fundada en 1919. En 1946 se convirtió en el primer organismo especializado asociado a las Naciones Unidas. Ha venido realizando una fecunda labor para mejorar la condición de los trabajadores del mundo entero. Efectúa conferencias periódicas a las que asisten representantes sindicales, patronales y gubernativos, y posee una oficina permanente con sede en Ginebra.

FAO. La *Organización de las Naciones Unidas para la Agricultura y la Alimentación* se propone mejorar la producción y distribución de productos agrícolas, elevar la calidad de la alimentación humana y proteger a los campesinos. Funciona desde 1945 y tiene su sede en Roma.

UNESCO. La *Organización de las Naciones Unidas para la Educación, la Ciencia y la Cultura* se propone estimular la colaboración entre los grupos sociales, sin distinción de razas, sexo, nacionalidad o religión, y fomentar la educación, la ciencia y la cultura. Fue establecida en 1946 y tiene su sede en París.

OMS. La *Organización Mundial de la Salud* fue creada en 1948. Trabaja para elevar el nivel de salud en todo el mundo y evitar que se propaguen las epidemias. Promueve la investigación médica internacional. Tiene su sede en Ginebra.

BANCO MUNDIAL. El *Banco Internacional de Reconstrucción y Fomento*, con sede en Washington, D. C., fue creado en 1945, cuando se firmó el acuerdo redactado en la conferencia de Bretton Woods, en 1944. Realiza préstamos para el desarrollo económico. La mayoría de las naciones latinoamericanas han recibido préstamos del Banco Mundial.

AIF. La *Asociación Internacional de Fomento* es filial del Banco Mundial. Fue fundada en 1960 con el propósito de otorgar créditos a los países subdesarrollados, con condiciones de préstamo más accesibles que las de los mercados de capital. Su sede está en Washington, D. C.

CFI. La *Corporación Financiera Internacional* fue creada en 1956. Se convirtió en organismo especializado, afiliado al Banco Mundial, en 1957. Su propósito es contribuir a fortalecer la economía de los países miembros mediante el estímulo de los capitales de inversión e impulsar la creación de nuevas empresas privadas. Tiene su sede en Washington, D. C.

FMI. El *Fondo Monetario Internacional* fue creado en 1945. Se ocupa de fomentar la cooperación monetaria y el comercio internacionales, y de promover la estabilidad de los tipos de cambio. Su sede está en Washington, D. C.

OACI. La *Organización de Aviación Civil Internacional*, creada en 1947, funciona en Montreal, Canadá. Estudia y regula el tránsito aéreo internacional.

UPU. La *Unión Postal Universal* es la entidad más antigua, pues funciona desde 1875, después de la ratificación del Tratado de Berna aprobado en el año 1874. Coordina el intercambio postal entre las naciones del mundo, colabora con la ONU desde 1948 y tiene su sede en Ginebra.

UIT. La *Unión Internacional de Telecomunicaciones* se fundó en París en 1865, con el nombre de Unión Internacional de Telégrafos, que a su vez se cambió por el de Unión Internacional de Telecomunicaciones en 1934. La UIT se reorganizó en 1947 y fue reconocida como organismo especializado. Se ocupa de estudiar y regular el uso de la radio, la televisión, el teléfono y el telégrafo. Su sede está en Ginebra.

OMM. La *Organización Meteorológica Mundial* entró en vigor en 1950 y tiene su sede en Ginebra. Estudia los problemas meteorológicos y ayuda a coordinar los aspectos internacionales de tales problemas.

OMI. La *Organización Marítima Intergubernamental*, fundada en 1958, con sede en Londres, promueve la cooperación a nivel mundial en todo lo que se refiere a problemas técnicos y jurídicos de la navegación marítima, además de la expansión del comercio por esa vía.

OMPI. La *Organización Mundial de la Propiedad Intelectual* fue fundada en 1967 con la finalidad de promover la protección de la propiedad intelectual y asegurar el cumplimiento de los acuerdos internacionales sobre esta materia. Su sede está en Ginebra.

FIDA. El *Fondo Internacional de Desarrollo Agrícola* es el más reciente de los organismos especializados; su fundación se aprobó en 1976. Su propósito es impulsar el desarrollo agrícola y rural en los países en desarrollo, con proyectos y programas para beneficio de las poblaciones rurales más pobres. Su sede está en Roma.

GATT. El *Acuerdo General sobre Aranceles Aduanales y Comercio* entró en vigor en 1948. Trata, con éxito, de reducir las barreras comerciales formulando un código común de conducta en el comercio internacional. Su sede está en Ginebra.

ONUDI. La *Organización de las Naciones Unidas para el Desarollo Industrial* fue fundada por la Asamblea General en 1967 y está en vías de convertirse en organismo especializado, su sede está en Ginebra. Su propósito es fomentar el desarrollo industrial y contribuir a la industrialización de los países en desarrollo.

nada. El no ser, o la carencia absoluta de todo ser, es la definición usual de la palabra nada, pero, en términos positivos, la idea de la nada no es susceptible de una definición concreta. Solamente en filosofía metafísica y con relación al orden lógico de la afirmación con la negación puede llegarse a lo que podría llamarse una interpretación: *la nada es la negación del ser actual, pero no del ser virtual.* Toda idea, sea cual fuere, se concibe con el supuesto de la que le es relativamente opuesta o contraria, de lo que se infiere que lo concebido afirma todo lo que concretamente encierra o comprende en sí y, a la vez, niega y excluye o refuta cuanto no se halla en su contenido. La carencia absoluta de todo ser, el no ser, la nada como ninguna cosa, es decir, la negación absoluta de las cosas, es inconcebible si se aplica a la realidad concreta que exige la existencia, la posición o negación relativa de lo que en ella se contiene. Toda especulación o fenómeno mental como conocimiento de algo concreto, exige la percepción afirmativa de lo que es y contiene dentro de sí lo percibido; lo opuesto, como excluyente, implica la negación relativa de lo primero, es decir, la afirmación también de la no existencia de lo primitivamente afirmado o contenido. Para llegar a la negación absoluta, sería necesario que la inteligencia humana tuviera capacidad para concebir o representarse lo que no existe ni comprende y automáticamente entonces, en dicho caso, no habría ya tal premisa de inexistencia pues lo concebido adquiriría forma y carácter inmediato de existencia por la idea.

***Nadar*, Seudónimo de Gaspard-Félix Tournachon** (1820-1910). Fotógrafo francés. Con estudios inconclusos de medicina, se dedicó al periodismo y a la caricatura. Empezó a cultivar la fotografía en 1850; tres años más tarde abrió su establecimiento en París y se convirtió en el retratista más prestigioso (fotografió a Honoré Balzac, Eugène Delacroix, Honoré Daumier, Antonio Rossini, Giacomo Meyerbeer, Otto Wagner, Sarah Bernhardt, Charles Baudelaire, Théophile Gautier, Sainte-Beuve, Mihail Bakunin, etcétera). En 1858 fue el primero en obtener una foto áerea, desde un globo. Amigo de los miembros del futuro grupo impresionista, les prestó su antiguo taller de París para que organizaran su primera exposición conjunta (1874).

nadir. Punto de la esfera celeste diametralmente opuesto al cenit. El nadir se encuentra verticalmente debajo de los pies del observador, cualquiera que sea el punto de la Tierra en que éste se halle. Puede describirse también diciendo que es el polo inferior del horizonte, pues la línea imaginaria *nadir-cenit* corta perpendicularmente al mismo. *Nadir del sol* es el punto de la esfera celeste diametralmente opuesto al que en ella ocupa el centro del Sol.

Nadir Khan (1688-1747). Rey de Persia. Fue hijo de un imán del Meshed y, desde su juventud, se dedicó a la guerra y el pillaje. En 1726 entró al servicio de Thamasp II, rey de Persia, que le perdonó sus delitos. Al frente de las fuerzas de Thamasp contuvo a los afganes y derrotó a los turcos, por lo que en recompensa, fue nombrado gobernador de varias provincias. Cuando Thamasp concertó una paz onerosa con los turcos, Nadir lo destronó, puso en el trono a Abbas III, hijo de aquél, y él se declaró regente. Al morir Abbas en 1736, Nadir se proclamó rey, emprendió una serie de guerras victoriosas y conquistó gran parte de la India.

nafta. Nombre con que suelen conocerse las variedades más volátiles del petróleo. En general, reciben esta designación los hidrocarburos líquidos, de peso molecular relativamente bajo, que se obtienen por la destilación del petróleo a menos de 150 grados de temperatura, y también de la destilación seca de la hulla, brea, huesos y otros productos. Son líquidos, incoloros, volátiles, más livianos que el agua y arden con llama fuliginosa. Forman un grupo bastante numeroso y tienen infinidad de aplicaciones industriales. Citaremos entre ellos: las motonaftas (indicadas, por sus cualidades muy superiores a las de las bencinas ordinarias, para los motores de aviación y automóvil); los empleados como solventes de lacas y pinturas o barnices, las que sustituyen en ciertos casos a la trementina (aguarrás), los que se utilizan en la fabricación de explosivos (tolueno, xyleno), etcétera.

naftalina. Compuesto hidrocarburado sólido descubierto por Garden en 1816 y que también existe como mineral –naftalina natural– en los lignitos y las turbas. Se obtiene industrialmente enfriando fuertemente la brea de hulla cuando hierve a más de 200 grados y prensando los cristales producidos para purificarlos. Ofrece el aspecto de grandes hojas incoloras y brillantes, de olor muy característico y penetrante.

Arde con llama fuliginosa, es insoluble en el agua y muy poco en alcohol y en el éter. Se emplea como insecticida, desinfectante, y como pomada para ciertas enfermedades de la piel; sus derivados se utilizan en la preparación de colorantes. También se ha ensayado como combustible en sustitución de los aceites pesados y gasolina, observándose que su poder calorífico se eleva a 1,235 calorías-gramo.

naga. Nombre que, en la mitología de la India, se emplea para designar a ciertas serpientes deificadas, a las que se adora como genios de las aguas. Tienen como rey a Skesa, la serpiente sagrada de Vishnú.

Nãgã Pradesh. Estado de la India, ubicado al noreste del país y colindante con Myanmar al este y el valle aluvial del río Brahmaputra al oeste. De terreno montañoso –el Sãrãmãti, con sus 3,826 m es el pico más alto–, Nãgã Pradesh o Nagaland tiene 16,527 km² de extensión y 1.215,573 habitantes. Su capital y principal centro económico es Kõhimã, que tiene 34,300 habitantes. Nãgã Pradesh cuenta con densos bosques y su clima es tropical de montaña.

La economía de este estado se basa en la agricultura. Alrededor de 80% de la población y 32% de su superficie se dedican a esta actividad, principalmente en el cultivo de arroz y maíz. El resto de los cultivos siguen un sistema llamado *jhumming*: una parte de bosque se quema para sembrar cereales repetitivamente durante tres años. Después ésta se deja crecer y se elige otra.

La industrialización es virtualmente inexistente y la abundancia de carbón y petróleo no significan nada ante la pobre disposición de medios técnicos y de comunicación.

Muchos habitantes de Nãgã Pradesh rehusaron ser parte de la India cuando ésta obtuvo su independencia en 1947, y el gobierno de Delhi tuvo que combatir a los rebeldes. En 1963 el territorio fue incorporado a la Unión India, pero la lucha armada continuó hasta que por medios políticos y militares fue extinguida.

nagas. Nombre de unas tribus montañosas del noreste de Assam, en la India Transgangética, que viven aisladas en las montañas de Naga, entre el valle de Brahmaputra y la Alta Birmania. Viven en condiciones primitivas debido al difícil acceso a la región en que residen. Por el idioma, pertenecen a un grupo de la familia lingüística tibeto-birmana-indochina. La lengua naga comprende buen número de dialectos que han asimilado numerosas palabras chinas. La región en que viven, llamada Naga Hills, tiene unos 11,000 km² de extensión y todas las tribus comprenden, en conjunto, unos 180,000 nagas.

Nagasaki. Ciudad y puerto de Japón, capital de la prefectura o *ken* llamada Homón. Situada en el oeste de la isla Kyushu y a 1,000 km al sudeste de Tokio. Tiene 460,000 habitantes. Es base naval, al amparo de su resguardada bahía, y son importantes sus industrias, arsenales y astilleros. Es el puerto japonés más próximo a la tierra firme de China (Shanghai). Al sur de Nagasaki está la isla de Takasima, rica en carbón. Tiene hermosos edificios y son pintorescas las colinas que resguardan la bahía. Posee importantes establecimientos universitarios e institutos de especialización. Su comercio es muy intenso.

Historia. Fue fundada por el príncipe Sumitanda en 1569 y a fines del siglo XVI se la declaró ciudad imperial, comenzando su progreso. Su libertad para comerciar con el exterior, iniciada en 1638 con un permiso exclusivo a los traficantes holandeses, se hizo completa en 1857. El 9 de agosto de 1945 un avión estadounidense dejó caer sobre Nagasaki la segunda bomba atómica durante la Segunda Guerra Mundial determinando el armisticio suscrito el 15 del mismo mes. El proyectil lanzado en pleno corazón de la ciudad, destruyó gran parte de la misma y causó más de 35,000 muertos y una cantidad mayor de heridos.

Nagoya. Ciudad de Japón, en la isla de Hondo, capital de la provincia o *ken* de Aichi. Está situada a 375 km de Tokio y su población es de 2.153,300 habitantes. La ciudad tiene un trazado regular, grandes templos y edificios notables. Es el principal centro de cerámica de Japón y allí tuvo origen el esmalte alveolado. También posee importantes industrias, entre ellas las de tejidos de algodón y seda.

Naguib, Muhammad (1901-1984). Militar y estadista egipcio. En la guerra con Israel fue ascendido a brigadier. Ese conflicto reveló la mala organización del ejército egipcio, de la que se culpó al gobierno. La organización revolucionaria que dirigía el coronel Gamal Abd el-Nasser, designó a Naguib para que encabezara el movimiento militar que derrocó al rey Faruk en julio de 1952. Al año siguiente se proclamó la república con Naguib como presidente. En febrero de 1954 renunció a la presidencia por estar en desacuerdo con el Consejo de la Revolución que dirigía el coronel Nasser; pero, fue restituido en el cargo, aunque con carácter honorario ya que el poder efectivo pasó a manos de

Nasser que ocupó el cargo de primer ministro. En octubre de ese año Nasser fue objeto de un atentado y por suponer que Naguib pudiera estar implicado en la preparación del mismo, éste fue destituido y se retiró a la vida privada.

nahuas. Indígenas americanos pertenecientes a la familia yuto-azteca. Los individuos de este grupo se extendieron por México y toda América Central. El lenguaje de las tribus que lo formaban correspondía a la división lingüística nahuatlana. Cuenta una leyenda consignada en el Códice Ramírez, que, en una región denominada Aztlán, *tierra de las garzas*, y en el paraje llamado Chicomóztoc, Siete Cuevas, vivían, en época muy remota, las tribus nahuas, denominadas, respectivamente, xochimilcas, chalcas, tecpanecas, acohuas o culhuas, tlahuicas, tlaxcaltecas y mexicas. El lugar de origen de estas tribus hay que colocarlo, según la tradición en el norte de México o en el sur de Estados Unidos. Se supone que la razón por la que abandonaron dicha región y emprendieron la peregrinación hacia el sur fue por el derrumbamiento del poderío tlapalteca, ocurrida, según el Códice Ramírez el año 820. Guiadas por su dios Mexi, las tribus nahuas abandonaron su primer establecimiento y se desplazaron en busca de otras tierras. Pero, no todas ellas emprendieron la marcha al mismo tiempo. Los primeros en salir fueron los xochimilcas, palabra que quiere decir gentes de las sementeras de flores; les siguieron los chalcas, gentes de las bocas; seguidos a continuación por los tecpanecas, gentes de la puente o pasadizo de piedra. Con posterioridad, les siguieron los tlahuicas y no mucho después los tlaxcaltecas. Los últimos en salir fueron los mexicas porque así lo habían dispuesto sus dioses. Los xochimilcas se establecieron en la actual Xochimilco, de los cuales tomó su nombre, y lo mismo sucedió con los chalcas, que se quedaron en Chalco. Los tecpanecas fundaron Azcapotzalco, y los acolhuas Texcoco. Los tlahuicas y los tlaxcaltecas se vieron obligados, por la hostilidad de las tribus anteriores, a continuar su camino y establecerse, los primeros en Cuauhnáhuac, la actual Cuernavaca, y los segundos en Tlaxcallam, la actual Tlaxcala. Cuando llegaron los mexicas, todo el valle de México estaba ocupado y no encontraron lugar donde establecerse, por lo que tuvieron que seguir peregrinando muchos años. Estuvieron en el lago de Chapala y penetraron en Michoacán, en donde tomaron por nuevo dios a Huitzilopochtli, al que convirtieron en uno solo con su antiguo dios Mexi, de su patria primitiva. Finalmente, guiados por Tenoch llegaron al valle de México, trataron de instalarse en Chapultepec, donde se tropezaron con los tecpanecas, pues dicho punto caía dentro de su jurisdicción. Allí habitaron algunos años, gobernados por su caudillo Huitzilíhuitl, hasta que los reinos aliados de Azcapotzalco, Xaltocan y Culhuacán los atacaron y consiguieron desalojarlos de su refugio. En esa batalla murió Huitzilíhuitl y los mexicas cayeron en servidumbre de los acolhuas, que los confinaron a un lugar llamado Atizapán, lugar de las aguas blancas, sitio desamparado y misérrimo, donde consiguieron, con grandes esfuerzos, obtener lo suficiente para vivir y lograron convertir en un vergel el desierto en que se habían establecido. Una vez rehechos la emprendieron contra sus señores y opresores; pero, como fueron vencidos, tuvieron que refugiarse dentro de la laguna, en la cual se establecieron definitivamente en un islote que había en su interior. Las tribus nahuas lucharon entre sí durante bastante tiempo por la hegemonía hasta que, finalmente, los mexicas, los últimos en llegar, y los más desamparados, consiguieron imponerse a los demás y constituir la federación azteca bajo su predominio. Esto último tuvo lugar en tiempos de Itzcóatl, rey de Tenochtitlán el cual, aliado con Netzahualcóyotl de Texcoco, logró destruir Azcapotzalco, capital de los tecpanecas. Desde entonces la hegemonía que éstos habían ejercido sobre las tribus nahuas pasó a los mexicas de Tenochtitlán. *Véanse* AZTECAS; MÉXICO.

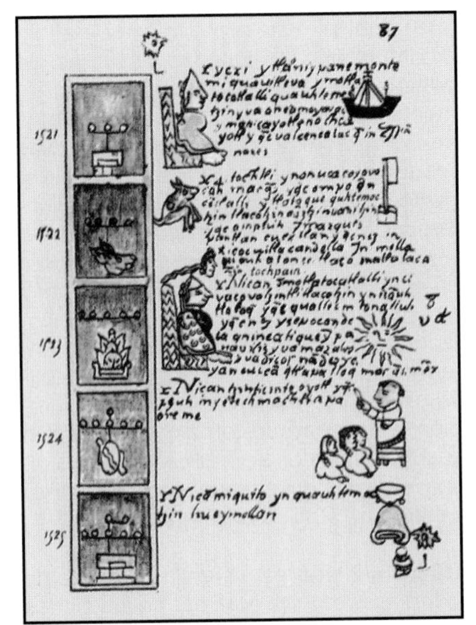
Salvat Universal

Página del Códice Aubin, en la que se combinan los elementos pictográficos con signos del calendario y la versión en lengua nahua de los sucesos narrados.

Nahuel Huapí. Lago de la República Argentina, cuyo nombre significa *Isla del tigre*. Situado en el límite de las provincias de Río Negro y Neuquén, cubre una superficie de 531 km². Forma parte del Parque Nacional de Nahuel Huapí, y recibe sus aguas de los lagos Correntoso, Frías, Frey, Los Cántaros, Gallardo y Moreno. Tiene varias islas, de las cuales la más importante es la de la Victoria, donde existe una estación forestal dedicada a aclimatar nuevos tipos vegetales destinados a reemplazar los destruidos por el fuego o para poblar nuevas zonas. El lago fue descubierto en 1670 por el padre Mascardi, perteneciente a un establecimiento jesuita de Chiloé, quien fundó una misión en sus márgenes. No logró convertir a los indios quienes se sublevaron en 1718, dando muerte a todos los miembros y destruyendo la misma. En 1791 el padre Francisco Menéndez fundó otra colonia en el lugar, que fue el origen de esta zona de turismo. El Parque Nacional de Nahuel Huapí es una amplia zona situada sobre la región cordillerana, notable por su belleza y a la que se le llama *la Suiza Argentina*. Incluye los más variados panoramas, donde los lagos se alternan con los bosques, los ríos con las montañas y los picos nevados con las cascadas. Una densa vegetación cubre todo el parque, que cuenta con excelentes comodidades para el turismo.

Naidu, Sarojini Chattopa (1879-1949). Poetisa india que se educó en Londres, donde se doctoró en derecho. Laboró activamente con Gandhi en pro de la independencia de su patria. En 1925 presidió el Congreso Nacional Indio. Fue también brillante oradora y ha publicó numerosos trabajos de sociología, religión y pedagogía.

nailon. Nombre con que se distingue un grupo de productos sintéticos procedentes de amidas poliméricas con estructura química similar a la de las proteínas. Las materias primas para su fabricación proceden, principalmente, del carbón, el petróleo, el agua y el aire. El nailon (del inglés *nylon*) se caracteriza por sus condiciones de duración, resistencia y elasticidad, y puede convertirse en fibras para la manufactura de tejidos, en cerdas, planchas, hojas y otras formas. Merced a sus muy extraordinarias y singulares propiedades la fibra de nilón se emplea en la fabricación de medias y otros tejidos de punto, telas diversas, que abarcan desde las usadas para vestidos y fina ropa interior, hasta las empleadas en tapicería, cortinas, corbatas, paracaídas, hilos para sutura quirúrgica, etcétera.

Historia. El procedimiento que facilitó la producción del nailon en escala industrial, fue perfeccionado hacia 1938 por Wallace H. Carothers después de diez años de constantes experimentos por cuenta de la firma norteamericana Du Pont Nemours. Utilizando un alambique molecular, el investigador siguió el proceso de formar moléculas mayores mediante la unión de moléculas pequeñas, lo cual se conoce por polimerización. Durante los dos primeros años el descubrimiento tuvo sólo un interés académico y no práctico. En el curso de sus experimentos el doctor Carothers encontró que muchas de las fibras obtenidas de compuestos polimerizados podían ser estiradas varias veces su longitud original, una vez que eran enfriadas, lo cual les daba fortaleza y elasticidad. Más tarde polimerizó hexametilenediamina y ácido adípico, producto que posteriormente fue conocido por *66* a causa del número de átomos de carbono contenidos en los grandes polímeras, y consiguió el nailon. Pero ocurría que la hexametilenediamina y el ácido adípico, los cuales había que producir en masa era considerada como una curiosidad de laboratorio la primera, y el segundo se fabricaba comercialmente sólo en Alemania. Y fue entonces cuando en los laboratorios de la empresa Du Pont se halló la manera de producirlos a base del carbón, del aire, del agua, del petróleo y del gas natural, conseguido lo cual se inició la producción en masa del nailon.

Cómo se hace el nailon. Una vez obtenidos los dos compuestos citados –hexametilenediamina y ácido adípico– se unen para formar otras sustancias. Esta combinación de compuestos se denomina *sal de nailon* en forma de solución concentrada. La solución se calienta a presión en un autoclave, operándose entonces el proceso de la polimerización. Este proceso, cuidadosamente fiscalizado en lo relativo a la temperatura y duración, da al nailon una estructura molecular similar a la de la lana y la seda. Luego el nailon caliente y blando fluye hacia el ancho borde de una rueda que gira lentamente, y sale de la máquina como una cinta, siendo endurecido y enfriado sobre un tambor o rodillo de metal, conseguido lo cual se corta en trozos y se almacena como nailon *crudo*. Las fibras se sacan después de estos trozos, sometiéndolos a fuerte calor que los funde, operación ésta que se efectúa sobre una rejilla calentada y protegida con gas inerte para que el oxígeno del aire no penetre en el nailon fundido. La operación siguiente consiste en bombear el nailon líquido a través de pequeños orificios, por cada uno de los cuales pasan miles de metros de hebra por minuto Esta se endurece tan pronto entra en contacto con el aire y es enrollada en carretes a unos 100 m por minuto. Con varias hebras se forma un hilo de nailon textil, al que antes de enrollarlo en bobinas se le da algunos retorcidos y a continuación se le hace un estirado en frío, proceso que origina un gran cambio en la estructura del filamento, debido a lo cual adquiere su elasticidad. El estiramiento en frío se efectúa devanando el hilo en un carrete y enrollándolo en otro de manera que la acción del enrollado sea cuatro veces más rápida que la del devanado. La unidad de peso de la hebra de nailon se llama *denier*: un *denier* es el peso en gramos de 900 m (15 gr) con lo que puede fabricarse un par de medias. Las fibras de nailon tienen de uno y medio a 15 *deniers*. Un hilo de este tipo es unas tres veces más fino que un cabello humano y contiene aproximadamente 600,000 m/kg. Si el material de nailon no se destina a fibra textil sino a ser moldeado como plástico, los trozos se funden como paso previo a las operaciones de moldeo. El nailon es un producto termoplástico lo que quiere decir que puede ser recalentado y remodelado varias veces. No se ablanda hasta que la temperatura alcanza un punto mucho mayor que aquel en que se ablandan otros termoplásticos, fácilmente superior a los 150 °C. Fundido, fluye con tanta facilidad como el aceite lubricante liviano, circunstancia que le permite ser modelado en objetos de forma complicada y delicada estructura.

Además del nailon se conocen otras fibras sintéticas que teniendo análoga estructura química poseen diferentes características. Una de ellas es el *vinyón-N*, que se produce del etileno obtenido del gas natu-

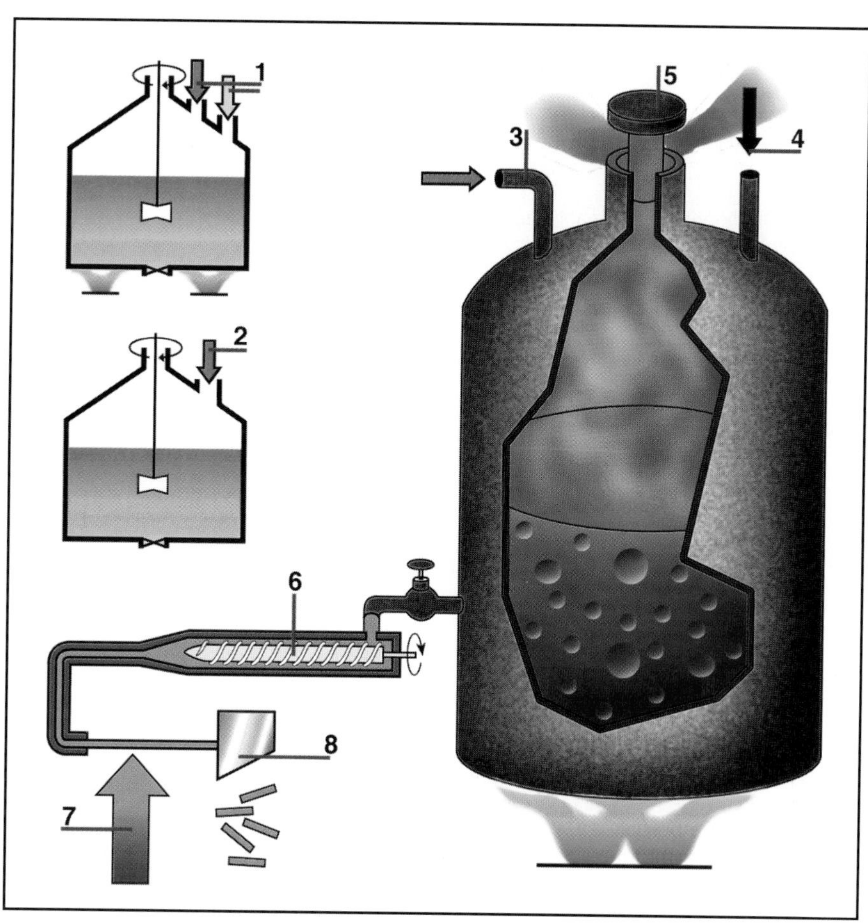

Del Ángel Diseño y Publicidad

Proceso de obtención del nailon 6.

Nailon. Propiedades físicas	Nailon 6:6	Nailon 6	Nailon 11
Tenacidad, g/den.	4.6-5.8	7.5-8.3	
Alargamiento	26-32	23-42	12-22
Rigidez, g/den.	18n	23	25
Densidad	1.14	1.14	1.0
Punto de fusión	250 °C	210 °C	80 °C
Recuperación elástica	100 a 2%	100 a 2%	96 a 10%
Reprise standard, cond. norm.	4.5	4.5	1.1

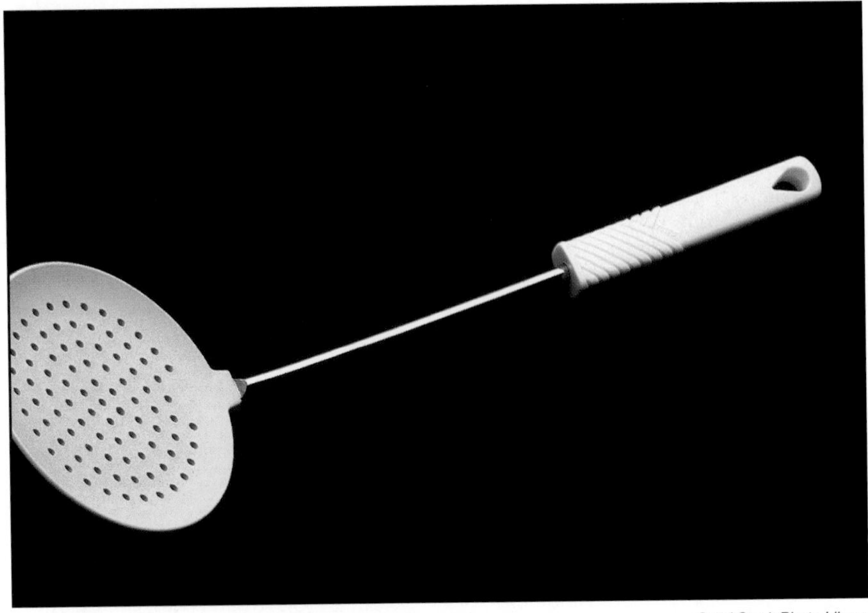

Corel Stock Photo Library

Algunos instrumentos de cocina contienen nailon en sus mangos.

ral y del cloro. Resiste al agua y a la corrosión química, es invulnerable al moho y a los insectos, puede moldearse al calor es dieléctrica e incombustible; su tenacidad es muy estable lo mismo que su elasticidad; no encoge en agua hirviendo y se tiñe con facilidad utilizando las mismas anilinas que para el acetato de celulosa. Una de sus ventajas es la de que puede tejerse en la trama más tupida que admitan las máquinas. Se utiliza en la fabricación de medias finísimas, artículos de mercería, telas filtrantes, aislantes eléctricos, ropas de protección velamen, cortinas, toldos, delantales para protección contra agentes químicos, telas de tapicería, etcétera. Su aspecto es similar al del rayón.

Orlón. Esta fibra sintética se obtiene de los compuestos derivados del acetileno y gas natural, petróleo, carbón, aire, agua, y piedra caliza. Por su fuerza y suavidad es equiparable al nailon pero le supera en resistencia a los agentes atmosféricos, al humo, al sol, ácidos y gases. Su hilaza de filamento continuo es la fibra que más se asemeja a la seda, y la de hebra corta es la que más se asemeja a la lana. Tiene el tacto tibio y seco de la primera y el volumen y aislación térmica de la segunda. No le dañan solventes comunes aceites, grasas, sales, y resulta inmune a la acción de bacterias e insectos, moho y rayos ultravioleta; es combustible, pero no arde; admite tintes y lavado, y es la mejor fibra, natural o sintética que hoy se conoce para uso a la intemperie. Se fabrican con orlón mantas, ropa interior liviana, corbatas, paraguas, impermeables, cortinas, chaquetas de *sport*, camisas, techos de automóviles, telas para filtros, redes de pescar velamen, tiendas de campaña, hilos para raquetas de tenis, hilos de coser, material aislador eléctrico, ropas de seguridad (resistentes a las sustancias químicas y grasas), bolsas para máquinas aspiradoras, cordajes marinos, etcétera.

Por su resistencia, el nailon se utiliza en las corporaciones policiacas.

Corel Stock Photo Library

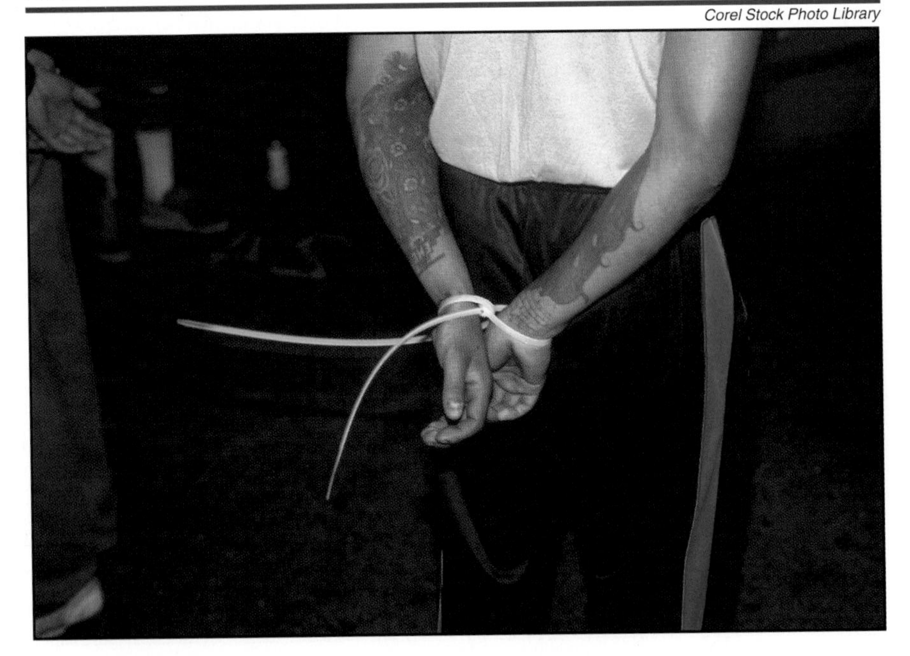

Vicara. Esta fibra sintética se obtiene de la proteína zein del maíz, cuyas moléculas en estado natural están rizadas como un ovillo de lana de tejer que se hubiera enmarañado. Posee extraordinaria resistencia a los ácidos y álcalis; admite el tinte corriente, es suave al tacto, tiene la tibieza del nailon y la blancura de la lana o un color dorado claro muy agradable a la vista; resiste el calor hasta muy elevadas temperaturas y durante largos periodos y, aunque se quema, no arde.

Otras fibras sintéticas son el *furfural*, que se fabrica con desperdicios agrícolas con el zuro o núcleo de la mazorca del maíz, la cáscara del arroz y la cáscara de maní; el *aralac*, fibra obtenido de la leche de vaca, el *plexón*, obtenida del algodón, lino y otras hebras y horneado con varios tipos de resinas plásticas, que se utiliza en el tejido de tapizados y cortinajes, el *sarán*, tejido sintético-químico muy resistente a la fricción, que se utiliza para persianas, tapicería y calzado; el *dacrón* que hace resbalar el agua como el plumaje de un pato y que aunque se moje o estruje conserva siempre su forma; el *dynel*, el *tensilón*, el *azlón*, el *terileno* y la *fibra V*. Cierta clase de hilo de nailon- puede adquirirse en rama, para confeccionar con él la prenda que se desee, lo mismo vestidos que ropa interior, guantes, trajes de baño etcétera. Entre sus ventajas están las de que se estira a voluntad y se ciñe al cuerpo sin ejercer presión alguna.

naipe. Cada una de las cartulinas rectangulares, de unos diez centímetros de largo y seis o siete de ancho, que forman una baraja de juego. Están cubiertos de un lado por un dibujo uniforme que impide su identificación, y del otro por diversos objetos pintados, con numeraciones que van de uno a nueve en los españoles y de uno a diez en los franceses. Aparte de éstos se encuentran las figuras, rey, caballo y sota o rey, dama y valet, respectivamente, que corresponden a los cuatro palos: espadas, bastos, oros y copas entre los españoles, y pica, corazón, diamante y trébol, según una de las más aceptadas traducciones del francés. De su origen nada definitivo puede afirmarse: pudieron ser sus inventores los dos pueblos ya mencionados, o los alemanes, los italianos, y aun los orientales, basándose éstos en el ajedrez, cuyo motivo guerrero se advierte con claridad. Un testimonio documental indica, sin embargo, que fueron introducidos en Europa por los musulmanes, durante el siglo XIV. Los alemanes fueron los primeros en lanzarlos al comercio en gran escala, sustituyendo la iluminación de los naipes, que se realizaba laboriosamente lo mismo que la de los manuscritos, por métodos que permitieron su fabricación en serie. Los juegos de cartas fueron objeto de severas sanciones en sus comienzos llegando a ser prohibidos en algunos países, pero, a través del tiempo fueron generalizándose hasta alcanzar la popularidad de que gozan actualmente.

Nairobi. Ciudad de África oriental, capital del estado de Kenya. En 1990 tenía 1.505,200 habitantes. Está situada en el interior, a 530 km al noroeste del puerto de Mombasa, con el que está unida por ferrocarril. Es un importante centro comercial, administrativo y de comunicaciones terrestres y aéreas. La ciudad de Nairobi es sede del Programa de Naciones Unidas para el Entorno (PNUE) establecido en 1972 por la Asamblea General de las Naciones Unidas, con el fin de promover la cooperación internacional en materia medioambiental.

Nalé Roxlo, Conrado (1898-1971). Escritor argentino. Caracterizado por un lirismo sutil y no exento de formalismo, su obra más importante es *El grillo* (1923), selección de poemas concebidos en plena juventud, y que hoy puede señalarse como su obra máxima. Intentó, con variada suerte, el teatro: *La cola de la sirena* (1941), *Una viuda difícil* (1944), *El pacto de Cristina* (1945). Dentro de su obra narrativa cabe señalar la novela *Extraño accidente* (1960) y el libro de cuentos *Las puertas del purgatorio* (1968). Humorista consumado, su *Antología apócrifa* (1969) es el mejor ejemplo de su capacidad imitativa y burlesca. Póstumamente apareció su libro *Borrador de memorias* (1978).

Nalón, Río. Río de España en la provincia de Oviedo. Tiene un curso de 135 km. Nace en el puerto de Tarna, punto en que se tocan las provincias de Oviedo y León. Sus afluentes principales por la izquierda son el Lena, el Trubia y el Narcea; por la derecha, el Nora. Al desembocar en el Cantábrico forma la ría de Pravia.

naloxona. Droga (N-alil-noroximorfona) que evita o contrarresta los efectos de

Corel Stock Photo Library

Centro de conferencias Kenyatta *en Nairobi, África.*

las sobredosis de opiáceos, incluidos los problemas respiratorios consecuentes y la hipotensión. Por ello se le considera un antagonista narcótico. Cuando se administra después de una sobredosis, la naloxona comienza a actuar tras dos minutos. Dependiendo de su dosis y vía de administración puede bloquear parcial o totalmente los efectos del narcótico, aparentemente al competir con éste por alcanzar las zonas receptoras del cuerpo. La naloxona fue sintetizada por primera vez a principios de los años sesenta. Más tarde fue adoptada como sustituto de drogas como la nalorfina, que administrada sola en pequeñas dosis producía efectos –conocidos como efectos agonistas– parecidos a aquellos ocasionados por la morfina. La naloxona no produce dichos efectos, por lo que no implica el riesgo de inducir tolerancia ni originar la posible dependencia. Se requiere precaución al emplear la naloxona en pacientes con males cardiacos.

Namibia. País africano (anteriormente África del sudoeste), situado en la costa sudoccidental de África. Limita al norte con Angola; al sur, con la República de Sudáfrica; al este con Botswana y al oeste con el océano Atlántico. Su extensión es de 824,295 km^2, formada por dos zonas principales: la meseta y el desierto de Namib, que corre en unos 1,300 km^2 a lo largo de la costa. La altura máxima es el monte Brandberg (2,606 m), que se alza en el Namib, y en la meseta la cordillera Anas (2,485 m).

La población total de la nación es de 1.727,000 habitantes (1997), en su gran mayoría negros y una minoría blanca; la capital del país, Windhoek, tiene 161,000 (1996). Otras ciudades importantes son Rundu y Rehoboth. La agricultura es muy reducida por la sequedad del clima, pero tienen cierta importancia la pesca y la ganadería de ovejas (exportación de astracán) y cabras. Su principal riqueza es la minería: diamantes, estaño, cobre, plomo, cinc, manganeso, etcétera.

Los primeros europeos que visitaron la costa de la actual Namibia fueron los portugueses, a fines del siglo XV. En 1884 Otto

Vista aérea del desierto de Namibia.

Corel Stock Photo Library

Leopold Bismarck declaró todo el territorio protectorado alemán, situación que perduró hasta 1920, cuando pasó a ser, por el Tratado de Versalles un mandato de la Sociedad de Naciones administrado por la República de Sudáfrica. En 1966 y 1968 la Organización de las Naciones Unidas (ONU) declararon que Sudáfrica había perdido el derecho de fideicomiso, y que el nuevo país independiente se llamaría Namibia, pero Sudáfrica se negó a acatar los fallos de la ONU y de la Corte Internacional de Justicia. En consecuencia, se desató una lucha de guerrillas, reconocidas por la ONU, y por fin, en agosto de 1977, la República de Sudáfrica accedió a unas elecciones abiertas a negros y blancos para formar una asamblea constituyente que preparara la independencia para 1979.

En 1978, Sudáfrica organizó elecciones bajo su control, boicoteadas por la Organización Popular de África del suroeste (SWAPO), para crear una asamblea constituyente y, en 1979, Sudáfrica estableció unilateralmente la Asamblea Nacional como cuerpo legislativo. En 1983 se disolvió la Asamblea Nacional y es Sudáfrica la que asume el control directo de los asuntos de Namibia. Por fin, en 1988, se llegó a un acuerdo de paz en Ginebra y el 15 de noviembre se logró la independencia de Namibia; el 22 de diciembre, en la sede de la ONU, se firmaron los acuerdos. En 1989, las elecciones, supervisadas por la ONU, la SWAPO ganó la mayoría, pero no los dos tercios necesarios para hacer su propia Constitución. En 1990, el país se convirtió en país independiente y tras las elecciones (1994), Sam Nujoma tomó posesión de su cargo como presidente.

Nankín o Nanjing. Ciudad de China que fue residencia imperial de la dinastía Ming y que subsiste con el nombre que éstos le dieron, pues ha tenido varios en su larga historia. Está situada a orillas del río Yangtsé a unos 350 km de su desembocadura en el Mar Oriental de China. Es un gran puerto fluvial. Centro de intensa agricultura, sus campos producen, principalmente, soya, arroz, té y algodón que se destina en gran parte a la exportación. Población: 2.500,000 habitantes (1990). Son muy importantes las carreteras y ferrocarriles que la unen a Pekín, Shanghai y Tientsín.

nanoplancton. Parte del plancton constituido por el conjunto de organismos microscópicos, animales o vegetales, que viven en suspensión en el agua. El nanoplancton puede ser marino o de agua dulce. Constituye el alimento de pequeños peces los que, a su vez, lo son de otros mayores, continuándose así el eslabonamiento de los factores de alimentación en la vida acuática. El nanoplancton cubre grandes extensiones marinas, a las que suelen dar tonos rojizos a causa de la coloración peculiar de los seres microscópicos que lo forman.

Corel Stock Photo Library

Cascadas de Epopa *en el río* Kuenene, *Namibia.*

Nansen, Fridtjof (1861-1930). Explorador y naturalista noruego. En su juventud se dedicó al estudio de los animales y de las regiones árticas. A bordo del *Viking* exploró en 1882 el Mar Glacial en busca de animales curiosos. De regreso, fue nombrado conservador del Museo de Bergen. Seis años después volvió al mar tripulando el *Jason*, con cinco compañeros e hicieron en dos meses la travesía de Groenlandia, hasta alcanzar Gotdhaab, en la costa oeste. Obligados a invernar allí, Nansen y sus camaradas vivieron entre esquimales, y sus observaciones fueron luego el material del famoso libro, *En la noche y entre los hielos*. En 1893 zarpó de Cristianía a bordo del *Fram* en una expedición al Polo Norte planeada para ir a la deriva, siguiendo las corrientes marinas. Más de año y medio transcurrió en constantes vicisitudes, hasta que Nansen descubrió que las corrientes no los empujaban hacia el polo. Abandonó el barco con el teniente Wilhem Ludving Johanssen y sus hombres, y con perros, trineos y bagajes emprendió la marcha hacia la difícil meta. Habían alcanzado ya los 86° y 14' de latitud norte, la más alta a que el hombre había llegado en esa fecha (abril de 1895) cuando la inminente falta de provisiones los obligó a regresar por la tierra de Francisco José, donde se unieron a la expedición Jackson-Harmsworth. Tras una nueva salida en el *Michael Sars* (1900) a bordo del cual exploró el Atlántico Norte, volvió a Noruega a ocupar su cátedra de oceanografía en la Universidad de Cristianía, siendo ya figura de primera magnitud en el mundo científico. Al separarse Noruega de Suecia (1905) se convierte en brillante político y diplomático.

Nansen, Oficina Internacional para Refugiados. Organismo de ayuda a refugiados que, creado por la Liga de las Naciones en 1930 y puesto en marcha el 1 de abril de 1931, sustituyó a la Alta Comisión para Refugiados, establecida por la Liga de las Naciones bajo la dirección de Fridtjof Nansen el 27 de junio de 1921. El objetivo primordial de la Alta Comisión había sido ayudar a los refugiados rusos, consigna que en 1923 se extendió a los refugiados armenios, otorgándoles ayuda material, legal y política. En 1924 la Organización Internacional del Trabajo ofreció su ayuda económica, la cual retiró cinco años después.

Tras la muerte de Nansen en mayo de 1930, el organismo desapareció y el secretario de la Liga tomó en sus manos la protección de los refugiados. Para brindar ayuda material se creó la *Nansen International Office for Refugees* (Su nombre en inglés), organismo autónomo suscrito a la Liga. Aunque los gastos administrativos de la Oficina Nansen corrieron a cargo de la Liga, la ayuda disminuyó cada año hasta que ésta despareció en 1938 junto con la Liga. Los ingresos para asistencia y ayuda social se obtenían de contribuciones privadas, de las comisiones cobradas por obtener el *Certificado Nansen*, sustituto internacional del pasaporte, y de las ganancias de la venta de timbres postales en Francia y Noruega.

Entre los muchos problemas a los que se enfrentó la Oficina Nansen durante su existencia estaban la inestabilidad financiera; la pérdida de empleos para los refugiados, originada por la depresión; el declive del prestigio de la Liga tras los sucesos de 1931 y 1935; la enorme avalancha de refugiados, provenientes principalmente de Alemania, Italia y España, y la renuencia de los Estados miembros de la Liga a ayudar a las personas que antes habían sido sus ciudadanos.

Entre los logros alcanzados por la Oficina Nansen está que catorce países adoptaran la Convención de Refugiados de 1933, una modesta carta de derechos humanos; el establecimiento de refugiados de Saar en Paraguay en 1935; la construcción de ciudades para albergar 40,000 armenios en Siria y Líbano y de otros 10,000 en Erivan, y, lo más importante, la ayuda material, legal y financiera otorgada a casi un millón de refugiados.

El problema de los refugiados alemanes tras la ascensión del Nacionalsocialismo se agudizó a tal grado en 1933 que la Liga estableció una Alta Comisión para Refugiados provenientes de Alemania. Esta Comisión, cuya consigna se extendió después a los refugiados austriacos y de Suretes, estaba planeada para desaparecer el 31 de diciembre de 1938, junto con la Oficina Nansen.

En esa fecha, ambos organismos desparecieron, y al día siguiente se creó la Oficina del Alto Comisionado para Refugiados. *Véase* OFICINA DEL ALTO COMISIONADO PARA REFUGIADOS.

Nantes. Ciudad de Francia, capital del departamento de Loira inferior y sobre la margen de este río, ocupando su puerto ambas riberas; a 398 km de París y 59 km del puerto de Saint Nazaire, en el Golfo de Vizcaya. Población: 244,995 habitantes en 1990. Industrias más importantes: metalúrgicas, astilleros, chocolates, perfumería, etcétera.

Edicto de Nantes. Edicto promulgado por el rey Enrique IV de Francia en la ciudad de Nantes el 13 de abril de 1598, por el cual se otorgó a los hugonotes libertad para practicar sus creencias religiosas, ejercer los derechos civiles, desempeñar cargos públicos y otras concesiones. Se estableció en el Parlamento de París y en otras ciudades la llamada *Cámara del edicto* para conocer y dictaminar sobre los litigios que se originasen debido a la vigencia del mismo.

napalm. (De *Na*, símbolo del sodio y *palm*, apócope de palmitato). Compuesto químico obtenido por precipitación de palmitato, oleato y naflenato de aluminio (antes de sodio) que, mezclado con gasolina de 100 octanos, adquiere gran poder incendiario. Inventado en 1942, es un compuesto altamente inflamable empleado exclusivamente, hasta el momento, en bombas de enorme poder destructivo. Estados Unidos lo utilizó en la guerra contra Vietnam devastando sectores de la población civil.

Napier, John (1550-1617). Matemático escocés. Se dedicó a las matemáticas en los ratos de ocio que le permitía la administración del señorío de Merchiston, en cuya posesión entró en 1608. Basándose en la comparación de progresiones aritméticas y geométricas, definió el concepto de logaritmo, cuyo significado y uso explicó en su obra *Descripción del canon extraordinario de los logaritmos* (1614), traducida inmediatamente al inglés por E. Wright en 1615, y, que despertó el interés de Henri Briggs, quien visitó a Napier para tratar de la elección de una base conveniente para los logaritmos. Las tablas contenidas en la obra cuyo cálculo le ocupó 20 años, permanecieron en uso sin modificaciones importantes por más de un siglo.

Napoleón I, Bonaparte (1769-1821). Militar y estadista que llegó a ser emperador de Francia y logró dominar gran parte del continente europeo a comienzos del siglo XIX.

Corel Stock Photo Library

Bonaparte au Pont d'Arcole *de Antoine-Jean Gros.*

Juventud. Aunque nacido en Córcega, isla que un año antes había quedado sujeta al dominio francés, Napoleón tenía sangre italiana. Su padre, Carlo María de Buonaparte, era un abogado de noble origen toscano que vivía en Ajaccio, capital de la isla. El pequeño *Napoleone* era el segundo varón de una serie de trece hijos criados por Leticia Ramolino, la abnegada y enérgica esposa del abogado Buonaparte. El niño acusó desde temprana edad un temperamento hosco y reconcentrado, a la vez que altivo y dominador, y demostró poseer grandes condiciones para la carrera militar. A instancias de su padre fue admitido en la escuela militar de Brienne, en la que permaneció durante cinco años. Tenía quince cuando ingresó en la Escuela Militar de París. En una y otra escuela aunque brilló por su clara inteligencia, tuvo que soportar el trato despectivo de que le hicieron objeto sus camaradas de mejor alcurnia, para los cuales fue siempre el *pequeño corso.* Otros tres años en París y recibía los despachos de teniente del cuerpo de artilleros. La muerte de su padre en el año 1785, convirtió al joven militar en jefe de una numerosa familia, pese a que el primogénito era su hermano José. Retornó a Córcega y supo dividir su tiempo entre los deberes hogareños y la colaboración con los patriotas corsos, que, bajo el comando de Pascual Paoli, luchaban para obtener la independencia de la isla. A pesar de que se necesitaban mutuamente, Napoleón y el jefe revolucionario no lograron entenderse y terminaron luchando en bandos opuestos. Cuando el futuro emperador se vio obligado a regresar a París, sólo quedaban en su corazón los rescoldos del gran amor que le inspirara la isla mediterránea, pero habían nacido las dos pasiones auténticas de su vida: Francia y el poder.

Primeras armas. Una feliz coyuntura permitió que el ambicioso capitán penetrara triunfalmente en la historia europea. Corría el año 1793 y el gran puerto de Tolón, poderosamente defendido por tropas españolas y británicas que lo ocupaban, iba a ser atacado por las armas francesas. Bonaparte fue nombrado comandante provisorio de la artillería y se apresuró a proponer un audaz plan de ataque, que fue aceptado y permitió ocupar la plaza mediante un rápido y eficaz ataque.

El estratega de veinticuatro años, ascendido en el acto a general de brigada, acababa de escalar el primer peldaño de su triunfal carrera. La caída de los jacobinos encontró a Napoleón luchando en Italia como jefe de la artillería del ejército expedicionario; como se le consideraba partidario de Robespierre fue destituido, pero debido a sus dotes militares le restituyeron el mando, aunque poco después se ordenó su retiro. Decepcionado y solitario deambuló por las calles de París durante algunas semanas. Pero, su buena estrella le preparaba una nueva oportunidad: el pueblo de la capital, azuzado por los realistas, organizaba un levantamiento contra la caótica dictadura de la Convención. Barras, el hombre fuerte del momento, lo llamó para que se hiciera cargo de la artillería, y la insurrección fue aplastada con feroz celeridad. La recompensa no tardó en llegar, bajo la forma de un ascenso a general de división. Dos hechos trascendentales en la vida de Napoleón ocurrieron durante los primeros meses de 1796: su designación como general en jefe del ejército de Italia y su casamiento con Josefina de Beauharnais, la joven viuda de un vizconde que se había distinguido como general de los ejércitos revolucionarios y fue guillotinado durante el Terror. Josefina era seis años mayor que el futuro emperador, muy bien relacionada con los personajes del Directorio, pero, trataba a Bonaparte con una mezcla de temor y de admiración. Veinte días más tarde llegaba Napoleón a Niza, cuartel general del ejército de Italia, y se enfrentaba con unas tropas mal equipadas e indisciplinadas. De inmediato se dedicó a planear, construir y organizar con indomable energía. Conquistó a los soldados con su personalidad y los sedujo con sus promesas: "Os conduciré hacia las llanuras más fértiles del mundo. En ellas encontraréis el honor, la gloria y las riquezas. Soldados del ejército de Italia: ¿tendréis coraje?".

Italia. Las tropas tuvieron confianza y valor. El ejército cruzó los Alpes en quince días, aniquiló a los piamonteses, derrotó en varias batallas a los austriacos y ocupó Génova, Parma, Módena, Milán y Roma. Los austriacos firmaron el tratado de Cam-

Corel Stock Photo Library

Napoleón Bonaparte, llegó hasta Egipto en sus campañas militares.

po Formio (17 de octubre de 1797) cuando los ejércitos franceses ya estaban a 120 km de Viena; el rey de Cerdeña se vio obligado a solicitar un armisticio de aquel ejército que estaba "descalzo y sin artillería", según confesión de su comandante. Napoleón regresó a París y fue recibido triunfalmente por el Directorio y el pueblo. Catorce batallas y ochenta combates habían extendido el poder francés desde Bélgica hasta Lombardía, y llenado las exhaustas arcas fiscales con cuantiosos recursos. Pero, las intrigas germinaban en las sombras, el joven general era demasiado poderoso, demasiado brillante. El Directorio decidió alejarlo: nada mejor que encomendarle una expedición contra el poder británico.

Egipto. Bonaparte comprendió los móviles que guiaban al odiado *grupo de abogados* del Directorio, pero, no perdió la serenidad. Convencido de que Francia habría de caer en sus manos, como un fruto maduro, cuando el régimen se disgregara, optó por permanecer en el exterior aumentando su prestigio personal mientras esperaba su hora. Un sueño ambicioso bullía en su cerebro: aplastar en Egipto el creciente poderío inglés y abrir, como Alejandro Magno, el camino hacia el Asia Menor y la India. De acuerdo con lo previsto, el Directorio secundó con entusiasmo este proyecto que coincidía con sus planes. Un ejército de casi cincuenta mil hombres desembarcó en Alejandría a fines de junio de 1798; después de la brillante batalla de las Pirámides se rindió El Cairo, ciudad santa de los mahometanos, y quedó dominado el país. Pero, la flota británica, capitaneada por lord Horatio Nelson, aniquiló los navíos franceses en Abukir. Napoleón midió por vez primera la magnitud del poderío naval inglés y comprendió que su expedición, aislada en un continente hostil, estaba al borde del fracaso. Se vio, pues, forzado a invadir Siria, pero las tropas británicas y turcas resistieron sus embates en San Juan de Acre y debió retornar a El Cairo. Allí intentó una apresurada reforma cultural y política pero las presiones se multiplicaban y las noticias de París estaban muy lejos de ser alentadoras; decidió dejar a Jean Baptiste Kléber, su hombre de confianza, al mando del ejército, y logró regresar a Francia burlando el bloqueo inglés.

El Consulado. La reconstrucción del imperio de Alejandro Magno había fracasado. Pero, quedaba Europa, y restablecer el Imperio de Carlomagno era una empresa digna de su talento y de su ambición. La llegada a París fue triunfal. El pueblo, cansado del inepto Directorio y del anárquico Consejo de los Quinientos, intuía que el admirado general era el hombre capaz de poner orden en el caos. Napoleón aprovechó la oportunidad: mediante el golpe de estado del 18 de Brumario (9 de noviembre de 1799) disolvió el Directorio y creó de acuerdo con Emmanuel Joseph Sieyès un gobierno de tres personas, al que llamó Consulado. Poco tiempo habría de transcurrir hasta que Bonaparte obtuviera el título de primer cónsul y asumiera poderes casi dictatoriales en virtud de la Constitución del año VIII (promulgada el 24 de diciembre de 1799) que sometida a un plebiscito obtuvo una mayoría de más de 3 millones de votos. Cinco meses después inició un nuevo ataque sobre Italia, país que los austriacos habían reconquistado aprovechando la inepcia del Directorio. Los ejércitos austriacos vigilaban todos los senderos de los Alpes, con la única excepción del paso del Gran San Bernardo, considerado infranqueable. Napoleón realizó la hazaña de atravesarlo con su enorme ejército, ocupó Milán y se enfrentó con el enemigo en los llanos de Marengo; al cabo de una enconada batalla logró imponerse en forma decisiva (14 de junio de 1800). Los austriacos firmaron la paz de Luneville y los británicos suscribieron el tratado de Amiens, que habría de tener vida efímera.

La obra constructiva. Al llegar el año 1802, Francia estaba en paz con todo el mundo por primera vez en una década. Napoleón fue designado cónsul vitalicio (2 de agosto de 1802) con derecho a nombrar sucesor y pudo concentrar sus esfuerzos en la organización del país, revelando con ella su genio de estadista: creó el Banco de Francia, saneó la moneda nacional, construyó caminos, canales y toda suerte de obras públicas, fomentó las industrias e inició una reforma administrativa de vastos alcances, que todavía perdura. Negoció con la Iglesia católica un concordato, que restableció la paz religiosa en Francia. La empresa de mayores vuelos fue la reforma de la legislación francesa, que culminó con la redacción del Código Civil. Esta obra monumental, preparada por eminentes juristas que se hallaban sujetos a la inspección directa del primer cónsul, ejerció una influencia decisiva sobre el desarrollo jurídico del siglo XIX y ha dejado su huella en el derecho privado de todos los países hispanoamericanos. Ya en el ostracismo, Napoleón solía repetir que el Código era más importante que todas sus batallas y conquistas. Entretanto, la expansión proseguía. Italia quedó convertida en república y anexada al dominio francés, la isla de Elba fue ocupada y una expedición marchó hacia Santo Domingo para establecer las bases de un imperio colonial en América. Gran Bretaña, la eterna enemiga, se puso al frente de una nueva coalición contra Bonaparte; los puertos franceses fueron bloqueados y la presión se hizo intensa.

El Imperio. Napoleón supo replicar con energía; mientras preparaba un enorme ejército que habría de invadir las islas Británicas, hizo que se le otorgara el poder imperial. La proclamación fue realizada el 18 de mayo de 1804 por el Senado y el Tribunado, los dos cuerpos colegisladores, y acto seguido se sometió a plebiscito, con el resultado de 3.572,329 votos a favor y 2,569 en contra. El 2 de diciembre de 1804, en medio de un esplendor inusitado, el Papa Pío VII coronaba en París al nuevo emperador y a su esposa Josefina. Pero, fue el propio Napoleón quien se ciñó la corona con sus manos, e inmediatamente instituyó una corte fastuosa y brillante, formada en primer término por sus mariscales investidos de títulos de nobleza. El ataque de los ejércitos coligados no tardó en llegar, y las tropas acumuladas para invadir Gran Bretaña debieron marchar hacia el Rin, donde iniciaron una serie de enérgicas campañas; llegaron hasta el Danubio, aniquilaron a los austriacos en Ulm, ocuparon Viena y derrotaron a las tropas austro-rusas en Austerlitz (en Moravia), el mismo día en que el imperio cumplía un año de existencia. Diez meses después los prusianos eran derrotados en Jena, otros ocho meses y los rusos caían batidos en Friedland. Sólo Gran Bretaña, señora de los mares, permanecía erguida. Lord Nelson, el gran marino que en 1798 había frustrado la campaña de Egipto, volvió a dar un golpe mortífero a la armada francesa en Trafalgar (1805). A pesar de este contratiempo, el imperio napoleónico había llegado al cenit de su poderío. Comprendía los territorios de Francia, Holanda, Bélgica, Croacia, Dalmacia y parte de Italia; mediatizaba el resto de Italia, el Gran Ducado de Varsovia, España y la Confederación del Rin; mantenía sujetos con alianzas y tratados a Prusia, el imperio austriaco, Dinamarca, Noruega y Rusia. El *sistema continental* de Napoleón abarcaba la totalidad de Europa y tendía a mantener a Gran Bretaña –la *nación de tenderos*, como él decía- en un riguroso aislamiento económico. Sin embargo, el sentimiento patriótico y las necesidades comerciales iban acumulando las nubes de la tormenta decisiva. El heroico levantamiento de España, iniciado el 2 de mayo de 1808, marcó el comienzo del largo ocaso que precedería a la ruina definitiva del imperio. Napoleón, que había colocado a su hermano José en el trono peninsular, se vio frente a una resistencia tenaz y agotadora que duró cinco años y contó con el apoyo británico. El Papa Pío VII también se rebeló al producirse la anexión de varios territorios pontificios; con motivo de haber publicado una bula condenando el acto fue encarcelado por las tropas imperiales y conducido a Fontainebleau. Entretanto, Napoleón pensaba en el futuro. Como no tenía hijos y necesitaba asegurar el porvenir del imperio, abandonó a Josefina y contrajo matrimonio con la archiduquesa María Luisa, hija del emperador austriaco. En 1811 nació un hijo varón que recibió el nombre de su padre y el título de rey de Roma; este desdichado niño heredó el trono imperial pero nunca pudo ocuparlo y murió a los 21 años de edad.

Corel Stock Photo Library

Pintura La coronación de Napoleón, *de David, en el Museo del Louvre, Francia.*

La invasión de Rusia. Como el zar Alejandro no había cumplido con las disposiciones del *sistema continental*, Napoleón decidió hacerle entrar en razón mediante la fuerza de sus armas. Movilizó sus mejores tropas, las aumentó con los cuerpos reclutados entre sus veinte aliados y satélites hasta formar un gigantesco ejército de casi 600,000 hombres y marchó sobre Rusia a comienzos de 1812. La campaña se convirtió en el máximo error estratégico del emperador; los rusos se fueron retirando sin presentar batalla, al tiempo que arrasaban poblados y cosechas, hasta que se decidieron a librar combate en Borodino, a orillas del río Moscova (7 de septiembre de 1812). Fue una victoria francesa, mas a costa de pérdidas enormes. El ejército napoleónico hizo su entrada en Moscú, pero, la ciudad ardió por sus cuatro costados. Napoleón estableció su cuartel general en el Kremlin, esperando una petición de paz del zar Alejandro, cosa que no ocurrió; por el contrario, los destacamentos franceses eran atacados en todas partes, haciéndose la situación insostenible. El temible invierno ruso sorprendió al gran ejército en plena retirada, el frío, el hambre y los ataques de los cosacos diezmaron las altivas huestes imperiales, que abondonaron más de 300,000 cadáveres entre la nieve. La campaña de 1812 marcó el comienzo del fin. Gran Bretaña, Rusia, Suecia, Prusia y España unieron sus fuerzas en una nueva alianza militar aunque, a pesar de ello, el emperador comenzó triunfando en Lützen y Dresde.

El ocaso del Imperio. En 1813 se libró en Leipzig la *batalla de las naciones*, en la que Francia sufrió una completa derrota. Al cabo de varios meses de acciones indecisas contra un enemigo cuya fuerza iba en aumento, Napoleón regresó a París en busca de refuerzos y subsidios, pero, halló una abierta oposición en el Senado, donde se exigía la elección de un rey de la dinastía borbónica que terminara con la desastrosa guerra. De regreso en el campo de batalla cuyo teatro era ya la misma Francia, el emperador comenzó una serie de brillantes operaciones contra los ejércitos aliados que se cernían amenazadores sobre París. Tenía el éxito entre las manos cuando la capital, agotada por veinte años de luchas continuas, capituló. Napoleón se retiró a Fontainebleau y tuvo que abdicar quince días después. Luis XVIII ascendió al trono de Francia y Napoleón recibió el gobierno de la pequeña isla de Elba, situada en el Mediterráneo, al noreste de Córcega; Europa entera, convencida de que había terminado la dominación del *Gran Corso* respiró aliviada.

Estatua de Napoleón en Quebec, Canadá.

Corel Stock Photo Library

Corel Stock Photo Library

Tumba de Napoleón en Les Invalides, *París.*

Los Cien Días. Menos de un año duró el exilio en la isla de Elba. El anciano Luis XVIII, rodeado por una corte borbónica que deseaba modificar radicalmente el pasado revolucionario, conquistó bien pronto la antipatía popular. Por añadidura, cerca de 300,000 soldados, que todavía idolatraban a Napoleón, regresaron de las prisiones alemanas. El clima psicológico estaba preparado para el retorno del emperador. El 1 de marzo de 1815 se producía, en las vecindades de Cannes, el desembarco de unos 1,100 hombres encabezados por Napoleón; con su asombrosa intuición, éste había comprendido que el triunfo estaba en las manos de su puñado de hombres. Al entrar en Grenoble fue detenido por un batallón de infantería, pero se limitó a abrir su casaca y preguntar: "¿Quién de vosotros hará fuego sobre su emperador?" El batallón íntegro se puso a sus órdenes. Veinte días después, engrosada por muchedumbres que aclamaban al héroe, la columna hacía su entrada triunfal en París. El rey Luis XVIII tuvo que huir.

Monumento a Napoleón en Ajaccio, Córcega.

Corel Stock Photo Library

El final. El nuevo reino napoleónico habría de ser un episodio efímero. Casi tres meses transcurrieron en medio de febriles preparativos bélicos, secundados con entusiasmo por el pueblo, hasta que el emperador partió de la capital y se puso al frente del ejército. El enemigo contaba con 105,000 hombres comandados por el inglés Wellington y 120,000 a las órdenes del prusiano Blücher; los soldados de Napoleón sumaban 123,000. Los dos cuerpos del ejército aliado se hallaban a una distancia entre sí de varias horas de marcha, sobre las planicies cercanas a Bruselas y Napoleón decidió atacarlos por separado; se lanzó en primer término contra Blücher, a quien derrotó, y el 18 de junio de 1815 –fecha decisiva en la historia europea– se enfrentó con Wellington. Durante todo el día se combatió con ardor en Waterloo, a pocas millas de Bruselas; cuando la lucha parecía concluir con el triunfo de Napoleón, llegaron las tropas rehechas de Blücher. Napoleón, derrotado en forma decisiva por un enemigo mucho más numeroso, huyó hacia París y abdicó por segunda vez; antes que caer en las manos del prusiano Blücher, buscó refugio en el navío británico *Bellerofonte*, con la secreta esperanza de que se le permitiera huir a Estados Unidos. Pero, el gobierno de Londres decidió conducirlo, en calidad de prisionero de la coalición, a la solitaria isla de Santa Elena, perdida en el Atlántico Sur. Allí transcurrieron los últimos años del hombre que llegó a dominar el continente europeo. Rodeado por un reducido grupo de amigos y consumido por el cáncer, falleció antes de cumplir 52 años. Aplacadas las pasiones que provocó su genio guerrero, en una de las épocas más turbulentas de la historia de Europa, sus restos fueron llevados a París (1840) y sepultados en el suntuoso mausoleo bajo la cúpula de los Inválidos.

Napoleón III, Luis Napoleón Bonaparte (1808-1873). Emperador de Francia (1852-1871) Hijo del ex rey de Holanda, Luis Bonaparte (hermano de Napoleón I) y de Hortensia de Beauharnais. Desterrada de Francia la familia Bonaparte, Hortensia se dirigió con sus hijos Luis Napoleón y Carlos al extranjero, terminando por radicarse en Arenenberg (Suiza). Luis Napoleón fue educado allí esmeradamente y cumplió su instrucción militar en el ejército suizo, graduándose de capitán de artillería en Berna. Creció con la idea de estar destinado a una brillante carrera política y se afianzó en ella al morir (1832) el duque de Reichstadt, hijo único de su ilustre tío, pues pasó a ser considerado el heredero de las aspiraciones dinásticas que tenían en Francia el apoyo de numerosos entusiastas de la leyenda napoleónica.

Presidente de la República. Por dos ocasiones fracasó en sus intentos para regresar a su patria mediante golpes revolucionarios: alzamiento de Estrasburgo (1836), tras del cual fue deportado a New York; y motín de Boulogne (1840), por el que fue condenado a prisión perpetua en el castillo de Ham. De éste se fugó después de seis años, disfrazado de jornalero. Derrocado el rey Luis Felipe y triunfante la Revolución del 48 se presentó en París, pero se le hizo abandonar su patria. Ausente, presentó su candidatura a diputado de la Asamblea Nacional y fue elegido por cinco departamentos; en las elecciones del mismo año fue designado presidente de la República con 5.434,226 votos, contra 1.448,107 de su oponente, asumiendo el poder diez días después (20 de diciembre de 1848). La Asamblea, temerosa de las ambiciones del nuevo mandatario, le planteó una enérgica oposición: pretendió acusarle, negó créditos al gobierno y rechazó las proposiciones del presidente para restablecer el sufragio universal sin restricciones, que constituía un anhelo popular ante las elecciones próximas. También exigía la Asamblea que las tropas fueran puestas a sus órdenes, lo que era inconstitucional.

Napoleón III, emperador. Se dieron a Bonaparte las armas para que, tras de una notificación a la Asamblea para que modificara su actitud –que no fue atendida–, resultara reelegido presidente por 10 años con poderes constituyentes (21 de diciembre de 1851). Ante la subsistencia de las dificultades, envió un mensaje al Senado pidiendo el restablecimiento del imperio, y en una consulta popular fue apoyado por una abrumadora mayoría. Así, Luis Napoleón Bonaparte fue proclamado emperador con el nombre de Napoleón III (2 de diciembre de 1852). En 1853 contrajo matrimonio con la hermosa condesa española Eugenia María de Montijo, que luego se hizo popular entre los franceses, admitiendo la historia que no sólo fue un afortunado enlace de amor, sino que la emperatriz constituyó una inteligente y discreta colaboradora de su esposo.

La obra de gobierno. Puntos destacados del gobierno de Napoleón III fueron: dos grandes exposiciones universales en París, 1855 y 1867, y las visitas oficiales de Napoleón a Londres y de la reina Victoria a París, primeros actos de reconciliación entre dos países que habían sido viejos rivales; conclusión del edificio del museo del Louvre y formación definitiva de las primeras grandes colecciones de arte que éste tuvo; la anexión de los departamentos italianos de Niza y Saboya, por votación de sus habitantes; el tratado de comercio con Inglaterra sobre el principio del librecambio, la reforma total de la administración, multiplicación de las obras públicas, la modernización del ejército y la marina, y el nuevo trazado de París de acuerdo con los planes del barón Georges EugèneHaussmann. Asimismo decretó la red de ferrocarriles franceses e inició su construcción.

Campañas militares. Napoleón III terminó la campaña de Argelia; participó en la guerra de Crimea, como aliado de Turquía e Inglaterra contra la expansión de Rusia, y presidió la firma de la paz en París (abril de 1856); ayudó a Italia contra Austria y venció en las batallas de Magenta y Solferino, encabezó su gobierno la expedición a México, que estableció el imperio de Maximiliano, pronto derrocado dramáticamente. Declaró la guerra a Alemania (1870), que tuvo entre sus motivos la oposición napoleónica a que un príncipe de la casa de Hohenzollern ocupara el trono de España, vacante por la expulsión de Isabel II. Fue derrotado y se rindió tras de la batalla de Sedán, ganada por los prusianos, quienes le mantuvieron prisionero hasta la firma de la paz en 1871.

Ostracismo y muerte. Abrogado el imperio y proclamada la República en Francia, impedido de volver a su país, ya enfermo y abatido, se reunió en Londres con su esposa y su único hijo Eugenio Luis, falleciendo dos años después. Publicó interesantes obras y dejó escritas varias más, como *Delirios políticos* e *Ideas napoleónicas*. Estudió la construcción del canal de Panamá.

Corel Stock Photo Library

Guardia Napoleónica en Fontainebleau, Francia.

Nápoles (Napoli). Ciudad italiana de Campania, capital de la provincia de su nombre. Con 1.204,149 habitantes (1997). Situada al norte del golfo homónimo, su caserío se despliega en anfiteatro en la bahía encuadrada por colinas cubiertas de exuberante vegetación y dominada por la masa humeante del Vesubio, que se yergue al este. Una serie de encantadoras islas (Capri, Ischia, Prócida, etcétera) contribuyen a acrecentar las bellezas naturales de la región, que gozan además de un clima suave y agradable, sobre todo en primavera y otoño. La vieja ciudad de calles angostas, que se concentra alrededor del puerto, es muy pintoresca. El barrio de Chiara, que se extiende al pie de los castillos de San Telmo y del Huevo, cuenta con hermosas avenidas y bellos edificios. La vida industrial y comercial es muy activa. Entre las industrias principales se cuentan astilleros, fundición de cañones, refinerías de petróleo, fábricas metalúrgicas, textiles, de harinas, de pastas y manufacturas de objetos de lujo, instrumentos de música, joyería, coral, etcétera. Por su gran puerto, se importa petróleo, hulla, hierro, primeras materias para la industria textil; y se exporta vino, aceite, trigo, etcétera. Muy visitada por los turistas, dispone de interesantes museos, enriquecidos por las excavaciones de Herculano y Pompeya y de monumentos como la catedral de San Gennaro (s. XIV); la basílica de Santa Restituta; las iglesias de San Lorenzo y Santa Clara, que conserva las tumbas de los reyes de la casa de Anjou, los castillos antes citados y otras notables edificaciones. Los griegos fundaron a Parthenope en el promontorio próximo de Posilipo y, más tarde, se establecieron en el emplazamiento de la actual ciudad creando a Neápolis (ciudad nueva). Ésta llegó a ser dominada por los samnitas a quienes se la arrebataron los romanos, en el año 350 a. C. Después y sucesivamente, la ocuparon los ostrogodos, los griegos bizantinos y los sarracenos. Expulsados estos últimos, se constituyó en República independiente. En 1139, el normando Roger II la transformó en capital del reino de las Dos Sicilias. Nápoles pasó a poder de los españoles, primero con Alfonso de Aragón, después, en 1503, con Fernando *el Católico* y, posteriormente, con algunas intermitencias siguió siendo gobernada por España hasta el siglo XVIII. En 1860, Giuseppe Garibaldi expulsó a los Borbón y un plebiscito (1861) la incorporó al reino de Italia.

Napo. Provincia de Ecuador, en el noreste del país sobre la llanura amazónica; limítrofe con Perú por el oriente. Tiene 32,408 km^2 de extensión y una población de 146,319 habitantes (1997), con una pobre densidad de 3 hab/km^2. Alberga el sistema fluvial del río Napo, importante afluente del Amazonas. Existen cultivos de café, cereales, legumbres, fruta, además de explotación forestal.

Es el antiguo territorio del Napo, que con el de Zamora formaba la Región Oriental.

naranja. Fruto del naranjo y la más importante de las frutas cítricas. La naranja agria procede de la India y comenzó a cultivarse a orillas del Mediterráneo cuando ya

Corel Stock Photo Library

Árbol de naranjas en Florida.

había comenzado la era cristiana; la naranja dulce, originaria de China, apareció en Europa bastantes años después. Ambas clases fueron llevadas a América por los conquistadores españoles y portugueses. El naranjo es un árbol de la familia de las rutáceas, género *Citrus*, de hojas oscuras y perennes, y flores blancas, de suaves pétalos, que a veces duran hasta dos meses. Es el árbol típico del sur de España e Italia, y ha sido considerado a menudo como un símbolo de la luz y el calor de las regiones del Mediodía. Las flores o azahares simbolizan por su parte las bodas, y son adorno común del traje de la desposada.

El árbol de la variedad agria suele ser más corpulento y resistente que el de la variedad dulce.

Los botánicos llaman a la naranja *hesperidium*, nombre que se da en general a todos aquellos frutos de corteza gruesa, y de carne dividida en varias celdas por finas telas membranosas. Cada una de las partes del *hesperidium*, o hespérido, se llama gajo y corresponde a cada una de las divisiones del ovario. Estos gajos suelen ser de diez a quince y contienen, generalmente, las semillas. Las naranjas sin semillas tienen su origen en flores que no han sido polinizadas en su momento oportuno. La parte exterior de la cáscara es de consistencia bastante dura, y de color amarillo claro, amarillo oscuro, rojizo, blanquecino o verde; la interior es blanca y más blanda que la exterior. El aspecto glandular que presenta la corteza se explica por la presencia de numerosas vesículas llenas de aceite volátil. El jugo contiene azúcares y ácido cítrico y es rico también en vitaminas y sales minerales. En la carne de los gajos abunda la sustancia llamada pectina.

La naranja llamada de ombligo es en realidad una doble naranja; la más pequeña, insuficientemente desarrollada, ocupa uno de los extremos del fruto y constituye lo que se llama impropiamente ombligo. Algunas naranjas de este tipo son muy importantes comercialmente por no contener semillas. Las naranjas llamadas sanguíneas reciben este nombre porque su jugo tiene el color de la sangre; su tinte es más o menos oscuro según las regiones. Esta naranja es muy popular en Europa.

El calor o el frío excesivos dañan a las naranjas. La zona más conveniente para su cultivo es la subtropical, y dentro de ésta, aquellas regiones de suelo no muy húmedo, ni excesivamente ácido o alcalino. Los fertilizantes son también de gran utilidad, especialmente los nitrogenados. Los principales productores de naranjas son en orden decreciente, Estados Unidos (Florida y California), Brasil, España, México, Italia, Argentina y Japón. Cultivos menos importantes se encuentran en África del Sur. Uruguay, Paraguay, Australia, Argelia, Cuba, Grecia y Egipto. La producción mundial, que alcanza anualmente la cifra de 200 millones de cajones, de unos 30 kg cada uno, es utilizada en su mayor parte como alimento del hombre. El resto de los frutos se emplea en la preparación de jugos, dulces, mermeladas y otros subproductos.

Narciso. Personaje de la mitología griega. Hijo de la ninfa Liriope y del río Cefiso. Su figura y hasta su simbolismo han pasado a la posteridad, sólo puede decirse, por un hecho: regresando de una cacería se puso a contemplar su imagen, desde la orilla, en el cristal de un arroyo. Se inclinó después para beber agua y al contemplar reflejados en ella su rostro y su cuerpo, que eran de una gran armonía y belleza, sintió amor infinito por tal imagen. Quiso besarla y murió de desesperación y dolor por no poder abrazar aquella sombra fugitiva. Se sepultó en el agua y su cuerpo se transformó en la flor de su nombre. Este mito se ha aprovechado en casi todas las literaturas y tomó carta de naturaleza para encarnar debilidades humanas: la egolatría, la creencia en la propia hermosura y la autoadmiración excesiva. El *narcisismo* es una palabra que designa la tendencia a esa debilidad. El *narcisista* ama únicamente a sí mismo, y por eso sucedió que Eco, la hija de la tierra y del aire, no pudo conseguir que Narciso la amase y se consumió de pena.

Narciso blanco.

Corel Stock Photo Library

narciso. Planta herbácea anual de la familia de las amarilidáceas, de tallo subterráneo y bulboso, como el de la cebolla, del que salen directamente las hojas radiales, largas, estrechas y terminadas en punta. La flor, de color blanco o amarillo, brota en el extremo de un largo pedúnculo, envuelta en una espata membranosa que la protege de las heladas. Está formada por una cubierta floral, dividida en seis lóbulos iguales, en cuyo centro hay una especie de corona acampanada, que en algunas especies, como en el *narciso trompón*, llega a tener un tamaño casi tan grande como los pétalos. Los estambres, en número de seis, forman un cono con sus anteras y el ovario está colocado por debajo de la cubierta floral. El fruto es una cápsula que al madurar se escinde en tres valvas, lanzando a distancia las pequeñas semillas.

narcótico. Sustancia que produce depresión muscular y nerviosa con interrupción transitoria de los centros sensoriales del cerebro, impidiendo la percepción de los fenómenos dolorosos. Los narcóticos son, propiamente, anestésicos generales o analgésicos (supresores o atenuadores de dolor) e hipnóticos (causantes de sueño). Ordinariamente causan falsa sensación de bienestar, así como una especie de delirio intelectual que precede a un breve periodo de excitación. En dosis extremadas, así como su abuso, son mortales. Los principales narcóticos son alcaloides (sustancias orgánicas de composición que recuerda la de los álcalis) derivados del opio o la cocaína, y también el hachís y el éter. Entre ellos pueden citarse la morfina, la codeína, la heroína, la laudanina, la novocaína, etcétera.

narcotráfico. El comercio del opio es ilegal y está en manos de organizaciones criminales internacionales que lo envían desde las zonas donde se produce a los laboratorios clandestinos de tratamiento, situados principalmente en Europa y en Estados Unidos. Es fácil comprender que, a pesar de las prohibiciones y de los riesgos que entraña, los traficantes persistan en su actividad, puesto que con ella obtienen enormes beneficios. Y es que 1 kg de opio, que en su país de origen cuesta unos 100 dólares puede producir 100 g de morfina; éstos, por medio de un tratamiento químico, se transforman en 120 g de heroína pura, que, convenientemente adulterados, proporcionan a quien los vende varios millones de dólares. Para obtener estas ganancias, los traficantes comercializan primero las llamadas *drogas blandas*, como la morfina y el hachís, y a continuación las hacen desaparecer del mercado. De esta forma inducen a los toxicómanos a probar drogas *duras*, llegando incluso a regalarles las primeras dosis. Finalmente, los jóvenes drogadictos, a fin de poder procurarse la dosis cotidiana, acaban convirtiéndose en revendedores. Un toxicómano puede llegar a necesitar de 1 a 2 gramos de heroína diarios.

Nardi, Ángel (1601-1660). Pintor italiano que nació en Florencia y murió en Madrid. Nombrado pintor de cámara por el rey de España Felipe IV, se estableció en dicho país en 1625 y desde entonces trabajó allí, hasta su muerte, al servicio de la corte. Lo característico de su pintura son los fondos de sus cuadros, en los que pueden adivinarse paisajes que parecen ser una imitación de los del célebre Pablo Caliari conocido como *el Veronés*, su compatriota. Pintó los lienzos de los siete altares en la iglesia de las monjas bernardas de Alcalá de Henares y los óleos de la capilla de la Concepción en la villa de Guardia. En Madrid pueden verse *El nacimiento del Señor* y *La Visitación*.

narguile. Pipa para fumar de origen oriental. Está compuesta por una cazoleta en la cual, como en una pipa común, se consume el tabaco en combustión, cuyo humo va a parar por medio de un tubo a un vaso o recipiente lleno de agua perfumada a través de la cual es aspirado por el fumador por medio de otro largo tubo flexible.

Nnariño. Departamento meridional de la República de Colombia, que limita con el océano Pacífico al oeste y Ecuador al sur. La mitad del departamento pertenece a las cordilleras Occidental y Central de los Andes, con la fría y elevada meseta de Túquerres, en tanto que la región de la costa es calurosa y húmeda. Su superficie es de 31,045 km^2, con una población de 1.433,671 habitantes (1993). Capital: Pasto. Puerto importante sobre el Pacífico es Tumaco, en el golfo homónimo. Al sur de la ciudad de Ipiales se halla el histórico puente de Rumichaca, límite internacional con Ecuador, país al que se exporta tabaco, anís y ganado. Intensa producción agrícola, principalmente arroz en el fértil valle de Patía cruzado por el río de este nombre. La cordillera de los Andes penetra en Colombia por el departamento de Nariño, donde se bifurca en dos grandes ramales. Se destacan algunos volcanes de los cuales el más notable es el Galeras o Pasto a 4,267 metros. Múltiples caídas de agua ofrecen grandes posibilidades de potencialidad hidráulica. Los habitantes son especialmente industriosos y poseen habilidad sorprendente para las artes manuales. El nombre del departamento honra al prócer que luchó en el sur por la independencia de Colombia, Antonio Nariño. *Véase* COLOMBIA.

Nariño, Antonio (1765-1823). Patriota colombiano, precursor de la independencia y presidente de la República de Cundinamarca. Fue uno de los hombres más capaces y distinguidos de la emancipación americana; la lucha por su causa le significó la pérdida de la existencia fácil y cómoda que le ofrecían su fortuna, su cultura y su condición de hijo del Tesorero Real y nieto de un fiscal de la Audiencia del virreinato de Nueva Granada. Dedicado al comercio de exportación en gran escala, tenía relaciones que le permitían recibir de Europa las obras más importantes para el enriquecimiento de su biblioteca. Su tertulia literaria fue famosa en las postrimerías del siglo XVIII. Tradujo la *Declaración de los derechos del hombre* e imprimió varias copias en una pequeña prensa de su propiedad, copias que luego repartió secretamente para propagar los principios de libertad e independencia. En 1794 fue detenido como culpable de delito contra el Estado, merecedor de la pena de muerte, y se le confiscaron sus bienes, con lo que su esposa e hijas quedaron reducidas a la miseria. Un año después fue enviado a Madrid, pero se fugó al llegar a Cádiz, y pasó a Francia e Inglaterra donde buscó apoyo para la campaña de la independencia de Colombia. Regresó a Venezuela y desde allí volvió a su patria con nombre supuesto, para iniciar una activa propaganda. Descubierto en 1797, cuando se le interroga en la prisión y se le advierte que le será perdonada la vida si denuncia a sus cómplices, tiene una respuesta desconcertante: acepta la oferta y da los nombres de Jean Lambert Tallien y William Pitt, en esos momentos ministros del Exterior de Francia e Inglaterra, respectivamente. Se le da como prisión el cuartel de caballería de Bogotá y allí se le tiene hasta 1803, en que visto el estado de su salud y por prescripción médica, se le permite que, siempre en calidad de detenido, se traslade a la hacienda de Fucha, donde puede reunirse otra vez con su esposa e hijos y dedicarse a las faenas agrícolas. No deja de actuar, y aunque procede con mayor reserva que antaño es descubierto nuevamente y, en 1809, se le envía al castillo de Bocachica en Cartagena donde se le carga de cadenas. Allí mismo había muerto en 1805, después de 10 años de prisión, su abogado José Antonio Ricaurte, detenido por firmar como defensor de oficio el alegato del precursor la primera vez que fue arrestado. Libertado en 1810, Nariño vuelve a Bogotá y poco después ocupa la presidencia de la República, entablando a partir de entonces enconada lucha con los partidarios del federalismo y en defensa del gobierno unitario o centralista. Renuncia por tales diferencias en 1811, pero reasume el poder un año después y emprende una campaña contra las fuerzas españolas del Sur. Aunque alcanzó notables triunfos en Popayán y el Cauca, fue derrotado frente a la ciudad de Pasto y hecho prisionero por el mariscal Melchor Aymerich; se ordenó fuera fusilado, pero Aymerich resistió tales instrucciones y el precursor fue enviado nuevamente a España, donde se le encerró en la prisión de Cádiz. Allí permanece hasta 1820, en que la famosa Revolución de Rafael del Riego y Nuñez abre las cárceles a los presos políticos que el absolutismo de Fernando VII había arrojado a las prisiones de España. De vuelta a su patria en 1821, es designado por Bolívar vicepresidente del Congreso de la Gran Colombia e instala el Congreso de Cúcuta. Publica un periódico, *Los Toros de Fucha*, y asiste al Congreso de 1822 como senador. Su nombramiento es atacado y Nariño es acusado por sus enemigos. Ante el propio Senado se defiende (1823) en un alegato brillantísimo que es página viva de la historia de América, y luego, enfermo y desengañado, se retira a la Villa de Leiva. Allí fallece el hombre cuya figura dentro de la historia de Colombia ha consagrado la autorizada expresión de Rafael María Carrasquilla: "Después de Bolívar, Nariño". Los restos del eminente patriota reposan en un hermoso mausoleo de la Basílica Primada de Bogotá.

nariz. Parte saliente de la cara del hombre entre la boca y la frente. En los animales superiores la nariz, situada encima de la boca forma con ésta el hocico. En la nariz se halla radicado el sentido del olfato y es, a la vez, la parte externa del aparato respiratorio. Se estima que en el hombre, la función de la nariz corresponde en un noventa por ciento a la respiración y en un diez por ciento a la olfacción; pero, en los animales, sobre todo en aquellos en los que las sensaciones olfativas se han desarrollado extraordinariamente para compensar una visión atrofiada, esa proporción está alterada en beneficio del olfato. En el hombre constituye uno de los rasgos más importantes del rostro, hallándose formada por una base ósea y ciertos cartílagos que integran los conductos nasales, separados por un tabique, también cartilaginoso, llamado *septum*. Diversos músculos tienen a su cargo la tarea de mover los cartílagos nasales para que cumplan la función respiratoria. Los conductos nasales están divididos en dos cavidades: la anterior, que se comunica con el exterior gracias a los orificios nasales, y la posterior, que se halla entre los huesos que forman la base de la nariz y se abre en su término sobre la boca.

Cuando respiramos por la nariz, el aire absorbido del exterior pasa a través de los conductos nasales hasta la faringe y de allí a los pulmones siendo en ese tránsito entibiado para que alcance una temperatura similar a la del cuerpo y depurado de las partículas de polvo que pueda llevar consigo. Esta tarea de limpieza es efectuada por los numerosos pelos sumamente delgados que cubren la mucosa nasal. Esta mucosa que tapiza las paredes internas de la nariz es conocida asimismo con el nombre de membrana pituitaria, y se extiende hasta la faringe y, a lo largo de las trompas de Eustaquio, hasta los tímpanos. Está surcada por gran cantidad de venillas que, en los conductos nasales, elevan la temperatura del aire que se inspira.

El sentido del olfato se encuentra radicado en la zona más alta de la cavidad nasal, sector en cuya membrana se presentan las fibras terminales del nervio olfativo, que trasmite las sensaciones de este género al centro situado en el cerebro. Como en la parte inferior de los conductos no hay fibras olfativas, no podemos percibir el olor de nuestro propio aliento, y también se debe a la posición de los nervios olfativos el hecho de que cuando un resfrío irrita la mucosa y bloquea la parte inferior de los conductos no podamos percibir ningún olor. Según su aspecto exterior la nariz se denomina: recta (griega), aplanada (chata), aguileña, roma, respingada, etcétera.

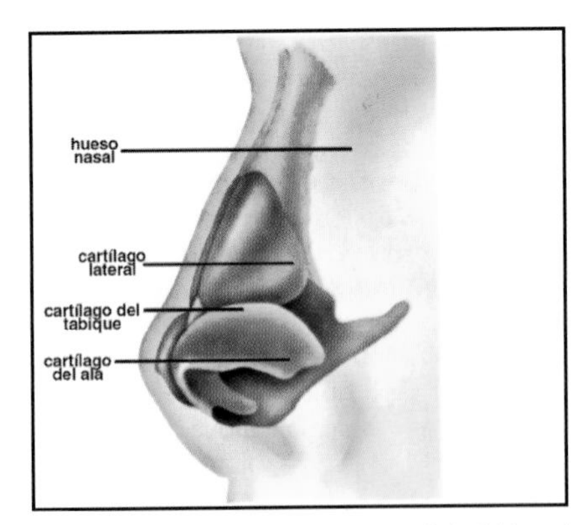

Salvat Universal

Huesos y cartílagos de la nariz.

narración. Relación de un hecho cualquiera, exponiendo más o menos circunstanciadamente sus pormenores. Es de todos los modos y formas de elocución el más antiguo, espontáneo y natural. No pertenece a ningún género literario especial, pero se armoniza con todos, pues narraciones son las novelas, los cuentos, romances, cantares, rapsodias, tradiciones y leyendas. Narraciones son las historias antiguas que se llamaron *cronicones*, y gran parte de las historias modernas, las actas de congresos, academias, sociedades, las necrologías, los libros de cuentos, etcétera. Los discursos que se pronuncian para relatar determinados sucedidos, los partes de batalla, las noticias y cablegramas de los diarios. La forma más sencilla de la narración es la de seguir un orden cronológico, aunque algunos adoptan la de anunciar el desenlace en el principio para después volver al punto de partida. Las cualidades más meritorias de la narración deben ser la brevedad o precisión, la claridad, la verosimilitud y el interés. De acuerdo con la división clásica es una de las siete partes del discurso, ya que en ella se refieren los hechos necesarios para la inteligencia de la causa y consecución del fin que el orador se propone.

La claridad y el interés son, desde luego, indispensables en cualquier clase de narración, ya que sin ellos carece ésta de los dos estímulos principales para ser escuchada. Por lo demás existen recursos retóricos para exaltar ambas cualidades a fin de producir el efecto deseado. La claridad depende de dos factores, que podríamos clasificar respectivamente, como de forma y fondo, lo externo y lo interno de la exposición narrativa. En el primer aspecto contribuyen en alto grado a la claridad de la narración el empleo de palabras adecuadas a las capacidades del auditorio o del público, recomendándose el uso de expresiones sencillas y cotidianas en la mayor parte de los casos, salvo aquellos en que se trata de una audiencia selecta en los cuales la claridad puede unirse armoniosamente con la elegancia. Además de las voces conocidas, la claridad depende del uso de vocablos que contengan la significación precisa que hace falta en cada lugar, especialmente los de sentido unívoco, pues el empleo de términos anfibológicos, que se pueden prestar a distintas interpretaciones, es causa de oscuridad en la exposición. Por lo que toca a los factores de fondo, debe evitarse, asimismo, desde luego, el empleo de conceptos que puedan ser tomados de distintos modos. Es necesario hacer una cuidadosa clasificación de las cosas, personas y tiempos que se manejan en la narración, para poder interpretar los hechos de una manera que resulte clara para el auditorio o para los lectores de la narración.

También para lograr que la narración sea congruente, debe procurarse que haya conexión lógica entre sus distintos periodos y que sea, asimismo, coherente, esto es, que luzca en toda ella el encadenamiento propio de conceptos, juicios y razonamientos. Respecto al interés de la narración, en realidad depende primordialmente del asunto mismo, pues hay asuntos carentes de interés en los cuales en vano se pondrían a prueba los recursos técnicos de la narración. Sin embargo, no cabe duda que el interés aumenta cuando es tratado por un experto de talento que sabe explotar los ángulos más favorables de la narración.

Narváez, Pánfilo de (1470-1528). Conquistador español. Se fue a América, se estableció en Jamaica, y cuando Diego Velázquez zarpó de la Española a la conquista de la isla de Cuba (1511), Narváez con 30 hombres acudió a engrosar las filas de Velázquez, quien lo nombró su primer capitán y fue factor importante en la ocupación de la isla. Al sobrevenir la pugna entre Hernán Cortés, el conquistador de México, y Diego Velázquez, gobernador de Cuba, éste confió a Narváez el mando de la expedición punitiva que partió de Cuba para castigar a Cortés. Desembarcó Narváez en México con grandes fuerzas y material de guerra, pero Cortés, con fuerzas inferiores en número, lo derrotó en Cempoala (29 de mayo de 1520) y Narváez, gravemente herido de un lanzazo en un ojo, fue hecho prisionero. Después de regresar a España para comparecer ante el Consejo de Indias, volvió a América con el título de adelantado para la conquista de la Florida (1526). Completó en Cuba su expedición de cinco naves, 400 hombres y 80 caballos; después de sufrir tormentas y desastres llegaron a las costas de la Florida, pasando hambres y penalidades increíbles, en lucha contra los indios y los elementos.

Narváez, Ramón María de (1800-1868). Político y general español. Fue el típico militar del siglo XIX y el baluarte más fuerte de la reina Isabel II. Como militar se distinguió en la guerra carlista, especialmente por su actuación en Mendigorría y Arlabán. En política fue atraído por los partidos moderados por su rivalidad con Baldomero Espartero, que simboliza el progresismo. En 1844, ocupó por primera vez la presidencia del Consejo. Organizó una expedición a Gaeta para restablecer al Papa Pío IX. Su gobierno se caracterizó por su exagerado autoritarismo y por sus implacables represiones. La reina premió su lealtad con el título de duque de Valencia.

narval. Cetáceo dentado, de unos 5 o 6 m de longitud, que vive en los mares árticos. Se caracteriza por tener dos colmillos implantados en el maxilar superior, el derecho atrofiado y el izquierdo recto, que presenta roscas como las de un tornillo, de hasta 3 m de largo. Se asegura que ese colmillo, del cual carece la hembra, le sirve para abrir agujeros en los témpanos, pero, muchos zoólogos afirman que es sólo un arma defensiva y ofensiva. Se alimenta de moluscos, crustáceos y peces.

Narvik. Ciudad y puerto de Noruega, situado en el norte del país, en una península del fiordo de Ofot. Tiene 18,920 habitantes (1995). Es terminal de una línea de ferrocarril que da salida, por el Mar de Noruega, al mineral de hierro que se extrae de Kiruna-Gällivare, en Suecia, por lo que Narvik es de gran importancia estratégica. Durante la Segunda Guerra Mundial la ciudad fue ocupada por los alemanes (abril de 1940) y poco después los ingleses hicieron un desembarco, pero se retiraron para reforzar sus tropas en Francia.

Corel Stock Photo Library

Puerto de Narvik, Noruega.

NASA. Organismo paraestatal estadounidense encargado de planificar y coordinar todos los programas de exploración aeronáutica y astronáutica. Fue establecida en 1958 y sus oficinas centrales están en Washington, D.C., desde donde se controlan las actividades de diversos centros de investigación dependientes de la NASA. Entre ellos figuran el *Ames Research Center*, donde se han efectuado estudios sobre transportes supersónicos, aparatos de despegue vertical, etcétera; *Dryden Flight Research Center*, entre cuyas actividades más famosas figuran los vuelos del avión cohete X-15 y aerodeslizadores; *Goddard Space Flight Center*, responsabilizado del diseño de gran variedad de satélites artificiales (observatorios espaciales, *Explorer, Tiros, Nimbas, Relay, Syncom* y otros) y cargas instrumentales para cohetes de sondeo; allí está también centralizada la red de comunicaciones y rastreo de satélites y cápsulas espaciales; *Jet Propulsion Laboratory*, encargado de todos los programas de exploración lunar e interplanetaria por medio de vehículos automáticos (*Ranger, Orbiter, Surveyor, Pioneer, Mariner, Viking* y *Voyager*); *John F. Kennedy*, principal estación de lanzamientos; *Langley Research Center*, donde se estudian los problemas de la dinámica del vuelo fuera y dentro de la atmósfera, materiales, estructuras, mecánica espacial, instrumentación, tecnología de combustibles sólidos, simuladores para entrenamiento, etcétera; *Lewis Research Center*, encargado de los sistemas de propulsión y generadores de energía en el espacio, estudios sobre materiales en condiciones extremas, combustión, sistemas de propulsión, tecnología de los plasmas; *Johnson Space Center*, concentrado en los problemas relacionados con el vuelo de astronaves tripuladas, selección y entrenamiento de pilotos y actividades relacionadas con estos aspectos; y el *White Sands Test Facility*, con instalaciones para el ensayo de motores cohete.

La NASA controla, además, tres redes de estaciones de seguimiento y recepción de telemetría repartidos por todo el mundo. La MSFN, para rastrear cápsulas orbitales tripuladas, con 15 estaciones terrestres, cuatro barcos y varios aviones. La DSN dedicada al seguimiento de sondas automáticas lunares y planetarias. Otra red importante es la STADAN, integrada por unas 20 estaciones para el rastreo de satélites artificiales.

Nasarre, Blas Antonio (1689-1751). Escritor español. Alcanzó varias dignidades eclesiásticas, entre ellas la de abad de la Colegiata de Alquézar, su ciudad natal. Ejerció diversas cátedras en la Universidad de Zaragoza. Fue bibliotecario real e individuo de la Real Academia Española. Escribió un *Diccionario de voces españolas* antiguas y varias obras de memorias, comentarios y crítica. Editó diversas obras de otros autores, como la *Biblioteca universal de poligrafía española* de Cristóbal Rodríguez, las *Comedias* de Cervantes y el *Qui-*

Centro y puerto espacial Kennedy en Orlando, Florida, administrado por la NASA.

Corel Stock Photo Library

jote de Avellaneda. Expuso el criterio de que las comedias de Cervantes habían sido escritas para remedar las de Lope de Vega.

Nasca, Cultura. Cultura sudamericana preincaica de la costa de Perú, en el departamento de Ica. Se estima que floreció de los siglos V al VIII. Su mejor expresión es la cerámica, donde sobresale el color, con una gama extraordinaria de tonalidades. Es un arte simbólico, erigido alrededor de muchos dioses, personajes y animales fabulosos, cuya identidad no ha podido establecerse. Abundan las vasijas de formas trapezoides y de ornamentación geométrica. Son también interesantes los tejidos elaborados por aquellos indígenas.

Nash, John Forbes (1928-). Matemático estadounidense. Compartió el Premio Nobel de Economía en 1994 con John C. Harsanyi y Reinhard Selten por su investigación pionera en el campo de la teoría del juego, la cual se ocupa de estudiar en un grupo de competidores o jugadores cómo reaccionan los unos respecto de los otros. La tesis doctoral que Nash presentó ante la Universidad de Princeton (1950) trata de las matemáticas de aquellas competencias en que las ganancias recíprocas son posibles y la competencia puede terminar en estabilidad –llamada posteriormente solución de *equilibrio de Nash*–. Este trabajo hizo posible la aplicación de la teoría del juego a las transacciones comerciales y a otras situaciones del mundo real. Desde finales de los años cincuenta hasta principios de los ochenta, Nash padeció esquizofrenia pero se recuperó y reanudó su trabajo.

Nassau, Casa de. Antigua familia alemana, cuyo origen se remonta al siglo XI, cuando el noble Drutwin construyó un castillo cerca del lugar que hoy ocupa la ciudad de Nassau. Un siglo después, Walram, uno de sus descendientes, adoptó el título de conde de Nassau, bajo la soberanía de los monarcas germánicos. Los condes de Nassau extendieron considerablemente sus dominios y hacia 1255 los nietos de Walram, llamados Walram II y Otón, dividieron la herencia y fundaron las dos ramas de la casa de Nassau. El río Lahn formó la línea divisoria de los dominios. Walram II se adjudicó los de la orilla izquierda del río y estableció su capital en Weisbaden. A Otón le correspondieron los dominios de la orilla derecha, con capital en Siegen. Las dos ramas adquirieron prominencia histórica en Europa.

Adolfo II de Nassau, hijo de Walram II, fue coronado rey de Alemania (1292-1298). Sus descendientes se dividieron en varias ramas, todas las cuales se distinguieron excepto una, la de Weilburg. En 1806, se creó el ducado de Nassau y poco después los dominios alemanes de las dos ramas principales se unieron bajo el duque Federico Guillermo de Nassau-Weilburg. En la guerra de 1866 entre Austria y Prusia, el ducado de Nassau se inclinó al lado de Austria y al ser ésta derrotada, el ducado de Nassau fue incorporado al reino de Prusia, siguiendo las vicisitudes de éste, y pasando a formar parte del imperio alemán en 1870. Después de la Segunda Guerra Mundial, al organizarse, en 1949, la República Federal Alemana, los dominios del antiguo ducado de Nassau, quedaron incluidos en la región federada *(land)* de Hesse.

En cuanto a la rama de Otón, los tres hijos de éste dividieron los dominios en tres nuevas ramas, una de las cuales, la de Nassau-Dillinburg, adquirió por herencia dominios en Holanda. Uno de sus miembros, Guillermo el Taciturno, fundó la rama de Orange-Nassau y fue el primer estatúder de la república de Holanda, al que sucedieron en el cargo otros miembros de la rama Orange-Nassau, entre ellos Guillermo III, que fue también rey de Inglaterra. En 1815, otro príncipe de Orange fue elevado al trono del nuevo reino de Holanda, con el nombre de Guillermo I y fue además duque de Luxemburgo. Sus sucesores fueron: su hijo Guillermo II y su nieto Guillermo III, a la muerte del cual se extinguió la línea masculina. El trono de Holanda pasó, en 1890, a la reina Guillermina, hija de Guillermo III, y el ducado de Luxemburgo a Adolfo de Nassau, de la rama de Walram. Entre los principales personajes históricos pertenecientes a la casa de Nassau, se destacan los siguientes:

Guillermo I, *el Taciturno* (1533-1584). En su niñez fue paje del emperador Carlos V, que en 1555 lo nombró jefe del ejército imperial y gobernador de las provincias septentrionales de Holanda. Sirvió en los ejércitos de Felipe II, rey de España, en la guerra que esta nación sostuvo contra Francia; pero, después se enfrentó a Felipe II para defender a los protestantes holandeses. Dirigió la resistencia de Holanda contra las tropas españolas del duque de Alba y declaró la independencia de los Países Bajos de la dominación española y fundó la república holandesa, de la que fue primer estatúder. Murió asesinado en Delft.

Guillermo III (1650-1702). Estatúder de Holanda y rey de Inglaterra, donde reinó desde el ano 1689 hasta su muerte. Peleó contra Francia y formó una coalición en la que participó Inglaterra, contra Luis XIV. Se casó con María, princesa británica, hija del duque de York. En 1688 fue invitado por el Parlamento inglés a aceptar el trono de Inglaterra y fue coronado al año siguiente.

Nasser, Gamal Abdel (1918-1970). Militar y político egipcio fundador del movimiento revolucionario que llevó a cabo el golpe de estado que derrocó al rey Faruk en 1952 y elevó al poder al general Mohamed Naguib en 1953. Nasser siguió ejerciendo el poder a través del Consejo de la Revolución y cuando Naguib renunció al cargo en 1954, asumió el control del gobierno. Dos días después Naguib fue restituido en la presidencia y Nasser nombrado primer ministro. Poco después Nasser fue agredido a tiros cuando pronunciaba un discurso en Alejandría, atentado en el cual resultó implicado Naguib, quien fue depuesto de su cargo. Respaldado por el primer ministro de la India Jawaharlal Nehru y por el mariscal Josip Broz Tito de Yugoslavia, se esforzó porque los miembros de la Liga Árabe asumieran una posición neutral ante los acontecimientos mundiales. En junio de 1956 fue elegido presidente de Egipto y pocos meses después decretó la nacionalización del Canal de Suez. Este decreto provocó la intervención armada de Inglaterra y Francia, cuyas fuerzas bombardearon objetivos militares en Egipto (31 de octubre). El canal de Suez fue obstruido y se provocó una grave crisis internacional. Mediante la intervención de las Naciones Unidas, las tropas anglofrancesas se retiraron de Egipto y el canal fue abierto de nuevo al tránsito marítimo. En 1958 Egipto y Siria formaron la República Árabe Unida, y Nasser fue su presidente. Cuando en 1961, Siria se separó de esa unión Nasser continuó como presidente de Egipto, cuyo nombre oficial continuó siendo República Árabe Unida. En 1965, fue reelegido por tercera vez, dimite en junio de 1967 a raíz de la guerra de los seis días y ante las manifestaciones de adhesión reasume la jefatura del estado. Los esfuerzos de Nasser para conseguir la unión del mundo árabe son dignos de tenerse en consideración. Su muerte, acaecida en el momento culminante de su carrera política, vino a sembrar la incertidumbre en el Medio Oriente. Durante su gobierno se construyó e inauguró la presa de Assuan.

nasturtium. Género de plantas de la familia de las crucíferas. Especie típica de ese género es el *berro*, que crece espontáneamente en las orillas de los arroyos o lugares húmedos. Sus hojas contienen mucho yodo. Se emplean como depurativo y antiescorbútico. La planta toda tiene un gusto acre, debido a las esencias sulfurosas que contiene, lo que las hace muy apropiadas para la confección de ensaladas.

nata. Sustancia espesa y de color blanco amarillento que se forma de la leche cuando ésta se deja reposar durante cierto tiempo. Contiene grasa fácilmente digerible, vitaminas A, D y E, y por ello resulta muy nutritiva. Es de sabor agradable y, batida, se convierte en mantequilla. También se llama nata a la sustancia espesa que sobrenada en algunos licores. Se designa también así al producto más selecto y estimado de una línea cualquiera.

natación. Conjunto de movimientos y actitudes merced a los cuales el cuerpo humano flota en el agua y puede moverse y avanzar obedeciendo a sus impulsos voluntarios. Común a casi todos los animales, es en el hombre una habilidad o arte que debe adquirir y susceptible de ser perfeccionado con el concurso de métodos apropiados. Como deporte se halla clasificada en el plano de los excelentes, ya que aparte de los efectos tónicos y saludables que el sol, el aire y el agua producen sobre la piel y el organismo, existe la ventaja de la gran libertad de movimientos que el medio fluido en que se actúa permite. La utilidad social que la natación representa es enorme, no sólo desde el punto de vista puramente higiénico, sino hasta del profesional; en primer término debe citarse a los marinos, que sirven de poderoso medio de socorro para la salvación de náufragos. Contribuye al desarrollo físico de los que la practican, pues somete a una disciplina los movimientos respiratorios y aumenta la capacidad torácica. Con la natación se ejercitan por igual todos los músculos del cuerpo.

Corel Stock Photo Library

Salida de una competencia de natación estilo dorso.

Los dos factores esenciales que intervienen en la natación son la flotación y la propulsión. El primero consiste en la aptitud de la persona para mantenerse en el agua sin sumergirse, conservando la cabeza sobre la superficie del líquido para poder respirar libremente. Las aguas dulces o de río son menos aptas que las de mar o saladas para la flotación natural debido a que las primeras carecen de la densidad que prestan a las otras las diversas sustancias químicas que llevan en disolución. Como la flotación de un cuerpo en un líquido obedece al principio de Arquímedes, la estabilidad depende de la relación o diferencia que haya entre los pesos específicos de uno y otro. La diferencia entre el peso específico del agua y el del cuerpo humano es poco pronunciada y muy fácil de contrarrestar; lo que no sucede con otros líquidos. Eso se debe a que los pulmones, al llenarse del aire aspirado, compensan esa pequeña diferencia y actúan como las vejigas natatorias de los peces. Si bien es verdad que en la espiración éstos decrecen de volumen, no debe olvidarse que el espacio de tiempo que media hasta la aspiración siguiente es muy breve, lo que implica que la fuerza de gravedad que tiende a sumergir el cuerpo no puede operar, pues se contrarresta con la inercia de la posición de flotación ya adquirida.

Una de las formas de flotación pasiva consiste en mantener el cuerpo en posición vertical y efectuar movimientos suaves con los brazos y los pies tratando de evitar todo movimiento desordenado. Se logrará así dejar al descubierto los orificios de la boca y la nariz. También puede obtenerse la flotación mediante la plancha, que consiste en abandonarse horizontalmente en el agua con el cuerpo flojo. La propulsión se obtiene mediante movimientos adecuados para que el cuerpo pueda trasladarse de un lugar a otro. Para aprender a realizar estos movimientos, es conveniente, como primera medida, familiarizarse con el agua, y acostumbrarse a aspirar el aire por la boca espirándolo por la nariz, o por boca y nariz a la vez, y a practicar inmersiones completas con los ojos abiertos dentro del líquido. El ritmo de los movimientos debe ser acompasado conjugan dolo con el de la respiración. Las formas o artes con que se verifican los diversos movimientos de la propulsión da origen a los distintos estilos de natación. Son los principales: el estilo de pecho, a la *marinera* o de lado y el *crawl* (del inglés: to *crawl*, arrastrarse).

De pecho. Es un modo de nadar que se asemeja al de las ranas y que puede ser tenido como clásico en este deporte. El nadador se halla en posición casi horizontal sobre el vientre, con los brazos extendidos al frente en apoyo y se sirve de ellos como remos que describen un pequeño círculo frente a sí, impulsando el agua hacia atrás, en el momento que encoge las piernas abiertas, para dar el impulso mayor, la patada hacia atras, que consiste en un movimiento de pinzas que se cierran con cierta energía, dejando inmediatamente el cuerpo quieto y extendido, para el deslizamiento, para luego volver a la anterior brazada que sirve de compensación para el movimiento negativo de encoger las piernas. En este estilo la fuerza propulsora puede clasificarse así: brazos 30%, piernas 70%.

A la marinera o de lado. En una de sus variantes se le conoce con el nombre inglés de *over arm.* Puede ser simple o doble; el simple consiste en acostarse de lado en el agua con el brazo inferior extendido en apoyo al frente, mientras que el otro brazo efectúa la brazada o remada a lo largo del cuerpo, de adelante hacia atrás para volver por fuera del agua a ocupar su posición de *asir el agua.* Para contrarrestar este movimiento negativo, el brazo inferior realiza por debajo del agua un movimiento de remo en pequeño círculo, muy parecido a la brazada de pecho. Este estilo es mucho más veloz que el anterior, y más indicado para nadar en el mar. El estilo doble es muy parecido, pero el nadador efectúa el movimiento de remo con ambos brazos, mueve las piernas simultáneamente con la brazada, en forma de tijera, es decir recoge las piernas y las extiende abiertas describiendo un círculo grande que cierra con fuerza al unirlas. Este estilo es ideal para nadar en el mar y para salvamentos, pues se puede llevar la cabeza completamente fuera del agua.

Crawl. Estilo de velocidad por excelencia. El cuerpo debe mantenerse horizontal y bien estirado, con los ojos a la altura de la línea de flotación; los movimientos de los brazos son circulares. Las piernas se mueven en forma suave y flexible, sin doblar las rodillas, lo que produce un ondular en el agua como el de la cola de los peces. La mayor dificultad en este estilo radica en la respiración que debe realizarse aspirando por la boca, en el momento en que se levanta el brazo, y espirando por la nariz, dentro del agua.

Otro de los ejercicios que se practican en la natación son los saltos llamados ornamentales. El nadador salta de un trampolín al agua efectuando en el aire alguna combinación acrobática (salto mortal, en carpa, en tirabuzón, etcétera).

Corel Stock Photo Library

Competencia oficial de nado de mariposa.

La natación fue practicada desde los tiempos más remotos. Los griegos instruían a su ejército en ese arte y los romanos consideraban su enseñanza como parte de los programas educativos. La Edad Media olvidó este deporte que vino a resucitar el Renacimiento hasta adquirir su auge actual. En el presente la natación constituye una asignatura incorporada a la mayoría de los planes de estudios, es reglamentaria en ciertas profesiones, se exige en muchos cuerpos del ejército y sirve de base para juegos tan interesantes como el *water-polo.* En todo el mundo se llevan a cabo pruebas y concursos de natación.

Natal. Provincia de la República de Sudáfrica, llamada desde 1994 Kwazulu-Natal. Capital: Pietermaritzburg, siendo su principal centro comercial y puerto la ciudad de Durban. Tiene una superficie de 92,180 km^2 y 8.505,338 habitantes (1995). De clima variado, es muy fértil. Produce maíz, platanos, azúcar, piñas, frutas cítricas, té y café. Hay yacimientos de oro, mármol y carbón. El navegante portugués Vasco da Gama fue el primero que llegó a sus costas en 1497. Hacia 1823 se intensificó la colonización inglesa, y en 1844 fue anexada a la Colonia del Cabo. En 1910 se convirtió en provincia de la República de Sudáfrica.

Playa Ponta Negra en Natal, Brasil.

Corel Stock Photo Library

Natal. Ciudad de Brasil, capital del estado de Río Grande del Norte, situada sobre la margen derecha y a poca distancia de la desembocadura del río Potengi, con una población de 656,037 habitantes (1997). Importante centro comercial y de comunicaciones, está unido por ferrocarril con Paraiba, Pernambuco y Maceio, y por carreteras con toda la zona vecina. Cuenta con refinerías de azúcar y manufacturas de algodón, activo comercio y exportación de azúcar, algodón, caucho, maderas y cueros. A 12 km de la ciudad se encuentra un gran aeropuerto utilizado por los aviones transcontinentales. Debe gran parte de su importancia a su posición en el extremo noreste del continente sudamericano.

Nathans, Daniel (1928-). Médico estadounidense. En 1970 aplicó por primera vez las enzimas restrictivas para estudiar las moléculas del ácido desoxirribonucleico (ADN) de los virus carcinógenos, lo que preparó el camino para otros investigadores de la misma área. También ayudó a abrir el campo de investigación del ADN recombinante. Gracias a sus trabajos Nathans compartió el Premio Nobel de Fisiología o Medicina en 1978 con Werner Arber y Hamilton Smith.

Natividad. *Véase* NAVIDAD.

NATO. *Véase* ORGANIZACIÓN DEL TRATADO DEL ATLÁNTICO NORTE.

Natta, Giulio (1903-1979). Químico italiano. Compartió el Premio Nobel de su especialidad en 1963 con Karl Ziegler por sus contribuciones al entendimiento de la estereoquímica de los polímeros. Natta obtuvo su doctorado en ingeniería química por el Politécnico de Milán, al que regresó en 1938 como profesor y director de investigaciones de química industrial, después de haber dado clases en las universidades de Pavía, Roma y Turín.

naturaleza, estudio de la. Los pájaros, las flores, la lluvia son cosas o fenómenos de la naturaleza y todos hemos leído algo acerca de ellas. Sin embargo, son muy pocos los que han adquirido un conocimiento directo de esas cosas, mediante la observación metódica y atenta. Actualmente, casi la totalidad de nuestros conocimientos nos vienen de los libros que leemos. Ellos nos pueden proporcionar la información que deseemos acerca de los animales, las plantas, el trueno o la destilación del petróleo. En su mayoría han sido escritos por especialistas, que, después de muchos años de investigaciones y estudio, seleccionan los datos de mayor valor que han podido recoger y los presentan condensados, en forma de libros. Y ellos son, indudablemente, el mejor medio para enriquecer nuestros conocimientos. Pero, si las plantas y las hormigas y las rocas están ahí, delante de nuestros ojos, ¿por qué no echarles un vistazo y aprender algo de ellas directamente? ¿Por qué no dejar alguna vez que sea la naturaleza misma quien nos hable y nos enseñe? El observador de la naturaleza no se conforma con aprender unos cuantos nombres y mirar algunas láminas; quiere ver con sus propios ojos todas las cosas que lo rodean y los cambios que experimentan. Los amantes de la naturaleza buscan su contacto directo y por eso frecuentan el campo, las montañas, los bosques y los ríos. En las ciudades prefieren los parques y jardines al cine o el teatro. Y dondequiera que vayan, todo lo examinan y estudian prolijamente: cada árbol, cada flor nueva, cada pájaro o insecto desconocido, son otros tantos incentivos de su curiosidad insaciable. Y así aprenden a distinguir una planta de otra, aprenden cuando florecen y cuando maduran sus frutos, descubren adonde conducen las interminables filas que forman las hormigas y por qué las mariposas revolotean alrededor de las flores en verano. El estudio de la naturaleza no se circunscribe, sin embargo, a la observación de los seres vivientes –pájaros, insectos, animales salvajes, peces, gusanos, ranas, culebras, árboles, malezas, flores silvestres, plantas acuáticas–, sino que también incluye el reino mineral y los fenómenos de toda clase que tienen lugar en la naturaleza. Y así, el investigador se fija, cuando camina por el campo, en el color y la consistencia de la tierra que pisa, examina su composición, reconoce las piedras y minerales que orillan el camino, y sabe si las nubes que cubren el cielo anuncian tormenta o buen tiempo.

Método. Las investigaciones deben llevarse a cabo en todo tiempo y lugar. Los estudiantes procuran no sólo aprender los nombres de plantas y animales poco comunes, sino adquirir un conocimiento de ellos lo bastante preciso para poder identificarlos en cualquier oportunidad que se les presente. Si se trata de un pájaro por ejemplo, el alumno debe observar el tamaño y la forma del cuerpo y el color del plumaje; debe aprender algunas de sus costumbres, los sitios que frecuenta y con el tiempo llega a reconocer su canto fácilmente y hasta lo que significa en cada caso. Trata luego de clasificarlo en la familia o el grupo de pájaros semejantes al cual pertenece, y si las observaciones han sido acertadas, también llegará a saber lo que el pájaro come, dónde construye su nido, cómo cuida de sus polluelos y si permanece durante el invierno o si emigra hacia zonas más templadas al llegar el otoño.

Corel Stock Photo Library

Naturaleza. Cascadas de Gibraltar en Australia.

No debe creerse que las actividades del estudiante se realizan exclusivamente al aire libre. Las investigaciones efectuadas en el exterior se complementan con diversas tareas que realizará en casa, entre ellas están las colecciones.

El estudiante puede formar un acuario con peces, animalitos y plantas acuáticas recogidos en las lagunas y arroyos cercanos; coleccionar minerales raros y conchas marinas, que clasificará cuidadosamente, cada uno con su correspondiente tarjeta, o cultivar un jardín con flores silvestres, helechos y otras plantas, cuyo desarrollo podrá entonces estudiar cómodamente. Frecuentemente los estudiantes realizan excursiones al campo para ampliar el radio de sus investigaciones. La vida en el campo y las temporadas de vacaciones ofrecen buenas oportunidades para ver la naturaleza de cerca. Los parques zoológicos, jardines botánicos y museos de historia natural son también excelentes medios para la observación y el estudio.

Principales auxiliares. Es sumamente provechoso para el estudiante anotar sus descubrimientos en un cuaderno de apuntes que siempre deberá llevar consigo. Sin el registro ordenado de sus observaciones, pronto olvidaría los datos recogidos y la labor habría sido entonces completamente inútil. Con su ayuda pueden establecerse comparaciones entre datos obtenidos en distintas ocasiones, a veces en años diferentes, y así, con un número de datos suficiente, puede llegar a saber si en tal estación la temperatura media ha sido inferior a la normal o si este año las golondrinas han regresado antes o más tarde que en años anteriores. Los apuntes tienen más valor si se completan con dibujos hechos en el terreno. Andando el tiempo, el aficionado se procurará un par de prismáticos para observar los animales, una cámara fotográfica, lentes de aumento, un microscopio, redes para cazar insectos, un barómetro y cuantos instrumentos le sirvan para asegurarse de la certeza de sus observaciones.

Deporte y ciencia. Para muchos el estudio de la naturaleza constituye simplemen-

Naturaleza. Parque nacional Arches en Utah, EE.UU.

Corel Stock Photo Library

te un pasatiempo agradable e instructivo. Es con este criterio como se practica actualmente, pues los hombres de ciencia le han desconocido carácter científico. Ellos alegan que estas investigaciones carecen del rigor científico y sistemático de los estudios hechos por especialistas y son, en consecuencia, inexactos o poco serios. El estudio de la naturaleza, popular en un tiempo en las escuelas, hoy ha sido desplazado por la ciencia elemental que constituye, sin embargo, un valioso auxiliar para aquellos que siguen practicando el estudio de la naturaleza por su cuenta.

Importancia. El estudio de la naturaleza ha sido el principio de gran parte de nuestro conocimiento científico y la mayoría de los grandes hombres de ciencia han sido, al mismo tiempo, profundos conocedores y amantes de la naturaleza. La proximidad de la naturaleza preserva al investigador, especializado en el estudio de un reducido sector de la realidad, de encerrarse en una cultura puramente libresca y artificial, despierta la curiosidad de los niños y estimula la avidez de conocimiento en chicos y grandes.

Los libros. Son el complemento necesario de todo estudiante de la naturaleza. En ellos encontramos un rico material con el cual confrontar el recogido por nosotros mismos. Existen innumerables libros, revistas y publicaciones de todas clases, dedicadas al estudio de la naturaleza. Unos son de carácter puramente científico, mientras los otros son amenas historias de animales, generalmente escritas para los niños e ilustradas con grandes láminas en colores. Grandes naturalistas han sido, al mismo tiempo, escritores de admirable amenidad como el francés Jean Henri Fabre, y el inglés William Henry Hudson, nacido en Argentina, quienes en sus obras han dejado las mejores páginas escritas sobre la vida de la naturaleza.

Naturalismo. Sistema o doctrina filosófica que considera a la naturaleza como la única realidad. Niega lo sobrenatural y, como consecuencia de esta negación, tiende a reducir todo lo demás a la naturaleza. Tanto el espíritu como sus creaciones quedan, pues, incluidas en ella. Por lo que hace a la moral, preconiza el despliegue de los impulsos naturales o instintos e incluso la deducción de los conceptos morales de las simples disposiciones naturales. Por lo que hace al orden sociológico, acentúa, con exclusión de cualesquiera otros, los factores biológicos como fuerzas formadoras de la sociedad y de la historia. En el orden estético, exige que el artista se limite a reproducir lo que sucede en la naturaleza. Para resumir, el Naturalismo lo explica todo por la naturaleza y resuelve todo en ella.

Se designa, también con el nombre de Naturalismo una escuela literaria que se destacó en el siglo XIX y parte del actual. Los escritores de la escuela naturalista quieren reproducir lo que sucede en la naturaleza de manera exclusiva o cuando menos preponderante; pero, no se limitan a esto, sino que, al propio tiempo que tratan de reproducir hasta en sus mínimos detalles los seres de la naturaleza, procuran despojarlos de todo lo que puede ocultarlos o velarlos para ofrecerlos en su máxima sencillez y autenticidad. Esta última determinación contribuye a diferenciarlos del Realismo, que es una tendencia artística emparentada con él. Podría, pues, decirse que el Naturalismo es el realismo llevado a su última consecuencia.

Por todo lo expuesto, se comprende que es dificil establecer una división precisa entre Realismo y Naturalismo como escuelas literarias, y muchos escritores clasificados como realistas tienen obras que sobrepasan límites tan convencionales y borrosos para penetrar en el campo del Naturalismo y viceversa. Así, por ejemplo, Honoré de Balzac, henri Beyle Stendhal y Gustav Flaubert tienen en parte de su obra algunos matices de tendencia naturalista. También en España, algunas obras de Emilia Pardo Bazán, Vicente Blasco Ibáñez y Pío Baroja encajan mejor en el Naturalismo que en el Realismo. En Francia, Hippolyte Taine fue el gran teorizante del Naturalismo y Emile Zola su máximo representante literario. Dentro del Naturalismo francés se clasifica a los hermanos Edmon Louis y Julies Alfred Goncourt, Alphonse Daudet, Guy de Maupassant y Joris Karl Huysmans. En Rusia descuellan Maksim Gorki, Aleksandr Kuprin y Korolenko. En Estados Unidos, entre los escritores que tienen obras que pueden clasificarse dentro de los cánones naturalistas, figuran Teodor Dreiser, Sherwood Anderson, Scott Fitzgerald, John Dos Passos, Ernest Hemingway y John Steinbeck. *Véanse* REALISMO; ROMANTICISMO.

naturalización. Concesión de ciudadanía de un país hacia aquellos que no adquirieron ésta por nacimiento. La Enmienda 14 de la Constitución de Estados Unidos estipula que "todos los individuos nacidos o naturalizados en Estados Unidos... son ciudadanos de Estados Unidos". La constitución estadounidense (artículo I, sección 8) también faculta al Congreso para que apruebe leyes uniformes de naturalización. Éste ejerció tal facultad por primera vez en 1790.

En todos los casos salvo en aquel de los veteranos de las fuerzas armadas, para recibir la naturalización en Estados Unidos se requiere: 1) haber entrado al país de manera legal con fines de residencia; 2) haber residido en el país cinco años o, en el caso de los cónyuges de ciudadanos estadounidenses, tres años; 3) gozar de buena reputación moral, según lo demostrado durante el tiempo de residencia; 4) obediencia a la constitución política; 5) comprensión de la lengua inglesa, incluidas habilidades de lectura, escritura y expresión oral, excepto cuando alguna incapacidad física lo impida; 6) conocimiento y entendimiento de los fundamentos de la historia y la forma de gobierno de Estados Unidos, y 7) haber residido seis meses en el distrito donde se encuentre la corte de naturalización consultada.

Un extranjero que busca convertirse en ciudadano estadounidense debe presentar una solicitud, ser entrevistado e investigado, y presentar una petición formal de naturalización. Los solicitantes protestan lealtad al país y renuncian a su nacionalidad anterior. También se les pide que prometan tomar las armas en nombre de Estados Unidos, prestar sus servicios fuera de combate en las fuerzas armadas, o desempeñar una labor de importancia nacional bajo dirección civil cuando legalmente se requiera. Los veteranos de las fuerzas armadas pueden naturalizarse sin importar cuánto tiempo han residido en el país, siempre y cuando cumplan con ciertos requisitos.

La naturalización en Estados Unidos otorga todos los derechos correspondientes a la ciudadanía, excepto aquel de llegar a ser presidente o, por cierto tiempo, el de postularse al Congreso. Un ciudadano naturalizado puede presentar su candidatura para formar parte de la Cámara de representantes al haber pasado siete años desde su naturalización y para estar en el senado, después de nueve. Los extranjeros menores de 16 años pueden adquirir la ciudadanía mediante la naturalización de sus padres. Quienes tengan entre 16 y 18 años de edad y cuyos padres sean ciudadanos, pueden ser naturalizados a petición de éstos.

En algunos países, las esposas extranjeras de los ciudadanos reciben la ciudadanía por ley o por registro. Otros países reducen el tiempo de ciudadanía exigido a los cónyuges de sus ciudadanos. Algunos más prestan especial atención a la capacitación con la que cuenta un extranjero, a los servicios militares prestados, sus inventos llevados a cabo, sus inversiones realizadas o a otras contribuciones al bienestar nacional. En algunos países la ciudadanía puede ser conferida mediante un decreto parlamentario.

Normalmente cada país reserva el derecho de naturalización para quienes han entrado en él de forma legal. En 1986, sin embargo, el Congreso de Estados Unidos aprobó la amnistía para los extranjeros ilegales que hubieran residido en el país desde el 1 de enero de 1982. En Estados Unidos las cuestiones relacionadas con inmigración y naturalización están reguladas por el decreto McCarran-Walter de 1952 y administradas principalmente por el Departamento de Justicia.

naturismo. Movimiento higienista que se propagó en la última mitad del siglo XIX. Procura que el hombre beneficie su salud y energía con el frecuente contacto con las fuerzas vivificantes de la naturaleza. Propugna la vida al aire libre, la práctica de los deportes, la simplicidad en la forma de vestir, la frugalidad y selección de los alimentos, la supresión de todo artificio en las exigencias de la vida social, y la eliminación de todas las causas que produzcan excitación nerviosa. Se practica en muchos países, especialmente en Suecia, Noruega, Dinamarca y Alemania. El naturismo atribuye a la naturaleza la virtud de curar y de preservar de las enfermedades, excluyendo casi por completo los medicamentos y la cirugía.

naufragio. Pérdida o ruina de un buque durante la navegación. La causa más común de estos accidentes es el choque de la nave con algún escollo o con otro barco. Esto ocurre a menudo cuando se navega en parajes peligrosos sin tomar las debidas precauciones cuando la bruma es tan densa que impide toda visibilidad. La catástrofe del *Titanic* en 1912, que causó 1,517 muertos, fue debida al choque del barco con un *iceberg*. En la actualidad el uso del radar, aparato que envía un rayo de onda corta que al chocar contra un objeto vuelve al punto de partida contribuye a evitar semejantes accidentes. Pero, a pesar de la eficiencia del radar, que señaló con suficiente anticipación a los capitanes respectivos, la trayectoria de dos buques peligrosamente próximos en medio de la niebla, una serie de circunstancias adversas hizo posible una gran catástrofe marítima, cuando el 25 de julio de 1956 el trasatlántico sueco *Stockholm* embistió en alta mar al gran trasatlántico italiano *Andrea Doria* y éste se fue a pique con la pérdida de medio centenar de vidas. Otros naufragios son causados por incendios a bordo, explosión de las calderas, vías de agua, o un desplazamiento de la carga que altera la estabilidad del buque. En las antiguas embarcaciones las desarboladuras (rotura de los mástiles producidas por los vientos), resultaban fatales. Hoy puede decirse que un barco bien construido resiste las tempestades más violentas. Sólo corren peligro las viejas naves, pues sus cascos no se hallan en condiciones de resistir los golpes de mar.

En todos los buques existen unos reglamentos que los pasajeros deben cumplir en caso de naufragio: deben reunirse a la señal convenida (pitos y toques de sirena) en los lugares expresamente indicados, compareciendo con los salvavidas puestos y ocupando los botes de salvamento en cierto orden (niños, ancianos y mujeres primero, los hombres después). Para evitar el hundimiento de dichos botes al ser lanzados al agua muchos barcos poseen dispositivos que vierten aceite sobre el mar, lo que apacigua momentáneamente la agitación de las olas. El capitán debe ser el último en abandonar el buque. En todos los países marítimos existen sociedades para el salvamento de náufragos, provistas de todo lo necesario (material, hombres y aparatos). Se ha comprobado estadísticamente que la mayoría de los naufragios se producen en las proximidades de las costas y no en alta mar.

Los problemas jurídicos derivados del caso de naufragio han sido previstos en casi todas las legislaciones, que establecen obligaciones, responsabilidades y derechos que han venido subsistiendo, más o menos modificados de acuerdo con la necesidad y la evolución de nuevas concepciones y situaciones en el correr de los tiempos. Así, la legislación española al respecto establece que el capitán de un buque en riesgo de naufragio, tiene la obligación de permanecer a bordo hasta perderse toda esperanza de poder salvar la nave y aun, para abandonarla, celebrar consejo con los oficiales de su tripulación para actuar de acuerdo con la voz de la mayoría. El capitán es, asimismo, responsable de la conservación de los libros y documentación de su buque, que deberá entregar a las autoridades correspondientes en cuanto haya lugar.

Sobre la materia, la legislación española, que es similar a la de cualquier otro país que tenga altos intereses en las cuestiones marítimas establece el delito de naufragio, definiéndolo y señalando penas tomando en consideración si se produjo por temeridad, negligencia o intencionalmente, ya sea en puerto o en alta mar y si del accidente se derivan o no víctimas. Las penas establecidas llegan hasta la de muerte. También el Código Penal común español establece que es circunstancia agravante la comisión de cualquier delito en caso de naufragio. Los tratados internacionales prevén y tienen establecido un código con normas precisas que deben ser respetadas en casos de guerra.

De antiguo se había establecido que, en caso de accidente, las consecuencias recaían inclusive sobre la tripulación, que no podía reclamar salarios, por ejemplo, más que en proporción a la mercancía que hubiere podido salvarse del siniestro. Posteriormente, y partiendo de convenios internacionales aceptados por muchos países, los marinos deben percibir indemnización en caso de paros atribuibles a naufragio.

En términos generales la legislación sobre los casos de naufragio prevé la cuestión del pago de indemnizaciones por seguros establecidos; la recuperación de mercancías; normas para el pago de gastos ocasionados por trabajos de salvamento; responsabilidades, obligaciones, derechos y deberes de embarcadores, casas navieras, consignatarios, oficialidad de los buques, procedimientos para la investigación sobre accidentes o siniestros y, en fin, todo cuanto pueda atañer a casos o situaciones semejantes. Con ciertas diferencias, la legislación marítima sobre naufragios tiene tendencia a adoptar carácter universal. *Véase* MAR.

Nauheim. Ciudad de Alemania situada en el estado de Hesse, cerca de Frankfurt. También se la suele llamar Bad Nauheim. Tiene 13,000 habitantes. Es una famosa estación balnearia a la que acuden anualmente miles de visitantes. Las aguas de sus fuentes termales, salinas, carbonatadas y ferruginosas, se emplean para el tratamiento de la gota, la obesidad el reumatismo y, principalmente, para las afecciones cardiacas.

naumaquia. La palabra naumaquia quiere decir *lucha entre naves* o *batalla marítima*; pero, entre los griegos se llamaba así al combate que tenía lugar entre dos naves, una de las cuales triunfaba al perforar el casco de la otra con su espolón o al desconcertar sus remos. En Roma tomó una nueva significación, pues, además del combate naval a que acabamos de referirnos, recibió este nombre la representación de un combate de esa especie hecha ante miles de espectadores. Esas representaciones fueron introducidas por Julio César en el año 46 a. C. También se llamaban naumaquias a los edificios o circos construidos a propósito para poder efectuar en ellos esas representaciones. En la antigua Roma había un edificio de esa especie en el Campo de Marte, construido especialmente para que en él pudieran luchar mil soldados y maniobrar dos mil remeros. César Augusto mandó construir, en la mencionada ciudad, otra naumaquia todavía mayor, toda de piedra, en cuya arena, previamente inundada, podían maniobrar 30 naves. Después de Augusto, estos espectáculos, que tanto entusiasmaban a las multitudes romanas, fueron trasladados al célebre Coliseo. Todas las naumaquias de la antigüedad han desaparecido. Huellas de ellas pueden verse, sin embargo, en el Anfiteatro de Capua. La más importante de todas las naumaquias de aquella época fue la del Lago Fucino, mandada construir por el emperador Claudio I en el año 52 de nuestra era. Tenía tan vastas proporciones que en ella podían maniobrar 100 barcos de guerra y unos 20,000 hombres.

Las construcciones destinadas a esta suerte de ejercicios eran, por regla general, de forma similar a los anfiteatros destinados a los juegos; pero, provistas de dispositivos especiales para inundar la arena. Cuando se trataba de verdaderas naumaquias, es decir, de edificios destinados exclusivamente a esta clase de espectáculos, la arena estaba convenientemente rebajada para que ofreciera un recipiente adecuado que pudiera contener agua suficiente

Corel Stock Photo Library

El nautilo es un fósil viviente del fondo del mar.

para maniobrar las embarcaciones que tomaban parte en estos espectáculos.

Nauru, República de. Pequeño estado independiente situado en el Pacífico, inmediatamente al sur de la línea ecuatorial, al este de Nueva Guinea. Es una isla coralina de 21.3 km² de extensión, llamada antiguamente Pleasant Island. Las cuatro quintas partes de su territorio son rocas abundantes en fosfatos, cuya extracción constituye su única exportación y principal industria, en la que trabaja la mayor parte de la población activa y gracias a la cual goza de un alto nivel de vida. Tiene aproximadamente 11,000 habitantes, entre nauranos, ingleses y chinos; casi todos practican la religión cristiana. La isla fue descubierta en 1798 por los ingleses y en 1888 ocupada por Alemania. Durante la Primera Guerra Mundial los australianos tomaron posesión de ella. Desde 1920, en virtud de un mandato de la Sociedad de Naciones, fue administrada por Inglaterra. En la Segunda Guerra Mundial la ocuparon los japoneses. Posteriormente, en 1947, las Naciones Unidas la adjudicaron en fideicomiso conjunto a Inglaterra, Nueva Zelanda y Australia, la cual por mutuo acuerdo, se ocupó en su administración. En 1965 se le concedió mayor autonomía, y el 31 de enero de 1968 Nauru declara su independencia convirtiéndose en miembro especial del Commonwealth, pero no pide ingreso a la ONU. En 1970, el gobierno asume la administración de las minas de fosfato, hasta entonces explotadas por una compañía británica. En 1989 se restablecen las relaciones diplomáticas con Australia, rotas un año antes a consecuencia de una huelga de pilotos. En 1990, el deterioro de las relaciones con Samoa Occidental obliga al gobierno a llamar a su cónsul en aquel país, a paralizar las obras de construcción de un hotel en Apia (Samoa) destinado al turismo y vender todos sus bienes en ese lugar.

náusea. Sensación de angustia con ansia de vomitar. Las causas suelen provenir de una mala función orgánica, de una visión desagradable o de un olor repugnante. Junto a esa sensación que experimenta la víctima de la náusea, se aprecia palidez, pulso débil, aumento de la secreción sudoral y saliva abundante.

Tejedora navajo en Monument Valley, *Arizona.*

Corel Stock Photo Library

Nausicca. Célebre personaje de la mitología griega, de quien se habla mucho en la *Odisea.* Era hija de Alcinoo, rey de los feacios, y de su esposa Arete. Atenea, que protegía a Ulises, aconsejó en sueños a Nausicaa que debía ir a la orilla del mar. Allí encontró a Ulises, que había naufragado y se había salvado nadando hasta llegar a la playa. Ulises suplicó a Nausicaa que lo auxiliase, y ella lo llevó a la corte del rey Alcinoo que lo acogió, le brindó hospitalidad y lo ayudó a regresar a su patria. Después Nausicaa se casó con Telémaco, el hijo de Ulises.

nautilo. Molusco cefalópodo de la familia de los nautílidos, que habita en las profundidades del océano Pacífico y el Índico. Se caracteriza por tener en el interior de la concha una serie de cámaras dispuestas en espiras y separadas por unos tabiques. Ello se debe a que a medida que crece el nautilo necesita alojarse en una cámara de mayor tamaño que la que ocupó anteriormente. Se han encontrado conchas con 36 cámaras. Tiene numerosos tentáculos que pueden llegar a 90, divididos en tentáculos oculares, braquiales y labiales. Por la belleza de su nácar, la concha se emplea para artículos de adorno.

navaja. Cuchillo cortante, cuya hoja puede doblarse sobre el mango para que el filo quede guardado entre dos cachas. Se compone de dos cuerpos de, aproximadamente, la misma longitud: las cachas que son dos láminas unidas entre sí y con una hendidura a todo su largo, y la hoja metálica y cortante. En toda España se usó mucho, especialmente entre la gente de campo. Es auxiliar de miles de tareas, y también se ha empleado como arma defensiva o de combate. Navaja de muelles es aquella que se abre sobre un sistema de dientes y produce al abrirse un ruido característico. La navaja de afeitar tiene un filo agudísimo, carece de punta y se hace de acero muy templado. En la industria cuchillera, son muy nombradas las navajas de Albacete (España).

navajos. Indígenas de la parte norte de América, pertenecientes a una de las tribus principales, de la división meridional de la gran familia atapascana. Viven actualmente en una reserva de 64,750 km², situada entre el noreste de Arizona, noroeste de New Mexico y sureste de Utah. Navajo, según Benavides, significa *sementeras grandes, grandes sembrados.* La región ocupada primitivamente por ellos era generalmente árida y desértica, pero en algunos suelos apropiados practicaban la agricultura, principalmente el cultivo del maíz. En la actualidad sus mayores actividades agrícolas se centran en el valle del río San Juan. Su ocupación más importante es la cría de ganado bovino, asnal, mular y caballar y, sobre todo, la de ganado menor: carneros y cabras, que les suministran alimento y lana. La principal industria doméstica es el tejido de mantas de lana en telares primitivos manejados por las mujeres. Esta clase de mantas es muy apreciada por la calidad de la lana y, sobre todo, por la originalidad y belleza de los motivos ornamentales, netamente indios, que las decoran, con dibujos tejidos en hilos de delicados colores. Las habitaciones típicas de los navajos consisten en chozas de forma cónica, hechas de troncos o palos cubiertos de barro, hierbas y cortezas. En el verano viven en simples refugios o abrigos. No se sabe con seguridad cuándo los españoles llegaron a establecer contacto con estas tribus, aunque consta que pasaron por el territorio que ocupaban durante el siglo XVI. En el XVII los navajos eran enemigos declarados de las tribus sedentarias y de los colonizadores hispanos. Sus excursiones de pillaje causaban grandes perjuicios a sus vecinos. Cuando los estadounidenses, en 1846, ocuparon el territorio del suroeste establecieron puestos de vigilancia. Diversos tratados que se hicieron con los navajos apenas si dieron resultado práctico alguno. En 1858, las depredaciones de los navajos motivaron acciones militares que les ocasionaron grandes pérdidas. A pesar de todo, continuaron sus depredaciones en diversas partes hasta que, en 1868, fueron trasladados a su lugar de origen en Arizona y New Mexico, en número superior a 7,000. Desde entonces, con el auxilio del gobierno de Estados Unidos, los navajos viven y trabajan pacíficamente. A mediados del siglo XX, los navajos se habían multiplicado hasta alcanzar el número de 55,000 y llegar a ser el núcleo indígena más numeroso de Estados Unidos.

Navarino. Batalla naval en la que la flota turca fue completamente derrotada por la de los aliados, formada con barcos franceses, ingleses y rusos. Dicha batalla tuvo lugar el 20 de octubre de 1827 en la bahía de Navarino (Grecia). Esta batalla tuvo consecuencias importantes pues, por una parte, provocó la guerra entre el sultán de Turquía y los estados cristianos, y por otra, dividió a los aliados, pues Inglaterra se puso frente a Rusia. El conflicto fue arreglado por mediación francesa y, en su virtud, se limitó la influencia rusa a los países danubianos, mientras que Inglaterra y Francia se reservaron la de los del Mediterráneo. Los turcos se vieron obligados a reconocer la independencia de Grecia y Servia. La bahía de Navarino se halla limitada hacia la parte del mar por una línea de rocas y una isla alargada, la célebre Sphacteria de los antiguos.

Corel Stock Photo Library

Mujer navajo fabricante de joyas en Monument Valley, *Arizona.*

Navarra. Provincia española correspondiente al antiguo reino de su nombre. Comprende dos zonas: la pirenaica, fronteriza con Francia, Aragón, Guipúzcoa y Alava, y la ribereña, con Aragón y la Rioja. Goza de climas alpinos en su parte norte y del de las mesetas interiores en su parte meridional. Sus montañas, ricas en canteras y minas de cobre, plata y cinc, constituyen los tres cuartos del territorio, regado en su parte meridional por el Ebro y fertilizado además por el Bidasoa. Su riqueza agropecuaria consiste principalmente en cereales, aceite, vino y ganado. También es importante su producción forestal en los grandes bosques que introducen a los pasos pirenaicos, como el histórico Roncesvalles, donde fue derrotado Carlomagno. Tiene una superficie de 10,421 km y 523,563 habitantes (1995). Pertenecen los navarros a la raza eúskara, aunque el idioma vasco sólo se habla hoy al norte de Pamplona. Son tradicionalistas, sobrios y

Paisaje cerca de Ujue en Navarra, España.

Corel Stock Photo Library

afables. Los romanos hallaron su suelo poblado por várdulos y vascones, y en los tiempos visigóticos –luego de derrotar a Carlomagno– Navarra constituyó, bajo el rey Íñigo Arista (835) un reino independiente que incluía a la Navarra francesa. Castilla y Aragón restauraron en 1134 la dinastía de García Ramírez; perteneció luego a la corona de Francia y, de nuevo independiente, reinó siempre en ella una dinastía francesa hasta que los *Reyes Católicos* la anexaron en 1512, derrocando a Juan de Albret. No obstante, siguió conservando su personalidad política, siendo la única provincia española que sostuvo su facultad legislativa hasta épocas recientes (1841). Las últimas Cortes de Navarra se celebraron en 1829.

Navarra, Melchor (1626-1691). Jurisconsulto español que desempeñó los cargos de decano del Colegio de Abogados, fiscal del Consejo Supremo de Italia, vicecanciller de Aragón, consejero de Estado y Guerra, y virrey y capitán general de Perú en donde se distinguió por su afecto a los indios y por su competencia y energía. Persiguió a los piratas en las costas de Cartagena, mejoró las murallas de Panamá e hizo frente a las necesidades que se suscitaron con motivo del terremoto de 1687.

Navarrete, Fray José Manuel Martínez de (1768-1809). Fraile y poeta mexicano. Considerado el mayoral de la Arcadia mexicana, grupo de escritores neoclásicos entre los que destacaba Navarrete por su sólida formación humanista. A instancias de sus admiradores, publicó sus versos, ya en edad madura, en el *Diario de México*. Sus composiciones se recogieron, a título póstumo, en los dos volúmenes titulados *Entretenimientos poéticos* (1823). En ellos conviven una vertiente amanerada y artificiosa y otra más mediativa, ya prerromántica, manifiesta en *Ratos perdidos*.

Navarro, Gustavo A. (1898-1979). Nombre verdadero de Tristán Maroff. Escritor boliviano. Su obra literaria se caracteriza por el empleo de un lenguaje directo y expresivo, por la recurrencia a la ironía y la crítica social. Cabe citar las novelas *Suetonio Pimienta*: *Memorias de un diplomático de la República Zanahoria* (1924) y *Wall Street y hambre* (1931). De su labor ensayística destacan *La tragedia del altiplano* (1934), *El experimento nacionalista* (1947) y *Ensayos* y *crítica* (1961).

Navarro, Juan José (1687-1772). Marino español. Nació en Mesina (Italia), donde su padre se hallaba de guarnición. Aplicó al arte militar sus profundos conocimientos de ingeniería, matemáticas y dibujo, y participó en numerosas acciones de guerra. Ingresó en la Armada y alcanzó el grado de general de marina. Mandó una escuadra en la guerra contra los ingleses, con los que sostuvo reñidos encuentros. En el combate de las islas Hyeres (1744), que duró diez horas, obligó a retirarse a la escuadra inglesa que era tres veces superior.

Navarro, Pedro (1460-1528). Ingeniero militar español. Se distinguió en las guerras de Italia a las órdenes de Gonzalo de Córdoba, el *Gran Capitán*. Inventó las minas con que se volaron las murallas de los castillos de Nápoles, considerados inexpugnables y que fueron tomados por los españoles. El rey Fernando *el Católico* lo recompensó con el condado de Oliveto. Derrotó a los piratas berberiscos, y en África tomó el Peñón de la Gomera, Orán y Trípoli.

Navarro Tomás, Tomás (1884-1979). Filólogo español. Estudió con Menéndez Pidal y dirigió el laboratorio de fonética del Centro de Estudios Históricos. Estudió a fondo la obra de santa Teresa dde Jesúa y Garcilaso de la Vega. Su contribución a la fonética española es decisiva.

Navas de Tolosa, Batalla de las. Episodio bélico de la Reconquista de España, en cuya historia marca un punto culminante: el del principio de la decadencia del imperio musulmán en la península, acaecido el 16 de julio de 1219. Un ejército cristiano dirigido por Alfonso VIII, rey de Castilla, a quien acompañaban Pedro II de Aragón y Sancho VII de Navarra, se trabó en combate con las tropas almohades dirigidas por el califa Abd Allah, cerca del lugar denominado las Navas de Tolosa, en la provincia de Jáen.

navegación. En sentido genérico es la acción de navegar; constituye un fenómeno complejo que interesa a la historia económica, al comercio internacional y al derecho de gentes. En sentido estricto es la ciencia y el arte de determinar la posición de una embarcación acuática o aérea y conducirla a su destino. Hasta los últimos tiempos de la Edad Media se extendió la etapa primitiva de la navegación, cuyos principales progresos fueron obtenidos por los pueblos del Mediterráneo. Los fenicios, egipcios, cretenses, griegos, cartagineses y romanos navegaban siguiendo principalmente los puntos salientes de las costas, y, a veces, guiados por las estrellas e impulsados por remos y velas de factura rudimentaria. En épocas posteriores, los progresos técnicos y el desarrollo comercial fueron ampliando paulatinamente la importancia y frecuencia de los viajes marítimos.

Un segundo periodo se inicia con las grandes travesías realizadas a fines del siglo XV y comienzos del XVI por Cristóbal Colón, Vasco de Gama, Fernando de Magallanes y otros intrépidos navegantes que, utilizando brújulas rudimentarias y mapas imperfectos, ampliaron los horizontes de la civilización occidental. Entre los instrumentos usuales de la época se hallaban la ballestilla o flecha astronómica, que permitía determinar la altura de los astros para orientarse con mayor precisión, y el astrolabio, aparato en forma de disco en el que estaba marcada la posición de las principales estrellas y servía para el mismo objeto.

La brújula magnética fue otro paso más dado por el progreso de la navegación científica. Se cree que los chinos conocían la brújula desde hace por lo menos dos mil años antes de la Era Cristiana; pero, en Occidente no empezó a utilizarse hasta los siglos XII y XIII. El 13 de septiembre de 1492 Colón descubrió el fenómeno denominado declinación magnética, que fue confirmado por observaciones posteriores.

Estos instrumentos de navegación se tornaron insuficientes a medida que la navegación oceánica fue aumentando en volumen e importancia. Las grandes potencias marítimas –Portugal, España, Francia, Gran Bretaña– se dedicaron a crear escuelas de náutica, observatorios astronómicos y establecimientos cartográficos, al tiempo que recompensaban a los inventores de nuevos métodos y dispositivos. El inglés Hadley ideó en 1730 el cuadrante, que más tarde se convirtió en el sextante actual, aparato que determina la altura de los astros mediante un sistema de espejos. El inglés Harrison y el francés Le Roy perfeccionaron los cronómetros marinos a principios del XVIII, y hacia la misma época comenzó la aplicación sistemática de la trigonometría y los logaritmos, que contribuyeron a aumentar la exactitud de los cálculos náuticos.

Flamsteed contemporáneo de Newton, dedicó toda su vida a rectificar las efemérides de los cuerpos celestes. En el observatorio de Greenwich trabajó intensamente en la reforma de la astronomía aplicada a la navegación y dio a los marinos el primer meridiano, o sea el de Greenwich, que aún hoy sirve de referencia para casi todos los meridianos del resto del mundo, sin embargo, en cartas marinas se ha empleado mucho tiempo como meridiano básico el de la isla de Hierro, en Canarias. Newton creó el primer telescopio de reflexión y otros hombres de ciencia trabajaron en forma intensa dedicados a los progresos de la navegación científica en todos los órdenes. Flamsteed catalogó las estrellas en su famoso *Almanaque náutico* y Herschel construyó un telescopio de un metro de diámetro. Todos estos trabajos y otros muchos que sería interminable citar fueron dando a la navegación de alta mar los instrumentos científicos necesarios. Los marinos supieron desde entonces que la posición sobre la tierra se determina por la distancia angular con respecto al Ecuador y al primer meridiano, o sea al de Greenwich. La distancia al norte o al sur del Ecuador se denomina latitud, así como la distancia al este y al oeste de Greenwich o cualquier otro meridiano de referencia se llama longitud.

Los círculos menores se representan en los mapas por líneas imaginarias y se llaman paralelos de latitud, y los círculos máximos que unen ambos polos a lo largo de las líneas imaginarias se denominan meridianos. La posición de un buque o de un objeto sobre la superficie de la Tierra –o sobre las aguas de los mares, en este caso– es el punto en que se cortan el paralelo y el meridiano del lugar. La hora se mide de acuerdo con las zonas de tiempo, o husos horarios, y depende de la longitud. Cuando se mide con el sextante la altura del sol o de una estrella, se anota la hora del cronómetro en que se hace la observación, y de ésta se deduce el llamado ángulo horario, que da la hora aparente a bordo del buque. Para obtener la longitud los marinos la convierten en hora media y la comparan con la hora media de Greenwich.

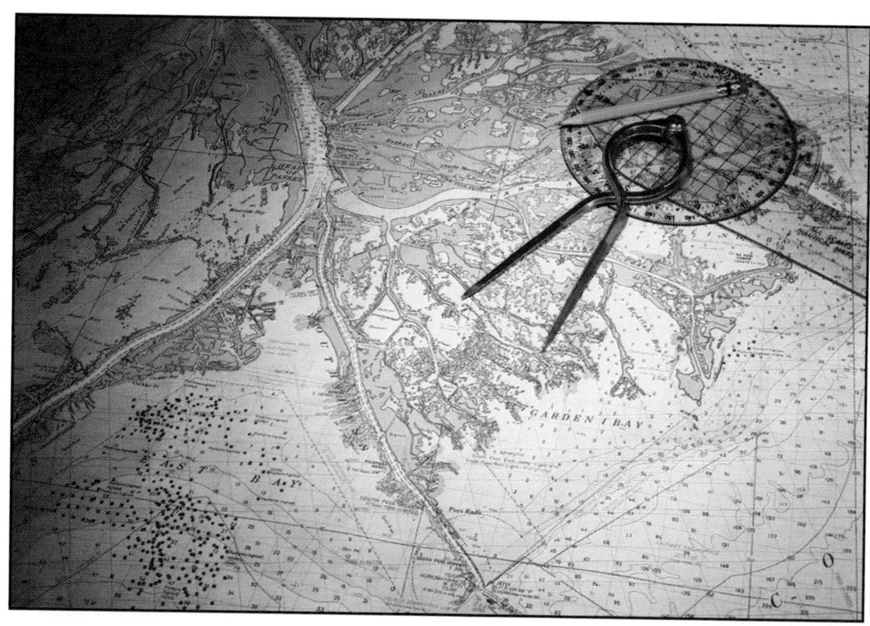

Corel Stock Photo Library

Carta de navegación, regla, medidor de grados y compás.

La era del vapor. La imprecisión de los viajes por mar había disminuido hasta casi desaparecer, pero faltaba dominar los riesgos y la lentitud de las travesías. Ello ocurrió en el siglo XIX gracias a la aplicación del vapor y la hélice, con lo que se inició la tercera y más brillante de las etapas recorridas por la navegación. El navío de vapor *Clermont,* construido por el estadounidense Robert Fulton, logró navegar en 1807 desde New York hasta Albany –unos 225 kilómetros– a la velocidad de 8 kilómetros por hora. Los primeros buques de vapor eran de madera y tenían grandes ruedas propulsoras en los costados, pero los rápidos progresos de la construcción naval sustituyeron las ruedas por las hélices y los cascos de madera por los de hierro. Después, el acero reemplazó al hierro, y la turbina de vapor sustituyó con ventaja a la máquina vertical. Modernamente se utiliza ya la propulsión nuclear y la turbina de gas. La telegrafía sin hilos, al facilitar la comunicación con tierra firme, vino a aumentar la seguridad de los navíos.

Este progreso ha facilitado las técnicas de la navegación, que cuenta hoy con el auxilio de recursos y dispositivos muy perfeccionados. En sus diversas formas (astronómica, de estima, costera y por radio), la navegación utiliza una serie de instrumentos, entre los cuales se hallan la corredera, la alidada acimutal, la brújula o compás magnético, el radar, la brújula y el compás giroscópico o girocompás. La navegación aérea utiliza instrumentos similares, adaptados a las necesidades de la aviación.

El arte de navegar. Los problemas fundamentales de la navegación son dos: la determinación de la línea o derrotero que seguirá el barco en el mar; y la determinación, en cada momento de la travesía, de la posición del buque en el mar. Ambos problemas han sido resueltos mediante el uso de los aparatos e instrumentos mencionados. La brújula ya sea magnética o giroscópica sirve para determinar el rumbo que sigue el barco. La corredera se emplea para medir la velocidad a que navega el buque. Con la alidada acimutal se

Instrumentos de navegación: carta de navegación, lámpara, brújula y compás.

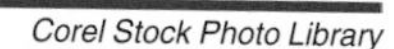

Corel Stock Photo Library

puede determinar el acimut de un astro o de un objeto cualquiera en relación con el meridiano en el cual se halla el barco. El sextante se usa para determinar la altura de un astro sobre la línea del horizonte en el mar. Con el cronómetro se determina la hora exacta del primer meridiano. La carta marina es la representación de los mares y las costas según la proyección de Kremer Mercator. Lo primero que tiene que hacer el oficial de navegación encargado de la derrota antes de lanzarse al mar es, en primer lugar, asegurarse de que la brújula magnética esté debidamente compensada y sus desviaciones bien determinadas; lo segundo, ver si el juego de cronómetros está debidamente ajustado. Todo descuido en cualquiera de estos puntos puede originar errores en el curso de la travesía razón por la cual esos instrumentos deben ser cuidadosamente comprobados cuando el barco está todavía en el puerto. Una vez fuera de él, hay que rectificar, en primer lugar, la corredera para estar seguros de que funciona bien y que, por tanto, es posible comprobar la velocidad del buque cuando éste se halla en alta mar. Si se tratase de navegación de cabotaje, los puntos conocidos de las costas permiten averiguar la situación del barco con toda exactitud; pero, cuando se va a navegar por alta mar, entonces, antes de perder la costa de vista, debe situarse el barco, mediante marcas, con toda precisión, en la carta de la derrota antes de que la costa se pierda de vista. Con anterioridad, ha debido trazarse en dicha carta la derrota o derrotero, o sea el camino que el barco debe seguir para alcanzar su destino. Hay que instalarse, pues, en dicha derrota para seguirla sin abandonarla ya, como no sea por causas muy graves, hasta el punto de destino. El oficial de derrota deberá comprobar constantemente si el barco sigue la que le corresponde para, en caso contrario, rectificar el rumbo cuanto antes, orientándolo por la buena vía. La navegación puede ser de cabotaje y altura. La primera tiene lugar, generalmente, entre puertos de una misma nación y sin perder de vista los puntos salientes de la costa; la segunda es la que se hace en alta mar, sin ver la costa, guiándose por la altura de los astros.

La importancia adquirida desde la antigüedad por la navegación marítima y en nuestra época por la navegación aérea ha llevado a la constitución del *Derecho marítimo* y el *Derecho aeronáutico* como ramas importantes de las ciencias jurídicas. Aunque las necesidades económicas y las actitudes políticas de los diversos estados han perturbado el libre desarrollo de ambas disciplinas, numerosos congresos y acuerdos internacionales han fijado normas de gran importancia.

Grandes navegantes. Uno de los viajes marítimos más antiguos de que se tiene noticia fue el emprendido por los fenicios para dar la vuelta al África. Les fue encomendado por el faraón Necao II y se llevó a efecto de oriente a occidente es decir, que empezó por el Mar Rojo para volver por el estrecho de Gibraltar. Duró unos cinco años, (600-595 a. C.), pues, para procurarse mantenimientos, los expedicionarios se vieron obligados a pararse durante el otoño época en que se hacía la siembra y no reanudaban la marcha hasta haber recogido la cosecha. Recorrieron unos 20,000 km, distancia enorme para aquellos tiempos tan remotos. La navegación tuvo por objeto buscar pueblos con los cuales comerciar; pero, su resultado más notable fue demostrar que África tenía mucha mayor extensión de la que hasta entonces se había generalmente creído. Estas navegaciones antiguas recibían el nombre de *periplos*.

Una hazaña similar fue llevada a cabo por los cartagineses, los cuales encargaron a uno de sus almirantes, llamado Himilcón, hacia el año 500 a. C., que navegara hacia Gran Bretaña con objeto de apoderarse del comercio del estaño, mineral muy importante en aquella época; pues, mezclado con el cobre, daba lugar al bronce, con el cual, pues todavía no se conocía el hierro, fabricaban sus armas e instrumentos. Los cartagineses emprendieron otra navegación, también con fines comerciales, esta vez no hacia el norte, sino hacia el sur y en sentido contrario a la de los fenicios, pues primero pasaron por el estrecho de Gibraltar y luego siguieron la costa de África hacia el sur hasta llegar a la entrada del golfo de Guinea. Este viaje tuvo por objeto fundar colonias que les sirvieran de punto de contacto con los indígenas de los países visitados, cuyas mercancías deseaban intercambiar con las fabricadas por ellos.

Dos siglos más tarde, el célebre Piteas de Marsella emprendía su notable navegación hacia el norte. Atravesó las Columnas de Hércules, como entonces se llamaba al Estrecho de Gibraltar, y tocó Cádiz, que entonces era una plaza muy rica, pues en España, además de cobre se producía oro y plata en abundancia. Siguió después hacia el norte, hasta Islandia, la última Tule, como se la llamaba entonces. Por último, se dirigió al país del ámbar, que estaba en las costas del Mar Báltico y comprendía las partes que lindan con dicho mar de las actuales Alemania, Dinamarca y Suecia. Piteas no sólo era un gran navegante, sino también un sabio eminente, cosa que le permitió corregir la posición del polo celeste admitida en aquellos remotos tiempos y determinar con más exactitud el origen de las mareas.

Equipo para navegación aérea a baja altitud y miras infrarrojas para vuelos nocturnos.

Corel Stock Photo Library

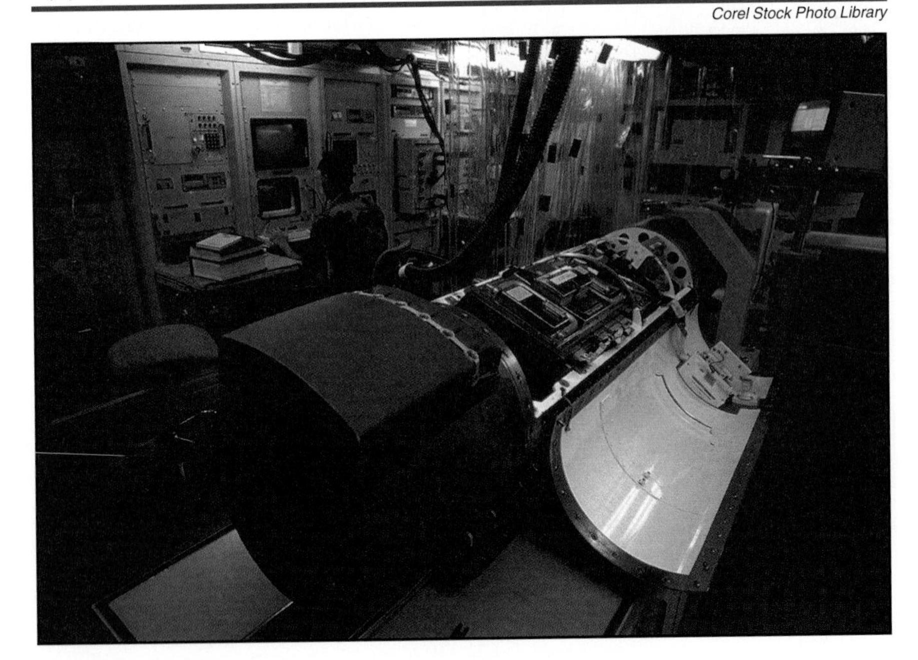

Hay que esperar varios siglos para tropezarse con una navegación de la categoría de las anteriormente mencionadas. Los cartagineses, para evitar la competencia de otros navegantes habían extendido la idea, de que el Atlántico, *el Mar Tenebroso*, estaba lleno de monstruos y seres extraños que destruían a todo el que se atrevía a surcarlo. Debido a esto, por mucho tiempo, nadie se atrevió a intentar su navegación. A pesar de ello, los normandos en los siglos X y XI de la Era Cristiana, atravesaron el Atlántico septentrional, llegaron a Groenlandia y se cree que, también, a las costas de la América del Norte, en lo que es hoy Nueva Escocia y Terranova. Son notables las navegaciones de IGS portugueses en el siglo XV, entre ellas la de Juan Vaz de Corte Real que se supone que llegó al Labrador, en el continente americano, hacia 1472, y la de Bartolomé Díaz que, en 1488, logró doblar el cabo de las Tormentas, nombre que le dio al actual cabo de Buena Esperanza, en el extremo sur del continente africano.

Cuatro años después, en 1492, emprendía Cristóbal Colón su célebre viaje de descubrimiento. Después de haber buscado, aunque sin resultado alguno, el apoyo del rey de Portugal, Colón consiguió, tras grandes dilaciones, que España se decidiera a emprender la gran aventura. Luego de vencer obstáculos sin cuento, con el apoyo de los hermanos Martín y Vicente Pinzón pudo hacerse, por fin, a la vela, en Palos, el 3 de agosto de 1492. La expedición estaba compuesta de tres barcos: *la Santa María, la Pinta* y *la Niña,* y el 12 de octubre de 1492 consiguió ver la tierra del Nuevo Mundo.

En 1497, los portugueses, emulando la hazaña llevada a cabo por los españoles, prepararon también una expedición que pusieron al mando de Vasco de Gama para descubrir un camino hacia las Indias, pero no por el occidente, como Colón lo había buscado, sino por oriente, por el sur de África. La expedición, compuesta de cuatro navíos, salió de Lisboa el 8 de julio de 1497 y, después de doblar el cabo de Buena Esperanza y de una accidentada navegación, llegó en 1498 al puerto de Calicut, situado en la costa de Malabar, en la India. La hazaña había sido realizada, pues se había encontrado una nueva ruta por el sudeste hacia la India que no tenía que pasar por el Mediterráneo.

Pero, el ansia de navegar y descubrir no se había agotado con tantas expediciones y descubrimientos. Todavía quedaba por realizar la más importante y peligrosa: la vuelta al mundo. Esta navegación fue realizada también por España, que puso, con este fin, al mando de un marino portugués, llamado Fernando de Magallanes, una flota de cinco naves, la cual partió del puerto de Sanlúcar de Barrameda el 20 de septiembre de 1519. Después de cruzar el Atlántico y tocar en diversos puertos de Brasil y Río de la Plata siguió hacia el sur y descubrió el estrecho que con tanto afán buscaban los navegantes de la época, situado entre la Patagonia y la Tierra del Fuego. Aquí perdió dos navíos, de modo que sólo le quedaron tres. Atravesó el estrecho que, en su honor se llama de Magallanes, y penetró en el océano que él denominó Pacífico por la calma que reinaba en sus aguas. Luego de tres meses de navegación descubrió las islas de los Ladrones, las actuales Marianas, y las que llamó de San Lázaro, (1521) que 25 años después recibieron el nombre de Filipinas. En un pequeño islote llamado Mactán, cerca de la isla de Cebú, una de las Filipinas, Magallanes perdió la vida en lucha con los indígenas. Entonces se hizo cargo del mando de la navegación Juan Sebastián Elcano, piloto español. Al mando de la última nave que quedaba en pie, la *Victoria*, emprendió el viaje de regreso con sólo 18 tripulantes entre los que figuraba Francisco Antonio Pigafetta, uno de los cronistas de la expedición, y un cargamento de especias. Consiguió llegar a Sanlúcar de Barrameda, el 6 de septiembre de 1522, tres años menos catorce días después de haber zarpado de este puerto, que fue el punto de partida de tan memorable expedición. Este primer viaje de circunnavegación del globo demostró la esfericidad de la Tierra y señaló una de las hazañas más grandes de la navegación y de la historia de la geografía. *Véanse* BUQUE; DESCUBRIMIENTOS Y EXPLORACIONES GEOGRÁFICAS; MARINA MERCANTE.

Corel Stock Photo Library

Brújula para navegación.

navegación a vela. Desde muy antiguo el hombre aprendió a utilizar la acción del viento para navegar. La primera vela fue, sin duda, una piel de animal o un tejido de hierbas entrelazadas, extendidas de modo que al incidir el viento sobre su superficie, impulsara la rudimentaria embarcación, probablemente el tronco de un árbol caído. Entonces sólo podía navegarse en la dirección en que soplaba el viento, debiendo recurrirse a los remos para avanzar en la dirección contraria, pero, aunque importante el progreso del arte naval en épocas posteriores, no fue sino hasta el siglo IV o III a. C., cuando se descubrió la manera de navegar también con viento contrario, es decir, a barlovento. Esta tardanza se debió, en parte al uso de velas cuadras o en cruz, perpendiculares a la quilla, y con las cuales no podía pensarse, naturalmente, en utilizar la fuerza del viento, a menos que éste soplase de popa.

Con la adopción de las velas triangulares o de cuchillo usadas por los árabes, dispuestas en el sentido longitudinal de la nave, y mediante ciertas modificaciones en el diseño de los cascos, tendientes a favorecer la marcha hacia adelante, dificultando, en cambio, los desplazamientos laterales, se hizo posible navegar a 45 grados de la dirección del viento y con esto, avanzar hacia cualquier punto sin que importara si el viento soplaba en proa, de babor (lado izquierdo del barco cuando se mira a proa desde la popa) o de estribor (lado derecho del barco, visto desde la misma posición).

Navegación a vela en el mar Caribe.

Corel Stock Photo Library

Las velas y el viento. Cómo actúa éste sobre las velas de una embarcación se puede apreciar en la Figura 1. Si F es la fuerza y velocidad del viento y S es la superficie de la vela, por la ley del paralelogramo de las fuerzas podemos sustituir F por sus componentes N y U. Como puede verse en la figura, la primera de éstas no produce efecto útil, pues actúa en el sentido de la superficie, siendo U el efecto real del choque del viento, que impulsa la vela SS en dirección normal a su superficie. En consecuencia se deduce que la dirección del efecto útil del viento sobre una vela es normal a ésta.

Las velas y el barco. Si la vela está situada normalmente a la quilla (vela cuadra o en cruz), la embarcación aprovechará todo el efecto útil U. Pero, si se trata de una vela orientada en el sentido longitudinal, la fuerza aprovechada ya no será U sino una componente de U. Esto (Fig. 2) se debe a que la vela no coincide con la línea de quilla de la embarcación. La fuerza V deberá descomponerse, pues, en las componentes D y T. Como es fácil comprender, esta última, T se halla muy reducida debido a la resistencia de la quilla y del casco resultando que la fuerza que representa el movimiento de deriva D, por el contrario, apenas se ve disminuida, puesto que sólo debe vencer la resistencia de la proa. La resultante GU de estas dos fuerzas, d y t, representa, en consecuencia, el movimiento real y la velocidad del buque. El ángulo B que forma la quilla con el trayecto real recorrido por el barco se llama abatimiento. La mejor orientación de las velas para obtener la

Corel Stock Photo Library

Navegación a vela en un sampán en China.

mayor velocidad directa y la mínima de deriva, es aquella en que la vela ocupa la bisectriz del ángulo formado por la quilla y la dirección del viento. En la Figura 3 se muestra la existencia del efecto útil del viento en una embarcación que navega con viento de bolina. Se llama ceñir o navegar de bolina cuando el rumbo del barco forma el ángulo más cerrado que le permiten sus aparejos con la dirección del viento.

Voltejear. A veces sucede que no se puede alcanzar directamente la meta o bien porque el viento sopla precisamente desde ese punto o bien porque el ángulo que forma con el rumbo directo del barco es menor que lo que éste es capaz de ceñir. En tal caso es necesario voltejear o navegar dando bordadas. Esto consiste en describir una línea quebrada en zigzag, cuyos segmentos están dados por las dos líneas de bolina en que se puede barloventear el buque; es decir, llevarlo con el viento de proa. Como se ve en la figura 4, la nave debe pasar, para ir de *A* a *B*, por los puntos *C, D, E* y *F*. También puede realizar, en vez de estas cinco bordadas pequeñas, dos bordadas grandes: de *A* a *P* y de *P* a *B*, pues la distancia recorrida sería la misma. La conveniencia de dar bordadas más o menos grandes está determinada por las circunstancias particulares de cada caso (corrientes de agua, vientos, proximidad de la costa, etcétera). Cuando el viento no sopla directamente del punto de llegada, deben darse muy largas las bordadas que aproximan a él, reduciendo las contrarias lo justo para tomar la línea de bolina siguiente.

Algunas operaciones usuales en la navegación a vela. Pairear o estar al pairo: consiste en tener parado al buque sin meter o recoger ninguna vela. No es conveniente recoger las velas para mantenerse al pairo, poniendo el barco de proa al viento, pues éste quedaría sin gobierno. Uno de los métodos para pairear consiste en colocar la vela de modo que el viento sople sobre ambos lados a un tiempo.

Se dice que una embarcación orza cuando está de proa al viento, y que arriba cuando es la popa la que se coloca, en esa posición.

Cuando sopla viento duro y contrario, entonces se reduce el aparejo y se mantiene el buque a rumbo, ciñendo. Se dice entonces que el buque está a la capa o que capea. Con esto se procura que la embarcación esté casi parada o animada de muy poca velocidad directa, abatiendo lo más posible. Si el temporal aumenta llega un momento en que el buque ya no puede soportar ninguna vela y entonces se dice que capea a palo seco. El fundamento de la capa consiste en que el barco al abatir deja a barlovento un remanso o estela lateral, de la profundidad de su calado y de un ancho en relación con su abatimiento, lo cual representa una zona de relativa calma a cuyo abrigo deberá tratar de conservarse. Se llama correr o correr el temporal, cuando se abandona la capa tomando el viento de popa.

Para los cambios de rumbo las maniobras a realizar consisten en disminuir o anular el efecto de las velas del extremo del barco que se quiere acercar al viento y aumentar (cazándolas o acuartelándolas) el de las del otro extremo.

Se dice de un velero que es más o menos ardiente según tenga más tendencia a orzar o a arribar.

Embarcaciones de vela. Los egipcios conocían la navegación a vela y sus más antiguas embarcaciones datan de unos 5,000 o 6,000 años atrás. Se han encontrado en las tumbas pequeños modelos de veleros de más de 4,000 años de antigüedad. Estos primeros veleros ya tenían un timón o pala de gobierno atrás, en mitad de la popa. En general los veleros de la época anterior a Cristo se caracterizaban por tener una gran vela oblonga, pendiente de una verga o cruceta fijada al mástil, ubicado en el centro del barco o en su parte anterior. En un principio, la vela sólo constituyó un auxiliar secundario, manteniéndose el remo como principal medio propulsor, ya que no siempre soplaba el viento en la dirección conveniente y a veces no soplaba en absoluto.

Hacia el siglo IV a. C., cuando se descubrió la manera de avanzar a barlovento dando bordadas, la navegación a vela cobró nueva importancia. Se extiende entonces el uso de las velas latinas, de cuchillo, más apropiadas para voltejear que las velas en cruz o cuadras, según se explicó más arriba.

Durante 200 años los marinos usaron alternada o conjuntamente ambos tipos de vela. Desde mucho antes de la época de Colón, los vikingos, pueblo nórdico de navegantes, efectuaban travesías oceánicas con sus pequeñas naves de una sola vela cuadra, más apropiada para este fin que las velas latinas. En el mar Mediterráneo en cambio, eran preferidas las velas latinas.

A principios del siglo XV quedó establecido un tipo de buque de vela, con un aparejo (o conjunto de palos, vergas, jarcias y velas) o una arboladura (conjunto de mástiles y vergas) más o menos uniforme. Este buque tenía tres palos o mástiles: el trinquete, en la parte anterior del barco; el mayor en medio, y el de mesana, próximo a la popa. Por lo común los dos primeros eran cruzados, es decir, llevaban velas cuadras o en cruz, y el de mesana sin cruzar, con una vela latina. Frecuentemente se agregaba una pequeña vela cuadra debajo del bauprés, palo grueso, horizontal, algo inclinado que llevaba el barco en la proa. Después de la revolución americana fue reemplazada por velas de cuchillo (trinquetilla, foque y petifoque), dividiéndose la vela latina del palo de mesana en dos partes: la cangreja y la vela de estay.

Las velas cuadras se complementaban muy bien con las de cuchillo, pues mientras aquéllas daban mayor velocidad al buque con viento favorable, éstas podían voltejear con viento de proa.

Buques de guerra y buques mercantes. Desde la antigüedad se había tenido muy en cuenta, para el diseño de las embarcaciones, el que hubieran de destinarse a la guerra o a la marina mercante. Los barcos de guerra se trataba que fueran veloces y por eso se construían livianos y provistos siempre de remos, de modo que no quedaran nunca a merced del viento.

Teniendo en cuenta su poco peso, tenían el inconveniente de que, si bien avanzaban rápidamente, también se desplazaban hacia los lados con suma facilidad. Los buques mercantes, por el contrario, poseían cascos mas grandes para poder llevar más carga, y una eslora (o longitud del barco medida en su cubierta principal) también mayor. Y aunque su velamen en relación al peso era mayor que el de las galeras, si bien no se desplazaban lateralmente, tampoco eran gran cosa lo que andaban hacia adelante. Los antiguos sintetizaban la diferencia entre estos dos tipos de embarcaciones llamando largos a los primeros y redondos a los últimos (en realidad su longitud era igual a dos veces el ancho del buque a la altura de la manga). Cuando se empezaron a usar las velas de cuchillo combinadas con las cuadras, empezaron a desplazar a los remos y entonces se pensó en reunir en un solo modelo los dos tipos de embarcación: un barco veloz que no sufriera desplazamientos laterales. Con este objeto se trató de aumentar al máximo la resistencia de los costados del buque, al tiempo que se disminuía la resistencia de la proa. La necesidad de grandes buques mercantes, armados para defender su mercadería de los piratas, obligó a un serio estudio del problema, el cual condujo, finalmente, a la adopción del modelo de *clipper* americano, ideado a mediados del siglo XIX. Desde mucho tiempo antes, sin embargo, los normandos por un lado y los árabes por otro, poseían veleros de cascos magníficamente diseñados, aunque eran más bien pequeños.

El *clipper*, buque con arboladura de fragata, representa la culminación de la navegación a vela. Aun en tiempos de guerra, los *clippers* viajaban sin armas, pues ningún barco de guerra enemigo podía darles caza, dada su gran velocidad. El *Flying Cloud*, construido en Estados Unidos, fue uno de los clippers más famosos; una vez viajó durante 24 horas seguidas a un promedio de 19 millas por hora. El *Mammouth*, construido en Francia, tenía 120 m de eslora, 8,360 m^2 de velamen y podía transportar una carga de 4,500 toneladas.

Principales tipos de embarcaciones de vela. De acuerdo con las características de su aparejo, los buques de vela reciben diversos nombres. Las velas de los aparejos son de dos tipos: velas de cuchillo y velas cuadras, redondas o en cruz. Las velas de cuchillo pueden ser de tres lados (triangulares) o de cuatro (áuricas), y se envergan directamente a los palos, picos y estayes. Las velas cuadras o redondas tienen cuatro lados y son de forma trapezoidal; por su borde superior, llamado *grátil*, penden de la verga, que es una percha horizontal asegurada en cruz al palo. La verga sirve para largar (desplegar) la vela o para aferrarla (recogerla). Aunque los aparejos adoptan formas variadas, los tipos principales de buques son los que se describen a continuación

La fragata es el velero de aparejo más completo, por lo que se le asigna la primera categoría entre los buques de vela; puede tener tres o más palos con velas cuadras en tres de ellos. La corbeta es de tres palos, con velas cuadras en los dos primeros y de cuchillo en el último. El *bergantín* tiene dos palos con velas cuadras. La goleta es de dos o más palos; en el primero o de proa, lleva velas cuadras y de cuchillo, y en los demás solamente de cuchillo. La polacra tiene velamen de bergantín o de corbeta, pero los palos son enterizos, sin colas ni crucetas. El pailebote es de dos o más palos con velas de cuchillo. La balandra es una embarcación pequeña con un solo palo y velas de cuchillo.

Otros tipos de embarcaciones menores, llamadas faluchos, laúdes, etcétera, llevan una o más velas triangulares que son conocidas con el nombre de *latinas*.

Navidad. Fiesta anual que recuerda el nacimiento de Jesucristo. Todos los pueblos cristianos celebran, bajo las más diversas formas este día de bello simbolismo, que la Iglesia católica reviste con un triple significado: es el símbolo del nacimiento eterno del Verbo divino, segunda persona de la Trinidad, es el aniversario del nacimiento del Dios-Hombre, y es la imagen del nacimiento espiritual de la comunidad cristiana, cuerpo místico de Jesús. El origen de la fiesta de la Navidad (o Natividad, pues ambos términos son igualmente válidos) no es conocido con exactitud. San Crisóstomo la menciona en uno de sus escritos, redactado hacia el año 380, y habla de ella como de una costumbre antigua. La festividad parece haber sido celebrada en diversas fechas por los primeros cristianos, pero el obispo romano Liberio ordenó en el año 354 que la fecha oficial y definitiva fuese el 25 de diciembre. Esta fecha, que ha sido respetada hasta hoy, coincide con el solsticio de invierno, ocasión en que los romanos celebraban un festival en conmemoración de la victoria de la luz sobre las tinieblas; es posible que los padres de la Iglesia hayan deseado cristianizar el simbolismo de esta fiesta pagana al elegir la fecha, que según los investigadores no puede coincidir con la del verdadero nacimiento de Jesús por razones climáticas.

Vitral que representa el nacimiento de Jesucristo.

Corel Stock Photo Library

Múltiples tradiciones y costumbres han surgido alrededor de la Navidad. Tal vez la más arcaica sea la que todavía practican los armenios, uno de los primeros pueblos convertidos al cristianismo. Celebran el nacimiento del Salvador el 6 de enero, comiendo manjares especiales hechos con espinaca hervida; esta costumbre deriva de una leyenda, jamás comprobada por los historiadores, según la cual la Virgen María comió dicha hortaliza en la época anterior al nacimiento de Jesús. El clima influye sobre la forma de la celebración: en los países situados al norte del Ecuador la fiesta se celebra en pleno invierno, tomando un aspecto hogareño e íntimo; en los situados en el hemisferio sur, por el contrario, los calores del verano favorecen las grandes manifestaciones populares. Entre los múltiples símbolos y tradiciones de Navidad se hallan el árbol, el pesebre, Santa Claus, los platos y comidas especiales, los villancicos, las hojas de muérdago y la piñata. De su historia pintoresca y singular nos ocuparemos a continuación.

Se ignora el verdadero origen del árbol de Navidad, cuyo mensaje multicolor alegra los hogares de muchos países en la Nochebuena. Parece ser de origen escandinavo, aunque se han encontrado huellas de su uso en ciertas ceremonias de la Roma primitiva. Las tribus paganas del norte europeo rendían culto a los árboles, en los que veían la encarnación de extrañas deidades; al convertirse al cristianismo, conservaron en el árbol de Navidad un resabio de su antigua superstición. Adornaban un pino o cualquier otro árbol de hojas perennes con objetos brillantes y velas que simbolizaban el sol, la luna y las estrellas, y danzaban y cantaban alrededor del extraño símbolo. Muchos pueblos han adoptado el árbol sin conocer su origen precristiano. Existe una leyenda sobre el origen del árbol navideño que trata de darle un contenido cristiano; según la misma, el

Corel Stock Photo Library

Representación navideña del nacimiento de Jesucristo.

heroico Winifredo, misionero inglés que viajaba por el norte de Alemania difundiendo las enseñanzas de Jesús entre las tribus teutónicas, llegó cierto día a Geismar, donde se estaba realizando un bárbaro rito. El pequeño príncipe Asulfo, sujeto al tronco de un árbol, iba a ser sacrificado para saciar las iras del dios Thor; Winifredo irrumpió en medio de la ceremonia y con su hacha derribó el roble que habría de servir como altar del sacrificio expiatorio, pero de inmediato brotó en el mismo sitio un lozano pino. El misionero explicó que el nuevo árbol era el símbolo de la nueva vida traída por Jesús, y el pino comenzó a ser adorado por las diversas tribus germánicas.

Familia adornando el árbol de Navidad.

Corel Stock Photo Library

La temporada de Navidad se inicia el 6 de diciembre en casi toda Europa. En ese día hace su aparición un personaje de largas barbas y generosidad proverbial, a quien los niños de diversos países conocen con el nombre de Santa Claus, papá Noel, san Nicolás, Christkindl o Shen Köll. Cargado de paquetes cuyo contenido satisface los deseos infantiles, visita las casas de aldeas y ciudades, donde es recibido con general algazara. El nombre Santa Claus es una deformación de san Nicolás, originada entre los niños ingleses al pronunciar en forma incorrecta el nombre de este mártir del siglo II, cuya fiesta se celebra precisamente el 6 de diciembre. Narra la tradición que san Nicolás, viajero infatigable, llegó cierta vez a la casa de tres muchachas que deseaban casarse, pero no tenían dinero para comprar sus ajuares; compadecido, el santo arrojó tres bolsas de oro por la ventana de la humilde vivienda. Se supone que éste es el origen de la costumbre de repartir regalos de Navidad.

Aunque la costumbre del árbol de Navidad y las visitas de Santa Claus están muy difundidas en algunos países latinos, en casi todos ellos se da primacía al nacimiento navideño. Esta costumbre, de contenido cristiano auténtico, es recomendada en forma especial por la Iglesia católica por su bello simbolismo. En muchas parroquias de América Latina se organizan concursos entre las familias del lugar, otorgándose premios especiales a las que preparan los nacimientos más hermosos. El nacimiento del Salvador es reconstruido utilizando todos los recursos disponibles: pequeñas imágenes de terracota o de cera reproducen a la Sagrada Familia, a los pastores de Belén, a los Reyes Magos y a los animales del pesebre; con hojas de papel, de madera o de cartón se reconstruyen las lejanas montañas de Palestina, y pequeñas casas de madera, iluminadas por diversos medios completan la escena, coronada en las alturas por la estrella que guió en su viaje a los sabios de Oriente. Los antiguos villancicos españoles suman su humilde homenaje a la conmovedora escena:

> Arre, borriquito,
> vamos a Belén,
> que en Belén acaba
> Jesús de nacer.

Los mayores poetas de nuestra lengua han vertido en imágenes plásticas el instante de la Natividad. Oigamos a Góngora, en una de sus letrillas más hermosas:

> Caído se le ha un clavel
> hoy a la aurora del seno;
> qué contento que está el heno
> porque ha caído sobre él.

En muchas comarcas americanas subsiste el juego de la piñata como tradición de la Navidad. La piñata es un jarrón lleno de golosinas que pende de un árbol; con una vara en la mano y los ojos vendados, cada niño trata de romperla con un solo golpe certero. El que lo logra distribuye el contenido entre sus compañeros y se convierte en el héroe de la jornada. En otros países existe la costumbre de la colación, en la que participan todos los mayores de doce años, es un manjar apetitoso que se sirve a todos los visitantes.

Los festejos de Navidad varían según los países como veremos en seguida, al efectuar un rápido viaje imaginario. Comencemos por Alemania, donde todas las puertas quedan abiertas en la Nochebuena, como señal de fraternidad, en el interior de las viviendas, junto a las llamas del hogar, se alza el árbol tradicional, pero sin adornos: sólo algunas velitas y unos dulces. Pasemos a Inglaterra, donde admiraremos el monumental *plum-pudding*, una tarta hecha con innumerables ingredientes y rociada con variados licores; toda la familia se esmera en la preparación de este plato tradicional, que es comido en la Nochebuena, mientras en el fuego arde un grueso tronco adornado con guirnaldas, símbolo de buena suerte; nunca se deja que las llamas consuman por completo el tronco, una parte del cual es conservada hasta el año siguiente. Como muchas costumbres de Navidad ésta también es de origen pagano, pues procede de una ceremonia realizada por los druidas, antiguos sacerdotes de los pueblos célticos. Las cenizas del tronco son esparcidas por las tierras vecinas, pues se supone que tienen la virtud de aumentar la fertilidad del suelo.

Al llegar a Finlandia, hallamos que las familias se reúnen en la Nochebuena alrededor de un gran pastel de arroz que contiene en su interior una sola almendra; el muchacho o la muchacha que recibe la porción de pastel que contiene la almendra se casará antes de la próxima Navidad. En Bélgica y Holanda, todos los mozos de las aldeas se reúnen en grupos compactos y forman procesiones de fantástico colorido, encabezados por un portaestandarte que lleva una inmensa linterna de forma estrellada iluminada por docenas de velas. Siguiendo una antigua costumbre católica, los polacos ayunan durante toda la víspera, pero al aparecer en el cielo la primera estrella de la Nochebuena inician un festín cuyo elemento principal es un cerdo asado de acuerdo con un procedimiento tradicional; recordando el pesebre de Belén, los polacos esparcen un poco de paja sobre la mesa y dejan un asiento vacío para el Niño Dios. En Albania existe una costumbre singular: concluida la cena de Nochebuena, en la que se comen manjares elaborados sin aceite ni manteca, todos los comensales dejan un resto de comida en sus platos y puestos de pie, entonan una arcaica canción al tiempo que balancean rítmicamente la mesa en que han comido. Todos los niños de Irlanda, por su parte, encienden largas velas que colocan junto a las ventanas de sus dormitorios para alumbrar el camino del Niño Jesús. Si viajamos hasta el país Checo una semana antes de la Navidad, observaremos que todas las muchachas han colocado en un recipiente una rama de cerezo, si la rama florece antes de la Nochebuena, es indicio seguro de que encontrarán marido antes de que transcurra un año.

Los niños eslavos celebran el Día de la Madre poco antes del 25 de diciembre. En cada familia, el más pequeño de los hermanos debe atar un pie de la madre contra la pata de una silla mientras los restantes entonan una canción pidiendo sus presentes de Navidad. La madre entrega entonces los regalos y es liberada. En las aldeas francesas todo el mundo acude a la Misa de Gallo con una vela en la mano y al regresar a sus casas, pasada la media noche, se inician alegres fiestas que duran hasta la madrugada. Innumerables canciones, poesías, obras pictóricas y creaciones artísticas de toda índole han utilizado el inagotable tema de la Navidad, el más próximo a los sentimientos de toda familia cristiana. *Véanse* SANTA CLAUS; VILLANCICO.

Corel Stock Photo Library

Postal navideña impresa en 1909.

náydes. Ninfas que según la mitología griega residían en los ríos, las fuentes y los arroyos. El nombre proviene del griego *naein,* que significa *fluir.* Se las consideró hijas de Júpiter y, en ocasiones, oficiantes de Baco. Se representaban como jóvenes ágiles y bellas, con los miembros desnudos y portando vasijas o ánforas que derraman agua. Generalmente estaban coronadas de verdes plantas acuáticas. Como divinidades silvestres, no recibían el culto de las ciudades. Según algunos poetas, eran madres de los sátiros.

Nayarit. Estado del centro oeste de México. Tiene 26,979 km^2 y 896,702 habitantes (1995). Limita con Sinaloa, Durango y Jalisco y con el océano Pacífico. Sus principales centros de población son Tepic, capital del estado (300,000 h.), Tuxpan (37,000 h.), Santiago Ixcuintla (95,385 h.), Tecuala (51,112 h.), Acaponeta, Ixtlán del Río, Ruiz y Compostela.

Al este se encuentra la sierra de Nayarit que forma parte de la Sierra Madre Occidental, y entre ella y la costa se extienden otras sierras tales como las de Vallejo, Palomas y Bervería entre las que existen valles de gran fertilidad y montañas notables como el cerro Pajaritos (2,700 m) y los volcanes Ceboruco (2,164 m) y Sangangüey (2,150 m). Al oeste y al noroeste se extienden grandes llanuras como las de San Blas, Tuxpan y Acaponeta. Entre los ríos principales se cuentan el Grande o de Santiago, San Pedro, Acaponeta y Ameca. Las costas tienen unos 300 km de extensión. A unos 120 km, en el Pacífico, se hallan las islas Marías en las que se ha establecido una colonia penal. El clima es cálido en el oeste y en las llanuras costeneras, templado en las vertientes de altura media y frío en las crestas de las cordilleras. Se extrae oro, plata, cobre y plomo, principalmente en Santa María de Oro, Jala e Ixtlán. Hay también salinas en explotación.

La agricultura es importante y se cultiva algodón, caña de azúcar, tabaco, café, maíz, frijol, trigo, arroz, frutas y otros productos agrícolas. La explotación forestal comprende maderas de ebanistería y de construcción. La abundancia de pastos favorece el desarrollo de la ganadería. También es importante la industria pesquera, principalmente la del camarón. Entre las industrias principales figuran los ingenios de azúcar, fábricas de alcohol, aguardiente de caña y de maguey, elaboración de tabaco y beneficio de metales. La actividad comercial se concentra sobre los productos agrícolas, mineros y pecuarios, siendo Tepic el mayor centro mercantil y San Blas el puerto principal.

Las comunicaciones más importantes son el Ferrocarril Sur Pacífico y el ramal del oeste de la Carretera Panamericana, que cruza el estado y lo comunican con los principales centros de la nación. Tepic tiene también servicios regulares aéreos.

Historia. Habitaron originariamente el territorio varias razas indígenas, entre ellas colhuas, tepehuanes, coras y huicholes. Tepic fue fundado en 1531 por Nuño de Guzmán y el territorio de Nayarit formó parte del Nuevo Reino de Toledo y, al final de la dominación española, de la intendencia de Nueva Galicia, aunque los indígenas, de carácter belicoso, se resistieron durante siglos a someterse y pelearon con fiereza, desde las sierras, primero contra España y después, al independizarse México, contra el gobierno federal. Fueron finalmente pacificados, hacia 1873, y se declaró territorio federal con el nombre de Tepic, en 1884, hasta que, en 1917, fue erigido como estado de Nayarit.

Nazaret. Ciudad de Israel en la antigua Galilea, situada 105 kilómetros al norte de Jerusalén. Tiene 44,900 habitantes. Fue célebre en la antigüedad porque según la Biblia, en ella vivió la Sagrada Familia a su regreso de Egipto. Desde ella Jesús, a los 30 años, se dirigió al río Jordán para ser bautizado por san Juan Bautista. Aparte de la importancia bíblica, durante los primeros 600 años de nuestra era, Nazaret no descolló mayormente, pero luego se convirtió en un importante centro de peregrinación.

Nazariantz, Hrand (1880-1969). Poeta armenio considerado como uno de los grandes líricos modernos. Evoca en sus obras la tradición y las aspiraciones de su país. Es autor de *Los trovadores de Arme-*

nia, Armenia, su martirio y reivindicación, Los *sueños crucificados, Nazziadde, flor de Saadi* y *El gran canto de la tragedia cósmica,* que es la obra que le dio más fama.

Nazca. Ciudad de Perú. En los tiempos preincaicos fue una ciudad floreciente. En su gran necrópolis se ha encontrado abundante cantidad de cerámica preincaica de características bien definidas que han permitido a los arqueólogos diferenciar una cultura formativa que lleva el nombre de Nazca. También hay ruinas de un palacio y de un acueducto del tiempo de los incas.

En Nazca, el 15 de octubre de 1820, las tropas americanas del teniente coronel Manuel Rojas derrotaron a las realistas del marqués de Quimper.

Nazimova, Alla (1879-1945). Actriz teatral y cinematográfica rusa. Nació en Yalta y estudió violín en San Petersburgo, estudios que luego abandonó por el arte dramático. En 1905 actuó en Londres y Nueva York en representaciones dedicadas al público ruso y judío. En 1906 debutó en lengua inglesa y obtuvo gran renombre especialmente como intérprete de Henrik Ibsen.

NBQ. Siglas de *nuclear-biológica-química,* término compuesto que designa tres posibles formas de agresión bélica. Formas equivalentes son ABQ (donde *nuclear* es sustituido por *atómica*) y su correspondencia inglesa ABC, actualmente en desuso. Esta denominación compartida atiende a que las medidas que deben tomarse ante la irrupción de cualquiera de ellas son muy semejantes. Así, coinciden en la evacuación inmediata de los afectados, su lavado, su cambio de ropa, los auxilios de emergencia y, en ciertos puntos, los tratamientos médicos iniciales. En la jerarquía militar y la llamada defensa pasiva o de reserva de algunas naciones existen destacamentos llamados NBQ, que cuentan con los sistemas de transporte e instalaciones apropiados para actuar en caso necesario.

Corel Stock Photo Library

Los misteriosos Candeleros *en las colinas de Paracas, Nazca.*

Nebraska. Situado al norte de la parte centro de Estados Unidos, limita al norte con South Dakota, al oeste con Colorado y Wayoming, al sur con Kansas y al este con Iowa y Missouri. El área total del estado es de 200,360 km^2. Su capital es Lincoln, donde habitan 197,000 personas (1992). Omaha es la ciudad más grande con 340,000 habitantes (1992). La elevación más alta del estado se localiza en Kimball County y tiene 1,653 m, la más baja con 256 m, es el río Missouri.

El nombre de Nebraska viene de la palabra india Nebrathka, que significa agua plana, refiriéndose al río Platte. El sobrenombre estado de los sembradores de árboles fue elegido en 1895 como reconocimiento oficial a los esfuerzos de los pioneros por plantar árboles en la pradera. En 1945, el sobrenombre oficial del estado fue cambiado por el de *estado de los desgranadores de maíz,* en honor al equipo de futbol americano de la Universidad de Nebraska.

Tierra y recursos. Se encuentra entre dos de las principales regiones fisiográficas de Estados Unidos, las tierras bajas centrales y las grandes planicies. Las elevaciones promedian entre 255 m en las tierras bajas centrales y a lo largo del río Missouri, hasta los 365 m en el noreste. Estas elevaciones incrementan a medida que se acercan al oeste. La topografía cambia de pradera uniforme a tierras onduladas en las partes bajas centrales. La sección este del área, es una parte glaciar que ha estado sujeta a un extensivo desgaste y erosión hasta formar un desarrollado sistema de drenaje. Al oeste se encuentra la región Saint Hill, que se caracteriza por dunas de arena cubiertas con corto pasto entremezclada con numerosos valles y lagos poco profundos.

El río Plattee es el más largo del estado, y el Missouri es el destino eventual de todos las corrientes de agua de Nebraska. Otros ríos importantes son el Loup, Niobrara y Republican. La mayoría de los lagos dentro del estado son artificiales, aunque los estanques pequeños son asociados con el agua subterránea de las altas mesetas.

Clima. Nebraska tiene ligeras precipitaciones, relativamente baja humedad, veranos cálidos e inviernos fríos. La temperatura media en enero es de -5 °C, mientras que la media en julio es de 24 °C. Cerca de 45% de las precipitaciones caen durante los meses de mayo a junio.

Vegetación y vida animal. La vegetación natural varía de pastos altos de pradera en el este, a pastos cortos y resistentes a la sequía en el oeste. Los árboles, usualmente, están confinados a los lechos de los ríos, como algunas especies caducifolias de hoja ancha, entre las que se encuentran el olmo y el álamo americano. Los animales que habitan estas latitudes son los búfalos, castores, venados, antílopes cuerno de púa, coyotes, faisanes, codornices, chachalacas y una variedad de aves acuáticas migratorias.

Casa donde vivió Buffalo Bill *en Nebraska.*

Corel Stock Photo Library

Recursos. Uno de los principales recursos del, es la abundancia de agua subterránea de alta calidad, estas aguas son contenidas en los estratos rocosos que colectan el desagüe de las montañas occidentales.

Población Nebraska es un estado de carácter rural. En 1990, solamente cuatro ciudades: Bellevue, Grand Island, Lincoln y Omaha, tenían más de 25,000 habitantes. Además, la población es muy homogénea, la mayor parte tiene ascendencia europea, principalmente alemana. Los católicos son grupo religioso predominante.

Cultura. Los museos más importantes son el University of Nebraska Natural Science Museum, el Nebraska State Museum of History y el Hastings Museum. Omaha tiene varios teatros, entre los cuales destaca el Orpheum Theatre, construido en 1927 como una casa de *vaudeville* y, restaurado a su original opulencia, ahora funciona como centro de artes escénicas.

Recreación. Los parques estatales más conocidos son: Chadron, Niobrara y Ponca. El estado mantiene más de cincuenta diferentes lagos y áreas recreativas. Muchos pueblos y condados celebran ferias y rodeos durante el verano.

Actividad económica. El futuro económico de Nebraska es alentador, especialmente en el área de la agricultura, la manufactura y los servicios. La agricultura y las actividades relacionadas con ésta son todavía dominantes; mucha de la fuerza laboral está empleada directa e indirectamente en esta actividad. Los cultivos más importantes son el maíz, frijol de soya, sorgo, avena, trigo, cebada, heno y centeno. También se realiza la cría de ganado vacuno y porcino.

Las principales industrias se basan en la agricultura y están dedicadas al procesamiento de granos aunque también se procesa carne, y productos lácteos. La manufactura se ha diversificado enormemente, con énfasis en equipo eléctrico y electrónico, máquinas no eléctricas, materiales impresos, transporte de equipo y químicos. Las áreas manufactureras del estado son Omaha, Lincoln y Sioux City.

El mineral líder producido en la región es el petróleo, descubierto en Nebraska en 1939, el cual es una de las fuentes de energía al igual que el gas natural y el carbón; se cuenta también con energía hidroeléctrica y nuclear.

Turismo. Cuenta con numerosos parques estatales y áreas recreativas. La mayoría de los turistas visitan el estado cuando van camino a otras partes del oeste y este del país.

Historia. La tribu de indios Pawnee fue uno de los primeros grupos que habitaron el área, otros grupos encontrados por los exploradores europeos fueron los Araphao, Cheyenne, Omaha, Oto y Sioux. Con la introducción del caballo por los españoles, la caza de búfalo sustituyó a la primitiva agricultura y a la recolección. Pedro de Villasur y un grupo de soldados españoles fueron los primeros europeos que llegaron a Nebraska en 1720, aunque algunos mercaderes y cazadores de pieles franceses ya se habían aventurado río arriba en el Missouri, aproximadamente en 1700.

Corel Stock Photo Library

Caravana de carretas acercándose a la roca del whiskey *en Nebraska.*

España, Francia y Gran Bretaña se disputaron la posesión de Nebraska, basando sus demandas en sus exploraciones y hallazgos. Francia cedió todos sus derechos del oeste del río Mississippi a España en 1763, al terminar la guerra de los Siete Años. La zona permaneció como parte de España hasta 1801, cuando Napoleón compró el área para Francia. En 1803, Thomas Jefferson adquirió para Estados Unidos el territorio de Louisiana, que incluye lo que hoy es Nebraska. En 1821, el estado formaba parte de una región desorganizada usualmente llamada país indio. En 1834, el Congreso de Estados Unidos definió las fronteras de esta región y formalizó las relaciones con los indios. Numerosos mercaderes, cazadores de pieles, misionarios y viajeros atravesaron Nebraska entre 1800 y 1840. De 1850 a 1860, la navegación de barcos de vapor en el río Missouri estaba en su apogeo, pero éste terminó con el advenimiento de las vías férreas a mediados de 1860.

La depresión de 1930, aunada a una serie de años de sequía, fue especialmente severa en Nebraska. Desde la Segunda Guerra Mundial la economía del estado revivió. La recuperación económica se dio gracias a un importante crecimiento en irrigación, hecho que lo convirtió en un estado líder en tierra agrícola irrigada. También resultó un incremento en el sector servicios, signo de diversificación económica.

Nebrija, Elio Antonio de

Nebrija, Elio Antonio de (1444-1522). Humanista español, cuyo verdadero nombre era Elio Antonio Martínez de Cola, pero lo cabió por el apellido Nebrija o Lebrija, en su tiempo por haber nacido en el pueblo sevillano de dicho nombre. Luego de cursar estudios en Salamanca durante cinco años, deseoso de profundizar en el conocimiento de las lenguas latina y griega se trasladó a Bolonia cuando tenía 19 años con una beca en el Colegio de San Clemente. Después de varios años de permanencia allí, regresó a España con una inmensa erudición en casi todas las ramas del saber: derecho, teología, medicina y muy especialmente filología y gramática. Se instaló en Sevilla, donde fue familiar del arzobispo Alonso Fonseca, y más tarde desempeñó en Salamanca las cátedras de gramática y retórica. La protección del maestro de Alcántara, Juan de Zúñiga le permitió interrumpir la labor pedagógica para dedicarse exclusivamente a escribir; pero, muerto aquél, hubo de volver a la cátedra. Su acerba crítica a teólogos, canonistas, médicos y filósofos de su época por el desconocimiento que tenían del latín, le acarreó la enemistad de éstos, dándose el caso singular de que siendo Nebrija el gramático por excelencia, en unas oposiciones a la cátedra de esa disciplina en Salamanca, la votación le fue adversa. Retiróse a Sevilla, pero el cardenal Francisco Cisneros lo llevó a Alcalá, donde no obstante su avanzada edad ocupó una cátedra de retórica y publicó un *Compendio de arte retórica* en latín, amén de retocar y corregir otras gramáticas y diccionarios publicados con anterioridad. Colaboró además, en la *Biblia Políglota*. Todos sus escritos fueron notables, pero su obra culminante es la gramática que publicó en Salamanca en latín y que más tarde, a instancias de la *Reina Católica*, puso en castellano con el título de *Introducciones latinas*. Suyos son también los diccionarios latino-hispánico e hispánico-latino y el *Arte de la lengua castellana*, primera gramática impresa en idioma romance, que se publicó, providencialmente, en el mismo año del descubrimiento de América, cuando el idioma castellano iba a iniciar su gran expansión por el Nuevo Mundo. Compuso también gramáticas de la lengua hebrea y griega. Nebrija, en su ancianidad, fue nombrado cronista del rey don Fernando II de Aragón pero, ya con anterioridad se le había confiado la tarea de escribir en latín la historia de los *Reyes Católicos*, sus grandes protectores. Fue el primero que midió en España un grado del meridiano terrestre, a fines del siglo XV.

nebulosa. Materia cósmica, celeste y difusa que se observa en el cielo como nube luminosa de formas irregulares. Hiparco descubrió algunas nebulosas a simple vista, y el número de las conocidas fue creciendo cuando se inventó el telescopio y se estudió el cielo con mayor precisión. Los Herschel (sir William y sir John), astrónomos del siglo XIX, catalogaron más de 5,000, pero, muchas de ellas se han ido convirtiendo en conglomerados estelares que debido a su enorme distancia y su aparente proximidad, confunden sus luces y dan la impresión, cuando se observan con poco aumento, de una nube brillante sin contornos definidos; es lo que se ha dado en llamar falsas nebulosas. Muchas nebulosas están colocadas en la banda de la Vía Láctea, pero a distancias muy grandes del Sistema Solar, y se las clasifica, atendiendo a su localización, en galácticas o extragalácticas, según se encuentren dentro o fuera de dicha vía. Entre las nebulosas galácticas figuran las llamadas nebulosas oscuras, que no presentan en su masa estrella alguna, apareciendo en el interior de la Vía Láctea como manchas oscuras ocupadas por una especie de nube de partículas de polvo; y llámase nebulosas brillantes a las que aparecen como masas brillantes de gases que rodean a núcleos estelares aparentemente formados por la condensación de esos gases. La más notable es la nebulosa de Orión, que en su parte central y más brillante, presenta cuatro estrellas que forman el trapecio de Orión. Analizadas por medio del espectroscopio acusan una composición común con la de la nebulosa, lo que hace suponer que deriven de la condensación de aquélla. Las nebulosas se han clasificado en irregulares, cuando tienen forma indefinida, y regulares, las que tienen forma más constante; recibiendo los nombres de espirales, ovales, elípticas, anulares y planetarias, cuando el aspecto que presentan se asemeja a esas formas geométricas. Estas nebulosas parecen estar dotadas de movimientos rápidos de rotación, de donde parecen derivar las formas que presentan, observándose núcleos de condensación donde sus masas son más brillantes y compactas. El ejemplo más característico de nebulosa espiral es la Gran Espiral de Andrómeda, que se aprecia a simple vista como una masa blanquecina, a pesar de estar a unos 750,000 años luz de distancia, pero que al observarla con telescopio de grande aumento se define como una verdadera espiral con enormes brazos y núcleos en estado de condensación muy avanzada. La nebulosa de los Perros de Caza es otra típica espiral con dos ramas, y en el extremo de una de ellas, una masa más compacta de materia cósmica parecería un satélite en formación.

Los astrónomos modernos suponen que todos estos tipos representan distintos estados de evolución por los que pasan, en el transcurso de millones de años, las nebulosas en el proceso de formación de los sistemas estelares. Parecería que las nebulosas irregulares, formadas por masas enormes de gas enrarecido y en estado de ignición, serían las que se encuentran en un estado de evolución más atrasado y se las considera como el punto inicial de partida de los otros tipos de nebulosas. Las partículas de estos gases nebulares irían concentrándose y adquiriendo un movimiento de rotación de toda la masa, que a medida que la concentración aumentara, incrementaría su velocidad, adoptando la forma de una enorme espiral con dos ramas. En el centro de giro se formaría una masa central y las ramas de la espiral se fundirían en un anillo que rodeando al núcleo sobre que giran daría origen a las nebulosas anulares. Según la inclinación de nuestra visual con respecto a su plano de giro, nos aparecerán en forma circular, oval o elíptica más o menos aplastada. Cuando estas masas anulares aumentan de velocidad, la concentración, siempre creciente, dará origen a núcleos más compactos en el interior del anillo, como cuerpos planetarios en formación característica que define a las nebulosas planetarias.

Vista telescópica de la nebulosa de Orión.

Corel Stock Photo Library

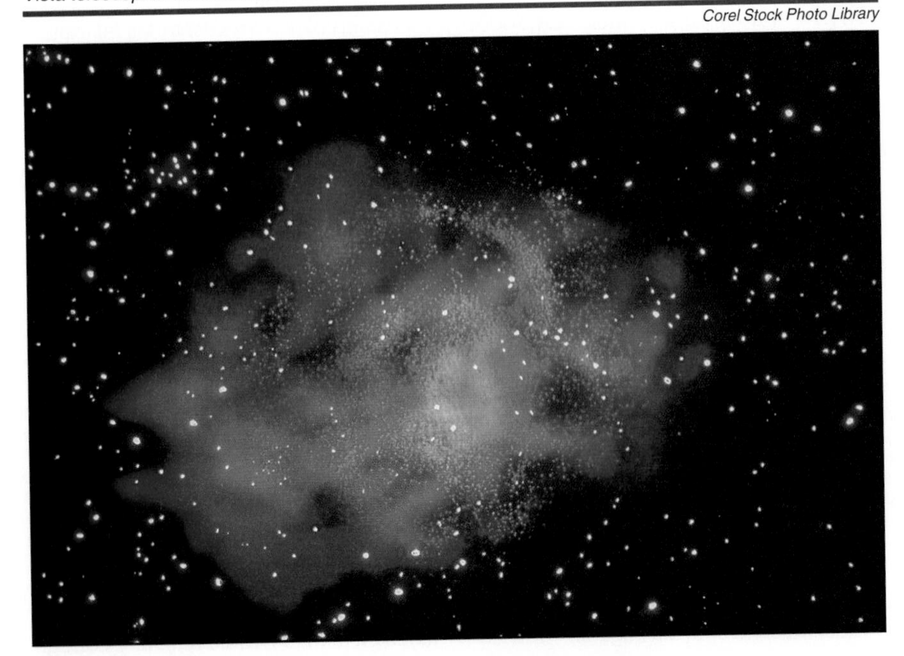

necesidad. Según la disciplina a la que se haga referencia, el término necesidad tiene diversos significados.

En economía el concepto de necesidad es vital: para el llamado pensamiento neoclásico, la satisfacción de las necesidades con pocos recursos es el objeto de sus estudios. Imaginemos un individuo que, con recursos limitados, intenta satisfacer sus necesidades; en este caso habrá más individuos con las mismas necesidades y recursos. Las reacciones generales del grupo, se supone, serán resultado de todas las reacciones en conjunto.

La satisfacción de las necesidades implica que se elija cuáles serán satisfechas y en qué secuencia. Uno de los principios de la teoría económica de la necesidad establece que el individuo buscará lograr los máximos placeres con el mínimo de sufrimiento; lo anterior se conoce como principio hedonista. Otro postulado dice que los placeres y beneficios pueden medirse o compararse. El objeto será, entonces, establecer la secuencia apropiada de las necesidades que deberán ser satisfechas y en qué nivel.

Para la filosofía, por otro lado, necesidad significa la relación entre entidades dadas, cuyo equivalente contradictorio no es posible. Existen dos formas de ella, en el plano real y en el plano ideal-formal. En el primer caso se trata de la relación causal o estructural entre seres de la naturaleza, o entre principios que constituyan un ser; en el segundo, la relación existe entre concepciones o proposiciones de la lógica y las matemáticas, y se basa en el principio de no contradicción.

En el plano fisiológico, las necesidades de un individuo son hambre, sed, necesidad de respirar, de dormir, la micción y la defecación, y las necesidades sexuales. Satisfacerlas es el motor primario de los seres vivos. Para la psicología, las necesidades son el origen de las *motivaciones* que desencadenan a las *pulsiones*. Por medio de éstas, una necesidad impulsa una acción potencial llamada *tendencia*. Lo que se conoce como *comportamiento motivado* es la realización de la tendencia, actividad que una vez llevada a cabo disminuye la necesidad original. Las necesidades fisiológicas, ya mencionadas, se conocen como primarias, mientras que aquellas relacionadas con la personalidad se designan como secundarias.

Necker, Jacques (1732-1804). Banquero y director de finanzas de Luis XVI. Nació en Ginebra en el seno de una familia de ascendencia inglesa y protestante, que había huido de su país en el siglo XVI para eludir las persecuciones de la reina María. Marchó a París siendo muy joven y tras de trabajar junto al banquero Vernet, se asoció con Thelluson para fundar un banco, que fue el primero del país. Habiendo llegado a oídos de Luis XVI la fama del extraordinario talento financiero de Necker, le ofreció la dirección de la Compañía Francesa de las Indias Occidentales, cargo que desempeñó brillantemente. En 1777, hallándose las finanzas del país en crítica situación, el rey lo designó director general de éstas. Su gestión tuvo gran éxito, pues logró cubrir las necesidades del presupuesto mediante créditos de los hombres más ricos del país, sin apelar al aumento de los impuestos. Indujo al rey a abolir la esclavitud en sus propiedades y limitó la venta de monopolios por parte de la Corona. Con gran previsión se manifestó partidario de economías en los gastos de la Corte y de que se convocara a los Estados Generales. Estos consejos no fueron escuchados por el rey. Uno de los gestos más revolucionarios de Necker consistió en la publicación de un *Rendimiento de cuentas*, que publicó en 1781 para explicar su gestión. En él se daba cuenta por primera vez al pueblo de Francia del manejo de las finanzas públicas y de los gastos de gobierno. Ello le atrajo la mala voluntad de María Antonieta y de numerosos cortesanos que se oponían a sus reformas. Habiéndose negado el rey a nombrarlo ministro por su condición de protestante, Necker renunció. En 1788 fue repuesto en su cargo, para renunciar en julio de 1789 y ser llamado pocos días después. Tras la caída del rey cooperó con los Estados Generales y la Asamblea hasta 1790, fecha en que se retiró definitivamente. Su criterio de financiero era certero, pero fracasaba cuando era menester tomar en cuenta razones de alta política. Murió en Coppet (Suiza) y su hija, madame de Stäel, conquistó fama como escritora.

Necochea, Mariano (1790-1849). Militar argentino que nació en Buenos Aires. Hizo sus estudios en España; pero, cuando comenzó el movimiento de liberación en su país, regresó a él para tomar parte en el mismo. Participó en las batallas de Chacabuco, Cancha Rayada y Maipú. Simón Bolívar lo nombró general en jefe de la caballería y, como tal, intervino en la célebre batalla de Junín. En premio a sus méritos y servicios, fue nombrado inspector general.

necrología. Se llama así a una breve biografía o simple noticia referente a una persona que ha fallecido hace poco tiempo. También se denominan así los discursos que los miembros de algunas instituciones oficiales, como, por ejemplo, las academias, dedican a sus compañeros que han pasado a mejor vida. Estos discursos se parecen mucho a las biografías; pero, se diferencian de éstas porque en ellos se prescinde, por regla general, de los datos personales del personaje en cuestión para ocuparse, casi exclusivamente, de su vida literaria, artística o científica.

necrópolis. Cementerio de gran extensión cuyo nombre procede de un arrabal de Alejandría destinado a ese menester. En arqueología se llama así a los antiguos cementerios, especialmente los que presentan un carácter monumental, mediante cuyo estudio es posible formarse una idea de las civilizaciones históricas más lejanas; tales necrópolis son a veces de inhumación, incineración, a cielo descubierto o subterráneas, con túmulos, dólmenes, fosas, pozos, hipogeos, pirámides, mausoleos, etcétera. Las más antiguas son las egipcias, donde se levantan las pirámides (Menfis) y los hipogeos del valle de los Reyes (Tebas).

Recibe también el nombre de necrópolis el cementerio precolombino de Perú, que corresponde a la segunda fase de la cultura de Paracas. Se caracteriza por el gran número de fardos funerarios, que contienen un cadáver momificado, sentado en un canasto y envuelto en numerosas mantas, la mayoría de ellas finamente bordadas con seres míticos. Este cementerio cuenta además con una extraordinaria riqueza en ofrendas que consisten en vasijas fitomorfas, semiglobulares, con asa puente y doble vertedera, así como adornos en oro laminado y repujado.

necrosis. Muerte de tejido en áreas específicas que permanecen rodeadas de tejido vivo. Los tejidos muertos pueden coagularse, permaneciendo las células muertas en su disposición normal aún visibles bajo el microscopio, o pueden licuarse sin dejar estructura. La necrosis puede ser resultado de la interrupción de la corriente sanguínea a un área local de tejido, como en el caso del infarto de miocardio (ataque al corazón) producido por lesiones físicas o por la acción de bacterias u otras toxinas.

néctar. Esta palabra se deriva de la griega *nektar*, la cual quiere decir *bebida de los dioses*. Debido a esto, en la actualidad se da dicho nombre a toda bebida exquisita, dedicada a paladares delicados. También se llama néctar al jugo azucarado de las flores que liban las abejas y otros insectos. Es segregado por unos órganos de las plantas, que, por esta razón, reciben el nombre de *nectarios*.

nectario. Órgano o tejido vegetal glandular, de diversa morfología, origen y situación, que secreta néctar mediante pelos o estomas nectaríferos. Los nectarios pueden ser florales y estar situados en fositas en la base de los pétalos, como en el botón de oro (*Renunculus*); o en cavidades especiales de la corola, como en las violetas (*Viola*), o en los discos florales, como en muchas umbelíferas; a veces son pétalos transformados o bien estaminodios (*Helleborus*). Se encuentran asimismo nectarios extraflorales en los peciolos (*Prunus, Acacia*), las estípulas (Vicia) y los ángulos de los nervios florales (*Catalapa*).

necton. Se compone de organismos marinos capaces de nadar contra la corriente y el oleaje, a diferencia del plancton, que suele flotar en la superficie de los océanos. Entre el necton se encuentran por lo general peces adultos, mamíferos marinos y calamares, pero no vertebrados ni invertebrados larvados, considerados como parte del plancton. Debido a que la división entre el plancton y el necton no es siempre clara, a los miembros menores del necton y los mayores del plancton se les considera a veces un grupo intermedio llamado micronecton.

Néel, Louis Eugène Felix (1904-). Físico francés. Propuso en 1930 la existencia de los materiales antiferromagnéticos con núcleos atómicos cuyos espines son antiparalelos a un campo externo. Su trabajo le mereció compartir el Premio Nobel de Física en 1970. Doctor por la Facultad de Ciencias de Estrasburgo en 1932, se inició ahí mismo como profesor en 1937. Se trasladó a Grenoble en 1945, donde se desempeñó no sólo como profesor de física en la Facultad de Ciencias hasta 1976, sino también como director del Centro de Estudios Nucleares de 1956 a 1970, y director y presidente del Instituto Politécnico de 1954 a 1971 y de 1971 a 1976, respectivamente.

nefelometría. Método de dosificación de las partículas en suspensión de un líquido. La base de la nefelometría es la medición de la turbidez ocasionada por dichas partículas en el líquido (llamado líquido problema) en comparación con la producida en una preparación estándar. Para este efecto se emplea un nefelómetro (del griego *nephéle,* nube), instrumento cuyo principio es la observación de la luz difundida por las partículas de la solución en estudio desde un ángulo distinto al incidental –por lo regular el perpendicular a ésta–. La nefelometría se aplica como una técnica cuantitativa para conocer la concentración de emulsiones bacterianas y precipitados (proteínas, por ejemplo).

Nefertiti (Siglo XIV a.C.). Reina egipcia, esposa de Amenofis IV. Colaboró en la revolución religiosa que éste emprendió bajo el simbólico nombre de Eknatón. Muerto el rey, asumió el trono y llevó adelante la reforma. Se conserva una hermosa cabeza policromada de Nefertiti en el museo de Berlín.

nefritis. Enfermedad inflamatoria de los riñones que suele incluir cambios debidos a enfermedades vasculares y degenerativas y a infecciones. Puede adoptar dos formas principales: la glomerulonefritis aguda y la nefritis local. La primera obedece a infección estreptocócica, y se caracteriza por dolor en los riñones, inflamación (edema) en la cara y dolor de cabeza.

Nefud. Desierto de arena en el centro de la península de Arabia. Su extensión total supera los 50,000 km^2. El Gran Nefud, al norte del Yebel Shammar, ocupa una depresión periférica denominada por un frente de cuesta cretácica. El Pequeño Nefud se extiende al norte del desierto de Rub'al Kali. Recibe algunas precipitaciones, menos de 100 mm, por lo que no puede considerarse como un desierto absoluto. Beduinos nómadas recorren su territorio.

negligencia. Falta que comete todo aquel que no pone la atención o cuidado debidos al ejecutar actos, realizar obras, gestionar negocios, prestar servicios o custodiar objetos que le hayan sido confiados o encomendados. Puede convertirse en imprudencia cuando esa falta de atención o cuidado se agrava con el menosprecio hacia ciertas advertencias o disposiciones. Las leyes castigan la negligencia considerando la intensidad del daño que haya ocasionado, el grado de responsabilidad que tenga el infractor y las circunstancias en que se haya verificado el hecho, si bien teniendo en cuenta que en todos los casos no existe la intención de causar daños o perjuicios. Para comprender lo que decimos, pondremos el ejemplo de un automovilista que ocasiona un choque por no haberse podido detener ante las señales de tránsito que cerraban el paso. Si ello se debe a un exceso de velocidad, se califica de imprudencia, pues es sabido que para circular en las zonas de peligro debe llevarse una velocidad moderada. Si eso mismo ocurre porque los frenos no le obedecieron a causa de hallarse desajustados, el choque se ha debido a negligencia, ya que todo conductor debe hacer revisar periódicamente los frenos y ensayarlos al comienzo de cada viaje.

Corel Stock Photo Library

Busto de la reina Nefertiti, en el museo de Berlín.

negocio. Operación mercantil por la que se hacen circular, para obtener con ello una ganancia o provecho, las riquezas económicas o los valores sociales que las representan. El campo de aplicación de este término es vastísimo, puesto que negocio es tanto el simple y modesto establecimiento que sirve al público un producto manufacturado cualquiera –pan, conservas, periódicos, etcétera–, como la gran empresa que fabrica automóviles o generadores eléctricos. Otras veces el término negocio se refiere a funciones más abstractas, tales como la Banca, la Bolsa o la prestación de servicios, que incluso, pueden adquirir la categoría de públicos (teléfonos, ferrocarriles, etcétera), y llega hasta abarcar la propia agricultura, puesto que las cosechas son objeto, en realidad, de un negocio en lo que tienen de productos comerciales o aptos para la venta. El que cultiva el algodón y lo vende, el fabricante que lo transforma en fibra textil y lo teje, el taller de confección que compra las telas y hace vestidos, y el bazar que los clasifica y vende al cliente, son todos negociantes, pues el cultivador, el fabricante, el sastre y el vendedor no hicieron otra cosa que transformar una mercancía desde su fase originaria (materia prima) hasta su fase aprovechable o útil (producto manufacturado), trasmitiéndosela de uno a otro hasta llegar al término de ese gran ciclo que siempre se cierra por el consumidor. Negocio es, por lo tanto, el resultado lucrativo de las actividades humanas en la medida que éstas satisfacen una necesidad colectiva.

El hombre precisa alimento, vestido y casa; junto a estas tres necesidades fundamentales de tipo material surgen otras de índole espiritual (cultura, esparcimiento, arte, confort, etcétera), multiplicándose la serie en forma ilimitada, ya que una necesidad no es más que la etapa previa de otra necesidad, y así sucesivamente. Cuando para satisfacer alguna de estas necesidades el hombre recurre a otros hombres que buscan el lucro, aparece el negocio. En todo negocio, sea de la clase que fuere, pueden distinguirse dos elementos primordiales: capital y trabajo. La asociación de capital y trabajo constituye el fundamento de la producción, y los ingresos que con ella se obtienen son repartidos a cada cual según la importancia de sus tareas: en forma de salarios o jornales para los que pusieron únicamente su esfuerzo laboral, sin quedar vinculados a los resultados finales del proceso, y en forma de beneficios a los que contribuyeron, con su dinero ideas originales, experiencia o conocimientos, a planear la ejecución, corriendo además con la responsabilidad de la empresa y, como consecuencia, con el riesgo de perder los capitales invertidos.

Cada país acostumbra tener sus negocios propios o peculiares, pues el progreso o especialidad de los mismos se halla supeditado a las condiciones geográficas o del suelo y al desarrollo técnico. Así, vemos países en que sus negocios predominantes son las manufacturas textiles, otros la extracción del petróleo, la siderurgia, etcétera. En los tiempos del artesanado, los negocios revestían poca envergadura, pero la invención de las máquinas y el empleo de las grandes fuerzas del vapor y la electricidad incrementaron extraordinariamente su volumen, sobre todo porque al lograr, con la instalación de las manufacturas y la racionalización de los sistemas de fabricación, el abaratamiento de las mercancías, ensancharon el área del mercado, o sea el número de los consumidores. Entonces se vio que una de las finalidades que debe perseguir un negocio es, además de la calidad de sus artículos, la baratura de lo que se ofrece, y por tal circunstancia se estudiaron nuevas fórmulas económicas que lo permitieran.

A comienzos de la Edad Moderna se advirtieron las ventajas de las sociedades económicas, que podían reunir grandes masas de capital por el procedimiento de las pequeñas aportaciones individuales, constituidas en forma de acciones u obligaciones. Luego se vio que la concentración de varios negocios en una sola dirección (trusts, cárteles, consorcios, etcétera) significaba una gran economía. Entonces los hombres que se hallaron al frente de esos poderosos negocios se convirtieron en magnates de la industria y llegaron a tener una influencia en la política de sus respectivos países, cuyo control pretendieron ejercer a veces en su propio interés y conveniencia. Sin embargo, muchos de esos hombres se revelaron también como grandes filántropos, y parte de sus ganancias la dedicaron generosamente a la fundación de obras e instituciones que beneficien a sus conciudadanos y a la humanidad.

De otro lado, la parte que pudiera calificarse como más débil de las que intervienen en el negocio, o sea el obrero o asalariado, adquirió, merced a las nuevas corrientes sociales, una dignidad y una consideración jurídica que la protege contra los abusos que el capital ejercía en los comienzos. Ese mismo factor es el que ha influido sobre la regulación jurídica de los negocios. El legislador señala hoy las condiciones bajo las cuales pueden éstos implantarse y desenvolverse, ya prohibiendo los que considera ilícitos o limitando los que estima innecesarios, ya interviniendo para regular los precios y beneficios o vigilando la calidad de los artículos.

Todo negocio requiere, desde luego, preparación y experiencia; en el siglo XIX hubo gente que, con escasa preparación y nulos conocimientos, montaron negocios e hicieron una fortuna. Hoy, cada día más, es preciso poseer, para poder triunfar en ellos, una preparación adecuada y sólida. En todos los países existen numerosos centros especializados y escuelas comerciales –públicas o privadas– dedicadas a trasmitir esas enseñanzas *Véanse* COMERCIO; ECONOMÍA; INDUSTRIA.

negocios extranjeros. Se aplica esta denominación al conjunto de asuntos que se producen en las relaciones entre dos o más países y que son tratados por la vía diplomática, pero, cuyas características son múltiples y responden a los géneros más diversos. Sin embargo, pueden señalarse como materias principales las vinculadas a política, economía y finanzas, intercambio comercial, aranceles aduaneros, migración, navegación, comunicaciones en general, aviación, acuerdos sanitarios, balanzas de pagos, relaciones culturales y convenios sobre armamentos. Los negocios extranjeros son operados en todos los países por un solo departamento del ejecutivo, que depende directamente del jefe del Estado y cuya denominación es diversa: ministerio o secretaría de Asuntos Extranjeros (que sería su título genuino), de Relaciones Exteriores, o de Estado. Muchas veces este departamento no desempeña sino el papel de trasmisor de comunicaciones que dependen de otros departamentos especializados, debido a que aquéllas deben tramitarse por medio de los agentes diplomáticos y consulares que sólo dependen de su autoridad.

Gran parte de los negocios extranjeros se dilucidan actualmente en conferencias o reuniones internacionales, de acuerdo con la modalidad que se introdujo a principios del siglo XX y que los años han acentuado, tratando de mejorar las relaciones entre los países. Sin embargo, más de cien reuniones de esta clase se efectuaron desde 1919, al término de la Primera Guerra Mundial, hasta 1939, cuando se produjo la Segunda Guerra Mundial, demostrando la inutilidad de aquellos esfuerzos.

Negret, Edgar (1920-1989). Escultor colombiano, nacido en Popayán. Estudió en la Escuela de Bellas Artes de Cali, donde presentó su primera exposición (1946). A ésta siguieron otras en Bogotá, New York, París, Madrid y Washington, en varias de las cuales obtuvo premios. Sus trabajos eran representaciones, pero, pronto su arte evoluciona en forma dramática, mediante la asimilación de estilos contemporáneos. Aparece lo que se ha llamado la *fase industrial* de su obra, en la que emplea mayor variedad de materiales: metal, piedra, yeso, madera; e introduce por primera vez los alambres delgados para crear distintos planos (*Señal de tránsito*). De la década de los años 50 son sus *Aparatos mágicos*, en los cuales trata de crear una ilusión del funcionamiento tecnológico. Las formas de sus obras pasan de la gran sobriedad de los *simétricos* a lo barroco de los aparatos mágicos: tubos, cilindros, pistones, ruedas, aparecen transformados, mediante la imaginación del artista, en artefactos absurdos, sin aplicación posible.

Negrete, Jorge (1911-1953). Actor y cantante cinematográfico mexicano. Nació en Guanajuato. Los argumentos de las películas en que actuó se fundaban en aspectos y personajes típicamente mexicanos que Negrete supo encarnar magistralmente. Las bellas canciones mexicanas, que interpretaba con excelente voz de barítono, dieron a sus películas una poderosa atracción. Fue actor de gran popularidad y uno de los más admirados de la cinematografía mexicana. Entre sus películas principales descuellan *Allá en el Rancho Grande*, *Me he de comer esa tuna*, *¡Ay, Jalisco, no te rajes!*, *Historia de un gran amor* y *Tierra de pasiones*.

Negri, Pola (1899-1987). Actriz cinematográfica polaca, su verdadero nombre era Bárbara Apolonia Chanupiec. En el cine, desde 1914, se consagró como una de las más importantes actrices europeas del periodo mudo por sus interpretaciones en los filmes de Ernest Lubitsch *Los ojos de la momia* (1918), *Madame du Barry* (1919), *Una noche en Arabia* (1920), *El gato montés* (1921), y –ya en Hollywood– *La frivolidad de una dama* (1924) y *Divorciémonos* (1925). Trabajó también a las órdenes de Mauritz Stiller en *Hotel Imperial* (1926) y *Confesión* (1927). De regreso a Europa tras el advenimiento del cine sonoro, sus últimas interpretaciones importantes fueron *Mazurca* (1935), de Willy Forst, y *Madame Bovary* (1937).

Negri Sembilan. Estado de Malasia, que ocupa una superficie de 6,643 km^2 y tiene 782,000 habitantes (1994). Limita con los estados malayos de Pahang, Johore y Selangor. Su capital es la ciudad de Seremban (202,790 h.) y sus principales productos son caucho, arroz, cocos, cuarzo y estaño. El estado surgió en 1889 a raíz de la fusión de varios principados indígenas.

negro. Denominación del individuo perteneciente a una de las tres grandes razas en que se divide la especie humana. Estos tres grupos étnicos se denominan negroide, caucasoide y mongoloide. Una clasificación del grupo negroide lo divide en dos ramas principales: la melanesia y la africana, que, a su vez, presentan varios subtipos.

Los miembros de ambas ramas tienen pigmentación intensa de la piel, que presenta diversos grados en su coloración, desde el negro y pardo muy oscuro hasta el pardo rojizo o pardo amarillento. Los cabellos son lanosos y ensortijados, los labios gruesos y las narices anchas. Se estima que la población negroide mundial es de unos 300 millones, de los cuales 85% corresponde a África; 13% al continente americano y 2% a Melanesia con Papuasia.

Los melanesios. Diseminados entre numerosas islas del Pacífico, estos negros siguen siendo un enigma para los antropólogos. Sostienen algunos que llegaron a los mares del sur hace muchos siglos, procedentes de las tierras continentales de Asia. Son hombres de piel muy oscura y estatura bastante reducida, que casi nunca supera el metro con sesenta centímetros. Antes que los europeos los convencieran de la utilidad de las vestiduras, vivían casi desnudos. Las mujeres llevaban varias faldas superpuestas, hechas con rafia o paja, y los hombres vestían breves pantaloncillos confeccionados con la corteza de un pequeño árbol. Hoy viven en villorrios que casi nunca tienen más de doscientos pobladores. Un observador atento puede distinguir entre la gente *de agua salada*, experta en la pesca y la navegación, que habita junto a las costas, y la *gente de los bosques*, que vive en el interior dedicada a simples tareas agrícolas. Los pescadores viven en poblados estables, pero sus parientes del interior, que a veces se acercan a las costas para trocar sus legumbres por pescados, prefieren cierto nomadismo sencillo que les permite cambiar con frecuencia las tierras de cultivo.

La sociedad se organiza en clanes, que son grupos sociales cuyos miembros afirman provenir de un antepasado común. En algunos lugares se practica la exogamia: para casarse, un joven debe buscar una muchacha que no pertenezca a su propio clan; en otros rige la endogamia: no puede casarse sino con una joven que pertenezca al clan. Una vez arreglado el casamiento, el novio debe reunir, con la ayuda de sus parientes, toda clase de riquezas, y presentarlas al padre de la novia. Estas riquezas suelen ser frutos, cerdos y las diversas clases de *monedas* que se usan en las islas: dientes de animales, perlas y collares de conchas marinas. Los clanes tienen aspecto religioso; se supone que todos sus miembros descienden de un antepasado sobrenatural y mítico que hoy vive en el cuerpo de una clase determinada de animal, cuyo nombre es adoptado como apellido embrionario por todos los miembros. Este animal es sagrado y no puede ser comido por nadie; así, los miembros del clan del águila no pueden comer águilas. En algunas islas los clanes disponen de sacerdotes hereditarios que hacen sacrificios al tótem, cuando una persona tiene éxito en la pesca, en el amor o en el comercio, los melanesios dicen que tiene *mana*, especie de poder sobrenatural otorgado por el tótem. Esta palabra ha pasado a la literatura antropológica para designar una característica común a muchos pueblos primitivos de todo el mundo. Los clanes, de funciones religiosas y familiares, también poseen atribuciones políticas. En algunas islas, la ley y el orden se hallan en manos del jefe hereditario del clan; en otras gobierna un consejo de ancianos. En las islas Fiji se practica aún la antropofagia o alimentación con carne humana, y en las islas Salomón todavía existen tribus cazadoras de cabezas. La creencia en el *mana* es la base de este rito: se supone que, recogiendo la cabeza del enemigo muerto, su *mana* se incorpora al del matador, que adquiere así doble poder.

Los negros de Melanesia, habitan en Nueva Guinea, las islas Salomón, las Nuevas Hébridas, Nueva Caledonia y varios cientos de islas menores, sobre un área que ocupa aproximadamente dos millones de kilómetros cuadrados.

Los africanos. El término *negros* evoca de inmediato el recuerdo de las selvas africanas. La imagen es exacta, porque la mayor parte de los negros habitan en el misterioso continente. Según parece, los negros penetraron en África desde el este, en oleadas sucesivas que se iniciaron hacia el final del paleolítico. Los pueblos de la antigüedad llegaron a conocerlos: en algunos vasos griegos aparecen imágenes de negros, y los escritores romanos los mencionan con frecuencia. Radicados en el valle del Nilo, contribuyeron con su esfuerzo al esplendor de la civilización egipcia.

La gigantesca masa continental de África ocupa unos 30 millones de km^2. En todas las zonas situadas principalmente al sur del Sahara (vale decir, en todo el continente con excepción de la franja del Mediterráneo) habitan los negros. Estos hombres no son de un tipo homogéneo; sus estaturas varían, así como sus rasgos faciales y sus modos de vida. Los negros africanos hablan innumerables idiomas y dialectos; se ignora su número exacto, pero un cálculo aproximado lo sitúa en setecientos. La Biblia ha sido traducida por los misioneros a trescientas de estas lenguas, que cuentan con alfabetos. Algunos idiomas –como el *hausa*, en el oeste, y el *swahili*, en el este– son comprendidos por millones de individuos; pero, casi todos los restantes son propios de tribus reducidas. Los lingüistas dividen los lenguajes de los negros africanos en tres grupos: el nilótico, hablado en el valle superior del Nilo por pueblos como los nuer y los dinka; el sudánico, propio del área que se extiende entre el Sahara y el Ecuador; y el bantú, hablado en la inmensa región que se extiende desde el Ecuador hasta El Cabo.

A pesar de las grandes variedades de raza lengua y cultura, todos los negros africanos pueden ser reunidos en varios grupos: pigmeos, hotentotes, nilóticos, nilohamíticos, bantúes y congoleses. Los pigmeos pueblan los bosques que circundan el Ecuador. Las densas selvas de Ituri, en el corazón del Congo misterioso, son el área de dispersión de estos hombres cuya talla no suele exceder de 1.45 metros. Individuos tímidos y recelosos del contacto con los blancos, forman minúsculas tribus errantes y construyen rústicos albergues en plena selva. Comen frutas y raíces y cazan animales pequeños. A veces truecan la miel que recogen en los árboles por el maíz que cosechan los bantúes, sus vecinos, para ello depositan sus productos en un claro del bosque y llaman a los bantúes con un grito especial, corriendo a esconderse. Llegan éstos y depositan el maíz junto a la miel; en cuanto se retiran, los pigmeos abandonan sus escondrijos y aceptan o rechazan la oferta. Es éste, sin duda, el mercado más singular del mundo, pues ambos contratantes no se ven los rostros. Los pigmeos son individuos extremadamente honrados; odian la lucha, creen en un dios único, condenan el divorcio y respetan a los ancianos.

Guerreros Samburu de raza negra en África.

Corel Stock Photo Library

Parientes de los pigmeos (llamados también negrillos para diferenciarlos de los negros de la Melanesia) son los bosquimanos del desierto de Kalahari. Estos individuos, van en camino de desaparecer. Se supone que por sus venas corre sangre mogólica mezclada con la negroide. Los hotentotes también pertenecen al grupo llamado pigmoide. Su estatura es ligeramente superior y han alcanzado mayor desarrollo tecnológico. Mientras los pigmeos y bosquimanos todavía sobreviven pescando y cazando, los hotentotes han aprendido a cuidar el ganado y labrar la tierra. Los europeos en África del Sur, han enseñado muchas costumbres del hombre occidental. Viven en chozas hechas con cañas que tienen una útil propiedad: con la lluvia se hinchan, protegiendo eficazmente a los moradores, y con el sol se resecan, permitiendo el paso del aire. A diferencia de los pigmeos y bosquimanos, han aprendido a trabajar el hierro. Bajo la acción perseverante de los misioneros, sus antiguas creencias han desaparecido.

Los pueblos etíopes y nilo-hamíticos, que viven en el noreste y el este de África, han conocido épocas de esplendor. Son más altos y de rasgos más finos que los otros negros. Los somalíes, uno de los grupos típicos, viven en tribus bien organizadas y conservan sus ancestrales hábitos guerreros; antes de casarse, el joven somalí debe matar a un león o un elefante para demostrar su valentía. Hacia el sur de Sudán habitan los nuer, que pueblan las orillas del Nilo Azul. Individuos orgullosos y reservados, no aceptan los hábitos occidentales. Son tan apegados a la ganadería que cada familia conoce por su nombre a cada vacuno de su pertenencia. Entre los nilo-hamíticos, los más famosos son los masai, pastores y guerreros. Sus tribus tienen cuatro clases de miembros: niños, guerreros, casados y ancianos. Los guerreros viven aislados y adornan sus cabelleras en forma especial. Sólo comen carne, leche y sangre de animales.

En las zonas situadas al sur del Ecuador aparece el importante grupo de los bantúes. Estos individuos emprendedores invadieron durante el siglo pasado la región del lago Victoria y dominaron a diversas tribus que se dedicaban a la agricultura. Todavía subsiste la distinción entre los pastores bantúes, dominadores, y los agricultores, dominados. Los pueblos bantúes de África del Sur, unidos bajo un jefe llamado Chaka en la segunda mitad del siglo pasado, han logrado dominar a otros pueblos negros y formar la nación zulú. A su vez, estos zulúes fueron sojuzgados en 1879 por los británicos, pero, su territorio subsiste con el nombre de Zululandia y goza de cierta autonomía. Los zulúes adoran a sus antepasados y las fuerzas de la naturaleza.

Los negros que algunos antropólogos llaman *verdaderos* habitan en el oeste de África, en la Guinea y en las bocas del Congo. Viven en poblados estables y practican la agricultura con cierto método. Algunos de estos pueblos todavía viven en tribus aisladas, pero otros –como los habitantes de Liberia y Ghana (Costa de Oro)– se han organizado en naciones con gobiernos estables. La artesanía indígena alcanza en estos lugares su desarrollo más notable; las máscaras y los bronces de Benín, en Nigeria, han logrado merecido renombre en todo el mundo. Esta ha sido la zona que mayores contingentes de esclavos negros ha aportado a países de América.

Corel Stock Photo Library

Pareja de maestros de raza negra en Ghana, África.

Mujer de raza negra en Segou, Mali.

Corel Stock Photo Library

Considerada en conjunto, la suerte del negro africano ha sido trágica. Desde el siglo XV hasta mediados del siglo XIX, millones de hombres y mujeres fueron arrancados de sus comunidades y llevados a América y Europa. Durante el siglo XIX, otros millones de negros fueron conquistados por las potencias coloniales y puestos a trabajar en minas y factorías, bajo condiciones a menudo inhumanas. Un impulso humanitario logró abolir el tráfico de negros y suprimir la esclavitud en el mundo occidental. Se intentó fundar países democráticos en el continente africano (la República de Liberia) devolviendo al continente negro los hijos que un día le fueran arrancados. Después de la Segunda Guerra Mundial, las aspiraciones nacionalistas de los pueblos africanos adquirieron impulso vigoroso y, a partir de 1950, se fragmentaron los vastos imperios coloniales de las naciones europeas y surgieron numerosas naciones africanas independientes.

El negro en América del Norte. Hay más de 19 millones de negros en Estados Unidos, y reducidas cantidades en Canadá. Sólo uno de cada cuatro negros norteamericanos es de pura ascendencia africana; el resto lleva en su sangre elementos caucasoides y mongoloides, procedentes de los europeos y los indígenas. Su número ha ido en paulatino aumento, pero el resto de la población ha crecido con mayor rapidez. En 1790 constituían la quinta parte de la población estadounidense; hoy sólo forman 10% aproximadamente. De cada diez negros, ocho viven en los estados del sur, hacia el este del Mississippi. El resto se concentra en las ciudades de New York, Chicago y Philadelphia, además de otras urbes menores. Aunque su situación es enormemente superior a la de los negros africanos, han hallado grandes dificultades para asimilarse en la sociedad estadounidense. En proporción a su número, es todavía reducida su importancia económica y social. La situación del negro de Estados Unidos mejora con lentitud pero sin pausa.

El negro en América Latina. Concluida la etapa de los primeros descubrimientos, se advirtió la conveniencia de importar esclavos africanos para tener mano de obra abundante y barata en el Nuevo Mundo. De cada cien esclavos que vivieron en las colonias españolas y portuguesas, 98 provinieron de la reducida zona de África conocida como Costa Occidental: Nigeria, Costa de Oro, Camerún, las bocas del Congo y Angola. En esta zona vivían, como ya hemos señalado, los negros más evolucionados. Los yorubas y los ashantis fueron llevados en grandes cantidades a las colonias inglesas, las tribus del Dahomey proporcionaron esclavos para Haití y las restantes colonias francesas, las tribus de Angola poblaron Brasil, y las del Congo fueron trasplantadas, en enormes cargamentos, en las vastas posesiones españolas. El intenso tráfico esclavista no tardó en mezclar las diversas tribus. Algunos de estos negros han conservado casi intacto su patrimonio africano; así ocurre con los que pueblan los valles costaneros de las Guayanas. Otros han perdido todo contacto con la cultura, la religión y las costumbres de sus antepasados; el ejemplo típico se halla en los negros de las ciudades estadounidenses. Por último, algunos preservan diversos elementos de la vida doméstica, económica y religiosa del continente negro, mezclados en forma curiosa con elementos europeos y cristianos; tal es el caso de la mayoría de los negros latinoamericanos.

La mezcla más interesante de ambas culturas se ha producido en Brasil, país donde la ausencia de prejuicios raciales ha permitido que los rasgos negroides se difundieran en casi toda la población. Las sectas religiosas que conservan sus ritos africanos son conocidas y respetadas. En Cuba existen cultos que mezclan supersticiones africanas con ritos católicos.

En Haití, la mayor parte de los negros provinieron de Dahomey. La famosa religión de *vodun* o *vudú* conserva todavía muchos ritos de esta región africana, mezclados en forma curiosa con prácticas católicas. El *dokpwe* de las costas africanas trasplantado a América, es la práctica de trabajar la tierra en grandes grupos de hombres y mujeres, acompañados por el ritmo monótono de los tambores. Es una original institución económica: cuando un negro desea construir su casa, invita a los

Corel Stock Photo Library

Pescador de raza negra en Makurdi, Nigeria.

vecinos a una prolongada fiesta, en cuyos intervalos se realiza la edificación.

Los negros latinoamericanos se mezclaron durante la época colonial con blancos e indígenas. Estas diversas mezclas recibieron nombres especiales. El cruce de un blanco con un negro daba el mulato; el de un blanco con un mulato, el tercerón; el de un blanco y un tercerón, el cuarterón; el de un blanco y cuarterón, el quinterón; el cruce de blanco y quinterón era considerado como blanco. La unión de negro e india daba un zambo; cuando un vástago nacía con la tez más oscura que sus padres, se llamaba *salto atrás*.

Desde los primeros tiempos de la colonia, muchos portugueses, franceses, españoles e ingleses se dedicaron al lucrativo tráfico de negros esclavos entre las costas africanas y los puertos del Nuevo Mundo. Este tráfico, que hoy nos parece repudiable, era entonces juzgado como un mal necesario. Los tratantes llamaban *pieza de Indias* a todo negro de quince a treinta años, de complexión robusta y con todos los dientes; los atrapaban en las costas africanas, los medían y los marcaban. Daban el nombre de *bozal* al negro recién llegado de África, y el de *ladino* al que ya había estado en América. El tráfico negrero subsistió hasta bien entrado el siglo XIX. Hoy viven en América Latina millones de negros descendientes de estos esclavos coloniales. *Véanse* ESCLAVITUD; TRATA DE NEGROS.

Negro, Mar. Mar interior en el sureste de Europa, al que se penetra desde el Mediterráneo a través del estrecho de los Dardanelos, Mar de Mármara y estrecho del Bósforo. Está situado entre Europa y Asia y limita al norte y al este con lo que era Unión Soviética, al sur con Turquía y al oeste con Rumania, Bulgaria y Turquía. Forma también al norte el Mar de Azov, al que se llega a través del estrecho de Kerch (o Yenikalé); junto a éste se adelanta la Península de Crimea, que ha sido escenario de importantes acontecimientos históricos. Superficie: 427,000 km^2. Profundidad media de 1,230 metros y máxima de 2,245 metros. Entre los grandes ríos que allí desaguan se encuentran los siguientes: Danubio, Dniéster, Bug, Dniéper, Kuban y Kisil, además del Don, que vierte en el Mar de Azov. Sus puertos más importantes son: Odessa, Sebastopol, Novorosisk, Tuapse y Batum, en las costas soviéticas, Trebizonda, Samsun, Sinope y Eregli, en Turquía; Burgas y Varna, en Bulgaria; y Constanza y Sualina, en Rumania. También en su litoral se halla el puerto de Yalta (extremo sur de Crimea), lugar destacado en la historia de la Segunda Guerra Mundial por la reunión decisiva que allí celebraron las tres grandes potencias aliadas vencedoras del Eje y cuando firmaron el acuerdo de ese nombre. Las aguas son inferiores en salinidad a las de cualquier otro mar, debido al gran caudal de agua dulce que le aportan los ríos que allí desembocan, en cambio contienen una mayor cantidad de hidrógeno sulfurado. Su clima es generalmente suave y algo frío; en invierno se hiela su parte noroeste próxima a las costas rusas. Su mayor anchura se mide sobre el paralelo 42, entre Burgas y Batum: 1,190 kilómetros. El nombre que ostenta le ha sido aplicado a causa de las densas y oscuras nieblas que en él se reflejan durante el invier-

Costa del Mar Negro en Crimea, Rusia.

Corel Stock Photo Library

no y que tornan aparentemente negras sus aguas. Llamado antiguamente Ponto-Euxino (Mar Amigo) por los griegos, se halla estrechamente unido a la historia de una época que culmina con la prosperidad comercial que le dio el reinado de Filipo II de Macedonia. Para comerciar con Oriente los venecianos y genoveses fundaron en la Edad Media importantes factorías. En 1696 conquistó en él Pedro *el Grande* una salida a Rusia, que desde entonces disputa a Turquía el dominio del Mar Negro. Por el tratado de París de 1856 fue declarado mar neutral, cerrado su paso para las naves de guerra de todos los países y abierto únicamente sin reservas para el tránsito comercial, condición que no ha sido muy respetada en el curso de los conflictos internacionales. *Véanse* UNIÓN DE REPÚBLICAS SOCIALISTAS SOVIÉTICAS *(Mapa).*

Negro, Río. Río de Argentina, el principal de la Patagonia, formado por la reunión de los ríos Limay y Neuquén; tiene un curso de 636 kilómetros. Forma muchas islas fértiles de las cuales las más importantes son Choele Choel Grande y Choele Choel Chica. Arrastra un caudal medio de 240 metros cúbicos por segundo. De valle ancho, es navegable en toda su extensión, salvo entre febrero y mayo, meses en que sólo es navegable hasta Conesa. Desemboca en el Atlántico entre las provincias de Buenos Aires y de Río Negro, teniendo sobre sus márgenes al norte la ciudad de Carmen de Patagones y al sur Viedma. Villarino fue el primero en remontarlo en 1772 y Descalzi en 1773 llegó hasta Choele Choel.

Negro, Río. Río de Brasil y principal afluente del Amazonas por su orilla izquierda. Está unido al Orinoco por medio del río Casequiare. Se forma en Colombia en las estribaciones orientales de los Andes y toma el nombre de Guainía hasta su confluencia con el Pimichin. Tiene un curso de más de 2,500 km. Debido a las numerosas caídas, sólo es navegable hasta Manaos, a 16 km de su confluencia con el Amazonas. Desde San José a Manaos el río es ancho con innumerables islas cubiertas de vegetación, y sus aguas mansas lo asemejan a un mar tranquilo de aguas dulces. El Vaupés y el Branco son sus principales afluentes. En parte de su curso sirve de límite entre Colombia y Venezuela.

Negus. Título que se da al emperador de Abisinia (Etiopía). El título completo es *negus negusti* o *rey* de *reyes.* Está considerado como un descendiente del rey Salomón.

Neher, Erwin (1944-). Biofísico alemán. Reconocido por sus estudios de los mecanismos neuronales básicos. Estudió física en el Technische Hochschule de Munich. En 1966 fue a estudiar a Estados Unidos en la Universidad de Wisconsin, donde obtuvo el grado de maestría en ciencias. En 1967 regresó a Munich y se integró al Instituto de Psiquiatría Max Planck. En 1976 publicó, junto con Bert Sakmann, los primeros registros de un solo canal en membranas artificiales. Perfeccionó las técnicas y las configuraciones de registro. Desde 1983 se dedica a estudiar los procesos iniciados por los canales dentro de la célula y que originan la secreción de hormonas y neurotransmisores. En 1991 compartió con Bett Sakmann el Premio Nobel de Fisioloía o Medicina por sus descubrimientos acerca de la función de los canales iónicos sencillos en la célula.

Nehru. Apellido de dos estadistas de la India originarios de Cachemira y pertenecientes a la casta brahmánica.

Motilal Nehru (1861-1931). Nació en Agra y se educó en el colegio de Allahabad. Llegó a ser uno de los abogados más brillantes de la India y pudo reunir una cuantiosa fortuna. Tenía casi sesenta años de edad cuando se decidió a cooperar con el movimiento político-religioso encabezado por Mohandas Gandhi, que predicaba la resistencia pasiva contra la dominación británica. Fue encarcelado en numerosas oportunidades e intervino en la creación del Partido del Congreso. Tuvo ocasión de visitar Rusia con sus hijos y regresó decepcionado del régimen soviético, pero convencido de la necesidad de establecer en la India una democracia laborista con sólidos fundamentos éticos.

Jawaharlal Nehru, (1889-1964), hijo del anterior y renombrado estadista. Fue educado en la universidad británica de Cambridge y ejerció como abogado en Londres. Al retornar a la India se incorporó, junto con su padre, al movimiento de liberación cuya jefatura ostentaba Gandhi. Encarcelado varias veces por los ingleses, aprovechó los periodos de inacción para estudiar y redactar varias obras, entre las cuales se destacan *Una autobiografía, Hacia la libertad* y los ensayos *La unidad de la India* y *El descubrimiento de la India.* Nehru aceptó las enseñanzas de Gandhi, pero fue partidario, además, de una rápida industrialización del país y de una inmediata reforma agraria. Durante muchos años alternó la jefatura de su partido con la presidencia del Congreso nacional. En 1947 fue designado primer ministro y ministro de Relaciones Exteriores del nuevo Estado de la India, cargos que le fueron confirmados en las elecciones de 1951, 1957 y 1962, y que desempeñó hasta su muerte.

Neira, Juan José (1793-1841). Militar y patriota colombiano. Tomó parte activa en la guerra de la independencia de su país, así como también en las guerras civiles que le siguieron. De gran valor, derrotó en la Sabana de Bogotá a los revolucionarios del norte y evitó que cayera en sus manos la capital. En esa acción fue mortalmente herido y el Congreso de Colombia lo ascendió a general después de su muerte.

Neiva. Ciudad colombiana. Capital del departamento del Huila, situada a orillas del río Magdalena. Fue fundada por Juan de Cabrera en 1539 y trasladada más tarde por Juan Alonso. En 1612 Diego de Ospina la estableció definitivamente en el lugar que hoy ocupa. Su población es de 235,648 habitantes (1997). Se comunica por el río Magdalena, del cual es puerto; por el ferrocarril Tolima-Huila, por la red de carreteras y por servicio aéreo. Es centro comercial distribuidor de un área agrícola productora de arroz, cacao, maíz y plátanos. Ganado vacuno y lanar. Industrias farmacéuticas; materiales para la construcción; destilerías; manufactura de sombreros, hamacas y tejidos.

Nekrásov, Nikolai Alekseevic (1821-1877). Fue uno de los poetas favoritos del pueblo ruso. Sus padres eran un oficial pobre y una dama polaca. Estudió filología en San Petersburgo pasando grandes privaciones. Más tarde, su situación mejoró. Fue colaborador y después editor de la importante revista *El Contemporáneo,* en que publicaban trabajos Ivan Turgueneiv, Fedor Dostoyevski y otros famosos escritores rusos. Sus poemas son de gran vuelo lírico y honda ternura. Cantó a los humildes en poemas como *Los niños de la aldea* y *Sascha,* que se hicieron muy populares.

Nelson, Horatio (1758-1805). Marino inglés considerado como la más alta gloria naval de su patria. Hijo de Edmundo Nelson, rector de una parroquia protestante en la aldea de Burnham Thorpe (Norfolk), las estrecheces económicas del hogar decidieron su porvenir al ser enviado, cuando tenía doce años de edad, al barco de su tío el capitán Mauricio Suckling, para que le acompañara en un viaje a las Antillas. El muchacho gustaba del mar. Era bajo de estatura y de contextura débil, pero de carácter resuelto. Se cuenta que su tío, quien influyó decisivamente en su carrera, le ordenó cierta vez que subiera a un mástil al mismo tiempo que exclamaba, riendo: "Si no tienes miedo..." Nelson le respondió: "Sí, tengo miedo, pero subiré hasta el tope". Y subió hasta lo más alto. Dos años después (1772), participó en un crucero al Ártico a bordo del *Carcass* y a su regreso embarcó en el *Seahorse* para ir a las Indias Orientales, donde contrajo una fuerte fiebre palúdica. Había cumplido 18 años de edad y era ya teniente de navío.

Antes de cumplir los 21 años (1779) fue nombrado comandante de la fragata *Hinchinbrook,* y en esta oportunidad llevó a la práctica sus propias ideas sobre la disciplina en la marina británica, suprimiendo algunos severos castigos que pesaban sobre los tripulantes, y justificó su decisión explicando que "la crueldad hacía cobardes a los hombres". Esto y el trato afectuoso que daba a sus subalternos, le hicieron muy popular al punto que todos deseaban pertenecer al navío que comandaba semejante jefe. En 1780 tomó el mando de la fragata *Albemarle*, estuvo en las Indias Occidentales y cruzó el Báltico, regresando nuevamente enfermo a Inglaterra atacado de paludismo. Después de viajar al Mar del Norte y Canadá, cuyos climas sirvieron para curarle, aprovechó la paz en 1783 para dirigirse a Francia y estudiar el idioma y las costumbres de este país. En 1784 fue nombrado comandante de la fragata *Boreas,* de estación en las Indias Occidentales, y permaneció tres años en las Antillas. Seis meses antes de regresar de esa misión en 1787 contrajo matrimonio con Frances Nisbet, viuda de un médico británico, siendo padrino de la boda el príncipe que más tarde sería el rey Guillermo IV de Inglaterra. Dificultades que allá tuvo con el gobernador británico de la zona, debido a su personal interpretación de los acuerdos vigentes con los estadounidenses, le hicieron pasar a retiro una vez en Londres. Allí habría quedado tronchada su carrera a no mediar la declaración de guerra contra la recién proclamada República Francesa (1792). Vuelve al servicio activo y es nombrado comandante del *Agamemnon* (1793). A partir de ese momento la figura de Nelson adquiere gran renombre, en que por igual intervienen sus conocimientos profesionales, su valentía, la política, su suerte, resoluciones audaces y sus relaciones con lady Emma Hamilton. Sus desgracias físicas de perder un ojo en el sitio de Calvi (1794) y el brazo derecho en su fracasado intento de capturar Santa Cruz de Tenerife (1797) contribuyen a crear en torno suyo un ambiente de leyenda y fantasía. Ascendió a almirante y lució la codiciada condecoración inglesa de la Orden del Baño. Su popularidad y prestigio crecieron al derrotar a una parte de la escuadra francesa en Abukir (1798).

En ese instante ocurren hechos definitivos en la vida del gran marino. Enviado a Nápoles para estimular la participación de este reino en la guerra contra Francia, conoce y entra en relaciones con Emma Hamilton, esposa del embajador de Gran Bretaña en aquella ciudad, y es ella quien le informa de los movimientos de la flota francesa, los que obtiene por su amistad con la propia reina Carolina de Nápoles. Nelson interviene en política y se somete a los caprichos de su amante: socorre a los príncipes reinantes que son arrojados por la invasión francesa, viola la capitulación entre el cardenal Ruffo y los republicanos italianos, y al más prestigioso de éstos, el anciano y glorioso almirante Carracioli lo ahorca en su propio barco. En 1801 se dirige a Copenhague e impone a Dinamarca, después de un terrible bombardeo que destruye la escuadra danesa, el abandono a toda idea de coalición contra Inglaterra, gestión por la cual se le otorga el título de vizconde de Copenhague. Tras otras acciones de menor importancia, pero todas triunfales, Nelson vuelve a la patria y allí transcurre su vida junto a lady Hamilton, ya viuda, cuando es llamado para enfrentarse a la escuadra franco-española. A bordo de su buque insignia, el *Victory,* la acomete y derrota a la altura del cabo Trafalgar, que da nombre histórico al combate; y allí es herido mortalmente y muere el mismo día del encuentro (21 de octubre de 1805).

Corel Stock Photo Library

Monumento a Nelson, Calton Hill, Edimburgo, Escocia.

nematelmintos. Gusanos de una rama zoológica cuyas especies se caracterizan por tener simetría bilateral y cuerpo cilíndrico, vermiforme y alargado. Se dividen en tres grupos principales: los *nemátodos,* que tienen aparato digestivo y carecen de trompa o probóscide, los *nematomorfos* o *gordiáceos,* que poseen un aparato digestivo muy rudimentario, y los *acantocéfalos,* que carecen de aparato digestivo y tienen una trompa provista de ganchos con los que se sujetan a los tejidos del aparato digestivo del animal en cuyo interior viven parasitariamente. Algunos nematelmintos viven libres en las aguas dulces o saladas y en las sustancias en descomposición; pero, los más importantes son parásitos de vegetales y animales, como la triquina, los oxiuros, las ascárides o lombrices intestinales, las filarias, los tricocéfalos, etcétera.

nemátodos. Tipo de metazoos de cuerpo filiforme alargado, provistos de boca y tubo digestivo completo; la piel tiene papilas y la boca cuenta con espinas y ganchos. Su sistema nervioso es bastante desarrollado. La mayoría de los nemátodos son parásitos y algunos necesitan de un huésped intermediario para cumplir su ciclo. Son dioicos y ovíparos, salvo excepciones raras. Comprenden unas cincuenta mil especies agrupadas en dos clases: afasmidios y fasmidios. Un gusano nemátodo muy común en el vinagre es el *Anguilula aceti* que se alimenta de las bacterias que allí se desarrollan.

Némesis. Diosa de la mitología griega, encargada de repartir la felicidad y la desdicha a los seres humanos según los merecimientos de cada uno. Por extensión de sus facultades se la consideraba como ejecutora de la cólera divina ante las injusticias y, en ese sentido, personificaba la venganza y el castigo de las malas acciones.

Nemours. Ciudad de Francia en el departamento del Sena y Marne, a orillas del río y Canal del Loing. Tiene 12,072 habitantes (1997). En sus cercanías existen yacimientos de gres y de arena silícea que se emplea en la fabricación de cristalería.

nenúfar. Planta acuática ninfeácea de los climas templados y cálidos, que crece espontáneamente en las aguas de poca corriente y lagunas, cultivándose como adorno en los estanques. El tallo es un rizoma, nudoso y feculento, sumergido, del que brotan, mediante un largo pecíolo que las lleva hasta la superficie del agua, las hojas, de limbo acorazonado, casi circular, con numerosos sacos aéreos que le facilitan la flotación, formando discos flotantes de 20 a 30 cm de diámetro. En verano, producen grandes flores con numerosos pétalos blancos, que se abren durante el día, cerrándose durante la noche. El fruto es una cápsula con numerosas semillas pequeñas. Hay especies con flores de colores amarillo o azulado y algunas que se abren de noche y se cierran de día.

Neoclasicismo. Corriente literaria y artística que existió en Europa en la segunda mitad del siglo XVIII y principios del XIX, que aspiraba a restaurar el gusto y las normas del Clasicismo. En literatura esta corriente se apoyaba en los preceptos de la *Poética* de Aristóteles y en el *Arte Poética* de Horacio, obras sobre las que se fundó una teoría de arte literario que, a partir del siglo XVI, fue incorporando normas y reglas hasta que adquirió su máxima expresión en Francia con Boileau-Despreaux (*Arte Poética,* 1674) y en Inglaterra con Alexander Pope (*Ensayo sobre la critica,* 1711). En el Neoclasicismo literario el modelo es la naturaleza, cuya imitación debe hacerse con fidelidad; la razón y las normas deben predominar sobre la imaginación y la emoción. Entre los escritores neoclásicos de Francia descuellan Boileau, Racine, Voltaire, Crebillon y La Harpe. En Inglaterra, Pope, Butler, Gay y Thowson, entre otros. En España fueron principales figuras del Neoclasicismo, Nasarre, García de la Huerta, Fernándo de Moratín, Meléndez Valdés, Quintana, Gallego, Jovellanos y Martínez de la Rosa.

En el campo de las artes plásticas el Neoclasicismo experimentó la influencia de los descubrimientos arqueológicos como los de Pompeya y Herculano, y de las normas y preceptos que se desprendían de las obras de arqueólogos, críticos y teóricos del arte como Winckelmann. Arquitectos, escultores y pintores estudiaron profundamente los modelos del arte clásico, principalmente a Praxíteles y a los escultores del periodo helenístico. En Francia, arquitectos, como Soufflot, Servandone y Gabriel construyeron edificios que son interesantes ejemplos de arquitectura neoclásica. En escultura se distinguieron Houdon, D'Angers, Rude y Barye (franceses), Danneker (alemán), Flaxman (inglés), Canova (italiano), Thorwaldsen (danés) y Tolsá (hispanomexicano). En pintura, David fue el máximo exponente del neoclasicismo francés que contó con pintores como Poussin, Gross Gèrard, Prud'hon e Ingres, aunque en algunos de ellos ya apuntaba el germen del Romanticismo, movimiento estético que habría de suceder al Neoclasicismo. Con frecuencia a los escritores y artistas que siguieron la corriente del Neoclasicismo se les considera incluidos en el gran movimiento del Clasicismo, del cual el neoclasicismo fue un resurgimiento. *Véase* CLASICISMO.

neodimio. Elemento químico, metálico, de color blanco de plata, ligeramente amarillento, cuyo peso atómico es 144,27, y símbolo Nd. Hasta que sus sales fueron separadas por el barón Carl Aver von Welsbach en 1885, se creía que con el praseodimio formaba un solo elemento: el didimio. Su punto de fusión es 840 °C. Después del cerio y del lantano es el principal componente de las tierras raras y de las arenas monacíticas.

Neolítico. *Véase* PREHISTORIA.

neologismo. Cualquier innovación idiomática (gramatical, léxica o fonética). El uso ha restringido su significado a toda palabra nueva que aparece y se consolida en una lengua, sea por necesidad o por conveniencia literaria. El neologismo puede ser léxico o semántico, según sea nueva la voz o el significado o se trate de una acepción distinta añadida a una palabra ya existente. Aunque las lenguas vivas se renuevan de continuo, hay periodos más activamente neologistas que otros. En la historia del idioma español, entre esos periodos de mayor afluencia de neologismos, se cuentan el Renacimiento con la incorporación de nuevos latinismos; la época barroca, durante la cual se crean voces nuevas; y la última mitad del siglo XIX y principios del XX, con el creciente afán expresivo de sus escritores y los tecnicismos derivados de los modernos adelantos científicos.

neón. Elemento químico; es un gas que forma parte de la atmósfera en la proporción de 18 partes por cada millón. Fue descubierto por los químicos ingleses sir William Ramsay y Travers en 1898 mientras investigaban la composición del aire líquido. Se caracteriza por su nula reactividad química, propiedad ésta que lo sitúa junto con el argón, criptón, xenón y helio dentro del grupo de los gases raros o inertes. Su símbolo químico es Ne, y su peso atómico 20.18. Se obtiene por licuefacción del aire a 200 °C bajo cero. Es incoloro, inodoro e insípido. Se conserva en tubos de vidrio recubiertos de estaño. El neón se utiliza en la fabricación de lámparas que funcionan de manera muy diferente a las lámparas eléctricas comunes. En efecto, en estas últimas la luz se produce en el momento en que el filamento contenido en su interior se pone incandescente. La lámpara de neón, en cambio, no tiene filamento. Se trata de un tubo al que después de extraerle el aire se le introduce gas neón. En el anterior del tubo hay dos electrodos. Al pasar una descarga eléctrica a través del tubo, el gas se hace conductor y emite una luz roja brillante. Se pueden obtener diferentes colores, agregando otros gases, mercurio, o bien pintando los tubos que contienen el gas. Estas lámparas se emplean, por la intensidad de su luz, en señales aéreas y en letreros luminosos de propaganda, ya que se distinguen durante el día y aun a través de la niebla. *Véase* FLUORESCENCIA.

neonazismo. Movimiento que promueve la ideología propia del nazismo, al adoptar la idea de la supremacía blanca y el antisemitismo. Desde la Segunda Guerra Mundial pequeños grupos de varios países, incluida Alemania, han defendido los dogmas nazis. En Estados Unidos los grupos de esta naturaleza tienen sus raíces históricas en el movimiento de eugenesia de principios del siglo XX y en el Partido Nazi Estadounidense (fundado en 1959 y disuelto posteriormente).

Los movimientos neonazis contemporáneos de Estados Unidos surgieron en los años setenta como una reacción frente a los movimientos de defensa de derechos civiles, antibélicos y feministas. Para los años noventa grupos de observadores estimaban que de 10,000 a 20,000 neonazis militaban en docenas de organizaciones, de manera notable en el Frente Nacional Ario y el Frente de Liberación Socialista Nacional. Los neonazis participan en actos violentos principalmente en contra de negros y judíos, pero también contra inmigrantes, refugiados políticos, homosexuales e izquierdistas. En 1979, junto con miembros del grupo racista *Klan,* asesinaron a cinco manifestantes en una marcha de protesta contra el grupo Klan, en Greensboro. En 1984 dos neonazis pertenecientes a *La Orden* fueron declarados culpables de violación de derechos civiles por el asesinato del conductor de un programa de opinión en la radio en Denver, Colorado. Neonazis *cabezas rapadas* mataron a un hombre egipcio en Oregon en 1984 y a un indigente negro en Connecticut en 1992.

En Estados Unidos los neonazis han gozado, no obstante, de las mismas garantías constitucionales que otros grupos. En 1978 el Partido Nacional Socialista obtuvo a su favor un fallo de la Suprema Corte, con la defensa de la Unión Estadounidense de Libertades Cívicas, que le otorgaba el derecho de *libre expresión* para realizar una manifestación en Skokie, Illinois, un suburbio de Chicago habitado principalmente por judíos.

En Europa, donde los grupos antisemíticos persistieron aun después del holocausto, los grupos neonazis fueron mucho más fuertes, especialmente tras la desintegración de la Unión Soviética en 1991 y la consecuente migración de refugiados hacia occidente. En Alemania los neonazis lanzaron bombas incendiarias a los campos de refugiados y mataron a izquierdistas y extranjeros que habían residido mucho tiempo en el país. Mientras tanto en Rusia se encontraba activo el movimiento antisemita *Pamyat* y los gitanos de ese y otros lugares eran perseguidos y en ocasiones asesinados.

Neoplatonismo. Escuela filosófica que floreció en el imperio romano en los siglos III y IV d. C. También tuvo gran influencia en el pensamiento religioso de la Edad Media e influyó en la formación de la filosofía occidental moderna. El Neoplatonismo se originó en Alejandría, Egipto, donde Plotino, egipcio helenizado, y su maestro, Ammonio Saccas (185-250 d. C.), buscaron darle vigencia al Platonismo (el pensamiento de Platón) como una filosofía viable. Su desarrollo como escuela, sin embargo, ocurrió en Roma, donde Plotino encabezó una influyente academia filosófica entre los años 244 y 270 después de Cristo.

Los filósofos contemporáneos difieren en cuanto al grado en que el Neoplatonismo representa de manera correcta las enseñanzas de Platón. Plotino se encontraba seis siglos distante de su mentor y sus obras muestran la influencia de las ideas pitagóricas, peripatéticas y estoicas que estaban en boga en su tiempo. Preocupado principalmente por defender a Platón y al Platonismo de las críticas de Aristóteles, al hacerlo aceptó una serie de conceptos propios de éste. Su principal táctica fue demostrar en qué forma las categorías y la lógica aristotélica resultaban inadecuadas para explicar el conjunto de la realidad –tanto las cosas conocidas por el intelecto como aquellas conocidas por los sentidos–. Algunos intérpretes han visto en Plotino a un platónico aristotelizado y otros al reconciliador de Platón y Aristóteles.

La principal fuente del Neoplatonismo fueron las *Enéadas* de Plotino, una colección de 54 ensayos que fueron dispuestos en 6 secciones de 9 ensayos por su discípulo Porfirio (232-304 d. C. aproximadamente). Estos ensayos, escritos por Plotino entre los años 254 y 267, permiten conocer sus ideas sobre la filosofía moral, el universo físico, la cosmología, la naturaleza de las almas, la naturaleza de la mente y la naturaleza de la realidad. Sostienen los temas generales comunes a la tradición platónica pero, enfatizan de manera especial tres puntos: la naturaleza inmaterial absoluta de la realidad; la posibilidad de obtener conocimientos reales sobre el mundo y sus leyes básicas, y la unidad, substancia y sacralidad del Universo. Al afirmar que todas las cosas de la naturaleza (almas) están vivas, son dinámicas y están en un proceso de cambio (devenir), Plotino argumenta que estos mismos procesos pueden no tener mayor importancia, si se reconoce que existen principios fijos más elevados que no cambian. Tales principios, cree, están ordenados racionalmente y constituyen la esencia del ser (su propia metafísica es un intento de presentar la naturaleza de ese orden). El orden entre los principios, no obstante, clama que se crea en su inherencia a algún elemento unificador que posee de suyo una unidad mayor que cualquiera de aquéllos. Su cosmología consta de varios niveles de realidad, los menores de los cuales reciben significado de los superiores. En el nivel más bajo está el mundo material; en el más alto, la unión dinámica, o fusión, de todos los principios superiores (el Uno). Debido a su preocupación por este nivel último de la realidad, Plotino es a veces visto como un místico.

Porfirio, principal discípulo, crítico, promotor y biógrafo de Plotino, estaba en desacuerdo con el rechazo que éste hacía a las categorías de Aristóteles (las clases fundamentales del ser). Porfirio basó su propia forma de Neoplatonismo en una versión modificada de tales categorías, agregando con ello un carácter aún más aristotélico al pensamiento neoplatónico posterior. Fue un vigoroso postulante de la lógica de Aristóteles y escribió un resumen de ella, denominado la *Isagoge* (*Introducción*), que, junto con su trabajo sobre las categorías aristotélicas, tuvo una considerable influencia en la filosofía occidental posterior.

Varias escuelas del Neoplatonismo (por ejemplo la siria, la ateniense, la alejandrina y la de Pérgamo) surgieron además de la romana. Algunas de ellas, como la de Pérgamo, participaron de la teúrgia, o prácticas mágicas. El siguiente cambio intelectual importante ocurrió en el siglo V con Proclo, filósofo de la academia platónica de Atenas, quien había abrazado el neoplatonismo a fines del siglo IV. Su principal aportación fue sugerir que debe existir también una dependencia interna, *horizontal*, en cada nivel de la realidad, de manera que la forma primordial de cada nivel genere formas similares a ella misma.

En la antigüedad posterior y los primeros tiempos medievales, filósofos de diversas tradiciones religiosas se vieron atraídos por el pensamiento neoplatónico y recibieron su influencia. Entre éstos estaban los musulmanes al-Kindi, al-Farabi y Avicena; los cristianos Orígenes, Dionisio *el pseudoaeropagita*, san Agustín, Boecio y Juan Escoto Erígena, y en la tradición judía, Isaac ben Salomón Israeli, Dunash ben Tamin y Salomón ben Judah ibn Gabirol (Avicebrón). San Agustín introdujo un gran número de nociones neoplatónicas en el pensamiento occidental cristiano mediante sus obras, y la obra *Nombres divinos* y *Teología mística* de Dionisio, bastante consultada, se inspiró en los trabajos de Proclo. Los filósofos neoplatónicos bizantinos tuvieron también gran influencia en la formación del cristianismo oriental.

Templo budista en Katmandú, Nepal.

Corel Stock Photo Library

El Neoplatonismo de Plotino fue revivido en la Italia del siglo XV por la Academia Florentina, particularmente mediante la traducción de las *Enéadas* al latín por Marsilio Ficino en 1492. La *Oración*, obra en torno a la dignidad del hombre escrita por el alumno de Ficino, Pico della Mirandola, que es un clásico del humanismo renacentista. Durante ese periodo, el Neoplatonismo fue llevado a Inglaterra por John Colet (1461-1519), quien preparó el camino para los Platónicos de Cambridge del siglo XVII. Elementos neoplatónicos se hallan también en la tradición idealista alemana, en el pensamiento de algunos pensadores franceses, notablemente Henri Bergson, y en las obras de los poetas románticos ingleses.

Neorrealismo. Movimiento literario italiano, que se inició en 1929 con *Los indiferentes*, novela de Alberto Moravia que trataba con resolución cuestiones morales, sociales y políticas consideradas sumamente delicadas durante los primeros años de represión de la dictadura de Benito Mussolini. Este movimiento, sin embargo, se desarrolló lentamente hasta la expulsión del régimen fascista en 1943. Las novelas neorrealistas de los siguientes doce años, escritas por autores tan disímiles como Vasco Pratolini, Domenico Rea e Italo Calvino, se centraban en la difícil situación vivida por las clases trabajadoras, por lo que representaron un rompimiento con la tradición elitista que había caracterizado a la literatura italiana por siglos. El Neorrealismo, como estilo y postura política, fue aún mejor conocido internacionalmente a través de las películas de los años cuarenta y la posguerra, de directores italianos como Luchino Visconti (*Obsesión*, 1942; *La tierra tiembla*, 1948), Roberto Rossellini (*Roma, ciudad abierta*, 1945; *Los campesinos,* 1946) y Vittorio de Sica (*El limpiabotas*, 1946; *El ladrón de bicicletas*, 1948; *Umberto D.*, 1952).

Nepal. Reino independiente situado al norte de la India, sobre la vertiente meridional del Himalaya. Su territorio ocupa una superficie de 141,577 km² y tiene 22,700 habitantes (1997). El territorio se divide en dos regiones muy diferentes. La del norte está compuesta por la cadena del Himalaya, cuya grandeza siempre ha atraído la atención de turistas y expedicionarios. Los montes Everest (8,889 m) y Davalaguiri (8,187 m) dominan el panorama de esta región, poco poblada. La zona del sur forma un notable contraste con el macizo septentrional; valles fértiles y ríos caudalosos, que bajan de las montañas, concentran en ella el grueso de la población y las mayores ciudades. Nepal es un país agrícola, en el que se cultiva arroz, caña de azúcar, yute, trigo y algodón. En las estribaciones de la cordillera hay pequeños valles sembrados con cebada, centeno y avena, en los que también abundan ovejas de finísima lana. Los bosques del norte y los yacimientos de mineral de hierro, carbón, cobre, plomo y cuarzo son las mayores riquezas naturales del país. Las industrias no han superado todavía la etapa artesanal; rústicas telas de algodón, artículos de alfarería, un papel de notable consistencia y algunos objetos de metal son los principales productos.

Los gurkas, pueblo guerrero y trabajador de origen hindú, forman el sector más importante de la población, en la que también existen núcleos de mogoles. La capital es la ciudad de Katmandú (900,000 h. en 1996), histórica urbe situada en uno de los valles más fértiles del país. Otras ciudades importantes son Patan (220,000 h. en 1996) y Bhadgaón (150,000 h. en 1996), donde se concentran casi todas las industrias. El pueblo practica las religiones budista e induista. Las comunicaciones cuentan con 106 km de ferrocarriles; 6,406 km de carreteras, de los cuales sólo 1,900 km están pavimentados. Hay servicios aéreos interiores y con la India y Pakistán.

Historia. Tribus semisalvajes de origen mongólico poblaban la región hacia el siglo XIV, cuando se produjo la invasión de los gurkhas y otros pueblos de origen hindú, que se establecieron en los valles del sur. Los gurkas, pueblo belicoso y activo, no tardaron en dominar a sus vecinos y formar varios reinos, que en 1769 se aglutinaron en uno solo. Durante el siglo XIX tuvieron varios choques con los ingleses, que se habían establecido en la India y acabaron por sujetar el Nepal al poderío del imperio británico. En las dos guerras mundiales los ingleses utilizaron los servicios de regimientos de gurkas, cuyo valor es legendario. Durante su dominación, los británicos intentaron modernizar la organización política del país, al que dieron la independencia en 1923. El rey de Nepal quedó sujeto al poderío de los Rana, familia que designaba al primer ministro y comandaba los regimientos de gurkas. Después de la revolución de 1950 recuperó la corona el rey Tribhuvana, que estaba en el destierro. En 1951 se promulgó una constitución según la cual el estado pasaba a ser una monarquía constitucional. Muerto Tribhuvana (1955) subió al trono su hijo Mahendra Bir Bikram, quien murió en 1972 desde entonces gobierna el hijo de éste, Birendra. En 1980, el electorado rechaza el retorno a la democracia parlamentaria y da al monarca poderes casi ilimitados. En 1983, el rey reafirma que Nepal debe ser declarado *zona de paz* y es respaldado por 37 países. En 1986, la reina Isabel II visita el país y felicita al rey al cumplirse 25 años de la instauración del sistema de democracia dirigida. En 1988 se producen incidentes fronterizos con la India y 97 países, excepto la antigua URSS y la India, apoyan el plan del gobierno nepalés para crear la *zona de paz* en Asia meridional. En 1989, la India cierra 13 de las rutas comerciales con Nepal al expirar el tratado existente entre los dos países y, en 1990 Nepal y la India normalizan el tránsito y el comercio entre ambos países. En ese mismo año, el rey Birendra presenta una nueva Constitución que establece la democracia multipartidista.

El 12 de mayo de 1991 se celebraron las primeras elecciones libres y resultó vencedor el Partido del Congreso. G. P. Koirala, que pasó 13 años en prisión y 10 en el exilio de la India, además de ser secretario general del partido vencedor, fue nombrado primer ministro, pero la corrupción y sus concesiones a Nueva Delhi le valieron duras críticas. En las elecciones del 15 de noviembre de 1994 venció el Partido Comunista con mayoría relativa en el Parlamento (88 escaños), y su presidente Man Mohan Adhikari formó el primer gobierno

Corel Stock Photo Library

Palacio del Rey *en Katmandú, Nepal.*

Templo de Pashupatinath *en Katmandú, Nepal.*

Corel Stock Photo Library

comunista en la historia del país. No obstante, tras no superar una moción de censura de la oposición (septiembre de 1995), el gobierno comunista fue sustituido por otro de coalición, con miembros de tres partidos de la oposición y presidido por Sher Bahadur Deuba, líder del Partido del Congreso.

Neper o Napier, John (1550-1617). Matemáticxo escocés inventor de los logaritmos que llevan su nombre, aporte decisivo en la historia de la matemática, que simplificó los procedimientos del cálculo aritmético y trigonométrico. En 1614 publicó las primeras tablas de los logaritmos llamados *neperianos*, que difieren de los *vulgares* en el número de la base.

Nepote, Cornelio. Historiador romano del siglo I a. C., amigo de los principales personajes de la época (Cátalo, Cicerón, Pomponio Ático, etcétera). Aunque se tienen pocas noticias de su vida, se habla de él como de un aristócrata de severas costumbres. Escribió poesías, y algunas otras obras, entre ellas *Crónicas*, *Libro de ejemplos* y *Vidas de varones ilustres*, de la que se conserva el primer tomo, colección de biografías que, tal como han llegado hasta nuestros días, lo acreditan como un escritor claro y conciso, no exento de defectos, y como biógrafo metódico y moralista.

Neptunio. Elemento químico que fue obtenido artificialmente en 1940 por los físicos Edwin Mattison McMillan y Abelson en la Universidad de California. Su símbolo es Np; su peso isotópico, de 237, 238 y 239. Fue descubierto al bombardear el uranio con neutrones. Es elemento de importancia en la fabricación de la bomba atómica.

Neptuno. Planeta del sistema solar, el más alejado del Sol antes del descubrimiento de Plutón y el tercero en tamaño, que no se observa a simple vista, pero que se muestra al telescopio como un astro de octava magnitud, de luz azulada y brillo inalterable. Fue descubierto por Jean Joseph Leverrier en 1846, merced a que se hizo *sentir* por la atracción que ejercía sobre Urano y a ciertos cómputos considerados como uno de los mayores triunfos de la astronomía matemática. El nombre fue sugerido en honor al dios del mar de la mitología romana por el astrónomo francés Francois Arago.

Su albedo de 0.60 (muy grande) indica una atmósfera de gran espesor, semejante a las de Urano, Saturno y Júpiter, pero distinta a la de la Tierra. Las bandas y rayas oscuras de absorción que aparecen en el espectro indican una atmósfera absorbente. Según verificaciones de Wild en 1932, en la misma hay gran proporción de metano y algo de amoníaco. Su diámetro es de unos 53,000 kilómetros –cuatro veces mayor que el de la Tierra– y dista del Sol alrededor de 4,468.800,000 kilómetros. Su periodo de revolución es de 164.8 años terrestres, y se desplaza en su órbita a razón de unos 5 kilómetros por segundo. El no presentar accidentes sobre su superficie impide determinar su periodo de rotación, aunque se calcula por métodos indirectos, que completa una vuelta alrededor de su eje en 15.8 horas. Debemos imaginarnos su superficie perennemente cubierta de grandes bloques de hielo, pues la temperatura de ésta es de 200 °C bajo cero. Tiene dos satélites. Uno es Tritón, descubierto por Laselle en 1846, que gira de este a oeste, en sentido contrario a la revolución del planeta, en 5 horas 21 minutos. En 1949 G. P. Kuiper descubrió otro satélite, Nereo, que gira de oeste a este.

Neptuno. Dios del mar entre los antiguos romanos, identificado con Poseidón en la mitología griega. Como hijo de Saturno y Rea, era uno de los dioses mayores entre los que se repartió el dominio del Universo. Tenía su morada en el Olimpo, pero solía vivir en las profundidades del mar y pasearse con su esposa, Anfitrite, sobre las olas, en un carro tirado por caballos marinos, al que acompañaban nereidas y tritones. Su arma y atributo era el tridente, con el que agitaba o calmaba las aguas, y a cuyos golpes en la roca brotaban los manantiales. Según el mito griego disputó con Atenea por la posesión del Ática: domó el caballo y ponderó su gran utilidad; pero, Atenea ganó la contienda creando el olivo, que los jueces juzgaron más valioso, y dieron en su honor el nombre de Atenas a su ciudad. Otra leyenda cuenta que habiendo ofendido a Júpiter fue desterrado durante algún tiempo del Olimpo y obligado a construir las murallas de Troya. Apolo le ayudó en la tarea con su lira, al son de cuya música las piedras se colocaban solas, y como el rey Laomedón rehusara pagar la recompensa que les había ofrecido, ambos se vengaron luchando al lado de los griegos en la guerra de Troya. Neptuno fue el protector de los navegantes y de los caballos. Se le dedicaron varios templos; bajo sus auspicios se celebraban diversos festivales, entre ellos los famosos *Juegos Ístmicos*.

Estatua de Neptuno en Florencia, Italia.

Corel Stock Photo Library

nereidas. En mitología, las nereidas eran bellas y esbeltas habitantes del fondo del mar, hijas de Nereo y de Doride. En los viejos monumentos solían ser esculpidas sentadas sobre delfines. Aun siendo bondadosas y encantadoras, tuvieron un acceso de furor cuando Andrómeda y Casiopea, su madre, se obstinaron en aventajarlas en hermosura. Las cincuenta nereidas pidieron a Poseidón, el dios de los mares, que destinase un horrible monstruo para devorar a Andrómeda. Aunque su morada era el abismo marino, salían a juguetear sobre las olas, conducidas a veces por los carros de los tritones. En la antigüedad eran principalmente los marineros quienes les ofrecían sus votos.

Nernst, Walther Hermann (1864-1941). Físico y químico alemán, que siendo profesor en Gotinga fundó el Instituto de Química y Electroquímica. Después fue nombrado catedrático en Berlín y director del Instituto de Química de dicha ciudad. Es inventor de la lámpara eléctrica que lleva su nombre, y por sus notables trabajos sobre las corrientes galvánicas, la teoría de las disoluciones y de los equilibrios químicos, y la electrólisis, le fue adjudicado en 1920 el Premio Nobel de Química, por la formulación de la tercera ley de la termodinámica.

Nerón, Claudio César (37-68). Emperador romano, cuyo nombre evoca las crueldades del circo y la primera gran persecución contra los cristianos. Hijo de Agripina y de Cneo Domicio Enobarbo, su sangre augusta hizo predecir a los astrólogos su consagración como emperador, no obstante que cuando contaba los tres años, habían sido él y su madre, viuda, desterrados por su tío Calígula. Agripina, la menor dispuesta a recuperar los derechos de su hijo, en el año 49 procuró la muerte de Mesalina, esposa del emperador Claudio, y se casó con éste. Inmediatamente Claudio adoptó al hasta entonces llamado Lucio Domicio Enobarbo, que cambió este nombre por el de Nero Claudio Caesar Augustus Germanicus, y lo designó su sucesor, pasando sobre los derechos de su propio hijo Británico. Agripina, deseando preparar a su vástago para el brillante porvenir que le aguardaba, hizo que el filósofo Lucio Anneo Séneca, llamado del exilio, y Afranio Burro, prefecto pretoriano, se encargaran de su educación. Le dio por esposa a Octavia, virtuosa hija de Claudio, y cuando Nerón cumplió 18 años creyó llegado el ansiado momento; envenenó a Claudio y quedó así libre el camino al trono, a cuyo efecto se aseguró la adhesión de la guardia pretoriana. El Senado declaró a Nerón emperador y durante cinco años fue amado por todo el pueblo, que se entusiasmaba ante su generosidad, su ingenio y habilidad, ignorante de las pasiones que habría de manifestar más tarde. Trató, con la ayuda de Séneca, de liberarse de la influencia maléfica de Agripina, y ésta, temerosa de perder el poder, lo amenazó con restituir a Británico. Nerón se enfureció, y dando rienda suelta a sus instintos ordenó asesinar a su hermanastro. Por ese tiempo cayó en las sutiles redes tendidas por Popea, hermosa e intrigante mujer, que consiguió el destierro y más tarde la muerte de Octavia, e indispuso a Nerón contra su madre hasta el punto de hacerla asesinar, y por último se ciñó la corona de emperatriz. Los consejos de su tutor Séneca, que lo inducían a dominar los impulsos y pasiones violentas, le molestaron, e influido por Popea y Tigelino, lo hace desterrar; Burro muere envenenado, y más tarde, acusado de tomar parte en una conspiración, Séneca es obligado a quitarse la vida. Comienza entonces una serie de terrores e ignominias y se castiga a personas inocentes por delitos que no habían cometido; centenares de jóvenes gladiadores mueren en el circo y aun espectáculos más bárbaros tienen lugar para proporcionar placer al emperador. Sólo lo conmueven los halagos y alabanzas a su pretendido ingenio, pues se cree poseedor de todos los dones artísticos. Pero varios sucesos, el terremoto que arrasó Pompeya y el fuego que destruyó casi toda Roma, hacen a los romanos creer que la ira de los dioses es debida a los desmanes cometidos por Nerón. El incendio se produjo en el año 64 y bajo sospecha de haber sido ordenado por el mismo emperador. Sobre sus ruinas se levantó una nueva ciudad, lujosa y arquitectónica, rodeando un magnífico palacio ubicado entre bosques, lagos y cascadas con paredes relucientes de incrustaciones de oro, que sería la Morada Dorada de Nerón. Muchas provincias se empobrecieron a causa de los gravosos impuestos que debieron soportar, y ello determinó rebeliones. Vindex, que sublevó las legiones de las Galias, fue derrotado, pero Galba, victorioso en España, obtuvo el apoyo del Senado y del pueblo contra el tirano y provocó la huida de Nerón, quien, finalmente se hizo dar la muerte por un esclavo, sintiéndose sin valor para hacerlo de su propia mano.

Corel Stock Photo Library

Nerón.

Nersés IV (1098-1173). Patriarca armenio oriundo de Cilicia y sucesor de su hermano Gregorio en la silla patriarcal. Realizó grandes esfuerzos para conciliar las iglesias armenia y griega, sorprendiéndole la muerte cuando creía llegado su éxito. Fue notable poeta, y se le consideraba el Homero armenio, atribuyéndosele la invención de la poesía rimada en su país. Entre sus obras en prosa se destaca una historia patria. También dejó un poema religioso constituído por 120 versos pentasílabos.

Neruda, Jan (1834-1891). Escritor y dramaturgo checo. Se distinguió como autor teatral, narrador, humorista y poeta. Sus versos gozaron de popularidad en su país y están reunidos en libros como *Baladas y romances, Flores de cementerio* y *Cantos cósmicos.* Han sido difundidos en varios idiomas los cuentos locales con temas y aspectos de su barrio de Praga, que constituyen su obra maestra: *Narraciones de Mala Strana.*

Vista microscópica de un nervio.

Corel Stock Photo Library

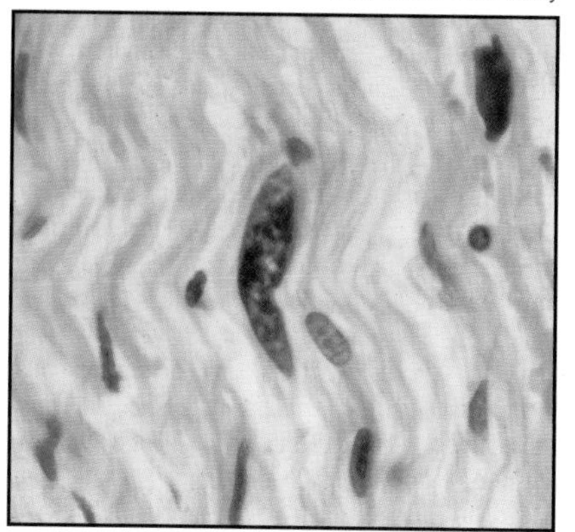

Neruda, Pablo (1904-1973). Poeta chileno cuyo verdadero nombre es Neftalí Ricardo Reyes. Estudió humanidades en el Liceo de Temuco y fue profesor del Instituto Pedagógico de Santiago. Desempeñó cargos diplomáticos por diversas partes del mundo: cónsul en Rangún, Colombo, Buenos Aires, Madrid, además de embajador en México de 1940 a 1942. En 1970 el Partido Comunista Chileno pensó proponerlo como candidato a la presidencia, pero se formó la coalición de la Unidad Popular, y Neruda apoyó a Salvador Allende, candidato de ésta, a cuyo gobierno representó como embajador en París. Su poesía de juventud, de exaltado romanticismo en *Veinte poemas de amor y una Canción desesperada*, ensancha los temas con panoramas multiformes y exóticos, el poeta ve un mundo en trance de desintegrarse y expresa su soledad en una forma libre, rica en ritmos interiores; *Residencia en la Tierra* fue el fruto de su segunda etapa. Ya en la *Tercera residencia* y más aún en *Canto general* se contrasta su angustia individual ante la catástrofe colectiva. Entre sus últimas obras, se pueden citar *Cantos ceremoniales, Memorial de Isla Negra, La insepulta de Paita* y *Fin del mundo.* En 1945 le fue otorgado el Premio Nacional de Literatura de Chile, en 1953 el Premio Stalin de la Paz y en 1971 el Premio Nobel de Literatura.

Nerval, Gérard de (1808-1955). Poeta y autor teatral francés que popularizó e hizo famoso tal seudónimo y cuyo verdadero nombre era Gerardo Labrunie. Fue una de las figuras centrales del Romanticismo literario de los tiempos de Víctor Hugo, Lamartine, Dumas, etcétera, y su estilo y temática respondían al sentimentalismo de aquel periodo. Comenzó a hacerse famoso a partir de la traducción que hizo del *Fausto* de Goethe y por sus obras *La muerte de Talma, Sylvia, La bohemia galante, Las hijas de fuego* y *Viaje a Oriente*, etcétera. Colaboró con Alejandro Dumas en algunas obras teatrales de mucho éxito en su tiempo.

nervios y sistema nervioso. Los nervios son los cordones blanquecinos que parten del cerebro, la médula espinal y otros centros nerviosos, se distribuyen por todas partes del cuerpo, y están encargados de conducir los impulsos y sensaciones a través de todo el organismo. El sistema nervioso está compuesto por el conjunto de nervios, centros, tejidos y ganglios nerviosos. Los nervios están constituidos por fibras de tejido nervioso, compuesto de células individuales o neuromas, que se reúnen en hacecillos, separados unos de otros por tejido conjuntivo. Las fibras nerviosas son de dos clases: meduladas y no meduladas. Las primeras, llamadas blancas, constan de un filamento central, o cilindro eje, incluido en una sustancia grasa, blanca llamada mielina, rodeado todo de una membrana transparente. Las segundas son fibras sin mielina, se llaman *grises* y contienen su núcleo. El sistema nervioso es necesario para ejercer todas las funciones propias del organismo, y, además, en el hombre, las que corresponden a las funciones intelectuales. El funcionamiento normal de los numerosos mecanismos nerviosos de asociación, es indispensable para pensar correctamente. Si se lesionan los centros nerviosos, se producen trastornos en las facultades mentales. Luigi Galvani, a fines del siglo XVIII, demostró la existencia de fenómenos eléctricos en los tejidos vivos. Disecó el nervio de la pata de una rana y lo colocó sobre un músculo de la pata de otra rana, en el cual había hecho una pequeña lesión; en cada ocasión que el nervio cerraba el circuito entre la superficie sana y la parte lesionada del segundo músculo, se contraía el primero.

La *neurología* es una parte de la anatomía que estudia el sistema nervioso. Considerados en conjunto, los órganos nerviosos se agrupan en tres grandes sistemas: el central o cerebroespinal, el periférico y el autónomo. Los órganos del sistema nervioso central se alojan en el cráneo y la columna vertebral, y comprenden el cerebro, el cerebelo y la médula espinal. El sistema periférico abarca los nervios craneales, los espinales, los de los órganos de los sentidos y los motores. El sistema autónomo lo constituyen los nervios de los grupos simpático y parasimpático, que son involuntarios y rigen las funciones vegetativas del cuerpo.

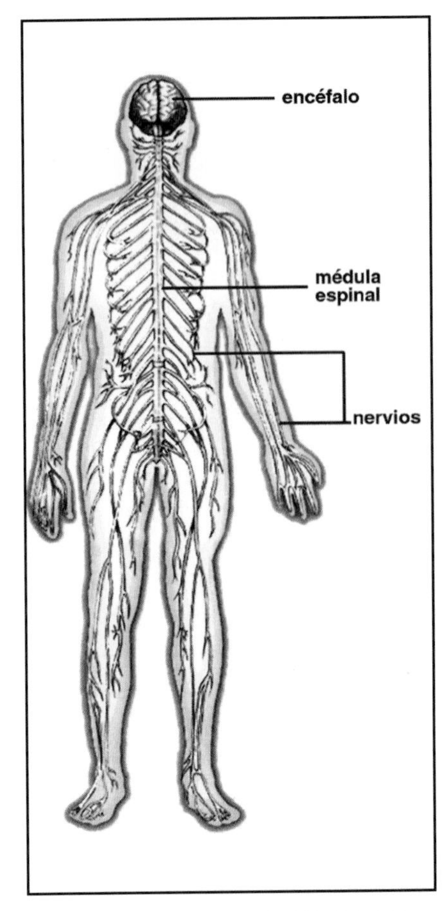

Corel Stock Photo Library

Órganos del sistema nervioso central y principales nervios.

Nervo, Amado (1870-1919). Poeta mexicano. Entró en la palestra literaria ejerciendo el periodismo y pronto alcanzó notoriedad por sus crónicas, artículos y poesías. Fundó en la ciudad de México la *Revista Moderna* que atrajo a los adeptos del simbolismo francés, que Nervo cultivó en su primera época, aunque imponiéndole el sello de su propia originalidad. Ejerció la carrera diplomática en París y principalmente en Madrid, donde residió varios años y realizó parte considerable de su obra poética que le dio la consagración definitiva. Alcanzada la celebridad literaria, fue designado ministro de México en Argentina y Uruguay (1818) y murió en Montevideo en 1919.

Neto, Agostinho Antonio (1922-1979). Político angoleño. Estudió en Portugal, donde se licenció en medicina y destacó como poeta en los círculos oposicionistas. Uno de los fundadores del Movimiento Popular de Libertação de Angola (MPLA), del que fue elegido presidente, fue detenido varias veces por los portugueses; en 1962 se evadió de la cárcel y asumió la dirección de la guerrilla. Tras la retirada de los portugueses proclamó la independencia de la República Popular de Angola (11 de noviembre de 1975) y tras sofocar un golpe de Estado (1977) acrecentó sus poderes constitucionales.

Netzahualcóyotl (1402-1472). Rey de Texcoco, antiguo estado del valle de México. Fue el más importante de los reyes de Texcoco, y señor principal o emperador de los extensos dominios chichimecas. Siendo muy niño, su padre, el rey Ixtlilxóchitl, fue muerto (1413) por el usurpador Tezozómoc mientras Netzahualcóyotl presenciaba el asesinato refugiado en la copa de un árbol.

Durante su juventud anduvo errante, huyendo de los sicarios enviados para matarlo. Tuvo que luchar contra Maxtla, hijo del usurpador, a quien consiguió dar muerte después de increíbles hazañas y peligros, hasta que, por fin, pudo recuperar el trono.

Fue gran guerrero, estadista y gobernante, reinó de 1428 a 1472, año de su muerte. Protegió las artes y las ciencias y fue uno de los sabios más grandes de su época y de su raza. Cultivó la poesía en la que se distinguió al extremo de que le daban el sobrenombre de rey poeta, sobresalió en varias ciencias e hizo profundos estudios religiosos que le permitieron vislumbrar la existencia de un dios omnipotente y desconocido, creador de todo el universo, al que llamó Tloque Nahuaque. Concibió el proyecto del gran dique de 16 km de largo que dividió en dos el lago de Texcoco, y que realizó a medias con el emperador de México, Moctezuma I.

Neuchâtel. Ciudad suiza capital del cantón del mismo nombre, situada a 40 km al oeste de Berna, a orillas del lago homónimo con una población de 31,700 habitantes (1997). Ofrece la ciudad un pintoresco aspecto con sus casas construidas de piedra y la policromía de sus jardines.

Es un pequeño centro cultural, nimbado de tradiciones. En la parte alta de la ciudad se halla el viejo castillo que data del siglo XII, sede del gobierno cantonal. Tiene una bella iglesia gótica que es una joya arquitectónica del mismo siglo. Cuenta con universidad y otros centros de cultura superior, además de un excelente observatorio y el famoso Laboratorio Suizo de Investigaciones de Relojería. Tiene también playas, campos de golf y diversas zonas deportivas. Su principal industria es la relojera, y en segundo lugar, fábricas de maquinaria en general y máquinas de coser.

Neuhof, Theodor Antonio, Barón de (1690-1756). Aventurero alemán. Militó en los ejércitos de Francia y Suecia. Fue agente confidencial del cardenal Giulio Alberoni, ministro de Felipe V, rey de España. En Italia proyectó intervenir en la liberación de la isla de Córcega. Equipó una expedición en 1736 y desembarcó en la isla. Fue proclamado rey de Córcega con el nombre de Teodoro I, pero meses después fue derrocado. Hizo varias tentativas para recobrar el trono, pero no tuvo éxito. Murió en Londres agobiado por las deudas.

neumática. Es la parte de la física que estudia las propiedades de los gases, ya sea en reposo o en movimiento. Entre los investigadores que estudiaron científicamente los gases se destaca Henry Cavendish, en Inglaterra, y a él se deben algunas bases fundamentales de esta ciencia. La neumática comprende las nociones de presión y elasticidad de los gases.

neumático. Tubo de hule que, encajado alrededor de la rueda de automóviles y otros vehículos, ofrece la superficie de contacto entre éstos y el área sobre la cual han de desplazarse. A diferencia del cuerpo sólido de las llantas de otros vehículos –los cercos de hierro de las ruedas de madera, o las llantas de los aviones, por ejemplo– los neumáticos están llenos de aire comprimido. Ya que dicho aire soporta 90% de la carga y la estructura de hule y tejido que forman el tubo del neumático 10% restante, los neumáticos actuales resisten 50 veces su propio peso.

neumococo. Nombre común del *Streptococcus pneumoniae,* la especie bacteriana que causa con más frecuencia la neumonía lobular humana. De magnitudes microscópicas, los neumococos tienen forma esférica y aparecen en pares y cadenas cortas. Se localizan en el tracto respiratorio de los portadores humanos sanos y causan neumonía cuando las defensas del cuerpo se encuentran bajas.

neumoconiosis. Término aplicado a cualquiera de las diversas enfermedades producidas en los pulmones por la inhalación de polvo. Cuando una persona respira aire que contiene polvo, cierto número de partículas microscópicas llega a los alveolos o a las partes de intercambio de gases de los pulmones. Algunas de las partículas son exhaladas, pero un gran porcentaje son depositadas en los alveolos. De ahí son removidas principalmente por el macrófago alveolar, un tipo de células que enguye las partículas y las transporta a los conductos aéreos superiores de los pulmones, donde son eliminadas. A pesar de ello, cuando la exposición al polvo es prolongada y severa, como ocurre en el caso de los trabajadores de ciertas industrias, los mecanismos de limpieza pueden verse rebasados y el polvo comienza a acumularse.

El efecto que ocasiona una partícula en los pulmones depende de sus propiedades químicas y físicas. Algunos tipos de polvo producen efectos severos y pueden ocasionar incapacidad respiratoria y la muerte prematura. Estos polvos se conocen como fibrogénicos –esto es, inducen el depósito de tejido fibroso o cicatriz, que, en exceso, endurece los pulmones y hace difícil la respiración–. Ejemplos clásicos de enfermedades asociadas con polvos fibrogénicos son asbestosis, beriliosis, silicosis y la enfermedad de los metales duros, producida por la inhalación de aleaciones de tungsteno y cobalto.

Otros polvos son inertes (no son fibrogénicos) y no afectan el funcionamiento de los pulmones ni amenazan las expectativas de vida. Ejemplos de las condiciones causadas por estos polvos son la estañosis (por inhalación del óxido de estaño) y la baritosis (causada por bario). Entre los fibrogénicos y los inertes se encuentran otros polvos, que aunque no son inertes por completo, no son tan peligrosos como los

Corel Stock Photo Library

Neumático para automóvil.

asbestos o el sílice. El polvo de carbón y algunos silicatos, como el talco, la caolina y la silimanita, se encuentran en esta categoría.

Clasificación de las neumoconiosis. La mayoría de las neumoconiosis minerales existen en dos formas: simples y complejas. Las primeras, que constituyen una respuesta tan sólo al polvo, se reconocen por una profusión de pequeñas opacidades en una radiografía de pecho. En la mayoría de los casos la neumoconiosis simple no continúa si la exposición al polvo se interrumpe. Esto puede decirse en el caso de los trabajadores que padecen neumoconiosis simple por carbón, y ni ésta ni la silicosis simple interfieren en el funcionamiento de los pulmones.

La neumoconiosis compleja se reconoce por la presencia de una o más grandes opacidades. Para que se desarrolle neumoconiosis compleja es necesario que exista una carga de polvo considerable más algún otro factor, hasta ahora desconocido. En todos los casos de neumoconiosis compleja los conglomerados fibrosos de los pulmones pueden crecer aun cuando la exposición al polvo haya terminado. Al hacerlo invaden y destruyen las venas y los conductos de aire del tejido pulmonar adyacente. Cuando es extensiva, las formas complejas de la neumoconiosis y la silicosis padecidas por los trabajadores del carbón producen deterioro respiratorio y pueden provocar la muerte prematura.

Muchos otros tipos de partículas ocasionan desórdenes pulmonares si se inhalan. Entre ellos están las esporas de los hongos y los gases y vapores tóxicos. Aunque muchos de los padecimientos asociados con la inhalación de dichas partículas pueden clasificarse técnicamente como neumoconiosis, son en su mayoría vistas como entidades distintas. Por consiguiente, *el pulmón de granjero* se considera tradicionalmente una neumonía de hipersensibilidad que se desarrolla como resultado de alergia a ciertas esporas de hongos. Otras sustancias, las enzimas de los detergentes y el vapor del poliuretano, por ejemplo, inducen síntomas asmáticos.

Prevención. La mejor manera de prevenir la neumoconiosis es reducir los niveles de polvo a los que cualquier persona está expuesta. Los mecanismos de limpieza pulmonar son muy eficientes por lo común y 99% del polvo que llega a las regiones de intercambio de gases de los pulmones es eliminado. Esto indica que, siempre y cuando la exposición no sea prolongada y severa, es poco probable que se desarrolle neumoconiosis.

neumonía o pulmonía. Enfermedad de carácter infeccioso y febril, producida, principalmente, por diversos grupos de bacterias que causan la inflamación de uno o de ambos pulmones. Si la inflamación se extiende a muchas pequeñas regiones diseminadas en el tejido pulmonar, la enfermedad recibe el nombre de bronconeumonía. Si la inflamación afecta en forma continua a una gran parte del pulmón, se califica de neumonía tobar. Si se extiende a los dos pulmones, recibe el nombre de pulmonía doble. La neumonía es más frecuente en los niños y en las personas de edad avanzada. A las bacterias denominadas neumococos *(Diplococcus pneumoniae)* se debe la mayor parte de las pulmonías. Otras bacterias que también las ocasionan, aunque con menor frecuencia, son los estafilococos *(Staphglococcus aureus)* y estreptococos *(Streptococcus pyogenes).* Hay, también, neumonías atípicas, sumamente graves y contagiosas, producidas por diversos virus, entre ellos el de la influenza. La neumonía es enfermedad que ataca igualmente al hombre de las regiones frías y de las templadas que al de los trópicos. Los síntomas son: escalofríos, tos, expectoración, sanguinolenta o de flema rojo oscuro, fiebre, dolor de costado y elevación del pulso y del ritmo respiratorio. Las mejillas del paciente se enrojecen y las ventanas de la nariz se dilatan al respirar. En el curso de la enfermedad los pulmones se congestionan y los vasos sanguíneos, inflamados, segregan una exudación que se coagula y obstruye los pulmones dificultando la respiración El organismo del enfermo se defiende mediante un proceso de autolisis de las exudaciones y su absorción por el sistema linfático, que los riñones, principalmente, se encargan de eliminar por la orina. Ese proceso se realiza hasta lograr la descongestión del tejido pulmonar para llegar a la convalecencia y la curación total. Pero si ello no se logra y la oclusión pulmonar se extiende entonces puede sobrevenir la muerte por toxemia, colapso cardiaco o complicaciones diversas. La enfermedad dura de una a dos semanas, y a veces se presenta la curación rápidamente, en cuestión de horas. La enfermedad puede iniciarse por un ataque que en ocasiones, suele ser súbito, y en otras, precedido de un catarro mal atendido, influenza y otras afecciones. Desde 1936 comenzaron los médicos a combatir la neumonía con sulfonamidas y derivados, suliatiazol, sulfadiazina y sulfapiridina, y la mortalidad decreció considerablemente. En 1945 al generalizarse la aplicación de la penicilina, el éxito fue aún mayor y, posteriormente, en 1949 la aureomicina vino a unirse al grupo de los antibióticos que combaten con éxito las distintas formas de neumonía. En los casos de neumonía producida por el bacilo de Koch (tuberculosis) se ha usado con eficacia la estreptomicina.

neumotórax. Derrame y acumulación de aire o de gases que se establece en la cavidad pleural. El origen puede ser interno o externo. En el primer caso el neumotórax se ocasiona por la rotura de un foco tuberculoso pulmonar que se abre hacia la pleura. Con menos frecuencia se produce el neumotórax llamado espontáneo que brota en plena salud aparente y que se ocasiona por un quiste congénito (de nacimiento) de los pulmones. Entre los neumotórax externos el más típico es el artificial o terapéutico, originado por la mano del médico, que por medio de una punción inyecta aire, oxígeno o nitrógeno, a través del tórax entre las dos capas de la pleura (visceral o parietal). Este procedimiento, que logra disminuir la capacidad respiratoria al retraerse el pulmón, es uno de los tratamientos que se emplean en la tuberculosis pulmonar.

Neuquén. Provincia argentina situada en el sudoeste: limita al norte con Mendoza, al sur con Río Negro, al este con la provincia de La Pampa y al oeste con Chile. Superficie: 94,078 km^2. Población: 388,833 habitantes. Capital: Neuquén. Físicamente puede dividirse en tres regiones distintas: la occidental montañosa, bien regada y con campos fértiles; la central, sucesión de mesetas y hondonadas; y la oriental, entre los ríos Lima y Neuquén, muy fértil. Tiene importantes riquezas minerales, tales como yacimientos de sal cristalina y carbón, petróleo, minas de cobre, plata, alumbre, azufre, piedra pómez y auríferas. Zona agrícola y ganadera, en que se cultivan trigo, maíz, avena, alfalfa, cebada y árboles frutales; cría de ganado lanar, cabrío, vacuno y caballar. Francisco Villagrán, capitán de Valdivia, fue el primero en llegar a esta región, en 1553, a través de los Andes. Años después los españoles establecieron un fortín donde está hoy Junín de los Andes.

Neuquén. Río de Argentina, en la provincia de su nombre, que nace en la laguna Malbarco, en la zona cordillerana, y después de 450 km de curso se une al Limay para dar origen al río Negro. Arrastra un caudal de 70 m^3/seg. No es navegable; en su curso inferior forma un amplio valle de tierras fértiles y aptas para la agricultura. Sus principales afluentes son el Marbarco, Milla-Millicó, Pichi-Neuquén y Agrio.

neuralgia. Dolor agudo en el área de un nervio sensorial periférico, cuyas causas se desconocen y que no produce cambios morfológicos. Pueden ser muy variadas, pero nos referiremos a dos: la neuralgia del trigémino y la glosofaríngea. La primera puede localizarse en toda o en parte de la zona recorrida por este nervio y sus ramas, o sea alrededor de los ojos, en la mandíbula superior o en la inferior. Se caracteriza por dolor intenso con punzadas breves, que suele desencadenarse con la masticación. Se emplean los antidolorosos a base de aspirina, piramidón, antipirina, etcétera, cuya acción es, por lo general, temporal. Mejor es la inhalación frecuente de tricloroetileno, o la inyección de alcohol de 98% en el nervio. La neuralgia glosofaríngea consiste en un dolor agudo en las partes posteriores de la faringe, la lengua, base de la lengua y oído medio, poco frecuente y de causa desconocida. La medicación suele fracasar, siendo aconsejable tan sólo la insensibilización al dolor mediante cocaína. Lo mejor es la intervención quirúrgica sobre el nervio.

neurastenia. Estado de debilidad o fatiga a consecuencia de un desgaste excesivo de energía nerviosa, con gran postración orgánica y exagerada percepción o hiperestesia. Los neurólogos del siglo pasado decían que era un mal aportado por la civilización, como una consecuencia de la vida acelerada. Pero la realidad es que esta afección ya se conocía en tiempos de Hipócrates. Entonces se le llamaba hipocondría, relacionándola con la tristeza y debilidad del enfermo. Se trata de un desarreglo funcional debido probablemente a un mal funcionamiento del sistema nervioso, que afecta diferentes funciones del cuerpo, predeterminado a veces por herencia o por una tendencia a los desajustes mentales. Intervienen también el cansancio y agotamiento producido por enfermedades, excesos de alcohol y de tabaco, y abusos del ejercicio sobre todo mental. Los síntomas son: dolor de cabeza, malas digestiones, debilidad muscular y nerviosa con fatiga precoz, falta de sueño y tristeza. Hay muchas clases de neurastenia: la forma cerebral, donde predomina la debilidad de la mente con casos de *fobias*; la óptica, cuando está limitada al campo visual; la gástrica, en que se padece un estómago distendido. La neurastenia traumática se da con frecuencia y aparece después de haber sufrido un accidente que produjo una impresión de terror, como por ejemplo, un descarrilamiento o un incendio. La neurastenia es un estado crónico no grave, pero propenso a persistir si no es tratado a tiempo. Muchas veces se confunde con una enfermedad orgánica y hasta la propia familia se burla de un enfermo que cree neurasténico, y que padece en realidad un comienzo de tuberculosis u otros síntomas de pronóstico grave. De ordinario es más atacado el varón entre los 20 y 45 años.

Lo importante para el buen éxito del tratamiento es eliminar la causa esencial; el esfuerzo físico, las preocupaciones y disgustos o, si la hubiere, la intoxicación. Muchos casos se curan sólo con un cambio de ambiente, descanso y régimen de comidas apropiado. El aire libre, paseos que no ocasionen fatiga y acostarse temprano son siempre factores saludables. El médico si lo estima oportuno, recetará algún tónico, la conveniencia de una psicoterápia y aconsejará cuándo se ha de volver a la vida activa. *Véase* NEUROSIS.

neuritis. Inflamación de uno o varios nervios. Puede obedecer a agentes mecánicos (heridas, fracturas, golpes), vasculares (arterioesclerosis, hemorragias), infecciosos (lepra, tuberculosis, difteria), tóxicos (envenenamientos, alcoholismo) y metabólicos (falta de vitaminas, diabetes). Los síntomas de la neuritis son muy variados, siendo los principales, sensaciones de pinchazos, o de quemaduras, debilidad, piel seca y pálida y falta de sensibilidad en las zonas afectadas. La neuritis más que una enfermedad en sí, es acompañante de otras enfermedades que pueden ser la poliomielitis (parálisis infantil), artritis o brucelosis. Por tanto, su tratamiento ha de dirigirse hacia la enfermedad principal, aunque en general puede aliviarse con reposo, radioterapia, y administración de salicilatos, barbituratos o de clorhidrato de tiamina (vitamina B^1).

neurobiología. Estudio de la estructura, función y química de las células nerviosas (neuronas) y sus prolongaciones, encargadas de procesar la información e impulsar la conducta. La información se transmite mediante las neuronas básicamente por señales eléctricas. La comunicación entre las neuronas es mediada principalmente por mensajeros químicos –los neurotransmisores y los neuromoduladores–. La neurobiología se encarga de estudiar las características de las neuronas y de las células de apoyo (llamadas gliales), la naturaleza y generación de las señales eléctricas neuronales, y de la codificación y decodificación de las señales neurales.

Estructura de las neuronas. Estas células no tienen paralelo entre las demás células del cuerpo. Presentan una necesidad absoluta de oxígeno con riesgo de morir en unos cuantos minutos, lo que las diferencia de las otras, capaces de sobrevivir sin oxígeno durante cierto tiempo. Cuando las neuronas mueren o sufren daño no son reemplazadas. Una vez diferenciadas, las células nerviosas no pueden por regla general experimentar división.

Las neuronas se componen de un cuerpo celular de entre 0.01 y 0.1 mm de diámetro. Este cuerpo está rodeado por una membrana formada por la doble capa de un lípido que contiene una variedad de proteínas que cumplen varias funciones relacionadas con la célula.

Las dendritas y los axones se prolongan a partir del cuerpo celular de la neurona. Las dendritas son parecidas a las ramas de un árbol, relativamente gruesas al surgir de la célula, pero divididas y a veces adelgazadas en cada ramificación. Los contactos provenientes de otras neuronas, llamados sinapsis, se realizan básicamente sobre las dendritas. Las membranas dendríticas contienen moléculas receptoras específicas que son activadas por los neurotransmisores o neuromoduladores. La activación de los receptores por parte de los neurotransmisores ocasiona cambios eléctricos en la neurona; la activación por parte de los neuromoduladores, alteraciones bioquímicas en la célula.

Una neurona presenta por lo común un delgado axón que puede prolongarse hasta 1 m. Dicho axón lleva información a otras neuronas o a los músculos. La membrana axonal está especializada en generar y conducir potenciales eléctricos transitorios, llamados potenciales de acción, por todo el axón. Las células gliales envuelven a los axones, formando una capa aislante de una membrana rica en lípidos (mielina) alrededor de éste. La mielina reduce las pérdidas en la corriente eléctrica que va del axón al medio conductor que lo circunda. Los extremos de los axones están extremadamente ramificados, y sus terminales llevan a cabo los contactos sinápticos con las dendritas o los cuerpos celulares de las neuronas contiguas. Las terminales axonales son pequeñas estructuras en forma de bulbos, que contienen numerosas vesículas sinápticas que almacenan el transmisor o el modulador liberado durante la unión sináptica. Cuando un potencial de acción llega a la terminal sináptica, los apéndices se enlazan a la membrana terminal y liberan sus contenidos. El químico se difunde entonces por la neurona contigua, donde activa los receptores correspondientes.

Potenciales eléctricos. Todas las células, incluidas las neuronas, poseen una diferencia de voltaje (potencial) por toda su membrana circundante. Las neuronas tienen por lo regular potenciales autónomos de -70 milivolts (mV) dentro de su célula. En el sistema nervioso, la carga eléctrica es transportada por iones. Los principales responsables de establecer el potencial autónomo de la membrana y de generar señales neuronales son los iones del potasio (K^+), del sodio (Na^+) y del cloruro (Cl^-). Además, pequeñas moléculas orgánicas cargadas negativamente (A^-) balancean los iones con carga positiva que se encuentran dentro de la célula. Los iones están distribuidos sin uniformidad dentro y fuera de las células. Los K^+ y A^- se encuentran en altas concentraciones dentro de las neuronas, mientras que los Na^+ y los Cl^- se concentran fuera de ellas. La membrana que rodea a una neurona es permeable a los iones de manera selectiva. Su permeabilidad está determinada por los canales o poros que la atraviesan. Dichos canales sólo aceptan un tipo específico de iones. En reposo, la membrana es más permeable a los K^+, menos permeable ante los Cl^-, aún menos a los Na^+ e impermeable a las A^-. Un potencial autónomo se establece debido principalmente a que los K^+ pueden moverse de dentro hacia afuera de una célula y las A^- no pueden hacerlo. Los Cl^- y los Na^+ contribuyen relativamente en poco a establecer el potencial autónomo de la membrana celular porque no pueden atravesar ésta con facilidad.

Los iones K^+ se desplazan por toda la membrana a causa de la diferencia entre las concentraciones interna y externa; las sustancias se difunden de un área de mayor concentración a una de menor. Cuando los K^+ abandonan la célula existe una excesiva carga negativa dentro y una excesiva carga positiva fuera, lo que ocasiona la diferencia de voltaje en la membrana celular.

Potenciales de recepción y sináptico. Las neuronas generan de manera activa dos clases de señales eléctricas: los potenciales receptores o sinápticos y los potenciales de acción. Los potenciales receptores o sinápticos, similares, son generados como respuesta al impulso sensorial o sináptico en una célula nerviosa. Estos potenciales provocan la generación de potenciales de acción que llevan la información a lo largo de los axones. Los potenciales receptores y sinápticos son cambios proporcionales de voltaje, es decir, a un mayor estímulo o impulso sináptico le corresponde un mayor potencial provocado por toda la membrana. Los potenciales receptores y sinápticos son resultado de que la membrana que rodea a la célula se vuelva más permeable, permitiendo que principalmente los Na^+ entren a la célula, haciendo el interior más positivo, por lo que el potencial autónomo de la membrana se reduce; a esto se le llama despolarización de la neurona.

Potenciales de acción. Éstos son generados en los axones cuando la membrana axonal se despolariza en unos 15 mV. Son relativamente altos (de aproximadamente 100 a 120 mV), todos tienen más o menos la misma magnitud y son realmente transitorios, pues duran sólo de 2 a 3 milisegundos. Los potenciales de acción codifi-

Neurocirujano operando el cerebro de un paciente..

Corel Stock Photo Library

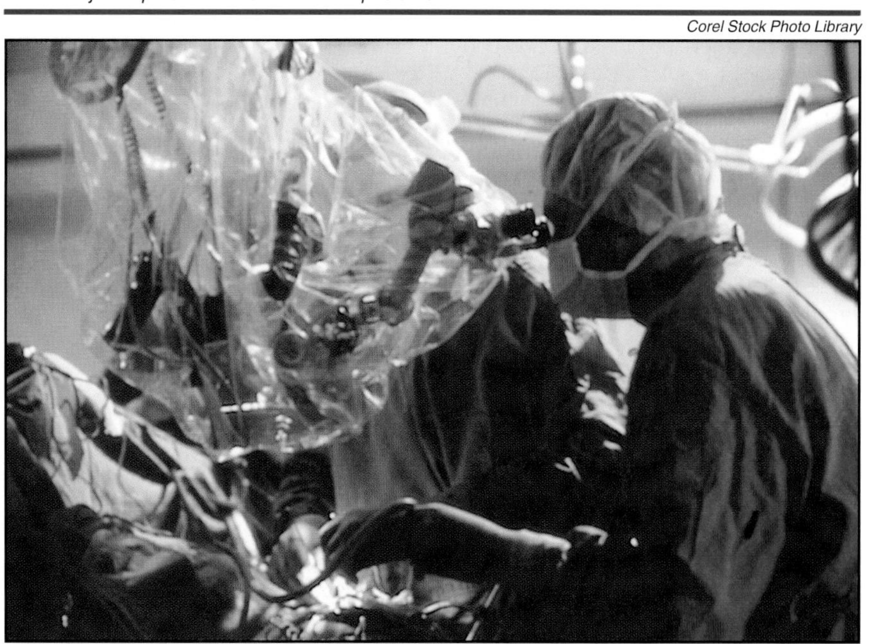

can la información basándose en la frecuencia: mientras más excitada está una célula, mayor número de potenciales de acción son generados.

Los potenciales de acción se forman cuando las proteínas formadoras de canales en la membrana axonal responden ante el voltaje de la membrana. Como la célula se despolariza, el canal se abre, permitiendo que los Na^+ entren en ésta. Los Na^+ que entran causan una mayor despolarización y la apertura de más canales. En poco tiempo todos los canales sensibles al voltaje se abren. Esto causa que el voltaje de la membrana cambie rápidamente de los niveles de umbral (aproximadamente -55 mV) a +50 mV en menos de un milisegundo. Los canales sensibles al voltaje permanecen abiertos durante sólo 1 milisegundo, tras lo cual se cierran y permanecen así durante un tiempo, no importando cuál sea el voltaje de la membrana. Este momento se llama periodo de refracción porque durante él los canales axonales de Na^+ no pueden abrirse, no importando cuál sea el voltaje de la membrana. A medida que los canales de Na^+ se cierran se abren otros que permiten que los K^+ crucen la membrana. Esto permite que los K^+ salgan rápidamente de la célula y restauren el potencial autónomo.

Propagación del potencial de acción. Los Na^+ que se desplazan por la membrana en el sitio donde se genera el potencial de acción fluyen por el axón despolarizando la membrana contigua. Cuando ésta se despolariza en unos 15 mV genera otro potencial de acción. De esta forma se propaga el impulso por el axón. En teoría, la propagación puede ocurrir en ambos sentidos a lo largo de un nervio. En la realidad, el periodo refractario de los canales sensibles al voltaje evita la propagación en ambos sentidos. Como resultado el impulso nervioso se mueve sólo en dirección contraria al cuerpo celular de la neurona.

La velocidad de propagación del impulso nervioso por una fibra es proporcional al diámetro de ésta y depende de si el axón está o no cubierto con mielina. Los axones de los vertebrados están por lo general mielinados, pero los axones de los invertebrados no. En el caso de los axones gigantes de los calamares, que pueden alcanzar 1 mm de diámetro, la velocidad de conducción puede ser de hasta 20 m/seg. Por ejemplo, el axón de un vertebrado de 20 micrómetros de diámetro puede conducir impulsos a 120 m/seg.

En los axones mielinados los canales sensibles al voltaje que ocasionan la generación de potenciales de acción se encuentran sólo en los nodos, entre los tramos de axón cubiertos de mielina. Los potenciales de acción brincan por consiguiente de un nodo a otro (saltación), lo que provoca que la velocidad de transmisión sea mayor que si los potenciales de acción viajaran continuamente por todo el axón. Las más altas velocidades de transmisión de mensajes son esenciales para el complejo procesamiento en el sistema nervioso de los vertebrados.

La sinapsis. Los potenciales de acción que llegan a una terminal sináptica despolarizan la membrana de ésta, causando que los canales de Ca^+ sensibles al voltaje se abran y permitan que el calcio fluya hacia el interior de la terminal. El incremento en los niveles de Ca^+ en las terminales origina que las vesículas sinápticas que almacenan los transmisores o los moduladores químicos se fundan con la membrana terminal y descarguen su contenido dentro de la hendidura sináptica, el espacio entre las neuronas presináptica y postsináptica. Los químicos liberados se difunden por toda la hendidura y se enlazan con las proteínas receptoras que se encuentran sobre la membrana sináptica.

Los neurotransmisores como la acetilcolina, el glutamato, el ácido gamma-aminobutírico (GABA) o la glicina, se enlazan a las proteínas de la membrana que forman canales en las membranas de las células postsinápticas. Los neurotransmisores excitantes (acetilcolina y glutamato) inducen la apertura de los canales que permiten principalmente que el Cl^- entre a la célula; aquéllos despolarizan la célula haciéndola más negativa en el interior y disminuyendo la posibilidad de que genere un potencial de acción.

Los neuromoduladores como la norepinefrina, la dopamina, la serotonina y varios neuropéptidos, interactúan con las proteínas de la membrana que activan los sistemas enzímicos intracelulares. Las moléculas *mensajeros segundos* son sintéticos que se difunden dentro de la célula y activan las cinasas, enzimas que activan o inactivan las proteínas al agregarles un grupo de fosfatos. Dichas cinasas pueden influir en los canales, en otras enzimas o en los factores de transcripción dentro del núcleo que alteran la transcripción de los genes. Los cambios a largo plazo en el sistema nervioso, como la memoria y el aprendizaje, son probablemente el resultado de la activación de dichos caminos de los mensajeros segundos.

Vista microscópica de una neurona.

Corel Stock Photo Library

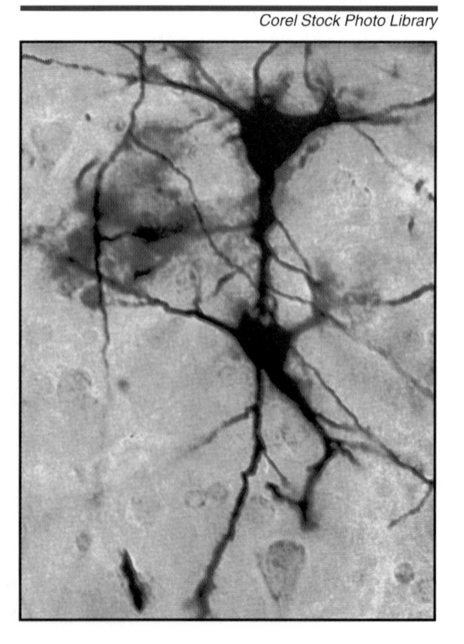

La acción sináptica termina de varias maneras. La acetilcolina es descompuesta en sus constituyentes por la enzima acetilcolinesterasa. En otras sinapsis, el transmisor o modulador es rápidamente devuelto a la terminal por proteínas transportadoras localizadas en la membrana de ésta.

Drogas e inhibidores. Las sinapsis son muy vulnerables de ser trastornadas, y la mayoría de las drogas que afectan al sistema nervioso hacen justamente eso: alteran o bloquean la transmisión sináptica en varias formas. Altos niveles de magnesio interfieren en el flujo de calcio, mientras que la toxina botulina bloquea la fusión de las vesículas sinápticas con la membrana presináptica; ambos agentes evitan que los neurotransmisores o los neuromoduladores se liberen. El curare y la alfa-bungarotoxina, un componente del veneno de las serpientes, bloquean los receptores postsinápticos en la sinapsis de acetilcolina. La eserina inhibe la enzima que descompone la acetilcolina tal como lo hacen los fosfatos orgánicos, principales constituyentes de los insecticidas y los gases nerviosos. La cocaína interfiere con el transportador que devuelve la dopamina a las terminales nerviosas, y el hidroclorato de fluoxetina (*Prozac*) inhibe al transportador de serotonina.

neurología. Estudio de la anatomía, fisiología y patología del sistema nervioso. Un neurólogo es en términos generales un médico especialista en enfermedades del sistema nervioso. Esta especialidad coincide hasta cierto grado con la disciplina psiquiátrica ya que los desórdenes neurológicos producen a menudo los síntomas de los trastornos mentales.

neurona. Nombre de cada una de las millones de células individuales cuyo conjunto forma el sistema nervioso. La neurona consiste en un núcleo rodeado de protoplasma. Tiene prolongaciones filiformes, una de las cuales llamada *axon* o *cilindroeje* es más larga que las demás. Las prolongaciones cortas reciben el nombre de dendritas. Las neuronas están en contacto entre sí por medio de sus dendritas y axones. La función de las dendritas es la de transmitir estímulos e impulsos al interior de la neurona; la del axon se ejerce en sentido inverso, o sea de la célula al exterior de la misma. Las neuronas se unen para formar los nervios y los centros y ganglios del sistema nervioso, mediante el cual se perciben y transmiten las sensaciones, los estímulos y movimientos. *Véase* NERVIOS Y SISTEMA NERVIOSO.

neurosis. Afección nerviosa que no depende de ninguna lesión y es de carácter leve. Después de un gran susto o disgusto puede iniciarse una neurosis. El cuadro clínico puede ser muy diverso, pero se caracteriza por dolor de cabeza, voluntad débil, pérdida de las ganas de trabajar y sueño alterado. Muchos hombres y mujeres que padecen síntomas de neurosis, realizan su trabajo diario y cuando acuden al médico a causa de sentir malestar general o dolores en algún órgano, el facultativo no les encuentra lesión alguna. La neurosis se descubre entonces por sí misma. La personalidad mental de los neuróticos sufre una serie de reacciones nerviosas, silenciosas muchas veces, suscitada por el ambiente que los rodea. Entre ellos se cuentan jóvenes imaginativos que aspiran a ganar con facilidad una posición en la vida, haciendo volar su fantasía sin tener en cuenta los problemas de la realidad diaria. Estos casos caen con facilidad en la neurosis. Otras veces son sentimientos de odio o envidia, que llevan a una preocupación excesiva y a la creación artificial de síntomas patológicos molestos y persistentes, pero que no responden a una situación grave. El mal puede agravarse si los familiares, los amigos y el ambiente mantienen un estado de agresión contra los gustos y la conducta del neurótico. La ciencia médica admite la predisposición de determinados individuos a padecer neurosis. Hay varias clases de neurosis: de ansiedad, donde predominan los presentimientos tristes; profesional, cuando se siente desgano total para el trabajo; de situación, cuando el sujeto vive con una idea obsesiva, desaparecida la cual de su ambiente recobra la normalidad; de guerra, y otras menos importantes. Como tratamiento es útil el método de la persuasión, convenciendo al paciente de que su afección no es grave y puede curarse. Medicamentos sedantes ayudarán al restablecimiento. Sigmund Freud a principios del siglo XX estableció que existen cuatro tipos de neurosis principales: fobias, como el miedo a las alturas, a los espacios cerrados, a objetos o a animales específicos; de angustia, que se manifiesta por una ansiedad excesiva ante situaciones cotidianas; histérica, que se manifiesta principalmente en problemas de pareja; y obsesiva. El padre del psicoanálisis demostró que todo ser humano presenta rasgos de neurótico. Existe un número de tratamientos entre los que destacan el psicoanálisis en sus vertientes freudianas o lacanianas que buscan la curación del paciente. Terapias que en corto tiempo hacen desaparecer los síntomas perturbantes y técnicas psiquiátricas que llegan a utilizar sedantes.

neurotransmisor. Sustancias químicas liberadas en el cerebro durante la comunicación entre neuronas. Los neurotransmisores funcionan como mediadores en las interacciones sinápticas excitantes o inhibitorias rápidas (duran de milisegundos a segundos) al alterar el flujo de iones a través de la membrana celular. Entre ellos se encuentran la acetilcolina, empleada en todas las sinapsis neuromusculares de los animales vertebrados; los aminoácidos glutámico, principal neurotransmisor excitante; y el ácido gamma-aminobutírico y la glicina, los neurotransmisores inhibitorios más importantes. Los neuromoduladores inducen cambios lentos (que van de minutos a más) alterando las vías bioquímicas, y son mediadores en los estados afectivos y de alerta del cerebro. Entre ellos se incluyen las monoaminas dopamina, norepinefrina y serotonina, así como los neuropéptidos sustancia P, somatostatina y el polipéptido vasoactivo intestinal. Es probable que la esquizofrenia sea causada por un exceso en los niveles de dopamina en ciertas sinapsis en el cerebro, y la depresión por una deficiencia de serotonina en ciertas sinapsis. El alcohol y los tranquilizantes compuestos de benzodiacepina (*Valium*) alteran la transmisión sináptica inhibitoria, con lo que afectan los estados mentales. *Véase* NEUROBIOLOGÍA.

neutralidad. Acción y efecto de mantenerse ajeno entre dos partes que disputan. En derecho internacional es neutral un Estado que permanece al margen de un conflicto. Por lo general, los Estados que permanecen neutrales son países relativamente débiles y pequeños de escasa potencialidad bélica o cuya situación geográfica les permite mantenerse al margen de la contienda, o países grandes que se hallan alejados de los frentes de combate. De otra parte, a todos los beligerantes les interesa la existencia de países neutrales, ya que, a través de ellos, pueden intentarse negociaciones y otras actividades, como los canjes de prisioneros, susceptibles de acortar y suavizar las violencias de la guerra. Otras veces, los Estados neutrales actúan como frenos o amortiguadores de conflictos ya que hallándose enclavados en puntos estratégicos o entre potencias poderosas contribuyen, con su situación, a evitar incidentes. De ahí que, muchas veces, tales Estados sean, más que neutrales debido al juego de convenios que buscan el equilibrio político de la comunidad internacional. Los derechos de que goza un país neutral cuando se declara una guerra son, en síntesis, los siguientes: 1) inviolabilidad de su territorio; 2) independencia en el ejercicio pleno de su soberanía, como en los tiempos de paz; 3) mantenimiento, en lo posible, de relaciones amistosas con todas las potencias que se hallan en lucha; 4) libertad de comercio pacífico con los beligerantes, exceptuando, como es lógico, el contrabando de guerra. Contrariamente, sus obligaciones se concretan a: 1) abstención rigurosa de cometer actos de hostilidad o auxilio a uno cualquiera de los contendientes; 2) prohibición de reclutar y proporcionar tropas a los países en guerra; 3) no suministrarles tampoco armas, municiones o pertrechos de guerra, incluso materias primas con las que puedan fabricarlas o construirlas; 4) impedir que alguno de los beligerantes aproveche la situación privilegiada del territorio del país neutral para dedicarse al ejercicio de actividades que puedan influir en el desarrollo de la guerra. El estado de neutralidad era ya conocido de los pueblos antiguos; las leyes de Manú mencionan las posiciones que un rey puede adoptar en caso de guerra, señalando las de amigo, enemigo o neutral; en la Edad Media, el Romano Pontífice decidió con su intervención numerosos conflictos; en la Edad Moderna, por medio de pactos y tratados se creó una copiosa jurisprudencia diplomática en favor de ciertas neutralidades (Suiza, las islas Jónicas, el Congo y hasta la propia Bélgica). Pero el enorme poder de las armas de combate actuales, así como sus radios de acción prácticamente ilimitados, han demostrado la poca eficiencia de pactos y convenciones, aun para proteger a indefensas poblaciones civiles compuestas de ancianos, mujeres y niños, sobre las que caen, por los terribles bombardeos aéreos, todas las consecuencias de la guerra. El poder destructor de las armas aéreas y submarinas anula el efecto de las convenciones internacionales, como sucedió con las mortíferas bombas cohete *V-I* y *V-II* que podían ser lanzadas desde Francia y llegar al corazón de Londres con absoluta impunidad.

neutralización. Es el proceso por el cual se combinan un ácido y una base formando agua y una sal. La solución salina resultante es generalmente neutra, pero puede ser ligeramente ácida o ligeramente básica. Todos los ácidos y bases en solución se ionizan, es decir, se separan en partículas llamadas iones. Todos los ácidos originan hidrogeniones y todos los álcalis hidroxiliones. Estos iones son los que se unen originando moléculas de agua; son, pues, ellos responsables del proceso de neutralización, ya que los iones que quedan libres se combinan formando la sal. La reacción de una solución se conoce mediante el uso de indicadores, por ejemplo el papel tornasol, que es rojo en medio ácido y azul en medio alcalino, en medio neutro conserva su color. La neutralización es una de las más importantes reacciones en la industria y el análisis químico.

neutrón. Una de las partículas que, junto con los protones, constituyen el núcleo del átomo. El neutrón es un poco más pesado que el protón, pero no tiene carga eléctrica alguna. Fue descubierto por el físico inglés sir James Chadwick, en el año 1932, mediante la desintegración del núcleo del berilio por bombardeo con partículas alfa. Debido a que el neutrón no es afectado por el campo eléctrico de los núcleos atómicos, se utiliza con ventaja en las investigaciones de desintegración atómica y permite un mejor estudio de la estructura nuclear.

neutrones, bomba de. Pequeña bomba de hidrógeno que mata mediante irradiación letal y no por ondas de choque. Una explosión nuclear libera una fuerza energética en forma de radiación nuclear, radiación térmica o calor, y ondas de choque. La radiación nuclear, que incluye las radiaciones alfa, beta y gamma al igual que neutrones, puede incrementarse respecto de las otras fuerzas al modificar el diseño de la bomba. En la bomba de neutrones, también conocida como bomba de radiación aumentada (RA), el número de neutrones emitidos es de seis a diez veces mayor que el de una bomba nuclear convencional de la misma capacidad de explosión. Debido a que los neutrones son partículas sin carga, viajan grandes distancias a través de la materia, hasta que son detenidos o retardados, la mayoría de las veces por colisiones con átomos ligeros. Los seres humanos son susceptibles de ser heridos por la radiación de neutrones porque las moléculas de agua del cuerpo contienen el átomo más ligero, el de hidrógeno. Las estructuras, además de tener átomos más pesados, no pueden sufrir cambios biológicos y por lo tanto no son tan proclives a alteraciones provenientes de su contacto con los neutrones. Una bomba que genera neutrones con un rango letal o incapacitante mayor que su capacidad de originar efectos térmicos y de presión, por ende, será más dañina a los seres humanos que a las estructuras.

El concepto de RA alcanzó notoriedad a mediados de la década de los setenta. Ante la posibilidad de contrarrestar la superioridad soviética en el caso de una invasión a Europa occidental, los países de la OTAN, conducidos por Estados Unidos, buscaron un medio de defensa efectiva. El deseo de reducir al mínimo la pérdida de vidas y propiedades de los países invadidos, mientras se repele al enemigo de sus territorios, hizo ver a la ojiva de neutrones, montada en un misil de corto alcance o en un proyectil de artillería, como el arma indicada para el campo de batalla, especialmente para ser empleada contra los tanques.

El presidente de Estados Unidos, Jimmy Carter, adujo que en caso de guerra más gente moriría por el uso de las 7,000 ojivas nucleares tácticas desplegadas entonces en Europa que por el uso de ojivas de neutrones; en vista de que las armas tipo RA podrían ser usadas con menos vacilación, éstas fueron vistas como un medio más creíble para disuadir a la antigua URSS de una agresión. Carter aprobó en 1978 la producción de componentes tipo RA, pero las protestas de los grupos pacifistas y de los dirigentes políticos europeos de los países donde las armas serían apostadas lo persuadieron de detener el ensamble de éstas.

El sucesor de Carter, Ronald Reagan, ordenó en 1981 el montaje completo de ojivas tipo RA en proyectiles de artillería y misiles *Lance* de mediano alcance, y su almacenamiento. Sin embargo, la enardecida oposición contra su medida impidió el despliegue de éstas en territorio europeo. La propuesta que hizo el presidente George Bush en 1991, de desechar todas las armas nucleares tácticas apostadas en tierra, incluyó la destrucción de algunas ojivas de neutrones almacenadas. *Véase* NUCLEARES, ARMAS.

neutrones, estrella de. Astro de gran densidad, extremadamente pequeño, compuesto de neutrones fuertemente compactados. La existencia de las estrellas de neutrones fue postulada por primera vez en 1932, cuando Lev Landau indicó que podía existir un estado de la materia estable sólo a altas densidades. Walter Baade y Fritz Zwicky propusieron en 1934 que la explosión de una supernova podría dejar residuos en forma de una estrella formada en su mayor parte por neutrones, el estado estable vislumbrado por Landau. En 1968 se supuso que los pulsares, descubiertos en 1967, eran estrellas de neutrones en rotación, propuesta ampliamente aceptada en la actualidad. El corto periodo y la regularidad de las pulsaciones indicaban que se trataba de una estrella pequeña, masiva, del tipo predicho por la teoría. Las estrellas de neutrones tienen masas de alrededor de una masa solar y radios de unos diez kilómetros. Se cree que su densidad promedio es de cerca de 10^{14} veces la del agua.

Vista nocturna de un casino en Las Vegas, Nevada.

Corel Stock Photo Library

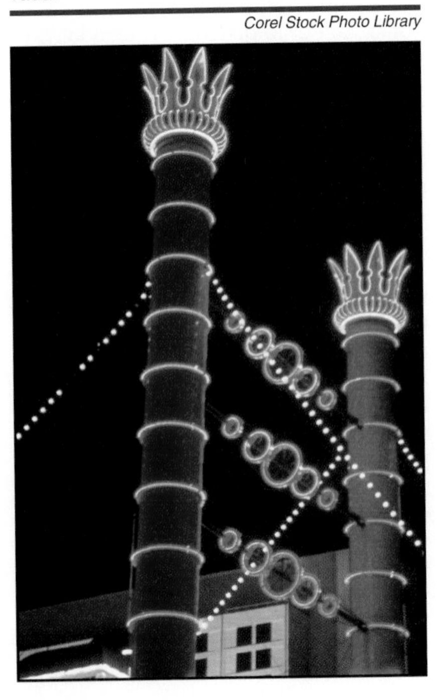

Se cree que las estrellas de neutrones tienen una corteza sólida, compuesta quizás de hierro cristalino. Dentro de la corteza existe posiblemente una coraza sólida rica en neutrones y más adentro se encuentra quizás un material superfluido. Se piensa que los ligeros cambios repentinos que las estrellas de neutrones muestran en su periodo de rotación son producidos por pequeños cambios repentinos en la estructura de la estrella.

Debido a su identificación con los pulsares, se cree que las estrellas de neutrones en rotación tienen campos magnéticos extremadamente fuertes, del orden de 10^{12} gauss (en contraste con un campo de 0.2 gauss sobre la Tierra y unos pocos cientos de gauss en las manchas solares). Este campo debe de estar relacionado con la radiación de las ondas de radio de los pulsares, pero la manera exacta en que esto ocurre no se ha entendido aún.

Neva. Río de la ex-Unión Soviética que nace en el lago Ladoga y desemboca en el Báltico por la bahía de Cronstadt. Es un río de curso muy corto, pues sólo mide unos 70 km; pero muy caudaloso porque arrastra las aguas de los lagos Ladoga, Ilmen, Onega y otros de menor importancia. Su anchura oscila entre 1,300 y 60 m, su profundidad entre 6 y 14 m. El curso navegable del río está interrumpido por algunos rápidos. Para obviar ese obstáculo se ha construido un canal lateral. La importancia de este río ha aumentado mucho desde que se construyó un canal que une los mares Báltico y Blanco a través del lago Ladoga y otro sistema de canalización que lo conecta con el río Volga, y que une por la vía fluvial al Mar Báltico con el Mar Caspio. El río Neva se hiela durante cinco meses del año. Atraviesa San Petersburgo, la antigua Leningrado.

Nevada. Es conocido por su clima desértico y por sus casinos. Limita con California en el sur y en el oeste, con Oregon e Idaho en el norte, y con Arizona y Utah en el este. Superficie: 286,368 km2. Población: 1.457,000 habitantes en 1994. Su capital es Carson City (40,443 h, 1990) y la ciudad más grande es Las Vegas (296,000 h. 1992).

Tierra. Aparte de la Sierra Nevada en el extremo oeste y la Meseta de Columbia en el norte, Nevada se extiende totalmente dentro del Gran Valle, una meseta de aisladas montañas separadas por valles desérticos. El promedio de elevación es de 1,676 m. Las menores y mayores elevaciones se encuentran a lo largo del Río Colorado y sobre Boundary Peak. Se extienden valles entre las montañas a grandes altitudes, normalmente de 1,200 a 1,800 m. La topografía de Nevada refleja una compleja historia geológica inestable.

Hidrografía. Aparte del Río Colorado que fluye por el suroeste del estado y del río Columbia que lo hace por el norte, Nevada sólo tiene unos cuantos pequeños ríos permanentes. El río Humdoldt (467 km) es el más largo del estado. El Carson, el Truckee, y el río Walter drenan el este de las faldas de la Sierra Nevada. Tiene más de 200 lagos y muchos de ellos son pequeñas reservas de agua. El lago Mead y el lago Tahoe son los más grandes.

Clima. Por su ubicación en la Sierra Nevada se convierte en el estado más seco del país. Las precipitaciones promedio son de 229 mm, varían desde 76 mm en el sur a 737 mm en la Sierra Nevada. La mayoría del agua proviene del deshiele. Las montañas de Nevada tienen un clima con características continentales: extremadamente frío en invierno y muy caluroso en verano. El aire seco y los cielos despejados provocan una temperatura diurna de 20 °C en los valles. El sur de Nevada tiene un clima subtropical desértico, con temperaturas en julio de 30 °C y en enero de 6 °C. En el norte el invierno es más frío, las temperaturas no sobrepasan los 0 °C y en julio llegan a los 22 °C. Normalmente no llueve en el verano pero suele nevar desde octubre hasta mayo.

Vegetación y vida animal. La planta más común es la artemisa. En la montaña abunda el pino. En el estado habitan los ciervos, el coyote, la liebre americana, varios roedores y caballos salvajes. Son abundantes la alondra de los prados, las palomas, los faisanes, los pájaros azules de la montaña y la migración de aves acuáticas. Más de 50 especies de reptiles se pueden encontrar en el desierto.

Recursos. El espacio abierto es abundante; sólo 20% de la tierra es privada y mucha de la tierra pública no está cultivada. El agua está parcialmente distribuida en toda la comunidad, especialmente en las zonas agrícolas. Los mayores recursos son los minerales (oro, plata, cobre, litio, mercurio, tungsteno, etcétera).

Actividad económica. La economía del estado fundamentada en la minería, carreteras y ganadería, ha cambiado drásticamente desde la Segunda Guerra Mundial.

Corel Stock Photo Library

Pyramid Lake, Needles, Nevada.

La necesidad por una industria que requiera poca cantidad de agua hizo que se legalizaran las casas de juego en 1931, facilitando la llegada de turismo al estado. Las industrias de servicio hoy en día cuentan con 85% del grueso del producto del estado.

La ganadería, ganado de res con algún ganado lanar y lechero, determina la mayor parte de las ventas de la agricultura. El ganado pasta en el monte abierto. Los principales producciones agrícolas son: Trigo, patata, alfalfa, algodón, etcétera. Es un importante productor de minería, liderando en el país en la producción de oro, barita, plata y mercurio. Otros minerales son: cobre, litio, hierro, etcétera.

Tiene un sector manufacturero limitado, contando con 5% del grueso del producto estatal. Los productos principales son los químicos, comida procesada, productos plásticos, hierro, vidrio, etcétera. La mayoría de las firmas están localizadas en las grandes áreas urbanas. Henderson, cerca de Las Vegas, es el centro de la industria pesada.

Turismo. Es la industria que genera el mayor ingreso del estado, atrayendo a 30 millones de visitantes al año debido a las facilidades del juego, a la belleza natural y a las convenciones que se realizan en Las Vegas y Reno. Las zonas de juego están ubicadas en Las Vegas, Reno y el lago Tahoe, pero se pueden encontrar casinos en muchas ciudades. La legislación liberal del estado para el matrimonio y el divorcio atrae a los no residentes. El atractivo más conocido son los clubes nocturnos junto con los hoteles-casino. Los eventos para los turistas incluyen rodeos, automovilismo, cacería, pesca, etcétera.

Nevada, Sierra. Macizo del Sistema Penibético situado en las provincias de Granada y Almería (España). Constituido por una masa de pizarras cristalinas y metamórficas, ceñidas por calizas secundarias, surge entre la zona de las hoyas penibéticas y la exuberante vegetación de la vega de Granada, desde la que presenta un majestuoso aspecto. Comienza en el Cerro Montenegro (Almería), entra en Granada y sigue una dirección predominantemente oeste hasta el Suspiro del Moro, donde da vista a la vega granadina. Sus cumbres gemelas del Mulhacén (3,481 m) y del Veleta (3,470 m) son las mayores elevaciones de la península, pero cuenta con otras varias crestas y picachos que alcanzan más de 3,000 m. La sierra sorprende por su extrema aridez y, a partir de los 2,800 m, toma un carácter alpino. Al sur se extiende la región conocida con el nombre de las Alpujarras. La sierra es divisoria hidrográfica importante, sus aguas alimentan varios ríos, entre ellos el Genil y aseguran la fertilidad de la vega.

nevera. *Véase* REFRIGERACIÓN.

neviza. *Véase* GLACIAR.

Nevski, Alejandro (1220-1263). Príncipe y héroe ruso, hijo de Jaroslav II, gran duque de Rusia. En 1240 regía el principado de Novgorod, uno de los que formaban el conglomerado de tierras rusas, todavía con sentido rudimentario de la nacionalidad. Improvisó un ejército con el que derrotó a los invasores suecos, daneses y a los caballeros de la Orden Teutónica y les dio el golpe de gracia llevando los restos de los ejércitos vencidos a concentrarse sobre la capa de hielo de los lagos. Ésta cedió tragándose hombres y cabalgaduras. Nevski, aclamado y vitoreado, dio a su triunfo el sentido de una victoria debida a la naciente unidad y fuerza rusa. La Iglesia rusa lo canonizó y Pedro el Grande construyó, en el siglo XVIII, un monasterio en el lugar en que se desarrolló la batalla del Neva, e instituyó la orden de los caballeros de San Alejandro Nevski.

Newark. Ciudad y puerto de Estados Unidos, en el estado de Nueva Jersey. Está situada en la desembocadura del río Passaic, y tiene unos 275,221 habitantes (1994). Prósperas industrias siderúrgicas, curtidurías, de tejidos, aparatos eléctricos, maquinarias, pinturas y productos químicos. Hermosos alrededores y sede de la célebre Universidad de Rutgers. Fue fundada en 1666 por una colonia de puritanos.

Newbery, Jorge (1875-1914). Aeronauta y aviador argentino. Se graduó de ingeniero en Estados Unidos y sobresalió en distintos deportes. De regreso en Buenos Aires conquistó en 1901 el campeonato de esgrima a florete. En 1907 se dedicó a la aerostación y efectuó ascensiones en globo en las cuales bate el récord en 1909. En el año siguiente, al llegar a Argentina los primeros aviones, obtuvo licencia de piloto y marchó a Europa para obtener máquinas de mejor calidad. En una de ellas consiguió batir el récord mundial de altura. Cuando preparaba la travesía de la cordillera andina, en un vuelo de prueba, tuvo la desgracia de caer y encontrar la muerte en Mendoza. Es considerado en Argentina como el principal precursor de la aviación.

Newcastle (upon-Tyne). Puerto y ciudad de Inglaterra, a 11 km del Mar del Norte, capital del condado de Northumberland. Es el centro de la producción carbonífera del país y sus principales industrias consisten en fábricas de locomotoras, maquinaria pesada y astilleros. Población: 279,625 habitantes (1995). Es una de las más antiguas ciudades inglesas: la fundaron los romanos durante su ocupación, y al crecer, con el curso de los años, tomó su nombre del nuevo castillo (Newcastle) que allí construyó en el siglo XI, Robert, hijo de Guillermo el Conquistador. Aún se mantiene en pie esta construcción, con torres de gran altura y murallas de 3 m de espesor que fue obra extraordinaria en su tiempo. La ciudad se ha modernizado, embellecido y es de las más atrayentes del norte de Inglaterra.

Newcomb, Simon (1835-1909). Astrónomo estadounidense y profesor de matemáticas y astronomía en Washington y Baltimore. Abordó casi todas las ramas de la mecánica celeste y dirigió la construcción del gran telescopio del observatorio astronómico de la marina, en Washington.

Hizo interesantísimas investigaciones sobre la Luna y los planetas, y sus trabajos sobre Saturno y Urano le valieron la medalla de oro de la Sociedad Astronómica de Londres.

New Deal. Programa de vastos alcances políticos, económicos y sociales, puesto en práctica por el presidente de Estados Unidos , Franklin Delano Roosevelt, al asumir el poder en 1933, a fin de superar la gran crisis económica que había comenzado a manifestarse en 1929. El *New Deal* (Nuevo Trato) consistió en una política de restablecimiento industrial, fomento de las obras públicas, facilitación de créditos, aumento del poder adquisitivo del consumidor, etcétera, todo ello para reactivar la economía del país mediante la aplicación de medidas sociales y económicas de vasto alcance. Para realizar esta obra comenzó por rodearse de hombres competentes, formando lo que se denominó *brain trust* (*trust de los cerebros*). Fueron partes de este programa la creación de la FERA *(Federal Emergency Relief Administration)* para contribuir con fondos federales a aliviar la situación de los obreros sin trabajo; la WPA *(Works Progress Administration)*, que contrataba trabajadores, con arreglo a distintas escalas de sueldo, para la construcción de carreteras, escuelas, parques, aeropuertos, etcétera; la SSB *(Social Security Board)*, organismo de seguridad social, que creó una organización de seguro contra el paro, con carácter federal; la NIRA *(National Industrial Recovery Act)* que comprendía una extraordinaria serie de aspectos económicos y sociales, entre los que se destacaban el intento de recuperación industrial y el establecimiento de la justicia social; la NIRA disminuyó la jornada de trabajo para dar ocupación a mayor número de personas y fijó determinadas garantías para los obreros de las que antes no disfrutaban, invirtió la suma de 3,300 millones de dólares en obras públicas y en 1935 fue calificada de inconstitucional por la Suprema Corte.

Cascada Franconia *en New Hampshire, EE.UU.*

Corel Stock Photo Library

New England. Región en el extremo noreste de Estados Unidos que comprende los siguientes seis estados: Maine, Vermont, New Hampshire, Massachusetts, Connecticut y Rhode Island. Las características geográficas y climatológicas y la carencia de productos naturales codiciados, desalentaron la explotación de New England en los primeros años de la colonización, pero contribuyeron admirablemente a atraer a la región refugiados políticos y religiosos que, por encima de todo, anhelaban libertad. New England estuvo bajo el gobierno de la Compañía de la Bahía de Massachusetts hasta que fue convertida, en 1679, en una provincia de la corona inglesa. Las guerras entre los franceses y los indios beneficiaron a los colonizadores de New England, que jugó un papel importante en la Revolución de los años 1765-1777. Tras un periodo de desorganización, la base de la prosperidad de New England se debió a la energía con que emprendió la explotación de sus riquezas naturales y a su expansión comercial. De los puertos de New England zarpaban barcos que cruzaban todos los océanos del mundo. Uno de los primeros ferrocarriles de Estados Unidos fue construido en 1826 en New England, para llevar bloques de granito desde las canteras de Quincy hasta la costa. New England es llamada *la Suiza de Estados Unidos* a causa del espíritu de independencia intelectual de sus primeros colonizadores y por el vigor y energía que demostró en los periodos revolucionarios. Su superficie es de 173,500 kilómetros cuadrados.

New Hampshire. Se encuentra en la zona norte de Nueva Inglaterra entre Maine al este y Vermont al oeste. Su frontera sur le proporciona 29 km de costas sobre el Atlántico, y además limita con Massachusetts, y su frontera norte alcanza en una pequeña extensión a la provincia canadiense de Quebec. Su extensión territorial es de 24,043 km2 y está ampliamente cubierta de bosques. Su nombre se deriva del condado de Hampshire, Inglaterra, donde el capitán John Mason, fundador y primer propietario de la colonia, fue gobernador de la ciudad inglesa de PortsMouth, en cuyo honor se llamó al único puerto de

New Hampshire. La capital del estado es Concord con 36, 006 habitantes (1990) y su ciudad más grande es Manchester con 99,567 habitantes (1990). Población: 1.137,000 habitantes (1994).

Tierra y recursos. Topograficamente la característica más evidente del estado son las White Mountains, cuyos 86 picos, en la parte central norte del estado son las montañas más altas en el noreste de Estados Unidos. Once picos en el condado Coos, cinco de ellas de más de 1.6 km sobre el nivel del mar, forman el Presidential Range, que culmina con el monte Washington de 1,917 m.

Los principales recursos del estado en la actualidad son sus escenarios y el potencial recreativo de sus colinas, montañas, bosques, lagos y océano. Sus recursos forestales proveen de materiales de construcción, pulpa de madera y leña. Existe un importante potencial de poder hidráulico en el estado. New Hampshire ha capitalizado sus recursos minerales limitados, principalmente granito, feldespato y mica. Sus recursos costeros incluyen peces de agua salada y crustáceos, especialmente langostas.

Hidrografía. El río Connecticut nace de los tres lagos Connecticut en el condado Coos y drena casi la totalidad del estado. Hacia éste hay dos sistemas de irrigación -el Androscoggin y el Saco- que fluyen hacia la frontera con Maine, alimentando al río Androscoggin. Hacia el sur de la zona de White Mountains, se forma una amplia zona de lagos, siendo el más grande el lago Winnipesaukee, de donde nace el río Merrimack, que drena la porción central sureña del estado hacía el Atlántico.

Clima. Es más frío en las tierras altas del norte en comparación con la mitad sureña del estado. Las temperaturas en enero varían de -12 °C en el extremo norte hasta -6 °C en el sur. Las temperaturas durante julio oscilan entre 16 °C en el norte hasta 21 °C en el sur. La precipitación anual promedia desde los 914 mm en Hanover hasta los 1,067 mm en Durham, y mucha de esta precipitación se transforma en nieve.

Vegetación y vida animal. El estado generalmente está cubierto por una mezcla de maderas duras y de vegetación perenne. Los árboles más abundantes son los arces y los abedules. El pino blanco predomina al sur de las White Mountains, y los abetos y pinos en el norte. Los animales salvajes más comunes incluyen venados, osos blancos, alces, gatos monteses, castores, ratas almizcleras, minks, zorros rojos, mofetas, mapaches, puercoespines y ardillas. Las martas, en alguna ocasión importante fuente de pieles, casi han desaparecido. Los lagos, de los cuales más de 200 son proveidos artificialmente con trucha y salmón, además contienen percas, bagres y lobinas. Se han registrado más de 300 especies de aves.

Corel Stock Photo Library

Vista panorámica del monte Washington en New Hampshire.

Actividad económica. Durante la década de 1960 las industrias del calzado, madera y textil declinaron en productividad y empleo, mientras que la electrónica, comunicaciones y servicios se han incrementado. Las principales industrias producen maquinaria no eléctrica, productos eléctricos y electrónicos, calzado, instrumentos científicos, productos metálicos, materiales impresos y plásticos. Más de 20% de la fuerza laboral no agrícola se emplea en la manufactura. El único centro industrial importante al norte de White Mountains es Berlin, cuya principal industria es la del papel y la pulpa.

La electricidad del estado se genera por plantas de carbón y por hidroeléctricas. La unidad I de la planta nuclear en Seabrook se terminó en 1986 e inció operaciones en 1990.

Turismo. Actualmente es el segundo sector más importante en la economía de estado, y entre los atractivos vacacionales más importantes están las White Mountains, el lago Winnipesaukee, las playas de la costa y Portsmouth. Los deportes acuáticos atraen a muchos visitantes anualmente, y el estado también cuenta con importantes parques recreacionales.

A pesar de que la agricultura no es tan importante en la economía del estado, los productos lácteos y la agricultura son importantes, y también los ganados vacuno, lanar y caballar. Las principales cosechas son de manzana y heno, aun cuando también son importantes el maíz, los duraznos y la miel de arce.

La minería es una actividad económicamente pequeña, destacando el granito, la arena, la grava y el cuarzo. Los bosques cubren cerca del 85% del estado. La industria maderera así como la pulpa y el papel son los renglones industriales más importantes basados en recursos naturales propios.

New Jersey. Situado en la zona media atlántica, entre New York en el norte y este y Pennsylvania y Delaware en el oeste, ocupa una península bordeada por los ríos Delaware y Hudson. La frontera norte del estado es sólo un límite artificial. En el su-

Iglesia presbiteriana en New Jersey.

Corel Stock Photo Library

Corel Stock Photo Library

Vista del centro de New Jersey.

reste, el océano Atlántico provee de una atractiva y popular zona de descanso. La parte más estrecha del estado es un corredor entre la ciudad de New York y Philadelphia. Superficie: 21,277 km^2. Población: 7.945,000 habitantes en 1995. La capital es Trenton (88,675 h, 1990) y la ciudad más grande es Newark (259,000 h, 1994). Llamado así en honor a la isla de Jersey, una de las islas británicas, New Jersey fue la tercera de las trece colonias en anexarse a la Unión. Su capital Trenton fue lugar de la primera victoria decisiva de la revolución estadounidense en 1776.

Tierra y recursos. New Jersey presenta una diversidad de terrenos poco usual tomando en cuenta su limitada extensión territorial. Está integrada por la planicie costera del Atlántico y por las tierras altas de los montes Apalaches, dos de los principales tipos geográficos norteamericanos.

La zona sur del estado tiene depósitos de limonita, arena y arcilla. Una variedad de arenisca verde, utilizada para filtros de agua y fertilizantes, también se encuentran en la región sur. El norte tiene depósitos de arena, grava, basalto, cobre, cinc y piedra caliza.

Clima. Su ubicación en la zona este de Norteamérica hace que su clima sea más característico de la zona interior y no de la zona costera. El rango de temperatura promedio en julio varía de 21 a 24 °C, y el rango durante enero es de -2 a 3 °C. La interacción de las masas de vientos fríos y secos del noroeste con las masas cálidas y húmedas del sur producen una amplia variedad de patrones climáticos. La precipitación se encuentra dividida uniformente durante el año, incrementándose ligeramente al final del verano; la cantidad de lluvia varía desde más de 1,270 mm en las zonas elevadas hasta menos de 1,020 mm cerca de la costa. Hacía finales del invierno pueden presentarse tormentas severas, y durante los meses cálidos pueden existir huracanes causantes de daños considerables en la costa.

Hidrografía. Las irregularidades en el drenaje del estado han dado como resultado muchos lagos y canales con corrientes erráticas. Los principales ríos del estado son el Hackensack, Passaic, Raritan y se encuentran en la mitad norte del estado. La reserva natural de Great Swamp es un remanente del antiguo lago Passaic. Una sección del río Hudson integra una sección de la frontera este entre New Jersey y New York. El drenaje en la zona sur es menos eficiente, y zonas extensas de arenas porosas en Pine Barrens cubren una extensa reserva de agua subterránea. Las corrientes de la sección sur corren hacía la bahía del Delaware, y es común la formación de pantanos.

Vegetación y vida animal. Las tierras altas y la cordilleras de Kittatinny y Watchung están ampliamente cubiertas de bosques, pero el crecimiento urbano anual les va ganando terreno. El roble domina este área. Pine Barrens está cubierto por bosques de roble, dependiente de un ciclo ecológico de renovación en donde los fuegos forestales son frecuentes. El valle Kittatinny, las tierras bajas de Piedmont y la zona costera están virtualmente desprovistas de árboles.

La vida salvaje animal en New Jersey se encuentra sujeta a una depredación constante, aun cuando algunas especies todavía sobreviven, como el venado cola blanca que se encuentra monitoreado y controlado por el estado. Los coyotes se encuentran nuevamente así como las ratas almizcleras, castores y nutrias. En las zonas suburbanas es facil encontrar ardillas, mapaches, mofetas y zarigüeñas. A lo largo de la costa se pueden observar diferentes especies de aves migratorias.

Actividad económica. La diversidad ha sido una característica preponderante de la economía del estado, sin que domine una sola fuente de ingresos. Desde la época colonial la agricultura, el comercio y la manufactura han estado presentes, en proporciones variables. La población, junto con los importantes mercados metropolitanos circunvecinos, siempre han sido clientes importantes para los servicios del estado.

La agricultura se ha decrementado tanto en el aspecto físico así como fuente de ingreso en el estado, prevaleciendo el suministro de camiones, productos lácteos y productos agrícolas para los mercados urbanos de New York y Philadelphia. La competencia por la tierra y por la fuerza de trabajo han incrementado los costos de producción mientras que los precios se han conservado bajos. Algunas empresas importantes han abandonado New Jersey y la producción de la mayoría de las granjas ha disminuido drásticamente. Existe una tendencia hacía la producción de granos en un esfuerzo para minimizar los costos y la necesidad de una fuerza de trabajo emigrante. El gobierno estatal ha recurrido a incentivos en los impuestos como un esfuerzo para frenar la tendencia de los granjeros a vender sus tierras para desarrollos industriales o habitacionales.

La estructura fiscal del estado está diseñada para promover el crecimiento industrial, siendo la manufactura 25% del producto del estado. La industria química es la más importante seguida por la industria alimenticia, la maquinaria eléctrica y la manufactura de equipos.

Turismo. Es una importante fuente de ingresos del estado, existen lugares como la área de recreación nacional Gateway, el área de recreación acuática Water Gap, el parque interestatal Palisades y cuatro reservas nacionales de vida salvaje. Las aguas de la bahía de New York y New Jersey son famosas por sus centros de descanso. Las casas de juego en Atlantic City han traido importantes ingresos a este centro vacacional.

Newman, John Henry (1801-1890). Cardenal y escritor inglés, campeón del catolicismo en su patria en el siglo XIX. En 1824 se ordenó como ministro anglicano y en 1828 se hizo cargo del curato de una iglesia de Oxford. Con gran influencia sobre los estudiantes, se dedicó a exponer sus discrepancias con la iglesia oficial y se unió a las prédicas de Jonh Keble, Hurrel Froude, Edward Pusey y otros, y publicaron en colaboración *Tracts for the times*, ensayos que sintetizaron las posiciones del llamado Movimiento de Oxford. Amenazado de expulsión, Newman viajó al continente y en Roma abjuró el protestantismo y abrazó el catolicismo en 1845, ordenándose de sacerdote al año siguiente. A su regreso fundó en Inglaterra la Congregación del Oratorio, se convirtió en activo propagador del catolicismo y en 1854 pasó a ocupar la rectoría de la Universidad Católica de Dublín. El Papa León XIII le confirió el capelo cardenalicio en 1879. Dejó numerosas obras escritas en estilo pulcro, con grandes influencias clásicas, sobre temas relacionados casi siempre con los problemas religiosos. Las principales son la admirable autobiografía titulada *Apología pro vita sua* y el *Ensayo sobre una gramática del asentimiento.*

Newman, Paul (1924-). Actor estadounidense. Procedente del teatro universitario, pronto trabajó con Strasberg y Elia Kazan. En 1953 obtuvo resonante triunfo en el teatro con *Picnic.* Su debut cinematográfico fue rápido y brillante cuando desempeñó el papel de Rocky Marciano, el boxeador, en la película *Marcado por el odio.* Abandonando los papeles de *rebelde* por la comedia, dio vida al estadounidense moderno, a la vez simpático y vulnerable. Tampoco le faltaría fuerza dramática como lo demuestran las escenas de *Desde la terraza* y su presencia en *Éxodo.*

Consciente del peligro de encasillamiento que le acechaba se dedicó a trabajar cada vez más su personaje y enriquecerlo con matices que, aunque aparezcan con frecuencia en una película y otra, no dejan de ser por ello un regalo para el aficionado, tanto en el registro cómico –*Un marido en apuros, Boys* y toda la primera parte de *Dulce pájaro de la juventud*– como en el drama: *El golpe* o *La leyenda del indomable.* En 1987 recibe un Oscar por su actuación en *El color del dinero* y en 1995 recibe un Oso de Plata en el Festival de Cine de Berlín por *Ni un pelo de tonto.*

New Mexico. Estado localizado en el suroeste de Estados Unidos en la parte de las Montañas Rocosas. Limita con México al sur; con Arizona al oeste; con Colorado al norte; con Ocklahoma al este y Texas al este y sureste. Superficie: 314,938 km^2. Población: 1.654,000 habitantes (1994). La capital es Santa Fe (55,859 h, 1990) y la ciudad más grande es Albuquerque (398,000 h, 1992).

Explorado inicialmente por los españoles, el área permaneció como territorio español y posteriormente mexicano hasta su anexión a Estados Unidos en 1846. El nombre de New Mexico le fue dado para distinguirlo del país independiente del sur.

Tierra y recursos. El suelo está formado por una variedad de terrenos los cuales pueden ser divididos en cuatro grandes regiones. Todas ellas se extienden más allá

Corel Stock Photo Library

Arquitectura de adobe en New Mexico.

de los límites estatales: las Montañas Rocosas, las grandes planicies, la provincia de las cañadas y la meseta del Colorado. En el centro norte están las Montañas Rocosas sureñas dominadas por la cordillera de San Juan y Sangre de Cristo. Las montañas más altas del estado se encuentran aquí. El río Grande fluye a través de estos dos sistemas montañosos y continúa al sur siguiendo una pequeña parte del límite entre New Mexico y Texas. La parte oriental del estado tiene una sección de grandes planicies cruzada por el río Pecos y el Canadian. Una franja plana de tierra a lo largo de la frontera con Texas es conocida como Llano Estacado. Mucho del sur de New Mexico es parte de la zona de la provincia de cañadas y sierras. Varias de las accidentadas cadenas montañosas de norte a sur, particularmente las Black, San Andrés, Sacramento y Guadalupe están separadas por cañadas, incluyendo la Jornada del Muerto y la Tula Rosa. La cuarta región del estado, una sección de la meseta del Colorado, está en el noroeste. Es una tierra alta con extensos valles, profundos cañones, mesetas y formaciones coloreadas de piedra arenisca. Los recursos de la superficie acuática son limitados por causa de la baja precipitación. Sin embargo, existen grandes mantos acuíferos extensivos particularmente bajo las planicies orientales. Es rico en minerales y combustibles. La extracción de oro y plata fue importante en el siglo XIX, pero fue reemplazada por la de cobre, en el área de Silvercity, cerca del siglo XX. Las minas cercanas a Grants, en 1960, dominaron la producción de uranio en Estados Unidos hasta el colapso industrial en la década de 1980. El estado es líder en la producción de potasa y perlita. Los recursos combustibles incluyen petroleo y gas natural en el sureste y en el noroeste, y hay yacimientos bituminosos y subbituminosos de carbón en el noroeste y noreste. También existen piedras semipreciosas: turquesa, ágata, ópalo y jaspe.

Hidrografía. El río Grande es el más ancho y largo que fluye al sur a través del estado (756 km). Dos tercios de las planicies orientales son regadas por el río Pecos, el

Museo de Arte en New Mexico.

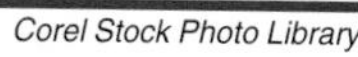

Corel Stock Photo Library

Corel Stock Photo Library

Casa Doullut *construida en 1905 en New Orleans.*

cual se une al río Grande en el occidente de Texas. Otros ríos son: el San Juan en el noroeste, el Cimarrón y el Canadian en el tercio norte de las planicies orientales. La división continental pasa a través de New Mexico occidental, pero sólo el río Gila y el San Juan fluyen hacia el océano Pacífico. Una extensa área de drenaje cerrado, con pantanos salados y lagos, se encuentra en el suroeste del desierto. Fuentes subterraneas proveen de agua las áreas urbanas a lo largo del río Grande y son usadas en las planicies orientales para riego en la zona fronteriza con Texas. No existen grandes lagos naturales en el estado pero existen tierras pantanosas a lo largo del río Grande y del río Pecos.

Clima. Se distinguen tres regiones climáticas diferentes: las planicies semiáridas del oriente; los desiertos occidentales y las zonas de montaña, donde las condiciones de humedad se incrementan bruscamente. La distancia de las fuentes de humedad y la presencia de una zona subtropical de alta presión provocan los desiertos occidentales. Las mayores precipitaciones de las planicies orientales resultan de un verano cálido y del aire húmedo del Golfo de México. Las características climáticas dominantes son aridez, veranos de tibios a calientes e inviernos de templados a fríos. Las precipitaciones no llegan a 400 mm, y en verano las temperaturas sobrepasan los 38 °C. La nieve cubre las cumbres de las altas montañas en el tercio norte del estado en los meses de invierno. En el suroeste el desierto recibe 200 mm de lluvia, aunque a veces exceden de los 1,000 mm en la región Sangre de Cristo debido a las tormentas eléctricas.

Vegetación y vida animal. Se encuentran seis zonas de vegetación nativa. La zona baja de Sonoran de mesquite y de hierba negra grama ocupa los valles bajos del río Grande y del Pecos, y en el suroeste por debajo de los 1,372 m. Cerca de 80% del estado descansa en la zona alta de Sonoran de hierba azul grama, hierba de búfalo, pinos y enebro. El resto de las cuatro zonas cubren menos de 10% del estado y se encuentran en las montañas sobre los 2,135 m y consisten en el pino ponderosa, el abeto azul, el abeto de Douglas y la hierba alpina.

La fauna nativa incluye antílope, ciervo mula, ciervo de cola blanca, alce, oso y pecari. Se pueden encontrar cerca de 300 especies de pájaros y numerosas aves migratorias cruzan el estado o pasan el invierno en él.

Actividad económica. Ha descendido dramáticamente en años recientes por el resultado de las operaciones del gobierno federal, éste mantiene muchos centros de investigación en el estado, principalmente concernientes al desarrollo de armas y energía nuclear.

La agricultura contribuye con una pequeña pero significante proporción a los ingresos del estado. Muchos de ellos provienen de los productos de ganadería. El ganado pasta en las praderas del este, en una parte del suroeste del desierto y en los pastos montañosos. La irrigación de la agricultura es posible por los pantanos y por las reservas de los ríos Grande, Pecos, San Juan, Canadian y Cimarrón, que gracias a ellos se producen algodón, sorgo, maíz, nuez, cacahuate, etcétera. Los bosques cubren cerca de 25% del estado, pero la forestación está limitada a una zona de operación en la zona húmeda de las montañas. New Mexico está considerado como uno de los líderes del país en la explotación de minerales, los más importantes son el petróleo, el gas natural y el carbón.

Turismo. Se ha convertido en un aspecto importante de la economía del estado, debido a la abundancía de zonas recreativas (zonas de campamento, áreas de picnic), zonas históricas (el parque nacional de las cavernas Carlsbad, vestigios arqueológicos) y el sistema montañoso donde se puede esquiar en invierno.

New Orleans. Ciudad de Estados Unidos situada entre el lago Pontchartrain y el río Mississippi, en el sudeste del estado de Louisiana. Tiene 500,000 habitantes, que unidos a los de su área metropolitana suman 1.302,697. Es un gran puerto fluvial a orillas del Mississippi, a 140 km al noroeste de la desembocadura del río en el Golfo de México. Fue fundada por los franceses en 1718 y uno de sus mayores atractivos actuales lo constituyen los restos de aquella época, como su famoso barrio francés.

Desde 1763 hasta 1800 perteneció a España, pero fue recuperada por Francia, que la transfirió definitivamente a Estados Unidos en 1803, junto con todo el extenso territorio de Louisiana. Importante base militar y naval de los confederados del sur durante la guerra de Secesión en 1862. Importante y activísimo centro comercial e industrial: caña de azúcar, arroz, petróleo, azufre, sal y múltiples manufacturas de todo orden. Terminal de vías marítimas y aéreas internacionales y cruce de carreteras principales que conducen a todos los puntos del país.

Es una ciudad moderna y bellísima, que posee también interesantes edificios del siglo XVIII, en que resaltan los estilos de Francia y España. Centros culturales en que sobresalen grandes universidades, seminarios, museos y bibliotecas.

Newton, sir Isaac (1642-1727). Matemático, físico y astrónomo inglés. Hijo de matrimonio de granjeros acomodados, se crió junto a su madre, mujer activa e inteligente. Sus primeros años escolares fueron desagradables, chocando su natural inquieto e investigador con la enseñanza rígida y formalista de su época. Se graduó en la Universidad de Cambridge y pasó varios años en el campo, junto a su mujer; dichos años resultaron extraordinariamente fecundos pues entre sus estudios de matemáticas y de filosofía concibió la ley de la gravitación universal, sugerida, según cuenta Voltaire y parece ser cierto, por la caída de una manzana, y basada en el estudio de las teorías de Johannes Kepler. El astrónomo Edmund Halley, conocedor de sus trabajos, llamó la atención sobre los descubrimientos del joven sabio, incitándole a publicar su importante libro *Principios matemáticos de la filosofía natural*, donde formula su ley, establece los conceptos de masa y fuerza, así como los principios de la mecánica de los cuerpos celestes y las teorías mecánicas gravitorias, expuesto todo en estilo claro y sistemático, asimilado de René Descartes, al que admiraba. La ley de la gravitación universal, tal como fue enunciada por Newton, ha sido objeto de una interpretación distinta en sus fundamentos por parte de Albert Einstein, pero ello no resta valor a la concepción genial de Newton.

En aquellos años enunció también su descubrimiento del cálculo infinitesimal y diferencial, motivo de disputa con el sabio alemán Wilhelm Leibniz, que decía ser su inventor. Fue designado catedrático de matemáticas en Cambridge, y poco después expuso su teoría de los colores y demostró la composición de la luz. Ésta, según él, se produce por una corriente de pequeñas partículas que surgen a enorme velocidad del cuerpo luminoso. Es la llamada teoría corpuscular, cuya validez le disputó la teoría ondulatoria, aunque en el siglo XX se provocó una revalorización de la teoría original de Newton. La luz blanca, afirmaba Newton, es la combinación de los siete colores del arco iris. Todas sus ideas sobre la luz y el color se reúnen en su libro (*Óptica*) y le sirven de base para la construcción del primer telescopio reflector. Sus inventos no paran aquí, pues enriqueció la matemática con el teorema algebraico del binomio, que lleva su nombre, y con el método de las tangentes.

Hombre sencillo, comprensivo y generoso, decía de sí mismo: "Piensen lo que quieran de mi, paréceme que no he sido sino como un niño que juega en la playa, divirtiéndome con hallar de vez en cuando un guijarro más pulido o un molusco más bonito, mientras delante de mí se extendía el ignorado gran océano de la verdad".

Este investigador ejemplar supo ver y resolver problemas, establecer relaciones y extraer consecuencias que revolucionaron el saber de su tiempo y contribuyeron a la creación de la ciencia moderna. La reina Ana le concedió un título de nobleza. Fue miembro del Parlamento, presidente de la Real Sociedad y director de la Casa de la Moneda; colmado de honores y consideraciones fue sepultado en la Abadía de Westminster, entre los más ilustres hijos de Inglaterra.

Corel Stock Photo Library

Isaac Newton.

New York. Ciudad de Estados Unidos situada en el extremo sur del estado de New York. Tiene 7.400,000 habitantes y ocupa un área de 935 km^2. Su área metropolitana tiene mayor extensión y, en un radio de 65 km, existen poblaciones y ciudades satélites cuyos habitantes unidos a los de New York suman 16.300,000. Es la mayor ciudad de Estados Unidos por su población y uno de los grandes centros financieros y mercantiles del mundo. Se divide en cinco grandes distritos administrativos: Manhattan, Bronx, Queens, Brooklyn y Richmond. La población de New York está compuesta por hombres procedentes de todas las latitudes de la tierra y existen grandes núcleos de extranjeros. Para dar una idea de cómo está formada la población de New York, se ha recurrido muchas veces a la siguiente forma gráfica: en New York hay más italianos que en Génova, más alemanes que en Bremen, más irlandeses que en Dublín, etcétera. Hay cerca de 500,000 negros que habitan principalmente en el barrio de Harlem. Un gran porcentaje de la población de New York está compuesto por judíos de diverso origen, y existen también fuertes núcleos de españoles, polacos, griegos, turcos, rusos, lituanos, persas, chinos y de otras nacionalidades en menor cantidad. Todas estas colectividades tienen sus periódicos, revistas, cines, teatros, restaurantes, clubs, diversiones y campos de deporte. En la vida diaria y en las actividades corrientes esta masa heterogénea forma un sólo bloque de ciudadanos entregados al trabajo, aunque la comunidad de origen, idioma y tradiciones culturales y religiosas, influye, en manera preponderante, para conservar la cohesión de los diversos grupos étnicos. Los residentes de habla española –españoles y latinoamericanos– tienen dos diarios importantes impresos en español. Hay, asimismo, numerosas publicaciones menores y revistas de diverso orden. Existen muchos restaurantes españoles, cubanos, mexicanos, y centros de diversión donde se cultivan danzas y se ejecuta música de cada uno de los países de América o de España. Lo español e hispanoamericano es popular en New York y muy particularmente en Broadway. La ciudad de New York está gobernada por un alcalde y un consejo municipal. El alcalde es el jefe ejecutivo de la ciudad y se le elige por cuatro años. A él deben dar cuenta de sus gestiones los presidentes de los cinco distritos. La ciudad se compone de diferentes secciones que llevan nombres derivados de la geografía local. En este sentido se destacan los sectores de Harlem, Greenwich Village, Battery Park y Times Square, en Manhattan; Coney Island, Brooklyn Heights y Williamsburg, en Brooklyn.

Lámina del libro Óptica *de Isaac Newton (Padua, ed. de 1773).*

Salvat Universal

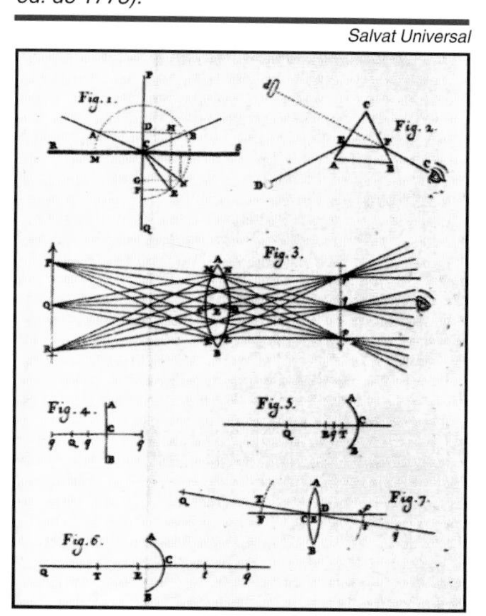

Puentes, calles y edificios. Nueva York está unida entre sí y con la tierra firme a

Corel Stock Photo Library

Verano en Central Park, New York.

través de puentes, avenidas y túneles. El carácter insular de Manhattan impuso estos medios de comunicación, que el poderío industrial y la inventiva de los ingenieros han elevado a formas verdaderamente eficaces y perfectas. Para no entorpecer la navegación a lo largo de los ríos Hudson y del Este, se construyeron gigantescos puentes colgantes, de audaz ingeniería y costosa ejecución. El más antiguo, el de Brooklyn, tiene 1,805 m de largo total, está a 40 m de altura sobre el río del Este y une el distrito que le da nombre con Manhattan. El de Williamsburg, de 42 m de alto y 2,200 m de largo total, está sobre el mismo río y comunica este sector con Manhattan. Richmond y Bayonne están unidos por el de Kill van Kull. El de George Washington, de 75 m de altura y 1,430 m de largo cruza el río Hudson y comunica a Manhattan con Fort Lee en New Jersey. Lo mismo puede decirse de los túneles, obras de verdadera audacia, que la atraviesan en ambas direcciones por debajo de los ríos mencionados. Las líneas de la red subterránea de trenes están unidas entre sí y en algunas partes, obligadas por la topografía rocosa de New York, surgen a la superficie y se convierten en trenes elevados por encima de las calles. Las principales estaciones ferroviarias, la Grand Central y la de Pennsylvania, conectan el corazón de New York con el resto del país. Los dos aeropuertos más importantes, el de La Guardia y el internacional de J. F. Kennedy, sirven de punto terminal para las comunicaciones aéreas con todo el mundo. El puerto de New York es uno de los mayores y más importantes del mundo. Más de 150 líneas de navegación tocan en él. El número de muelles llega a cerca de 1,900 en más de 200 de los cuales atracan los grandes transatlánticos. En una isla en la bahía de New York, se alza la colosal estatua de la Libertad, erigida en 1886. El edificio más alto de New York es el World Trade Center. Uno de los primeros rascacielos que mereció tal nombre fue el edificio Woolworth, con 60 pisos; le siguió el Manhattan, con 71 pisos, y a éste le sucedió en altura el Chrysler, con 77. El Empire State los superó a todos con 102 pisos. Tiene 445 m de altura y 75 ascensores. Fue inaugurado en 1931. Es una majestuosa mole de acero y cemento donde tienen sus oficinas algunas importantes empresas y centros de estudios científicos. Una de las calles más interesantes de New York es Broadway, extensa avenida de 30 km de largo. La sección de Broadway que parte de la calle 34 cruza Times Square, y termina en la calle 59, en Columbus Circle, es un cuadro cuajado de grandes letreros luminosos, donde están los cines, teatros y salas de diversión más concurridos. Este trozo de Broadway es el símbolo de la vida nocturna de New York. La Quinta Avenida es la calle de las grandes joyerías, de los comercios de lujo y los escaparates. Wall Street, el centro de las grandes finanzas mundiales, situado en la parte baja de la isla de Manhattan, se distingue como un enjambre de rascacielos que se proyectan hacia lo alto. New York tiene parques famosos, entre los que se destacan el Central, en el corazón de Manhattan, y el Prospect en Brooklyn.

Vista aérea de la Estatua de la Libertad en New York.

Corel Stock Photo Library

Industria y comercio. Su privilegiada situación en el Atlántico y su amplio y abrigado puerto así como la red de canales, carreteras, ferrocarriles y líneas aéreas, hacen de esta ciudad un centro importantísimo de las actividades económicas en todos los órdenes. Además de ser el mayor centro financiero, bancario, mercantil y de transporte marítimo de Estados Unidos y uno de los principales del mundo, New York es, también, un gran centro industrial y manufacturero. Sus principales industrias son las de confección de vestidos de mujer y de hombre, a las que siguen las textiles, las gráficas y editoriales, las de productos alimenticios, maquinaria, instrumentos diversos, productos químicos, etcétera. Es mercado y centro de cotización mundial para productos como el azúcar, caucho, café, té, cacao, etcétera.

Cultura. New York se destaca como un gran centro cultural en América. Se editan diarios cuya tirada se cuenta por millones y revistas que son leídas en el mundo entero por su interés periodístico y su alarde técnico. Hay grandes museos con valiosas colecciones de obras. El museo Metropolitano de Arte es uno de los más ricos del mundo. Le sigue en importancia el museo de Arte Moderno. La Biblioteca Pública de New York, la más grande de la ciudad, dispone de 7 millones de volúmenes y es consultada anualmente por millones de personas. Entre las mayores instituciones de enseñanza superior se destacan las universidades siguientes: New York, con 35,000 estudiantes, 3,500 profesores y bibliotecas con un millón de volúmenes; de Columbia, con 30,000 estudiantes, 3,500 profesores y 3 millones de volúmenes, el City College con 40,000 estudiantes, 1,300 profesores y 370,000 volúmenes; y Fordham, con 11,000 estudiantes, 470 profesores y

300,000 volúmenes. Existen además unas 150 instituciones destinadas a fomentar el estudio de las ciencias y las artes. En New York se encuentra la sede de la Organización de las Naciones Unidas, centro de la política mundial.

Historia. La historia de New York está vinculada con las expediciones náuticas que partieron de Europa después del descubrimiento del Nuevo Mundo. En 1524 llegaron a tierras neoyorquinas los primeros exploradores europeos, y posteriormente varias expediciones intentaron remontar el río Hudson para comerciar con los indios.

En 1609 arribó a la isla de Manhattan el navegante inglés Henry Hudson, exploró la isla y dio su nombre al río. Años después los holandeses fundaron una colonia con el nombre de New Holanda y denominaron a la capital New Amsterdam. En 1664 la colonia cayó en poder de los ingleses y le bautizaron con el nombre de New York en homenaje al duque de York, a quien le había concedido la colonia su hermano el rey inglés, Carlos II. Fue recobrado por los holandeses en 1673, hasta que vuelta a manos de los ingleses, continuó en su poder hasta la independencia de Estados Unidos. Durante el siglo XIX New York experimentó un enorme progreso en todos los órdenes y llegó a ser una de las más grandes urbes. A principios del siglo XX la ciudad expande su sistema de transportes y se encuentra bajo el control municipal, la expansión y las actividades continúan hasta la década de los años 70, cuando sufre una crisis severa en términos económicos, las altas tasas en los impuestos obligan a los empresarios a desplazarse a otros lugares y la clase media hacia los suburbios. Con el alto costo de la ciudad se eliminaron cientos de empleos gubernamentales, disminuyeron los servicios. La economía neoyorkina empezo a ser saludable hasta principios de 1980 con un ritmo de crecimineto menos acelerado en 1990. En comparación con otras ciudades de los Estados Unidos New York ha luchado contra una estructura decadente y problemas sociales, incluyendo pobreza y crímen. En 1989 es elegido el primer alcalde de color David Dinkins. Para 1994 New York es victima de un ataque terrorista por parte de un grupo fundamentalista musulmán en el World Trade Center, este mismo año el alcalde Rudolph Giuliani ha saneado la economía del estado. *Véanse* LIBERTAD, ESTATUA DE LA; MANHATTAN.

Ney, Michel (1769-1815) Militar francés, llamado *el bravo entre los bravos*, que se distinguió en las guerras de la Revolución, en las campañas napoleónicas y finalmente en el intento de Napoleón Bonaparte por reconquistar el poder durante los *Cien Días*. Era famoso por la calma con que entraba en los combates, así como por su bondad en el trato con las tropas. Fue uno de los mariscales de Napoleón, y tuvo actuación decisiva en las batallas de Hohelinden, Elchingen, Ulm, Jena, Eylau, Friedland, Ciudad Rodrigo y en la campaña de Rusia. Recibió del emperador los títulos de duque de Elchingen y príncipe de la Moskowa. Al caer aquél, Luis XVIII le hizo par de Francia, pero se puso nuevamente al servicio de Napoleón en los Cien Días, luchando heroicamente y buscando la muerte en Waterloo, donde cayó prisionero. En la segunda restauración fue condenado a muerte por la Corte de los Pares y fusilado, dando muestras de ejemplar entereza.

Nezahualcóyotl (1402-1472). Rey de Texcoco de 1431 a 1472, ciudad fundada hacia 1318, y que sería el escenario donde los conquistadores españoles quebrantarían la última resistencia azteca en 1521. Gobernante talentoso y poeta refinado, llevó a Texcoco a su periodo de apogeo, en el que destacaban los amplios jardines, templos, gran biblioteca y obras públicas. Nezahualcóyotl (nieto por línea materna de Huitzilíhuitl, segundo rey de Tenochtitlan), Izcoatl y los tlaxcaltecas se rebelaron en 1428 contra Maxtla, señor de Azcapotzalco y sucesor de Tezozomoc, a quien vencieron en 1431. Ante el vacío político generado en el valle de México, Izcoatl, de Tenochtitlan, Totoquihuatzin, de Tlacopan, y el rey poeta establecieron la conocida triple alianza. Con el tiempo los tenochcas– la gente de Tenochtitlan– se convirtieron en la fuerza dominate del grupo, y para 1519, año en que Hernán Cortés llegó al valle de México, habían logrado constituir ya un imperio de gran extensión, de entre 5 y 6 millones de habitantes.

Nezahualpilli (1464-1515). Rey de Texcoco de 1472 a 1515. Fue hijo de Nezahualcóyotl –y como él, gobernante capaz y excelente poeta– y nieto por línea materna de Totoquihuatzin, rey de Tlacopan. Aunque desde niño su padre lo había nombrado sucesor, cuando Nezahualcóyotl murió fue Acapipiotl quien gobernó Texcoco en nombre del heredero. Nezahualpilli se distinguió en la lucha contra Totonacapan, Huexotzinco, Atlixco, Tlaxcala y la región de Oaxaca. Un hecho conocido de su vida es que condenó a muerte a una de sus esposas por adulterio, y a su hijo, al enterarse de sus amoríos con una de las concubinas reales. Nezahualpilli debió enfrentarse a su aliado Motecuhzoma Xocoyotzin cuando éste pretendió convertirse en el gobernante supremo de la hegemónica triple alianza –en cuyo establecimiento había participado Nezahualcóyotl–, constituida en el valle de México por los estados mexicano, texcocano y tlacopaneca.

Niágara. Río de América del Norte que conduce las aguas del lago Erie al Ontario y tiene una longitud total de 56 km y forma parte de la frontera entre el Canadá y Estados Unidos. Su nombre se deriva de los términos iroqueses *niakaré* y *jorakare*, que significan *ruido grande* y *agua que resuena*. Durante su curso presenta diversas sinuosidades y forma un gran codo al llegar cerca de la isla Goat o de la Cabra, que lo divide en dos ramales o brazos, dándose a ese lugar el gráfico nombre de herradura *(horseshoe)*. La anchura del río es muy variable, oscilando entre los 1,000 y 5,000 m. Los desniveles y las bruscas pendientes de su lecho dan origen a las cataratas del Niágara, que se destacan entre las más famosas e importantes del mundo, emplazadas a ambos lados de la referida isla; se estima que su volumen de agua alcanza ordinariamente a unos 425,000 m^3 por minuto. La corriente se precipita desde alturas de 49 metros arrastrando piedras y rocas que al acumularse en el fondo del barranco que las recibe, van cegándolo paulatinamente, hasta el punto de creerse que las cataratas retroceden 1 m cada año en dirección al Erie y que en otros tiempos ocuparon lugares situados a más de once kilómetros de su actual emplazamiento. En el invierno sus aguas suelen helarse. La orilla derecha del Niágara corresponde a Estados Unidos (New York) y la izquierda a la provincia canadiense de Ontario. Dos hermosas poblaciones, pertenecientes respectiva-

Cataratas del Niágara en Canadá.

Corel Stock Photo Library

mente a cada uno de dichos estados y que tienen igual denominación *(Niagara Falls)*, se erigen en la proximidad de ambas orillas, se hallan unidas por puentes y varias líneas eléctricas de transporte, y son además importantes centros ferroviarios. De edificación moderna y situación próspera, disfrutan de bellas perspectivas y tienen hermosos parques y jardines. Son asiento de importantes industrias electroquímicas y electrometalúrgicas, de maquinaria, abrasivos industriales, y sobre todo de energía hidroeléctrica, para lo cual aprovechan parte de la fuerza del caudaloso río que les da el nombre y cuyo potencial efectivo total se halla calculado en unos 10 millones de caballos. Existen dos canales que bordeando los saltos de agua permiten la navegación entre el lago Erie y el Ontario. Los ferrocarriles que cruzan el Niágara son el de Buffalo, el Central y el Grand Trunk. La formación geológica de los terrenos que constituyen la cuenca del Niágara pertenece al periodo paleozoico y permite descubrir restos fósiles de animales que vivieron en remotos periodos geológicos. Estos restos son muy numerosos y la piedra caliza que los conserva, compacta y de color grisverdoso, resulta tan peculiar y característica que se la conoce con el nombre de *calcárea del Niágara*. Este río ha sido teatro de los más arriesgados y temerarios ejercicios acrobáticos. Sobre sus cataratas se han tendido alambres por los que se han deslizado célebres equilibristas; algunos imprudentes, encerrados en toneles y otra suerte de artefactos, se han arrojado desde la meseta por donde sus aguas se precipitan, pereciendo varios de ellos.

Las cataratas desde muy antiguo no han cesado de retroceder un metro por año sobre el lado canadiense. En 1931 se produjo un impresionante derrumbamiento de rocas sobre el costado norteamericano: más de 20,000 ton de piedra cayeron súbitamente alterando la forma de la garganta del Niágara. Varios años más tarde hubo que dinamitar parte del sector canadiense por razones de seguridad. En 1898 se construyó a través de las cataratas un puente de acero, de más de 400 m de longitud; bajo la presión del hielo acumulado durante el riguroso invierno de la región, esta estructura cayó sobre las aguas del río en 1938, y fue necesario construir un nuevo puente colgante. Sobre el impresionante torbellino que forman las aguas al caer, un transportador funicular traslada hasta cuarenta pasajeros a lo largo de un cable cuya longitud alcanza a 600 m. El constructor del primer transbordador que lo atravesó, fue el ingeniero español Leonardo Torres Quevedo. *Véase* CASCADA.

nibelungos. Enanos o gnomos de la mitología nórdica. Aparecen en la *Canción de los Nibelungos*, poema épico germano de autor desconocido, escrito hacia comienzos del siglo XIII. Consta el poema de dos partes. La primera, *La muerte de Sigfrido*, relata la historia de este héroe, su boda con Crimilda, los celos de Brunilda y la muerte de Sigfrido asesinado por Hagen. La segunda parte, *La venganza de Crimilda*, refiere la presentación de Hagen, herido, a la reina Crimilda, quien lo degüella con la espada de Sigfrido. La estructura del poema se basa en la estrofa de cuatro versos, en rima pareada. Este tema inspiró a Richard Wagner su famosa tetralogía titulada *El anillo de los Nibelungos*, formada por las óperas *El oro del Rin*, *La walkyria*, *Sigfrido* y *El ocaso de los dioses*.

Nicaragua. Estado situado entre Honduras y Costa Rica, con costas en el Mar Caribe y en el océano Pacífico.

Su territorio tiene una extensión de 130,700 km² de los que 9,000 corresponden a los lagos de Nicaragua y de Managua, únicos en el mundo en donde existen tiburones.

Está comprendida entre los meridianos 83° 11' y 87° 42' de longitud oeste y los paralelos 10° 45' y 15° 15' de latitud norte.

Relieve. Está cruzada por la Sierra Madre en su parte central y por una cadena costera de corta elevación. Entre ambas se halla la depresión en que se encuentran los lagos de Managua y Nicaragua.

De norte a sur se destacan las montañas de Somoto, Telpaneca y Marra, las cadenas Isabelia y Dariense y la cordillera Chontaleña de la cual se desprenden las montañas de Huapi y la cordillera de Yolaida.

Una cadena de elevaciones de origen volcánico llamada de los Marrubios, o Marrabios, va paralelamente a la costa del Pacífico, iniciándose en el volcán Cosiguina (1,169 m) y se prolonga con el Chonco (1,105 m), el Viejo o San Cristóbal (1,745 m), el Casitas (1,405 m), el Telica (1,060 m), etcétera.

Costas. Las costas del Atlántico tienen una longitud de 720 km con entradas de poca importancia, a excepción de Puerto Cabezas, El Bluff, Punta Mico y San Juan del Norte.

En el Pacífico, el litoral es de 420 km de largo, menos irregular y con importantes accidentes: Golfo de Fonseca, Bahía de Salinas y ensenadas de Poneloya, Tamarindo, Brito y San Juan del Sur.

Hidrografía. En el Mar Caribe desembocan las corrientes más importantes: el río Coco o Segovia, Huahua, Cucalaya, Prinzapolca, Río Grande de Matagalpa, Curinhuas, Escondido, Punta Gorda y San Juan. Este último es la única salida de los lagos Managua y Nicaragua y tiene 160 km de longitud.

Al Pacífico, los ríos son de reducida longitud y pequeño caudal: el río Negro, límite con Honduras, el Estero Real, el Tamarindo y el Río Grande de Brito o Tola, etcétera.

Los lagos de Managua o Xototlán, con más de 1,000 km² de superficie, situado a 40 m sobre el nivel del mar con 20 m de profundidad media, y el Nicaragua o Cocibolca, con 8,000 km² de extensión, 35 m sobre el nivel del mar y profundidad media de 75 m, son los mayores de América Central.

El lago Managua desemboca por el río Tipitapa en el de Nicaragua, que a su vez lo hace por el río San Juan o Desaguadero.

Clima. La temperatura es tropical, húmeda en la vertiente del Atlántico, pues recibe la influencia de los vientos alisios; por el contrario, la del Pacífico y la de la depresión central es calurosa y seca. En las montañas se registran precipitaciones de 2,860 mm; en la planicie costera atlántica llegan de 2,000 mm hasta 6,430 mm, en cambio, en Managua son de 1,125 mm; en Masaya, de 1,335 mm, y en la costa Pacífica, de menos de 800 mm.

Flora y fauna. Casi 46.2% de su territorio es de bosques, en general tropicales. En su territorio se mezclan flora y fauna neoárticas y neotropicales.

Economía. La actividad dominante ha sido siempre la agricultura; actualmente se cultiva 12.1% del territorio, cosechándose maíz, arroz, ajonjolí, algodón de fibra, cacao y café. Sólo algunos años favorables dejan excedentes para la exportación.

Por la parte atlántica hay importantes explotaciones forestales, así como cultivos de plátanos y coco. En la costa del Pacífico, la ganadería se ha extendido, lo que no sucede en la costa del Atlántico, a pesar de tener ésta mejores condiciones naturales.

Los recursos minerales no han sido objeto aún de una explotación intensiva. El más importante es el oro, con minas en La Libertad, Nueva Segovia y Pis Pis y arenas auríferas en los ríos Coco y Prinzapolka. Como subproducto de las minas de oro se obtiene plata.

También tienen importancia los yacimientos de mineral de cobre (en La Rosita) y de sal. La industria más significativa es la azucarera, con producción de azúcar bruto y refinado y alcoholes; los centros más destacados están localizados en Chichigalpa y cerca de León y Granada. Son también importantes las fábricas de cemento, cerveza y cigarrillos. Hay astilleros para la construcción de embarcaciones menores y de reparaciones en Puerto Cabezas y una refinería de petróleo en Managua, así como también molinos harineros, fábricas textiles (hilados y tejidos de algodón) y de jabón y plantas embotelladoras de bebidas gaseosas. La explotación forestal ha dado lugar a la creación de aserraderos, y la ganadería nutre de materia prima a la industria lechera (mantequilla y queso) y del cuero.

La energía eléctrica generada es de 500,000 millones de kw/h, buena parte de los cuales se obtiene por fuerza hidráulica de la planta Centroamericana, cuya capacidad está siendo aumentada por etapas.

Los ingenios azucareros, las fábricas de gaseosas y de licores, de productos químicos, de textiles y aserraderos son las principales industrias de Nicaragua.

El comercio exterior nicaragüense se hace principalmente con Estados Unidos.

Comunicaciones. Tiene 345 km de vías férreas, localizados en la costa del océano Pacífico y 24,364 km de carreteras y vías secundarias, de los cuales 1,654 km están pavimentados; 5,040 km se clasifican como transitables para cualquier tiempo y el resto sólo en verano. A la Carretera Panamericana corresponden 384 km.

En el extenso litoral nicaragüense se encuentran ocho puertos importantes; en el océano Atlántico: Puerto Cabezas, El Bluff, Cabo Gracias a Dios y San Juan del Norte, en el océano Pacífico: Corinto, Morazán, Puerto Sandino y San Juan del Sur.

Población. Es de 4.139,486 habitantes (1996), con densidad de 23 h/km^2. El idioma oficial es el español y la religión dominante es la católica.

Educación. Se imparte en escuelas primarias y de enseñanza media. Tanto la Universidad Nacional Autónoma como la Universidad Centroamericana sufrieron graves daños al producirse el terremoto de 1972, pero ya han sido reconstruidas.

Gobierno. El poder ejecutivo lo ejerce el presidente de la república (elegido por voto directo para un periodo de seis años), auxiliado por el vicepresidente y un gabinete. El poder legislativo está en manos de la Asamblea Nacional (92 representantes elegidos por voto directo para un periodo de seis años). Por último, el poder judicial descansa en la Corte Suprema (integrada cuando menos por siete magistrados), las Cortes de Apelación y otras cortes, y el Consejo Supremo Electoral.

La nación se divide administrativamente en seis regiones y tres zonas especiales, subdivididas en 16 departamentos.

Historia. Se ha llamado a este país *Tierra de lagos y volcanes* por los muchos que siembran su territorio. También se le ha denominado *Paraíso de Mahoma*, tan maravilloso pareció a los exploradores españoles. Sus fértiles tierras y sus playas llenas del esplendor del trópico debieron colmar de entusiasmo a quienes las contemplaron por primera vez.

Su primeros pobladores. Antes de la conquista, Nicaragua fue habitada en la costa del Caribe por tribus de indios mosquitos y en la del Pacífico por los nicaraos. Estos indígenas se dedicaban casi en su totalidad a la agricultura. La nación debe su nombre al del jefe de los nicaraos. Algunos de estos indígenas opusieron resistencia a los conquistadores, pero en general, en contraste con los de Costa Rica, se sometieron y asimilaron la cultura española, dando en la actualidad un elevado mestizaje. No hay en Nicaragua muchos restos de civilización precolombina.

Descubrimiento y conquista. Cristóbal Colón descubrió Nicaragua en 1502, en el curso de su cuarto y último viaje al Nuevo Mundo. Tocó tierra en el lugar que él mismo denominó *Gracias a Dios* y desembarcó en el río San Juan, tomando posesión de esos lugares en nombre del rey de España. Sin embargo, pasó tiempo hasta que, en 1519, Andrés Niño y González Dávila salieron de Panamá a explorar esos territorios, que ya habían sido visitados en 1516 por Hernán Ponce y Bartolomé Hurtado. En 1522, Gil González Dávila fue detenido por la resistencia de algunos indígenas y tuvo que regresar a Panamá. Dos años después, Pedro Arias Dávila, llamado Pedrarias, mandó a Francisco Hernández de Córdoba al frente de una expedición colonizadora.

La Colonia. Al principio el territorio de Nicaragua fue gobernado por la Audiencia de Santo Domingo y, en 1539, por la de Panamá. En 1544, a raíz de la promulgación de las Nuevas Leyes de Indias, la Audiencia depuso al gobernador Rodrigo de Contreras, acusado de tratar con crueldad a los indígenas.

Los primeros colonizadores, decepcionados al no encontrar en el país las ricas minas de oro y plata que habían buscado, se dedicaron a la agricultura, a la ganadería y a comerciar con Perú, Panamá y México. Sin embargo, después se descubrió oro, y en la actualidad es uno de los primeros artículos de exportación en el comercio nicaragüense. Pero lo que más influyó en la colonización española de los primeros tiempos fue la vía natural a los océanos proporcionada por el río San Juan y el lago Nicaragua. Entonces, los productos de toda América Central eran embarcados por Nicaragua a España. Aquellas naves repletas de tesoros, despertaron la codicia de los piratas más famosos del siglo, que llegaron a atacar las poblaciones costeras y penetraron incluso hasta Granada.

Durante casi todo el periodo colonial, de 1570 a 1821, Nicaragua estuvo bajo la jurisdicción de la Capitanía General de Guatemala con un gobernador local que tenía su sede en la ciudad de León. Ya en esa época se destacó por sus ideas liberales el ilustre político y jurisconsulto Miguel Larreinaga, nacido en León en 1771, que abrazaría más tarde la causa de la independencia.

Fundación de las ciudades. En 1524, Francisco Hernández de Córdoba fundó Granada, la primera ciudad colonial de esas latitudes. Desde aquellos tiempos ha sido centro comercial y por su situación estratégica en la transístmica constituía un punto de suma importancia en el tráfico con España. Su riqueza la hizo objeto de repetidos ataques en los siglos XVII y XVIII. Casi al mismo tiempo, Hernández de Córdoba estableció León, entonces segundo centro de población del país. Estuvo primero al pie del Momotombo, pero, al ser destruida por una tremenda erupción de ese volcán en 1610, fue reconstruida en el lugar que ocupa ahora. Managua, hoy capital de la nación, era solamente un poblado o comunidad india cuando llegaron los españoles. Durante la Colonia estuvo opacada por Granada y León y no tuvo categoría de ciudad hasta 1846. La rivalidad política entre León, centro del liberalismo, y Granada, baluarte conservador, contribuyó a que se eligiera como capital a Managua para vencer los obstáculos que se oponían a la unificación del país. León fue siempre el centro intelectual de Nicaragua y, además, conserva espléndidos monumentos coloniales que son notable muestra del arte churrigueresco y barroco, predominante en ese periodo.

La Independencia. A pesar de algunos conatos anteriores, como el del 13 de diciembre de 1811 que estalló en León y de otro en Granada poco después, Nicaragua consiguió su independencia, como las otras provincias de la Capitanía General de Guatemala, el 15 de septiembre de 1821. Al año siguiente se incorporó con los demás estados de América Central a México,

División Política Región	Habitantes	Capital	Habitantes
Región I	389,768	Estelí	110,076
Región II	364,977	León	248,704
Región III	1.108,720	Managua	819,679
Región IV	609,024	Jinotepe	23,538
Región V	337,304	Juigalpa	26,545
Región VI	465,555	Matagalpa	220,548
Zonas Especiales			
Región Autónoma del Atlántico Norte	116,384	Rosita	n.d.
Región Autónoma del Atlántico Sur	60,702	Bluefields	18,252
Zona Especial III	31,517	San Carlos	3,094

adhiriéndose al imperio de Iturbide. Al caer éste, en 1823, las provincias se unieron formando la Federación de las Provincias Unidas del Centro de América. Pero pronto surgieron conflictos internos en casi todos los Estados y también entre algunos de ellos. El general Francisco Morazán, presidente de la Federación, envió a Dionisio Herrera como jefe del Estado para que restableciera el orden y dominara la sublevación de los conservadores. En 1838, la Federación quedó disuelta, y cada uno de los Estados que la integraban, entre ellos Nicaragua, declaró su independencia.

La República. De acuerdo con la Constitución de 1838, Nicaragua estuvo gobernada por directores supremos que se sucedieron uno tras otro, la mayoría depuestos por golpes de Estado o sublevaciones. En estos primeros años de autogobierno no cesaron las luchas políticas que malgastaron las energías del país. A finales de 1840, la capital fue trasladada a Masaya. Hacia 1850, los liberales pidieron ayuda a un grupo de filibusteros estadounidenses capitaneados por William Walker, que desembarcó y logró hacerse nombrar presidente de la república en 1856. Su actuación provocó la hostilidad, no sólo de Nicaragua, sino también de los otros Estados de América Central que se levantaron contra él y su ejército. Fue derrotado en 1857. En 1860 intentó otro desembarco en Honduras, donde fue hecho prisionero y ejecutado.

Tras ese periodo tumultoso, vino otro de calma durante el gobierno de los conservadores, que se prolongó hasta 1893 cuando subió a la presidencia José Santos Zelaya, jefe de los liberales. Fue entonces cuando Mosquitia quedó definitivamente incorporada al país. Mientras tanto, cundían las revoluciones en todo el centro de América. En 1909, enfrentado a la guerra civil, Zelaya renunció a su cargo y partió al destierro. Al poco tiempo lo sucedió Adolfo Díaz, que tuvo que solicitar ayuda de los Estados Unidos para mantenerse en el poder. Entonces se tomaron importantes medidas para estabilizar la economía de la nación, empezando por crear el Banco Nacional de Nicaragua en 1921. La presencia de la marina estadounidense en territorio nicaragüense produjo un malestar que se manifestó en la actividad de las guerrillas que se resistieron a aquella ocupación.

En 1925 fue retirada la marina estadounidense, pero los liberales se sublevaron provocando otra guerra civil. Se estableció en Puerto Cabezas un gobierno presidido por Juan Bautista Sacasa, mientras el general José María Moncada con sus fuerzas se dirigía a Managua. En vista de la crítica situación, el presidente Calin Coolidge envió tropas a fin de salvar el régimen de Díaz. Por último, conservadores y liberales decidieron celebrar elecciones, asesorados por observadores estadounidenses. Ganó el candidato liberal José María Moncada en 1928, pero el general Augusto César Sandino prosiguió su lucha de guerrillas por no estar conforme con el acuerdo.

En 1933, Estados Unidos retiró sus últimos marinos. Juan Bautista Sacasa ocupó el poder de 1933 a 1936. Durante su gobierno hubo cierta tranquilidad pero, al año siguiente, Sandino murió asesinado. Sacasa renunció en 1936 ante un movimiento dirigido por Anastasio Somoza García, quien, tras un breve intervalo, lo sucedió en la presidencia. Con él, la situación política se estabilizó, se pudo entonces fomentar el desarrollo económico del país. Somoza emprendió obras públicas importantes; estimuló la producción agrícola y la ganadera y, además la industria minera experimentó un gran auge. El general Somoza ocupó la presidencia en dos ocasiones: de 1937 a 1947. La presidencia la ocupó después de que el doctor Carlos Brenes Jarquín, el presidente interino, a quien él mismo había nombrado, le preparó lo necesario para asegurarle el triunfo electoral.

Somoza dejó el poder en manos de quienes él pudiera controlar desde la Jefatura de la Guardia Nacional y lo retomó en 1951, hasta que el 21 de septiembre de 1956, durante una fiesta en la ciudad de León, recibió varios disparos hechos por el joven poeta Rigoberto López Pérez, falleciendo cuatro días más tarde, por lo que su hijo, Luis Somoza Debayle, ocupó la presidencia de la nación y el otro hijo, el general Anastasio Somoza Debayle, graduado de West Point, se hizo cargo de la Jefatura de la Guardia Nacional.

En febrero de 1963 y tras varios años de incertidumbre asumió el poder René Schick Gutiérrez, del Partido Liberal, triunfante en los comicios sin oponente, pues los partidos de la oposición se negaron a participar en las elecciones. Schick falleció en el desempeño de la magistratura. En 1967 hubo de nuevo elecciones y en éstas obtuvo el mando Anastasio Somoza Debayle que lo recibió del Dr. Francisco Guerrero, quien lo había asumido a la muerte de Schick. Al concluir el periodo de Somoza, un triunvirato bipartidista se hizo cargo del poder ejecutivo, el que preparó una nueva Carta Magna, la novena en la historia nicaragüense. Cuando parecía que el país andaba por sendas de tranquilidad, un terremoto destruyó la ciudad de Managua, causando miles de víctimas y destruyendo, de paso, la economía de la nación.

Bajo la égida de la nueva Constitución, que entró a regir en marzo de 1974, volvió a la presidencia Anastasio Somoza Debayle. La situación del país era tremenda. Había, desde muchos años atrás, grave descontento popular que se manifestaba en los constantes intentos mediante las armas para derrocar a los Somoza, a los que se calificaba de *dinastía*. A finales de los años sesentas se había constituido el Frente Sandinista de Liberación Nacional (FSLN), figurando entre sus fundadores Carlos Fonseca Amador, Silvio Mayorga y Tomás Borge. Este Frente Sandinista desencadenó una insurrección en contra de Somoza, desatándose una de las más duras guerras civiles de la historia de Centroamérica, con un saldo no menor de 60,000 muertos y la destrucción de gran parte de las ciudades principales. La situación de guerra en Nicaragua fue tal, que Venezuela, Colombia, Perú, Bolivia y Ecuador, con el apoyo de Estados Unidos, Panamá y

Catedral de Managua, Nicaragua.

Nova Development

Costa Rica, se inmiscuyeron en el conflicto al punto de obligar a Somoza a abandonar el poder. Partió al exilio el 17 de julio de 1979, haciendo entrega del mando al Doctor Francisco Urcuyo Maliaños, afamado y respetado pediatra quien, extrañamente en vez de cumplir con los términos impuestos a Somoza, quiso quedarse con el poder autoproclamándose presidente de Nicaragua, haciendo a la vez los nombramientos de ministros y de militares, lo que hizo que la guerra se enardeciera más aún durante las 48 horas siguientes, ya que el 19 de julio el poder fue entregado a una Junta formada por Violeta Barrios de Chamorro, Sergio Ramírez Mercado, Moisés Hassan Morales, Alfonso Robelo Callejas y Daniel Ortega Saavedra, lo que marcó el fin de la más antigua dictadura del continente americano. La Junta tuvo variantes por renuncias de sus miembros Robelo y Chamorro.

El Frente Sandinista era el dueño del poder absoluto y estrechó, ante el disgusto del gobierno de Estados Unidos, su amistad con la ex Unión Soviética y con Fidel Castro en Cuba. Esto desencadenó otra nueva guerra civil. Los opositores a la Junta se hicieron llamar *Contras*, y desde varios frentes hostigaron al Ejército Popular Sandinista, hasta que, por medio de presiones ejercidas por muchos países sobre el Gobierno Sandinista, se llegó a las elecciones que se efectuaron en 1990 dentro de un ambiente de gran tensión. Se enfrentaron los partidos Unión Nicaragüense Opositora (UNO) y el Frente Sandinista de Liberación que postulaba la candidatura de Daniel Ortega Saavedra, quien fungía como Presidente desde 1985 en que la Junta se disolvió. La UNO llevó como candidata presidencial a Violeta Barrios de Chamorro, viuda del periodista y político Pedro Joaquín Chamorro asesinado en Managua al inicio de la insurrección que terminó con el gobierno de los Somoza.

Violeta Chamorro venció en los comicios efectuados el 25 de febrero de 1990 y al tomar posesión de su cargo, el 25 de abril, anunció que asumía la jefatura de las Fuerzas Armadas, ponía fin al servicio militar obligatorio y que mantenía al general Humberto Ortega, hermano de Daniel, en el comando militar, decisión que causó descontento aún entre los compañeros de Chamorro. El 16 de mayo, 60,000 trabajadores se declararon en huelga en apoyo de los sandinistas, paralizando todas las actividades en el país y, el 12 de julio, el gobierno y el Frente Nacional de los Trabajadores llegaron a un acuerdo y se dio por terminada la huelga. En octubre, al completar apenas seis meses de gobierno, Chamorro se enfrentaba a un clima anárquico: los rebeldes habían tomado de nuevo las armas. En 1991, muere asesinado en Managua el coronel Enrique Bermúdez, ex jefe de los rebeldes antisandinistas y Chamorro plantea en una sesión conjunta del Congreso de Estados Unidos que se aumente la ayuda a Nicaragua.

El 13 de abril de 1992, el volcán Cerro Negro hace erupción y cubre la ciudad de León con dos millones de toneladas de cenizas y Colombia envía alimentos, medicinas y ropa para ayudar a los damnificados. En julio, la retención de 116 millones de dólares que Estados Unidos había ofrecido como mecanismo de ayuda económica causa profunda crisis en el país y, dos meses después Violeta Chamorro rechaza las pretensiones estadounidenses para descongelar los 116 millones de dólares, afirmando que no vendería a su país a cambio de mantener buenas relaciones con el gobierno estadounidense.

En 1993, Chamorro visita a Salinas de Gortari, el presidente de México, en busca de apoyo. En 1996, Arnoldo Alemán, del Partido Liberal Constitucionalista obtuvo el triunfo en las elecciones presidenciales.

Patrimonio cultural. Nicaragua se enorgullece de contar en su historia literaria con una figura como Rubén Darío, gran poeta y prosista de renombre que ha dado a las letras de su patria fama universal. Darío está considerado como el máximo renovador de la forma en la poesía castellana moderna. En 1888 publica su primera obra significativa; *Azul*, cuentos escritos en bella prosa poética que marcan el inicio de su brillante carrera. En 1896 termina *Prosas Profanas*. En *Cantos de Vida y Esperanza* (1905) se mezclan las formas más puras del modernismo con temas de los pueblos hispánicos. Influyó en innumerables poetas extranjeros, pero, sobre todo, en reconocidos poetas y prosistas nicaragüenses entre los que podemos citar a Santiago Argüello, *Ojo y Alma*; Alfonso Cortés; Azarías H. Pallais, autor de *A la sombra del agua*; y al novelista Hernán Robleto. En 1928 surge un grupo de jóvenes nicaragüenses que ya no sienten tanta admiración por Darío, conocidos como vanguardistas y encabezados por José Coronel Urtecho. Entre los más conspicuos se destacan Pablo Antonio Cuadra, Joaquín Pasos y Ernesto Cardenal.

De las artes del periodo precolombino sólo se conservan tres figuras monolíticas de la cultura chorotega, las cuales se encuentran en el museo Nacional de Managua. Sin embargo, del periodo comprendido entre la época colonial y nuestros días se cuenta con más información acerca de las figuras sobresalientes de Nicaragua. En la pintura y la escultura del siglo XIX se recuerda a Regino Jerez, Bonifacio Novoa, general Alfonso Valle, Pedro Martínez, Juan Bautista Cuadra, Toribio Pérez y Santiago Páramo. Los pintores de fama universal Alejandro Alonso Rochi y Rodrigo Peñalba, con sus obras han dado valor y nombre al arte nicaragüense del siglo XX. Durante este siglo, también destacan Omar de León, Francisco Pérez Carrillo, Armando Morales, Guillermo Rivas Nava, Fernando Saravia, Jaime Villa y Asilia Guillén, entre otros.

El canal interoceánico. Un antiguo proyecto, con repetidas implicaciones en la vida nacional e internacional del país, ha sido la construcción de un canal destinado a unir los mares del Caribe (Atlántico) y Pacífico, a través de la vía natural del río San Juan y del lago de Nicaragua, y el cual se completaría con el corte del istmo de Rivas, que separa a dicho lago del océano Pacífico. En éste el canal desembocaría a la altura de Brito, al norte del puerto de San Juan del Sur. Una compañía particular intentó realizar esta obra en 1889, pero el proyecto fracasó y después de construido el canal de Panamá, las posibilidades se han ido aplazando constantemente, a pesar de haberse suscrito convenios al respecto y de insistirse en la necesidad de la obra.

En 1916 se firmó el acuerdo Bryan-Chamorro, que daba a Estados Unidos, mediante el pago de 3 millones de dólares, una opción por 99 años para la construcción del canal de Nicaragua, incluyendo el derecho a construir bases navales en el Golfo de Fonseca e islas Corn. Ante las reclamaciones de Costa Rica, cuya frontera también baña el río San Juan, en 1940 se suscribió un acuerdo entre dicho país, Estados Unidos y Nicaragua referente a su canalización. En cuanto a la obra en sí, contra los 81 km que tiene el Canal de Panamá de costa a costa, el de Nicaragua se extendería unos 260 km, sin la parte correspondiente a la navegación a través del lago del mismo nombre, y perteneciendo al río San Juan alrededor de 225 km. Para salvar un desnivel, en todo caso superior a 20 m, sería necesaria la construcción de un juego de esclusas no inferior a 15, según los mejores proyectos considerados. El proyectado Canal de Nicaragua ha sido motivo de continuos acuerdos entre Estados Unidos y Nicaragua desde 1851; pero los detallados anteriormente son los más importantes.

Nicaragua, Lago de. Gran lago de la América Central en el suroeste de Nicaragua. Superficie: 7,692 km². Longitud máxima: 162 km y 72 de anchura máxima, a 35 m sobre el nivel del mar; profundidad de sus aguas, variable entre los 8 y los 100 m. Se comunica con el próximo lago de Managua por el río Tipitapa. Tiene varias islas, siendo la mayor la de Ometepe, con el volcán de este nombre, unida por un istmo bajo a la de Madera, también volcánica.

Nicea, concilios de. Dos concilios ecuménicos se han realizado en Nicea (hoy Iznik, en Turquía) el primero en 325 y el segundo en 787. Éste fue convocado por el emperador Constantino I (fue además el primer concilio de la cristiandad), y en él se condenó al movimiento arrianista que criticaba la naturaleza de la trinidad divina. Aquél, séptimo del cristianismo, fue promovido por la emperatriz bizantina Irena para regular el uso de las imágenes de santos (iconos); en él se condenó a la iconoclastia y se legitimó la veneración de las imágenes y la intercesión de los santos.

Nicobar, islas. Archipiélago asiático del Golfo de Bengala al sur de las islas Andamán. Está integrado por 19 islas que cubren una superficie total de 1,700 km^2. La población global de las islas Andamán y las de Nicobar es de 271,111 habitantes, casi en su totalidad nativos, que tienen el carácter y la cultura general de las tribus de la península malaya y que hablan el dialecto khasi derivado de la lengua austroasiática. De clima muy caluroso, sólo 12 están habitadas y producen cocos y otros frutos. Fueron ocupadas por los ingleses en 1869 y desde 1947 son administradas por la Comisaría de Andamán y Nicobar como parte del territorio de la India.

Nicolai, Otto (1810-1849) Compositor alemán. Siendo organista de la capilla de la embajada prusiana en Roma se consagró al estudio de los antiguos maestros, en especial Palestrina. Fue director de las orquestas de la ópera de Viena y del Teatro de Berlín. Su obra más popular es la ópera *Las alegres comadres de Windsor.* Otras de sus composiciones no han trascendido, ya que si bien su estilo es melodioso, carece de originalidad.

Nicolás I, san (800?-867). Pontífice romano. León IV lo nombró cardenal diácono y a la muerte de Benedicto III, en 858, fue exaltado a la silla pontifical. Fue el primer papa coronado con la tiara pontificia en la iglesia de San Juan de Letrán. Por su talento, rectitud de principios e innatas virtudes fue canonizado. Desplegó gran celo en el desempeño de sus funciones y durante su pontificado tuvo que resolver graves cuestiones eclesiásticas. Con energía e inteligencia mantuvo la supremacía del papado frente a las pretensiones de reyes y emperadores. Respaldó las reclamaciones de san Ignacio, patriarca de Constantinopla, y excomulgó a Focio que suscitó el cisma de Oriente. Contribuyó a robustecer la implantación del cristianismo en Bulgaria. La Iglesia conmemora a san Nicolás el día 13 de noviembre.

Nicolás I (1796-1855). Zar de Rusia, hijo de Pablo I. Ascendió al trono al morir su hermano Alejandro I y renunciar al mismo su otro hermano mayor, Constantino. Por una discrepancia sobre fronteras, libró una guerra con Persia en 1826, derrotándola y obligándola a firmar el tratado por el cual Rusia obtenía el dominio de importantes territorios. La cuestión de la independencia griega lo llevó a aliarse a Francia e Inglaterra cuyas escuadras derrotaron a la de Turquía en Navarino (1827). Un año después, declaró la guerra a Turquía, apoderándose de Varna, pasando los Balcanes y tomando a Andrinópolis. Esta victoria le valió a Rusia la zona del litoral este del Mar Negro. En 1853 pretendió ejercer el protectorado sobre todas las poblaciones que profesaran la religión griega en Turquía. Pero esta nación, respaldada por Inglaterra y Francia, se negó a ello, por lo que sobrevino la llamada guerra de Crimea en la que tropas principalmente inglesas y francesas infligieron graves derrotas a los rusos. El pesar por los reveses sufridos en este conflicto contribuyó a la muerte de Nicolás I antes de la terminación de la guerra.

Nicolás II (1868-1918). Zar de Rusia. Ascendió al trono en 1894, al morir su padre Alejandro III. Contrajo nupcias con la princesa alemana Alicia de Hesse (que como zarina adoptó el nombre de Alejandra Feodorovna) con la que tuvo cinco hijos: Olga, Tatiana, María, Anastasia y Alejo, heredero de la corona, y de salud delicada, aquejado de hemofilia. Nicolás II fue hombre de carácter débil y se estima que a causa de ello, fue instrumento dócil de las camarillas palaciegas. Inició su reinado con actos tendientes a una política para la consolidación de la paz en Europa, que culminó en la Conferencia de la Paz, celebrada en La Haya en el año 1899.

En 1902 reforzó la alianza con Francia para preservar el equilibrio internacional. La guerra con Japón (1904-1905), que fue desastrosa para Rusia, exacerbó el malestar de la nación y originó graves perturbaciones que culminaron en la revolución de 1905. El zar se vio obligado a conceder a la nación una representación limitada en el gobierno, y dispuso la creación de la Duma (Parlamento) con miembros elegidos mediante sufragio restringido. Aunque trató de evitar la Primera Guerra Mundial, la necesidad de respaldar a Servia frente a las exigencias de Austria y Alemania, lo forzó a participar en el conflicto (1914). La prolongación de la guerra, los desastres de las tropas rusas y los sufrimientos del pueblo, provocaron la revolución de 1917, y el zar se vio obligado a abdicar el trono y, con su familia, fue deportado a Tobolsk. En el curso de la revolución, los bolcheviques se apoderaron del gobierno, trasladaron al emperador y su familia a Ekaterinenburgo donde, en la noche del 16 al 17 de julio de 1918, fueron muertos a tiros en un sótano e incinerados los cadáveres.

Nicolás de Bari, san (300?-351?). Obispo de Myra en Lycia (Asia Menor). Es el santo patrón de Rusia, protector de los marineros, de los mercaderes y de los niños. Cuenta la leyenda que San Nicolás, deseando proteger a tres doncellas que carecían de dote para poderse casar, depositó en su ventana durante tres noches consecutivas una bolsa llena de monedas de oro para que cada una tuviera su dote. De este bello acto se deriva la costumbre en muchos países del norte de Europa de hacer regalos a los niños en la víspera de San Nicolás (6 de diciembre) transferida en otros países a la víspera de Navidad. Esa costumbre se ha extendido a otros continentes, principalmente a la América del Norte, donde, por corrupción del nombre, al santo se le llama Santa Claus. En dichos países San Nicolás viene a ser el equivalente de los Reyes Magos, que en España y en los países de influencia española llevan regalos a los niños. En el año 1087 fueron trasladados los restos de San Nicolás a Bari (Italia).

Nicolle, Charles Jules Henri (1866-1936). Médico, bacteriólogo y escritor francés. Dirigió el Instituto Pasteur en Túnez y fue profesor del Colegio de Francia. Entre sus valiosas aportaciones a la ciencia médica merece señalarse el descubrimiento de que el piojo es el agente trasmisor del tifus exantemático. En 1928 obtuvo el Premio Nobel de Medicina o Fisiología y en 1929 fue nombrado miembro de la Academia de Ciencias. Dejó varias obras científicas entre ellas: *Nacimiento, vida y muerte de las enfermedades infecciosas* y *Pequeños placeres del tedio.*

Nicosia. Capital de la isla de Chipre, está situada en el interior, en la región norte de la isla. Tiene 234,200 habitantes (1996). Fue fundada a principios del siglo III a. C. Adquirió gran importancia en la antigüedad y la Edad Media. En ella dominaron griegos, romanos y bizantinos. En la Edad Media fue regido por árabes, turcos, caballeros templarios y por Guy de Lusignan, rey de Jerusalén, y sus descendientes. Fue gobernada por Venecia de 1489 a 1571. Después pasó al dominio de Turquía hasta 1878, en que Turquía cedió la isla de Chipre a Gran Bretaña. En 1959, al erigirse Chipre en república, Nicosia pasó a ser la capital del nuevo Estado. Desde 1995 cambió su nombre por Lefkosa.

nicotina. Alcaloide contenido en el tabaco. La nicotina es conocida desde 1809, fecha en que la obtuvo Louis Nicolas Vauquelin. Posselt y Reimann (1828) consiguieron prepararla pura. Líquido de consistencia oleaginosa, es incoloro cuando está puro, pero al contacto del aire o del oxígeno, toma primero color amarillo y después se oscurece y espesa. Cuando está frío huele débilmente a tabaco, pero al calentarlo da un olor fuerte, picante, que persiste largo tiempo. Es soluble en el agua, muy soluble en alcohol y éter, y venenoso. Se utiliza en agricultura por sus propiedades tóxicas mezclado con otras sustancias que completan su acción, y para combatir diferentes plagas de los cultivos y los árboles frutales: pulgones de los rosales, melocotones, cerezos, manzanos, etcétera. La proporción de nicotina oscila, según la clase de tabaco, entre 2 y 7%. Según J. Habermann, en los restos de los cigarros queda 36% de la nicotina que contenían y el humo aspirado contiene 16%. El uso del tabaco es nocivo y produce en ciertos casos enfermedades graves y la intoxicación lenta llamada nicotismo. *Véanse* CIGARRO Y CIGARRILLO; TABACO.

nictemeral (nictémero). Sinónimo de circadiano; que dura 24 horas o se relaciona con periodos de esa magnitud. El término nictemeral se usa principalmente en el ámbito de la biología, para designar fenómenos o procesos rítmicos que tienen que ver con la sucesión de las noches y los días. Los llamados *ritmos nictemerales o circadianos* son originados por los factores que, ajenos a los organismos vivos, como la luz, la humedad y la temperatura, varían como consecuencia de la sucesión de los días y sus noches. El ejemplo más claro de dichos condicionantes biológicos es la alternancia entre la luz y la oscuridad; durante el día, infinidad de flores permanecen abiertas, mientras que la actividad mitótica de las plantas superiores es mínima y su presión radicular máxima. De noche sucede todo lo contrario. En el reino animal, los cambios en la visión, la evaporación y la radiación se reflejan en la existencia de especies diurnas, crepusculares, nocturnas y arrítmicas. Algunas actividades circadianas son de tipo reproductivo (especies que ponen su huevos de noche, aves donde el macho y la hembra se turnan para incubar los huevos según el momento del día) o migratorio.

A veces los fenómenos circadianos suceden como si los regulara una especie de *reloj interno*. En el ser humano, por ejemplo, esto puede advertirse en el despertar espontáneo. Otros indicios de los periodos nictemerales humanos son las consecuencias de los cambios de horario en los trabajos, los efectos de viajar entre lugares con usos horarios distintos (el conocido efecto *jetlog*) o de viajes espaciales o submarinos, y la necesidad de administrar algunos medicamentos a ciertas horas. Es un hecho aceptado que esa suerte de reloj biológico es una de las adquisiciones del proceso evolutivo. Aunque en el caso del ser humano no se sabe dónde reside, está comprobado que en las plantas se encuentra en cada célula o grupo de células y que los animales están dotados de centros coordinadores circadianos.

Nicuesa, Diego de. Explorador español. Perteneciente al último tercio del siglo XV y principios del XVI. Con la intención de encargarse de la gobernación de Panamá se incorporó a los capitanes que pasaron al Nuevo Mundo y se distinguió tanto por su intrepidez como por la mala fortuna y fracaso de sus empresas. Embarcó juntamente con Alonso de Ojeda y con él principiaron las rivalidades. Habiendo gastado su fortuna en los preparativos de la expedición y en la tropa a su cargo, para continuarla tuvo que agenciarse difíciles y onerosos préstamos. Después de llegar a la Española y a Cartagena de Indias sufrió graves reveses que diezmaban sus hombres, sobre todo al internarse por los ríos dejando su flota junto a la costa, excesivamente escarpada para atracar en ella. Lope de Olano, a quien confió el mando de las naves, después de ser éstas golpeadas por la furia del mar, decidió el abandono de su jefe y los hombres que se internaron en la exploración. Nicuesa lo condenó a muerte por ello, aunque luego lo perdonara. Creyendo llegado el final de su odisea se estableció en un lugar que bautizó *Nombre de Dios*, pero tampoco allí podía sustentarse su tropa ni evitar los continuos y cruentos ataques de los indígenas. Finalmente fueron a solicitar de él que se hiciera cargo de una colonia (Santa María la Antigua) fundada por compañeros de Ojeda, en la cual existían dos bandos en pugna; allí fue recibido hostilmente en marzo de 1511 y hubo de reembarcarse. A partir de este momento no se volvieron a tener noticias suyas. Se cree que murió en un naufragio al regresar a Santo Domingo.

nido. Especie de lecho que construyen las aves para poner sus huevos y proteger su prole. Existen también animales de las más diversas clases que poseen la costumbre de construir nidos, pero son las aves las que más desarrollado tienen ese instinto, encontrándose entre ellas los ejemplos más extraordinarios. La finalidad del nido es proporcionar a la hembra un lugar cómodo y protegido donde poner e incubar sus huevos y criar los polluelos resguardándolos de los enemigos. Para ello utilizan los

De arriba abajo y de izq. a der: nido de un ave del paraíso, nido de un pingüino Humboldt, nido de una araña, águila llevando alimento a su nido, nido de cigüeña en una azotea y paloma en su nido.

Corel Stock Photo Library

más diversos materiales y técnicas de construcción. Se llaman aves minadoras las que construyen galerías subterráneas, como el abejaruco, el martín pescador y la golondrina de río; se llaman carpinteras las que labran huecos mediante golpes de sus picos en los troncos de los árboles, como los carpinteros y picatroncos de los pinares europeos; pero lo más frecuente es que las aves construyan estas viviendas trenzando ramitas, pujas, plumas, etcétera. Los más hábiles en este trabajo son los pájaros tejedores de la India y África, que utilizan esparto y fibras diversas; los entrelazan y tejen el nido en forma de botella, con un agujero lateral por el que entran; lo fijan a las ramas más altas de los árboles que bordean la selva, guareciéndose en ellos no sólo para la incubación sino para pasar todas las noches. La pizoleta, la pajarita de las nieves y el pájaro mosca tienen también gran habilidad para hacer sus nidos, pero no llegan a la de los pardales y tejedores, que los construyen en los árboles, se agrupan en colonias de 200 a 500 individuos y todo lo cubren con una especie de paraguas común o techo cónico de paja, que protege los nidos contra las lluvias; es una verdadera ciudad de pájaros y un ejemplo de trabajo en común. Las aves que mayor ingenio despliegan son los pájaros sastres de la India, que para construir sus nidos utilizan dos hojas, cuyos bordes agujerean con el pico, y retorciendo una hebra de algodón la hacen pasar de unos a otros, de manera que al tirar de ella forman con las hojas una especie de bolsa. Otras muchas aves se sirven de barro para unir los materiales de su nido, como las golondrinas, que lo sujetan a los aleros de las casas para protegerlo de la lluvia. Es curioso entre los pájaros albañiles el cálao de Asia, que acondiciona con argamasa los huecos de los árboles, encerrando a su hembra en el nido, y cierra el hueco del nido con un tabique en el que sólo deja un agujero para sacar la cabeza. El macho la alimenta todo el tiempo que dura la incubación y la cría de los polluelos, y la hembra permanece en su prisión hasta que los hijuelos salen para realizar el primer vuelo, atravesando ella el agujero gracias a lo que ha adelgazado durante su encierro. Los flamencos también construyen sus nidos con barro, pero los hacen formando con sus patas montones de forma cónica, que llegan a medio metro de altura, para que los huevos que ponen en la parte superior, así como los polluelos que de ellos nacen, queden protegidos contra las inundaciones repentinas, muy frecuentes en los ríos y lugares pantanosos, donde viven en grandes colonias. La salangana, especie de golondrina indoaustraliana, construye sus nidos con algas y sustancias gelatinosas, que aglutina con su propia saliva a las ramas. Estos nidos son comestibles en Asia Oriental y apreciados como manjar exquisito. Maestro en el arte de trabajar el barro es el hornero de Argentina, que construye sus nidos de la misma forma que los hornos para cocer el pan empleados en la Pampa. Empieza por amasar el barro hasta que tiene la plasticidad deseada, transportando barro con su pico en pequeñas porciones, que va adosando a las ramas de los árboles o postes de telégrafo. Cuando ha formado una plataforma circular de unos 30 cm empieza a levantar un muro circular, al que va poco a poco dando la forma de bóveda semiesférica, hasta cerrarlo completamente. En el interior una pared vertical divide el nido en dos cámaras: una especie de antecámara, en la que se abre la puerta exterior, y que por medio de otra puerta comunica con la cámara interna o de incubación, que es donde la hembra pondrá los huevos y cuidará los polluelos. Las aves no son los únicos animales que construyen nidos. A más de hormigas, termes y abejas, existen otros muchos, como las avispas, que los construyen de saliva y fibras de madera haciendo una mezcla consistente muy similar al cartón, y las abejas albañilas, de barro. Muchas arañas también construyen verdaderos nidos. Entre los vertebrados, los más notables son los que construye el pez llamado gasterósteo y los que fabrican los lirones y ardillas en las ramas de los árboles, y los ratones de campo en los matorrales.

niebla. Nube que roza el mar o la tierra. Hállase formada por minúsculas gotas de agua y la origina la diferencia de temperatura entre el aire y la superficie terrestre o marina. Al enfriarse el aire húmedo, su vapor se condensa. Para ello es necesario que haya calma y ausencia de corrientes ascendentes. El fenómeno es semejante al que tiene lugar cuando en una marmita que contenga agua en ebullición, el vapor que se produce sale al exterior y al ponerse en contacto con el aire frío, se condensa y forma pequeñas gotas de agua. Suele también formarse niebla cuando una corriente suave de viento caliente pasa sobre una superficie fría de agua o tierra, o cuando el calor del suelo escapa durante la noche por radiación.

Niebuhr, Barthold Georg (1776-1831). Historiador alemán nacido en Copenhague. Era hijo del explorador Karsten Niebuhr que viajó por el norte de Arabia. En 1816 fue nombrado embajador de Prusia en Roma. Fue profesor de las universidades de Berlín y Bonn. Es autor de importantes obras históricas.

Nielsen, Carl (1865-1931). Compositor danés. Su obra sinfónica está emparentada con los trabajos de Brahms y Sibelius. Es sin duda el compositor más importante de la moderna música danesa. Destacan seis sinfonías (1892, 1900, 1911, 1916, 1922 y 1925).

Niemen. Río que nace al sur de Minsk, cruza Bielorrusia y Lituania, y desemboca en el Mar Báltico. Tiene 850 km de longitud y una cuenca hidrográfica de 90,000 km^2. Es navegable hasta la ciudad de Grodno, aunque se hiela en invierno.

Además de esta ciudad se levantan en sus orillas otras importantes, entre las que se cuentan Kaunas (Kovno) y Sovetsk (Tilsit). Se divide en varios brazos antes de desembocar en el Báltico por la bahía de Cutlandia. Un sistema de canales lo conecta con los ríos Vístula y Pripet.

Niemeyer Soares Filho, Oscar (1907-). Arquitecto brasileño. Discípulo de Charles Le Corbusier y Lucio Costa. Niemeyer es uno de los principales arquitectos de la tendencia racionalista y su influencia es considerable. Sus obras más notables son: el Ministerio de Educación Nacional de Río de Janeiro (1936); el pabellón brasileño en la Exposición de New York (1939); Villa Peixoto, Cataguazes (1942); Banco Boavista, Río de Janeiro (1946); un hotel en Ouro Preto (1948); un conjunto en Diamantina (1953). A partir de 1956 comienza la edificación de Brasilia, donde se incluyen la Plaza de los Tres Poderes, el Parlamento, el palacio Presidencial o de la Aurora, la catedral y el teatro.

En Argelia proyectó la Universidad de Constantina (1968-1970); en Argel, la Escuela de Arquitectura. En Francia planea la sede del Partido Comunista (París); una Bolsa del Trabajo (Bobygny) y una Casa de Cultura (El Havre).

Realizó también el Teatro de Vicenza (1978); el museo Antropológico de Belo Horizonte en Brasil (1978) y el barrio de Algiers en Río de Janeiro (1979).

En 1989 recibe el premio Príncipe de Asturias en Bellas Artes y en 1996 recibió el León de Oro a su carrera, concedido por primera vez por la Bienal de Arquitectura de Venecia.

Niepce, Claudio Félix Abel (1805-1870) Físico francés, sobrino de J. N. Niepce. Efectuó importantes investigaciones en fotografía. En 1847 logró hacer fotografías sobre placas de cristal. Inventó el procedimiento para grabar por medio de la fotografía sobre planchas de metal, dando origen al fotograbado que se emplea en las artes gráficas para la impresión y reproducción de ilustraciones.

Niepce, Joseph-Nicéphore (1765-1833). Físico, químico e inventor francés. Se dedicó a investigaciones de química y mecánica. Después de diez años de ensayos, pudo fijar, en 1824, las imágenes de la cámara oscura, y tres años después obtuvo una fotografía sobre placa de metal. Se unió a Louis Jacques Daguerre para proseguir los experimentos. Se considera a Niepce como uno de los inventores de la fotografía en colaboración con Daguerre.

Nier, Alfred Otto Charles (1911-1994). Físico estadounidense que realizó trascendentales investigaciones sobre la energía atómica. Ejerció la cátedra de física en las universidades de Harvard y Minnesota. Entre sus principales aportaciones a la física nuclear figura el descubrimiento en 1938 del isótopo del uranio 234 y la separación de los isótopos 235 y 238, por medio del espectrógrafo de masas, lo que hizo posible la obtención de los nuevos elementos químicos neptunio y plutonio. Este último se emplea en la fabricación de la bomba atómica.

Nieto Caballero, Agustín (1889-1975). Educador colombiano, fundador y director del colegio *Gimnasio Moderno.* Fue delegado de Colombia, en dos ocasiones, ante la Sociedad de las Naciones, director general de Educación de 1932 a 1936, presidente de la representación latinoamericana en la Conferencia Internacional de Educación verificada en la Universidad de Michigan en 1941, rector de la Universidad Nacional y embajador de su país en Chile. Fundador de la revista *Cultura* y autor de la obra *Sobre el problema de la educación nacional.*

Nieto Caballero, Luis Eduardo (1888-1957). Periodista colombiano, colaborador de *El Tiempo* y *El Espectador.* Fue autor de numerosos libros, entre los cuales se destacan *Murillo Toro escritor, Colombia joven, Libros colombianos* (3 volúmenes de crítica), *Hombres de fuera, Vuelo al Amazonas* y *Vuelo al Orinoco.*

Nietzsche, Friedrich (1844-1900). Filósofo y escritor alemán. Hijo de un pastor protestante de Turingia, estudió filología clásica en Bonn y en Leipzig, y a los veinticuatro años desempeñó la cátedra de esta disciplina en Basilea. En 1878 comenzó a notar los síntomas de una enfermedad cerebral, su razón se ofuscó definitivamente en 1889, y desde entonces vivió al cuidado de su madre y de una hermana. En Lucerna (Suiza), frecuentó el trato del compositor Richard Wagner, al que había conocido en Leipzig, con el que le unió una gran amistad y una más grande afinidad de ideas artísticas y culturales. Después rompió violentamente con él y sacó de este rompimiento consecuencias de gran vigor polémico sobre el arte y la filosofía en general.

Nietzsche publicó varias obras y trabajó con intensidad mientras se lo permitió su lucidez mental. Es autor de *La voluntad de poderío, Más allá del bien y del mal, Genealogía de la moral, Ecce Homo, Así hablaba Zaratustra,* etcétera. Lírico por temperamento, supo sacar del idioma una gran fuerza expresiva y belleza plástica, que hizo de él uno de los más grandes escritores de lengua alemana. Su filosofía exalta la voluntad de poder por encima de todo. En sus obras se opuso a muchos de los valores morales y principios éticos aceptados por la civilización occidental. Durante el predominio del nacionalsocialismo en Alemania se utilizaron sus teorías sobre el superhombre para apoyar la pretendida superioridad de una raza sobre las demás y para justificar la política de agresividad en las relaciones internacionales.

Corel Stock Photo Library

Bosque de arces cubierto de nieve.

Corel Stock Photo Library

Roble cubierto de nieve.

nieve. Cuando el vapor de agua que se halla en la atmósfera es sometido a temperaturas inferiores a 0 °C, se congela formando la nieve. Esto ocurre por lo general dentro de las nubes, a diversas alturas de la atmósfera, de acuerdo con la latitud y el frío prevaleciente. La causa más frecuente de generación de la nieve consiste en el traslado, en zonas de temperatura propicia, de corrientes de aire templado a sectores más fríos, donde el vapor acuoso sufre una súbita condensación directa al estado sólido y cristalizado. Se produce en gran cantidad en todas las latitudes, aunque difícilmente alcanza la tierra en los sectores cálidos (excepto en los picos de las altas montañas), pues la temperatura ambiente, favorecida por la poca velocidad a que caen los copos, la disuelve a medida que se acerca a la tierra y la convierte en lluvia. A menudo de una misma nube cae nieve en los parajes altos y lluvia o aguanieve en los valles. La nieve es blanca y opaca debido a su estructura esponjosa y muy fraccionada, pues entre las moléculas de agua que la integran hay muchas otras de aire.

Si se toma un copo de nieve y se observa al microscopio, podrán verse los cristales que la componen. Los cristales son delicadas figuras de formas simétricas, compuestas por agujas y laminillas que forman estrellitas, prismas, poliedros, pirámides, etcétera. La mayoría tienden a dividirse en seis partes, o sea que pertenecen al sistema hexagonal de cristalización. La ciencia los divide en dos grupos: los cristales columnares y los tabulares. Los primeros constan de columnillas hexagonales sumamente delgadas; los tabulares se caracterizan por poseer un plano cuya estructura puede ser abierta o cerrada. Las dos variedades se combinan, y los bordes de los cristales están siempre graciosamente dentados. La nieve cae por lo general en copos que van perdiendo su originaria forma regular a medida que descienden, por efectos del viento y la licuación, pero también se precipita pulverizada en las zonas muy frías.

La distribución de la nieve en la Tierra está condicionada por los paralelos geográficos y por la altura. Hay regiones de nieves perpetuas en las cumbres montañosas y otras donde sólo existen nevadas de invierno. Cuando la nieve se deposita en las altas planicies se forman los glaciares; si el viento la acumula en un lugar determinado se llama ventisquero.

En las regiones polares la nieve convertida en hielo tiene centenares de metros de espesor. En los caminos nevados se usa como medio de transporte el trineo tirado por caballos, renos o perros, y el esquí para el peatón, dando origen al deporte de la nieve que se practica por lo general en invierno.

Níger. Estado de África. Limita al norte con Libia y Argelia; al sur con Nigeria y Dahomey; al este con Chad, y al oeste con Malí y Burkina Faso. Tiene 1.267,000 km^2 y 8.500,000 habitantes de raza negra, principalmente de los grupos étnicos hausa, djermashongai, tuareg, fulbe, kanuri, y unos 3,000 habitantes no africanos. La capital es Niamey (420,000 h.), a orillas del río Níger. Exceptuando las regiones agrícolas del sur y del suroeste, regadas por el Níger, el país se resiente por la escasez de agua. En el centro hay zonas de pastos, y en el norte predomina el desierto, con población nómada tuareg. El 90% de la población se dedica a la agricultura y ganadería. Se cultiva mijo, maní, sorgo, frijoles, arroz, maíz y hortalizas. Las exportaciones principales son maní, goma arábiga, ganado y cuero. El comercio exterior se efectúa por el ferrocarril de Dahomey al puerto de Cotonou. El país carece de ferrocarriles y las carreteras tienen unos 18,376 km. Fue territorio del África occidental francesa hasta 1958 en que se declaró estado autónomo dentro de la comunidad francesa. En 1960 se proclamó república independiente, y asumió el poder como presidente Hamani Diori, pero en 1974 fue derrocado por un golpe de Estado militar y el jefe del ejército, el teniente coronel Seyni Kountché, asciende a la presidencia; se suspende la Constitución de 1960 y se disuelve la Asamblea Nacional. En ese mismo año nacionaliza la industria de uranio. En 1985 Níger sufre los efectos de la hambruna, y por primera vez en la historia se quedó seco el río Níger. En 1987 el presidente Kountché muere y lo sustituye en el cargo el coronel Ali Saibou y, en 1989 entra en vigor una nueva Constitución, misma que es suspendida en 1990 por la Conferencia Nacional. En febrero se producen disturbios laborales y estudiantiles, que las autoridades reprimen violentamente. En noviembre, el gobierno envía al Golfo Pérsico 500 miembros de las fuerzas armadas nigerianas en apoyo de la fuerza multinacional. En 1993 Mahamane Ousmane triunfa en las elecciones, propone una tregua entre la etnia y los tuareg. En 1996, mediante un golpe de Estado Ibrahim Barré llega al poder.

Níger. Río de África Occidental, intertropical, el tercero en importancia de ese continente. Tiene un curso de 4,200 km y recorre una de las zonas más fértiles de África. Nace en el monte Yenkina, cerca de la frontera entre Sierra Leona y Liberia a 280 km de la costa atlántica; corre primero hacia el noreste, pero luego cambia de rumbo, torciendo al sureste para desembocar en el golfo de Guinea por varios brazos, siendo el principal el Nun, y después los de Brass, Nuevo Calabar, Bonny, Sombrero y otros. Su cuenca hidrográfica tiene unos 2.500,000 km^2. Pasa por Bamakó, Tombuctú, Burem y Niamey. A partir de Burem recibe numerosos afluentes, de los cuales el principal es el Benué. Navegable en buena parte de su curso, se utiliza para el transporte de los productos del interior, especialmente aceite de palma, resinas, caucho, café, marfil. Gracias a la construcción de presas se utiliza también para el riego. Si bien conocido desde la antigüedad, el viajero escocés Mungo Park comenzó en 1795 la exploración científica del valle del Níger, la que se completó en el siglo XIX por Laing, Caillié y otros.

Baile del Guardian de la Noche *en Fouditi, Benin, Nigeria.*

Corel Stock Photo Library

Nigeria. Estado de África. Limita al norte con Níger y Chad, al sur con el Golfo de Guinea, al este con Camerún, y al oeste con Benín. Tiene 923,768 km^2 y 112,000 habitantes (1995). El país presenta a lo largo de los litorales y delta del Níger, una faja de 20 a 100 km de ancho cubierta de manglares y pantanos. Al norte de esa faja se extiende una zona de 80 a 160 km de ancho con selvas húmedas tropicales de palmas aceitíferas y árboles de maderas preciosas. En el interior, el terreno se eleva y presenta sabanas y bosques. La orografía es pobre, con pocas montañas, excepto en el límite suroriental en que hay alturas que exceden de 3,000 m. Los ríos principales son el Níger, Benué y Cross. El clima es tropical, caluroso y húmedo.

La agricultura es la base de la economía y sus productos representan 80% de la exportación, que consiste en aceite y nueces de palma, cacao, maní y derivados, algodón, caucho, tabaco, plátanos, maderas y cueros. La mitad del comercio exterior se efectúa con Estados Unidos, y en menor escala con Gran Bretaña, Holanda, Francia y Alemania. Los recursos minerales son importantes y se explotan principalmente petróleo, carbón, estaño y columbita. En menor proporción se explotan plomo, cinc, oro y hierro. Se ha iniciado la industrialización con fábricas de productos y derivados de palma y maní, madera laminada, tejidos plásticos, cemento, jabón y cigarros. Nigeria, miembro de la Organización de Países Exportadores de Petróleo (OPEP) y noveno productor mundial en 1993, es importante exportador de petróleo. La red de comunicaciones tiene unos 4,144 km de ferrocarriles, 119,000 km de carreteras, 6,400 km de vías fluviales navegables y líneas aéreas interiores e internacionales con aeropuertos principales en Lagos y Kano.

La población es de raza negra, dividida etnográficamente en cientos de tribus; las lenguas principales son *hausa, ibo* del sureste y *yoruba* del suroeste; hay también minorías árabes y *fulahs* en el noreste del país. Los idiomas más extendidos son el inglés, árabe y las lenguas nativas mencionadas. Las religiones principales son la musulmana (45% de la población), protestante (15.2% de la población), católica (12.1%) y cristianos autóctonos (10.6%). El 20% de la población es analfabeta. Hay instituciones universitarias en Amandhu Bello, Bayero,

Benin, Lagos, Madiguri, Sokoto y 13 millones de niños reciben instrucción primaria.

El gobierno comprende: el poder legislativo integrado por la Cámara de Representantes y el Senado, el poder ejecutivo que ejerce el presidente federal asistido por un consejo de ministros y un primer ministro. En su carácter de Federación, Nigeria se divide en las 4 grandes regiones autónomas del norte, del este, del oeste y del oeste central, y el territorio federal en que está Lagos, capital federal y puerto principal de la nación (1.408,000 h.). Otras ciudades importantes son Ibadán (4.000,000 h.), Ogbomosho (441,600 h.), Kano (580,200 h.) y Oshogbo (444,400 habitantes).

En 1861 se establecieron los ingleses en Lagos, que se constituyó en colonia en 1886 en tanto que la Real Compañía de Nigeria obtenía concesiones en el valle del Níger, las que en 1899 traspasó a la corona británica. En 1900 se constituyó el protectorado británico de Nigeria del Norte y después el del Sur, que se unieron en 1914 para formar la colonia y protectorado de Nigeria. Tras esta unión, la colonia se dividió en 3 regiones: la del Norte, Este y Oeste, con el fin de establecer una administración federativa. En 1947, Gran Bretaña introdujo una constitución, pero el descontento popular provocó la declaración, cuatro años más tarde, de una segunda constitución. En 1954, al erigirse Nigeria en Federación, adoptó una nueva constitución y órganos autónomos de gobierno. En 1960, la Federación obtuvo su independencia dentro de la Comunidad Británica de Naciones y en 1963 se constituyó en República. En 1966, asumió el poder Aguiyi Ironsi, jefe del ejército, quien abolió la estructura federal y estableció un estado unitario. En ese mismo año, Ironsi fue asesinado y lo sucedió el teniente coronel Yakubu Gowon, quien estableció la Federación. En 1967, surgen conflictos entre la región del este y el gobierno Federal, y el coronel Odumegwu Ojukwu, líder de los ibos, anunció la separación de la región del este y su independencia como República de Biafra. Meses más tarde, se desata una guerra entre el gobierno federal y Biafra que culmina en 1970 con la capitulación de la última, la cual queda reducida a una tercera parte de su extensión territorial y se reintegra a Nigeria. En 1975, un golpe de Estado depuso a Gowon y, tras un periodo de inestabilidad, asumió el poder el general Olusegun Obasanjo.

En 1976, el gobierno anuncia que el país será dividido en 19 estados. En 1978 se aprueba la nueva Constitución del país, misma que es reemplazada en 1983. En 1982 el Papa Juan Pablo II visita Nigeria y, en 1983, para proteger la economía, el gobierno expulsa a unos dos millones de extranjeros –en su mayoría ghaneses– con residencia ilegal en Nigeria. En 1985, el presidente Ibrahim Babangida deroga el decreto sobre la censura de prensa y pone en libertad a más de 100 detenidos políticos por el anterior gobierno de Buhari. En 1988, después de celebradas las elecciones municipales, Babangida anuncia la constitución de la Tercera República e inaugura la Asamblea Constituyente, la que en 1989 ratifica la decisión de elegir un presidente civil para un término de seis años y, en mayo, estallan violentas protestas estudiantiles contra las medidas de austeridad del gobierno. El 22 de abril de 1990, jóvenes oficiales del ejército intentan un golpe de estado, pero fracasan. El 26 de agosto de 1993, Ibrahim Babangida renuncia como presidente y jefe militar. En noviembre el general Sani Abache se autodesigna gobernante. En junio de 1994, Moshood Abiola también se declara presidente. El gobierno ordena su arresto. En 1995, una conferencia constitucional propuso el régimen civil en el plazo de un año. Sin embargo, la represión continuó cobrándose víctimas, entre ellas a Ken Saro Wiwa, candidato al Premio Nobel.

Corel Stock Photo Library

Mujeres moliendo granos en Pundel, Nigeria.

Nightingale, Florence (1820-1910). Heroica y caritativa dama inglesa. De familia rica, desde muy joven se congregó a la caridad, llevando medicinas, alimentos y ropas a los más humildes. Deseando actuar en los hospitales, entonces en gran abandono, estudió rudimentos de medicina a fin de capacitarse para cuidar enfermos, y rompiendo con los convencionalismos familiares comenzó a trabajar en hospitales y a organizar equipos de enfermeras bien preparadas. En 1854, durante la guerra de Crimea, era muy elevada la mortalidad entre los heridos en las batallas y los enfermos por los rigores del clima. Florence ofreció sus servicios al gobierno británico y allí se trasladó para crear un cuerpo de enfermeras y organizar los servicios hospitalarios.

nigua. Insecto del orden de los afanípteros, familia de los pulícidos, de 1 a 2 milímetros de largo, que abunda en América, principalmente en las zonas tropicales. Se adhiere a los pies de los individuos descalzos y a las patas de los animales domésticos, introduciéndose luego entre los dedos para alojarse en la piel, donde la hembra deposita su cría. Puede causar gangrena si la hembra muere dentro de la piel.

Nihilismo. Doctrina que niega el valor de los ideales políticos, religiosos y sociales y afirma que es imposible distinguir entre el error y la verdad. Un nihilismo total es imposible. El filósofo alemán Friedrich Nietzsche, por ejemplo, a quien se ha llamado equivocadamente nihilista, afirma constantemente su creencia en la vida. En la novela *Padres e hijos* del escritor ruso Iván Turguenev, que usó por primera vez el vocablo *nihilismo*, uno de los personajes afirma que nihilista es el hombre que no se inclina ante ninguna autoridad ni acepta ningún principio de fe.

Nijinsky, Vaslav (1890-1950). Bailarín de renombre internacional. Estudió en la Escuela Imperial de Ballet, de San Petersburgo. Su talento y extraordinaria predisposición para la danza lo convirtieron muy pronto en el principal bailarín del famoso ballet dirigido por Sergej Djagilev que presentó los bailes rusos en los principales teatros de Europa. En 1911 Nijinsky salió de Rusia e inauguró una etapa de brillantes creaciones en el arte de la danza, con sus interpretaciones en *El espectro de la rosa, Petrouchka, La siesta de un fauno, La consagración de la primavera y Scherezade.* Durante la Primera Guerra Mundial permaneció prisionero en un campo de concentración austriaco hasta 1916. Actuó después en América, y en 1918 una enfermedad mental privó al mundo de sus magníficos bailes. Montevideo vio la última de sus danzas en 1917.

Nikolayev, Adrian G. (1929-). Aviador militar ex-soviético. El 11 de agosto de 1962 se lanzó al espacio en la astronave *Vostok III* y se colocó en órbita con 237 km de apogeo y 179 km de perigeo. Efectuó 64 vueltas alrededor de la Tierra, con recorrido de 2.600,000 km, en 94 horas y 22 minutos y descendió el 15 de agosto en el área señalada. Durante su vuelo se aproximó a unos 6 km del astronauta Pavel R. Popovich que, en el *Vostok IV* viajaba en órbita similar. *Véase* ASTRONÁUTICA.

Nilo, Río. Gran río de Africa Oriental, el más largo del continente africano y uno de los mayores del mundo. En su curso inferior surgió una de las más antiguas civilizaciones. Sobre su margen derecha se encuentra la capital egipcia: El Cairo. Tributario del Mar Mediterráneo, al que llega después de un recorrido de 6,500 km desde las fuentes del Kagera-Nyvarongo, señaladas como su nacimiento después de haberse ignorado su origen durante miles de años. La exploración de las fuentes del Nilo fue objeto de expediciones que se sucedieron desde los tiempos de los grandes faraones, pero no se logró su determinación exacta hasta el viaje de sir Richard Burton y J. H. Speke en 1858-1859. Su primera rama es el Kagera, que cruza el territorio de Ruanda Urundi y entra en el lago Victoria (Victoria Nyassa), del cual sale una corriente caudalosa que se llama Nilo Victoria y que se dirige al lago Alberto, y sale de él con el nombre de Bahr-el-Jebel o Río de Montaña, por ofrecer numerosas cascadas. Dobla hacia el este y recibe uno de sus mayores afluentes, Bahr-el-Ghazal o río de las gacelas, y posteriormente el Sobat, que procede de la meseta etiópica. El caudal del Sobat y el hecho de que allí tomara el nombre de Nilo Blanco (Bahr-el-Abyad) mantuvo por siglos la errónea creencia de que el Nilo tenía sus fuentes en Etiopía. Al cruzar el Sudán llega a Karthum y recibe el Nilo Azul (Bahr-el-Azrak) y a partir de esta confluencia ya no altera su legendario nombre. Nuevos afluentes, entre ellos el Atbara aumentan sus aguas y entra en pleno desierto sin más verdor que el de la larga cinta del valle, que sigue hasta El Cairo sin que su ancho pase de los 600 m; pero al norte de dicha capital comienza su famoso delta, que ha sido alterado por la mano del hombre desde la época de los romanos, en continua disminución de sus bocas para un mejor aprovechamiento de su corriente. Calcúlase que la cuenca del Nilo es de 3 millones de km^2. En Egipto presenta el fenómeno anual de las inundaciones, que hace de su valle el más fértil de la Tierra. Numerosos diques y represas se han construido para prevenir las épocas secas, así como canales destinados al riego de los cultivos de algodón, que constituyen la base de la economía egipcia. Aunque el río es navegable en la mayor parte de su extensión, dos importantes vías férreas contribuyen a la prosperidad y movimiento de las actividades surgidas a su amparo, una parte de Alejandría y lo bordea hasta Assuán, otra, comienza en Halfa y sigue hasta Khartum, donde pasa a acompañar el recorrido del Nilo Azul hasta Sennar. De la importancia económica que tiene el Nilo basta mencionar un solo detalle para señalarla: los cultivadores norteamericanos de algodón, provistos de los mayores elementos modernos, obtienen en las mejores condiciones el rendimiento de 300 kg de algodón por h, mientras que los egipcios elevan ese rendimiento, sin más que el cieno dejado sobre el terreno por las inundaciones de su río, a 500 kilos por hectárea.

Historia. Cinco mil años a. C. se sembraban granos sobre el suelo del valle del Nilo y se aportaban las primeras demostraciones prácticas de agricultura. Muchos siglos después, ante los extraordinarios beneficios que reportaban sus aguas, Homero afirmaba que el Nilo tenía su origen en los cielos. Desde los más remotos tiempos, sabios, hombres de estudio, gobernantes y guerreros famosos se preocuparon del nacimiento, variantes e inundaciones del famoso río. Herodoto (nacido en 484 a. C.) viajó a Egipto para efectuar estudios directos, pero sólo obtuvo informes vagos de los sacerdotes, quienes habían divinizado el Nilo, aunque se le consagraron pocos santuarios y más bien se le unía a otros dioses. Los griegos lo equiparaban a Zeus. Alejandro el Grande, Tolomeo Filadelfo y Julio César intentaron descubrir el origen del río, y Nerón envió una expedición que fracasó, como muchas otras. Tolomeo, geógrafo egipcio que vivió en el año 150 d. C., fue quien anduvo más cerca con sus presunciones acerca de las fuentes del Nilo, las que sólo quedaron comprobadas a mediados del siglo XIX y, en sus detalles, a principios del XX.

Crucero turístico en el muelle de Luxor en el Río Nilo.

Corel Stock Photo Library

Nimes. Ciudad francesa, capital del departamento del Gard que en tiempos pasados formó parte de la región denominada Languedoc. Está situada cerca del río Vistre y al pie de las colinas de Les Garrigues. Alojada en la fértil llanura del Ródano se encuentra al este de los montes Cevennes, a 40 km del Mar Mediterráneo y a 280 km de Lyon. Cuenta con una población de unos 138,527 de habitantes en el área metropolitana. Es cabeza de prefectura y de obispado, y asiento de tribunal de apelación. En sus proximidades hay abundantes yacimientos de carbón. Sus industrias más prósperas son las de productos químicos, máquinas, alfombras, vinos y tejidos tanto de lana como de seda. Debido a su magnífica situación en el cruce de rutas importantes, los romanos la escogieron para que fuera uno de sus centros urbanos principales en las Galias. Augusto y los Antoninos la hicieron objeto de su predilección, y conserva grandiosos vestigios arquitectónicos que atestiguan su pasado esplendor.

Nimitz, Chester William (1885-1966). Marino estadounidense. En la Primera Guerra Mundial actuó como jefe de estado mayor de la fuerza de submarinos en el Atlántico. En 1941 fue ascendido a almirante y en el curso de la Segunda Guerra Mundial fue comandante en jefe de todas las fuerzas de mar, tierra y aire en el Pacífico sur, al este del área en que ejercía su mando el general Douglas MacArthur. Dirigió las operaciones que en sucesivas batallas aeronavales, fueron debilitando el poderío bélico japonés hasta que el lanzamiento de la bomba atómica obligó a Japón a pedir la paz.

ninfas. Divinidades subalternas de la mitología griega, representadas en forma de jóvenes bellas que poblaban ríos, mares, bosques, valles, montañas y llanuras y eran la personificación de las fuerzas de la naturaleza. Muchas diosas de primera magnitud estaban rodeadas de numerosas ninfas y las tenían a su servicio. También acompañaron a Diana e iban vestidas como ella de cazadoras. Las dríadas eran ninfas residentes en los bosques. Las hamadríadas habitaban cada una de ellas en un árbol. Las nereidas, hijas de Nereo, eran las ninfas del Mediterráneo y las oceánidas, del océano. Las náyades lo eran de los ríos y las fuentes. Las oréadas habitaban en las montañas. Guardianas y educadoras de la prole de los dioses, las ninfas figuraban entre las deidades de la purificación y de la profecía. Han inspirado muchas obras célebres de pintura y escultura.

ninfomanía. Grado patológico de deseo sexual presentado por las mujeres. El término está en desuso entre los profesionales de la salud mental, debido a que no existe una manera precisa de valorar qué grado de deseo sexual es *normal*. El término *ninfomanía* se considera además peyorativo. El vocablo equivalente en el caso de los hombres, *satiriasis*, se emplea con poca frecuencia.

Nínive. Ciudad antigua del Asia Menor, que fue capital del Imperio Asirio, situada a orillas del Tigris, cercana a la actual Mosul. Se cree que fue edificada por Asur y más tarde engrandecida y fortificada por Nino. Hammurabi, rey de Babilonia, reconstruyó allí un templo hacia el siglo XX a. C. Durante los reinados de Salmanasar I, Sargon II, Senaquerib y Asurbanipal, Nínive tuvo gran hegemonía. Senaquerib amaba mucho la ciudad al extremo de llamarla *mi ciudad real*. Este monarca construyó grandes fortificaciones y acueductos, reconstruyó templos y edificó bellos palacios cuyas ruinas aún se conservan. Lo sucedió Asaradón, su hijo, que también mandó edificar un palacio pero prestó más atención a Babilonia, descuidando bastante a Nínive. A Asaradón lo sucedió Asurbanipal, quien innegablemente dio a la ciudad un esplendor máximo. A pesar de todo esto, los odios engendrados por estos monarcas asirios dieron lugar a que los babilonios, medas y escitas se unieran en alianza poderosa y les hicieran la guerra. Fue tan tremendo el ataque de esta alianza que Nínive quedó casi totalmente destruida y el imperio asirio aniquilado (año 612 a. C.). De acuerdo con las investigaciones arqueológicas practicadas se deduce que la antigua Nínive debió estar ubicada en los montículos de Kuyunjik y Nebi Yunus. En este último se supone esté la tumba del profeta Jonás. En 1842 Botta, cónsul francés en Mosul, excavó en Nebi Yunus y en Kuyunjik. Víctor Place repitió la búsqueda más tarde y el arqueólogo inglés Layard, en 1845 en posteriores excavaciones, descubrió las ruinas del palacio de Senaquerib. Este palacio tenía más de 70 salas decoradas con bellos bajorrelieves. Rassam en 1853 descubrió el palacio de Asurbanipal. En este palacio se encontraron relieves que representaban cacerías de leones, esculpidos con tal naturalidad y belleza que innegablemente marcan el apogeo del arte asirio. Infinidad de objetos arqueológicos han sido sacados de estas ruinas y llevados al museo Británico de Londres, y a otros museos de Europa, donde se conservan. Después de la destrucción de Nínive, la ciudad cayó en el olvido hasta el punto de que se desconocía dónde estaba emplazada. Mallowan, en sus investigaciones arqueológicas, descubrió en 1932 en el emplazamiento de la antigua Nínive las ruinas de una aldea más antigua aún que data del periodo neolítico.

Niños Héroes. Uno de los episodios más gloriosos de la historia de México es el de la defensa del castillo de Chapultepec por los cadetes del Colegio Militar, el 13 de septiembre de 1847, durante la guerra de México y Estados Unidos. Los valientes cadetes, que ofrendaron sus vidas por la patria, pasaron a la historia con el merecido sobrenombre de Niños Héroes. Al iniciarse las operaciones de asedio, defendían el cerro y el castillo 832 hombres, al mando del general Nicolás Bravo, de los cuales 465 guarnecían la cima y el resto estaba distribuido en las defensas exteriores y auxiliares que rodeaban el cerro. Las fuerzas enemigas disponibles para el ataque eran de 7,180 hombres, apoyadas por considerable artillería de sitio. El ataque directo al cerro empezó el día 12, con un intenso y terrible fuego de artillería que duró todo el día y causó enormes destrozos en los edificios de la cima y gran mortandad en sus defensores.

El día 13 se reanudó el cañoneo al amanecer y a las ocho de la mañana el general Winfield Scott ordenó a las columnas Pillow y Quitman que se lanzaran al asalto. Siguió una lucha homérica, en la que los asaltantes sufrieron bajas enormes, y el general Pillow cayó mortalmente herido. Del lado mexicano murieron combatiendo gran número de oficiales y soldados, entre ellos el heroico coronel Felipe Santiago Xicoténcatl, que sucumbió con todas las fuerzas a su mando al acudir en auxilio de los defensores.

Al llegar los atacantes a la cima, por entre montones de cadáveres aniquilados o hechos prisioneros los defensores en su mayor parte, se encontraron con la resistencia de los alumnos del Colegio Militar, un puñado de adolescentes de 13 a 19 años, que con fusil y bayoneta calada morían matando, en el último intento de resistencia. Se cubrieron de gloria, peleando contra los invasores de su patria, el teniente Juan de la Barrera, de 19 años, que murió combatiendo en un parapeto auxiliar, y los subtenientes Francisco Márquez, de 15 años, Juan Escutia, de 17 y Fernando Montes de Oca, también de 17 años, que murieron acribillados a balazos. Vicente Suárez, subteniente, de 17 años, defendió él solo la escalera principal y cayó atravesado a bayonetazos. Agustín Melgar, de 18 años, se dirigió a la sala central, cuya entrada defendió valerosamente hasta que, herido de varios balazos, fue cosido a bayonetazos.

Niobe. Según la mitología griega, fue hija de Tántalo, y esposa de Anfión, rey de Tebas, de quien tuvo siete hijos y siete hijas. Arrogante como su padre, pidió a los tebanos que la venerasen en lugar de Latona, ya que ésta apenas si había tenido dos hijos, mientras que ella había dado al mundo catorce prodigios de fuerza y beldad. Sabedores de esto Apolo y Artemisa (Diana), hijos de Latona, volaron a Tebas desde el Olimpo y castigaron a Niobe matando en su presencia a sus hijos con certeros flechazos, y ella misma fue transformada en piedra, que eternamente, de día y de noche, está húmeda de lágrimas. Esta figura mitológica ha servido como motivo de inspiración a literatos y artistas.

niobio. Elemento químico metálico, blando, blanco, brillante, que pertenece al grupo VB de la tabla periódica. Su símbolo es Nb. Su número atómico es 41, su peso atómico 92.9064 y cuenta con 24 isótopos.

Este elemento fue descubierto por el químico inglés Charles Hatchett en 1801

Níquel. Constantes físicas y químicas

Número atómico	28
Isótopos naturales más frecuentes	^{58}Ni (68.27%) ^{60}Ni (26.10%)
Masa atómica	58.69 *u*
Abundancia en la corteza terrestre	75 p.p.m.
Temperatura de fusión	1.453 °C (1.726 K)
Temperatura de ebullición (1 atm)	2.732 °C (3.005 K)
Densidad (sólido)	8.9080 g · cm^{-3}
Calor de fusión	17.6 kJ · mol^{-1}
Calor de vaporización	372.0 kJ · mol^{-1}
Configuración electrónica	[Ar] $3d^8 4s^2$
Estados de oxidación más comunes	2+
Energía de primera ionización	736.7 kJ 3 mol^{-1}
Energía de segunda ionización	1.752.9 kJ · mol^{-1}
Energía de tercera ionización	3.393.4 kJ · mol^{-1}
Afinidad electrónica	111.5 kJ · mol^{-1}
Electronegatividad	1.91
Volumen atómico	6.6 cm^3 · mol^{-1}
Radio atómico	124.0 pm
Radio iónico (2+)	83.0 pm
Conductividad térmica	90.90 W · m^{-1} · $°C^{-1}$
Conductividad eléctrica	0.146 $\mu\Omega^{-1}$ · cm^{-1}

en una muestra de mena enviada a Inglaterra más de cien años antes por el primer gobernador de Connecticut. El elemento metálico fue preparado por primera vez por el químico sueco Christian Blomstrand al reducir el cloruro calentado debajo de una corriente de hidrógeno. A pesar de que la Unión Internacional de Química Pura y Aplicada adoptó el nombre niobio, la designación original empleada por Hatchett, columbio, es aún usada por los metalúrgicos en Estados Unidos. El metal niobio se encuentra en los minerales niobita (columbita), niobiotetantalita, pirocloro y euxenita. Metal dúctil, su punto de fundición es de 2,468 °C; su punto de ebullición de 4,742 °C, y su densidad es de 8.51 g/cm³ a 20 °C. Este metal muestra una valencia variable de 2, 3 y 5, posiblemente también de 4. Se emplea como agente de aleación en aceros y aleaciones de carbono y en la construcción de imanes superconductores.

nipa. Planta perteneciente a la familia de las nipáceas de tronco rectilíneo y con nudos, de 3 m de altura y hojas casi circulares de un metro de diámetro. Esta planta crece en las marismas de las Indias orientales, Filipinas y otras islas. De las hojas se obtiene una fibra muy consistente para tejer canastos, asientos, hamacas, etcétera.

níquel. Elemento químico de peso atómico 58.69, densidad 8.9, punto de fusión 1455 °C y cuyo símbolo es Ni. Es un metal blanco amarillento, duro, maleable, dúctil, magnético, buen conductor del calor y la electricidad, y resistente a la corrosión, propiedad que transmite a sus aleaciones. Fue conocido en la antigüedad y escasamente utilizado, aunque los chinos lo usaron en aleación. En Europa, fue aislado por Cronstedt en 1751. Se obtiene de minerales en los que se halla asociado al hierro, cobre, magnesio y cobalto. También se encuentra formando parte de las masas metálicas de los aerolitos. Los principales yacimientos de donde se obtiene son los del Canadá (pirrotitas integradas por sulfuro de hierro, sulfuro de níquel y gneis) y los de Nueva Caledonia (silicatos de níquel y magnesio). Las principales aplicaciones del níquel consisten en aleaciones de gran importancia industrial. Con el acero, el níquel forma el acero inoxidable; con el cobre, hierro y magnesio, origina el metal *monel*, con el hierro, el *invar*; con el cobre y zinc, la *plata alemana*. Otras aleaciones importantes son las de níquel y cromo. También se emplea en galvanoplastia para el niquelado de metales.

Nitración. Composición de las mezclas sulfonítricas

	Mezclas sulfonítricas			Ácidos residuales resultantes	
	% HNO_3	% H_2SO_4	% H_2O	% H_2SO_4	% H_2O
I	40	49	11	69	31
II	35	53	12	70	30
III	28	56	16	70	30
IV	33	67	0	80	12
V	85	13	2		

Nirenberg, Marshall Warren (1927-). Biólogo estadounidense. Descubrió el primer codón del código genético. Trabajó desde 1957 en los Institutos Nacionales de Salud, en el Instituto Nacional de Artritis y Enfermedades Metabólicas, y fue director del Instituto Nacional del Corazón. Su descubrimiento del primer codón del código genético (1961) tuvo relevancia en la interpretación de dicho código y en su función en la síntesis de proteínas. En 1968 recibió el Premio Nobel de Medicina o Fisiología.

níspero. Árbol de la familia de las rosáceas, de frutos comestibles llamados nísperos. El árbol es oriundo de Asia donde se produce silvestre, así como en las regiones europeas del Mediterráneo. Cuando se produce espontáneo no pasa de ser un arbolillo de 3 m con las hojas caedizas y ramas espinosas abiertas. Las flores son blancas, formadas por cinco pétalos y brotan de las yemas terminales de los tallos, produciendo unos frutos de color amarillo pálido.

Niterói. Ciudad de Brasil, capital del estado de Río de Janeiro. Está situada en la entrada de la bahía de Guanabara, frente a la ciudad de Río de Janeiro. Por su proximidad a esta ciudad se le puede considerar como un barrio o continuación de la misma; es una ciudad moderna en su trazado y edificación, y muy próspera industrialmente. Tiene 450,364 habitantes (1997).

nitración. Formación de nitrocompuestos por la introducción del radical nitro, NO_2, en un compuesto orgánico. La nitración puede tratarse desde los puntos de vista de la química orgánica y de la química industrial.

La nitración para la química orgánica. La complejidad que supone introducir el radical nitro en un compuesto varía enormemente. Nitrar sustancias aromáticas resulta más fácil que nitrar alcanos, por ejemplo. En el primer caso, la posibilidad de nitración aumenta cuando el anillo bencénico se rompe al introducir un radical en el lugar de un hidrógeno aromático; en otras palabras, cuando la molécula cuenta con radicales que originan la aparición de carbonos más activos en el núcleo.

Para llevar a cabo la nitración se emplea un agente llamado mezcla sulfonítrica, combinación de ácido nítrico y ácido sulfúrico en la que el segundo sirve para disolver al ácido nítrico y absorber el agua que resulte de la reacción. La ecuación química es la siguiente:

$$H_2SO_4 + HNO_3 = HSO_4^- + H_2NO_3^+$$

$$H_2ONO^{2+} = H_2O + NO_2^+$$

La proporción y los tipos de los componentes de la mezcla sulfonítrica dependen de qué compuestos se van a nitrar. La tabla anexa indica las diversas composiciones empleadas y las proporciones de ácidos residuales en cada caso. La mezcla de los tipos I, II y III se emplea en la nitración de hidrocarburos aromáticos, mientras que el tipo IV se aplica para realizar dinitraciones y el V para nitrar compuestos que puedan mantenerse disueltos o en suspensión en ácido sulfúrico concentrado.

Al nitrar compuestos aromáticos relativamente inertes se emplean ácido sulfúrico y ácido nítrico fumantes, es decir, que contienen NO_2 y SO_3, respectivamente, y que son agentes nitrantes y sulfurantes más fuertes que los ácidos concentrados.

La nitración de compuestos aromáticos muy reactivos, como el fenol, se lleva acabo sin la presencia de ácido sulfúrico. Esto se debe a que la pequeña porción de ion nitronio producida por ionización es suficiente para que se produzca la reacción.

En un principio las nitraciones se realizaban mediante nitradores (recipientes de doble pared con serpentines de enfriamiento y calentamiento y un agitador) de proceso discontinuo, lo que obligaba a emplear grandes cantidades de compuesto, casi siempre explosivo. Actualmente las nitraciones son procesos continuos realizados en equipo que contiene reducidas cantidades de producto y cuyos elementos están aislados, evitando posibles explosiones y su propagación. Un equipo nitrador discontinuo consta de una caldera de fundición con un agitador helicoidal de varias hélices, que llega hasta el fondo de ella. El enfriamiento se realiza mediante serpentines de vapor o salmuera. Los nitradores discontinuos se emplean sobre todo en el caso de hidrocarburos de un solo grupo nítrico, por ende explosivos.

Cuando un compuesto que va a nitrarse se encuentra en estado sólido y puede mantenerse en suspensión en la mezcla de-

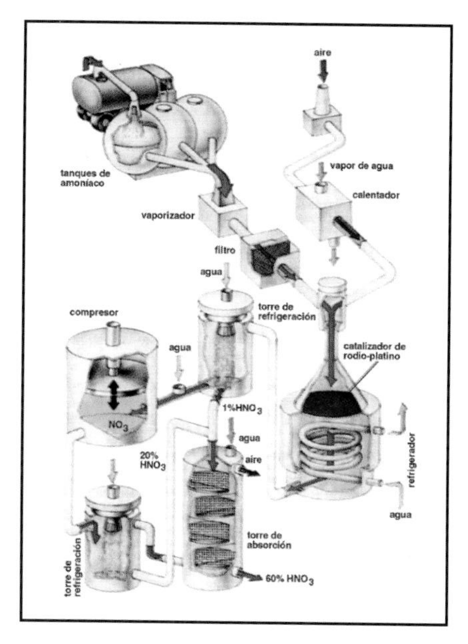

Salvat Universal

Proceso de obtención de ácido nítrico a partir del amoniaco.

nitrante (caso de la celulosa, por ejemplo) se utiliza un sistema de centrifugación. Este sustituyó a la nitración hecha a mano en cubas y secadas en parrillas. Si, en cambio, se trata de un compuesto que pueda mantenerse en suspensión en el ácido, el proceso empleado es continuo y comienza cuando dicho compuesto se vierte en la mezcla sulfonítrica o vertiendo el ácido nítrico concentrado en la suspensión del compuesto en ácido sulfúrico. En cualquiera de los dos casos, el aparato nitrador está dotado de un agitador de tipo turbina conectado con el tubo de alimentación; con ello se logra que la mezcla sea instantánea y la nitración rápida. En este caso el contenido de explosivos es bajo. Por otro lado, los productos volátiles, como el éter de petróleo, se nitran cuando se encuentran en estado gaseoso y se aplican la presión y la temperatura más altas posibles, para que el ácido nítrico se descomponga.

nitrato de plata. Sal que se aplica en medicina y en la industria. Se prepara diluyendo la plata en ácido nítrico y dejando evaporar el líquido. Fórmula química NO_3Ag. Es soluble en agua. La sal pura forma cristales incoloros. Como medicamento preventivo contra la ceguera se emplea en el recién nacido, instilando una gota en cada ojo de una solución a 1%. Aunque en la actualidad se usa más la solución de argirol a 10%, que es una sal con un contenido de 30% en plata, o los antibióticos. Otras sales de plata que se aplican en medicina son el protargol y el colargol, en soluciones. En cirugía las barritas de nitrato de plata, por su acción cáustica, cauterizan algunas heridas. Las sales de plata se emplean en fotografía, porque sufren cambios con la luz solar.

nitratos. Sales del ácido nítrico. Al reemplazar los átomos de hidrógeno de este ácido (formado por un átomo de hidrógeno, uno de nitrógeno y tres de oxígeno) por otros de sodio, plata o calcio, se obtienen los nitratos. El de sodio es un compuesto de este elemento, nitrógeno y oxígeno; el de plata está formado por este metal, nitrógeno y oxígeno, etcétera. En Chile hay abundantes depósitos naturales de nitrato de sodio, sustancia muy utilizada en agricultura como abono. Sin embargo, estos y otros depósitos no alcanzan a satisfacer las necesidades mundiales y se ha recurrido a la elaboración artificial de los nitratos.

nítrico, ácido. Uno de los ácidos más fuertes y de mayor importancia por sus aplicaciones. Es un líquido incoloro, fumante en contacto con el aire. Su fórmula química es HNO_3, por lo que se compone de hidrógeno, nitrógeno y oxígeno. Este último elemento entra en las tres cuartas partes de su composición. Corroe los tejidos vegetales y animales y produce en ellos manchas amarillas. Reacciona con el potasio, el sodio, la plata y otros elementos, con los que forma nitratos. Disuelve muchos metales, pero no ataca a otros como el oro y el platino. Se obtiene, principalmente, por oxidación del amoniaco, aunque también se obtiene por otros métodos, como los de síntesis del agua y el aire mediante descargas del arco eléctrico; y por el tratamiento del nitrato de sodio con ácido sulfúrico. Entre sus numerosas aplicaciones figuran la fabricación de explosivos, celuloide, colorantes, abonos y diversos productos químicos. Se usa, también, en galvanoplastia y en el grabado de metales.

nitro. Mineral semejante a la sal común, conocido también con el nombre de salitre. Suele encontrarse en ciertos depósitos naturales donde antiguas plantas y animales han sufrido los efectos del oxígeno. Se conocen dos formas del nitro: el nitrato de potasio (abundante en España, Estados Unidos, la India y Egipto) y el nitrato de sodio (de Chile), muy usado en agricultura como fertilizante del suelo. El nitro también se emplea en la elaboración de pólvora, cerillas, tinturas, fuegos artificiales y en la preservación de alimentos. Sirve el nitro para obtener el carbonato de potasio por medio del crémor tártaro.

nitrocelulosa. Compuesto que se forma tratando la celulosa por una mezcla de los ácidos sulfúrico y nítrico concentrados. Según los distintos procedimientos a que puede ser sometido se obtienen diversos productos, entre ellos el colodión y el algodón de pólvora. Mezclada con la nitroglicerina forma gelatinas explosivas. Se emplea para fabricar celuloide, películas fotográficas, sedas artificiales, barnices y lacas.

nitrógeno. Elemento químico que suele encontrarse en la naturaleza en estado gaseoso. El ochenta por ciento de la atmósfera terrestre es nitrógeno puro. Sin embargo, el hombre al respirar utiliza solamente el oxígeno del aire. El nitrógeno sirve para diluir el oxígeno, que si fuera respirado sin mezcla alguna pronto causaría a los tejidos humanos daños irreparables. Una atmósfera compuesta sólo de oxígeno sería muy inflamable, el nitrógeno, en cambio, arde con dificultad y no se combina fácilmente con otros cuerpos químicos. Fue descubierto a fines del siglo XVIII por el químico inglés sir Ernest Rutherford. Su símbolo es N y su peso atómico 14. Durante mucho tiempo se le dio el nombre de ázoe, palabra griega que quiere decir *sin vida.* Así fue bautizado por Antoine Laurent Lavoisier, pues el famoso químico francés había observado que el nitrógeno era irrespirable; pero más tarde se descubrió que su presencia era esencial para la vida. El protoplasma de las células, tanto animales como vegetales, es muy rico en nitrógeno. Las proteínas, parte muy importante de toda materia nutritiva, están también formadas por numerosos compuestos de este elemento. Los agricultores, para conservar la fertilidad del suelo, suelen recurrir a fertilizantes naturales o artificiales nitrogenados (el más importante es el nitrato de sodio o salitre que se extrae de ciertos terrenos desecados principalmente en Chile, o se obtiene sintéticamente), y a la rotación de los cultivos. Ésta consiste en alternar la siembra de algunas plantas que consumen mucho nitrógeno con la de otras que lo conservan. En las raíces de la alfalfa, por ejemplo, viven ciertas bacterias que absorben en gran cantidad el nitrógeno del aire No obstante, parte del ázoe utilizado por estas plantas se pierde en la atmósfera y vuelve así a comenzar el proceso. Este ciclo, del aire a las plantas y de las plantas al aire, es llamado *ciclo del nitrógeno.*

De la combinación del nitrógeno con otros elementos nacen muchos e importantes compuestos. El amoníaco es una mezcla de nitrógeno e hidrógeno. De este producto se obtiene fácilmente el ácido nítrico, compuesto de nitrógeno, hidrógeno y oxígeno. Como el nitrógeno no se une nunca íntimamente con otros cuerpos, el ácido nítrico es muy inestable y estalla con facilidad; por eso se utiliza frecuentemente en la fabricación de explosivos y fuegos artificiales. Es tan importante el uso de los compuestos nitrogenados, que Alemania no se consideró preparada para la Primera Guerra Mundial hasta que Fritz Haber, principalmente, y otros sabios alemanes lograron descubrir métodos artificiales para obtener amoníaco y ácido nítrico.

nitrógeno, ciclo del. Procesos y reacciones químicas participantes en la producción de nitrógeno orgánico a partir de nitrógeno inorgánico y la subsecuente descomposición de éste otra vez en nitrógeno inorgánico. Todos los organismos vivientes participan en este ciclo. El nitrógeno es un elemento relativamente inerte y no se combina fácilmente con otros elementos. Aun cuando existe una pequeña cantidad de manera natural en los compuestos que constituyen la corteza terrestre, la mayor cantidad existe en estado gaseoso componiendo 78% de la atmósfera.

Amonificación. El ciclo comienza cuando el nitrógeno y el hidrógeno atmosféricos se combinan para formar amoniaco, NH_3; la energía eléctrica de los relámpagos conduce la reacción. El amoniaco se combina con la lluvia y llega hasta las plantas verdes como ácido nítrico diluido, HNO_3. El amoniaco deriva también de la descomposición de las proteínas que constituyen a las células vegetales y animales. Este químico, combinado con los productos de la fotosíntesis es empleado para formar aminoácidos, que son los componentes básicos de las células vegetales. Los animales consumen las proteínas vegetales, las descomponen en aminoácidos durante el proceso de la digestión, y las recombinan para originar sus propias formas de proteínas, que sirven para construir los tejidos y órganos de su cuerpo.

Desnitrificación. Ciertas bacterias que se encuentran en el suelo convierten los compuestos que contienen nitrógeno en amoniaco y nitrógeno atmosférico; a este proceso se le conoce como desnitrificación. Estas bacterias, llamadas bacterias desnitrificantes, obtienen energía al descomponer no sólo el compuesto nitrogenado urea, $CO(NH_2)_3$, y el ácido úrico, $C_5H_4N_4O_3$, sino también los compuestos de nitrógeno producidos por la materia orgánica en descomposición.

Nitrificación. Diversos géneros de bacterias que también habitan en el suelo participan en el proceso de nitrificación. Géneros bacterianos como las *Nitrosomonas* y los *Nitrosococus* convierten el amoniaco en nitritos (NO_2). La especie *Nitrosobac* convierte los nitritos en nitratos (NO_3), que emplean las plantas verdes en la producción de aminoácidos. Otros dos géneros de bacterias del suelo, las anaerobias *Clostridium* y las aerobias *azotobacter* producen nitritos y nitratos a partir del nitrógeno libre.

Fijación del nitrógeno. Diversas especies de bacterias, hongos y el alga verde-azul participan en el proceso de fijación del nitrógeno. Estos organismos convierten el nitrógeno orgánico en amoniaco, que es empleado por las plantas superiores para producir complejos compuestos de nitrógeno.

Un género importante de bacterias capaces de fijar el nitrógeno es el *Rhizobium*, que forma apéndices o nódulos en las raíces de las legumbres (miembros de la familia de las leguminosas). Las bacterias obtienen alimentos de la planta verde y la legumbre obtiene abundantes compuestos útiles de nitrógeno de la bacteria, lo que constituye un ejemplo de simbiosis mediante la cual ambos organismos se bene-

Ciclo del nitrógeno. (Las cantidades que acompañan a los conceptos indican miles de millones de toneladas métricas de nitrógeno).

Salvat Universal

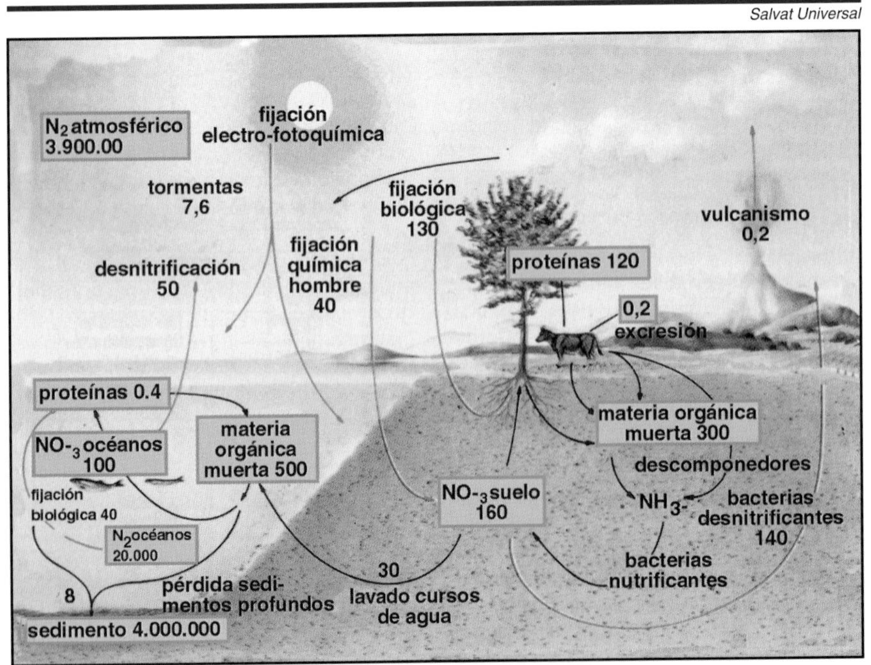

fician. Por esta razón, los miembros de esta familia –tréboles, alfalfa, frijoles y cacahuates, por ejemplo– son excelentes fuentes de proteínas. Actualmente los horticultores inoculan el suelo con especies adecuadas de *Rhizobium* cuando plantan legumbres, con el fin de producir una cosecha abundante y de gran calidad.

Existe otra relación simbiótica entre una especie del alga verde-azul capaz de fijar el nitrógeno, la *Anabaena*, y el helecho acuático *Azolla pinnata*. Granjeros de la región Thai Binh en el norte de Vietnam cultivan estos dos organismos y venden colonias incipientes a los cultivadores de arroz. Los arrozales sembrados con esta combinación obtienen un aumento de 50 a 100% en la cosecha.

Fertilizantes nitrogenados. En 1902, Charles Bradley y Jesse Lovejoy lograron duplicar uno de los procesos naturales de producción de compuestos de nitrógeno al hacer pasar aire a través de un poderoso arco eléctrico. Fritz Haber y Carl Bosch desarrollaron posteriormente un método para sintetizar el amoniaco a partir de hidrógeno y nitrógeno; la producción de amoniaco mediante el método de Haber-Bosch comenzó en 1911. Estas técnicas han sido empleadas para producir fertilizantes nitrogenados, los cuales enriquecen la composición del suelo.

nitroglicerina. Explosivo de gran poder, compuesto de carbono, hidrógeno, oxígeno y nitrógeno. Se usa también en medicina para ciertas enfermedades del corazón. Su fórmula química es $C_3H_5(NO_3)_3$. En estado puro es un líquido claro, pero denso, que se obtiene vertiendo glicerina sobre una mezcla concentrada de los ácidos nítrico y sulfúrico, la nitroglicerina se forma en la superficie de ese compuesto como una fina capa que puede extraerse con facilidad. Así fue descubierta a mediados del siglo XIX por el químico italiano Ascanio Sobrero. Su elaboración, aunque aparentemente sencilla, es muy peligrosa, pues cuando la nitroglicerina se congela estalla fácilmente con sólo la acción del calor o con un golpe muy débil. Su poder es tan grande que los gases que engendra ocupan un espacio diez mil veces mayor que el tamaño del explosivo.

nivel. Aparato sencillo que sirve para indicar la horizontalidad exacta de un plano o la diferencia de altura entre dos o más puntos. Se usa mucho en topografía para determinar la horizontalidad del plano donde reposa o señalar si el eje de giro está vertical o no. Entre los diferentes tipos de niveles, figura el *nivel de albañil*, que es un triángulo rectángulo de madera con los catetos prolongados. Del vértice del ángulo recto, opuesto a la hipotenusa, pende una plomada que coincide con el centro de la ya expresada hipotenusa cuando ésta se halla en un plano horizontal. El *nivel de agua* está formado por un tubo metálico montado sobre un trípode en cuyos extremos se encajan verticalmente dos tubos de cristal, que hacen el oficio de vasos comunicantes. Se echa agua hasta que suba por los tubos el líquido y si la altura es igual en ambos tubos, quedará determinada la horizontalidad. El *nivel de aire* consiste en una regla metálica con un tubo de cristal ligeramente encorvado, cerrado por sus extremos y casi lleno de alcohol. La burbuja de aire contenida en su interior quedará encima del líquido y ocupará la parte media del tubo entre dos divisiones marcadas en el mismo, cuando la regla esté colocada sobre un plano horizontal.

nivelación. En topografía y geodesia, cálculo del desnivel entre dos puntos del terreno. Los distintos métodos empleados para obtener dicho dato son, en orden de precisión, la nivelación directa geométrica o nivelación por alturas; la nivelación indirecta, trigonométrica o por pendientes, y la nivelación barométrica.

En los dos primeros métodos se recurre al uso de visuales, líneas imaginarias que enlazan el ojo del topógrafo con el objeto observado. La nivelación por alturas consiste en dirigir visuales horizontales, con instrumentos llamados niveles, a un punto de cota –altura– conocida y al punto que se desea medir. Si para obtener el desnivel de dos o más puntos respecto a otro se hace una sola estación del instrumento, la nivelación se conoce como simple; por el contrario, se designa como compuesta cuando los puntos están alejados y se necesita determinar puntos intermedios. Como este método de nivelación se aplica en grandes extensiones de terreno, se toma en cuenta la esfericidad de la tierra. En la nivelación por pendientes las visuales son inclinadas y se miden los ángulos verticales y las distancias horizontales. Si las distancias son cortas la esfericidad de nuestro planeta no se considera; los instrumentos de medición más usados son el eclímetro y el clisímetro. Si se trata de distancias largas, por el contrario, en vista de la esfericidad y la refracción terrestres, se emplean teodolitos y las visuales se dirigen a banderas o señales dispuestas. La forma menos precisa de nivelación es la barométrica, que –en sus dos variedades, radiación e itinerario– se basa en la comparación de las presiones, medidas con barómetro o altímetro, de varios puntos.

Niven, David (1910-1983). Actor cinematográfico británico. En el cine, desde 1935, su prestancia física y su origen social –hijo de un general británico– le hicieron apto para encarnar una tipología de *gentleman*, tratada con notable sentido del humor. Entre sus interpretaciones cabe destacar *La vuelta al mundo en ochenta días*, (1956), de Michael Anderson; *Buenos días, tristeza* (1957), de Otto Preminger; *Mesas separadas* (1958), de Delbert Mann, por la que obtuvo un Oscar, y *La pantera rosa* (1963).

Nixon, Richard Milhous (1913-1994). Político estadounidense. Después de actuar como miembro de la Cámara de Representantes y adquirir notoriedad por su tarea en el comité investigador de actividades antiestadounidenses, fue elegido senador por el estado de California. El Partido Republicano lo presentó como candidato a la vicepresidencia de Estados Unidos, en las elecciones presidenciales en las que el general Eisenhower figuró como candidato a la presidencia, también por el mismo partido. Triunfó la candidatura republicana y Nixon resultó elegido para el cargo de vicepresidente durante el periodo 1952-1956, al terminar fue reelegido para el periodo siguiente, 1956-1960. En las elecciones de 1960 figuró como candidato republicano a la presidencia frente a John F. Kennedy, quien ocupó el poder por un margen muy escaso. Dos años después fue derrotado nuevamente cuando se postuló para gobernador de California, su estado natal, y anunció su retiro de la política. Sin embargo, en agosto de 1968 el Partido Republicano lo designó su candidato presidencial por una gran mayoría de votos y en noviembre del mismo año fue elegido presidente de Estados Unidos con un pequeñísimo margen frente al candidato demócrata, el vicepresidente Hubert Humphrey. Reelegido Nixon en 1972, sus dos periodos presidenciales se caracterizaron por una activa política exterior que condujo a un acercamiento hacia la antigua Unión Soviética y la República Popular China, así como a la terminación de la Guerra de Vietnam. Los triunfos diplomáticos, sin embargo, no ocultaban las serias dificultades económicas por las que estaba atravesando el país, manifestadas, sobre todo, en la inflación general y el déficit en la balanza de pagos. A pesar de la *nueva política económica* anunciada por Nixon, la inflación continuó su marcha ascendente y el dólar bajó considerablemente en los mercados mundiales del oro. El 9 de agosto de 1973 el presidente, envuelto en el escándalo político de *Watergate* y acusado principalmente de obstaculizar la acción de la justicia para desentrañar el caso, presentó su renuncia.

Niza. Ciudad y puerto de Francia en el Mediterráneo, famoso por su belleza natural y clima templado, que lo han constituido en uno de los principales centros turísticos europeos, especialmente durante la temporada de invierno. Su industria hotelera es una de las más importantes de Europa. Es capital del departamento de los Alpes Marítimos y tiene una población de 342,439 habitantes y 477,000 en el área metropolitana (1997).

Niza, fray Marcos de (1510?-1570?). Misionero italiano, de la orden franciscana, que en 1539 fue comisionado por el virrey de Nueva España don Antonio de Mendoza para que explorara las tierras descubiertas por Alvar Núñez Cabeza de Vaca y que comprendían desde la Florida (Atlántico) hasta las costas de Sonora y Sinaloa (Pacífico). Partió fray Marcos acompañado de fray Honorato, de Estebanico de Orantes y de 100 indígenas. Su misión era también la de convertir al catolicismo a los indígenas. Se detuvo en Petatlán, donde murió fray Honorato. Siguiendo adelante en su misión, descubrió Cibola, donde puso la Cruz y tomó posesión en nombre del rey de España. Más tarde tomó posesión también de Tonteac, Acús y Marata, llegando hasta Abra donde plantó otras cruces y envió al virrey el relato maravilloso de cuanto había visto. Sus descubrimientos expandieron los dominios de España al norte del virreinato. *Véase* CIBOLA.

Nizami, Abu Mohammad ben Yusuf (1141-1203). Poeta persa cuya obra literaria, que revela gran perfección, adquirió merecida notoriedad y ejerció gran influencia sobre las literaturas de la India y Turquía.

Nkrumah, Kwame (1909-1972). Primer presidente que tuvo Ghana. Educado en las escuelas católicas de los misioneros y graduado en la preparatoria Achimota en 1931, después de un periodo de docencia fue a Estados Unidos a terminar su educación. En 1939 se graduó en ciencias políticas en la Universidad Lincoln e hizo su posgrado en la Universidad de Pennsylvania. Dio forma y asumió la presidencia de la organización de Estudiantes Africanos de Estados Unidos y Canadá. En 1945 se trasladó a Inglaterra para organizar el Congreso Panafricano.

En 1947, Nkrumah aceptó la invitación de la Convención pro Costa de Oro Unida y regresó a Ghana como su Secretario General. En 1949 rompió con la Convención y fundó el Partido Popular de la Convención como presión para un gobierno autónomo del país. En 1950 fue hecho prisionero a causa de los disturbios creados en pugna por la independencia. Fue liberado en 1951 y se convirtió en primer ministro de Costa de Oro en 1952. Lograda la independencia de Costa de Oro en 1957, Nkrumah apoyó una política panafricana radical. Y, cuando, en 1960 Ghana se convirtió en República, fue elegido presidente. Aunque Nkrumah dominó el escenario político, fracasó en su promesa

Corel Stock Photo Library

Espace Massena *en Niza, Francia.*

de llevar al país hacia el Socialismo. En 1962 se le concedió el Premio Lenin de la Paz y, en 1966, cuando visitaba China un golpe de Estado lo derrocó.

Noailles, Anna Elisabeth de Brancovan, Condesa de (1876-1933). Poetisa francesa. Perteneció, poéticamente, a la escuela simbolista, que renovaba los medios de expresión en la melodía y en el ritmo. Sus temas preferidos fueron los eternos de la naturaleza, el amor, la muerte, etcétera. Tenía el encanto de la ingenuidad, de la vibración y la lírica espontánea. Representó la poesía francesa en la Academia de Bélgica.

Nobel, Alfred Bernhard (1833-1896). Químico e industrial sueco, inventor de la dinamita y fundador de los premios que llevan su nombre. Era hijo de un hombre de vastos conocimientos que dejó en su espíritu una profunda huella. A poco de nacer el futuro inventor, el padre marchó con toda su familia a Rusia, donde estableció una fábrica de torpedos y minas submarinas. El joven Alfred tenía 17 años cuando abandonó Rusia para estudiar ingeniería en Estados Unidos bajo la dirección del famoso John Ericsson. Al regresar a Europa se dedicó a investigaciones químicas y logró producir una mezcla altamente explosiva, compuesta de nitroglicerina y algodón de pólvora; pero una explosión destruyó el taller en que trabajaba y debió establecer su laboratorio en un buque anclado en medio de un lago. Con el empleo de sustancias absorbentes quedaron eliminados en gran parte los peligros del acarreo y transporte del explosivo y surgió la dinamita (1866). En 1875 inventó la gelatina explosiva. En pocos años se multiplicaron las fábricas de Alfred Nobel y éste adquirió grandes riquezas. Continuó siendo un investigador infatigable, y se dedicó, además, a perfeccionar los procedimientos para la obtención de caucho sintético, seda artificial y muchos otros productos. Los inventos de Nobel en el campo de los explosivos fueron de gran trascendencia, por tener tan importantes aplicaciones en ingeniería moderna, aunque de efectos sumamente nocivos al ser empleados como explosivos de guerra. Por esto último, Nobel se sintió apesadumbrado, y al leer la novela *Abajo las armas*, que escribió su amiga la baronesa Berta de Suttner, se robustecieron sus tendencias pacifistas y resolvió donar su cuantiosa fortuna para recompensar a los hombres que más contribuyeran al progreso de la humanidad y a la consolidación de la paz internacional.

Medalla del premio Nobel.

Corel Stock Photo Library

Nobel, Premio. Al fallecer en 1896, el ilustre inventor Alfred Nobel legó más de nueve millones de dólares con la condición de que la renta que produjeran se destinara anualmente a recompensar a las personas que prestaran mayores servicios a la humanidad.

La Fundación Nobel, compuesta por ciudadanos suecos y noruegos, es la encargada de administrar la fortuna.

Los cinco premios anuales, que se otorgan sin distinción de raza, nacionalidad o sexo son:

1. De *Física*, otorgado por la Academia Sueca de Ciencias, con sede en Estocolmo.
2. De *Química*, adjudicado por la misma institución.
3. De *Medicina o Fisiología*, otorgado por el Instituto Karolin de Medicina, perteneciente a la Universidad de Estocolmo.
4. De *Literatura*, entregado por la Academia Sueca de Letras.
5. De la *Paz*, otorgado por un comité de cinco personas elegidas por el Parlamento de Noruega y entregado en Oslo.

Existe un premio de Economía creado en 1968, por acuerdo de la Fundación Nobel y el Banco Central de Suecia en conmemoración del 300 aniversario de la fundación de éste, que se concedió por primera vez en 1969, en las mismas condiciones que los anteriores.

Las recompensas son distribuidas el 10 de diciembre de cada año, al cumplirse el aniversario de la muerte de Nobel, el importe de cada premio fluctúa de 150 a 200 mil dólares.

RELACIÓN DE PREMIOS OTORGADOS DESDE SU FUNDACIÓN

AÑO	PREMIO	GANADOR	NACIONALIDAD	OBRA
1901	Física	Wilhelm Konrad Roentgen	Alemán	Descubrimiento de los rayos X.
	Química	Jacobus Henricus van't Hoff	Holandés	Leyes de la dinámica química y presión osmótica.
	Medicina o Fisiología	Emil von Behring	Alemán	Descubrimiento del suero antidiftérico.
	Literatura	René Sully Prudhomme	Francés	Poeta lírico: *Soledades, El prisma.*
	Paz	Jean Henri Dunant	Suizo	Fundador de la Cruz Roja.
		Frederick Passy	Francés	Creador de la primera sociedad pacifista francesa; autor de *Las causas económicas de las guerras. económicas de las guerras.*
1902	Física	Hendrick Antoon Lorentz Peiter Zeeman	Holandés Holandés	Ratificó la teoría de la radiación electromagnética.
	Química	Emil Fischer	Alemán	Experimentación con azúcares y péptidos.
	Medicina o Fisiología	sir Ronald Ross	Inglés	Estudios sobre la transmisión del paludismo.
	Literatura	Theodor Mommsen	Alemán	Historiador: *Manual de las antigüedades romanas, Historia de Roma.*
	Paz	Élie Ducommun	Suizo	Creador de la Oficina Internacional Permanente de la Paz.
		Charles Albert Gobat	Suizo	Secretario General de la Oficina Interparlamentaria y Presidente de la Conferencia de Paz de La Haya.
1903	Física	Antoine Henry Becquerel Pierre y Marie Curie	Francés Francés y Polaca	Investigaciones sobre la radiactividad.
	Química	Svante August Arrhenius	Sueco	Teoría de la ionización.
	Medicina o Fisiología	Niels Ryberg Finsen	Danés	Utilización de la fototerapia para curar las enfermedades de la piel.
	Literatura	Björnstjerne Björnson	Noruego	Dramaturgo: *El nuevo sistema, El guante.* Novelista: *Un muchacho feliz.*
	Paz	sir William Randal Cremer	Inglés	Redactor en jefe del *Arbitrator* y fundador de la Liga Internacional de Arbitraje.
1904	Física	lord John Rayleigh	Inglés	Descubrimiento del argón y estudios sobre la densidad de los gases.
	Química	sir William Ramsay	Inglés	Descubrimiento de los gases inertes.
	Medicina o Fisiología	Ivan P. Pavlov	Ruso	Investigación sobre la fisiología de la digestión.
	Literatura	José Echegaray	Español	Dramaturgo: *El gran galeoto.*
		Frédéric Mistral	Francés	Poeta: *Mireya.*
	Paz	Instituto de Derecho Internacional	Bélgica (sede)	Estudios e investigaciones sobre el Derecho (Gante).
1905	Física	Philipp Lenard	Alemán	Investigaciones sobre los rayos catódicos.
	Química	Adolf von Baeyer	Alemán	Trabajos sobre compuestos hidroaromáticos y colorantes orgánicos.
	Medicina o Fisiología	Robert Koch	Alemán	Descubrimiento del bacilo de la tuberculosis e investigaciones sobre esta enfermedad.
	Literatura	Henryk Sienkiewicz	Polaco	Novelista: *Quo Vadis?*
	Paz	baronesa Bertha von Suttner	Austriaca	Autora de *Abajo las armas* y organizadora de movimientos pacifistas.
1906	Física	Joseph J. Thomson	Inglés	Trabajos sobre teoría matemática de la electricidad.
	Química	Henri Moissan	Francés	Obtención del flúor y desarrollo del horno eléctrico.
	Medicina o Fisiología	Camilo Golgi Santiago Ramón y Cajal	Italiano Español	Investigaciones sobre la estructura del sistema nervioso.
	Literatura	Giosué Carducci	Italiano	Poeta lírico y épico: *Himno a Satanás, Odas bárbaras.*
	Paz	Theodore Roosevelt	Estadounidense	Propugnador de la paz ruso-japonesa.
1907	Física	Albert A. Michelson	Estadounidense	Investigaciones sobre la velocidad de la luz e invención de instrumentos ópticos.
	Química	Eduard Buchner	Alemán	Descubrimiento de la fermentación alcohólica mediante la zimasa.

	Medicina o Fisiología	Charles L. A. Laveran	Francés	Descubrimiento de los hematozoarios del paludismo.
	Literatura	Rudyard Kipling	Inglés	Novelista: *El libro de las tierras vírgenes, Kim.* Poeta.
	Paz	Louis Renault	Francés	Especialista en Derecho Internacional y miembro de la Corte Permanente de Arbitraje.
		Ernesto T. Moneta	Italiano	Presidente de la Liga Lombarde de la Paz
1908	Física	Gabriel Lippmann	Francés	Estudios sobre electricidad y fotografía en colores.
	Química	sir Ernest Rutherford	Inglés	Investigaciones sobre la desintegración de las sustancias radiactivas.
	Medicina o Fisiología	Paul Ehrlich Elie Metchnikoff	Alemán Ruso	Trabajos sobre inmunización mediante vacunación, antitoxinas, etcétera.
	Literatura	Rudolf Eucken	Alemán	Filósofo: *La vida, su valor y su significado.*
	Paz	Klas P. Arnoldson	Sueco	Fundador de la Sociedad Sueca de Paz y Arbitraje.
		Fredrik Bajer	Danés	Presidente de la Oficina Internacional Permanente de la Paz.
1909	Física	Guillermo Marconi Ferdinand Braun	Italiano Alemán	Desarrollo de la telegrafía inalámbrica.
	Química	Wilhelm Ostwald	Alemán	Estudio de la catálisis, el equilibrio y las reacciones químicas.
	Medicina o Fisiología	Emil T. Kocher	Suizo	Estudio fisiológico y clínico de la glándula tiroides.
	Literatura	Selma Lagerlöf	Sueca	Novelista: *La leyenda de Gosta-Berling,* El *maravilloso viaje de Nils Holgersson.*
	Paz	August A. F. Beernaert	Belga	Miembro de la Corte Permanente de Arbitraje Internacional.
		Paul d'Estournelles	Francés	Fundador de organizaciones pacifistas.
1910	Física	Johannes van der Waals	Holandés	Trabajos sobre la licuefacción de los gases.
	Química	Otto Wallach	Alemán	Investigaciones sobre los compuestos hidroaromáticos y amidas.
	Medicina o Fisiología	Albrecht Kossell	Alemán	Investigaciones sobre la química celular.
	Literatura	Paul von Heyse	Alemán	Cuentista y novelista: *Merün, En el Paraíso.*
	Paz	Oficina Internacional de la Paz	Suiza	Organizadora de conferencias y promotora de la comprensión mundial.
1911	Física	Wilhelm Wien	Alemán	Estudios sobre la hidrodinámica y rayos catódicos.
	Química	Marie S. Curie	Polaca	Descubrimiento del radio y del polonio.
	Medicina o Fisiología	Allvar Gullstrand	Sueco	Trabajos sobre la refracción de la luz en el ojo humano.
	Literatura	Maurice Maeterlinck	Belga	Dramaturgo: *Peleas y Melisande, El pájaro azul.* Ensayista. Poeta.
	Paz	Alfred H. Fried	Austriaco	Defensor de la paz en campañas periodísticas.
		Tobías M. C. Asser	Holandés	Especialista en problemas internacionales.
1912	Física	Gustaf Dalen	Sueco	Trabajos sobre el acetileno e invención de reguladores automáticos para faros.
	Química	Victor Grignard Paul Sabatier	Francés Francés	Descubrimiento de la *reacción de Grignard* para la síntesis de compuestos orgánicos: nuevo método de hidrogenación.
	Medicina o Fisiología	Alexis Carrel	Francés	Experimentación sobre sutura de vasos sanguíneos y trasplante de tejidos.
	Literatura	Gerard Hauptmann	Alemán	Dramaturgo: *Los tejedores, Antes del amanecer.* Novelista.
	Paz	Elihu Root	Estadounidense	Secretario de Estado, promotor de conferencias centroamericanas y defensor de las minorías.
1913	Física	H. Kamerlingh-Onnes	Holandés	Estudios sobre la tensión de vapores y la licuefacción del helio.
	Química	Alfred Werner	Suizo	Teoría de distribución de los átomos en la molécula.
	Medicina o Fisiología	Charles R. Richet	Francés	Estudios sobre la anafilaxia y fisiopatología.
	Literatura	sir Rabindranath Tagore	Indio	Poeta lírico: *La luna nueva, El jardinero.* Dramaturgo: *El cartero del rey.*
	Paz	Henri La Fontaine	Belga	Organizador de reuniones pacifistas y Presidente de la Oficina Internacional de Paz.
1914	Física	Max von Laue	Alemán	Investigaciones sobre la espectrografía de los rayos X.
	Química	Theodore W. Richards	Estadounidense	Determinación del peso atómico de diversos elementos químicos.

	Medicina o Fisiología	Robert Bárány	Austriaco	Estudio del oído interno.
	Literatura	No se concedió		
	Paz	No se concedió		
1915	Física	sir William H. Bragg	Inglés	Estudio de la difracción de los rayos X por cristales.
	Química	Richard Willstätter	Alemán	Investigación sobre la clorofila y otras sustancias colorantes vegetales.
	Medicina o Fisiología	No se concedió		
	Literatura	Romain Rolland	Francés	Novelista: *Juan Cristóbal.* Musicólogo: *Beethoven.* Dramaturgo.
	Paz	No se concedió		
1916	Física	No se concedió		
	Química	No se concedió		
	Medicina o Fisiología	No se concedió		
	Literatura	Verner von Heidenstam	Sueco	Novelista: *Ejército de peregrinación y de vagancia*
	Paz	No se concedió		
1917	Física	Charles G. Barkla	Inglés	Investigaciones sobre rayos X y difusión de la luz.
	Química	No se concedió		
	Medicina o Fisiología	No se concedió		
	Literatura	Karl A. Gjellerup	Danés	Novelista, dramaturgo, poeta.
		Hendrik Pontoppidan	Danés	Novelista: *Tierra prometida, El reino de los muertos.*
	Paz	Cruz Roja Internacional	Suiza (sede)	Por su actividad durante la Primera Guerra Mundial.
1918	Física	Max Planck	Alemán	Enunciación de la teoría de los quanta.
	Química	Fritz Haber	Alemán	Obtención sintética del amoniaco.
	Medicina o Fisiología	No se concedió		
	Literatura	No se concedió		
	Paz	No se concedió		
1919	Física	Johannes Stark	Alemán	Investigaciones sobre análisis espectral.
	Química	No se concedió		
	Medicina o Fisiología	Jules Bordet	Belga	Trabajos sobre inmunización.
	Literatura	Carl Spitteler	Suizo	Poeta épico: *Primavera olímpica.* Novelista: *El teniente Conrad.*
	Paz	Woodrow Wilson	Estadounidense	Creador de un programa de paz mundial (los *14 puntos*) y constructor de la Sociedad de las Naciones.
1920	Física	Charles E. Guillaume	Suizo	Estudios sobre las aleaciones de níquel y acero.
	Química	Walther Nernst	Alemán	Trabajos sobre termoquímica.
	Medicina o Fisiología	August Krogh	Danés	Estudio de la actividad de los vasos capilares.
	Literatura	Knut Hamsun	Noruego	Novelista: *Hambre, Pan, Victoria.* Dramaturgo.
	Paz	Leon Bourgeois	Francés	Presidente del Consejo de la Sociedad de las Naciones.
1921	Física	Albert Einstein	Alemán	Teorías general y especial de la relatividad; ley del efecto fotoeléctrico.
	Química	Frederick Soddy	Inglés	Investigaciones sobre sustancias radiactivas e isótopos.
	Medicina o Fisiología	No se concedió		
	Literatura	Anatole France	Francés	Novelista: *El crimen de Silvestre Bounard, Thais.* Ensayista: *La isla de los pingüinos.* Crítico literario.
	Paz	Christian L. Lange	Noruego	Autor de la *Historia del internacionalismo* y secretario de la Unión Interparlamentaria.
		Karl Hjalmar Branting	Sueco	Promotor de las reformas sociales en Suecia y delegado a la Sociedad de las Naciones.
1922	Física	Niels Bohr	Danés	Estudios sobre la estructura de los átomos.
	Química	Francis W. Aston	Inglés	Descubrimientos de los isótopos de los elementos no radiactivos e investigaciones sobre la estructura atómica.
	Medicina o Fisiología	Archibald V. Hill	Inglés	Estudio del calor muscular. Trabajos sobre transformación de la energía muscular.
		Otto Meyerhof	Alemán	
	Literatura	Jacinto Benavente	Español	Dramaturgo: *Los intereses creados, Señora ama.*
	Paz	Fridtjof Nansen	Noruego	Creador de los *pasaportes Nansen* para ayudar a las personas desplazadas y refugiadas.

1923	Física	Robert Millikan	Estadounidense	Trabajos sobre los fenómenos fotoeléctricos y medición de la carga del electrón.
	Química	Fritz Pregl	Austriaco	Método para el microanálisis de las sustancias orgánicas.
	Medicina o Fisiología			
		sir Frederich G. Banting John J.R. Macleod	Canadiense Canadiense	Descubrimiento de la insulina.
	Literatura	William B. Yeats	Irlandés	Poeta y dramaturgo: *La condesa Catalina, Comedias y controversias.*
	Paz	No se concedió		
1924	Física	Karl M. G. Siegbahn	Sueco	Investigaciones sobre espectroscopio de los rayos X.
	Química	No se concedió		
	Medicina o Fisiología	Willem Einthoven	Holandés	Descubrimiento del mecanismo del electrocardiograma.
	Literatura	Vladislav S. Reymont	Polaco	Novelista: *Los campesinos, La tierra prometida.*
	Paz	No se concedió		
1925	Física	James Franck Gustav Hertz	Alemán Alemán	Enunciación de las leyes de la colisión de un electrón con un átomo.
	Química	Richard Zsigmondy	Austriaco	Investigaciones de las soluciones coloidales.
	Medicina o Fisiología	No se concedió		
	Literatura	George Bernard Shaw	Inglés	Dramaturgo: *Pigmalión, Cándida, César y Cleopatra.* Ensayista.
	Paz	sir Austen Chamberlain	Inglés	Pacifista y defensor de los pactos de arbitraje de Locarno.
		Charles G. Dawes	Estadounidense	Creador del *Plan Dawes* para el pago de la deuda alemana
1926	Física	Jean B. Perrin	Francés	Trabajos sobre rayos catódicos, movimiento browniano y estructura discontinua de la materia.
	Química	Theodor Svedberg	Sueco	Estudios sobre la dispersión.
	Medicina o Fisiología	Johannes Fibiger	Danés	Investigaciones sobre la naturaleza y transmisión del cáncer.
	Literatura	Grazia Deledda	Italiana	Novelista: *La madre. Elías Portolu.*
	Paz	Aristide Briand	Francés	Defensor del federalismo europeo y de los pactos de paz y arbitraje.
		Gustav Stresemann	Alemán	Ministro de relaciones exteriores firmante de numerosos acuerdos internacionales.
1927	Física	Arthur Compton	Estadounidense	Descubrimiento del efecto de Compton.
		Charles T. R. Wilson	Inglés	Método para percibir la senda de las partículas con carga eléctrica.
	Química	Heinrich O. Wieland	Alemán	Estudio de los ácidos biliares y sustancias conexas.
	Medicina o Fisiología	Julius Wagner-Jauregg	Austriaco	Uso de la malaria para el tratamiento de la demencia paralítica.
	Literatura	Henri Bergson	Francés	Filósofo: *Las dos fuentes de la moral y la religión. La evolución creadora.*
	Paz	Ferdinand Buisson	Francés	Presidente de la Liga de los Derechos del Hombre.
		Ludwig Quidde	Alemán	Presidente de la Liga Alemana de la Paz.
1928	Física	Owen W. Richardson	Inglés	Leyes de la emisión de electrones por los metales incandescentes; investigaciones sobre el espectro molecular del hidrógeno.
	Química	Adolf Windaus	Alemán	Experimentos con los esteroles y estudio de su relación con las vitaminas.
	Medicina o Fisiología	Charles Nicolle	Francés	Investigaciones sobre el tifus exantemático.
	Literatura	Sigrid Undset	Noruega	Novelista: *Kristin Lavrandsdatter, Olav Audunsson*
	Paz	No se concedió		
1929	Física	Louis V. de Broglie	Francés	Investigaciones sobre la teoría ondulatoria de la materia.
	Química	Arthur Harden	Inglés	Investigaciones sobre la fermentación de los azúcares.
		Hans A. S. von Euler-Chelpin	Sueco	
	Medicina o Fisiología	Christian Eijkman	Holandés	Descubrimiento de las vitaminas antineuríticas.
		Sir Frederick G. Hopkins	Inglés	Hallazgo de las vitaminas que estimulan el crecimiento.
	Literatura	Thomas Mann	Alemán	Novelista: *La montaña mágica, Los Buddenbrook.*
	Paz	Frank B. Kellogg	Estadounidense	Coautor de los pactos antibélicos Briand-Kellogg.

1930	Física	sir Chandrasekhara V. Raman	Hindú	Estudios sobre la difusión de la luz; descubrimiento del efecto de Raman.
	Química	Hans Fischer	Alemán	Trabajos sobre las materias colorantes de la sangre y de las hojas.
	Medicina o Fisiología	Karl Landsteiner	Estadounidense	Descubrimiento de los cuatro tipos de sangre humana.
	Literatura	Sinclair Lewis	Estadounidense	Novelista: *Babbitt, Calle Mayor.*
	Paz	Nathan Söderblom	Sueco	Jefe de la iglesia evangélica sueca, partidario de la unión de las iglesias cristianas.
1931	Física	No se concedió		
	Química	Karl Bosch Friedrich Bergius	Alemán Alemán	Investigación y desarrollo de métodos para la fabricación de amoniaco y licuefacción de carbón a altas presiones.
	Medicina o Fisiología	Otto H. Warburg	Alemán	Estudios sobre el fermento respiratorio.
	Literatura	Erick A. Karlfeldt	Sueco	Poeta: *Canciones de Fridolin.*
	Paz	Jane Addams	Estadounidense	Presidente de la Liga Femenina Internacional para la Paz y la Libertad.
		Nicholas Murray-Butler	Estadounidense	Presidente de la Fundación Carnegie para la Paz Internacional.
1932	Física	Werner Heisenberg	Alemán	Creación de la mecánica cuántica.
	Química	Irving Langmuir	Estadounidense	Estudios sobre la química superficial.
	Medicina o Fisiología	Charles S. Sherrington Edgar D. Adrian	Inglés Inglés	Investigaciones sobre la función de la neurona, unidad del sistema nervioso.
	Literatura	John Galsworthy	Inglés	Novelista: *La saga de los Forsythe*. Dramaturgo: *Lucha.*
	Paz	No se concedió		
1933	Física	Paul Dirac Erwin Schrödinger	Inglés Alemán	Desarrollo de la teoría atómica.
	Química	No se concedió		
	Medicina o Fisiología	Thomas H. Morgan	Estadounidense	Trabajos sobre la función de los cromosomas en la herencia.
	Literatura	Ivan G. Bunin	Soviético	Cuentista y novelista: *El pueblo, El señor de San Francisco.*
	Paz	sir Norman Angell	Inglés	Autor de *La gran ilusión* y delegado en numerosas conferencias internacionales.
1934	Física	No se concedió		
	Química	Harold C. Urey	Estadounidense	Descubrimientos del deuterio o hidrógeno pesado.
	Medicina o Fisiología	George H. Whipple William P. Murphy George R. Minot	Estadounidense Estadounidense Estadounidense	Descubrimiento de un nuevo método para curar la anemia.
	Literatura	Luigi Pirandello	Italiano	Novelista: *El difunto Matías Pascal.* Dramaturgo: *Seis personajes en busca de autor.*
	Paz	Arthur Henderson	Inglés	Presidente de la Conferencia del Desarme.
1935	Física	James Chadwick	Inglés	Descubrimiento del neutrón.
	Química	Frédéric Joliot-Curie Irene Joliot-Curie	Francés Francesa	Síntesis de nuevos elementos radiactivos.
	Medicina o Fisiología	Hans Spemann	Alemán	Estudios sobre embriología.
	Literatura	No se concedió		
	Paz	Karl von Ossietzky	Alemán	Escritor pacifista, partidario del desarme mundial.
1936	Física	Carl D. Anderson	Estadounidense	Descubrimiento del positrón.
		Victor F. Hess	Austriaco	Descubrimiento de los rayos cósmicos.
	Química	Peter J. W. Debye	Holandés	Estudios sobre la estructura de las moléculas y la difracción de los rayos X en los gases.
	Medicina o Fisiología	sir Henry H. Dale Otto Loewi	Inglés Austriaco	Descubrimientos sobre la transmisión química de los impulsos nerviosos.
	Literatura	Eugene O'Neill	Estadounidense	Dramaturgo: *Anna Christie, El emperador Jones.*
	Paz	Carlos de Saavedra Lamas	Argentino	Ministro de Relaciones Exteriores argentino, gestor de la paz del Chaco entre Bolivia y Paraguay.
1937	Física	Clinton J. Davisson George P. Thomson	Estadounidense Inglés	Descubrimiento de la difracción de electrones por cristales.
	Química	Walter N. Haworth Paul Karrer	Inglés Suizo	Trabajos sobre hidratos de carbono y vitamina C, estudios sobre vitaminas A y B.
	Medicina o Fisiología	Albert Szent-Györgyi	Húngaro	Estudios sobre la combustión biológica.

	Literatura	Roger Martin Du Gard	Francés	Novelista: *Los Thibault.*
	Paz	lord Edgar Cecil	Inglés	Promotor del arbitraje internacional.
1938	Física	Enrico Fermi	Italiano	Investigaciones sobre la radiactividad.
	Química	Richard Kuhn	Alemán	Investigaciones sobre vitaminas (rehusó el premio).
	Medicina o Fisiología	Corneille Heymans	Belga	Investigaciones sobre los procesos respiratorios.
	Literatura	Pearl S. Buck	Estadounidense	Novelista: *La buena tierra, La semilla del dragón.*
	Paz	Oficina Internacional Nansen para los refugiados de Ginebra		Actividad en favor de los refugiados.
1939	Física	Ernest O. Lawrence	Estadounidense	Desarrollo del ciclotrón.
	Química	Adolph Butenandt	Alemán	Trabajos sobre las hormonas sexuales (no aceptó el premio).
		Leopold Ruµi|ka	Suizo	Investigaciones con polimetilenos.
	Medicina o Fisiología	Gerhard Domagk	Alemán	Descubrimiento del prontosil, primera droga del grupo de las sulfas (no aceptó el premio).
	Literatura	Emil Sillanpää	Finlandés	Novelista: *Santa Miseria.*
	Paz	No se concedió		
1940		No se concedió ningún premio		
1941		No se concedió ningún premio		
1942		No se concedió ningún premio		
1943	Física	Otto Stern	Estadounidense	Nuevos métodos de investigación atómica.
	Química	Georg von Hevesy	Húngaro	Uso de isótopos como indicadores químicos.
	Medicina o Fisiología	Henrik Dam Edward A. Doisy	Danés Estadounidense	Descubrimiento de la vitamina K y estudio de su naturaleza química.
	Literatura	No se concedió		
	Paz	No se concedió		
1944	Física	Isidor I. Rabí	Estadounidense	Investigaciones sobre los movimientos magnéticos de las partículas atómicas.
	Química	Otto Hahn	Alemán	Investigaciones sobre la fisión nuclear.
	Medicina o Fisiología	Joseph Erlanger Herbert S. Gasser	Estadounidense Estadounidense	Trabajos sobre las funciones de las fibras nerviosas.
	Literatura	Johannes V. Jensen	Danés	Poeta, ensayista y novelista: *La caída del rey.*
	Paz	Cruz Roja Internacional	Suiza (sede)	Asistencia sanitaria durante la Segunda Guerra Mundial.
1945	Física	Wolfgang Pauli	Austriaco	Estudio de la fisión atómica.
	Química	Artturi Virtanen	Finlandés	Investigación sobre la conservación de forrajes.
	Medicina o Fisiología	sir Alexander Fleming sir Howard W. Florey Ernst Boris Chain	Inglés Austriaco Inglés	Descubrimiento de la penicilina.
	Literatura	Gabriela Mistral	Chilena	Poetisa: *Desolación, Tala, Ternura.*
	Paz	Cordell Hull	Estadounidense	Secretario de Estado, promotor de reuniones internacionales y defensor del sistema interamericano.
1946	Física	Percy W. Bridgman	Estadounidense	Investigaciones sobre las altas presiones.
	Química	James B. Sumner Wendell M. Stanley John H. Northrop	Estadounidense Estadounidense Estadounidense	Investigación sobre enzimas: cristalización y preparación en estado puro.
	Medicina o Fisiología	Hermann J. Muller	Estadounidense	Investigaciones acerca de los efectos de los rayos X sobre la herencia.
	Literatura	Hermann Hesse	Alemán	Novelista: *El Lobo estepario, Demián.* Poeta.
	Paz	John Raleigh Mott	Estadounidense	Presidente del Comité Mundial de la Asociación Cristiana de Jóvenes y protector de las personas desplazadas.
		Emily G. Balch	Estadounidense	Presidenta de la Liga Internacional Femenina para la Paz y la Libertad.
1947	Física	sir Edward V. Appleton	Inglés	Estudios sobre la ionosfera.
	Química	sir Robert Robinson	Inglés	Investigaciones sobre sustancias vegetales.
	Medicina o Fisiología	Carl F. Cori Gerty T. Cori Bernardo A. Houssay	Estadounidense Estadounidense Argentino	Estudios sobre el metabolismo animal. Investigaciones sobre la relación de la glándula pituitaria y páncreas.
	Literatura	André Gide	Francés	Novelista: *Sinfonía pastoral, La puerta estrecha,* *Los sótanos del Vaticano.* Ensayista.

Año	Categoría	Premiado	Nacionalidad	Motivo
	Paz	Comité Americano y Consejo de Londres de los Amigos Cuáqueros		
1948	Física	Patrick M. S. Blackett	Inglés	Descubrimiento sobre las radiaciones cósmicas y las partículas atómicas.
	Química	Arne Tisellius	Sueco	Obtención electroquímica de diversas proteínas.
	Medicina o Fisiología	Paul Müller	Suizo	Descubrimiento de las propiedades insecticidas del DDT.
	Literatura	Thomas Stearns Eliot	Inglés	Poeta: *Cuatro cuartetos.* Dramaturgo: *Asesinato en la catedral.*
	Paz	No se concedió		
1949	Física	Hedeki Yukawa	Japonés	Cálculo matemático de la existencia de la partícula atómica llamada mesón o mesotrón.
	Química	William F. Giauque	Estadounidense	Estudios sobre los efectos y los métodos para producir bajas temperaturas.
		Walter R. Hess	Suizo	Estudios sobre la acción de ciertos centros cerebrales sobre órganos del cuerpo.
	Medicina o Fisiología	Antonio Egas Moniz W.R. Hess	Portugués Suizo	Perfeccionamiento de la operación cerebral llamada lobotomía prefrontal.
	Literatura	William Faulkner	Estadounidense	Novelista: *Santuario.* (Este premio se otorgó en 1950).
	Paz	lord Boyd Orr of Brechin	Inglés	Presidente de la Organización de Alimentación y Agricultura de las Naciones Unidas; partidario del federalismo europeo.
1950	Física	Cecil Frank Powell	Inglés	Estudio del mesón; método para la investigación fotográfica del núcleo atómico.
	Química	Otto Diels Kurt Alder	Alemán Alemán	Análisis y obtención artificial de compuestos orgánicos.
	Medicina o Fisiología	Philip S. Hench Tadeusz Reichstein Edward C. Kendall	Estadounidense Suizo Estadounidense	Descubrimientos acerca de las hormonas de la corteza suprarrenal (cortisona y ACTH).
	Literatura	Bertrand Russell	Inglés	Filósofo y ensayista: *La educación y el orden social, Introducción a la filosofía matemática.*
	Paz	Ralph J. Bunche	Estadounidense	Mediador de las Naciones Unidas en el conflicto de Palestina entre árabes y judíos.
1951	Física	Sir John D. Cockroft Ernest T. S. Walton	Inglés Irlandés	Estudios sobre la transmutación de los núcleos atómicos mediante partículas aceleradas artificialmente.
	Química	Edwin M. McMillan Glen T. Seaborg	Estadounidense Estadounidense	Descubrimientos de elementos transuránicos.
	Medicina o Fisiología	Max Theiler	Sudafricano	Descubrimiento de una vacuna eficaz contra la fiebre amarilla, conocida como 17-D.
	Literatura	Pär Lagerkvist	Sueco	Novelista: *Barrabás.* Dramaturgo: *La piedra filosofal.*
	Paz	Leon Jouhaux	Francés	Dirigente sindical, miembro de numerosas conferencias del trabajo y de la Confederación Internacional de Sindicatos Libres.
1952	Física	Felix Bloch Edward Mills Purcell	Suizo Estadounidense	Desarrollo de un nuevo método para la medición de los campos magnéticos de los núcleos atómicos.
	Química	Archer J. P. Martin Richard L. Millington Synge	Inglés Inglés	Estudios sobre la cromatografía partitiva, nueva rama de la bioquímica.
	Medicina o Fisiología	Selman A. Waksman	Estadounidense	Descubrimiento de la estreptomicina.
	Literatura	François Mauriac	Francés	Novelista: *Teresa Desqueyroux, El mico.*
	Paz	Albert Schweitzer	Francés	Teólogo, médico, musicólogo y misionero que desde 1913 trabajó entre los negros de África ecuatorial.
1953	Física	Fritz Zernike	Holandés	Invención de un microscopio especial para el examen de las células vivientes.
	Química	Herman Staudinger	Alemán	Investigaciones sobre las moléculas gigantes.
	Medicina o Fisiología	Fritz A. Lipmann Hans A. Krebs	Estadounidense Inglés	Estudio de la biosíntesis y descubrimiento de la coenzima A. Investigaciones sobre la síntesis de la urea.
	Literatura	sir Winston Churchill	Inglés	Cronista histórico: *La Segunda Guerra Mundial*
	Paz	George C. Marshall	Estadounidense	Secretario de Estado, creador del *Plan de recuperación económica para Europa.*
1954	Física	Max Born	Alemán	Investigaciones relativas a la mecánica cuántica.
		Walter Bothe	Alemán	Nuevo método para el estudio de los rayos cósmicos.

Año	Categoría	Nombre	Nacionalidad	Motivo
	Química	Linus C. Pauling	Estadounidense	Investigaciones sobre las fuerzas que unen a las moléculas en la estructurade las sustancias proteínicas.
	Medicina o Fisiología	John F. Enders Thomas H. Weller Frederick C. Robbins	Estadounidense Estadounidense Estadounidense	Investigaciones sobre el virus de la poliomielitis.
	Literatura	Ernest Hemingway	Estadounidense	Novelista: *Adiós a las armas, El viejo y el mar.*
	Paz	Alto Comisionado para Refugiados en la Oficina de la Organización de las Naciones Unidas Alto comisionato de la ONU para los refugiados.		Protección a refugiados políticos, raciales y religiosos. Alta comisaría de la Onu para los refugiados.
1955	Física	Polikarp Kusch	Estadounidense	Investigación sobre mediciones atómicas.
	Willis E. Lamb Jr.	Estadounidense		
	Química	Vincent du Vigneaud	Estadounidense	Investigación de las hormonas pituitarias oxitocina y vasopresina.
	Medicina o Fisiología	Hugh Theorell	Sueco	Descubrimientos sobre la naturaleza y función de las enzimas.
	Literatura	Halldor K. Laxness	Islandés	Novelista y renovador de la poesía épica de su país: *Salka Valka, El gran tejedor de Cachemira.*
	Paz	No se concedió		
1956	Física	William Shockley Walter H. Brattain John Bardeen	Estadounidense Estadounidense Estadounidense	Descubrimiento del transistor eléctrico.
	Química	sir Cyril Hinshelwood Nicolai N. Semovon	Inglés Soviético	Estudios sobre mecanismos básicos del funcionamiento molecular.
	Medicina o Fisiología	Werner Forssmann Andre F. Cournand Dickinson W. Richards	Alemán Estadounidense Estadounidense	Descubrimientos para diagnosticar padecimientos del corazón y los pulmones.
	Literatura	Juan Ramón Jiménez	Español	Poeta: *Platero y yo.*
	Paz	No se concedió		
1957	Física	Tsung Dao Lee Cheng Ning Yang	Chino Chino	Investigaciones sobre el principio físico de la paridad.
	Química	sir Alexander Todd	Inglés	Investigaciones sobre coenzimas nucleótidas.
	Medicina o Fisiología	Daniel Bovet	Suizo-Italiano	Descubrimiento de compuestos sintéticos de acción inhibidora en el sistema vascular.
	Literatura	Albert Camus	Francés	Novelista y dramaturgo: *El hombre rebelde, La caída, El extranjero.*
	Paz	Lester B. Pearson	Canadiense	Estadista. Labor pacifista como mediador en controversias de carácter internacional.
1958	Física	Pavel A. ∣erenkov Ilya M. Frank Igor E. Tamm	Soviético Soviético Soviético	Descubrimiento y aplicación del efecto físico ∣renkov e invención de un filtro mediador de radiaciones atómicas.
	Química	Frederic Sanger	Inglés	Investigaciones y descubrimientos sobre la estructura de la molécula de la insulina.
	Medicina o Fisiología	George Wells Beadle Edward Lawrie Tatum	Estadounidense Estadounidense	Descubrimiento de las funciones de los genes que regulan los procesos químicos específicos.
		Joshua Lederberg	Estadounidense	Descubrimientos sobre la organización y recombinación de los procesos genéticos en la reproducción de las bacterias.
	Literatura	Boris Pasternak	Soviético	Novelista y poeta: *El doctor Zhivago.*
	Paz	P. George Pire	Belga	Eclesiástico. Auxilio y hogares para los refugiados y damnificados de la Segunda Guerra Mundial.
1959	Física	Emilio G. Segré Owen Chamberlain	Italiano Estadounidense	Demostración de la existencia del antiprotón.
	Química	Jaroslav Heyrovsky	Checoslovaco	Invención del método polarográfico de análisis electroquímico.
	Medicina o Fisiología	Severo Ochoa Arthur Kornberg	Español Estadounidense	Descubrimiento del mecanismo en la síntesis biológica de los ácidos nucleico y desoxirribonucleico.
	Literatura	Salvatore Quasimodo	Italiano	Poeta: *Y de pronto es de noche, Día tras día, La vida no es sueño, La tierra incomparable.*
	Paz	Philip J. Noel-Baker	Inglés	Estadista. Actividades pacifistas durante 40 años en pro del desarme mundial.

1960	Física	Donald A. Glaser	Estadounidense	Invención de la cámara de burbujas de gas licuado para investigaciones subatómicas.
	Química	Willard F. Libby	Estadounidense	Perfeccionamiento del método de radiocarbono en la determinación de la antigüedad de las sustancias en las investigaciones científicas.
	Medicina o Fisiología	sir Macfarlane Burnet Peter Brian Medawar	Australiano Inglés	Investigaciones sobre trasplantes de tejidos de órganos vitales.
	Literatura	Alexis Lèger (Saint John Perse)	Francés	Poeta: *Alabanzas, Anabasis, Exilio, Auras, Amarguras.*
	Paz	Albert John Luthuli	Jefe zulú sudafricano	Por su labor contra la discriminación racial (concedido en 1961).
1961	Física	Robert Hofstadter	Estadounidense	Investigaciones sobre la estructura de los nucleones y de métodos para controlar la reacción nuclear.
		Rudolf Mössbauer	Alemán	Investigaciones sobre las radiaciones gamma en el espacio.
	Química	Melvin Calvin	Estadounidense	Investigaciones sobre la fotosíntesis, la asimilación del bióxido de carbono por las plantas y la estructura de los nucleótidos.
	Medicina o Fisiología	George von Bekesky	Húngaro	Investigaciones sobre la fisiología del oído, la función auditiva y perfeccionamiento del audiómetro.
	Literatura	Ivo Andri|	Yugoslavo	Novelista: *El puente sobre el Drina, La crónica Travnic, La dama joven.*
	Paz	Dak Hammarsjold	Sueco	Otorgado póstumamente. Por su labor en pro de la paz y fomento de la hermandad entre los países.
1962	Física	Lev Davidovich Landau	Soviético	Investigaciones sobre gases a bajas temperaturas y su teoría matemática sobre superfluidez del helio.
	Química	Max Ferdinand Perutz John Cowdery Kendrew	Austriaco-inglés Inglés	Investigaciones sobre procesos biológicos fundamentales y estructura molecular de las hemoproteinas.
	Medicina o Fisiología	James Dewy Watson Maurice H. F. Wilkins Francis H. Compton Crick	Estadounidense Neozelandés Inglés	Descubrimiento de la estructura molecular del ácido desoxirribonucleico que rige la herencia biológica.
	Literatura	John Steinbeck	Estadounidense	Novelista: *El invierno de nuestro descontento, Viñas de ira, Al este del paraíso, El ómnibus perdido.*
	Paz	Linus C. Pauling	Estadounidense	En reconocimiento de su labor en pro de la paz y para lograr la prohibición de armas nucleares.
1963	Física	Eugene P. Wigner	Estadounidense	Investigaciones sobre la estructura del núcleo atómico.
		Marie Goeppert Mayer J. Hans D. Jensen	Estadounidense Alemán	Investigaciones sobre la forma y disposición de las partículas nucleares.
	Química	Giulio Natta Karl Ziegler	Italiano Alemán	Descubrimientos sobre la polimerización de los hidrocarburos simples en moléculas complejas.
	Medicina o Fisiología	Alan L. Hodgkin Andrew F. Huxley	Inglés Inglés	Análisis matemático del ciclo de funcionamiento de las células nerviosas.
		John C. Eccles	Australiano	Propagación de los impulsos nerviosos en la unión de las células nerviosas.
	Literatura	Giorgos S. Seferis	Griego	Poeta: *Mythistonma, El zarzal.*
	Paz	Comité Internacional de la Cruz Roja	Suiza	Por su apoyo y adhesión a las convenciones de Ginebra sobre la guerra.
1964	Física	Charles H. Townes Nikolai Basov Alexander Prokhorov	Estadounidense Soviético Soviético	Investigaciones que condujeron al descubrimiento de los dispositivos *Maser-Laser* para la amplificación y producción de ondas electromagnéticas y de haces de luz de gran intensidad y alcance.
	Química	Dorothy M. C. Hodgkin	Inglesa	Determinación de estructuras de sustancias bioquímicas mediante técnicas especiales de rayos X.
	Medicina o Fisiología	Kn. Ernest Bloch Fedor Lynen	Estadounidense Alemán	Investigaciones sobre el mecanismo y regulación del colesterol y el metabolismo de los ácidos grasos.
	Literatura	Jean Paul Sartre	Francés	Filósofo: *El ser y la nada, El existencialismo es un humanismo.* Novelista: *La náusea, El muro.* Dramaturgo: *La mujerzuela respetuosa, El diablo y el buen Dios.*
	Paz	Martin Luther King	Estadounidense	Actividades pacíficas en pro de la integración racial en Estados Unidos.

Año	Categoría	Galardonado	Nacionalidad	Motivo
1965	Física	Richard P. Feynman Julian S. Schwinger S. Tomonaga	Estadounidense Estadounidense Japonés	Investigaciones fundamentales en la electrodinámica del quantum en su relación con las partículas fundamentales.
	Química	Robert Burns Woodward	Estadounidense	Investigaciones sobre la síntesis de los compuestos orgánicos que condujeron a la síntesis de la clorofila.
	Medicina o Fisiología	François Jacob André Lwoff Jacques Monod	Francés Francés Francés	Investigaciones sobre el control genético de la enzima y catalización del virus.
	Literatura	Mikhail Sholokhov	Soviético	Novelista: *Manso corre el Don, Cosecha en el valle del Don, Tierra virgen roturada.*
	Paz	Fondo de las Naciones Unidas para la Infancia (UNICEF)	Estados Unidos (sede)	Por su labor humanitaria de asistencia a la niñez en más de cien países.
1966	Física	Alfred Kastler	Francés	Descubrimiento de métodos para el estudio de la resonancia hertziana en los átomos.
	Química	Robert S. Mulliken	Estadounidense	Trabajos en el campo de los enlaces químicos y en el de las estructuras electrónicas de las moléculas.
	Medicina o Fisiología	Charles B. Huggins	Estadounidense	Descubrimiento acerca del tratamiento hormonal del cáncer.
		Francis Peyton Rous	Estadounidense	Descubrimiento de un cáncer viral en aves.
	Literatura	Nelly Sachs	Sueca	Poetisa: *Eli, Poesías tardías.*
		Samuel Joseph Agnon	Israelí	Novelista y cuentista: *Las abandonadas, Hasta aquí, Cuentos de amor.*
	Paz	No se concedió		
1967	Física	Hans A. Bethe	Estadounidense	Contribuciones a la teoría de las reacciones nucleares, sobre todo los descubrimientos en el campo de la producción de energía en las estrellas.
	Química	Ronald George W. Norrish George Porter Manfred Eigen	Inglés Inglés Alemán	Estudio de sustancias de vida muy breve, a veces de la diezmillonésima parte de un segundo.
	Medicina o Fisiología	Haldan K. Hartline George Wald Ragnar Granit	Estadounidense Estadounidense Sueco	Estudios relativos a los procesos visuales químico fisiológicos en el ojo humano.
	Literatura	Miguel Ángel Asturias	Guatemalteco	Novelista: *Viento fuerte.*
	Paz	No se concedió		
1968	Física	Luis Walter Álvarez	Estadounidense	Contribuciones decisivas a la física por sus trabajos sobre las partículas subatómicas y las técnicas para su detección.
	Química	Lars Onsager	Estadounidense	Trabajos acerca de la termodinámica.
	Medicina o Fisiología	Robert W. Holley H. Gobin Khorana Marshall W. Noenberg	Estadounidense Estadounidense Estadounidense	Trabajos acerca de la interpretación del código genético y su papel en la determinación de las funciones de la célula.
	Literatura	Yasunari Kawabata	Japonés	Novelista; expresa con gran sensibilidad la mentalidad japonesa. *País nevado, Sezmbazuru.*
	Paz	René Cassin	Francés	Autor principal de la Declaración de los Derechos Humanos de las Naciones Unidas adoptada en 1948.
1969	Física	Murray Gell-Mann	Estadounidense	Teorías acerca de las partículas elementales, los más pequeños integrantes del átomo. Teoría del quark.
	Química	Odd Hassel Derek H. Burton	Noruego Inglés	Labor para desarrollar y aplicar el concepto de conformación en la química.
	Medicina o Fisiología	Salvador Luria Max Delbrück Alfred D. Hershey	Estadounidense Estadounidense Estadounidense	Por sus trabajos en microbiología y en genética Estudio de «bacteriófagos».
	Literatura	Samuel Beckett	Irlandés	Introduce nuevas formas en la novela y el drama.
	Paz	Organización Internacional del Trabajo (OIT)	Suiza (sede)	Velar por la justicia social, uno de los más sólidos pilares de una paz universal y duradera.
	Economía	Ragnar Frisch Jan Tinbergen	Noruego Holandés	Por sus estudios de econometría y formulación matemática de los procesos económicos.
1970	Física	Louis Eugène Neel Hannes Olof Alfvén	Francés Francés	Por sus estudios de magnetismo mineral y de la física de los plasmas, respectivamente.
	Química	Luis Federico Leloir	Argentino	Por su labor en torno al metabolismo de los azúcares.
	Medicina o Fisiología	Julius Axelrod sir Bernard Katz Ulf von Euler-Chelpin	Estadounidense Inglés Sueco	Investigaciones acerca de la naturaleza de las sustancias encontradas en las terminaciones nerviosas del cuerpo humano.

	Literatura	Alexander I. Solzhenitsyn	Soviético	Por el arrojo con que ha continuado la tradición de la literatura rusa.
	Paz	Norman Ernest Borlaug	Estadounidense	Gran contribución a la productividad alimenticia.
	Economía	Paul Samuelson	Estadounidense	Por sus aportaciones para elevar el nivel del análisis científico en la teoría económica.
1971	Física	Dennis Gabor	Inglés	Por el invento y desarrollo del método holográfico.
	Química	Gerhard Herzberg	Canadiense	Por sus investigaciones sobre la energía molecular, las rotaciones, vibraciones y estructuras electrónicas.
	Medicina o Fisiología	Earl W. Sutherland	Estadounidense	Estudio de las hormonas en relación con la célula.
	Literatura	Pablo Neruda	Chileno	Por su obra *Canto general, Odas elementales.*
	Paz	Willy Brandt	Alemán	Por sus esfuerzos para lograr la apertura hacia los países del este.
	Economía	Simon Kuznets	Estadounidense	Por sus estudios sobre el crecimiento económico y la teoría de los ciclos.
1972	Física	John Bardeen Leon N. Cooper John R. Schrieffer	Estadounidense Estadounidense Estadounidense	Por el planteamiento y desarrollo de la teoría de la superconductividad.
	Química	Christian B. Anfinsen Stanford Moore William H. Stein	Estadounidense Estadounidense Estadounidense	Por sus estudios sobre la estructura de las enzimas.
	Medicina o Fisiología	Gerald M. Edelman Rodney R. Porter	Estadounidense Inglés	Contribución a la inmunología con estudios sobre la estructura de los anticuerpos.
	Literatura	Heinrich Böll	Alemán	Por su contribución al renacimiento de la literatura alemana en los años de la postguerra
	Paz	No se concedió		
	Economía	Kenneth J. Arrow John R. Hicks	Estadounidense Inglés	Por sus aportaciones a la teoría general del equilibrio económico y a la del bienestar social.
1973	Física	Ivar Giaever Leo Esaki Brian D. Josephson	Estadounidense Estadounidense Inglés	Por su investigación (de vital importancia en la televisión y las computadoras) que demostró que el túnel de electrones a través de los conductores, los convierte en superconductores de electricidad.
	Química	Ernst Otto Fischer Geoffrey Wilkinson	Alemán Inglés	Trabajos sobre los átomos orgánicos y metálicos que ayudan a prevenir la contaminación atmosférica.
	Medicina o Fisiología	Karl von Frisch Konrad Lorenz Nicholas Tinbergen	Alemán Alemán Inglés	Por sus estudios comparativos sobre la conducta en los seres humanos y los animales.
	Literatura	Patrick White	Australiano	Por su arte narrativo que ha hecho partícipe a Australia de la literatura universal.
		Le Duc Tho	Vietnamita	No lo aceptó.
	Paz	Henry Kissinger	Estadounidense	Por su intervención en la guerra de Vietnam.
	Economía	Wassily Leontief	Soviético	Por su método de análisis económico usado en más de 50 países industrializados.
1974	Física	Martin Ryle Anthony Hewish	Inglés Inglés	Por el perfeccionamiento del radiotelescopio y descubrimiento de los pulsares, respectivamente.
	Química	Paul J. Flory	Estadounidense	Por sus trabajos con plásticos.
	Medicina o Fisiología	Albert Claude George Emil Palade Christian Rene de Duve	Estadounidense Estadounidense Belga	Por las aportaciones hechas en el campo de la biología celular.
	Literatura	Eyvind Johnson	Sueco	Por su arte narrativo al servicio de la literatura.
		Harry Edmund Martinson	Sueco	Por su estilo poético, que atrapa las estrellas y refleja el cosmos.
	Paz	Eisaku Sato	Japonés	Por el papel que desempeñó en la firma del tratado para detener las armas nucleares.
		Sean Mac-Bride	Irlandés	Por su trabajo sobre la defensa de los Derechos Humanos.
	Economía	Gunnar Myrdal Friedrich A. von Hayek	Sueco Austriaco	Por ser pionero en el análisis de la interdependencia de los fenómenos económicos, sociales e institucionales.
1975	Física	James Rainwater Aage N. Bohr Ben R. Mottelson	Estadounidense Danés Danés	Por sus contribuciones a la física nuclear, sobre todo a la teoría del núcleo atómico.

	Química	John W. Cornforth Vladimir Prelog	Inglés Suizo	Por su contribución al campo de la estereoquímica.
	Medicina o Fisiología	David Baltimore Renato Dulbecco Howard Temin	Estadounidense Estadounidense Estadounidense	Por sus descubrimientos sobre la interacción entre los virus tumorígenos y el material genético de la célula.
	Literatura	Eugenio Montale	Italiano	Poeta: *Huesos de sepia, Las ocasiones.*
	Paz	Andrei D. Sajarov	Soviético	Por su defensa de los Derechos Humanos.
	Economía	Tjalling C. Koopmans Leonid V. Kantorovich	Estadounidense Soviético	Por su contribución a la teoría de la asignación óptima de los recursos.
1976	Física	Burton Richter Samuel Ch. Ch. Ting	Estadounidense Estadounidense	Descubrimiento de la partícula elemental £ conocida como *psi* o *j.*
	Química	William Nunn Lipscomb	Estadounidense	Por sus estudios sobre la estructura y mecanismos de enlace del hidruro de boro.
	Medicina o Fisiología	Baruch S. Blumberg Daniel C. Gajdusek	Estadounidense Estadounidense	Descubrimiento de nuevos mecanismos relativos al origen y difusión de las enfermedades infecciosas.
	Literatura	Saul Bellow	Estadounidense	Novelista: *Herzog, El planeta del Sr. Sammler.*
	Paz	Betty Williams Mairead Corrigan	Irlandesa Irlandesa	Por el movimiento que iniciaron en 1976 en pro de la paz.
	Economía	Milton Friedman	Estadounidense	Por sus logros en el campo del análisis del gasto, la teoría monetaria y la política de estabilización.
1977	Física	John H. Van Vleck Philip W. Anderson sir Nevill F. Mott	Estadounidense Estadounidense Estadounidense	Contribución al desarrollo de las memorias de las computadoras y aparatos electrónicos; por sus trabajos independientes sobre sólidos.
	Química	Ilya Prigogine	Belga	Investigaciones sobre termodinámica que contribuyen a ampliar el conocimiento sobre la forma en que los organismos vivos utilizan la energía.
	Medicina o Fisiología	Rosalyn S. Yalow Roger C. L. Guillemin Andrew V. Schally	Estadounidense Estadounidense Estadounidense	Investigaciones independientes sobre la función de las hormonas en la química del cuerpo humano.
	Literatura	Vicente Aleixandre	Español	Por sus poemas sobre la condición humana en el Universo y en la sociedad moderna.
	Paz	Amnistía Internacional		Intentos por liberar presos políticos pacíficos.
	Economía	Bertil Ohlim James E. Meade	Sueco Inglés	Por sus trabajos independientes sobre comercio internacional.
1978	Física	Arno A. Penzias Robert W. Wilson	Estadounidense Estadounidense	Descubrimiento de la radiación profunda de las microondas cósmicas en el Universo.
		Piotr L. Kapitsa	Soviético	Contribuciones al campo de la física de bajas temperaturas.
	Química	Peter Mitchell	Inglés	Contribución en el campo de la bioenergética con teorías sobre el almacenamiento y transferencia de energía en las células vivas.
	Medicina o Fisiología	Daniel Nathans Hamilton O. Smith Werner Arber	Estadounidense Estadounidense Suizo	Investigaciones sobre las enzimas que demostraron su capacidad de desdoblarse y utilizarse para regenerar los genes.
	Literatura	Isaac Bashevis Singer	Estadounidense	Por su apasionado arte narrativo que da sentido humano universal a la vida. *Corona de plumas, Shosha.*
	Paz	Anuar Sadat Menahem Begin	Egipcio Israelí	Por los esfuerzos realizados para lograr la paz en el Medio Oriente.
	Economía	Herbert Simon	Estadounidense	Por sus investigaciones sobre el proceso de toma de decisiones en las organizaciones economistas.
1979	Física	Steven Weinberg Sheldon L. Glashow Abdus Salam	Estadounidense Estadounidense Pakistaní	Por su teoría unificada de la interacción débil y electromagnética de las partículas elementales.
	Química	Herbert C. Brown Georg Witting	Estadounidense Alemán	Contribución a la creación de técnicas de síntesis orgánica en compuestos de boro y fósforo.
	Medicina o Fisiología	Alan McLeod Cormack Godfrey Newbold Hounsfield	Estadounidense Inglés	Investigaciones para el desarrollo de una técnica bidimensional de rayos X.
	Literatura	O. Elytis	Griego	Por su obra poética que une a elementos tradicionales la versión moderna de la lucha del hombre por la libertad y la creación. *Axion esti* (*Dignum est*), *Maria Nereli.*
	Paz	Madre Teresa de Calcuta	India	Por su trabajo entre los pobres y enfermos de Calcuta y en pro de la fraternidad de las naciones.

	Economía	Theodore W. Schultz Arthur Lewis	Estadounidense Estadounidense	Investigaciones e interés en los problemas de las naciones en vías de desarrollo.
1980	Física	James W. Cronin Val L. Fitch	Estadounidense Estadounidense	Aportaciones a la teoría del Universo según la cual éste se creó hace 10 mil millones de años.
	Química	Paul Berg	Estadounidense	Investigaciones sobre manipulación de estructuras genéticas.
		Walter Gilbert Frederick Sanger	Estadounidense Inglés	Trabajos detallados sobre la estructura del ácido desoxirribonucleico.
1980	Medicina o Fisiología	Baruj Benacerraf George Snell Jean Dausset	Venezolano Estadounidense Francés	Por sus estudios sobre la estructura genética de la célula y las reacciones inmunológicas del organismo.
	Literatura	Czeslaw Milosz	Polaco	Por su obra literaria, en prosa, poesía y traducciones. *Otra Europa, El valle de Issa, La ciudad sin nombre, Mis obligaciones particulares.*
	Paz	Adolfo Pérez Esquivel	Argentino	Por sus intentos para resolver los conflictos de los pueblos sin violencia.
	Economía	Lawren R. Klein	Estadounidense	Desarrollo de predicciones económicas a corto plazo.
1981	Física	Nicholas Bloembergen Arthur Schawlow	Estadounidense Estadounidense	Contribución al desarrollo de la espectroscopia de rayo láser.
		Kai M. Siegbahn	Sueco	Investigaciones sobre la espectroscopia electrónica.
	Química	Kenichi Fukui Ronald Hoffman	Japonés Estadounidense	Aplicación de los principios de la mecánica cuántica a las reacciones químicas.
	Medicina o Fisiología	David H. Hubel Torsten N. Wiesel Roger W. Sperry	Estadounidense Estadounidense Estadounidense	Descubrimientos sobre el funcionamiento del cerebro humano.
	Literatura	Elias Canetti	Búlgaro	Por su novela *Auto de fe,* su estudio sobre movimientos de masas, *Masa y poder, El otro Proceso de Kafka, La lengua absuelta.*
	Paz	Alta Comisariade la Onu para Refugiados en la ONU	Estadounidense	Por la protección a favor de refugiados políticos.
	Economía	James Tobin	Estadounidense	Creación de una nueva teoría de inversión.
1982	Física	Kenneth G. Wilson	Estadounidense	Estudios sobre el punto crítico de la materia.
	Química	Aarón Klug	Inglés	Estudios de la estructura íntima de la célula viva.
	Medicina o Fisiología	Sune K. Bergstron Bengt I. Samuelson John R. Vane	Sueco Sueco Inglés	Descubrimientos sobre prostaglandinas y sustancias biológicamente activas, e investigaciones glandulares.
	Literatura	Gabriel García Marquez	Colombiano	Novelista y cuentista: *Cien años de soledad, El coronel no tiene quien le escriba, Crónica de una muerte anunciada, La hojarasca.*
	Paz	Alfonso García Robles Alva Reimer Myrdal	Mexicano Sueca	Por su pugna en pro del desarme mundial.
	Economía	George Stiegler	Estadounidense	Estudios sobre el comportamiento del consumidor.
1983	Física	Subrahmanyan Chandrasekhar William A. Fowler	Hindú Estadounidense	Investigación de las estrellas e importancia de las reacciones químicas en la formación de elementos químicos en el Universo.
	Química	Henry Taube	Canadiense	Investigaciones acerca de la reacciones químicas en los metales.
	Medicina o Fisiología	Bárbara McClintock	Estadounidense	Desplazamiento de genes en los cromosomas, basado en el estudio de mazorcas del maíz.
	Literatura	William Golding	Inglés	Novelística acerca de la condición humana actual: *El señor de las moscas, La pirámide.*
	Paz	Lech Walesa	Polaco	Defensa de los derechos de los trabajadores y búsqueda de solución pacífica a los problemas de su patria.
	Economía	Gerard Debreu	Francés	Introducción de nuevos métodos analíticos en la teoría económica.
1984	Física	Carlo Rubbia Simon van der Meer	Italiano Holandés	Descubrimiento de la partícula *W* y la partícula *Z.*
	Química	Bruce Merrifield	Estadounidense	Descubrimiento de una metodología de síntesis química en una matriz sólida.
	Medicina o Fisiología	Cesar Milstein Georges J. F. Köhler Niels K. Jerne	Inglés Alemán Danés	Investigaciones acerca del sistema inmunológico.

Año	Categoría	Nombre	Nacionalidad	Contribución
	Literatura	Jaroslav Seifert	Checoslovaco	Poeta. Asumió una actitud crítica frente al sistema de gobierno de su país. *Viajes de novios, Las manos de Venus, Libros sobre Praga.*
	Paz	Desmond Tutu	Sudafricano	Lucha contra la política del Apartheid.
	Economía	Richard Stone	Inglés	Modelos básicos de contabilidad, aplicables a varios países. Computarización del PIB.
1985	Física	Klaus von Klitzing	Alemán	Nuevos métodos de medición de la resistencia eléctrica en los materiales.
	Química	Herbert Hauptman Jerome Karle	Estadounidense Estadounidense	Preelaboración de métodos directos para determinar la estructura de los metales.
	Medicina o Fisiología	Michael Brown Joseph Goldstein	Estadounidense Estadounidense	Descubrimiento de la regularización del metabolismo del colesterol.
	Literatura	Claude Simon	Francés	Descripción de la condición humana actual. *La route des Flandres, Le palace, Les géorgiques*
	Paz	Asociación internacional de médicos para la prevención de la guerra nuclear		Labor meritoria de esta organización.
	Economía	Franco Modigliani	Italiano	Estudios fundamentales de ahorro y mercados financieros.
1986	Física	Ernst Ruska Gerd Binnig Heinrich Rohrer	Alemán Alemán Sueco	Diseño del microscopio reticular.
	Química	Dudley Herschbach Yvan T. Lee John C. Polanyi	Estadounidense Chino Alemán	Contribución a la dinámica de los procesos químicos en los elementos.
1986	Medicina o Fisiología	Stanley Cohen Rita Levi-Montalcini	Estadounidense Italiana	Descubrimiento de proteínas reguladoras del desarrollo y crecimiento de los organismos.
	Literatura	Wole Soyinka	Nigeriano	Representación dramática de la existencia. *Opera Wonyosi, Requiem for a Futurologist, Akéi Los años de niñez.*
	Paz	Elie Wiesel	Rumano	Defensa de los Derechos Humanos.
	Economía	James Mc Gill. Buchanan	Estadounidense	Trabajos sobre estrategia económica y política.
1987	Física	George Bednordz Karl Alexander Muller	Alemán Suizo	Descubrimiento de superconductores de materiales cerámicos.
	Química	Donald J. Cramm Jean-Marie Lehn Charles J. Pedersen	Estadounidense Francés Noruego	Síntesis de moléculas aptas para ejercer una alta selectividad y una interacción específica de las estructuras.
	Medicina o Fisiología	Susumu Tonegawa	Japonés	Investigaciones sobre el fundamento genético de los anticuerpos del organismo humano.
	Literatura	Joseph Brodsky	Soviético	Por la agudeza de pensamiento y la gran intensidad poética de su obra. *Poemas selectos, Una parte del habla, Historia del siglo XX.*
	Paz	Oscar Arias	Costarricense	Labor de pacificación en Centroamérica.
	Economía	Robert M. Solow	Estadounidense	Contribución a la teoría del crecimiento económico.
1988	Física	Leon Lederman Melvin Schwartz Jack Steinberger	Estadounidense Estadounidense Estadounidense	Desarrollo de haces de neutronios y descubrimiento del neutrino muónico.
	Química	Johan Delmanes Robert Huber Hartmut Michel	Alemán Alemán Alemán	Determinación de estructuras tridimensionales de un centro de reacción fotosintética.
	Medicina o Fisiología	Gertrude B. Elion George H. Hitchings James W. Black	Estadounidense Estadounidense Inglés	Descubrimiento de principios terapéutico-médicos para el desarrollo de nuevos medicamentos.
	Literatura	Naguib Mahfuz	Egipcio	Elaboración de un arte novelístico árabe de validez universal. *El callejón de los milagros, Amor bajo la lluvia, Cuentos ciertos e inciertos.*
	Paz	Fuerzas de Paz de las Naciones Unidas		Contribución al alivio de tensiones en las zonas conflictivas del globo terráqueo.
	Economía	Maurice Allais	Francés	Trabajos iniciales de teoría de mercados y utilización de los recursos.
1989	Física	Norman F. Ramsey Hans G. Dehmelt Wolfgang Paul	Estadounidense Alemán Alemán	Nuevos métodos para determinar con mayor precisión el comportamiento de los átomos.

	Química	Sidney Altman Thomas R. Cech	Canadiense Estadounidense	Descubrimiento de la probabilidad de una reacción química efectuada por el ARN.
	Medicina o Fisiología	J. Michael Bishop Harold E. Varmus	Estadounidense Estadounidense	Descubrimiento de la posibilidad de que los genes normales de cada célula lleguen a transformarse en genes anormales cancerígenos.
	Literatura	Camilo José Cela	Español	Novelas, cuentos y ensayos, con una visión atrevida de la vulnerabilidad humana. *La familia de Pascual Duarte, La colmena.*
	Paz	Dalai Lama	Tibetano	Campaña no violenta por el cese de la ocupación china en su patria.
	Economía	Trygve Haavelmo	Noruego	Desarrollo de métodos estadísticos para determinar la validez de las teorías económicas.
1990	Física	Richard E. Taylor Jerome I. Friedman Henry W. Kendall	Canadiense Estadounidense Estadounidense	Demostración de la existencia de los quarks.
	Química	Elias J. Corey	Estadounidense	Aportaciones a la síntesis química.
	Medicina o Fisiología	Joseph E. Murray E. Donnall Thomas	Estadounidense Estadounidense	Investigaciones pioneras sobre trasplantes de órganos.
	Literatura	Octavio Paz	Mexicano	Poeta, novelista y ensayista. Galardonado por su obra apasionada, de amplios horizontes y caracterizada por inteligencia sensual e integridad humanística. Entre sus mejores obras se cuenta *El laberinto de la Soledad.*
	Paz	Mijail Gorbachov	Soviético	Por su política de apertura.
	Economía	Harry M. Markowitz Merton H. Miller William F. Sharpe	Estadounidense Estadounidense Estadounidense	Aportaciones a la economía financiera
1991	Física	Pierre Gilles de Genner	Francés	Estudios sobre los fenómenos que tienen lugar en los cristales líquidos.
	Química	Richard R. Ernst	Suizo	Contribución al refinamiento de la tecnología de la resonancia magnética nuclear de la imagen.
	Medicina o Fisiología	Erwim Neher Bert Sakmann	Alemán Alemán	Descubrimiento de las funciones básicas de las células.
	Literatura	Nadine Gordimer	Sudafricana	Continua implicación en el interés por la literatura y la libre expresión. *Ocasión para amar, El mundo burgués tardío, El conservador, El salto.*
	Paz	Aung San Suu Kyi	Birmano	Lucha por la no violencia, y en favor de la democracia y los Derechos Humanos.
	Economía	Ronald H. Coase	Inglés	Por la exposición de sus ideas acerca de la *teoría de la empresa* y *el problema del costo social.*
1992	Física	George Charpak	Polaco	Por el diseño de un detector electrónico de las trayectorias de las subpartículas atómicas.
	Química	Rudolph A. Marcus	Estadounidense	Por el análisis matemático de la causa y el efecto de los electrones al saltar de una molécula a otra.
	Medicina o Fisiología	Edmond H. Fischer Edwin G. Krebs	Estadounidense Estadounidense	Por el descubrimiento del mecanismo regulador celular empleado para controlar gran variedad de procesos metabólicos.
	Literatura	Derek Walcott Antillano	Santa Lucía	Por su estilo melodioso, sensible y su obra poética de gran luminosidad. *The caribbean poetry of Derek Walcott* (antología) *Omeros, Three plays.*
	Paz	Rigoberta Menchú	Guatemalteca	Por luchar por la paz y reconciliación de los grupos étnicos.
	Economía	Gary S. Becker	Estadounidense	Por haber extendido el dominio de la teoría económica a los aspectos de la conducta humana.
1993	Física	Robert A. Hulse	Estadounidense	Descubrimiento de un nuevo tipo de pulsar que abre nuevas posibiidades en el estudio de la gravedad.
	Química	Kary B. Mullis Michael Smith	Estadouniense Canadiense	Contribución fundamental al establcimiento de mutantes basados en oligonucleótidos y su evolución para el estudio de las proteínas.
	Medicina o Fisiología	Richard J. Roberts Phillip A. Sharp	Estadounidense Estadounidense	Descubrimiento *revolucionario* de los genes de estructura discontinua para la mejor comprensión de enfermedades como el cáncer.
	Literatura	Toni Morrison	Estadounidense	Por su poderosa expresión social y profundidad poética. *La canción de Salomón, La isla de los caballeros.*

Año	Categoría	Nombre	Nacionalidad	Motivo
	Paz	Nelson Mandela Frederick de Klerk	Sudafricano Sudafricano	Por sus esfuerzos en pro de la abolición de la segregación racial.
	Economía	Robert W. Fogel Douglas S. North	Estadounidense Estadounidense	Renovación de la investigación económica mediante la aplicación de teorías y métodos constitutivos para explicar los cambios económicos e institucionales.
1994	Física	Bertram N. Brockhouse Clifford G. Shull	Canadiense Estadounidense	Por su estudio en el desarrollo de la difracción técnica del neutrón.
	Química	Georges A. Olah	Estadounidense	Por sus contribuciones a la química carbónica.
	Medicina o Fisiología	Alfred G. Gilman Martin Rodbell	Estadounidense Estadounidense	Por su descubrimiento de la proteína G, y su papel como señal de transportación de las células.
	Literatura	¥ë Kenzabur¥	Japonés	Por su fuerza poética y su mundo imaginario donde la vida y el mito se unen para formar una desconcertante imagen de los problemas actuales de la humanidad. *La Presa, Una cuestión personal.*
	Paz	Yasser Arafat Simon Peres Rabin, Isaac	Palestino Israelí Israelí	Por sus esfuerzos para crear lazos de intercambio en el Medio Oriente.
	Economía	John C. Harsanyi John F. Nash Reinhard Selten	Estadounidense Estadounidense Alemán	Por ser pioneros en el análisis del equilibrio en la teoría de no cooperación.
1995	Física	Frederick Reines	Estadounidense	Por la detección del neutrino.
		Martin L. Perl	Estadounidense	Por el descubrimiento del *tau leptón.*
	Química	Paul Crutzen Mario Molina F. Sherwood Rowland	Países Bajos Estadounidense Estadounidense	Por su trabajo en química atmosférica, particularmente en lo concerniente a la formación y descomposición del ozono.
	Medicina o Fisiología	Edward B. Lewis E. F. Wieschhaus Nüesslein-Volhand, C.	Estadounidense Estadounidense Alemán	Por su descubrimiento que se relaciona con el control genético y el desarrollo genético adelantado.
	Literatura	Seamus Heaney	Irlandés	Por su belleza lírica y profunda ética que exaltan los milagros cotidianos y la presencia del pasado. *Sweeney Astray, Seeing Things, The Spirit Level.*
	Paz	Joseph Rotblat	Inglés	Por sus esfuerzos encaminados a disminuir el uso de armas nucleares en la política internacional.
	Economía	Robert E. Lucas	Estadounidense	Por haber desarrollado y aplicado la hipótesis de expectación racional, y transformado el análisis macroeconómico y así profundizar nuestro entendimiento en la política internacional.
1996	Física	David M. Lee Robert C. Richardson Douglas D. Osheroff	Estadounidense Inglés Estadounidense	Por su descubrimiento de la superfluidez en el helio-3.
	Química	Robert F. Curl Harold W. Kroto Richard E. Smally	Estadounidense Inglés Estadounidense	Por su descubrimiento de los fullerenos en forma de asociación de carbonos.
	Medicina o Fisiología	Rolf M. Zinkernagel Peter C. Doherty	Suizo Australiano	Por su explicación de cómo el sistema inmunológico humano distingue las células normales de las que están infectadas por virus.
	Literatura	Wislawa Szymborska	Polaca	Por el conjunto de su obra poética, que refleja con una ironía precisa la realidad humana fragmentada por contextos de origen histórico y biológico. *Llamada al Yeti, El gran número.*
	Paz	Carlos Ximenes Belo	Indonés	Por su labor hacia una solución justa y pacífica del conflicto en Timor Oriental.
	Economía	William S. Vickrey James A. Mirrlees José Ramón-Horta	Canadiense Inglés Indonés	Por sus contribuciones fundamentales a la teoría económica de incentivos bajo información asimétrica.
1997	Física	Steven Chu Claude Cohen-Tannoudji William D. Phillips	Estadounidense Francés Estadounidense	Por el desarrollo de técnicas para enfriar y atrapar átomos con rayo láser.
	Química	Paul D. Boyer John E. Walker Jens C. Skou	Estadounidense Inglés Danés	Por su elucidación en el mecanismo enzimático que sostiene la síntesis del adenosin trifosfato (ATP).
	Medicina o Fisiología	Stanley B. Prusinier	Estadounidense	Por su descubrimiento de los priones, un nuevo principio biológico de infección.
	Literatura	Darío Fo	Italiano	Por su obra que emula a los bufones de la Edad Media y fustiga a los poderosos, rehabilitando

				la dignidad de los humildes. *Muerte accidental de un anarquista; Non si paga, Non si paga.*
	Paz	Campaña Internacional para Prohibir Minas de Tierra International Compaign to Ban Landmines ICBL		Jody Williams. Por su labor para erradicar las minas personales y acabar con su uso.
	Economía	Robert C. Merton	Estadounidense	Por el nuevo método para determinar el valor de las derivadas.
		Myron S. Scholes	Estadounidense	
1998	Física	Robert B. Laughlin Horst L. Stömer Daniel C. Tsui	Estadounidense Alemán Chino	Por su descubrimirnto de una nueva forma de fluido cuántico con exitaciones cargadas fraccionalmente.
	Química	Walter Kohn	Austriaco	Por el desarrollo de su teoría de la densidad funcional
		John A. Pople	Inglés	Por el desarrollo de métodos computacionales en química cuántica.
	Medicina o Fisiología	Robert F. Furchgott Luis J. Ignarro Ferid Murad	Estadounidense Estadounidense Estadounidense	Por sus descubrimirntos concernientes al óxido nítrico como una molécula distintiva en el sistema cardiovascular.
	Literatura	José Saramago	Portugués	Quien con parábolas sustentadas por imaginación, compasión e ironía continuamente nos permite de nuevo aprehender una realidad elusiva.
	Paz	John Hume David Trimble	Irlandés Irlandés	Por sus esfuerzos para encontrar una solución pacífica al conflicto en Irlanda del Norte.
	Economía	Amartya Sen	Hindú	Por sus contribuciones al bienestar económico.
1999	Física	Veltman, Martinus J.G. Hooft, Gerardus `T.	Países Bajos	Por sus elucidaciones de la estructura del quantum y sus interacciones en el campo magnético débil.
	Química	Zewail, Ahmed	Egipto	Por sus estudios de los estados de trancisión en las reacciones químicas utilizando el espectroscópio con una mil millonésima de segundo
	Medicina o Fisiología	Blobel, Günter	Estadounidense	Por sus descubrimirntos realizados en las proteínas y las señales intríncecas en el proceso de transportación y localización en la célula.
	Literatura	Grass, Günter	Polonia	Por su prolífica producción literaria enfocada a las obscuras fábulas, retratos olvidados de la historia
	Paz	Asociación Médicos sin fronteras	Bélgica	Por su incansable labor en la preservación de la salud en las partes más afectadas del planeta.
	Economía	Mundell, Robert A.	Estadounidense	Por sus estudios en análisis monetario y política fiscal en diferentes regímenes de índices de cambio.

nobelio. Elemento químico de número atómico 102, cuyo símbolo es No. El nobelio no existe en la naturaleza. Es un transuriano de periodo muy corto, que se obtiene bombardeando curio con átomos de carbono, pero, por no disponerse de cantidades ponderables del mismo, se ignoran aún las constantes físicas de los dos isótopos descubiertos, cuyas masas son 254 y 255.

nobleza. Personas que en una nación organizada según criterios aristocráticos ostentan un título nobiliario, recurso para expresar su alto rango o jerarquía. Además de los títulos existen las condecoraciones. Los modernos títulos europeos se originaron en la época feudal, principalmente durante los primeros tiempos del sacro imperio romano. Antes los títulos eran muy comunes, pero hoy en día sólo algunas naciones reconocen alguna forma de nobleza; entre ellas destaca en primer plano Gran Bretaña.

Los títulos de gobernantes. En una sociedad aristocrática tradicional el monarca representa el punto más alto de la jerarquía. Los títulos más comunes de los gobernantes son el de emperador (emperatriz) y rey (reina). Quienes gobiernan naciones menores ostentan a menudo títulos menores: príncipe (princesa), gran duque o duque. Los miembros sin facultades políticas de las familias reales también poseen por lo general títulos nobiliarios: príncipe o princesa, duque o duquesa y a veces algunos de menor rango. En Gran Bretaña, por ejemplo, los hijos de los soberanos son príncipes y princesas; los hijos varones son nombrados a menudo también duques reales. El príncipe Felipe, esposo de la reina Elizabeth II, es también duque real, en su caso de Edimburgo.

El duque. El título de duque (del latín *dux,* dirigente) es el más alto de la nobleza. El primer título de duque sin facultades de gobernante fue creado en Inglaterra por Eduardo III, quién nombró a su hijo mayor, Eduardo, el Príncipe Negro, duque de Cornwall en 1337. Este título, sin embargo, tuvo una existencia de altibajos. Desapareció completamente durante el reinado de Elizabeth I (que mandó decapitar a su primo el duque de Norfolk por traición). El sucesor de Elizabeth, Jaime I, reinstauró el título. Grandes vencedores en batalla han sido elevados al rango de duque (john Churchill Marlborough y Arthur Colley Wellington, por ejemplo), pero el título ha ido principalmente de la mano de los grandes terratenientes. Muchos de éstos se concentraron en la parte media de Inglaterra, que llegó a ser conocida como los Ducados (The Dukeries). Ningún nuevo ducado sin connotación real ha sido creado en el siglo XX; el último duque designado sin relación con la realeza fue el duque de Westminster en 1874.

El marqués. Este título data del periodo normando. En sus orígenes se aplicó a los señores que resguardaban las áreas limítrofes, o *marches.* En Alemania el título equivalente era el de *Markgraf* (margrave), otorgado a los condes que montaban guardia fronteriza para el gobernante; los margraves podían recibir una distinción aún mayor según el tipo de territorio que regían (*Landgraf* o *Pfalzgraf*).

El conde. El título de conde –tercero en precedencia, título y rango más antiguos entre los nobles ingleses– es de origen sajo-danés. El conde era originalmente una persona que administraba un condado o provincia. El título equivalente en Europa continental es el mismo en español, pero viene del latín *comes,* compañero. Posteriormente el rango de conde era conferido a los primeros ministros retirados, así sir Anthony Eden se convirtió en conde de Avon en 1961, y Harold Macmillan en conde de Stockton en 1984.

Vizconde. Este título, que significa viceconde, delegado o teniente de un condado, es un puesto establecido ya en el Sacro Imperio Romano de Federico I Barbarroja.Los soldados británicos sobresalientes de la Segunda Guerra Mundial (el general en jefe Montgomery, por ejemplo) fueron elevados al título de vizconde.

Barón. Finalmente, los menores en la escala de la nobleza son los barones. También llegaron a Inglaterra con la invasión normanda y en Europa constituyen las reliquias más numerosas de un tiempo ya pasado. El nombre aludía a un individuo que recibía tierra directamente del soberano.

Baronet y caballeros. Los miembros que ostentan estos rangos no pertenecen a la nobleza, es decir, no se sientan en la Casa de los Lores. Tanto los baronet como los caballeros son llamados *sir*, pero el rango de baronet es hereditario y el de caballero no. El término *baronet* se aplicó por primera vez a los nobles que habían perdido el derecho de sostener reuniones individuales con el parlamento en el siglo XIV. La orden hereditaria de baronet fue introducida por el rey Jaime I en 1611, y el título era vendido a los caballeros preparados para establecer plantaciones en Irlanda. A Nueva Escocia se le otorgó un estatus semejante para los nuevos baronet creados en 1624. El título suele expresarse así: sir Thomas Beecham, Bart.

El título de caballero tiene dos formas en Gran Bretaña; el más antiguo y simple es el de caballero (*Knight,* derivado del sajón *cnyt,* que significa encargado) bachiller, y el de caballero enrolado en una de las ocho órdenes de caballería: la Orden de la Jarretera–el honor más antiguo- en Inglaterra, la Orden del Cardo en Escocia, la Orden del Baño, la Orden de san Patricio, la Orden de san Miguel y san Jorge, la Orden de la Estrella de India, la Orden Real Victoriana y la Orden del imperio británico.

Los equivalentes francés y alemán del caballero británico son los *chevaliers* y *ritters.* Ambos términos significan *hombre a caballo,* lo que indica que el título estaba relacionado con los guerreros que montaban y refleja el hecho de que desde los días del imperio romano éstos gozaban de un estatus social alto.

Los títulos y las condecoraciones en la época moderna. La nobleza en activo se ha extinguido prácticamente en el continente europeo con la desaparición de las principales dinastías –rusa, francesa, austriaca, alemana e italiana–. Aun en Gran Bretaña se ha hecho una adaptación considerable. La creación de títulos de nobleza ha sido siempre un acto político. Este hecho quedó en evidencia, por ejemplo, cuando en 1832 Lord Charles Grey, el primer ministro, obligó a la Casa de los Lores a aprobar la reforma de ley al amenazarlos con lograr que el rey Guillermo IV creara suficientes títulos nobiliarios nuevos para los *Whig* como para llenar la casa de los Lores con sus simpatizantes. En 1911, el gobierno liberal de Herbert, conde de Oxford, Asquith recurrió a la misma amenaza para obligar a aceptar la inciativa parlamentaria que terminaba con sus facultades políticas. El Acta de nobleza de por vida de 1958 autoriza que se creen los títulos de barón y baronesa sin carácter de hereditarios. Ningún título sin carácter de hereditario fue creado entre 1964 y 1983, año en que esta práctica volvió a llevarse a cabo. El Acta de Títulos Nobiliarios de 1963 fue aprobada para permitir que los individuos rechacen los títulos de nobleza y puedan seguir siendo plebeyos –lo que les permite, por ejemplo, seguir siendo miembros de la Cámara de los Comunes, donde el verdadero poder político se encuentra–. El valor que el moderno sistema de condecoraciones significa para Gran Bretaña es que los servicios políticos o de otro tipo pueden ser reconocidos con condecoraciones y no mediante riquezas. Algunos observadores ven al sistema como manera simbólica y costosa de recompensar a quienes han prestado servicios que vale la pena destacar.

Casi todas las otras naciones tienen órdenes de condecoración, aunque en este sentido Estados Unidos resulta parco en extremo y sólo otorga una, la Legión del Mérito, destinada a los extranjeros. Panamá, en cambio, tiene dos y la ex-Unión Soviética tenía 17.

noctiluca. Protozoario del orden de los dinoflagelados. Las noctilucas son pequeños animales de forma parecida a la de una esfera y cuyo diámetro aproximado es de un milímetro. Son transparentes y viven en el mar formando grandes masas que les prestan un aspecto viscoso. Por la noche desprenden una luz difusa o fosforescencia azulada o verdosa. Se componen de una sola célula y llevan en la región bucal un flagelo bastante grueso, de forma cilíndrica. En la base de este flagelo se inicia un surco o depresión que se extiende por el cuerpo de la noctiluca y abarca, aproximadamente, la mitad de su contorno, denominado *surco ventral.* De estos animales puede decirse que flotan, en vez de nadar, con el surco ventral hacia abajo. El flagelo, en vez de servir para la locomoción, se utiliza más bien para la aprehensión de los alimentos. Lo mismo sucede con la contractilidad del cuerpo. La alimentación se hace por el surco ventral que le sirve de boca. La reproducción se realiza por división o por esporulación.

noche. Espacio de tiempo, durante la diaria rotación de la Tierra en torno a su eje, en que falta sobre el horizonte la claridad del sol. No se puede hablar de la duración de la noche de un modo exacto y regular, a causa del movimiento de la Tierra en órbita elíptica y de la inclinación del eje de aquélla con respecto a ésta. En verano la noche es más corta que el día, y en invierno ocurre a la inversa. En las regiones polares dura varios meses.

Noche Triste, la. Noche del 30 de junio de 1520, cuando los conquistadores españoles que se hallaban en Tenochtitlan, la capital de los aztecas, tuvieron que huir ante la sublevación de éstos. En noviembre de 1519 Hernán Cortés había logrado entrar a la ciudad sin encontrar resistencia alguna, debido en parte a la creencia azteca de que su deidad y gobernante primigenio Quetzalcóatl regresaría del Este. Meses después tuvo que salir hacia Veracruz, donde Pánfilo de Narváez enfrentaba un ataque español; al regresar encontró que una masacre realizada por su lugarteniente Pedro de Alvarado había provocado la rebelión. Durante su retirada nocturna los españoles intentaron salir por Tlacopan y fueron perseguidos hasta el canal Tolteca, sufriendo muchas bajas (murieron 600 españo lesy 2,000 indígenas aliados). Aún existe al norte de la ciudad de México, en el barrio de Popotla, un árbol bajo el cual, según la leyenda, Cortés lloró la derrota.

Tenochtitlan fue vencida finalmente por los españoles en 1521, después de tres meses de sitio y una gran epidemia.

Nodier, Charles (1780-1844). Escritor y bibliófilo francés que figura entre los iniciadores del Romanticismo. A los 20 años se trasladó de Besançon, su ciudad natal, a París, donde fue encarcelado por sus escritos satíricos contra Napoleón. De nuevo en la capital francesa, en 1824, fue nombrado bibliotecario del Arsenal, lugar que, después de la desaparición del primer cenáculo de los románticos, fue el salón donde se congregaban Alfred de Vigny, Víctor Hugo, Alfred de Musset,Alphonse de Lamartine, etcétera, hasta 1834.

nodo. Cada uno de los dos puntos en que la órbita de un planeta o de la Luna cortan el plano de la Eclíptica. Se llama *nodo ascendente* al punto de intersección en que el planeta pasa de la parte sur o negativa de la eclíptica a la parte norte o positiva de la misma, y *nodo descendente* al nodo en que se efectúa el movimiento contrario y el planeta se traslada de la parte norte a la parte sur. Los nodos de la Luna se mueven de este a oeste y describen una vuelta completa en 18.6 años.

nódulo. En términos generales, un nódulo es una concreción o dureza de materia de poco tamaño. Los campos donde se habla más comúnmente de nódulos son la medicina y la geología.

Medicina. En medicina se distinguen los nódulos anatómicos de los que tienen carácter patológico, es decir, que se deben a alguna enfermedad o padecimiento. Existen, entre los primeros, por ejemplo, el nódulo de Aschoff-Tamara, que es una zona de tejido cardiaco, y el nódulo senoaricular, que es una zona de músculo cardiaco. El segundo se localiza cerca de la aurícula derecha, desde donde parten los estímulos que hacen que el corazón se contracte rítmicamente. Su función es propagar dichos estímulos al ya mencionado nódulo de Aschoff-Tamara para que luego lleguen a otros centros cardiacos importantes.

Entre los nódulos patológicos, llamados en ocasiones adenomas, están algunos relacionados con la glándula tiroides y el llamado nódulo vocal, o de los cantantes, compuesto por salientes fibrosas de las dos cuerdas vocales debidas a que la voz ha trabajado demasiado.

Geología. En el fondo de algunas zonas oceánicas existen nódulos ricos en metales, llamados polimetálicos, que son concreciones minerales de fosfatos de calcio y óxidos metálicos –manganeso, hierro, cobalto, níquel, plata y cobre entre los más importantes– cuyo centro consiste por lo general en algún fragmento de coral u otro material. Su formación se relaciona con la expansión de los fondos oceánicos. El contacto de aguas de origen volcánico con las aguas normales del mar produce estos nódulos polimetálicos. Al ser las primeras ácidas, reductoras y lentas, y contener disueltas sales metálicas en gran cantidad, y las otras básicas y relativamente oxidantes, su mezcla origina que algunos de los metales disueltos en las aguas volcánicas se insolubilicen y se depositen en los fragmentos de roca, coral u otro material, que servirán de núcleo.

La importancia de estos depósitos está en que su explotación podría significar una alternativa a la industria minera actual. Uno de los problemas latentes para ello es que los nódulos con mayor cantidad de metales valiosos se hallan a grandes profundidades –de más de 3,000 m–. A pesar de ello, algunas empresas mineras de grandes recursos han comenzado ya a extraer estos metales, aun a profundidades de 6,000 metros.

nogal. Árbol juglandáceo de gran talla, que llega a alcanzar unos 15 m de altura, muy apreciado por su madera y semillas comestibles llamadas nueces. Originario de Asia, fue introducido en Grecia en época muy remota, desde donde se ha extendido al resto del mundo. Del tronco salen vigorosas ramas que forman una copa frondosa y redondeada, con las hojas compuestas de grandes foliolos ovales, opuestos, de borde dentado y de olor aromático. Las flores pequeñas y blanquecinas son unisexuales, las masculinas brotan agrupadas en las axilas de las hojas del año anterior, y las femeninas en los extremos de los tallos del año. El fruto es de forma ovoide de 4 cm de diámetro, con una gruesa corteza correosa verde con pintas negruzcas, que se desprenden al secarse, dejando al desnudo la nuez. Esta parte del fruto está cubierta de una dura corteza pardusca y rugosa, dividida en dos mitades simétricas, en cuyo interior está la semilla que es la parte comestible.

Los climas templados y algo frescos son los más apropiados para el nogal, pues los brotes son fácilmente destruidos por las heladas; se cultiva en algunas regiones para aprovechar su madera, oscura y de fibra apretada, muy apreciada para la fabricación de muebles y revestimiento de interiores, talla de esculturas, etcétera.

Noguchi, Hideyo (1876-1928). Médico y bacteriólogo japonés. Se graduó en Tokio (1897) y luego fue interno del Hospital General de Tokio, oficial de cuarentena en Yokohama y encargado del hospital de Newchwang en China. Se trasladó a Estados Unidos en 1901, ingresó en la Universidad de Pennsylvania y desde 1904 colaboró en el Instituto Rockefeller de Investigaciones Médicas, en Nueva York. Verificó estudios en el Instituto de Serología, de Copenhague. De regreso a Estados Unidos ingresó en el Instituto Carnegie, de Washington. Estuvo en Guayaquil (Ecuador) y allí participó en el descubrimiento del microorganismo infeccioso de la fiebre amarilla. Sus investigaciones sobre esta enfermedad le llevaron al África Oriental Británica, y estando en Acra contrajo el mal y murió de él. Dejó importantes trabajos sobre la fiebre amarilla, parálisis infantil, sífilis, venenos de las serpientes e hidrofobia. Descubrió métodos para diagnóstico. Fue el primero que cultivó el *Treponema pallidum* o espiroqueta de la sífilis.

Nómadas somalíes con su camello.

Corel Stock Photo Library

nomadismo. Estado social primitivo de ciertos grupos humanos que cambian frecuentemente de lugar. El nomadismo se atribuye a la necesidad de trasladarse de una región a otra más favorable, a causa de variaciones climáticas o estacionales, a escasez o agotamiento de recursos alimenticios y a abundancia o carencia de pastos. Los nómadas son pastores, y crían caballos, corderos, vacas, etcétera, que cuidan en manadas y llevan en sus frecuentes viajes en busca de regiones más favorables. Aun cuando su cultura es muy rudimentaria, en ciertos grupos ha progresado bastante, debido al comercio y a las relaciones que, de vez en cuando, mantienen con los pueblos estables. Viven en tiendas o chozas de precaria construcción, aprovechando cuevas y otros abrigos que la naturaleza les brinda espontáneamente; visten en forma muy primitiva y únicamente saben fabricar los utensilios más indispensables. Algunos han practicado el arte de la herrería. Si bien ese género de vida desarrolla extraordinariamente sus facultades físicas y les concede una extraordinaria resistencia, los envejece prematuramente y no es raro hallar en sus tribus a hombres que apenas frisan los 50 años, que tienen el pelo canoso y las espaldas encorvadas. Ciertas regiones del globo (Arabia, Mongolia, Arizona, Nuevo México, etcétera) han sido el asiento de núcleos nómadas durante mucho tiempo, razas como los beréberes, caldeos, arameos, magiares, mongoles, hebreos, etcétera, fueron nómadas en principio. Los gitanos o zíngaros constituyen también un tipo peculiar de nomadismo aunque sus desplazamientos y dispersión constantes no obedezcan, en la actualidad, exactamente, a las circunstancias señaladas. Hay un estado intermedio entre el nomadismo y el sedentarismo, que es la trashumancia, característica en algunos pueblos de África y Europa.

nombre. Parte de la oración que designa las personas, las cosas o sus cualidades. *Enrique, perro, mesa, bueno,* son nombres de acuerdo con la definición clásica de la Real Academia Española.

El nombre se llama *sustantivo* cuando sirve para designar personas, animales o cosas. En nuestros anteriores ejemplos:

Enrique (persona) *perro* (animal) y *mesa* (cosa) son sustantivos porque expresan la esencia o sustancia de esa persona llamada Enrique, de ese animal llamado perro o de esa cosa que por sus materiales, forma y uso es una mesa. Se llama *adjetivo*, cuando califica o determina, pero designando, a la vez, una cualidad. Así, *bueno* es adjetivo porque si decimos que *Enrique es bueno* estamos calificándolo y determinándolo con una cualidad. Lo mismo sucedería si dijéramos *buena mesa*.

Ahora bien, por antonomasia, y de acuerdo con su misma etimología (del latín *nomen*), el nombre es esencialmente sustantivo porque expresa algo por sí mismo y puede ir solo en la oración. Por el contrario, el adjetivo siempre tiene que ir con un sustantivo para que adquiera verdadero sentido en el discurso. Al decir Enrique o mesa nombramos dos realidades concretas e independientes. Por el contrario, la palabra bueno nada *nombra* si no se aplica a un sustantivo. Por esta razón dejaremos aquí de lado al adjetivo.

Atendiendo a su extensión, el nombre, nombre sustantivo o simplemente sustantivo, se divide en genérico y propio.

a) *Genérico*, llamado también apelativo o común, es aquel que puede aplicarse a todas las personas, animales o cosas de la misma especie. Por ejemplo: *hombre, perro, río*, son nombres que se aplican, respectivamente, a todos los hombres, a todos los perros, a todos los ríos.

b) *Propio* es aquel que distingue a una persona, animal o cosa de los demás de su misma clase. *Alfredo, Bucéfalo, Bolivia*, son sustantivos propios.

En cuanto a su procedencia, se dividen en:

a) *Primitivos*, los que no proceden de otras palabras del mismo idioma: *reloj, pájaro*.

b) *Derivados*, los que proceden de los primitivos: *relojería, pajarería*.

De entre estos últimos cabe distinguir muy especialmente, dada su importancia, los llamados *patronímicos*, que no son sino los apellidos derivados del nombre. En efecto, en su mayoría los apellidos envuelven siempre el concepto de ser *hijo de alguien*. Esto se expresa mediante la desinencia del genitivo en unos idiomas o mediante contracciones y terminaciones especiales en otros. Así, los apellidos de origen español se forman con las terminaciones celta-hispánicas *es, is* y las eúskaras o iberas, *az, ez, iz*. Todos expresan la idea de ser *hijo de*. Ejemplos: *Garcés*, hijo de García; *González*, hijo de Gonzalo; *Martínez*, hijo de Martín. O bien, fomados por contracción; *Ruiz*, hijo de Ruy.

En cuanto a su estructura, los sustantivos pueden ser:

a) *Simples*, aquellos que constan de una sola palabra: *casa, quinta*.

b) *Compuestos*, los que resultan de la unión de una palabra simple y de otra u otras agregadas: *antecoro*.

Con respecto a su comprensión, se clasifican en:

a) *Colectivos*, aquellos que en forma singular designan una colección de cosas de una misma especie: *docena, muchedumbre, regimiento*.

b) *Partitivos*, los que expresan las diferentes partes en que se puede dividir un todo: *quinto, vigésimo*.

c) *Múltiplos*, los que señalan el número de veces que una cantidad comprende en sí a otra menor: *duplo, triplo, cuádruplo, quíntuplo, décuplo*.

Muy importante es también la clasificacón de los sustantivos atendiendo al modo como aumentan, disminuyen o degradan la significación del primitivo. En este sentido se dividen en:

a) *Aumentativos*, los que aumentan la significación del primitivo del cual proceden mediante las terminaciones: *on, ona, ote, ota, azo, aza, acho, acha*. Así: hombrón, mujerona, etcétera.

b) *Diminutivos*, los que disminuyen la significación del primitivo correspondiente mediante las terminaciones: *ito, ita; ico, ica; illo, illa; cito, cita; ecito, ecita; cillo, cilla; ecillo, ecilla; cico, cica; ecico, ecica; zuelo, zuela*. Así: *jovencito, jovencita*.

c) *Despectivos*, los que imprimen un dejo de desprecio a los sustantivos de que provienen para lo cual agregan las terminaciones: *aco, uco, acho, alla, ato, astro, orrio, orra, uza, ucho, y sus femeninos. Libraco, casuca, poetastro*, etcétera.

A veces la idea expresada por los sustantivos es general e indefinida sobre todo cuando proceden de adjetivos y designan de un modo genérico la cualidad que éstos expresan. Así, cuando hablamos de blancura, por ejemplo, separamos mentalmente –es decir, abstraemos– la idea de *blanco* que nos hemos acostumbrado a apreciar en diversos objetos y la expresamos como si existiese independientemente de esos objetos. Estos nombres son los llamados sustantivos *abstractos*.

Además, no dejaremos sin mencionar los nombres de pila, que se adquieren por el bautismo; los nombres específicos, que convienen a todos los individuos de una misma especie (hombres); numerales, que expresan número (decena, veintena, centenar, millar, etcétera).

El nombre no actua aislado en el discurso sino en función de otras palabras que le imponen diversas modificaciones que se llaman accidentes. Estos accidentes son:

1) *Género*, según sea masculino, femenino, neutro, epiceno, común o ambiguo.

2) *Número*, según sea singular o plural.

3) *Caso*, según se comporte como nominativo, genitivo, dativo, acusativo, vocativo o ablativo.

nomenclatura. Conjunto de las voces técnicas y propias de una facultad. Cada una de las ciencias y artes cuenta con vocabulario particular y sistemas de catalogación que han sido adoptados por los hombres de ciencia para facilitar la clasificación y uniformar la terminología. En ciencias biológicas, la nomenclatura adoptó el sistema binario, a partir de su utilización por Carl von Linneo, a mediados del siglo XVIII, para la clasificación botánica y, poco después, para la zoológica. Según ese sistema se emplean dos nombres latinos para designar y clasificar cada una de las especies botánicas o *zoológicas*. El primero de esos dos nombres corresponde al género y el segundo a la especie. En química la nomenclatura se estableció finalmente a fines del siglo XVIII. *Véanse* CLASIFICACIÓN; ELEMENTOS QUÍMICOS.

nominalismo. Designación empleada para referirse a cualquier sistema filosófico, antiguo o moderno, que niegue toda objetividad, ya fuere ésta real o potencial, a los universales; en otras palabras, los nominalistas no conceden universalidad a los conceptos mentales que están fuera de la mente. En este sentido, los sistemas filosóficos de Epicuro, Guillermo de Occam, George Berkeley, David Hume, John Stuart Mill y aquellos del análisis lingüístico contemporáneo pueden considerarse nominalistas en tanto que atribuyen universalidad sólo a las palabras (*nomina*), los hábitos mentales o los conceptos, y aducen la existencia objetiva solamente de las cosas concretas e individuales. El nominalismo se opone al mismo tiempo al idealismo filosófico de Platón y al realismo moderado de Aristóteles y santo Tomás de Aquino. La principal objeción de los nominalistas se refiere a atribuir existencia objetiva a las ideas, formalmente porque éstas existen en la mente y fundamentalmente (o en potencia) porque existen en los particulares, con alguna similitud entre ellas en cualquier clase o especie dada.

nominativo. Caso gramatical que designa el sujeto de la oración o un predicado nominal de la misma. El nominativo sujeto realiza la acción del verbo, como por ejemplo en la oración: *Juan llama a Pedro*, en la que Juan está en caso nominativo. En la oración *Este es Juan*, es a la vez sujeto y predicado nominal y está en el mismo caso. El nominativo no lleva preposición.

nomografía. Procedimiento de cálculo gráfico mediante un dibujo llamado nomograma. A fines del siglo XIX el matemático francés Maurice d'Ocagne estudió todos los procedimientos gráficos de representación matemática entonces conocidos y mediante una especie de síntesis de los elementos comunes a todos ellos, creó un método perfeccionado al que dio el nombre de nomografía. Se basa en un número de elementos geométricos que ejercen la función de constantes y entre los cuales se establecen relaciones gráficas determinadas. A esas relaciones se les da un carácter general para poder extenderlas a un número dado de variables, de manera que se obtenga la relación analítica de las variables entre sí con sus valores correspondientes, lo que constituye el homograma.

Nonell y Monturiol, Isidro (1873-1911). Pintor español, nacido y formado en Barcelona, una de las figuras más representativas del renacimiento artístico catalán. Entre lo mejor de su obra se cuenta la serie de *Gitanas*, que en su mayor parte se conserva en el museo de Arte Moderno de su ciudad natal. Se caracteriza por su vigorosa pincelada, la fuerza plástica y la intensidad expresiva de los tipos anónimos y despojados de toda anécdota que plasmó en dicha serie. Muy importantes son también los conjuntos de bodegones y de bustos femeninos que pintó en su breve etapa final.

nonio. Instrumento de medición que forma parte de aparatos físicos y matemáticos y que sirve para apreciar fracciones más pequeñas que las mejores divisiones de una regla o limbo graduado. Si se quiere apreciar décimos de milímetro, por ejemplo, se da a uno de los dispositivos graduados del nonio una longitud de nueve milímetros, dividiéndola en diez partes iguales. El nonio fue inventado por el matemático portugués Pedro Núñez (Nonius) hacia 1550 y perfeccionado por el matemático francés Pierre Vernier en el año 1631.

nopal. Planta cactácea, principalmente de la especie *Opuntia vulgaris*, natural de las regiones desérticas de México. Tiene tallos carnosos en forma de paletas ovaladas de unos 30 a 40 centímetros de largo por 20 de ancho, que en conjunto llegan a unos 3 metros de altura. Carece de hojas, pues éstas quedan reducidas a espinas que erizan los tallos. Las flores, con pétalos amarillos o rojos, nacen directamente de los bordes de los tallos. Sus frutos se conocen con el nombre de higos chumbos o higos de tuna; tienen forma ovoide, algo mayores que el huevo de gallina, con una cubierta verde amarillenta erizada de espinas que encierra una pulpa amarillenta o rojiza cargada de semillas blancas. Cuando los frutos maduran, la pulpa adquiere un sabor dulce agradable, siendo un alimento nutritivo que consumen las poblaciones indígenas y que sirve también como alimento para el ganado. Es planta muy resistente a la sequía, pero que también prospera en regiones de precipitaciones moderadas y clima cálido. Originaria de América, su cultivo se extendió a otros continentes. En el sur de España se utiliza para formar setos naturales. Sobre las paletas del nopal de la especie *Opuntia coccinellifera, vive una especie de cochinilla* de la que los aztecas extraían una materia colorante de color rojo. *Véanse* CACTO; TUNA.

Corel Stock Photo Library

Nopal con tunas en México.

Nordau, Max Simon (1849- 1923). Escritor húngaro de origen judío, que se distinguió, además, por su actividad en favor de la causa israelita. En tal sentido fue presidente del Congreso Sionista y sostuvo tenaces campañas en pro de las aspiraciones de este carácter a través de la prensa. Casi todas sus obras son de índole filosófica y orientación social. Sobresalió por el vigor y la precisión de su estilo, lo que hizo muy leídos y celebrados algunos de sus libros, en los que señaló las lacras y defectos de la civilización contemporánea, como: *París bajo la III República, Las mentiras convencionales de la civilización, Paradoxe, La enfermedad del siglo* y *Del Kremlim a la Alhambra.*

Nordenskjöld, Nils Adolf Erik barón de (1832-1901). Explorador y geógrafo sueco nacido en Finlandia. De 1858 a 1868 efectuó varias exploraciones a las islas Spitzberg. Llevó a cabo importantes investigaciones sobre las formaciones de hielo en Groenlandia (1870). En el curso de sus exploraciones en el Ártico logró hallar el Paso del Nordeste, que atravesó a bordo del *Vega* (1878-1880), por lo cual el gobierno sueco lo condecoró y le concedió un título de nobleza.

Nordenskjöld, Nils Erland Herbert (1877- 1932). Explorador y etnólogo sueco, hijo del anterior. Fue director de la división etnográfica del museo de Goteborg. De 1899 a 1913, efectuó diversos viajes de exploración a la América del Sur y recorrió vastas regiones de Argentina, Bolivia, Perú y de otros países sudamericanos, en las que hizo importantes investigaciones etnográficas que sirvieron para acrecentar los conocimientos sobre los indios sudamericanos. El resultado de sus investigaciones lo publicó en extensas obras y en varios volúmenes de etnografía comparada.

Nordenskjöld, Otto (1869-1928). Geógrafo y explorador sueco. Una vez recibido en la escuela de geología de la Universidad de Upsala, en 1895, acompañó al botánico Dusén en la expedición que realizó a la Tierra del Fuego y estrecho de Magallanes. En 1898, ya familiarizado con las regiones polares, exploró una vasta zona del Klondike. Poco después asumió la dirección de la expedición antártica que Suecia envió en el *Antarktik*. En febrero de 1902 llegó a la Tierra de Luis Felipe, donde desembarcó dispuesto a establecer una estación en la península de Seymour. Mientras, el *Antarktik*, con parte de la expedición, habia seguido navegando, hasta que el 12 de febrero de 1903 naufragó en la bahía de Erebus. Ignorando este percance, Nordenskjöld continuó su marcha hasta alcanzar los 66 ° de latitud Sur. Realizó importantes exploraciones, sin tener en cuenta el tiempo ni sospechar la pérdida del barco que debía recogerlo a él y a sus compañeros. En Argentina despertó inquietud la prolongada ausencia de uno de los oficiales de su marina que acompañaba al explorador y fue así como con el envío de la *Uruguay* (1903) se rescató a Nordenskjöld y a sus acompañantes. Más tarde (1920-1921) exploró los Andes peruanos y chilenos. Escribió, *Desde la Tierra del Fuego, Antártica* y *Habitantes* y *naturaleza de Sudamérica.*

noria. Máquina destinada a la elevación de agua. Fue empleada desde tiempos antiguos por los árabes, quienes la introdujeron en España. Tiene gran importancia en agricultura, que se sirve de ella para la elevación de agua a pequeña altura. La noria primitiva, o árabe, consta de una especie de rosario de vasijas de barro llamadas arcaduces o cangilones, sujetos de trecho en trecho a dos maromas o cuerdas; este rosario descansa en una rueda o tambor de madera llamada *rueda de agua*, que tiene el eje horizontal. Esta rueda está formada por dos aros de igual diámetro unidos por unos barrotes o palos, formando como una jaula circular. Uno de los aros tiene unas espigas salientes, uniformemente repartidas, que engranan en una rueda motriz, llamada *rueda de aire*, con eje vertical y que es movida por una larga palanca en cuyo extremo va enganchada la caballería que ha de mover la noria. Ha sido perfeccionada, haciendo los ejes y hasta toda ella de hierro. En todas, los cangilones tienen un orificio en la parte inferior que les permite dar salida al aire cuando se meten en el agua y vaciarse cuando no están en uso.

normal. En geometría, recta perpendicular a la tangente de cualquier punto de una curva. Si en un sistema de coordenadas cartesianas se representa una curva plana $y = f(x)$, la ecuación de la normal de un punto expresado (a,b), será:

$$y - b = \frac{-1}{f'(a)}(x - b)$$

donde $f'(a)$ es la derivada de $f(x)$ cuando $x = a$. Para una curva en el espacio no existe una sola normal para cada punto sino un haz de líneas cuyo vértice se encuentra en dicho punto.

Corel Stock Photo Library

Noria en Hama, Siria.

Normandía. Región del noroeste de Francia, junto a las costas del Canal de la Mancha, 17,583 km², 1.350,980 habitantes. Se extiende desde el golfo de St. Malo hasta el estuario del Sena, y comprende la península de Cotentin. La Alta Normandía es una zona de bajas mesetas y cuestas, pero accidentada en el sur por las colinas de Normandía. De los ríos que la riegan, el Orne es el más importante. Su densidad de población es superior a la media del país (141 hab/km²). Cereales, forrajes y manzanos. Ganadería. Pesca (Cherburgo). Yacimientos de hierro que alimentan la siderurgia de Mondeville. Construcciones navales, de material ferroviario; industrias químicas y alimentarias. Turismo. Comprende tres departamentos: Calvados, Manche y Orne. Capital Caen.

normandos. Nombre que se da a los pueblos escandinavos de raza germánica que desde el siglo VIII se hicieron conocer como piratas en todos los mares de Europa. El nombre se formó con las palabras inglesas *North*, norte, y *man*, hombre, y se aplicó a los pueblos que forman hoy Noruega, Dinamarca y Suecia. También se les llamó vikingos (esto es guerreros). Los normandos comenzaron a destacarse como intrépidos navegantes, y desde 841 a 966 se establecieron en diversas regiones de Occidente. Con extraordinaria rapidez sometieron las islas Feroe, Shetland y las Hébridas, establecieron diversos reinos en Irlanda, se erigieron soberanos en varias zonas (Novgorod, Kiev) de Rusia y penetraron con sus escuadras, siguiendo el curso de los ríos o por los mares abiertos, hasta los puntos más estratégicos de Europa. Por el Elba llegaron hasta Hamburgo, por el Rin hasta Colonia y Bonn, por el Loira hasta Orleáns, por el Garona hasta Toulouse, por el Tajo hasta Lisboa y por el Guadalquivir hasta Sevilla. En el año 855 llegaron con un ejército de 40,000 hombres y 700 embarcaciones por el Sena hasta París, sitiaron la ciudad y sólo levantaron el sitio cuando recibieron un fuerte rescate. En 911 se establecieron en una de las regiones más ricas de Francia, entre el Epte y la Bretaña, que desde entonces recibió el nombre de Normandía, de donde partiría luego Guillermo el Conquistador para establecer definitivamente el dominio normando en la Gran Bretaña. Esta conquista fue confirmada en la batalla de Hastings (1066), en la que los normandos pusieron fin al reino anglosajón. En Italia arrebataron a los árabes Nápoles y Sicilia, y en la Península Ibérica, si bien no lograron afincarse, devastaron las costas de Galicia, Portugal y Andalucía y llegaron hasta las islas Baleares. Con las conquistas en Francia, Alemania y en los demás países mencionados los normandos se hicieron dueños de los puntos más importantes de lo que había sido el Imperio de Carlomagno. Tan grande era el temor que inspiraba la temeridad y el valor de estos nuevos invasores, que en las iglesias de la Europa medieval se rezaban estas palabras: "Líbranos, Señor, del furor de los normandos". Sus principales conquistas y descubrimientos, por orden cronológico, son los siguientes: en 787 comenzaron los daneses sus incursiones por las costas de Inglaterra, y cuatro monarcas salidos de sus filas reinaron en este país desde 1014 a 1042; Escocia, como Irlanda, fueron objeto de diversas invasiones normandas desde el siglo VIII al IX; en 865 descubrieron Islandia, y hacia 982 Eric el Rojo descubrió Groenlandia. Dícese que en América–sobre este punto no se han puesto de acuerdo los historiadores–, el islandés Bjarne llegó a las costas de Nueva Inglaterra en el siglo XI, y que también visitó Nueva Escocia y Terranova. Thorwald, otro normando, llegó también a las costas americanas y pereció a manos de los esquimales, por lo cual se le considera el primer europeo que quedó enterrado en suelo americano.

Las principales causas de las piraterías normandas fueron la pobreza de su suelo nativo y la avidez de botín y de conquistas de los numerosos príncipes existentes en aquellos países. Los normandos se adaptaron pronto al país que conquistaron, y tanto en Francia como en Inglaterra terminaron por convertirse al cristianismo y adoptar las lenguas de los pueblos conquistados. Los reyes normandos de Sicilia dieron a esta isla un periodo de gran prosperidad material y notable florecimiento de la cultura, en la que intervinieron elementos italianos, musulmanes y bizantinos.

Noronha, Fernando de. Comerciante portugués del siglo XVI, descubridor de la isla que lleva su nombre. Hacia el año 1503 navegaba Noronha por el Atlántico cerca de las costas del Brasil en busca de productos para su comercio, cuando la avistó. Era el día de san Juan, motivo por el que la llamó isla de San Juan.

Posteriormente, el rey don Manuel de Portugal le hizo donación de la misma, por lo que, desde entonces, la isla es conocida por el nombre de su descubridor.

Norrish, Ronald George Wreyford (1897-1978). Fisicoquímico inglés. Compartió el Premio Nobel de Química en 1967 por sus investigaciones en el campo de las reacciones químicas extremadamente rápidas. Desarrolló métodos para romper el equilibrio de las reacciones con ligeros pulsos de energía, lo que se conoce como fotólisis de flash. Este método permitió el estudio de las reacciones que suceden en una diez mil millonésima de segundo. Norrish fue profesor de química en la Universidad de Cambridge de 1937 a 1965.

Norte, Mar del. Brazo del océano Atlántico que separa a Gran Bretaña de la tierra firme de Europa y baña las costas de Noruega, Dinamarca y Alemania al este Holanda, Bélgica y Francia al sur e Inglaterra y Escocia al oeste. Sus aguas se confunden al norte con las del Atlántico. La superficie es de 575,000 km² con un litoral de 3,824 km, de los que 1,766 corresponden a Inglaterra. Se comunica al sur con el canal de la Mancha a través del paso de Calais (o canal de Dover) y con el Mar Báltico al este mediante los canales –o estrechos– de Skager-Rak y Cattegat. Grandes ríos del Viejo Mundo desembocan en este mar: Rin, Elba, Weser, Ems, Humber y Támesis son los principales, y debido a esta circunstancia su salinidad es menor que la del pleno océano. Posee gran importancia económica por servir las comunicaciones de países que tienen en sus costas el medio de movilizar un gran intercambio comercial, y por la intensa industria pesquera a que da origen, principalmente en el Dogger Bank. Su profundidad media es de 100 m, con excepción del trayecto de Inglaterra a Dinamarca en que se reduce a 48 m y de la fosa noruega, donde se halla su profundidad máxima, de 660 m. A lo largo de su litoral hay más de 400 importantes puertos marítimos y fluviales, entre los que se destacan: Bergen (Noruega), Amberes, Ostende y Nieuport (Bélgica), Dunkerque (Francia), Amsterdam, Haarlem y Rotterdam (Holanda), Yarmouth, Londres, Hull, Leith y Newcastle sobre el Tyne (Inglaterra) y Hamburgo, Bremen y Emden (Alemania). En tiempo de los romanos se llamó *Oceanus Germanicus* y hasta hoy se le denomina en ocasiones *Mar Alemán.* Una de sus características consiste en que sus mareas varían de altura según las costas a que corresponden.

Corel Stock Photo Library

Muelle en la costa del Mar del Norte en Escandinavia.

Norte de Santander. Departamento del noreste de Colombia, que allí limita con Venezuela y cuya parte occidental cruza la cordillera oriental de los Andes. Superficie: 21,658 km^2. Población: 1.162,474 habitantes, incluyendo algunos miles de indígenas motilones, y de tunebos. Capital: Cúcuta o San José de Cúcuta, cruzada por la carretera internacional de Bogotá a Venezuela. Producción de café, tabaco, caña de azúcar, arroz, etcétera. Ganadería e importante industria petrolera con oleoducto de 435 km de largo al puerto de Coveñas. El territorio es en su mayor parte montañoso. Los ríos más importantes que lo cruzan y que tributan sus aguas al lago de Maracaibo son el Catatumbo con sus afluentes, el río de Oro, el San Miguelito, el Sardinata con sus afluentes, entre otros.

North Carolina. Ocupa una zona media a lo largo de la costa atlántica. Limita al sur con South Carolina y Georgia; al oeste con Tennessee; al norte con Virginia y al este con el océano Atlántico. Superficie: 136,420 km^2. Población: 7.195,000 habitantes en 1995. La capital es Raleigh (237,000 h, 1994) y la ciudad más grande es Charlotte (438,000 h, 1994). Los habitantes del estado son llamados *tar heels*, un sobrenombre cuyo origen aún sigue en debate.

Tierra y recursos. El estado se divide en tres provincias principales: la planicie costera, el Piamonte y las montañas. El límite oriental del plano costero es una cadena de islas, Outer Banks, separadas de la tierra por lagunas y pantanos salados. Los planos costeros se dividen entre el área de marea, la cual es bastante plana, pobremente drenada y frecuentemente pantanosa, y los planos costeros internos los cuales son más altos, mejor drenados y más aptos para la agricultura. Los planos costeros se unen con la suave ondulación del Piamonte en el Fall Line donde el cambio de inclinación dificulta la navegación y posibilita la energía hidráulica.Raleigh, como muchas ciudades de la costa este, se sitúa cerca del Fall Line. El rango de elevación del Piamonte es de 90 a 180 m en el este hasta 457 m en el Blue Ridge. El Piamonte abarca cerca de 45% del área estatal, casi el mismo porcentaje del área total de los planos costeros.Las montañas Blue Ridge, el principio de la provincia montañosa, se elevan por arriba del Piamonte. Las montañas Apalaches alcanzan su apogeo en este estado. Más de 40 picos superan los 1,830 m

Cabo en forma de diamante en North Carolina.

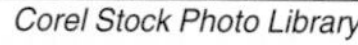

Corel Stock Photo Library

y el monte Mitchell de 2,037 m es el pico oriental más alto del río Mississippi.

El estado tiene una amplia variedad de minerales, incluyendo piedras preciosas, pero pocos depósitos son valiosos comercialmente. La mayoría de la producción mineral consiste en materiales para construcción, exceptuando un gran yacimiento de minerales de fosfato en la parte exterior de los planos costeros. Un clima favorable y un suelo moderadamente fértil dan al estado una base agrícola valiosa. Los numerosos ríos así como el océano proporcionan abundante pesca deportiva y una industria de pesca comercial. Las fuertes lluvias, las diferencias en la altura de terreno y la topografía favorecen la generación hidroeléctrica la cual ha sido importante para la industrialización de la región.

Clima. Es generalmente suave, de manera especial en la costa sur. En el oeste montañoso los inviernos son más severos, pero los veranos son relativamente fríos. El escudo montañoso del estado lo protege de los frentes fríos provenientes del norte o del noroeste, y el océano atenúa el clima del este. La temperatura promedio en enero es de 5 °C , y en julio alcanza los 24 °C. Las precipitaciones son abundantes en un rango de 1,016 mm a 2,032 milímetros.

Hidrografía. Aunque el estado no tiene ríos grandes, el área es drenada por una densa red de corrientes en tres diferentes sistemas. El primero desciende al oeste del Blue Ridge y desemboca en el Golfo de México a través de los ríos Tennessee y Otico. El segundo sistema riega el sur del Piamonte, cruza South Carolina y Georgia e incluye los ríos Catawa y Yadkin. La tercera red que comprende los ríos Kapefear, Neuse, Roanoke y Tar drenan el Piamonte por el plano costero dentro de las cuencas Abermarler y Panlico. Sólo el río Kaperfear desemboca en el océano Atlántico. El estado no tiene lagos naturales grandes ni reservas artificiales medibles.

Vegetación y vida animal. Su ubicación traslapa zonas de latitud media y zonas de vegetación subtropical que producen una rica variedad de vida vegetal, particularmente en las montañas Great Smoky. La mayor parte del plano costero tiene bosques de pinos, y las maderas duras predominan en las montañas. Tiene abundancia y diversidad de vida salvaje.

Actividad económica. En el transcurso de un siglo ha transformado una economía mayoritariamente agrícola en una altamente industrial, ocupando, en esta última, uno de los primeros lugares a nivel nacional. Es líder en productos textiles, cigarros y mobiliarios. A pesar de que la producción industrial se ha diversificado, una parte significante de los empleos totales se mantienen en la industria textil y del vestido.

North Carolina es uno de los estados líderes en la cría de pollos, cerdos y pavos. El tabaco es el componente principal de su agricultura junto con la batata, el maíz, la manzana, el tomate y el cacahuate; las principales comunidades agrícolas están ubicadas en el plano costero o al norte del Piamonte en la frontera con Virginia. El algodón es cultivado en áreas dispersas a lo largo de la frontera con South Carolina. Aunque los empleos en granjas continúan en descenso, una parte significativa de los empleos estatales siguen estando directa o indirectamente relacionados con la agricultura y la producción de alimentos. En la costa atlántica existe una pequeña industria pesquera. La platija y la lobina rayada son las especies que más se pescan. La pesca de mariscos incluye camarón, ostión y cangrejo. Una gran cantidad de productos forestales provee materias primas para la industria del mobiliario y el papel. Cerca de 300 variedades de rocas se encuentran en el estado; algunas tienen valor comercial como la arena, la grava y la roca pulverizada, de gran importancia en la industria minera y extractiva estatal. Es también líder en feldespato, litio, mika y roca fosforia. La mayor parte de la energía proviene de fuentes externas. Los requerimientos de energía se obtienen del petróleo, carbón, gas natural, y energías nuclear e hidráulica.

Turismo. Sus playas y montañas son atractivas a los vacacionistas. El turismo ha sido uno de los más grandes sustentos económicos del estado.

North, Douglass C. (1920-). Economista estadounidense. Antes de graduarse en Berkeley perteneció a la Marina de su país. Sus primeros trabajos y publicaciones se referían al mercado de los seguros en Estados Unidos y su relación con las inversiones bancarias. Trabajó como investigador del Buró Nacional de Investigación en Economía, donde comenzó su estudio de la balanza de pagos de Estados Unidos (1790-1860). En 1966 inició estudios sobre la economía europea y se dirigió a Ginebra. En esos años comenzó a editar importantes libros de análisis de la economía y las instituciones. En 1993 recibió junto con Robert W. Fogel el Premio Nobel de Economía por haber renovado la investigación de la historia económica al aplicar la teoría económica y métodos cuantitativos para explicar los cambios institucionales y económicos.

Northcliffe, Alfred C. W, Harmsworth, Vizconde de (1865-1922). Periodista y editor inglés, nacido en Irlanda. Se educó en Londres. A los diecisiete años llegó a desempeñar la subdirección del periódico *Youth.* Posteriormente fundó por su propia cuenta un semanario, *Answers to Correspondents*, que bajo su dirección habría de ser el germen de una empresa editora de grandes periódicos y revistas. Organizó en 1896 y 1903 dos nuevos periódicos, el *Daily Mail* y *The Daily Mirror*, publicaciones que hicieron tomar un giro diverso a la prensa británica. Ágiles y vivaces, estos órganos popularizaron la modalidad de las noticias breves y de las historietas cómicas. Estimuló la aviación, ofreciendo premios, y al adquirir en 1908 el importante periódico *The Times* de Londres, alcanzó una gran influencia política, que mantuvo hasta su muerte. En Inglaterra se le llamó el *Napoleón del periodismo.*

North Dakota. Ubicado en el centro de Estados Unidos, colinda con Montana en el oeste, South Dakota en el sur, Minnesota en el este y con las provincias canadienses de Manitoba y Saskatchewan en el norte. Superficie: 183,123 km2. Población: 638,000 habitantes en 1994. La capital es Bismarck (49,256 h., 1990) y la ciudad más grande es Fargo (74,111 h., 1990).

Tierra y recursos. Está compuesta por tres regiones físico-geográficas: el valle del Río Rojo, la pradera de Drift y la meseta de Missouri. Estas regiones van desde el este al oeste desde los 229 m en el valle del Rio Rojo a los 1,069 m en la meseta de Missouri. El valle del Río Rojo está formado por la cama del lago glacial Agassiz. Las praderas Drift se extienden por el oeste del valle del Río Rojo en el centro del estado. La tierra es generalmente ondulada promediando sobre los 440 m, e interrumpida por numerosas corrientes pobres en agua y lagos. Las elevaciones promedian 655 m y la superficie es irregular y ondulada.

Clima. Varía de un clima húmedo continental en el este, a uno semiárido en el oeste y se carateriza por tener calurosos veranos, fríos inviernos, baja humedad, escasas precipitaciones, y mucho viento y sol. Las precipitaciones van de los 560 mm en el este a menos de 380 mm en el suroeste. Las tempertaturas van de los -14 °C en enero a los 21 °C en julio.

Hidrografía. Está drenado por dos sistemas mayores de ríos separados por una línea divisoria de agua que se extiende diagonalmente desde el noroeste hasta el sureste a lo largo del estado. El río Rojo y el río Souris drenan el norte y el este del estado dentro de la bahía de Hudson. El restante 59 % está drenado dentro del Golfo de México por el río Missouri, el río James y sus tributarios. El lago Sakakawea se creó por las contenciones de agua del río Missouri. Es el lago más grande del estado, 322 km de largo. El lago natural más grande es el Delvis.

Vegetación y vida animal. Los rangos de vegetación van desde las variedades medias y altas de las praderas de pastos en el este, a las variedades bajas en las del oeste. Se encuentran árboles principalmente en las riveras de los valles, aunque en las montañas de Turtle y en los montes de Pembina hay bosques de álamos y robles. Las praderas proveen de un hábitat ideal a los bisontes y antílopes, y las áreas arboladas están habitadas por ciervos, osos y alces. El gobierno federal mantiene dos tipos de criaderos, y la obtención de nuevas especies, incluyendo el salmón y la trucha de lago, han sido introducidas en las aguas del estado.

Recursos. Los recursos minerales son vastos y variados (petróleo, gas natural, carbón de lignito, arena, grava, sulfuro, potasio y sal). La extracción de los recursos minerales del estado, ha dominado desde la década de 1930. El estado y las agencias federales son responsables de programas de conservación y protección de que la erosión no haga más daño, y de la protección de tierras públicas.

Actividad económica. La base económica del estado es la agricultura, la industria de servicio y manufactura y el turismo.El cultivo de trigo es el más importante. Produce la mayor cantidad de trigo rojo y trigo duro del país. Otros granos importantes son el girasol, el maíz, el heno, etcétera. La industria del petróleo, del gas natural y del carbón son importantes y están localizadas en el oeste del estado. Tiene industria hidroeléctrica y exporta energía eléctrica a otros estados del medio oeste de Estados Unidos. La industria está basada principalmente en los productos de la agricultura. Otras industrias incluyen maquinaria no eléctrica, equipo de transporte, impresión y publicidad, refinería de petróleo, y procesamiento de gas natural.

Turismo. Se ve atraído por las actividades al aire libre y las exploraciones que proveen de ingresos y oportunidades de empleo a los residentes del estado.

Northrop, John Howard (1891-1987). Bioquímico estadounidense, graduado en la Universidad de Columbia, perteneciente al Instituto Rockefeller de Investigaciones Médicas. Ha sido profesor en las universidades de Columbia, California y John Hopkins. En 1946 obtuvo el Premio Nobel de Química por sus investigaciones sobre las enzimas, la fisicoquímica de las proteínas y la aglutinación de las bacterias.

Noruega. País situado en el norte de Europa, en la parte occidental de la península escandinava, entre Suecia y el océano Atlántico septentrional. Ocupa una superficie de 324,000 km^2 y tiene una población de 4.408,000 habitantes (1997).

Aspecto físico. La escabrosa y accidentada tierra noruega es famosa por su belleza. Bahías estrechas de limpias aguas azules, llamadas fiordos, penetran en sus escarpadas costas, coronadas por montañas de las que bajan rápidos torrentes y majestuosos glaciares. Pero el suelo de este país del *sol de medianoche* es pobre y hace difícil la vida de sus pobladores, que deben buscar el sustento principalmente en el mar. La tercera parte del país se halla dentro del Círculo Polar Ártico: goza de dos meses de sol permanente en verano pero debe soportar, en el invierno, la ausencia del sol, durante otros dos meses. Entre el Estrecho de Skagerrak, que la separa de Dinamarca, y el Cabo Norte, bañado por las aguas del océano Glacial Ártico, median 1,800 km. Las montañas cubren dos tercios del territorio, alcanzando sus mayores alturas en el monte Glittertind de 2,430 m. La cadena de Kjolen forma el límite natural con Suecia y Finlandia, encerrando numerosos lagos y pequeños bosques de coníferas. Uno de los glaciares formados junto a la costa, el de Jostedalsbrae, es el más grande de Europa; cubre 1,300 km^2 de terreno y tiene un espesor de 500 metros.

Corel Stock Photo Library

Palacio Real de Slottet *en Oslo, Noruega.*

La costa noruega alcanza una longitud total de 3,400 km en línea recta; pero si midiéramos todas las sinuosidades que forman sus fiordos, bahías y golfos, hallaríamos que esa longitud aumentaría hasta 20,000 km, que es la distancia total que media entre el Polo Norte y el Polo Sur. Los fiordos más importantes son los de Oslo, Bokn, Hardanger, Trondheim y Varanger. Frente a la costa, como prolongando sus multiformes fracturas naturales, se alzan más de 150,000 islas de todos los tamaños y aspectos imaginables, algunas no son más que minúsculos trozos de roca, cumbres de montañas ocultas por el mar. Pero otras, como el archipiélago de Lofoten, son importantes centros pesqueros en los que viven rudos trabajadores sujetos a la traicionera acción del Maelström, la temible corriente marina que cantaron los bardos nórdicos. El archipiélago de Spitsberg o Svalbard, situado dentro del Círculo Polar Ártico, y las islas de Juan Mayen y Pedro I, también son dignos de mención.

Dos tercios de las tierras noruegas son improductivos. De cada 100 hectáreas de suelo, 24 se hallan cubiertas de bosques y sólo cuatro son cultivables. Los bosques y praderas abarcan tres regiones. La primera es la llanura de Oslo, situada al sur, cerca de la frontera con Suecia; numerosos cursos de agua desembocan en el gran fiordo de Oslo, regando en su trayecto pequeños valles y abundantes bosques de coníferas que cubren las laderas de los montes vecinos. La segunda región fértil se halla en la depresión de Trondheim, donde la erosión ha abierto grietas de verdor entre las ásperas montañas. Sobre la extremidad meridional del país, junto a las ciudades de Stavanger y Kristiansund, se encuentra el tercer oasis rural de este territorio escarpado y poco generoso en riquezas naturales. El río Glåmma, que discurre a través de 650 km de las tierras del sur, es el más extenso e importante. Cerca de Oslo pasa el Drammen, que fertiliza las planicies próximas a la capital del país. El río Tarna, helado durante buena parte del año, forma el límite natural con Finlandia. Infinidad de lagos y lagunas marcan extensiones azules en la majestuosa aspereza de las montañas. Entre los principales se encuentran el Mjösa, el Rovastn y el Femund.

Aunque Noruega se halla en la misma latitud que Groenlandia y Alaska, gran parte de su territorio no sufre los rigores de un clima tan frígido. Ello se debe a que la corriente marina del Atlántico septentrional, de aguas templadas, baña sus costas, mitigando los fríos de invierno y eliminando los hielos que podrían bloquear los puertos del Ártico. Los vientos del oeste contribuyen a suavizar aún más el clima, pero la región de Oslo no recibe sus beneficios por estar bloqueada por una muralla montañosa y en la capital, al sur, suele hacer más frío que en los puertos del Ártico. Al tropezar con las elevadas cordilleras, los vientos del Atlántico descargan sus reservas de humedad en forma de copiosas lluvias y nevadas. En el puerto de Bergen, situado sobre la costa del sudoeste, las lluvias ascienden a 2,500 mm por año, pero en la ciudad de Oslo descienden hasta 600 mm, al mismo tiempo que desciende también la temperatura.

Las riquezas naturales del país no son abundantes. Los bosques de coníferas y las plantaciones de árboles de madera dura ocupan gran extensión de las tierras fértiles, que en parte (algo menos de 30%) se hallan en poder de municipios y cooperativas. Las rápidas aguas de los ríos suministran energía hidroeléctrica abundante. Los recursos mineros son de relativa importancia, y abunda el mineral de hierro en las regiones árticas y también el mineral de cobre.

Geografía económica. Aunque sus tierras de labranza apenas ocupan 4% de la superficie total del territorio, la tercera parte de la población se halla ocupada en las faenas rurales. En las tierras de pastoreo de las zonas montañosas, abundan pequeñas vacas lecheras que son cuidadas por mujeres. Grandes rebaños de renos, que habitan en las regiones septentrionales, suministran carne, leche y vestidos a los lapones. Las industrias derivadas de la explotación forestal tienen gran importancia. Maderas, papel, cartones y celulosa son los productos de mayor valor económico. Unos 100,000 pescadores llevan una vida dura y azarosa en las costas del país, y algunas embarcaciones suelen llegar hasta Islandia y Groenlandia en busca de sus codiciadas presas. La producción anual de pescado asciende a 2.560,000 ton, y más de un millón de barriles suma la producción de aceite de ballena; el cetáceo es capturado por una flota integrada por más de cien embarcaciones, que en su mayoría son grandes fábricas flotantes. La principal producción anual minero-metalúrgica comprende hierro y acero, aluminio, cinc, cobre y plomo. También se extraen azufre y molibdeno. En la isla de Spitzberg se explotan yacimientos de carbón.

El desarrollo industrial del país es rápido y se ha venido acelerando desde el descubrimiento de petróleo en la zona del Mar del Norte que corresponde a Noruega. En 1978 la producción de petróleo noruego se acercó a los 18.000,000 de ton. La industria es el sector que más contribuye al producto nacional bruto y utiliza además del petróleo, la abundante energía hidroeléctrica suministrada por los ríos. La producción nacional de electricidad, casi en su totalidad de origen hidráulico, asciende anualmente a una cantidad que excede los 77,000 millones de kilovatios-hora.

En los años 1980 y 1981 se han estado haciendo perforaciones exploratorias al norte del paralelo 62 en busca de más petróleo y gas natural, sin resultados satisfactorios hasta ahora.

Este país, pobre en recursos naturales, hállase comunicado con el mundo por el mar y tiene grandes actividades de transporte marítimo. En los puertos de Oslo, Bergen, Trondheim y Narvik se hallan matriculados más de 2,500 navíos que forman una de las grandes marinas mercantes del mundo. La navegación de cabotaje, facilitada por la gran cantidad de puertos naturales formados entre los fiordos, es la espina dorsal del sistema de transporte del país. Existen unos 4,500 km de vías férreas, localizadas principalmente en la parte sur del territorio, y 78,889 km de excelentes caminos. Noruega importa cereales, textiles y diversas materias primas; exporta toda clase de pescados, papel, aceite de ballena y productos metalúrgicos. La flota mercante, que perdió 2 millones y medio de ton durante la Segunda Guerra Mundial, fue reconstruida con celeridad y sus navíos, unos 1,700 aproximadamente, se acercan a 26 millones de ton, una de las mayores y más modernas flotas del mundo.

El pueblo noruego. Con su población de 4.408,000 habitantes, Noruega tiene una modesta categoría demográfica dentro de los países europeos. Los noruegos son de raza germánica en su mayor parte. Las únicas minorías étnicas están formadas por los 20,000 lapones y los pocos fineses que viven en la zona del norte. Los noruegos forman un pueblo industrioso y tenaz, amante del ahorro y dotado de un alto nivel de educación popular y salubridad colectiva. Los pobladores de las zonas rurales, que forman menos de la mitad de la población, viven en cabañas construidas con troncos y conservan sus hábitos tradicionales. Las fiestas populares, que conservan todo el sobrio colorido de épocas pretéritas, alcanzan su máximo esplendor en los campeonatos de esquí y en las grandes regatas que se celebran durante el verano. Existen dos idiomas oficiales. Uno de ellos, llamado *nynorsk*, landsmål o noruego, es hablado en los distritos rurales casi exclusivamente; el otro es el *riksmaal*, o noruego-danés, que se habla en las ciudades. La inmensa mayoría de los escritores noruegos utiliza este idioma en su obras, el cual es una derivación del lenguaje danés.

Principales ciudades. La capital es la ciudad de Oslo (487,781 h.), que hasta 1925 tenía el nombre de Cristianía. Situada a orillas de un amplio fiordo, contiene numerosos edificios modernos y un famoso museo que alberga algunas naves utilizadas por los vikingos durante el siglo IX. Grandes astilleros y numerosas fábricas y fundiciones hablan de su pujanza económica. La segunda ciudad del país es Bergen con 221,717 habitantes (1995), principal puerto de la zona occidental; asolada por varios incendios a lo largo de su azarosa historia, todavía conserva numerosos edificios medievales, recuerdo de la época en que era una de las más ricas factorías de la Hansa. Dentro de sus muros nació, en 1843, Edvard Grieg, el músico nacional de

Vista panorámica de Oslo en Noruega.

Corel Stock Photo Library

Noruega. El tercer centro urbano es Trondheim (142,188 h.), que en épocas pasadas fue capital del país. Los reyes noruegos son coronados en su catedral, de estilo gótico normando, que fue construida durante el siglo XII. Otra ciudad importante es Stavanger (101,463 h.), donde tiene su base una de las flotas pesqueras más activas del mundo.

La pequeña población de Hammerfest (9,553 h.) es famosa por hallarse en plena «tierra del sol de medianoche», a casi 500 km al norte del Círculo Polar Ártico. Entre los días 13 de mayo y 29 de julio de cada año, sus pobladores pueden ver el sol las 24 horas del día, extraordinario espectáculo que atrae a innumerables turistas.

Educación y cultura. Prácticamente no hay analfabetos en Noruega. La principal universidad es la de Oslo, fundada en 1811; en 1948 se inauguró otra universidad en Bergen, y también existe una institución tecnológica en Trondheim. Hay otras 11 universidades y en todas las villas y ciudades del país existen bibliotecas públicas, costeadas en forma conjunta por el gobierno nacional y los municipios. Casi todo el pueblo profesa la religión oficial, de carácter luterano, pero existe completa libertad de cultos. Los deportes de invierno, practicados entre diciembre y mayo, atraen a millares de turistas. Los noruegos, creadores del esquí, descuellan en todos los deportes de montaña, así como en el remo y las regatas con embarcaciones de vela. En los Juegos Olímpicos suelen obtener numerosas recompensas. En 1952 Oslo, la capital de Noruega, fue sede de los Juegos Olímpicos de invierno y en 1994, lo fue la ciudad de Lillehammer al sureste del país.

Gobierno. Organizado bajo la forma de una monarquía constitucional y hereditaria, el sistema político de Noruega es uno de los más democráticos del mundo. El jefe nominal del gobierno es el rey, pero el poder efectivo se halla en manos del primer ministro. Este personaje representa como en Gran Bretaña, al partido que obtiene la mayoría en las elecciones parlamentarias. El parlamento, llamado *Storting*, comprende dos cámaras, el *Lagting* y el *Odelsting*, que estudian y debaten los problemas por separado, pero deben reunirse en sesión conjunta para sancionar las leyes. El rey no puede gobernar contra el Parlamento, ni disolverlo, y se halla sujeto a sus decisiones. Todos los hombres y mujeres que han cumplido 21 años de edad participan en las elecciones, realizadas de acuerdo con el sistema de representación proporcional. Hay cinco partidos políticos: el laborista –que es el más importante–, el conservador, el liberal, el popular cristiano y el agrario. El ejército y la armada son pequeños pero bien equipados.

Los veinte distritos políticos en que se divide el país desarrollan intensa actividad

Corel Stock Photo Library

Puerto pesquero en la isla de de Lofoten en Noruega.

cívica, son dueños de grandes extensiones de bosques, explotan buena parte de la energía hidroeléctrica y controlan el movimiento cooperativo, uno de los más amplios y perfectos del mundo. El sistema de previsión social incluye la construcción de viviendas populares y el pago de diversas clases de pensiones.

Historia. Con anterioridad a la era cristiana habitaban ciertas regiones del país fineses y lapones. Posteriormente, penetraron en Noruega elementos de razas germánicas procedentes de Jutlandia y Suecia. A partir del siglo VIII de nuestra era, los pobladores de Noruega conocidos con los nombres de normandos y vikingos, iniciaron audaces expediciones marítimas y devastaron los litorales de Europa. En el siglo IX, el rey Harold I logró dominar a algunas tribus de rebeldes vikingos, pero sus esfuerzos fueron abandonados por sus herederos, y los jefecillos locales siguieron prevaleciendo durante dos siglos. Olaf Haroldson, un hombre de vida austera y recia personalidad, hizo que se adoptara el cristianismo durante el primer tercio del siglo XI y logró forjar la unidad política de los vikingos. Fue coronado con el nombre de Olaf I y los noruegos le recuerdan hoy como su santo nacional. Los vasallos de Olaf, navegantes intrépidos, hicieron largos viajes por el Atlántico y se cree que en sus correrías llegaron hasta las costas americanas. Groenlandia, Terranova, Islandia, parte de Escocia y las islas Hébridas fueron algunas de las regiones en que se establecieron estos osados hombres del Norte. El rey Haakon IV, que comenzó a gobernar en 1217, dispuso de un poder omnímodo sobre buena parte del norte europeo pero sus herederos debieron enfrentar una época de decadencia en que las guerras y las epidemias diezmaron sus fuerzas. En 1380 se vinculó, en la persona de Margarita, la corona noruega a la de Dinamarca; esta unión política (Unión de Kalmar) subsistió por espacio de cuatro centurias, durante las cuales el poder danés fue aumentando en forma paulatina. La sujeción política llegó a su culminación en la época de la Reforma, cuando la iglesia noruega quedó sujeta a la de Dinamarca y el idioma danés fue impuesto como lenguaje oficial. En virtud de la llamada Unión de Kalmar, también Suecia quedó sujeta al yugo danés. Durante la Edad Moderna, en territorio noruego comenzaron a surgir clases de mercaderes, funcionarios y artesanos que ansiaban liberarse del predominio ejercido desde Dinamarca. Cuando Napoleón llegó al cenit de su poderío, en los primeros años del siglo XIX, Dinamarca quedó incorporada a su sistema continental dirigido contra Gran Bretaña. Pero los noruegos no podían subsistir sin comerciar con las vecinas islas británicas, y los daneses se vieron forzados a tolerar un comercio clandestino entre ambos países, que fortaleció los anhelos de independencia que ya germinaban en la tierra de los vikingos. Cuando se produjo el colapso estrepitoso del sistema napoleónico, Gran Bretaña exigió que se declarase la independencia de Noruega, su fiel aliada y cliente mercantil. No ocurrió así, sin embargo, y el territorio quedó incorporado al reino de Suecia en virtud del tratado de Kiel, suscrito en 1814. Pero los noruegos replicaron de inmediato declarándose independientes y eligiendo como rey al príncipe Cristian Federico, que anteriormente había gobernado el país en nombre de Dinamarca. Suecia no vaciló en declarar la guerra, y al cabo de dos semanas concluyeron las hostilidades: el rey de Suecia fue reconocido como monarca de Noruega y prometió respetar la nueva constitución sancionada por los representantes del pueblo, que era una de las más liberales del mundo. Aunque los noruegos podían elegir sus propias autoridades y conservar intactos sus hábitos nacionales, la unión se fue tornando impracticable a medida que el desarrollo industrial del país llegaba a su punto culminante. Los armadores noruegos, dueños de una de las mayores flotas mercantes del mundo, se quejaban con razón de que los cónsules suecos descuidaban sus intereses, y los industriales protestaban ante los impuestos excesivos, que iban a engrosar las arcas fiscales de Suecia. Al llegar el año 1890, el Storting noruego aprobó una ley que creaba un servicio consular autónomo, pero el rey Oscar de Suecia se apresuró a vetarla. La tirantez fue en aumento hasta que en 1905 el príncipe Carlos de Dinamarca fue designado rey de Noruega con el título de Haakon VII. Este monarca ejemplar, que habría de gobernar durante el medio siglo más agitado de la historia nacional, solicitó que el pueblo decidiera sobre su elección. El plebiscito realizado de inmediato arrojó una impresionante mayoría a su favor, y Haakon inició bajo los mejores auspicios su próspero y pacífico reinado. La Primera Guerra Mundial y la crisis internacional de 1930 produjeron graves perjuicios a la economía del país, que depende en forma vital del comercio llevado a cabo por sus buques. Pero la Segunda Guerra Mundial iniciada en 1939 reservaba mayores padecimientos a Noruega. Los ejércitos alemanes la invadieron y dominaron toda resistencia. El rey Haakon y su gabinete huyeron a Londres, donde establecieron un gobierno en el exilio, con la aprobación del parlamento nacional. La heroica resistencia del pueblo, ayudado por destacamentos ingleses, franceses y polacos, resultó inútil. Vidkun Quisling, que había sido un político noruego de segunda categoría, se convirtió bajo la ocupación alemana en el principal instrumento al servicio de los invasores, y ordenó crueles medidas de represión para ahogar en sangre todo intento de oposición y resistencia. El nombre de Quisling pasó al lenguaje político internacional como sinónimo de traidor. Pero sus esfuerzos resultaron vanos: el pueblo noruego no colaboraba con el nazismo, y miles de jóvenes huían a Suecia o se embarcaban rumbo a Gran Bretaña para participar en la resistencia. Mientras los alemanes se veían forzados a sostener grandes contingentes armados para mantener el orden, los barcos noruegos transportaban enormes cantidades de pertrechos bélicos desde Estados Unidos hasta Gran Bretaña. Tropas rusas y noruegas comenzaron a reconquistar el país a fines de 1944, pero al producirse la capitulación casi todo el territorio se hallaba todavía en manos de los ejércitos alemanes. El 7 de junio de 1945 el anciano Rey Haakon hacía su entrada triunfal por las calles de Oslo. Quisling y sus secuaces fueron ejecutados y el país inició su reconstrucción. A la muerte de Haakon, en 1957, ascendió al trono su hijo Olaf V.

De 1935 a 1965, el Consejo de Estado estuvo en manos del Partido Socialista, pero en este último año se formó una confederación no socialista al mando de Per Borten, la cual rigió hasta 1971, cuando se formó un gobierno socialista dirigido por Trygve Bratteli, quien renunció en 1972. Liberales centristas y cristianos populares formaron un gabinete provisional con Lars Korvald como primer ministro. En las elecciones de 1973 las fuerzas políticas se redistribuyeron. Bratteli formó un gobierno laborista minoritario que dependía del apoyo del partido socialista. En 1977, su sucesor, Odvar Nordli, convoca a elecciones generales que dieron a la coalición de socialistas y laboristas la mayoría en el senado por un solo escaño. Ante la renuncia de Nordli en 1981 por razones de salud, le sucedió en el puesto la señora Gro Harlem Brundtland, la primera mujer noruega que ha desempeñado el cargo de primera ministra. En las elecciones generales de septiembre del mismo año perdió terreno el partido laborista en favor de los grupos de centro derecha y en octubre se formó un gobierno conservador, el primero desde 1928, bajo la dirección de Kaare Willoch.

Parque Frogner *en Oslo, Noruega.*

Corel Stock Photo Library

En 1986, Willoch se ve obligado a renunciar y Gro Harlem forma inmediatamente un nuevo gobierno de coalición laborista-socialista, que incluye ocho mujeres en el gabinete. Al año siguiente, en 1987, las relaciones diplomáticas de Noruega y Estados Unidos se tensan cuando una empresa noruega de propiedad estatal vendió supuestamente materiales sensitivos a países miembros del Pacto de Varsovia. En 1988, el Papa Juan Pablo II inicia en Noruega su gira por los cinco países nórdicos, no obstante que Noruega es un bastión luterano y los católicos representan una exigua minoría. En 1989, el gobierno anuncia que la antigua URSS le ha ofrecido una solución de compromiso sobre los problemas del medio ambiente causados por la industria soviética y que afectan gravemente al territorio noruego. En 1991 muere en Oslo el rey Olaf V, a los 87 años de edad, el monarca más viejo del mundo.

Patrimonio cultural. La historia artística de Noruega tiene su remoto origen en el siglo IX, cuando aparecieron las primeras sagas de la mitología escandinava. Pero la literatura nacional sólo adquiere forma definida durante el siglo pasado, en íntima conexión con las luchas de la independencia. El insigne comediógrafo Henrik Ibsen y el novelista Bjørnstjerne Bjørson ocupan lugar preeminente en la historia literaria europea de la centuria pasada. Knut Hamsun, Sigrid Undset (Premio Nobel 1928) y Johan Bojer han proseguido esa trayectoria en nuestro siglo. La música noruega, apoyada en un rico caudal folclórico, culmina en las melodías de Edvard Grieg. La pintura de Edvard Munch y la obra escultórica de Gustav Vigeland han sobrepasado las fronteras del país.

Nostradamus, Michel de Notredame o (1503-1566). Astrólogo y médico francés. Prestó notable asistencia médica durante las plagas que asolaron a Lyon y Aix. Debe su renombre a sus profecías escritas en versos de estilo enigmático y oscuro y cuya primera edición apareció en Lyon en 1555 con el título de *Centuries.* Se le atribuye el vaticinio de acontecimientos que habrían de ocurrir en los próximos setecientos años. Aunque se le tuvo por un impostor y charlatán, su obra gozó de gran popularidad, y fue traducida a varios idiomas. Catalina de Médici lo llamó a la corte de Francia colmándolo de honores y Carlos IX lo nombró su médico. Se le atribuyen diversas obras de medicina.

nota musical. *Véase* MÚSICA.

notación. Conjunto de signos convencionales utilizados para manifestar ciertos hechos o fenómenos. Así, se habla de notación matemática y de notación musical. La primera es el sistema de signos de que nos valemos para expresar las diferentes operaciones aritméticas o algebraicas; la segunda, el sistema de signos con que se acostumbra expresar las diversas notas musicales. Equivale, pues, a escritura musical.

notario. Funcionario autorizado para dar fe de los contratos, testamentos y otros actos extrajudiciales, conforme a las leyes. Los notarios intervienen en escrituras, contratos de sociedad poderes, actas y otros documentos de los que deba obtenerse constancia notarial y que tienen la obligación de conservar en su archivo, llamado protocolo, para expedir a los interesados, cuando se los pidan, testimonios y copias de los mismos. El origen del notariado deriva de los antiguos escribanos y en algunos países reciben todavía esa denominación; para ejercer la profesión deben cursar estudios especiales. En España y en la mayoría de los países americanos, los notarios deben poseer la licenciatura en derecho. Las cualidades exigidas son: *a)* mayoría de edad: *b)* plenitud en el ejercicio de derechos; c) moralidad probada; *d)* residencia en el lugar en que ejerzan su función; *e)* no aceptar cargos ni empleos públicos que lleven anexa autoridad, impliquen sueldos o emolumentos y les obliguen a residir fuera de su distrito, como tampoco ejercer la profesión en lugares donde haya funcionarios emparentados con ellos.

noticia. Conocimiento o idea algo superficial o general que tenemos de una cosa. Se llama también así a un acontecimiento o suceso relativamente notable del que se informa o da cuenta a los demás. En este orden se habla de noticias de la prensa, del extranjero, etcétera.

noticiario. Película cinematográfica en la que se ilustran brevemente los sucesos actuales, o programas de radio o televisión en que se transmiten noticias. Hasta el desarrollo de la televisión, tras la Segunda Guerra Mundial, los noticiarios –filmes de corta duración de diversos sucesos contemporáneos– ofrecieron a los aficionados al cine su propia *ventana al mundo.* Estos cortometrajes se proyectaban a menudo antes de la película principal, aunque algunas salas durante los años treinta se especializaron en ellos. Los temas de que trataban incluían sucesos deportivos, las actividades de la realeza y las celebridades y las noticias más importantes. Este género fue creado por el fotógrafo francés Charles Pathé, quién comenzó a proyectarlos en Nueva York en 1911. En los primeros días los acontecimientos eran representados a veces por actores, pero con el desarrollo en la tecnología de los filmes se comenzó a enviar fotógrafos a reunir grabaciones de exteriores. El valor propagandístico de los noticiarios fue detectado y explotado durante las dos guerras mundiales. La fama de algunos comentaristas como Lowell Thomas se debía a su trabajo en noticiarios. Con la masificación de la televisión, después de la Segunda Guerra Mundial, el número de asistentes al cine disminuyó y los productores de noticiarios dispusieron de poco dinero. Las noticias televisadas, a pesar de ello, descienden directamente de éstos.

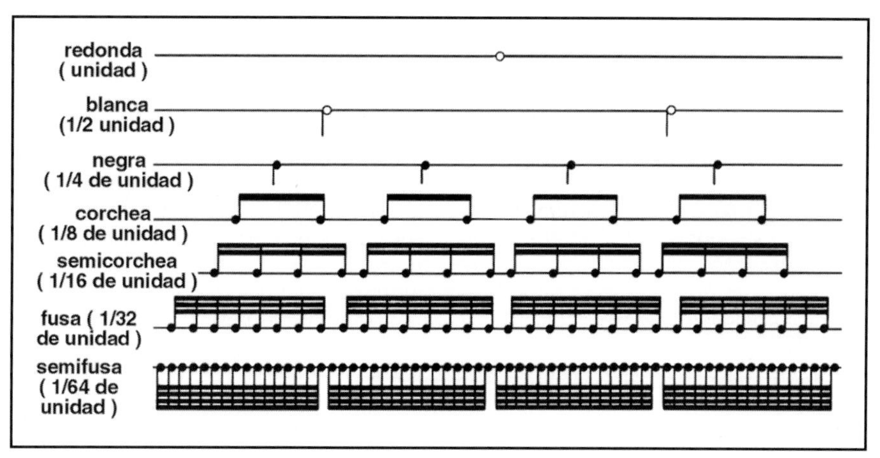

Valor (duración) de las notas musicales.

notificación. En la práctica de los tribunales civiles, la notificación es el documento mediante el cual se pone en conocimiento de los interesados una parte cualquiera de las providencias judiciales tomadas, a fin de que, dándose por enterados, sepan el estado en que se encuentra el litigio y puedan arbitrar recursos legales. Por regla general, la notificación se realiza entregando a la persona interesada el documento correspondiente. Si no estuviere presente, se entrega a cualquier persona que viva en el domicilio o a los porteros de la casa. Si el notificado se negara a firmar la recepción del documento, se hará constar así en la diligencia extendida al efecto. Las notificaciones que se practican fuera del juzgado o tribunal son hechas por un alguacil o bien por un oficial de sala.

Nottingham. Ciudad inglesa situada a orillas del Trent, en el condado de su nombre, a 200 km de Londres, con una población de 312,000 habitantes. Es centro ferrocarrilero de gran movimiento y entronque de cuatro canales. Encuéntrase en esta ciudad el famoso castillo de Nottingham, construido por Guillermo el Conquistador y que fue destruido en gran parte por las huestes de Oliver Cromwell, y reconstruido durante el periodo de la Restauración. Tiene universidad, bibliotecas públicas, museos, y otros grandes centros culturales. Entre sus iglesias principales se destacan las de Santa María, San Pedro y San Nicolás. Es ciudad de gran actividad industrial, con fábricas de tejidos de seda, lana y algodón, manufacturas de medias y encajes, industrias siderúrgicas, fabricación de maquinarias y motores, etcétera. Por su importancia industrial fue bombardeada varias veces durante la Segunda Guerra Mundial.

nova. Estrella variable cuyo brillo comienza a aumentar de pronto, hasta hacerse, en el curso de pocos días y aun de algunas horas, de una luminosidad de miles y aun millones de veces más intensa que su luminosidad anterior. Antes de la invención del telescopio, con respecto a las que en estado ordinario son invisibles a simple vista, parecía como si fuera de repentina aparición lo que explica la denominación de *nova.* Pero actualmente puede observarse que, alcanzada su mayor magnitud, comienza a declinar, rápidamente al principio y después con más lentitud hasta recuperar aproximadamente su brillo primitivo. Una de las primeras observaciones sobre estas estrellas data de 1572, fecha en que Tycho Brahe advirtió un nuevo cuerpo en la constelación de Casiopea. Su resplandor superó pronto al de Sirio, y posteriormente los astrónomos han registrado fenómenos similares. He aquí la historia de una estrella *nova*, similar a muchas otras. En junio de 1918, una estrella de la constelación del Águila, conocida desde tiempo lejano, comenzó a sufrir un aumento en su magnitud; en sólo 48 horas su luminosidad se hizo extraordinariamente mayor, superando a la de otras estrellas. Los astrónomos, que la bautizaron con el nombre de *Nova aquilae 3*, no tardaron en advertir que su magnitud disminuía con notable rapidez. A las dos semanas ya había perdido la mitad de su fuerza, y siete meses más tarde había retornado a su luminosidad originaría; aunque invisible a simple vista, sigue siendo seis veces más brillante que nuestro Sol. Una de las hipótesis que aclararían el misterio de estas estrellas es la que toma en cuenta la posibilidad de una catástrofe cósmica, producida por el choque de dos soles, con desprendimiento de grandes masas gaseosas o, también, la colisión entre una estrella y la materia nebulosa.

Novak, Kim (1933-). Actriz cinematográfica estadounidense. Lanzada por la Columbia como sustituta de Rita Hayworth –hecho que dio un aliciente suplementario a la rivalidad erótica de ambas en *Pal Joey* (1975), de Sidney–, creó un tipo de mujer pasiva, cuyo equilibrio entre lo carnal y lo etéreo redundaba en una mayor ambigüedad moral. Sus filmes más notables son: *Picnic* (1956), de Logan, *El hombre del brazo de oro* (1956), de Preminger; *De entre los muertos* (1958), de Hitchcock; *La misteriosa dama de negro* (1961) de Quine, *Bésame tonto* (1965) de Wilder; *La leyenda de Lylah Ciare* (1968), de Aldrich; *Gigolo* (1978) de Hemmings; *El espejo roto* (1980), de Hamilton.

Novalis (1772-1810). Seudónimo literario del barón Friedrich von Hardenberg, precursor del romanticismo alemán. Estudió filosofía en Jena y derecho en Leipzig, pero su verdadera vocación fue la poesía. La muerte de su prometida le inspiró los *Himnos a la noche*, cumbre de la religiosidad romántica. En su novela inconclusa *Enrique de Ofterdingen* pinta alegóricamente el camino del poeta en busca de una fórmula que armonice vida y poesía, ciencia y religión; la mítica *Flor azul* buscada por el protagonista de la obra se convirtió en símbolo del movimiento romántico. Con sus *Canciones espirituales* y el relato *Los discípulos de Sais*, de contornos autobiográficos, alcanzó rápida fama entre sus contemporáneos.

novela. Obra literaria en que se narra una acción fingida en todo o en parte, y cuyo fin es causar placer estético a los lectores por medio de la descripción o pintura de sucesos o lances interesantes, de caracteres, de pasiones o de costumbres. El campo que abarca la novela es de una gran amplitud y ningún otro género literario tiene la libertad del género novelesco. A la novela le está permitido penetrar en los campos más diversos, acercarse al hombre y a la naturaleza, a los hechos históricos más sobresalientes y a la intimidad de los hogares, para sacar consecuencias que llegarán a influir en el ánimo del lector; la novela convierte un hecho nacido de la realidad en objeto de imaginación y suministra abundantes materiales para sus infinitas combinaciones e interpretaciones. En la novela cabe la epopeya, la tragedia, el drama, la comedia frívola, el humorismo, la sátira, la alegría más desbordante y sana, la intención moralizadora o la tendenciosa, la religión, la ciencia, la filosofía y, en fin, la vida del hombre en todos sus aspectos, desde lo anecdótico y común hasta las amplificaciones legendarias para hacer de él una figura de excepción. La novela puede considerarse como síntesis de todos los géneros imaginativos, y el objeto de su contenido es la vida del hombre y de la sociedad y de la humanidad en general. La novela es relación de hechos y como tal su forma es la narración. Esta narración finge el autor, a veces, que la hace el mismo protagonista, y en este sentido tanto el lenguaje como las reflexiones suelen estar en relación con la psicología del personaje creado por el autor. La novela propiamente dicha –tal como hoy se la cultiva– usa la prosa, y generalmente nunca es breve, a diferencia del cuento y de las llamadas novelas cortas, que ya quedan bautizadas por esta expresión limitativa. La acción en la novela es importante, así como las situaciones y peripecias de los personajes y la descripción del mundo en que éstos viven. Esta descripción no se limita al mundo exterior de cosas y objetos que rodean a los personajes, sino que se refiere, principalmente, a la vida interior de éstos y a sus evoluciones y contradicciones, choques y conflictos psicológicos. Haremos a continuación una breve relación de los principales géneros en que se divide la novela.

Géneros novelísticos. *Novela de aventuras* es en la que predomina la acción. Se narran en ella aventuras de hombres o animales en esforzadas y emocionantes acciones, que pueden ser de carácter fantástico o histórico. Los escenarios suelen ser exóticos, reales o fingidos, y, por lo general, estas novelas son instructivas, aunque la calidad literaria no sea siempre de primera. La novela de aventuras en la época moderna esta circunscrita prácticamente a Inglaterra, Francia y Estados Unidos. Julio Verne, Mayne Reid, Rider Haggard y H. G. Wells (en algunas obras) son los más famosos cultivadores de este género.

Imagen del novelista sir Arthur Conan Doyle.

Nova Development Corporation

Novela bizantina se llamó a un género basado en complicados viajes y aventuras, de herencia griega. En la literatura española la mejor representación de este tipo de novela es *Persiles* y *Segismunda*, de Miguel de Cervantes Saavedra.

La novela de costumbres está representada por numerosos escritores en todas las literaturas. Se caracteriza este tipo de novela por describir la vida cotidiana de una sociedad determinada, a lo que también se da el nombre de costumbrismo.

Novela caballeresca es la que tiene por finalidad principal exaltar el valor de sus héroes, todos caballeros, y los presenta como autores de las más sorprendentes hazañas. La principal y más famosa de las novelas caballerescas es el *Amadís de Gaula*, que tuvo excepcional auge en los comienzos de la Edad Moderna. El *Amadís* fue imitado por numerosos autores. Este tipo de novela, se caracteriza por toda clase de extravagancias y exaltadas fantasías, a las que vino a poner fin el *Quijote* de Miguel de Cervantes, particularmente por la forma en que el cura y el barbero hacen la selección de libros que ha de leer don Quijote, donde se ve ya el gusto de la época y la evolución hacia un género literario de mayores exigencias y responsabilidades.

Un género novelesco que comenzó a ganar terreno después de la Segunda Guerra Mundial en Estados Unidos, Inglaterra y Francia es el de la *novela científica*. El desarrollo incesante de la técnica y de la ciencia es la causa de la popularidad de este género novelístico. Este género de novela se anticipa a describir, utópicamente, la sociedad del futuro y los mundos desconocidos que podrían descubrirse en viajes a los más lejanos planetas. Se describen seres dotados de facultades desconocidas para el hombre, animales fabulosos y leyes biológicas, físicas y químicas muy distantes de las conocidas por los habitantes de la Tierra. Entre los novelistas que se destacan en el cultivo de este tipo de novela de aventuras figuran Ray Bradbury, autor de una obra titulada *Crónica marciana*, de extraño contenido; H. P. Lovecraft, que continúa la tradición de la antigua novela de terror; Arthur C. Clarke, presidente de la Sociedad Interplanetaria Inglesa, y Robert A. Heinlein, algunas de cuyas obras parecen inspiradas en las mejores creaciones de H. G. Wells.

La *novela epistolar* es aquella en que el autor pone en juego el procedimiento de correspondencia cruzada entre sus personajes. Benito Pérez Galdós hizo novela epistolar en *La estafeta romántica* y Juan Valera en Pepita Jiménez.

La *novela existencialista* surgió en Francia después de la Segunda Guerra Mundial y sus principales cultivadores son Jean Paul Sartre y Simone de Beauvoir. También cultivaron este género el escritor sueco Pär Lagerkvist y otros autores, inspirados en la tendencia filosófica existencialista, cuyos orígenes modernos se encuentran en Kierkegaard y en Heidegger.

La *novela experimental,* llamada también naturalista, tuvo su principal propulsor en el francés Émile Zola, y se extendió por los países europeos en la segunda mitad del siglo XIX. Este tipo de novela se caracterizó por describir minuciosamente la realidad, incluso en los detalles más ingratos, y su presunto valor científico se basaba en la observación directa y en la experimentación.

Novela filosófica se llama aquella que, inspirándose en especulaciones de tipo filosófico, desarrolla por medio de la acción tendencias doctrinales.

En la *novela folletinesca* se descubre pronto que está dirigida al grueso del público, sin grandes pretensiones literarias. El folletín se impuso primero en las llamadas novelas por entregas, suministradas por los editores semanal o mensualmente a los suscriptores, a través de las cuales los autores debían sostener vivo el interés de los episodios para que no decayese la demanda. El género tuvo muchos cultivadores y hoy está prácticamente desechado.

La *novela histórica,* muy divulgada en el siglo XIX, toma la historia y la desarrolla en forma novelesca, con las costumbres y caracteres de la época elegida por el autor. Los personajes creados por el novelista entran en relación con las figuras históricas y los hechos son presentados como un medio para llevar al lector hacia hechos históricos, generalmente siempre llenos de interés y sugestión. En la época romántica fue cuando la novela histórica tuvo mayor auge. En Inglaterra se destacó Walter Scott, que fue a su vez maestro e inspirador de otros autores del continente, como el italiano Manzoni, el francés Alejandro Dumas, padre, y el español Manuel Fernández y González. En España cultivaron también la novela histórica Larra, Navarro Villoslada, López Soler y otros, y muy especialmente Pérez Galdós en sus *Episodios nacionales,* si bien con características muy particulares.

La *novela pastoril* es un género renacentista, originado en Italia con La *Arcadia,* de Sannazaro. Se caracterizó por lo artificioso y convencional. Tuvo cultivadores de jerarquía, como Cervantes en *La Galatea,* Montemayor en *La Diana,* Gil Polo y otros autores. En Francia se destacó en este tipo de novela Honorato d'Urfé y en Inglaterra, Sidney.

Corel Stock Photo Library

Novelas en un estante de biblioteca.

Novela picaresca se llamó en España a la de un tipo de literatura de los siglos XVI y XVII, inspirada directamente en la vida de los pícaros y sus aventuras. Esta novela constituye un documento de gran valor para el estudio de las costumbres de la época. *El Lazarillo de Tormes* fue la creación del género nunca superada, y le siguieron en importancia *Guzmán de Alfarache,* de Mateo Alemán; *Rinconete* y *Cortadillo,* de Cervantes; *El buscón,* de Quevedo, y *Marcos de Obregón,* de Vicente Espinel. En el siglo XIX renació el género con *Gil Blas de Santillana,* del francés Le Sage, y en América encontró expresión en la pluma de Fernández de Lizardi con El *Periquillo Sarniento.*

La *novela policiaca* es un género moderno muy en boga en todos los países y parte siempre de algún suceso delictivo. Nació en Inglaterra y se extendió rápidamente por todo el mundo; particularmente en Estados Unidos halló un campo propicio para su expansión. El personaje más famoso de la novela policiaca es *Sherlock Holmes,* creación de Conan Doyle, que no ha sido superado por la gran cantidad de autores modernos que se dedican a este tipo de literatura.

En el siglo XIX se impuso la llamada *novela psicológica,* cuya acción se centra en los conflictos de orden psicológico, de donde le viene el nombre.

La *novela social* es otro género surgido en el siglo XIX, y ha tenido como motivo de su exteriorización la vida de grupos sociales, particularmente de la clase trabajadora, en contraste, generalmente, con las clases altas.

Novela de tesis es la que expone una causa y trata de defenderla mediante la acción y argumentación de los personajes. A veces la novela de tesis es de intención moralizadora y otras de contenido revolucionario y de propósitos reivindicatorios.

La novela en la antigüedad. Desde tiempo inmemorial compusieron los chinos novelas históricas y de costumbres. Sus autores no se entregaron a los juegos de la imaginación, sino que se sometieron a las leyes de la razón. Estas primitivas obras eran novelas realistas y naturalistas que describían al hombre tal como vivía en la sociedad que lo rodeaba, y en ellas sobresalen más los caracteres que las grandes concepciones. Las descripciones poéticas interrumpen con frecuencia el desarrollo normal de la acción novelística y se interpolan bellezas de todo orden como una necesidad del espíritu del autor. Las pinturas eran minuciosas, y en este sentido la novela china de aquellos tiempos se parece a las demás artes chinas por la complejidad de su ejecución. Los novelistas chinos ya comprendieron, siguiendo el hilo lógico de sus razonamientos antes que el de su fantasía, que el lenguaje de cada personaje debe responder a su cultura y condición social. Así, los letrados usan una fraseología llena de figuras e imágenes poéticas, mientras que los que proceden de capas más bajas hablan con frases triviales. La manera de vivir y de ser del pueblo chino se presentó en esta literatura primitiva con elocuencia y la inspiración individual de los autores logró dar un cuadro acabado de su país.

La ficción novelesca, tal como la entendemos en Occidente, comenzó a adquirir gran desarrollo con los griegos. Gracias a la libertad de que disfrutaban para todas las manifestaciones del espíritu, los griegos dieron un gran impulso a la novela. Al comienzo se atuvieron a las fábulas de grandes poetas, llenas de fantasía y de belleza, como las de Esopo; pero después derivaron hacia apólogos mitológicos y morales, como el titulado *Hércules entre la Virtud* y *el Vicio*. Los griegos no llamaban a esta forma de arte novela sino mito. El mismo Platón fue muy aficionado a los mitos, y hasta sus obras de más rigurosa doctrina filosófica están salpicadas de hechos que derivan hacia la ficción artística. En el *Protágoras* y en el *Fedón* dio señaladas pruebas de su predilección por los mitos. Lo mismo puede decirse de Jenofonte, quien creó la novela de la educación con su *Ciropedia*. A partir de estos dos nombres la narración inspirada en lo fabuloso invadió incluso los campos más severos de la historia. Herodoto utilizó la fábula para hacer historia, con asombrosa capacidad para amalgamar las leyendas a los hechos históricos. Alejandro Magno y sus hazañas inspiraron numerosas narraciones y el centro de la creación novelística pasó de Atenas a Alejandría. Esta época, denominada precisamente alejandrina, dio un nuevo impulso al arte narrativo y los autores no titubearon en fundir la vida de hombres famosos con hechos de su propia invención. Las epopeyas que Homero narra en *La Odisea* y *La Iliada* renacieron con mayor vigor, aunque sin su grandeza épica, y la imaginación tuvo ancho campo para componer obras de ficción siguiendo el itinerario de los viajes de los fenicios e ideando fabulosas geografías.

Con el predominio romano la novela griega entró en su periodo más fecundo. Las antiguas leyendas míticas y la influencia del naciente cristianismo le abrieron las puertas de un mundo de fecundidad de que antes carecía. Las biografías fabulosas de los *Siete Sabios de Grecia* mézclanse con los mitos de las numerosas sectas que pululan por el mundo de la cultura mediterránea, el cual, sin dejar de ser griego, no es todavía romano. La vida de Diógenes, de Pitágoras, de Apolonio y de Plotino son objeto de reconstrucciones novelescas que recuerdan mucho el auge de la biografía moderna, con las diferencias lógicas que imponen dos mil años de historia y de cultura. En tiempos de los cristianos primitivos también se escribieron novelas inspiradas directamente en la nueva fe, y se publicaron ficciones tituladas *El pastor*, *Los bramanes* y *El relato egipcio*.

En la última época de la novela griega apareció el relato de contenido amoroso, del que se saltó a lo erótico. Las novelas más conocidas del género amatorio son *La Eubea*, de Dión Crisóstomo; *El asno*, de Lucio de Patrás; *Las Efesíacas*, de Jenofonte de Efeso, y *Las pastorales* y *Dafnis y Cloe*, de Longo, esta última la mejor de todas, bellísima pastoral llena de poesía bucólica y de penetrante análisis psicológico. La novela en Roma no se ha caracterizado precisamente por su espíritu creador. *El asno de oro*, de Apuleyo, se inspira en una leyenda griega, y *La historia* de Quinto Curcio, es la recopilación de fábulas alejandrinas. A partir de esta época, el relato novelesco sufrió un eclipse de varios siglos y reapareció con fuerza pujante en la Edad Media.

La novela medieval. La fantasía y la imaginación de los árabes adoptaron obras de gran empuje en los primeros siglos de la Edad Media. El folclore de la India, al introducirse en el mundo cultural árabe, produjo una serie de obras literarias que influyeron decisivamente en la novela occidental, donde penetraron a través de España. *Calila y Dimna*, novela oriental, fue traducida al castellano por Alfonso *el Sabio*, y mediante versiones árabes pasaron a España, y después a Europa, el *Barlaam* y el *Sendebar*, dos obras que influyeron mucho en la literatura imaginativa de Occidente. El género novelesco árabe por excelencia lo constituyen las llamadas *Makamas*, narraciones escritas por el procedimiento impersonal, que ha perdurado hasta el presente. La primera colección de cuentos árabes se titula *Hamadani*, cuyas proezas picarescas influyeron notablemente en la novela española del Siglo de Oro. La literatura arábigoespañola produjo, en el campo de la ficción, *El collar*, antología de cuentos del escritor cordobés Ibn Abd Rebihi. Pero la más brillante joya de la literatura árabe es *Las mil y una noches*, en la que se ven presentes influencias culturales de cuantos elementos existían en el imperio musulmán. Grandes narraciones caballerescas árabes son las tituladas *Antar* y *Beni Hilal*, en las cuales la vida de los árabes, sus costumbres, sus amoríos y su sed de libertad están reproducidas con mano maestra. Estos relatos y otros de menor importancia han ejercido decisiva influencia en la novela de Europa medieval.

La novela medieval europea renació inspirándose directamente en las tradiciones de cada país y dominó totalmente la literatura de Occidente desde el siglo XII hasta el XVI, bajo diversas formas. Los cuentos de inspiración árabe se mezclaron con los *fabliaux* franceses, hasta que apareció Boccaccio, quien con el *Decamerón*, abrió un mundo de realidades europeas a la literatura occidental. Los libros de caballerías, truculentos y fantásticos hasta desbordar todas las posibilidades humanas, se apoderaron del lector medieval y perduraron durante largo tiempo. El inglés Chaucer influyó notablemente en el cambio que se operaba con lentitud en la literatura.

En España fue *La Celestina*, novela dialogada, una de las primeras obras de imaginación inspirada directamente en la vida española de entonces. Publicada en las postrimerías del siglo XV, *La Celestina* contiene ya diversos elementos psicológicos y realistas que tanta repercusión tuvieron en la novela española posterior. En el siglo XIX la novela llega a su apogeo en los países de civilización occidental. Sorprende, sobre todo, la variedad de sus transformaciones, que le permitieron adaptarse admirablemente al ritmo, la naturaleza y las peculiaridades de los países donde se cultivó. Los grandes acontecimientos históricos de fines del siglo XVIII y principios del XIX, que tuvieron repercusiones trascendentales y transformaron tan profundamente las instituciones sociales y económicas de pueblos y naciones, y las costumbres de familias e individuos, han dejado honda huella en la literatura de la época y quizá hayan quedado registradas con mayor interés humano por las plumas de los grandes escritores del siglo XIX, en las páginas de sus novelas, que en los libros de la Historia.

Grandes novelistas. Una breve lista de los grandes novelistas de diversos países es un ejemplo de la importancia que el género novelístico adquirió en Occidente y que aún hoy se mantiene en el interés de inmensa cantidad de lectores, que buscan en la novela un reflejo de la vida, una evasión espiritual o un cuadro de belleza artística expresado a través de sus protagonistas con los que casi siempre el lector se siente identificado en algo. Entre los principales clásicos españoles que cultivaron la novela figuran el Infante don Juan Manuel, Fernando de Rojas, Diego Hurtado de Mendoza, Mateo Alemán, Vicente Espinel, Luis Vélez de Guevara, Diego de San Pedro, Francisco Delicado y Miguel de Cervantes, que, en pleno Siglo de Oro español, supo imprimir nuevos rumbos al género con sus admirables *Novelas ejemplares* y con la profundidad humana, social y simbólica del *Quijote*.

En el siglo XIX figuran entre los novelistas españoles más notables Pedro Antonio de Alarcón, Juan Valera, Benito Pérez Galdós, José María de Pereda, Luis Coloma, Emilia Pardo Bazán, Fernán Caballero, Leopoldo Alas (Clarín), y también se puede citar a Mariano José de Larra (Fígaro), cuya gloria es eminentemente periodística, pero a quien se debe una buena novela titulada *El doncel de don Enrique el Doliente*. A fines del siglo XIX y principios del XX, España dio un grupo de escritores de gran influencia en la literatura moderna, algunos de ellos agrupados en la llamada *generación del 98*. Los principales son Vicente Blasco Ibáñez, Pío Baroja, Miguel de Unamuno, Ramón del Valle Inclán, Armando Palacio Valdés, Azorín, Gabriel Miró, Concha Espina, Ramón Pérez de Ayala y Ricardo León

En Francia se destaca a fines de la Edad Media la figura de Rabelais, que, con *Gargantúa* y *Pantagruel*, no ha dejado aún de ser un autor muy leído. En el siglo XVII sobresalen madame de Lafayette y Perrault. En el siglo XVIII Le Sage, Voltaire, el abate

Prévost y Bernardino de Saint-Pierre. El siglo XIX fue uno de los más prolíficos en grandes novelistas franceses. Madame de Stäel, Chateaubriand, Víctor Hugo, Benjamín Constant, Próspero Merimée, Stendhal, que influyó notablemente en la novela moderna, Teófilo Gautier, George Sand, Gustavo Flaubert, Alfonso Daudet, Alejandro Dumas, Guy de Maupassant, Émilie Zola, padre del naturalismo, y Honorato de Balzac, gigante creador de *La comedia humana*, testimonio de la sociedad francesa de su tiempo no superado todavía. En el primer tercio del siglo XX, sobresalen entre los novelistas franceses Anatole France, Pierre Loti, Maurice Barres, Paul Bourget, Henri Bordeaux, Romain Rolland, pacifista y sociólogo de avanzadas concepciones; Marcel Proust, autor de *A la busca del tiempo perdido*, una serie de novelas que consagraron su nombre después de su muerte; André Gide, Jules Romains, François Mauriac, George Duhamel, Claude Simon, Margarite Yourcenar, Albert Camus y Margarite Duras.

En la novela inglesa medieval sobresale el nombre de Geoffrey Chaucer, ya citado, que tuvo mucha influencia en el progreso del género en su país y en Europa. En los siglos XVII y XVIII se destacan Daniel Defoe, Jonathan Swift, Oliver Goldsmith y Lawrence Sterne. La figura de Walter Scott llena casi todo el siglo XIX de la novela inglesa e influyó mucho en la europea en general. Destácanse también Jane Austen, Bulwor Lytton, W. A. Thackeray, las hermanas Brontë, Emily Janey y Charlotte; George Meredith, Samuel Buttler, Charles Dickens, gran novelista, uno de los autores ingleses que más influyeron en la literatura extranjera; R. L. Stevenson, Joseph Conrad, Oscar Wilde, y otros escritores de menor renombre. Y en el siglo XX la novela inglesa es cultivada por autores como John Galsworthy, Rudyard Kipling, H. G. Wells, G. K. Chesterton, Thomas Hardy, Virginia Woolf, Katherine Mansfield, D. H. Lawrence, W. S. Maugham, Aldous Huxley, Graham Greene, E.M. Forster, William Golding, Agnus Wilson.

En la novela italiana sobresale la figura medieval de Giovanni Boccaccio. En el siglo XVI se destaca Mateo Bandello, y en el XIX Manzoni con *Los novios*, obra que se ha convertido en clásica por su impecable construcción novelística. Otros autores italianos del siglo XIX son Giovanni Verga, Fogazzaro, Matilde Serao, Gracia Deledda, Edmundo d'Amicis y Salvatore de Giacomo. En el siglo XX la figura de Gabriele d'Annunzio sobresalió tanto por su vida como por sus dotes de escritor. Otras figuras de la presente centuria son Ada Negri, Luigi Pirandello, más conocido como dramaturgo; A. Panzini y Massimo Bontepelli, Leonardo Sciascia, Italo Calvino, Italo Svevo, Natalia Ginzburg.

La novela alemana comienza prácticamente en el siglo XVIII con Goethe, que es una figura completa, tanto como novelista y poeta, como dramaturgo y humanista. Le siguen Novalis, Hoffmann, Keller, Spitler y otros autores no tan renombrados. En el siglo XX, Alemania dio grandes novelistas, a la cabeza de los cuales figuran Herman Hesse, Thomas Mann, Jacob Wassermann, Stephan Zweig, austriaco, identificado siempre con los escritores alemanes, y Erich María Remarque, que se hizo famoso en el mundo entero con su novela de la Primera Guerra Mundial, *Sin novedad en el frente*. También Franz Kafka, checoslovaco, escribió en alemán. Otros novelistas alemanes de este siglo son Werfel, checo de origen, pero de lengua alemana; Bruno Frank y una pléyade de escritores que surgieron al terminar la Segunda Guerra Mundial, entre los que se destaca Kramer, autor de *Y seguiremos marchando*, Günther Grass, Peter Handke, Ernst Jünger, Henrich Böll, Max Frisch.

La novela en Rusia comienza en el siglo XIX con Pushkin, y le siguen Gogol, Turguenev, Lermontov, Chejov, Tolstoi y Dostoievski. Las obras de este último han influido notablemente en la literatura moderna por su profundidad psicológica, por la apasionada simpatía por las gentes humildes y por haber sabido penetrar como ningún autor de su tiempo en las complejidades de algunos espíritus morbosos. En el siglo XX se destacan en la novela rusa los nombres de Iván Bunin, que vivió expatriado en Suiza; Máximo Gorki, Korolenko, Merejokovski, Slogov y algunos otros nombres. La revolución comunista no ha producido novelistas de la jerarquía de los mencionados en el siglo XIX y que dieron a la novela de su país un lugar destacadísimo al lado de los grandes autores de Occidente. En los países nórdicos destacan los nombres de Knut Hansum, Selma Lagerlöff, Hans Christian Andersen, etcétera.

La novela en América. Un continente en plena formación espiritual como es América ha dado ya, no obstante, verdaderos maestros a la novela mundial. En el siglo XIX se han destacado en Estados Unidos, particularmente, Edgar Allan Poe, genial cuentista y poeta; Fenimore Cooper, Nathaniel Hawthorne, Washington Irving, Harriet Beecher Stowe, Herman Melville, Sherwood Anderson, Mark Twain y Jack London, aunque la obra de los tres últimos pertenece, también, al inicio del siglo siguiente. La primera mitad del siglo XX se distingue por autores que señalan ya una madurez en la novelística estadounidense, como Theodore Dreiser, Sinclair Lewis, John Dos Passos, Ernest Hemingway, William Faulkner, John Steinbeck, Norman Mailer, Bernard Malamud, Philip Roth, Truman Capote, Dashell Hammett y William Styron.

América Latina, en la segunda mitad del siglo XIX y primera del XX, presenta en la novela una magnífica floración. En México se destacan, a mediados del siglo XIX, Manuel Payno, Riva Palacio, Altamirano y José T. Cuéllar. La obra de Federico Gamboa se desarrolla de fines del siglo XIX a principios del XX, lo mismo que la de Emilio Rabasa, López Portillo y Rafael Delgado. Al siglo XX pertenecen novelistas como Mariano Azuela, Martín Gómez Palacio, Artemio de Valle-Arizpe, José Rubén Romero, Martín Luis Guzmán, Mauricio Magdaleno, Gregorio López Fuentes, Juan Rulfo, Carlos

Mercado de libros y novelas en Central Park, en New York.

Corel Stock Photo Library

Fuentes, Juan José Arreola, José Revueltas, Agustín Yáñez, Elena Poniatowska, Sergio Pitol, Rosario Castellanos, Ricardo Garibay y Jorge Ibargüengoitia.

En el extremo sur del continente, Argentina ofrece un brillante conjunto de grandes novelistas entre los que figuran Eugenio Cambaceres, Carlos M. Ocantos, Enrique R. Larreta Martínez Zuviría (Hugo Wast), Manuel Gálvez, Roberto J. Payró, Benito Lynch, Ricardo Güiraldes, Carlos Alberto Leumann, Eduardo Mallea, Julio Cortázar, David Viñas, Ernesto Sábato, José Bianco, Osvaldo Soriano, Adolfo Bioy Casares y Roberto Arlt. Uruguay cuenta entre sus mejores novelistas a Carlos Reyles, Magariño Solsona, Vicente Salaverri, Soiza Reilly, Enrique Amorím, Francisco Espínola, Mario Benedetti, Juan Carlos Onetti y Carlos Martínez Moreno. En Paraquay se destacan en el género novelesco Hugo Rodríguez Alcalá, Arnaldo Baldovinos y Augusto Roa Bastos.

En Chile, sobresalen en la novela, género literario de gran importancia, Alberto Blest Gana, Daniel Barros Grez, Augusto d'Halmar, Mariano Latorre, Eduardo Barrios, José Donoso, José Manuel Vergara y Fernando Alegría. Perú tiene novelistas de la talla de Ciro Alegría, José M. Arguedas, Vicente Azar, Luis Fabio Xammar, José Durand y Mario Vargas Llosa.

Los novelistas venezolanos figuran entre los más eminentes de América, con nombres como Rómulo Gallegos, J. Rafael Pocaterra, Rufino Blanco Fombona, Gonzalo Picón-Febrés, Arturo Uslar Pietri, Guillermo Meneses y Miguel Otero Silva. Igualmente, Colombia aporta a la novela americana la obra de Jorge Isaac, José Eustasio Rivera, Tomás Carrasquilla, Francisco de Paula Rendón, Gómez Corena, Salamea Borda, Gabriel García Márquez, Eduardo Caballero Calderón, Bernardo Arias Trujillo y Manuel Mejía Vallejo. En Bolivia han surgido novelistas como Alcides Arguedas, Armando Chirveches, Julio Mendoza y Marcelo Quiroga Santa Cruz. En Ecuador cultivan el género Nicolás Augusto González, Alfredo Baquerizo Moreno, Jorge Icaza y Demetrio Aguilera Malta.

Los novelistas centroamericanos de renombre son Enrique Gómez Carrillo, Carlos Wyld Ospina, Flavio Herrera y Miguel Ángel Asturias, de Guatemala; Luis Dobles Sagreda y Rómulo Tovar, de Costa Rica; Arturo Mejía Nieto, de Honduras; Hernán Robleto y Sergio Ramírez, de Nicaraqua; Arturo Ambrogi, de El Salvador, y José Isaac Fábrega de Panamá.

En las Grandes Antillas, Cuba cuenta entre sus principales novelistas a Cirilo Villaverde, Emilio Bobadilla, Jesús Castellanos, Miguel de Carrión, Alfonso Hernández de Catá, Carlos Loveira, Alejo Carpentier y Guillermo Cabrera Infante. En Puerto Rico se destacan Francisco M. Quiñones, Manuel Corchado, Zeno Gandía, José Luis González, Pedro J. Soto. Y en la R. Dominicana, Manuel de Jesús Galván y Francisco García Godoy.

En el Brasil, la novela ha alcanzado notable esplendor con la obra de escritores como Euclides da Cunha, Machado de Assís, Coelho Netto, Graça Aranha, Afranio Peixoto, Humberto de Campos, Erico L. Veríssimo, Montero Lobato, João Guimarães Rosa, Jorge Amado.

La novela sigue siendo en todos los continentes un género de continua evolución, influido por diversas corrientes, entre ellas, por las que se derivan de la obra de escritores como Kafka, Joyce y Proust, tres autores modernos que han creado mundos a veces alucinantes, pero que dieron a la novela una dimensión desconocida en profundidad psicológica.

novena. Ejercicio religioso que dura nueve días, por lo general seguidos. Se practica en la Iglesia católica y consiste en oraciones, lecturas, letanías y otros actos piadosos con invocación a Dios, a la Virgen María y a los santos. También se da este nombre al libro que contiene las oraciones que se leen en la novena.

Novés, Laura de (1307-1348). Dama francesa inmortalizada por Petrarca. Nació en Aviñón, seguramente en Novés, barrio de dicha ciudad. Hija del rico caballero Audiverto de Novés, se casó en 1325 con Hugo de Sade. Que Laura no fue un producto de la fantasía del poeta, sino que realmente existió, lo demuestra sin lugar a dudas la nota escrita por la propia mano de Petrarca en uno de los márgenes de su volumen de Virgilio en la que declara que vio a Laura por primera vez en 1327, en la iglesia de Santa Clara de Aviñón cuando ella tenía veinte años de edad y que ella se murió en 1348 mientras él se encontraba en la ciudad de Verona. Queda la duda, sin embargo, de si la Laura de Petrarca y Laura de Novés son la misma persona. El poeta dedicó a su amada 318 sonetos, 88 canciones y los *Triunfos*, pero en ninguna parte reveló la verdadera identidad de la mujer de quien estuvo tan ardientemente enamorado. El autor anónimo de una *Vida de Petrarca*, contemporáneo del poeta, afirma que "Laura no era casada, que se llamaba Laureta, que habitaba un castillo cerca de Aviñón, que fue la musa de Petrarca, que permaneció casta, en tanto que el poeta desoyó las exhortaciones del papa, quien le suplicaba que se casase con ella, temeroso de ver disminuir su amor". Si Laura de Novés fue verdaderamente la inspiradora del poeta, murió a la edad de 41 años, de la peste que asoló la ciudad de Aviñón.

noviciado. Periodo de prueba a que deben someterse los principiantes o neófitos para demostrar, antes de su ingreso a una orden religiosa, que son capaces de sostener las obligaciones y consecuencias que lleva consigo una vida consagrada a Dios. Toda regla monástica prescribe el noviciado. San Benito dice en su regla que, tras haber reconocido en el que se presenta para ser admitido una voluntad tal que no hayan podido vencer la resistencia ni las injurias, se le admita en la habitación de los huéspedes y, si continúa dando señales de una vocación sincera, se le haga pasar al noviciado. Según el Concilio de Trento, no debe admitirse a los novicios la toma de hábito hasta que hayan llegado a la pubertad, es decir, a la edad de 16 años. Las personas casadas no pueden entrar en una orden religiosa después de la consumación del matrimonio sin el consentimiento de la otra de las partes. El año de probación ha de ser continuo y sin interrupción. El novicio puede renunciar libremente al estado que quería abrazar, pues el noviciado es una prueba que prepara su ánimo para esta renuncia. Es mil veces preferible volver al mundo que ser monje con pesares que representen una carga para él y para los demás. Los novicios no tienen obligación de observar la regla y constituciones de la orden, pero deben practicarla como medio para probar su vocación.

noviembre. Undécimo mes del año. Su nombre proviene de *novem*, que en latín significa noveno pues tal era el puesto que ocupaba entre los romanos cuando el año empezaba en marzo y constaba de diez meses; su duración era entonces de treinta días, y posteriormente fue reducido a veintinueve. Julio César, en su reforma del calendario, le adjudicó treinta y un días y Augusto volvió a limitarlo a treinta, o sea lo mismo que en la actualidad. Los romanos lo consagraban en sus ritos a Diana, y celebraban del 4 al 17 los Juegos Plebeyos, en memoria de la reconciliación de patricios y plebeyos; a fines de mes se realizaban las fiestas Brumales, en honor a Baco. Del 21 al 22 de este mes el Sol entra en el signo de Sagitario. En el Hemisferio Norte preanuncia el invierno, y la naturaleza y muchos animales comienzan a entrar en su periodo de reposo.

no violencia. Doctrina que en su origen prohibe hacer el menor daño a ningún ser vivo. Característica del jainismo, fue puesta en práctica por Mohandas K. Gandhi como método de acción política en su lucha contra Gran Bretaña, mediante la no cooperación y la desobediencia civil. Posteriormente, la doctrina ha sido adoptada por los movimientos pacifistas.

Novo, Salvador (1904-1974). Escritor mexicano polifacético: poeta, dramaturgo, historiador, periodista, traductor, crítico de literatura y arte, actor y director de teatro e impulsor de la televisión mexicana. Fue sin embargo un hombre de teatro ante todo. Miembro del grupo *Contemporáneos*. Funcionario de la Secretaría de Educación Pública. Miembro de la Academia Mexicana de la Lengua. Premio Nacional de Literatura. Cronista de la ciudad de México. Su obra poética posee un acento expresionista, irónico y elegíaco. En 1961 fue recopilada su poesía completa.

Nova, Diego (1789-1870). Estadista ecuatoriano que nació en Guayaquil y murió en la misma ciudad. Estudió en Quito e intervino en la revolución de 1820, como consecuencia de la cual se proclamó la independencia de Guayaquil. Novoa fue nombrado embajador en Perú y después de la revolución de 1845, ministro del gabinete. En 1850 fue elegido presidente de la República y meses más tarde fue depuesto por una rebelión militar. Se desterró en Centroamérica y luego pasó a Perú.

Novoa Santos, Roberto (1885-1933). Médico y escritor español, nacido en la Coruña (Galicia). Difundió con estilo brillante y carácter de ensayo sus ideas en el campo de la medicina, de la psicología y otros temas culturales. Viajó por Francia, Alemania y Austria. Dio conferencias en Cuba, Argentina y Uruguay. Ejerció la cátedra de Patología general en la Facultad de Santiago de Compostela y pasó después a la Universidad Central de Madrid. Fue muy destacado en clínica y patología, y muy difundidos sus trabajos sobre la diabetes. Entre sus obras merecen ser citadas *Manual de patología* y *Ensayos antropológicos*.

novocaína. Sustancia derivada de la cocaína. Inyectada debajo de la piel en los organismos humanos o animales, posee la virtud de producir anestesia, desapareciendo por algún tiempo los dolores. En medicina moderna su aplicación se ha extendido a varias afecciones y enfermedades, como algunas parálisis, regiones nerviosas inflamadas, músculos y tendones que han sufrido golpes o desgarros, asma, úlceras de estómago y dolores de cabeza, rebeldes a todo tratamiento. La novocaína fue introducida en el arte de curar por Max Einhorn en 1905.

Noyes, Alfred (1880-1958). Poeta inglés, nacido en Wolverhampton. Estudió en Oxford. Su primer volumen de poemas, *El telar del tiempo*, se publicó en 1902. Con *Cuarenta marineros cantan* y *Drake* se reveló como un inspirado poeta del mar. Una serie de conferencias que dio en Estados Unidos fueron reunidas y publicadas bajo el título de *El mar en la poesía inglesa*. Durante diez años (1913-1923) fue profesor de literatura inglesa moderna en la Universidad de Princeton.

Nova Development

Nubes flotando sobre el mar, fotografiadas desde gran altura.

nubes. Masas de vapor de agua condensado suspendidas en la atmósfera, que presentan distintos aspectos dependientes de la altura a que se encuentran, de cómo incide la luz del Sol sobre ellas y del grado de condensación de sus partículas. El agua de la atmósfera está sometida continuamente a un proceso cíclico de evaporaciones y condensaciones que es la base de los meteoros acuosos. El agua de las precipitaciones al llegar a la superficie de la Tierra se divide en dos partes, una que se filtra a través del suelo permeable y otra que, deslizándose por la superficie, da origen a los arroyos, ríos y lagos y que finalmente va al mar. Una parte del agua que penetra en el suelo forma depósitos subterráneos, origen de manantiales o que puede ser alumbrada mediante pozos; pero la mayor parte es absorbida por las raíces de los vegetales; atravesando sus tallas y ramas, llega a las hojas, de donde es expulsada a la atmósfera en forma de vapor mediante la transpiración. Simultáneamente, gran cantidad del agua de la superficie de ríos, lagos y mares se evapora continuamente, así como el agua que impregna y humedece los terrenos y que asciende por capilaridad a la superficie. Esta cantidad enorme de vapor que continuamente pasa a la atmósfera, es el origen de la humedad atmosférica y de las nubes que, a su vez, producen las lluvias, nieves y granizo, cerrando así el ciclo.

Cuando el aire húmedo es calentado por una fuerte insolación o por atravesar regiones que irradien calor, asciende, y a medida que encuentra capas menos densas, se va dilatando y perdiendo temperatura, lo que ocasiona que se condense parte del vapor de agua que contenía y forme pequeñísimas gotas de agua. Estas gotas que alcanzan 0.02 mm, se mantienen en suspensión en la atmósfera y constituyen nubes. Para que estas pequeñas gotas se puedan mantener en la atmósfera, basta con una corriente de aire ascendente de velocidad de 4 cm por segundo. Si dicha corriente de aire es más fuerte, las gotas de agua suben y van aumentando de tamaño por condensación sobre ellas de otras masas de vapor, hasta que su peso ya no les permite mantenerse en suspensión e inician el descenso. En éste, muchas veces vuelven a encontrar capas más calientes que evaporan parte de su masa, iniciándose una nueva ascensión, cerrando así el ciclo del vapor dentro de la nube. Cuando el frío es muy intenso, las gotas se transforman en pequeños cristales de hielo que se mantienen en suspensión formando otros tipos de nubes.

Además de los movimientos de ascenso y descenso a que están sometidas las masas de las nubes, éstas son arrastradas por los vientos con velocidades diversas. Los movimientos de traslación de las nubes suelen ser más rápidos en invierno que en verano, pero rara vez exceden de 100 m/seg. En algunas regiones, la formación de las nubes guarda una estrecha relación con los vientos dominantes. Cuando un viento caliente cargado de humedad encuentra en su camino un alto obstáculo, una cordillera por ejemplo, se ve obligado para atravesarla a contraerse y a aumentar su temperatura, pero al franquear la cima, el viento se dilata, se enfría y gran parte del agua que contenía se condensa y forma nubes, o muchas veces se precipita en forma de lluvias.

Las nubes presentan formas variadas según las alturas a que se encuentran y el estado de la atmósfera, llamándose *cúmulos,* a las nubes densas que forman grandes masas de contornos redondeados y formas fantásticas, cuyas zonas iluminadas por el Sol son de un blanco deslumbrante. Son frecuentes en verano y ocupan capas de altura media comprendida entre los 1,500 y 2,000 m. Se llaman *cirros* unas nubes fibrosas, semejantes a copos de lana deshilachada, de color claro, que están formadas por cristalitos de hielo suspendidos a alturas que oscilan entre los 8,000 y 12,000 m. Los *nimbos* son nubes de color gris oscuro que cierran de manera continua el horizonte. Suelen ser nubes de lluvia que se desplazan a alturas de unos 1,200 m. Los *estratos* son nubes lejanas vistas de perfil que dan la impresión de capas superpuestas. Ocupan partes bajas de la atmósfera, comprendidas entre los 700 y 800 m.

Frecuentemente se dan nombres compuestos a las nubes que presentan características intermedias entre los tipos anteriores. Se llaman *altocúmulos* y *altoestratos* a las nubes de estos tipos que se sitúan a alturas de 8,000 m; *cirrocúmulos* a las nubes aborregadas y de gran altura, y *cirroestratos* a las que parecen velos blanquecinos fibrosos, que ocupan casi todo el cielo. Los *cúmulonimbos* son nubes de gran altura que parecen montañas cubiertas de nieve y que, frecuentemente, dan origen a granizo, nieve y lluvia. Las nubes bajas suelen verse desde las cimas de las montañas y aviones en vuelo, formando como una extensa masa algodonosa que se conoce con el nombre de mar de nubes.

Nubia. Región del noreste de África que no tiene límites definidos ni constituye una entidad política. Incluye partes de Egipto y Sudán. Se halla situada entre Assuán, en Egipto, al norte; la confluencia del Nilo Blanco y el Nilo Azul, al sur; el Mar Rojo, al este, y el desierto de Libia al oeste. Se divide en Nubia propia o Baja, que se extiende desde Assuán hasta Dongola, y Alta Nubia, desde Dongola hasta el sur de Kartum. Estos límites encierran una superficie de 250,000 km^2, con una población de 2 millones de habitantes, aproximadamente. Dicha población se compone de una mezcla de raza humita, árabe nigricia y turca, pero la masa general pertenece a los barabra. Los nubios se diferencian de los demás pueblos africanos por el matiz más oscuro de la piel, que llega hasta el negro azulado, y también por las facciones, que son más regulares y hermosas. Su traje consiste generalmente en una túnica, sobre la que llevan un largo manto azul, y se cubren la cabeza con un casquete de fieltro. Los nubios son laboriosos agricultores, pero como el producto de los campos no basta para alimentar a la población, muchos jóvenes emigran a Egipto.

Nubia fue dominada por los faraones egipcios durante unos 2,000 años, hasta que llegó a constituir un reino cuya capital era Dongola. En la época de Eratóstenes y de Estrabón se habla de Nubia como de una gran nación situada al oeste del Nilo, que comprendió el Kordofán; pero hacia el siglo III después de Cristo, sus habitantes fueron arrojados de los oasis y se vieron obligados a establecerse en la vecina región de Sgena, a fin de proteger a Egipto de las invasiones de pueblos enemigos que ocupaban la región del Alto Nilo. El cristianismo penetró en Nubia en el siglo VI siguiendo la doctrina jacobita. El país logró integrarse en un estado floreciente, que era administrado por gobernadores.

nuclear, estrategia. Arte de adquirir, desplegar y emplear armas nucleares con propósitos políticos. Debido a que las armas nucleares son tanto más poderosas que cualquier clase de armamento conocido antes, su introducción a finales de la Segunda Guerra Mundial exigió un replanteamiento de los principios estratégicos.

La estrategia nuclear se desarrolló bajo la sombra de la guerra Fría, periodo de constante disputa política entre Estados Unidos y la ex-Unión Soviética (URSS). Aunque la desintegración de la URSS a finales de los años ochenta y principios de los noventa significó el fin de la guerra Fría, aún quedan cientos de armas nucleares, principalmente en manos estadounidenses y rusas.

Misil nuclear desactivado en el museo del misil en Arizona.

Corel Stock Photo Library

La disuasión. El principal objetivo político de las armas nucleares, punto central de la estrategia tradicional de Estados Unidos, ha sido la disuasión, o prevención mediante amenazas: el Estado *A* busca que el Estado *B* no lo ataque, por medio de amenazas de responder con vigor ante un ataque e infligir un castigo sobre éste. Si *B* toma las amenazas en serio y se abstiene de atacar, la política de disuasión de *A* ha triunfado. Las armas nucleares se prestan de manera particularmente apropiada a la disuasión por su capacidad de imponer un daño tremendo al enemigo. Con ello, la disuasión se convierte en el principal propósito que cumplen las armas nucleares, aunque algunos dicen que es el único propósito.

La lógica de las estrategias de disuasión nuclear de las superpotencias refleja la inmensidad del castigo que un país disuasivo que posee armas nucleares podría ejercer sobre el territorio y la sociedad de un agresor. Esta característica fue expresada mediante la frase *destrucción asegurada*, acuñada a principios de los sesenta para referirse al estándar al que el arsenal estadounidense debía apegarse. Éste debía poseer la fuerza suficiente para destruir entre un quinto y un tercio de la población y entre la mitad y tres cuartas partes de la industria soviéticas en una acción vindicativa, aun antes de sufrir completo el más fuerte de los ataques rusos.

Tanto Estados Unidos como la URSS alcanzaron una capacidad de destrucción asegurada a mediados de los sesenta. Ninguno podía atacar al otro sin exponerse a una salva aniquilante en venganza. La suya se convirtió en una relación cuya estabilidad descansaba en su capacidad de mutua destrucción asegurada, hecho conocido como el equilibrio del terror. Aunque se trataba en parte de una política liberal, la capacidad de mutua destrucción asegurada fue primordialmente una consecuencia de las armas que cada lado había obtenido. Ante esta situación, ninguna de las partes poseía estímulos de importancia para precipitarse y atacar primero durante los tiempos de crisis, y ambos veían la guerra como una tragedia que debía ser evitada.

La relajación de las tensiones de la guerra Fría a finales de los ochenta, la firma del Tratado sobre Armas Nucleares de Mediano Alcance y las constantes negociaciones entre Estados Unidos y la Unión Soviética acerca de los misiles nucleares de largo alcance, parecían señalar el ocaso de la época en que la disuasión era el elemento central en las relaciones mundiales.

Las armas nucleares. A finales de los años ochenta, la gran mayoría de las armas nucleares del mundo pertenecían a las dos superpotencias, Estados Unidos y la Unión Soviética. Este tipo de armas se clasifica según diversos criterios, pero las distinciones más importantes entre ellas se basan en los sistemas de lanzamiento que llevan a las ojivas nucleares hacia su objetivo.

Los sistemas de largo alcance, capaces de llegar hasta el territorio del adversario y que lo amenazan con una destrucción masiva, son de tres tipos. Las bombas de caída libre por la fuerza de gravedad son transportadas en aviones tripulados. Los misiles balísticos intercontinentales SLBM e ICBM, lanzados desde submarinos y tierra, cuentan con medios de propulsión propios y autoguía, y pueden alcanzar sus objetivos en treinta minutos. El híbrido misil-crucero, un pequeño avión teledirigido, puede lanzarse desde tierra, navíos y aviones.

Según la estrategia seguida durante la guerra Fría, se solía catalogar a los sistemas de liberación según reforzaban o socavaban la disuasión recíproca constante que significaba la mutua destrucción aseguarada. Los sistemas que poseían la precisión y capacidad para destruir las armas nucleares del adversario y que, si se empleaban de manera preventiva, amenazaban con desarmarlo y eliminar sus posibilidades de venganza, se designaban como sistemas de *primer ataque*. Las armas de *segundo ataque* eran aquellas que podían resistir el primer golpe de un adversario pero que carecían de la precisión para destruir objetivos sólidos, y que serían, por ende, dirigidas hacia ciudades enemigas. Debido a que aquéllas provocarían una respuesta del mismo tipo, éstas serían útiles sólo en caso de venganza, como las encargadas de la destrucción asegurada. A diferencia de la armas de primer ataque, las de segundo ataque eran vistas por consiguiente como promotoras de la disuasión constante.

Como las armas vulnerables ante un primer ataque enemigo podían ser empleadas sólo en un primer ataque propio, la invulnerabilidad de los arsenales nucleares resultó un asunto clave para que hubiera disuasión constante. Ya que los submarinos no pueden ser fácilmente detectados y destruidos, los misiles lanzados por éstos eran considerados como la parte menos indefensa de los arsenales de las superpotencias y como un factor importante para la estabilidad. Los misiles desplegados en tierra, aun resguardados en silos subterráneos de concreto, se volvieron más vulnerables a medida que la precisión en el establecimiento de objetivos aumentaba. Al necesitarse mayor precisión para golpear los misiles móviles, protegidos o escondidos, que para pulverizar ciudades, las armas de alta precisión se han considerado las ideales como armas de primer ataque.

Ninguna de estas cuestiones teóricas tuvo, sin embargo, equivalente político. Tanto Estados Unidos como la antigua URSS tomaron medidas para mejorar su capacidad de venganza al reducir la vulnerabilidad de sus armas nucleares. Al mismo tiempo, a pesar de ello, la precisión de ambos arsenales mejoraba a un ritmo constante. Aun cuando el efecto de la disuasión era la estabilidad porque cada lado tenía demasiadas armas –y demasiadas desplegadas en formas que les daban relativa invulnerabilidad– que, en caso de un ataque preventivo, ninguno podía esperar arrasar con todo el armamento del otro. Un terrible castigo vindicatorio aguardaba aún al primer atacante.

Evolución de la estrategia nuclear. En la década posterior al término de la Segunda Guerra Mundial, las armas nucleares pasaron a ocupar un lugar central en la política exterior estadounidense. Estados Unidos asumió la defensa de Europa occidental y –tras la guerra de Corea– de un grupo de países asiáticos contra un ataque comunista al amenazar con una respuesta nuclear, una *venganza masiva*, a la agresión.

En vista de que la antigua URSS construyó su arsenal con base en ICBM, esta estrategia cambió de dos maneras. Primero, el gobierno estadounidense buscó proteger su fuerza nuclear de ataque de una agresión preventiva soviética reduciendo la vulnerabilidad de sus armas. Segundo, buscó desarrollar fuerzas que pudieran oponerse a los diversos tipos de agresión comunista sin acudir a la guerra nuclear. Ésta era la política de *respuesta flexible*.

La respuesta flexible constituyó el principal cambio en la estrategia estadounidense, y desde los años sesenta hasta los ochenta permaneció como la doctrina oficial de ese país. Durante ese periodo Estados Unidos y la URSS construyeron arsenales nucleares muchas veces mayores a los necesarios para garantizar la destrucción asegurada. Para Estados Unidos, la razón principal de este excedente era la necesidad de asegurar la *credibilidad* de su compromiso con Asia y Europa. En términos más generales, el gobierno estadounidense creía que la disuasión podía ser mayor si era capaz de igualar a la ex-Unión Soviética en cada nivel de fuerza. Por consiguiente, una razón para que existiera el controvertido misil MX, de gran precisión y apostado en tierra, era porque éste igualaba las armas soviéticas del mismo tipo.

Dilemas de la estrategia nuclear. En una guerra nuclear masiva, cada lado sufriría tal destrucción catastrófica que ninguno de ellos podía ver el resultado como una victoria. Para contar con la oportunidad de una victoria importante, una guerra nuclear tendría que ser por lo tanto severamente limitada. Pero los prospectos de controlar ésta son, en el mejor de los casos, inciertos. Posiblemente los combatientes encontrarían la forma de frenarse para evitar el daño masivo. La historia de las guerras entre las superpotencias, sin embargo, revela la voluntad de intensificación.

Por otro lado, la guerra nuclear crearía seguramente una atmósfera completamente desconocida, probablemente más caótica que cualquiera antes conocida. Por ende, aun cuando ambos lados desearan hacerlo, las potencias nucleares principales serían susceptibles de perder rápidamente los medios para limitar las consecuencias de la guerra. Los efectos borradores de señales de un pulso electromagnético y el desastre climático consecuente, por todo el mundo, del hipotético *invierno nuclear* son otros posibles resultados catastróficos de un conflicto nuclear.

Cabeza de un misil nuclear en el museo del misil en Arizona.

Corel Stock Photo Library

Defensa nuclear. La constante igualdad nuclear entre las superpotencias radicaba en la supremacía absoluta de la capacidad ofensiva de cada lado, esencia de una destrucción asegurada. El desarrollo de los medios para defenderse de un ataque nuclear –de destruir los misiles enemigos en pleno vuelo– transformarían la estrategia nuclear. Por otro lado, podía reducir la efectividad de la tentativa de un primer golpe por parte de uno de los adversarios, así como facilitar la esperanza de sobrevivir una guerra nuclear. Adicionalmente, al reducir la capacidad del adversario de infligir una respuesta tras ser atacado, las defensas nucleares podrían desestabilizar el equilibrio nuclear, incrementando el riesgo de que durante una crisis uno o ambos lados optaran por un ataque preventivo. Por esta razón, y para prevenir una carrera armamentista, Estados Unidos y la antigua URSS decidieron adoptar límites estrictos en la defensa nuclear en los acuerdos SALT 1 de 1972.

En la práctica, la responsabilidad de defenderse de un ataque nuclear de gran escala resulta difícil, si no imposible, cuando cada lado posee cientos de armas nucleares que pueden lanzarse desde distintas direcciones, a velocidades diversas, con señuelos para confundirla. Detenerlas a todas es poco probable, y si una sola penetrara un sistema de defensa, el daño sería catastrófico.

A pesar de sus consecuencias desestabilizadoras, la idea de contar con defensa ante los misiles balísticos resulta atractiva. Una diversidad de sistemas de defensa, apostados tanto en tierra como en el espacio, han sido el objeto de costosos experimentos de la URSS y Estados Unidos, de acuerdo con la Iniciativa para la Defensa Estratégica de este último, y agencias sucesivas como la Organización para la Defensa contra Misiles Balísticos.

La estrategia nuclear posterior a la guerra fría. En junio de 1992 el presidente de Estados Unidos, George Bush, y el presidente de Rusia, Boris Yeltsin, acordaron reducir los arsenales nucleares estratégicos de sus países, en un término de diez años, de 22,500 ojivas a un total de aproximadamente 7,000. Al ser vistas como las armas que significaban mayor peligro de un ataque preventivo, el acuerdo especificaba la eliminación de los misiles apostados en tierra y de ojivas múltiples MIRV desplegados por cada nación. Ambos lados continuarían poseyendo los SLBM. El efecto del acuerdo sería reducir la efectividad de un ataque sorpresa por cualquiera de ellos.

Muchas de las miles de ojivas destinadas a ser eliminadas fueron apostadas por toda la ex Unión Soviética, algunas en el territorio de un número de repúblicas además de Rusia. La preocupación de que estas repúblicas –principalmente Ucrania y Kasajistán– mantuvieran sus ojivas terminó en 1995 cuando éstas mismas firmaron el Tratado de No Proliferación Nuclear y acordaron devolver todo el material para armas nucleares a Rusia. Continúa el problema de qué hacer con las toneladas de restos ricos en uranio y plutonio producto del desmantelamiento, aunque Rusia ha acordado vender el uranio del desmantelamiento de sus armas nucleares a Estados Unidos, para convertirlo en combustible nuclear.

Estrategias para confrontar la proliferación nuclear. Quizá el problema nuclear más apremiante desde el final de la Guerra Fría es la proliferación nuclear. Cada vez ha sido más difícil evitar que los países del tercer mundo desarrollen armas nucleares si lo desean. Intentos de vigilar el empleo de las tecnologías y combustibles nucleares mediante inspecciones y controles impuestos por la Agencia de Energía Atómica Internacional han sido útiles para disminuir la velocidad de la proliferación, pero a fin de cuentas es probable que la no proliferación descanse en juicios políticos, por ejemplo, ¿puede una nación proteger de manera adecuada su seguridad sin armas nucleares? ¿Será prohibitivo el costo político de adquirir armas nucleares?

Así pues, la estrategia nuclear se enfoca cada vez más a los problemas para terminar con la proliferación, disuadir a las pequeñas potencias nucleares y evitar el uso de armas nucleares en guerras regionales. En enero de 1995, en su solicitud de una extensión permanente del Tratado de No Proliferación de 1968, la administración Clinton anunció que encabezaría un esfuerzo mundial para detener las pruebas de armas nucleares y que se abstendría de realizar más pruebas. Ese año, sin embargo, China y Francia siguieron manteniendo programas de pruebas. *Véase* NUCLEARES, ARMAS.

nuclear, familia. Grupo unido por lazos de matrimonio, filiales o fraternales. También llamada elemental o conyugal. Se compone de un hombre, una mujer y sus hijos socialmente reconocidos, quienes pueden constituir su progenie natural o adoptada. La familia nuclear incluye sólo a los parientes en primer grado (madre-hija, padre-esposo, hijo, hija, hermano, hermana) y consiste solamente de dos generaciones. Es geográficamente móvil y es más característica de las sociedades cuyo modo de subsistencia otorga a la movilidad gran valor, notablemente las sociedades recolectoras y cazadoras, así como las sociedades industriales modernas. La familia nuclear no es universal. Algunas sociedades favorecen la familia extendida, una forma de familia o grupo doméstico que es más grande que la familia nuclear. En esta estructura mayor, la familia nuclear se torna una unidad desconocida.

nuclear, física. Estudio de las propiedades del núcleo atómico. Dicho núcleo, localizado en el centro del átomo y rodeado por electrones, se compone de neutrones y protones, formados, según argumenta la teoría contemporánea, a base de quarks. Conocidos en conjunto como neutrones, se encuentran estrechamente unidos por la intensa fuerza nuclear. Los métodos experimentales de la física nuclear son los aceleradores y detectores de partículas. Entre sus aplicaciones se encuentran la energía nuclear, las armas nucleares y el uso de radioisótopos en la industria y la medicina.

Propiedades nucleares. Un tipo específico de núcleos que se designa mediante ${}^{A}_{Z}X$. En este caso X es el símbolo químico del elemento correspondiente, Z es el número atómico (número de protones en el núcleo) y A la masa atómica (número combinado de protones y neutrones). Los núcleos con el mismo número de protones pero distinto número de neutrones se designan isótopos, cada uno respecto a los otros. Los núcleos que contienen cierto número de protones o neutrones son particularmente estables. Esos números, llamados mágicos, son 2, 8, 20, 28, 50, 82 y 126.

Las propiedades de un núcleo incluyen masa, carga, tamaño, forma, espines y momento magnético. La carga positiva del protón tiene exactamente la misma magnitud que la carga negativa del electrón. La masa de un núcleo es aproximadamente la suma de las masas libres de sus partículas. La fuerza nuclear de atracción, sin embargo, origina una leve disminución en la masa, llamada defecto de la masa. El tamaño de un núcleo se determina al bombardearlo con alguna otra de las partículas y medir su sección transversal según la probabilidad de colisiones. Se ha calculado que el radio de un núcleo es de aproximadamente $1.3 \times 10^{-13} A^{1/3}$ cm, donde A es el número de masa.

Los neutrones y los protones tienen espines, y sus movimientos dentro del núcleo pueden contribuir con el momento angular orbital. Los momentos angulares orbitales y los espines de los nucleones se combinan de acuerdo con las reglas de la mecánica cuántica para dar como resultado el espín total del núcleo. El cambio de la carga eléctrica del núcleo crea un campo magnético. La fuerza de este campo es el momento magnético del núcleo. Por regla general un núcleo tiene forma cercana a la esférica, pero algunos son elipsoidales.

Estructura nuclear. El movimiento de las partículas dentro de un núcleo determina las propiedades de éste. Como éstas no pueden calcularse con exactitud, los físicos han inventado modelos simplificados a partir de los cuales es posible predecir dichas propiedades. Uno de los modelos supone que el núcleo es similar a una gota de líquido cargada. La masa de un isótopo dado es básicamente la suma de las masas libres de sus nucleones. Se calculan correcciones para la fuerza de enlace, la tensión superficial de la gota y la repulsión electrostática de los protones del núcleo, tomando nota también del exceso de neutrones respecto de los protones y de si el número de nucleones es par o impar. La fórmula resultante puede ajustarse para que se adapte de manera muy cercana a las masas calculadas de los isótopos conocidos.

Algunas propiedades nucleares se explican mediante el modelo de capa, el cual supone que cada nucleón se mueve en un campo promedio creado por los otros nucleones. Sus órbitas permitidas, o niveles de energía, se calculan entonces mediante la mecánica cuántica. Se corrigen la fuerza espín-órbita, que depende de si el espín de un nucleón es paralelo u opuesto a su momento angular orbital. El modelo de capa permite calcular la energía de muchos niveles excitados de los núcleos y la manera en que los espines y los momentos angulares de los nucleones individuales se combinan para dar como resultado el espín neto del núcleo.

Los niveles de energía de algunos núcleos muestran pautas de regularidad. En el modelo colectivo del núcleo, se supone que estas propiedades están determinadas por el movimiento del núcleo como un todo. Finalmente, el modelo unificado del núcleo combina los efectos de los modelos colectivo y de capa para permitir un mayor acuerdo teórico con la observación experimental.

Reacciones nucleares. Cuando los núcleos chocan, esta interacción puede ocasionar productos distintos a los núcleos iniciales. El momento total y el momento angular, sin embargo, deben ser los mismos después de la reacción. El número total de nucleones también permanece constante, al igual que la carga eléctrica total. Una pequeña pero importante cantidad de masa (de hasta 1%) puede transformarse en energía, o viceversa, durante una reacción, aunque la masa-energía total también se conserva. El factor de conversión de la masa en energía es el cuadrado de la velocidad de la luz, como se expresa en la fórmula $E = mc^2$.

En el modelo de las reacciones nucleares de Niels Bohr, una partícula en bombardeo penetra un núcleo para formar un núcleo compuesto intermedio que dura el tiempo suficiente para que la energía y el momento de la partícula incidente sean compartidos entre todos los nucleones. El sistema decae debido a la emisión de partículas. Si un núcleo compuesto dado se forma mediante partículas en bombardeo y núcleos de llegada diversos pero con la misma energía total, las consecuencias de la reacción siguen siendo las mismas.

En el modelo de interacción directa se supone que la partícula incidente pasa a través del núcleo de llegada de manera relativamente libre e interactúa directamente con sólo uno de los nucleones o con un número pequeño de ellos. La partícula golpeada es arrojada del núcleo y es posible que la partícula incidente también resurja. A altas energías de bombardeo la partícula incidente puede dejar energía residual para los productos de la evaporación del núcleo compuesto, o puede expulsar del núcleo de llegada fragmentos de tamaño considerable.

Fuerzas nucleares. La fuerza nuclear intensa, transportada sólo por el neutrón y el protón, es la fuerza de atracción más grande conocida. Su rango es de aproximadamente un fermi, o 10^{-13} cm. Tiene pocos efectos a una distancia mayor de unos pocos fermis del núcleo, pero a distancias menores de unos 0.4 fermis se vuelve fuertemente repulsiva. Esta región, llamada foco de la fuerza nuclear intensa, es causante de que la densidad de la materia nuclear sea constante.

La fuerza nuclear débil participa en los procesos de decadencia nuclear y en las interacciones entre las partículas fundamentales llamadas neutrinos. Aún no se ha desarrollado una teoría completa que combine las fuerzas fundamentales, pero el trabajo teórico actual en la física de las partículas intenta concebir teorías de la gran unificación que sí lo hagan.

nuclear, reactor.

Dispositivo dentro del cual sucede una reacción nuclear en cadena, controlada, de fisiones nucleares. La fisión se inicia con la absorción de un neutrón en un núcleo pesado, como el uranio-235 (U-235). El proceso produce neutrones adicionales que pueden utilizarse para inducir más reacciones, propagando con ello la reacción en cadena. Cuando los materiales del reactor son ajustados de manera adecuada, es posible que la reacción en cadena se mantenga por sí sola. Este tipo de reacción, y el reactor mismo, se denomina *crítica*. Si no se producen los neutrones suficientes para mantener el proceso, se trata entonces de una reacción *subcrítica*. Inversamente, si se producen demasiados neutrones, el índice de la reacción se incrementa con el tiempo y ésta se denomina *supercrítica*.

Los reactores nucleares son sobre todo usados para producir energía eléctrica, aunque en ocasiones son empleados también como fuentes de energía térmica para calentamiento. También están diseñados para actuar como fuentes de protones empleadas en investigación o para la trasmutación de elementos. Los reactores diseñados para producir materiales para armas nucleares mediante trasmutación se llaman reactores de producción.

Energía proveniente de la fisión. La energía liberada en el proceso de fisión adopta varias formas. Alrededor de 85% de la energía producida es energía cinética de los fragmentos de la fisión. Cerca de 3% aparece como la energía cinética de los neutrones liberados y otro 3% como energía de rayos gamma. Toda la energía de estas fuentes es liberada inmediatamente y puede ser recuperada del reactor. Una pequeña parte de energía, aproximadamen-

Diagrama de una central nuclear con reactor refrigrado por agua a presión.

Salvat Universal

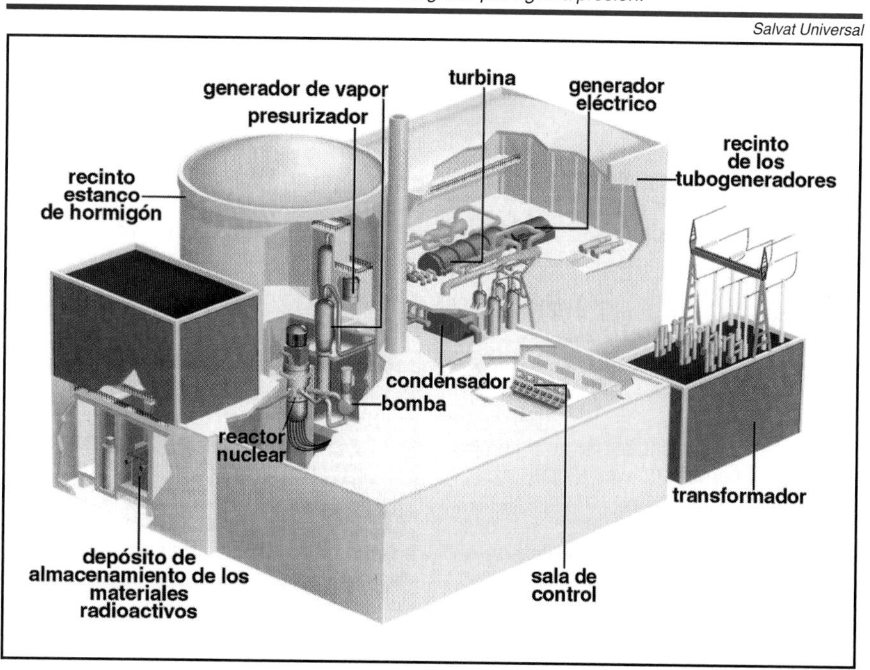

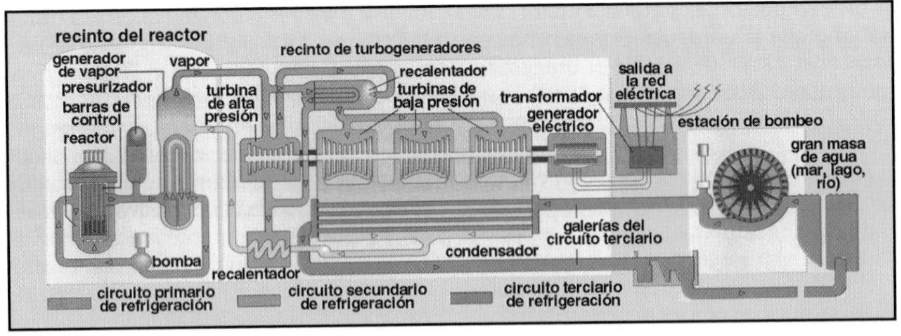

Salvat Universal

Esquema de la central nuclear representada en la figura anterior.

te 5%, es transportada por los neutrinos, los cuales no interactúan con facilidad con la materia. Esta fracción de energía se pierde en el reactor. Finalmente, cerca de 6% de la energía total se obtiene de la desintegración de los fragmentos de la fisión. Esta fuente retardada de energía desempeña una función importante en la seguridad de los reactores nucleares. Mucho después de que el proceso de fisión ha sido cortado, los productos acumulados existentes continúan produciendo energía, calentando el reactor al mismo tiempo. Por ello, resulta esencial enfriar el reactor después de la interrupción.

Reactores de agua ligera. El reactor generador de potencia típico en Estados Unidos se denomina reactor de agua ligera (LWR, por sus siglas en inglés) porque utiliza agua en forma de H_2O como moderador y refrigerante. Otra clase de reactores de potencia emplean como moderador un tipo de agua en la que el hidrógeno ha sido reemplazado por deuterio (D_2O); se conocen como reactores de agua pesada.

La principal preocupación de los físicos especializados en reactores es encontrar medios para propiciar la fisión de manera que el reactor sea crítico. Esto supone un equilibrio cuidadoso entre el rango de producción de neutrones (velocidad de fisión) y la velocidad de pérdida de neutrones. Los neutrones se pierden mediante dos mecanismos: pueden ser capturados por los núcleos que no se fisionan o pueden simplemente salir de la región que contiene el combustible nuclear.

El núcleo del reactor es la región que contiene el combustible nuclear. Los neutrones resultantes del proceso de fisión son transportados con energía relativamente alta. Sin embargo, la probabilidad de que un neutrón cause una fisión en los núcleos del combustible es mucho mayor si éstos son impulsados con baja energía o lentamente. Para retardar a los neutrones es común rodear al combustible con un moderador. Los moderadores se componen de materiales ligeros como el hidrógeno del agua, el deuterio del agua pesada o el carbono del grafito. La disposición física del combustible y el moderador constituyen un elemento de primera importancia en la física de los reactores.

Los reactores tipo LWR usan H_2O como moderador y bióxido de uranio, UO_2, como combustible. El isótopo fisible del uranio es el U-235, que constituye sólo 0.7% del uranio natural. No es posible diseñar un reactor de agua ligera que use uranio natural. A fin de incrementar la producción de neutrones, la concentración del U-235 en el combustible se aumenta. El combustible con tales características se llama *enriquecido*.

El combustible de un reactor de agua ligera tiene una estructura relativamente sencilla. El uranio es introducido a presión en cápsulas cilíndricas que son apiladas en tubos de aleación de circonio –el *revestimiento*– de cerca de 3 m de largo. Los tubos son arreglados en un *conjunto combustible*, un cuadrado de 17 tubos de lado. Un moderno reactor de agua presurizada contiene alrededor de 200 conjuntos de combustible en su núcleo.

El control del reactor se logra al equilibrar cuidadosamente la velocidad de producción de neutrones y la velocidad de pérdida de éstos, de manera más común al ajustar la cantidad del absorbente de neutrones, o control, en el núcleo. Los materiales de control –como la plata, el indio y el cadmio, todos muy absorbentes a los neutrones– son colocados en barras de las mismas dimensiones que las barras de combustible, el conjunto de barras de control se inserta en el centro del conjunto combustible. Las barras de control están unidas a un mecanismo de transmisión que las lleva al interior y exterior del núcleo. Cuando se desea cerrar el reactor o se detectan condiciones inesperadas, las barras son insertadas automáticamente en el núcleo.

El núcleo, incluidos los conjuntos combustible, las barras de control y el moderador, es un gran sistema de unos 4 m de diámetro y 4 m de alto. El montaje entero se encuentra en un recipiente presurizado de acero de paredes gruesas de 12 m de alto, diseñado para soportar presiones muy altas, de hasta 2,500 psi. En los reactores de agua ligera, ésta actúa tanto como moderador como refrigerante, es decir, el agente empleado para desplazar la energía de la fisión del núcleo y transferirla al segmento generador de energía del sistema.

En un reactor de agua presurizada (PWR, por sus siglas en inglés) –una variante del reactor de agua ligera–, el agua se calienta a alta temperatura sin llegar a hervir, al mantener el sistema sometido a una presión muy alta. Después es transportada por tubos hacia el recipiente presurizado y fluye de arriba abajo por las paredes de éste hacia una región debajo del núcleo. Después fluye en sentido inverso, calentándose al mismo tiempo que mantiene el núcleo enfriado. El agua caliente fluye a través de tuberías hacia un generador de vapor. El grupo de tuberías y bombas correspondientes se llaman *bucles*. De manera típica, un reactor PWR tiene 3 o 4 bucles.

En el bucle primario, el agua caliente que viene del núcleo pasa por un generador de vapor, donde intercambia el calor con más agua en el segundo bucle. El agua del segundo bucle, bajo menor presión, hierve y produce vapor, que a su vez es llevado a las turbinas que mueven un generador. El agua original que regresa del generador de vapor es bombeada a través del núcleo del reactor otra vez. Al pasar por la región del núcleo, esta agua original está sometida a irradiación de neutrones y algunos de sus constituyentes se vuelven radiactivos. Es muy importante que esta agua sea mantenida lejos de los trabajadores que operan la planta. La protección del recipiente entero, de los bucles de enfriamiento y del generador de vapor consiste en el alojamiento de estos componentes en una gran protección de concreto llamado manto de hormigón. Los grandes cilindros de estos recintos son elementos característicos de las plantas nucleares.

El vapor proveniente del lado secundario del generador de vapor no es radiactivo; fluye a través de las paredes del recinto de hormigón hacia un recinto auxiliar que contiene la turbina y el generador. La turbina, el generador, el condensador, el equipo de bombeo y los transformadores constituyen el equilibrio de la planta y son como los de una planta de energía convencional.

Otros tipos de reactores. Más de la mitad de los reactores nucleares generadores de potencia del mundo son reactores de agua presurizada. El segundo reactor más común, el de agua hirviente (BWR, por sus siglas en inglés), también es moderado y enfriado mediante agua ligera, la cual se deja hervir dentro del núcleo del reactor. El vapor que surge del núcleo es enviado directamente a una turbina y no a un generador de vapor. El vapor que llega a la turbina de este tipo de reactores es radiactivo, y contamina ésta ligeramente. Los componentes principales como el recipiente, el combustible, las barras de control y los bucles enfriantes son bastante parecidos a los de los reactores PWR.

Los reactores que emplean diversos gases refrigerantes en vez de líquidos son llamados en conjunto reactores enfriados por gas. Las primeras plantas de este tipo se construyeron en Gran Bretaña y Francia. Las versiones comerciales utilizaban bióxido de carbono (CO_2) como refrigerante y grafito como moderador. Sus diseños son ligeramente parecidos a aquellos de los reactores LWR. El combustible es por lo común el uranio, pero éste es colocado en tubos de acero empotrados en bloques de grafito. Existen canales en el grafito para que los gases refrigerantes calientes puedan pasar. Los reactores enfriados por gas tienen una eficiencia térmica mayor que los enfriados por agua ligera. Por regla general son sistemas de gran tamaño y su construcción es costosa. Por otro lado, los gases calientes provocan la corrosión de las superficies internas del reactor. A principios de los setenta los franceses mostraron su preferencia por los reactores de agua ligera. Gran Bretaña hizo lo mismo a mediados de los ochenta.

Un tipo distinto de reactor enfriado por gas ha venido desarrollándose en Alemania y Estados Unidos; se trata del reactor enfriado por gas a altas temperaturas (HTGR, por sus siglas en inglés). El cambio fundamental respecto a los reactores de gas anteriores es que el refrigerante esta vez es helio. Al ser químicamente inerte, éste causa poca corrosión. El combustible de uranio está embebido en grafito y no en acero, lo que permite que el sistema opere a temperaturas muy altas y se aumente la eficiencia termodinámica. Se han construido unos cuantos reactores HTGR como muestra de su tecnología, pero no se ha demostrado un mejoramiento en la economía de las plantas grandes.

El pequeño HTGR, llamado HTGR modular o MHTGR, ofrece importantes ventajas en cuanto a su seguridad. El grafito tiene una capacidad muy alta para soportar calor. Si el calor restante almacenado en el núcleo es lo suficientemente pequeño, es posible que un reactor MHTGR soporte un accidente en el cual al refrigerante se le impida llegar al núcleo. Otro argumento en favor de este tipo de reactor modular es que el tamaño total de la planta puede incrementarse en partes, a medida que la demanda de energía aumenta. De esta manera, los gastos pueden mantenerse en un nivel bajo si la demanda deja de crecer.

Todos los reactores antes descritos son conocidos como reactores térmicos, ya que la moderación frena a los neutrones para que alcancen equilibrio térmico con el moderador. Una clase muy distinta de reactores es la de los reactores *rápidos*, en los que no existe ninguna acción para moderar la energía de los neutrones.

La probabilidad de que un neutrón rápido cause una fisión es mucho menor que la probabilidad de que la cause un neutrón térmico. Sin embargo, si los neutrones rápidos causan una fisión, surgen más neutrones rápidos, y en un sistema bien diseñado, el número de neutrones excedentes puede ser mayor de uno para cada fisión. Los neutrones excedentes pueden emplearse para trasmutar las especies no fisibles en especies fisibles. El ejemplo más común es la trasmutación del uranio-238 en plutonio-239. En condiciones apropiadas es posible producir más material fisible que el consumido en la operación de un reactor y alimentar combustible a una velocidad más alta que la de consumo. Estos reactores, llamados *regeneradores* se han construido y exhibido en Estados Unidos, Gran Bretaña, Francia, Alemania, Rusia y Japón. La planta más grande de este tipo es una de uso comercial de 1,200 mW en Francia, llamada *Superfénix*.

Los reactores regeneradores dados a conocer hasta ahora utilizan sodio líquido como refrigerante. Las plantas son llamadas *reactores rápidos de enfriado por metal líquido*, o LMFBR, por sus siglas en inglés. El núcleo está compuesto de barras de combustible de uranio y plutonio y está rodeado por conjuntos de barras que contienen U-238, que será convertido en plutonio. Esta región del reactor se denomina *capa*. El sodio líquido es relativamente pesado y no modera a los neutrones en gran medida; además, es un excelente conductor térmico. El resultado es que existe poca corrosión causada por el refrigerante en componentes operativos como tuberías, bombas o válvulas.

A pesar de sus ventajas, los reactores LMFBR no han sido exitosos desde el punto de vista económico. Uno de los motivos es que la manufactura, procesamiento y manejo de los materiales que producen plutonio resultan muy costosos. Además, los sistemas son por lo regular de gran tamaño y su construcción costosa. Su diseño resulta atractivo en vista de que en años próximos el uranio podría escasear. Experimentos recientes han demostrado que estas plantas tienen importantes elementos que las hacen seguras, lo que podría facilitar su licencia y operación.

La seguridad nuclear. Al funcionar el reactor, un gran número de isótopos radiactivos se acumula. Un objetivo fundamental al diseñar un reactor es evitar accidentes que pudieran permitir el escape de radiactividad. Para que los productos de la fisión puedan llegar al medio ambiente deberán sortear varios obstáculos. En el caso de un reactor LWR, éstos son el revestimiento del combustible, capaz de soportar presiones y temperaturas muy superiores a las normales; el recipiente presurizado, que es extremadamente fuerte pero no tiene un buen número de orificios para que el agua refrigerante entre y salga, y el recinto de hormigón, diseñado para soportar presiones muy altas.

Para romper cualquier barrera, el sistema debe sobrecalentarse primero. Existen dos maneras de que esto ocurra. La velocidad de la fisión puede aumentar tan rápidamente que el refrigerante no pueda eliminar toda la energía que se esté produciendo, o el sistema de refrigeración puede fallar. La producción de energía en exceso durante la fisión es vigilada por nume-

Sala de control de la planta nuclear de Hinkley Point en Inglaterra.

Corel Stock Photo Library

rosos sensores localizados en la región del núcleo; si éstos detectan que la velocidad de crecimiento de la fisión es rápido, las barras de control bajan automáticamente hacia el núcleo para absorber los productos de la fisión. El reactor se apaga.

La mayor amenaza en materia de seguridad nuclear es un accidente por pérdida de refrigerante, conocido como LOCA en inglés. El proceso de fisión mismo cesa si un reactor pierde su fluido refrigerante porque se vuelve subcrítico. A pesar de ello, el combustible continúa calentándose debido a la energía térmica almacenada así como al calor de la descomposición de los productos radiactivos de la fisión. Sin refrigerante alguno el revestimiento se calienta y finalmente se derrite. Los sistemas de seguridad evitan este sobrecalentamiento al suministrar fluido refrigerante de emergencia. Tales sistemas se conocen en conjunto como sistemas de enfriamiento de emergencia del núcleo, o ECCS por sus iniciales en inglés. Todos ellos tienen múltiples vías para introducir agua en el recipiente en condiciones de altas y bajas presiones.

El diseño de los sistemas de seguridad comienza al establecer hipotéticamente un número de fallas distintas y el desarrollo posterior de los sistemas que mitiguen las consecuencias de esas fallas. Éstas se conocen como accidentes de base del diseño y, para obtener la licencia de operación, la planta debe estar protegida contra ellos. Las principales áreas tomadas en cuenta incluyen accidentes dentro de la planta y accidentes que supongan el manejo de combustible radiactivo gastado. Entre los primeros sucesos están fallas en la construcción, fallas de los operadores y acontecimientos externos como tornados.

Accidentes en los reactores. A pesar de la instauración de sistemas de seguridad, en las plantas nucleares han sucedido accidentes notables. El primer accidente nuclear de consideración ocurrió en 1957 en una planta británica de producción de armas, llamada *Windscale 1,* un reactor de grafito enfriado por aire. Al realizarse operaciones de calentamiento para enmendar las fallas en el grafito, éste se incendió y derritió parte del revestimiento que protegía el combustible. Se liberaron a la atmósfera productos volátiles de la fisión, principalmente yodo y cesio. La planta y su unidad gemela fueron cerradas.

Three Mile Island. La falla más grave ocurrida en un reactor nuclear en Estados Unidos sucedió el 28 de marzo de 1979 en el de Three Mile Island, cerca de Harrisburg, Pennsylvania. El accidente comenzó como un LOCA fácilmente manejable, con una válvula atorada en posición de abierta, que permitió que el refrigerante escapara del recipiente. El ECCS funcionó según su diseño y suministró agua complementaria al núcleo. Desafortunadamente, los operadores malinterpretaron la información de la que disponían y apagaron el ECCS durante varias horas. El calor de la descomposición proveniente del núcleo hizo hervir el agua disponible en el recipiente y, sin refrigeración adecuada, el revestimiento y el combustible comenzaron a derretirse. Antes de que los operadores reanudaran el suministro de refrigerante de emergencia, una parte considerable del núcleo, entre la mitad y un tercio, se fundieron. El combustible y el revestimiento derretidos escurrieron hacia el fondo del recipiente que estaba lleno de agua. Ésta resultó adecuada para apagar el material derretido. El recipiente captó y contuvo todos los desechos. Una parte considerable de productos gaseosos de fisión escapó del recipiente a través de la válvula abierta hacia el edificio contenedor, que evitó su liberación. Una pequeña porción fue transportada también por el agua refrigerante que escurrió por la válvula hacia el contenedor y entonces se precipitó hacia un edificio de apoyo donde los gases escaparon hacia el medio ambiente. Las fugas se compusieron casi enteramente de gases nobles que son químicamente inertes y no son retenidos por el cuerpo humano. Los efectos del accidente sobre la salud resultaron virtualmente indetectables ante la incidencia normal de radiación de fondo.

Chernobyl. El accidente de la Unidad 4 de Chernobyl sucedido en la antigua URSS en abril de 1986 ha sido el más serio de los accidentes nucleares ocurridos hasta la fecha. El reactor afectado era enfriado por agua, moderado con grafito, conocido como RBMK, el cual se emplea simultáneamente para producir energía eléctrica y plutonio. El combustible se encuentra en barras de combustible ubicadas en tuberías a través de las que fluye el refrigerante. Cuando el agua de las tuberías refrigerantes comienza a hervir, el efecto en la velocidad de fisión es positivo, no negativo (en contraste con los reactores LWR). Existen las condiciones para que un escape nuclear capaz de fomentarse a sí mismo pueda comenzar. Esta característica de los RBMK era conocida por los analistas nucleares de la ex-URSS y de occidente. La antigua URSS aceptó el riesgo en vista de que no contó con la tecnología para construir recipientes presurizados grandes sino hasta los años sesenta.

Aún queda cierto grado de incertidumbre respecto a la secuencia de sucesos que propiciaron que el reactor se incendiara. El argumento generalmente aceptado es que el combustible derretido entró en contacto con agua refrigerante y su reacción generó grandes volúmenes de vapor que resquebrajó las tuberías. Subsecuentemente, ocurrió una segunda explosión debido a una reacción química entre el agua entrante, los metales calientes y el grafito del núcleo. Esta combinación de sucesos rompió las barreras que contenían los productos de la fisión y los dejó escapar al aire libre.

El diseño de los RBMK no abarca la construcción de un recinto de hormigón, y una vez que los productos de la fisión escaparon del sistema de enfriamiento tuvieron fácil acceso al medio ambiente. Cerca de la mitad de la radiactividad liberada emergió en las primeras horas del accidente. El resto escapó durante los diez días siguientes al incendio del reactor. Sólo hasta que el núcleo fue cubierto con arena y diversos materiales absorbentes de neutrones cesó la liberación.

nucleares, armas. El poder explosivo de las armas nucleares proviene de la fisión nuclear o de la fusión nuclear –o de ambas, tratándose de la bomba de hidrógeno–. Un arma nuclear típica pequeña tiene la capacidad explosiva de decenas de miles de ton (kilotones) del explosivo convencional TNT. Un arma nuclear de gran tamaño tiene la fuerza de un millón de ton (un megatón) de TNT, o más. Una sola arma nuclear puede matar a cientos de miles de personas y, si es transportada en un misil balístico, puede recorrer distancias intercontinentales en menos de media hora. El despliegue de decenas de miles de estas armas, principalmente en Estados Unidos y la ex-Unión Soviética, amenaza con la aniquilación, con poco tiempo de advertencia o sin ésta, aunque los efectos devastadores de las armas nucleares, pueden, en realidad, haber disuadido de su uso.

Las armas nucleares estratégicas (de largo alcance) incluyen misiles balísticos intercontinentales apostados en tierra (ICBM, por sus siglas en inglés), misiles balísticos lanzados desde submarino (SLBM, por sus siglas en inglés) y las bombas y misiles crucero de largo alcance transportados en bombarderos. Muchos misiles balísticos estratégicos llevan múltiples ojivas, éstos se llaman misiles MIRV. Las armas nucleares tácticas son armas de menor alcance designadas para uso regional o como apoyo en operaciones en el campo de batalla. En 1987 el Tratado de Fuerzas Nucleares de Alcance Intermedio (INF, en inglés) eliminó todos los misiles rusos y estadounidenses apostados en tierra con rangos entre 500 y 5,500 km. A principios de los noventa Estados Unidos y la entonces Unión Soviética tenían un total de cerca de 50,000 ojivas nucleares, aproximadamente la mitad de ellas estratégicas y la otra mitad tácticas. Se espera que la disolución de la Unión Soviética, así como el tratado START (*Strategic Arms Reduction Talks,* Pláticas Para la Reducción de Armas Estratégicas) y los acuerdos posteriores, originen la reducción a unas 3,000 ojivas nucleares estratégicas para cada una de estas naciones, a finales de siglo. Es posible que sucedan disminuciones comparables en el número de ojivas nucleares tácticas.

Francia, Gran Bretaña y China cuentan cada uno con arsenales nucleares pequeños pero significativos, compuestos de armas nucleares estratégicas y tácticas. Se ha reportado que Israel posee cerca de 100 armas nucleares. Otros países –India, Sudáfrica y Pakistán– tienen probablemente la capacidad de construirlas. Iraq afirmó haber estado a unos cuantos meses de producir un arma nuclear cuando la Guerra del Golfo de 1991 interrumpió su programa nuclear. Corea del Norte acordó disolver su programa de armas nucleares a cambio de ayuda de Estados Unidos para construir plantas de energía nuclear.

Producción y destrucción de armas nucleares. Aunque la disolución de la Unión Soviética ha disminuido la preocupación de una guerra nuclear librada con armas estratégicas, otros temas se han vuelto más apremiantes. Para comenzar, el prospecto de desmantelar o deshabilitar decenas de miles de ojivas nucleares estadounidenses y rusas. En el pasado el desmantelamiento de las ojivas no ha formado parte de los procedimientos de control de armas, en parte porque los tratados anteriores trataban de las armas nucleares estratégicas, las cuales podían deshabilitarse con el decomiso de silos para misiles y las aeronaves o los submarinos diseñados para lanzarlos. Pero mediante la eliminación planeada de la mayoría de las armas nucleares, incluidas las armas tácticas que emplean lanzadores convencionales, el desmantelamiento de las ojivas nucleares se ha vuelto mucho más importante.

El proceso de desmantelamiento es *per se* un procedimiento rutinario que se ha llevado a cabo de manera regular a medida que las ojivas envejecen y se desarrollan nuevas. El desmantelamiento incluye remover el uranio y el plutonio, el tritio y otros combustibles nucleares, y destruir los poderosos explosivos y otros componentes no nucleares de la ojiva.

Es posible que el uranio y el plutonio sobrantes sean usados en otra arma nuclear. Los acuerdos sobre armas nucleares entre Estados Unidos y Rusia no contienen todavía previsiones para verificar el desmantelamiento de las ojivas nucleares o para impedir el reciclaje de los materiales de las armas nucleares en otras armas.

Entre las opciones de eliminación permanente están emplear el material como combustible en los reactores nucleares o disponerlo en instalaciones para desechos nucleares. Aunque el uranio que proviene de las armas nucleares puede adaptarse para ser usado en reactores con bastante facilidad, el plutonio –principal combustible de las armas– no puede ser usado en los reactores sin un procedimiento especial. Como desechos, ambos combustibles

Corel Stock Photo Library

Explosión de una bomba nuclear en New Mexico.

presentan el mismo problema (hasta ahora no resuelto) para ser enterrados que los materiales de desecho provenientes de los reactores nucleares.

Se han presentado severos problemas ambientales y de seguridad en las instalaciones de producción de armas nucleares estadounidenses y rusas. Para principios de los noventa, Estados Unidos había cerrado la mayor parte de sus sitios de producción de ojivas debido al mal almacenamiento de desechos. Sin embargo, tanto Estados Unidos como Rusia –donde la mayoría de las armas nucleares estratégicas rusas y los lugares de fabricación de armas se localizan– piensan continuar produciendo armas nucleares, aun cuando el tamaño de sus arsenales se reducirá enormemente.

Otro motivo de preocupación es la proliferación nuclear, la adquisición de armas nucleares por parte de otros países. El Tratado de No Proliferación (1968) dispone la inspección internacional de las instalaciones nucleares de los países firmantes que no posean armas nucleares, a fin de verificar que éstas no estén siendo desarrolladas. Un grupo de naciones que incluye a China, Francia, Israel, la India, Pakistán, Argentina y Brasil no son, sin embargo, firmantes del tratado. Y, como ya se dijo, algunos Estados que sí lo firmaron en calidad de estados sin armas –Irán, Iraq y Corea del Norte en particular– han llevado a cabo desde entonces intentos de desarrollarlas.

El requisito técnico principal para construir armas nucleares es disponer de suficiente plutonio o de uranio altamente enriquecido. Un arma básica de fisión nuclear requiere una masa crítica del orden de 10 kg de plutonio apto para armas y un poco más de uranio altamente enriquecido. El plutonio no existe en la naturaleza, pero puede producirse en los reactores nucleares. Después debe ser separado de los otros elementos en una planta de reprocesamiento de plutonio. El uranio natural contiene comúnmente cerca de 7.5% del isótopo U-235; el resto es U-238. Para mantener una reacción en cadena debe ser enriquecido a 90% de U-235; esto se logra en una planta de enriquecimiento de uranio por medio de difusión gaseosa u

Submarino nuclear estadounidense.

Corel Stock Photo Library

otros procesos. El proceso básico empleado en la creación de un arma de fisión es unir las masas subcríticas de plutonio o uranio altamente enriquecido en tal forma que el proceso de fisión sea el óptimo.

Un arma de fusión, o termonuclear, resulta más difícil de diseñar porque se debe alcanzar una temperatura de decenas de millones de grados centígrados para que ocurra la fusión. Este tipo de armas utilizan por lo regular tanto la fusión como la fisión. En sus primeras etapas es necesario someterlas a prueba para verificar que funcionarán según fueron diseñadas.

Efectos del uso de las armas nucleares. La bomba lanzada sobre Hiroshima, Japón, en 1945, tenía una capacidad explosiva de cerca de 12 kilotones y mató a unas 100,000 personas. Una explosión nuclear de un megatón en una ciudad podría matar a un número de personas varias veces superior a éste solamente por sus efectos directos.

La destrucción causada por un arma nuclear proviene de la radiación térmica, la onda de choque y la radiación nuclear. Los efectos varían dependiendo de la capacidad del arma, de si ésta explota cerca del suelo (explosión en tierra) o a una altura suficiente en el aire para que la bola de fuego no toque la tierra (explosión en el aire) y de las condiciones locales como el clima, la topografía y la concentración de materiales combustibles en el suelo. Inmediatamente después de la explosión, la mayor parte de la energía de un arma nuclear se libera como radiación intensa. Las temperaturas pueden alcanzar decenas de millones de grados centígrados. Esta energía es absorbida por el aire circundante, creando una bola de fuego. Ésta emite un doble destello de luz muy brillante –dos destellos porque el aire en los alrededores de la bola de fuego se vuelve temporalmente opaco a la luz–. Esta radiación térmica puede causar quemaduras de tercer grado en las personas desprotegidas a una distancia de 8 de una explosión de un megatón; puede originar que la madera, el papel, la tela y otros materiales combustibles ardan, al igual que las casas, los automóviles y los bosques. En las ciudades, puede crear tormentas de fuego.

Un frente de choque surge de la explosión, seguido por aire comprimido, que causa sobrepresión estática, y por vientos extremadamente fuertes, que causan sobrepresión dinámica. Una explosión de un megatón produciría una sobrepresión de 7,031 kg/m^2 y vientos de 500 a 1,000 km/h a una distancia de cerca de 3 km a partir de la onda de choque, que destruirían incluso estructuras de concreto. Poca gente sobreviviría a esta distancia.

La explosión nuclear produce neutrones y rayos gamma, llamados radiación instantánea. Los productos radiactivos de una explosión nuclear a los que se sobreviviría cierto tiempo, junto con los elementos que se vuelven radiactivos por la interacción con la radiación inmediata, son llamados precipitación radiactiva. Al adherirse al polvo y a otras partículas, estos materiales son dispersados en la atmósfera cuando la bola de fuego toca el suelo. La mayor parte de la precipitación radiactiva –que tiene la apariencia de polvo fino– caerá a la Tierra en unas pocas horas o días, en la dirección del viento provocado por la explosión, aunque la lluvia o la nieve la depositarán más rápidamente. Una explosión en el nivel del suelo con la fuerza de un megatón podría cubrir cerca de 2,000 km, con 500 rem o más de precipitación radiactiva, suficiente para matar a casi la mitad de la población expuesta. (Un rem es la unidad utilizada para medir la absorción humana de radiactividad.)

La radiactividad de la precipitación se reduce 99% dos días después de un ataque, y 99.9% dos semanas después. No obstante, tomaría aproximadamente cinco años para que 500 rem de radiación disminuyeran a niveles de alrededor de medio rem al año.

Algunos de los componentes más importantes de la precipitación radiactiva global son el estroncio-90 (vida media: 28 años), el cual se concentra en la leche y los huesos; el yodo-131 (vida media: 8 días), el cual se concentra en la glándula tiroides; el cesio-137 (vida media: 30 años), y el plutonio-239 (vida media: 24,000 años), que puede producir cáncer de pulmón si se inhala.

El invierno nuclear. Algunos científicos creen que los grandes incendios de ciudades y bosques que ocurrirían en una conflagración nuclear lanzarían hollín y humo a la estratósfera, con lo que bloquearían la radiación solar entrante y causarían una caída de temperatura de varios grados centígrados. Este efecto, llamado *invierno nuclear*, podría durar meses o posiblemente un año y afectaría quizá principalmente al Hemisferio Norte. Los óxidos de nitrógeno producidos por las grandes explosiones nucleares podrían también agotar la capa estratosférica de ozono, incrementando la penetración de los rayos ultravioleta en la superficie de la Tierra. La explosión de varios cientos de armas nucleares con capacidades en los rangos de 100 kilotones sería suficiente para crear este efecto de invierno nuclear, según se cree. Mediante modelos en computadora de la atmósfera, algunos científicos predicen que la temperatura promedio de la tierra se reduciría de 10 a 20 °C. Otros modelos prevén menor enfriamiento en un periodo más corto de tiempo. El invierno nuclear podría causar la pérdida de cosechas y daño ambiental –y, en consecuencia, la muerte de humanos en regiones muy alejadas de las explosiones nucleares–.

Medidas de protección. Tras una explosión nuclear aquellos que no se encuentren dentro del área inmediata de ésta podrían tomar algunas medidas de protección. La radiación gamma proveniente de una explosión nuclear puede reducirse a la mitad mediante 3 cm de acero, 9 cm de concreto, 14 cm de tierra o 38 cm de madera, aproximadamente. Un sótano común bloquearía 90% de la radiación; un refugio nuclear, 99%. Tabletas de yodo tomadas antes de la llegada de la precipitación radiactiva podrían impedir que el yodo-131 fuera absorbido por la tiroides. La supervivencia a largo plazo a una guerra nuclear, sin embargo, dependería de la disponibilidad de comida, refugio y servicios médicos.

nucleares, desechos. Toda la serie de materiales radiactivos creados por la tecnología nuclear en todos sus aspectos. Los desechos más comúnmente conocidos son los producidos por la industria nuclear civil y el programa de armas nucleares. Otras fuentes incluyen los materiales radiactivos generados por las aplicaciones médicas, de investigación e industriales, y a las secciones contaminadas de las instalaciones nucleares desmanteladas.

Todos los materiales radiactivos se descomponen mediante la emisión de varias formas de radiación: rayos gamma, partículas alfa, electrones, positrones y neutrones. La preocupación que causan estos materiales es que la radiación emitida puede interactuar con el cuerpo humano y originar daño a las células. Aunque se habían establecido umbrales debajo de los cuales se creía que no existían efectos graves, el consenso actual es que cualquier radiación causa daño a las células, y por ello debe asumirse que no existe ningún umbral.

Tipos de desechos nucleares. Los desechos nucleares se caracterizan por sus propiedades físicas y químicas, y por su origen. En Estados Unidos todos los desechos provenientes del programa de defensa nuclear se designan como *desechos militares* y se tratan regularmente por separado. Los desechos civiles con un bajo nivel de radiactividad se conocen como desechos de escasa actividad. Éstos incluyen materiales ligeramente contaminados que provienen de las plantas nucleares, los laboratorios de investigación, los hospitales y la industria. Una gran fuente de desechos de escasa actividad son los desechos de las factorías y los residuos de los minerales de uranio, una vez que éste ha sido extraído.

La fuente principal de los desechos de gran radiactividad, que contienen grandes cantidades de radioisótopos, es el combustible gastado de los reactores nucleares. El tratamiento del combustible que proviene de las plantas civiles es responsabilidad del gobierno estadounidense, que no cuenta aún con un programa al respecto. El combustible utilizado en los reactores militares se reprocesa, y los residuos de este tratamiento se consideran también desechos de gran radiactividad.

La última categoría de desechos la constituyen los *desechos transuránicos*, que incluyen materiales contaminados con radioisótopos de factura humana que han sido creados mediante la transmutación del uranio. El producto transuránico más común es el plutonio. Aunque sus niveles de radiactividad son por lo regular bajos, los transuránicos emiten partículas alfa, que son particularmente peligrosas para los tejidos humanos. La mayor preocupación que ocasionan es que el material podría ser inhalado y alojado en los pulmones, donde causaría graves daños.

La cantidad total de desechos de escasa actividad generada en una sola planta nuclear de gran tamaño es de aproximadamente 1,000 m^3. Otras actividades, particularmente la medicina, generan casi el mismo volumen cada año. Actualmente se realizan grandes esfuerzos para encontrar formas de reducir este volumen, ya sea mediante compactación o incineración.

Un reactor nuclear grande descarga unas 30 ton métricas de combustible gastado cada año. El volumen de semejante desperdicio es de 12 m^3, aproximadamente el de un automóvil de tamaño convencional. La producción total de combustible gastado en Estados Unidos es de unas 1,500 TM al año, con una existencia acumulada de 15,000 toneladas.

Eliminación de los desechos nucleares. La eliminación de los desechos de escasa actividad es técnicamente simple, pues la actividad del material es menor. Una capa protectora mínima, prevista por cada metro del suelo, es suficiente para proteger a los seres humanos. Todos los métodos actuales de almacenamiento consisten en alguna forma de entierro poco profundo, y la única preocupación es que alguna filtración de agua cause que el material brote, problema que puede resolverse mediante el diseño, manejo y vigilancia adecuados del lugar.

En 1980 el Congreso estadounidense depositó en los estados la responsabilidad primera y el control regulador de sus desechos de bajo nivel. El subsecuente desarrollo de depósitos ha sido un proceso lento, mientras los estados intentan definir formas apropiadas de control.

Los desechos de gran radiactividad provenientes del combustible nuclear gastado se componen de una serie de muchos radioisótopos diversos con vidas medias muy variables. Se necesitarían casi 1,000 años para que el nivel total de actividad decayera al mismo que tenía el mineral utilizado para producir el combustible. Aun después de ese tiempo, la composición del combustible sería muy diferente a la del mineral y habría que aislarlo de los seres humanos.

Corel Stock Photo Library

En los primeros años de la era nuclear, los desperdicios nucleares se almacenaban en barriles, que se sepultaban bajo tierra, o se arrojaban al mar.

El alcance del problema de los desechos se demuestra en la situación del sistema estadounidense de producción de armas, cuyas operaciones, ahora suspendidas, están bajo el control del Departamento de Energía. El complejo de Hanford en el estado de Washington y el complejo de Savannah River en Carolina del Sur, por ejemplo, cuentan con sendos reactores para producir materiales aptos para la fabricación de armas y depósitos de desechos nucleares. Hanford reprocesaba también el combustible usado que le enviaban otros centros militares. Los desechos generados por los complejos mismos y los desechos transportados hasta ellos por otras plantas productoras de armas, se enterraban a poca profundidad, se resguardaban en fosas y dársenas abiertas, o en grandes tanques de metal que ya habían comenzado a presentar fugas, contaminando el suelo y el agua. Entre las posibles soluciones se encuentran la incineración a temperaturas extremadamente altas de los suelos contaminados y otros desperdicios sólidos, con lo que se produce escoria vítrea que, radiactiva aún, puede ser resguardada de manera más segura, y el tratamiento de desechos líquidos mediante la combinación de éstos con cemento y su entierro en fosas de paredes de concreto.

Todas las opciones del almacenamiento a largo plazo suponen una forma de entierro. En este caso es de preocupar que, tras un largo periodo, los materiales de confinamiento van a corroerse y descomponerse, permitiendo que el material radiactivo llegue hasta los mantos de agua o se esparza en la atmósfera. Por otro lado, el movimiento del terreno, como el que ocurriría en caso de un temblor, podría permitir que la radioactividad escapase. Se ha recomendado, sin embargo, que los desechos de gran radiactividad, vitrificados a altas temperaturas o resguardados en contenedores resistentes a la corrosión, sean colocados bajo tierra en bóvedas de sal, tobas (antiguos depósitos de ceniza volcánica) o roca granítica. La opción de las bóvedas de sal resulta interesante porque éstas estarían en teoría libres de agua y se autosellarían en caso de un movimiento de tierra. Un depósito propuesto para los desechos de gran radiactividad es la toba de la montaña Yucca en Nevada, aunque dudas provocadas por la presunta actividad volcánica de la zona han retrasado que se tome una decisión final.

Las formaciones de granito son buenos prospectos debido a la baja permeabilidad y porosidad de la roca y a su alta conductividad térmica –una característica importante que hace suponer que las temperaturas contiguas a los desechos almacenados no se elevarían tanto como para propiciar la falla del contenedor sino que serían absorbidas por las rocas circundantes–. Existe cierta incertidumbre respecto a las características de fractura del granito en caso de tensión y la probabilidad de la intrusión de agua. A pesar de todo ello, varios países europeos parecen inclinarse por el resguardo en formaciones de granito.

Inyección de desechos nucleares en Rusia. En 1994, científicos rusos dieron a conocer que por más de tres décadas la entonces URSS, posteriormente Rusia, había inyectado cerca de la mitad de sus desechos nucleares generados directamente en la tierra mediante pozos profundos.

Escogieron este método de eliminación debido a que sus intentos previos de almacenamiento de desechos habían terminado en graves desastres. Cada uno de los tres sitios elegidos para la inyección de desechos se encuentra cerca de un sistema importante de ríos, pero los geólogos rusos suponen que las capas de esquisto o limo sobre los puntos de inyección evitarán que los desechos se extiendan a la parte alta. El motivo principal de preocupación es que la filtración de agua terminará contaminando los ríos. *Véase* RADIACTIVIDAD.

nucléicos, ácidos. Transportadores moleculares de la información genética, que es el origen de las características que heredan los organismos. Los dos tipos de ácidos nucleicos son el ADN (ácido desoxirribonucleico) y el ARN (ácido ribonucleico). Las moléculas de ambos se componen de largas cadenas de nucleótidos. Cada nucleótido está formado por un grupo fosfato, un azúcar y una base de nitrógeno. La columna vertebral de la molécula es una cadena repetitiva de azúcar y residuos de fosfato. Una base ligada a cada azúcar está orientada en ángulo recto a la cadena principal. La secuencia de las bases determina la información contenida por la molécula. En el ARN las bases son por lo general la adenina (A), la citosina (C), la guanina (G) y el uracilo (U). En el ADN el uracilo es reemplazado por la timina (T). El azúcar del ARN es la ribosa; en el ADN ésta tiene menos azúcar que átomos de oxígeno y se llama desoxirribosa.

El ADN se presenta de manera típica en forma de una doble hélice, una estructura curva semejante a una escalera de caracol, constituida de dos cadenas de nucleótidos cuyas estructuras corren en direcciones opuestas. Los peldaños de la estructura de la escalera son pares de bases (de nucleótidos correspondientes) unidos por enlaces químicos. Sólo dos pares de bases son posibles: A con T y C con G. Si la molécula de ADN está separada (longitudinalmente) en dos cadenas, una molécula idéntica de ADN puede reconstituirse a partir de cualquiera de éstas al hacer corresponder simplemente la base adecuada, ligada con su fosfato y azúcar, con cada una de las bases de la cadena. Este es el proceso de división celular: la molécula de ADN se divide y cada una de sus mitades se reproduce por separado, dando como resultado dos moléculas independientes pero idénticas.

Las funciones de ambos tipos de ácidos nucleicos equivalen de alguna manera a las funciones principales de los genes: transmitir la información genética de una generación a la siguiente y aprovechar esa información en la producción directa de un nuevo organismo –con todas las sustancias, células, tejidos y órganos específicos que éste supone–. Para emplear dicha información, la secuencia de bases en un cordón de ADN debe ser transcrita en un filamento de ARN mensajero (ARNm), permitiendo que la célula traduzca la información genética en la constitución de una proteína.

Las moléculas de las proteínas son constituidas mediante una maquinaria celular en extremo compleja, que de hecho lee la secuencia de bases del ARNm como un conjunto de instrucciones codificadas –llamado comúnmente código genético–. Cada molécula proteínica es una secuencia de aminoácidos. Una serie particular de tres bases en la molécula de ARN mensajero es un código que especifica el primer aminoácido, las tres bases siguientes especifican el siguiente aminoácido, y así sucesivamente, hasta que la molécula completa de ARNm es leída y se forma una nueva molécula proteínica.

Descubrimiento. En 1869 un fisiólogo suizo, Friedrich Miescher, separó los núcleos de varios tipos de células, de los otros componentes de éstas. A partir de ellos precipitó material no proteínico que llamó nucleina, ya que ésta parecía ser privativa de los núcleos celulares. Al encontrar un porcentaje inusualmente alto de fósforo en ella, concluyó por error que podía tratarse del lugar de almacenamiento de ese elemento químico. Cerca de 1890 dos químicos, Ricard Altman y Albrecht Kossel, demostraron que la nucleina podía separarse en dos componentes: una proteína y un ácido rico en fósforo que llegó a conocerse como ácido nucleico.

Composición. El análisis del ácido nucleico resultó ser un asunto difícil. En primer lugar, era difícil separar los componentes de los ácidos nucleicos de aquellos de las proteínas, con los que se encontraban unidos en los cromosomas. Por otro lado, tuvo que pasar cierto tiempo para que se aceptara que existían dos tipos de ácidos nucleicos. Se emplearon dos métodos usuales de extracción. Uno partió del timo de la ternera y produjo ARN; el otro partió de células de levadura y produjo ARN. Para complicar la situación, el descubrimiento de ácido nucleico parecido al de la levadura en el trigo en 1902 coincidió con el reconocimiento de ambos tipos de ácido nucleico, lo que llevó a los investigadores a creer que uno de ellos era característico de las plantas y el otro de los animales.

Los principales análisis químicos de los ácidos nucleicos fueron llevados a cabo por Kossel en Alemania y P. A. Levene en Estados Unidos. Hacia 1913, Kossel estableció que los ácidos nucleicos contienen las bases adenina, citosina, guanina y timina (en el ácido nucleico del timo) o uracilo (en el ácido nucleico de la levadura). Levene mejoró los análisis químicos de estos componentes, estableció que el azúcar del ácido nucleico de la levadura era la ribosa y, en 1929, tras 17 años de trabajo, demostró que el azúcar del ácido nucleico del timo es la desoxirribosa, desde antes conocida.

Desafortunadamente, los rudos procedimientos empleados para identificar los componentes del ácido nucleico descompusieron los frágiles polímeros en pequeños componentes. Con ello, aun cuando los componentes de los ácidos nucleicos llegaron a ser conocidos con una precisión aceptable de 1900 a 1930, las estructuras y las funciones biológicas de los compuestos naturales intactos eran aún inciertos. Levene defendió la hipótesis de los tetranucleótidos, según la cual los ácidos nucleicos son estructuralmente uniformes y cada base se presenta en cantidades iguales y en un orden regular.

Esquema de la estructura molecular de un ácido nucléico: azúcar (A); base nitrogenada (B); ácido fosfórico (P).

Salvat Universal

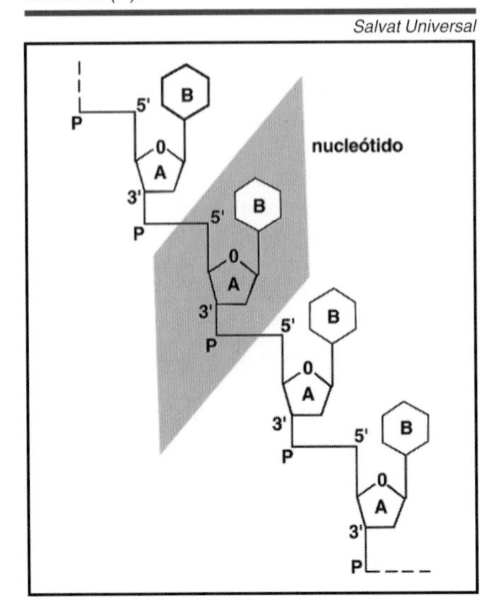

Funciones biológicas. Para los años noventa del siglo pasado los citólogos habían descubierto la danza de los cromosomas durante el proceso de mitosis y meiosis en la división celular. K. W. Von Nägeli (suizo), Hugo de Vries (holandés), August Weissman (alemán) y otros biólogos sostenían que las características hereditarias de los organismos están determinadas por las partículas o sustancias especiales segregadas en el núcleo. Siguiendo el redescubrimiento de la teoría de Mendel en 1900 y la consecuente teoría cromosómica de la herencia que postuló el biólogo estadounidense Thomas H. Morgan y sus discípulos, se volvió urgente entender de qué están hechos los cromosomas, cómo se reproducen, cómo controlan las características hereditarias de los organismos y cómo se relacionan con los genes, como se ha llamado a las partículas que hipotéticamente transportan la herencia.

Ciertos descubrimientos químicos en torno a las proteínas y a los ácidos nucleicos, ambos presentes invariablemente en los cromosomas, tuvieron mucha influencia en su momento. Alrededor de 1930 se supo que una proteína típica es una cadena larguísima que contiene hasta 20 tipos de aminoácidos, que las proteínas se presentan en una variedad de formas y tamaños y que algunos rasgos genéticamente controlados son resultado de diferencias en extremo sutiles en las proteínas conocidas como enzimas. Esto llevó a sostener la opinión de que si los genes no eran enzimas, deben cuando menos ser capaces de determinar la estructura de éstas. Los ácidos nucleicos parecían demasiado cortos y regulares para realizar esta tarea. Parecían ser moléculas bastante ordinarias con pocas variaciones, mientras que los genes debían ser extraordinarios y numerosos.

Se necesitó que un grupo de descubrimientos biológicos (así como físicos y químicos) sucedieran para refutar estos argumentos. Sólo podemos citar algunos: 1) para los años treinta nuevas técnicas de tinción hicieron posible establecer que el ADN es un componente universal de los cromosomas. Por ende, salvo en algunos virus, el ADN era el ácido nucleico más pertinente para responder las preguntas ya mencionadas sobre los cromosomas. 2) Hacia el final de los años treinta se demostró que el ADN existe en moléculas extremadamente grandes, aun mayores que las encontradas antes en las proteínas. Después de todo es probable que este punto haya sido lo bastante complejo. 3) Hacia 1940 quedó en claro que la luz ultravioleta es más efectiva para causar mutaciones en las longitudes de onda absorbidas por el ADN pero no por las proteínas. 4) Hacia 1944 los microbiólogos estadounidenses O. T. Avery, C. M. Macleod y Maclyn McCarty encontraron que la transformación genética de los neumococos de forma no virulenta a virulenta era lograda (aparentemente) mediante ADN libre de proteínas introducido en células receptoras. 5) Hacia 1952 los biólogos estadounidenses A. D. Hershey y Martha Chase habían mostrado que ciertos virus bacterianos sustituían los sistemas genéticos de bacterias inyectándoles ADN, no proteína.

Ninguno de estos resultados demostraba que el ADN era el material genético. Muchos científicos creían que los ácidos nucleicos desempeñaban algún tipo de función mediadora, mientras que las proteínas eran las verdaderas depositarias de la información genética. El cristalógrafo británico W. T. Astbury, por ejemplo, indicó que los nucleótidos regularmente espaciados del ADN ofrecían un entramado para que los aminoácidos de los genes proteínicos se estiraran antes de hacer copias de ellos mismos. Pero al menos quedaba en claro que los ácidos nucleicos tenían una función genética central, ya fuera por ellos mismos o en alguna forma de combinación nucleoproteínica. Esto significó que el análisis de su estructura fuera mucho más apremiante.

Estructura. La cristalografía de rayos X ofrece una técnica útil para determinar la estructura molecular de los compuestos cristalinos. El creciente interés por el ADN que surgió tras la Segunda Guerra Mundial llevó a cierto número de equipos a intentar el análisis estructural de éste, mediante el uso de las cada vez mejores fotografías suministradas por los cristalógrafos. La historia de la dramática victoria del físico británico Francis Crick y del biólogo estadounidense James Watson en la carrera para resolver el problema de la estructura del ADN, es brillantemente narrada por Watson en su libro *La doble hélice*, publicado en 1968.

Watson y Crick reunieron muchas pruebas al construir su modelo de la doble hélice. Emplearon las técnicas de la físico-química para construir modelos moleculares, y las de la cristalografía de rayos X para contrastar dichos modelos. La estructura del ADN que propusieron fue aceptada con extraordinaria prontitud, debido en parte a la exacta correspondencia de su modelo con los datos aportados por los rayos X, y en parte a las evidentes relaciones entre ésta y los conocimientos previos de la química y las funciones del ADN. Una característica química llamó la atención. Hacia 1950, en Estados Unidos, el bioquímico Erwin Chargaff había establecido que las bases A + T, por un lado, y G + C, por el otro, estaban presentes en igual proporción en una gran variedad de ADN, aun cuando la cantidad de la suma de A + T podría ser muy distinta a la de G + C. A la luz de los requisitos del apareamiento de bases, este resultado se mostró perfectamente lógico. Igual de impresionante resultó la explicación que decía que la estructura molecular permitía la transmisión de información hereditaria de una generación a otra. Los mecanismos de duplicación de la molécula de ADN sugeridos por su estructura –la construcción de dos moléculas a partir de una mediante el apareamiento de bases de dos mitades de moléculas– resolvieron uno de los grandes problemas propuestos por la genética: ¿Cómo pueden duplicarse a sí mismos los cromosomas y los genes (a diferencia de cualquier otro objeto conocido) con tanta fidelidad?

El código genético. El importante problema genético que restaba –saber cómo controlan los genes la elaboración de productos en la célula– no fue resuelto por la estructura de Watson y Crick. El esbozo de solución (propuesta alrededor de 1966) tampoco muestra la sencilla conexión entre estructura y función que la estructura del ADN establece. Una razón es que no hay similitud entre la estructura de las secuencias de tres nucleótidos que codifican un aminoácido en particular y la del mismo aminoácido codificado. Mientras se lleva a cabo, el mecanismo de lectura de ARN mensajero emplea pequeños ARN especializados (llamados ARN de transferencia) que corresponden secuencialmente con las bases del ARN mensajero. Esta correspondencia, también, sigue las reglas del apareamiento de las bases.

Durante el proceso de lectura, que es ejecutado por un organelo celular llamado ribosoma, las tres bases de un extremo de cada ARN de transferencia se ligan con las bases correspondientes de una secuencia de tres nucleótidos en el ARN mensajero. El otro extremo del ARN de transferencia se liga al aminoácido requerido por el código de tres nucleótidos del ARN mensajero. En el momento adecuado, el ARN de transferencia deposita su aminoácido en la cadena en crecimiento de proteína que es construida por el ribosoma.

Las soluciones a estos problemas –la estructura del ADN y el código mediante el cual su información es convertida en proteína– se encuentran entre los logros más importantes del siglo XX. Toda la ingeniería genética y un porcentaje importante de nuestro conocimiento sobre los organismos biológicos se basan en ellas.

núcleo. *Véase* CÉLULA.

nudo. Ligadura o lazo que se estrecha y cierra de manera que sea difícil soltarse, y que cuanto más se tira de uno de los cabos, más se aprieta. La flexibilidad de las cuerdas permite que, por el enlace de sus partes, los nudos puedan hacerse con facilidad. Lo que impide que un nudo se deshaga es el roce creciente y la presión que sobre él se ejerce. En las cuerdas gruesas la rigidez impide que la hebra arrollada se deshaga, y a aumentar esta acción tienden la habilidad y el esfuerzo de los que dominan la técnica de hacer nudos. Se llama *nudo ciego* el muy apretado y enredado y difícil de desatar; *corredizo* el que se aprieta cada vez más a causa del esfuerzo o peso que soporta la cuerda; *de eslinga*, el empleado para levantar fardos; *de cabos*, el que se emplea para asegurar un cabo o aparejo sobre un cordaje. De entre las muchas clases de nudos que se conocen merece especial mención por su importancia el nudo de tejedor, que se emplea para unir los hilos rotos de la urdimbre, y que una vez apretado, no se puede desatar.

Nueva Caledonia. Archipiélago francés de la Oceanía, situado al sudeste de Nueva Guinea. Tiene una superficie de 18,576 km^2 y una población de 192,000 habitantes, en su mayor parte melanesios, llamados canacos, y franceses. El archipiélago comprende la isla de Nueva Caledonia (16,750 km^2); las islas de Belep, Pinos y Lealtad, y diversos arrecifes de origen coralífero. Territorio esencialmente montañoso, constituido por formaciones arcaicas en el noreste, cuyo pico más alto es el monte Panié, de 1,642 m, presenta terrenos sedimentarios y de rocas eruptivas. Entre los numerosos ríos que descienden de las montañas, el más importante es el Diahot. Una barrera de coral rodea la isla, sirviéndole de protección natural. De clima sano y lluvias abundantes, tiene vegetación variada, siendo pobre su fauna. Sus habitantes se dedican a la pesca y a la agricultura. Las principales producciones agrícolas comprenden coco, café, copra, algodón, bananas y frutos del pan. Por sus recursos minerales, es ésta una de las islas más ricas del Pacífico, y ocupa uno de los primeros lugares en la producción de níquel. También existen oro, cromo, hierro, cobalto, platino, plata, plomo, mercurio y manganeso. La isla fue descubierta en 1774 por el capitán Cook, y D'Entrecasteau la exploró a fines del siglo XVIII. Anexada a Francia en 1853, es hoy día un territorio francés de ultramar. Por algún tiempo se utilizó como penal. Su capital es Noumea, situada en la extremidad sureste, con una población de 65,110 habitantes (1992). *Véase* OCEANÍA *(Mapa)*.

Corel Stock Photo Library

Templo de Laksminarain *en Nueva Delhi, India.*

Nueva Delhi. Capital de la República de la India, situada junto a la antigua ciudad de Delhi. Ambas ciudades tienen en conjunto 9.370,475 habitantes (1996). Nueva Delhi fue fundada en 1911 y la construcción de sus grandes edificios públicos exigió casi veinte años de trabajo. Dotada de los últimos adelantos urbanísticos, Nueva Delhi es una de las más modernas capitales del mundo y una de las ciudades de crecimiento demográfico más acelerado del continente asiático. Ha sido construida de acuerdo con un esquema circular, con amplias avenidas que parten de una gran plaza central. Frondosos parques y abundantes canales circundan los grandes edificios neoclásicos que sirven de albergue a las oficinas del gobierno. La antigua Delhi fue capital de la India británica de 1912 a 1931, en que Nueva Delhi se constituyó oficialmente en capital de la India. En 1948, fue escenario del asesinato de Gandhi poco después de declarada la independencia.

Templo Sikh *en Nueva Delhi, India.*

Corel Stock Photo Library

Nueva Escocia. Provincia del sureste de Canadá, en el océano Atlántico, formada por una península y la isla de Cabo Bretón, que está separada de tierra firme por el Estrecho de Canso. La península está unida a la provincia de New Brunswick por el istmo de Chignecto. Tiene una superficie de 55,490 km^2, con 923,149 habitantes. Su capital es Halifax, y sus ciudades principales: Sydney y Glace Bay. El interior es bastante abrupto, pero sin grandes alturas. Hay muchos lagos y ríos, entre ellos el Annapolis, el Shubenacadie y el Mersey. El terreno se presta a todos los cultivos propios de Europa. La industria pesquera es importante y abundan las minas de hulla, plata, oro, cobre, plomo, estaño y manganeso. Los bosques cubren más de la mitad de la superficie de la provincia. El poder Ejecutivo es ejercido por un teniente gobernador; el legislativo está representado por una asamblea de 43 miembros. La provincia, en conjunto, elige 10 representantes para el Senado de Canadá y 12 para la Cámara de los Comunes.

Nueva Escocia fue probablemente visitada por Giovanni y Sebastian Cabot en 1497-1498, pero hasta 1604 no se efectuó ningún intento de colonización. En 1621 sir William Alexander obtuvo de Jacobo I una carta de privilegio que comprendía toda la península, que fue llamada Nueva Escocia, en sustitución de Acadia, nombre que le habían dado los franceses. En 1667 fue devuelta a Francia por Carlos II. Tras largos años de lucha, la provincia fue conquistada por los ingleses y cedida a ellos, en 1713, por el Tratado de Utrecht, aunque los franceses continuaron dueños de Cabo Breton. Poco después de la fundación de Halifax, en 1755, tuvo lugar la expulsión de los acadianos, trágico capítulo de la historia de América del Norte que inspiró a Longfellow su gran poema *Evangelina.* En 1784 se separó de New Brunswick y en 1867 se unió a la Confederación Canadiense.

Nueva Esparta. Estado insular de Venezuela que abarca las islas Margarita (o isla de las perlas), Coche, Cubagua y otras 67 islas, situadas en el Mar Caribe, cercanas a la costa venezolana. Cuenta con una población de 330,307 habitantes (1995) y se halla dividido en seis distritos que comprenden 15 municipios, con una superficie total de 1,150 km^2. Los principales recursos económicos son la industria conservera y el turismo. La pesca, la obtención de perlas y la producción de caña de azúcar, sal, maní, cocos y maíz tienen importancia. La isla Margarita fue descubierta por Cristobal Colón en su tercer viaje (1498); esta isla es la más importante y habitada de Nueva Esparta. Su población está compuesta por una mayoría indígena aunque a partir de los años 20 han llegado inmigrantes. La capital de la provincia es Asunción (14,220 h.) y fue fundada en 1524. Tiene edificios coloniales entre los que destacan el castillo de Santa Rosa y la catedral. Se denominó más tarde Nueva Esparta por el valor de sus habitantes, desplegado en la guerra de Independencia. Otras ciudades importantes son Porlamar, el puerto más importante; Pampatar, el de mayor tamaño y Puerto Fermín.

Nueva Gales del Sur. Estado de la Confederación Australiana, en el sudeste del país. Limita al norte con el estado de Queensland, al sur con el de Victoria, al este con el océano Pacífico y al oeste con Australia del Sur. Superficie de 801,600 km^2. Su población es de 5.974,000 habitantes. Su capital es Sydney con 3.698,500 habitantes (1996), la más antigua y mayor ciudad de Australia y uno de los puertos más importantes del mundo. Intensa producción agrícola: trigo, maíz, avena, cebada, arroz, caña de azúcar, tabaco, frutas, etcétera, y una creciente industria ganadera de ilimitada perspectiva. Minas de oro, plata, cinc, hierro y petróleo en rápido progreso. En su interior están las dos montañas más altas del continente australiano: Townsend (2,215 m) y Kosciusko (2,228 m). Su mayor río es el Murray, con 1,790 km de recorrido. Administran el Estado un gobernador y un poder legislativo de cámaras. Nueva Gales del Sur ingresó en la Confederación Australiana en 1901.

Nueva Granada, Virreinato de.
Véase VIRREINATOS DE AMÉRICA.

Nueva Guinea. Isla situada en el Pacífico sudoccidental, al norte de Australia, de la que está separada por el Estrecho de Torres. Con una superficie de 785,856 km^2, es la segunda isla del mundo en extensión y se distingue por su relieve complicado; en su parte central se halla cruzada por una cadena montañosa que va del noroeste al sureste, en la que se destacan como picos más altos el Carstensz-Toppen de 4,900 m, en los montes Nassau; el Wilhelmina, de 4,600 m, en los montes Orange, y los de Alberto Eduardo (4,000 m) y Victoria (4,400 m), en los montes Owen Stanley. Los ríos Fly, Digoel, Purari, Sepik y Rama surcan una amplia llanura rica en vegetación. Sus costas son muy recortadas, sucediéndose acantilados y amplias playas y siendo frecuentes las formaciones de coral. El centro de la isla está cubierto de bosques, inexplorados en su mayor parte. La vida animal es variada, destacándose su riqueza ornitológica, en lo que se han clasificado más de 650 tipos diferentes de pájaros. También es variada su fauna terrestre y marina. La población, incluyendo a los habitantes de Papua, es de 4.405,000 habitantes, en su mayoría melanesios. Los pigmeos del interior, llamados *negritos*, presentan grandes afinidades con el resto de los isleños. Existe gran variedad de dialectos melanesios y papús. También hay diferencias culturales, pues en contraste con el carácter nómada de ciertos grupos negritos, los melanesios son sobre todo agricultores. Producen aceite de palma, cacao, cocos, batatas, bananas y caña de azúcar. Hay ricos depósitos de oro, cobre, plata, estaño, plomo, osmio, carbón y petróleo. El primer europeo que llegó a la isla fue el portugués Jorge de Meneses, en 1527. En 1606, Luis de Torres navegó por el estrecho que lleva su nombre y que separa la isla de Australia. En el siglo siguiente el capitán Dampier exploró la parte norte y el navegante inglés Felipe Carteret demostró que era una isla. Holanda se anexó luego la mitad occidental. En 1884 Alemania se anexó la parte de la mitad oriental, llamándola Tierra del kaiser Guillermo. En el mismo año declaró Gran Bretaña su protectorado sobre la otra mitad de la parte oriental. En 1888 esta parte fue declarada colonia de la Corona con el nombre de Panua, siendo transferida a Australia en 1906. En la Primera Guerra Mundial, Australia ocupó la zona alemana, obteniendo de la Liga de las Naciones un mandato sobre dicho territorio. Los japoneses ocuparon la isla en el año 1942 en ocasión de la Segunda Guerra Mundial. Durante este prolongado conflicto, Nueva Guinea constituyó un importante y decisivo teatro de operaciones.

Corel Stock Photo Library

Hombres con pelucas bailando en la festividad de Hagen *en Nueva Guinea.*

Casa tipo Mid Sepik *en Nueva Guinea.*

Corel Stock Photo Library

En la actualidad la división política de Nueva Guinea (que con las islas adyacentes tiene una superficie de 874,472 km^2) es la siguiente: 1) Nueva Guinea Occidental (Irian Jaya), que abarca la mitad occidental de la isla, constituye una provincia de Indonesia. Tiene 412,781 km^2 y 1.648,708 habitantes. Su capital es Jayapura o Djajapura, llamada Hollanda durante la dominación neerlandesa. Cuando Holanda reconoció en 1949 la independencia de su antigua colonia, Indonesia reclamó la Nueva Guinea Occidental como parte de su territorio, pretensión a la que no accedió la ex metrópoli. Se acordó, sin embargo, entablar negociaciones sobre el particular. En 1962 pasó el territorio a ser administrado por la ONU, y en mayo de 1963 fue transferido finalmente a Indonesia, que lo denominó al principio Irian Barat. 2) Papua Nueva Guinea, que comprende la mitad oriental y es desde 1975 un estado independiente dentro de la Comunidad de Naciones. Posee una superficie de 461,691 km² y una población de 4.405,000 habitantes. Su capital es Port Moresby. Australia administró sus dos territorios constitutivos –el segundo, Nueva Guinea, en fideicomiso– hasta 1975. *Véanse* INDONESIA; PAPUA NUEVA GUINEA.

Nueva Inglaterra. *Véase* NEW ENGLAND.

Nueva Orleans. *Véase* NEW ORLEANS.

Nueva San Salvador. Ciudad de la República de El Salvador, capital del departamento de La Libertad. Se llama, también, Santa Tecla. Está situada a 925 m de altura al pie del volcán San Salvador. Fue capital de la República desde 1855 hasta 1859. Población: 116,575 habitantes. Buena edificación y hermosos paseos y alrededores, contando con parques interesantes. Importante centro comercial.

Nueva Segovia. Departamento de la República de Nicaragua. Tiene 139.116 habitantes y una extensión de 3,341 km². Se caracteriza por su estructura montañosa y es lindante con la República de Honduras. Tiene actividades agrícolas, ganaderas y mineras, con yacimientos de oro, plata, cobre, etcétera. Su capital es Ocotal, que tiene 6,000 habitantes.

Nueva York. *Véase* NEW YORK.

Nueva Zelanda. Archipiélago de la Oceanía que, políticamente, constituye un estado libre, miembro de la Comunidad Británica de Naciones. Está situado al sudeste de Australia, en el océano Pacífico y lo integran tres islas principales y otras islas menores. La extensión total del archipiélago es de 269,057 km², de los cuales corresponden a la isla del Norte 115,000 km², a la isla del Sur 151,000 y a la de Stewart 1,750. Nueva Zelanda tiene 3.628,000 habitantes (1997).

Aspecto físico. La isla del Norte y la del Sur forman la mayor parte del territorio. Su longitud es superior a los 800 km y se hallan surcadas por muchos ríos y varias cadenas de montañas. No hay en las islas ningún sitio que diste más de 100 km del océano. El estrecho de Cook, que las separa, tiene un ancho de 30 km. La cadena llamada de los Alpes Meridionales surca la isla del Sur, y culmina en la nevada cima del monte Cook, de unos 3,770 m de altura. Las montañas de la isla del Norte, más pequeñas, no forman una cadena continua sino varios conjuntos aislados cuya mayor altitud se halla en el monte Ruapehu, de 2,790 m. Una larga serie de lagos, formada por un glaciar desaparecido, ocupa los valles formados entre los Alpes meridionales. Narra una leyenda indígena que cierto héroe llamado Rakaihuatu fue su creador; comenzó construyendo los pequeños lagos del norte y fue ganando en pericia a medida que avanzaba hacia el sur, hasta que logró crear los bellísimos lagos meridionales de Otago. En este país de clima templado y benigno abundan todos los paisajes imaginables, desde las montañas nevadas hasta las llanuras cubiertas de trigo; las cataratas meridionales, que se lanzan al abismo desde 800 m de altura, figuran entre las más bellas del mundo. Aparte de las islas principales ya mencionadas anteriormente, pertenece también a Nueva Zelanda el archipiélago de Chatham, solitario conjunto de islotes perdidos en el océano Pacífico, a 850 km al este de Nueva Zelanda. Tiene además, jurisdicción sobre diversos grupos de islas en la Oceanía, entre ellas las islas de Kermadec, Cook, Niue y Tokelau; y la Dependencia de Ross, que es una vasta extensión (450,000 km²) en las tierras heladas de la Antártida.

Recursos económicos. Aunque las cadenas montañosas y los lagos hacen que la quinta parte del territorio sea improductivo, Nueva Zelanda es una de las regiones más fértiles del mundo. Los torrentes de las montañas son importantes fuentes de energía y el subsuelo oculta reservas mineras todavía no explotadas. Pero la principal riqueza la constituyen las actividades ganaderas y después las agrícolas. Nueva Zelanda es uno de los primeros exportadores mundiales de carne ovina, y todos los valles del sur están cubiertos por inmensos rebaños –en total unos 47 millones de cabezas– que también proporcionan lana de excelente calidad. De gran importancia son, también, las industrias lácteas que cuentan unos 6 millones de cabezas de ganado vacuno, en el que figuran cerca de 2 millones de vacas lecheras en producción y de razas muy seleccionadas. Buena parte de la población rural se ha radicado en las ciudades de la isla del Norte, donde se elabora la mitad de la manteca consumida en Gran Bretaña. Grandes cooperativas, dotadas de la maquinaria más moderna, producen enormes cantidades de leche y subproductos. La producción de trigo, avena y centeno abastece con holgura las necesidades locales. Las principales industrias son, además de las lácteas y de las empacadoras y refrigeradoras de carne, la elaboración de cerveza, harina, productos de madera y artefactos eléctricos.

Pueblo y gobierno. Casi todos los habitantes son de origen europeo, pero existen unos 158,000 maoríes, indígenas polinesios cuya historia es en verdad dramática. Cuando los primeros colonos ingleses pusieron sus pies en Nueva Zelanda, los maoríes eran un pueblo laborioso y próspero; pero los blancos se adueñaron de sus tierras, perturbaron sus modos de vida tradicionales y los relegaron a una situación de inferioridad. Los 300,000 indígenas existentes a comienzos del siglo XIX habían disminuido a menos de 50,000 en el año

Lago Pukaki *en Nueva Zelanda.*

Corel Stock Photo Library

1900, pero un movimiento indigenista ha logrado mejorar considerablemente la suerte de los maoríes que a mediados del siglo XX, habían más que triplicado esa cifra. Desempeñan cargos en el gobierno, tanto en el poder Ejecutivo como en el Legislativo, y su índice de natalidad es uno de los más elevados del mundo. El número de casamientos entre los maoríes y los blancos ha aumentado considerablemente, y ya suman muchos miles los pobladores mestizos. Casi todos los habitantes blancos son de origen británico, y la emigración de orientales se halla estrictamente prohibida. De cada 100 habitantes del país, 60 viven en las ciudades. La capital es Wellington (148,000 h.), puerto próspero que ocupa una de las mejores bahías del mundo. La ciudad más importante es Auckland (309,400 h.), centro exportador de los productos lácteos. Christchurch (290,200 h.) es una ciudad moderna, construida por una asociación colonizadora. Dunedin (113,000 h.) fue fundada por inmigrantes escoceses; tuvo gran auge en el siglo pasado al descubrirse yacimientos de oro en las cercanías.

Nueva Zelanda es uno de los países más progresistas del mundo. Fue el primer Estado del globo en implantar el voto femenino y en establecer un sistema orgánico de seguridad social. Un perfecto sistema de salubridad pública y notables métodos de arbitraje de conflictos industriales completan este cuadro social. La educación primaria es gratuita y los niños blancos y maoríes asisten a las mismas escuelas. La universidad de Nueva Zelanda es una institución de notables características; está formada por las universidades de Auckland, Christchurch, Dunedin y Wellington, y los colegios agrícolas de Palmerston y Lincoln, todos ellos sujetos a una sola dirección. El museo de Whangarei alberga una singular colección formada con los manuscritos de Alejandro Dumas, el famoso novelista francés.

Nueva Zelanda es un Estado libre, miembro de la Comunidad Británica de Naciones. Su gobierno está integrado por un gobernador general, designado por la corona británica y asesorado por un Consejo Ejecutivo de 16 miembros. El poder Legislativo corresponde a un Parlamento o Asamblea General de 80 miembros elegidos por voto popular para un periodo de tres años.

Historia. El holandés Abel Tasman, al servicio de la Compañía de las Indias Orientales Holandesas, visitó las islas en 1642. Las bautizó con el nombre de Nueva Zelanda o Zelandia en homenaje a la provincia holandesa de Zelanda. El capitán Cook, famoso explorador inglés, volvió a visitarlas en 1769, tomando posesión del territorio en nombre de la Corona británica. El primer gobernador, enviado en 1839, suscribió con los jefes maoríes el tratado de Waitangi; todavía se conserva el original de este documento, que los caciques firmaron reproduciendo sus intrincados tatuajes sobre el papel. Más tarde llegaron varios barcos con los primeros colonos, que se establecieron en Wellington. A fines del siglo XIX, cuando el territorio ya había alcanzado cierta autonomía, el gobierno fue asumido por el partido liberal-laborista, que inició una vasta experiencia social cuyos favorables resultados se advierten en la actualidad. A partir del Estatuto de Westminster, promulgado en 1931, Nueva Zelanda adquirió el carácter de Estado libre, dentro de la Comunidad Británica de Naciones. *Véase* OCEANÍA *(Mapa).*

Corel Stock Photo Library

Géiser Whakarewarewa Pohutu *en Rotorua, Nueva Zelanda.*

Nueva Zembla. Nombre de dos islas pertenecientes a Rusia. La isla septentrional tiene 41,500 km^2 y la meridional, 30,500. Están situadas en el océano Glacial Ártico, entre los mares de Barents y Kara y separadas del continente por el estrecho del mismo nombre. El Canal Matochkin separa a estas dos islas, a las que se considera una prolongación de los Urales y en las que hay alturas de 1,200 y 1,400 m. En su interior hay varios lagos, uno de ellos de agua salada. Su suelo es una tundra cubierta de musgos y líquenes. Hay renos, osos blancos, zorros y aves acuáticas. A sus costas acuden focas y morsas, por lo que son punto de reunión de pescadores y cazadores. Los europeos occidentales tuvieron noticias de ellas en 1553, a partir del viaje de Willoughby. El inglés Burrough llegó a sus costas en 1556 y Guillermo Barents las exploró y murió en las mismas en 1596-1597. Rusia mantiene en ellas diversos puestos permanentes de observación y estaciones científicas y meteorológicas.

Nueva Hébridas. *Véase* VANUATU.

Nuevo Laredo. Ciudad de México en el estado de Tamaulipas. Tiene 275,060 habitantes y está situada en la orilla derecha del río Bravo o Grande del Norte a 130 m sobre el nivel del mar, en la frontera de México con Estados Unidos. Su aduana es una de las principales de México, pues por ella se realiza una gran parte de las exportaciones e importaciones del intercambio comercial con Estados Unidos. Es una de las importantes estaciones terminales del sistema ferroviario mexicano, que en Nuevo Laredo enlaza con los ferrocarriles estadounidenses. Fue fundada en 1848 después del tratado de Guadalupe Hidalgo en el que parte del territorio mexicano fue vendido a Estados Unidos.

Nuevo León. Estado de México. Tiene 64,555 km^2 y 3.550,114 habitantes. Limita con Estados Unidos y con los estados mexicanos de Coahuila, Tamaulipas y San Luis Potosí. Sus principales centros de población son Monterrey, capital del estado (1.916,472 h.), Linares, Guadalupe, Sabinas Hidalgo, Montemorelos, San Nicolás de los Garza, Cadereyta Jiménez, Garza García y Allende. Cruza el estado la Sierra Madre Oriental, que recibe diversos nombres, entre ellos los de Sierra de Picachos, de Lampazos, de la Iguana, del Carmen, etcétera. La mayor elevación es la Peña Nevada (3,664 m) en el límite sur del estado. Al norte y noreste se extienden grandes llanuras. Los ríos principales son: un tramo del río Bravo que forma frontera con Estados Unidos, el Salado, el Sabinas, el San Juan y el Álamos. Los climas son diversos: templado en el sur, cálido en el norte y frío en las elevaciones de las sierras.

Se explotan minas de oro, plata, plomo, cobre, hierro, cinc y otros minerales. Entre los principales distritos mineros se cuentan Sabinas Hidalgo, Villaldama, Cerralvo, Vallecillo y Lampazos. La agricultura y la ganadería tienen gran importancia. La primera ha tomado incremento debido a la fertilidad del suelo favorecida por grandes obras hidráulicas. Se cultiva algodón, trigo, maíz, caña de azúcar, hortalizas y legumbres de muchas clases, frutas, especialmente naranjas, vid, papas, etcétera. La riqueza forestal comprende maderas preciosas y de construcción, materias curtientes, resinas y cera vegetal. La abundancia de pastos contribuye al incremento de la ganadería. El desarrollo industrial es notable principalmente en la metalurgia, que cuenta con altos hornos, grandes fundiciones, y talleres siderúrgicos. Hay fábricas de hilados y tejidos, de vidrio, porcelana y cerámica, de varias clases de cemento, cerveza, aceites, tabacos, zapatos, productos alimenticios, etcétera. El comercio es de gran importancia, debido a la diversidad de industrias, cuyas mayores actividades se concentran en la ciudad de Monterrey, capital del estado y gran centro industrial y económico.

La red de comunicaciones comprende ferrocarriles, carreteras (principalmente la carretera y el ferrocarril de Nuevo Laredo a México, que atraviesan el estado) y servicios aéreos excelentes, que unen los diversos centros industriales y agrícolas del estado con el resto de la nación, propiciando el comercio interior. Las actividades del comercio exterior se ejercen a través de la aduana fronteriza de Nuevo Laredo y del puerto de Tampico, ambos en el estado limítrofe de Tamaulipas.

Historia. Antes de la conquista por los españoles, habitaban la región numerosas tribus nómadas, entre ellas la de los tobosos, guerreros y feroces. A fines del siglo XVI se inició la exploración y colonización, dándole al territorio el nombre de Nuevo Reino de León. Después de la independencia de México, fue erigido en estado con el nombre de Nuevo León, en 1824.

Nuevo Testamento. Nombre que se aplica a la segunda parte de la Biblia, formada por 27 libros, escritos después de la venida de Jesucristo. Estos libros narran la vida y enseñanzas del Mesías, y recogen los escritos de sus apóstoles. Son los siguientes: los cuatro *Evangelios,* los *Hechos de los Apóstoles*, las 21 *Epístolas* y el *Apocalipsis.*

De los cuatro *Evangelios,* tres fueron escritos en forma sinóptica, y siguen un orden muy similar. Sus autores son el apóstol san Mateo y los discípulos san Marcos y san Lucas. San Mateo escribió el primer *Evangelio* (palabra griega que significa *buena nueva*) hacia el año 55, destinándolo a los judíos de Jerusalén. San Marcos escribió su obra en Roma, hacia los años 55 a 62, y la sometió a la aprobación del apóstol Pedro. San Lucas –médico, pintor y escritor de mérito, oriundo de Antioquía– redactó su obra entre los años 63 a 75, y en ella recogió la predicación de san Pablo y los recuerdos de la Virgen María.

El cuarto *Evangelio*, de admirable factura, fue obra de san Juan, el apóstol predilecto del Salvador, quien lo redactó para demostrar la divinidad de Cristo. Es el único que reproduce el discurso de la última Cena, la página más hermosa de las *Escrituras.* Los cuatro autores de los *Evangelios* suelen ser representados bajo las formas de un ángel, un león, un buey y un águila, que simbolizan sus respectivos caracteres, tal como fueron profetizados por Ezequiel en el *Antiguo Testamento.*

Los *Hechos de los Apóstoles* fueron redactados por san Lucas alrededor del año 60. Aunque el título se refiere a la actividad de todos los apóstoles, en rigor el libro se circunscribe a la obra de san Pedro en Palestina y a las innumerables peripecias vividas por san Pablo en sus viajes, matizados de persecuciones, cárceles y maravillosos triunfos entre los gentiles.

Las *Epístolas* son 21 cartas escritas por los apóstoles a sus discípulos. Catorce de ellas (dirigidas a los discípulos de Roma, Corinto y Tesalónica, a los Gálatas, a los Efesios, a los Colosenses, a los Tesalonicenses y a los Hebreos, así como a los discípulos Timoteo, Tito y Filemón) son obra del infatigable san Pablo. Las restantes cartas pertenecen a san Pedro, san Juan, Santiago el Menor y san Judas Tadeo.

El nuevo Testamento es la segunda parte de la Biblia, escrita después de la venida de Jesucristo.

Corel Stock Photo Library

El *Apocalipsis* es el último libro del *Nuevo Testamento.* Contiene la revelación hecha por Dios a san Juan en la isla de Palmos. Es una obra oscura, de muy difícil comprensión, en la que se puede distinguir una interpretación del pasado de la humanidad, una narración del presente, con la venida del Mesías, y una visión profética del futuro, que forma la base del libro. En ella san Juan anuncia el milenio, o sea la paz que espera a la Iglesia después de las luchas que la amenazan, y habla sobre el fin lejano, con la victoria definitiva de Cristo y la restauración de todas las cosas en Dios. El término *Apocalipsis* viene del griego y significa *revelación.*

Los libros originales del *Antiguo Testamento* han desaparecido. Se conservan unos 4,300 manuscritos, pergaminos y fragmentos griegos de los siglos I y II, y gran cantidad de códices completos transcritos por copistas posteriores, en los que se advierten innumerables errores y diferencias de poca importancia. Con todo, los críticos modernos disponen, para analizar los textos, de un material mucho más nutrido que el existente para estudiar la obra de todos los filósofos y escritores de la antigüedad.

Junto a los libros canónicos, reconocidos por la Iglesia desde los primeros siglos, existen otros llamados apócrifos, que suelen ser agrupados en tres núcleos. El primero está formado por libros escritos con fines piadosos, como el *Pastor*, de Hermes, y la *Carta de san Bernabé.* El segundo comprende los apócrifos heréticos, escritos para difundir herejías en los primeros siglos; entre ellos figuran el *Evangelio de Valentín*, que es una corrupción del *Evangelio* de san Juan efectuada por los gnósticos, y el *Evangelio de los Hebreos*, elaborado por los ebionitas. El tercer grupo está formado por los libros fabulosos, que contienen toda suerte de relatos inverosímiles relativos a Cristo. Los principales son el *Protoevangelio* de Santiago, que narra la supuesta infancia de la Virgen y de Jesús, y el *Evangelio* de *Nicodemus*, tejido de fantasías sobre los últimos instantes de la vida terrena del Salvador.

De todos los libros del *Nuevo Testamento* sólo el Evangelio de san Mateo fue escrito en idioma arameo, aunque el manuscrito se ha perdido.

Todos los restantes fueron redactados en griego y traducidos por san Jerónimo, el *doctor máximo*, al latín eclesiástico. Existen traducciones castellanas del *Nuevo Testamento* que tienen amplia difusión. *Véanse* APOCALIPSIS; BIBLIA; EVANGELIO.

nuez. Fruto del nogal, de corteza fibrosa y dura. Su cuerpo, cuyo diámetro es de 3 a 4 cm, tiene forma oval y se compone de dos mitades que encierran la parte comestible, de gusto muy agradable. El endocarpio, o sea la nuez propiamente dicha, contiene la semilla, que está formada por cuatro porciones blancas envueltas en una piel de color amarillo. La nuez se desprende del nogal común hacia fines de verano. Igualmente recibe el nombre de nuez el fruto de algunos árboles, como el coco, la areca, etcétera. Se denomina también nuez la protuberancia que forma la laringe, conocida vulgarmente por nuez de Adán. Finalmente, se llama nuez la pieza cilíndrica y hueca que se aloja en el portaseguro del fusil Mauser y enlaza el percutor con el mecanismo de disparo.

nuez de cola. Semilla de la *Sterculia acuminata*, árbol oriundo del África Occidental. El fruto ofrece una superficie rugosa de color pardo-rojizo. Su tamaño oscila entre 2,5 y 5 cm y su peso entre 5 y 25 gr. Se calcula que cada árbol puede producir hasta 50 kg de semilla por cosecha. La semilla contiene azúcar, fécula, materias albuminoideas, colatina, tanino, teobromina y cafeína. Se emplea en medicina (en forma de elíxires, vinos y extractos) por sus propiedades estimulantes del sistema nervioso y vasodilatadoras.

nuez moscada. Semilla procedente de la planta *Myristica moschata* y también de algunas otras especies de la familia de las miristáceas o laureáceas (*Myristica luzónica*, o nuez moscada de Filipinas, *Cryptocario moschata*, o nuez moscada del Brasil, etcétera). Se cultiva en las islas Molucas, Borbón, en Cayena y en otras regiones del globo. Tiene el aspecto de una nuez ordinaria, aunque más pequeña, algo pesada y muy maciza, que se reduce a polvo con gran facilidad. Su interior presenta unos veteados muy característicos de colores rojizo, blancuzco o amarillento; exteriormente es grisácea. Despide un aroma muy particular que recuerda al del almizcle. Contiene dos clases de aceites: uno fijo y sólido, de sabor picante y acre, y otro sumamente volátil, en el que se hallan, a su vez, dos tipos de esencias, una parecida a la trementina y otra propia exclusiva de este fruto que se denomina macima. Se prepara sumergiendo la semilla recién arrancada, a la que se desprende de sus envolturas, en una lechada de cal para su mejor conservación. Es un excelente condimento y en medicina se emplea para la elaboración de varios preparados tónicos y estimulantes. *Véase* MIRÍSTICA.

nuez vómica. Semilla de la planta longaniácea *Strichnus nux vomica*, que crece en Cochinchina, Australia, la India y Ceilán.

Corel Stock Photo Library

Variedad de nueces.

La semilla es grisácea, pequeña, de dos centímetros de diámetro, muy dura y de sabor acre. Es muy usada en medicina por los alcaloides que contiene, la brucina y la estricnina, esta última muy venenosa aunque usada a pequeñas dosis en medicina como estimulante. También se usa la estricnina para matar ratones y ratas.

Numa Pompilio (715 a 672 a. C.). Segundo rey de Roma. Todo cuanto se le atribuye pertenece al periodo mítico de la antigua Roma. Tras la muerte de Rómulo, los patricios se turnaban en el ejercicio del poder, y de este modo transcurrió un año. Cuando finalmente el pueblo reclamó con energía al Senado la elección de un soberano, fue nombrado por unanimidad Numa Pompilio, un sabino natural de Cures, hombre prudente y de grandes virtudes. Después de haber asegurado los augures que los dioses aprobaban la elección de Numa, éste dividió las tierras conquistadas por Rómulo, organizó el culto al dios Término, dio reglas para establecer definitivamente la jerarquía sacerdotal y, por revelación, conoció los conjuros necesarios para lograr que Júpiter expresara su voluntad por medio de los relámpagos y el vuelo de las aves. El reinado de Numa transcurrió no sólo sin guerras, sino también sin calamidades. En una ocasión en que el país estaba amenazado por la peste, cayó del cielo el escudo sagrado y la plaga desapareció tan pronto como el rey hubo ordenado las ceremonias de los sacerdotes salios. Numa era instruido en todos sus actos por la ninfa Egeria, quien para casarse con él tomó una forma visible. Egeria manifestó su maravilloso poder en una famosa comida en que transformó en manjares divinos encerrados en vasos de oro los sencillos alimentos servidos en platos de arcilla. Cuando Numa Pompilio falleció Egeria se deshizo en lágrimas y convirtióse en fuente. Aunque la figura de Numa se dibuja en la leyenda, no cabe duda de que para los romanos representaba el orden legal y religioso, la veneración de los dioses y la felicidad en la paz. Según la tradición, los libros sagrados que contenían los preceptos religiosos de Numa fueron guardados en un sepulcro que fue descubierto por un tal Terencio dos siglos a. C. Dichos libros, que aún existían hacia los últimos tiempos de la República, sólo contenían algunos ritos de la religión romana.

Nuez moscada molida.

Corel Stock Photo Library

Numancia. Célebre ciudad celtíbera de España antigua, situada en la confluencia de los ríos Duero y Tera en territorio de la actual Soria. La ciudad celtíbera de Numancia no tenía gran extensión y se levantaba en una loma de altura mediana; sus muros de defensa no excedían de 3,000 pasos. La ciudad se había sostenido durante 14 años con sólo 4,000 soldados contra ejércitos romanos diez veces superiores, cuando Roma nombró jefe del ejército que luchaba contra los numantinos al general Escipión, vencedor de Cartago. Los numantinos, tras algunas derrotas, se mostraron dispuestos a entregar la ciudad si se les ofrecían condiciones dignas. Pero como Escipión estaba decidido a conseguir una victoria completa, en vez de presentar batalla los cerró con foso y estacada y estrechó el sitio con cuatro campamentos romanos. Llegados al último extremo de hambre y desesperación, los numantinos decidieron que el triunfo del enemigo sólo fuese de nombre, y para ello decidieron darse muerte. Hicieron una gran hoguera y, después de haberse herido unos con sus espadas y otros atosigado con veneno, se arrojaron al fuego. Después de sucumbir de esa manera todos los habitantes de Numancia, los romanos penetraron en la ciudad (133 a. C.). Según Plinio, Numancia no fue sólo vencida sino destruida y Escipión repartió entre sus soldados 17.000 libras de plata que sacó de ella. Numancia fue reedificada y existía en tiempo de Tolomeo, es decir, en el siglo II de la era cristiana; pero se supone que fue destruida por los árabes. En la actualidad, al pie del cerro donde se levanto la antigua Numancia hay un pueblo llamado Garray, que contiene muchas piedras llevadas de Numancia, trozos de columnas y capiteles. Las ruinas de Numancia fueron descubiertas en 1860. En excavaciones posteriores se han hallado tres ciudades superpuestas, la más antigua de las cuales corresponde a la época neolítica. Gran número de instrumentos y cerámica de Numancia pueden verse hoy en el museo Numantino de la ciudad de Soria, que se halla a siete kilómetros de las ruinas.

numeración romana. *Véase* NÚMERO Y NUMERACIÓN.

número y numeración. El número es la expresión de la idea que sirve para representar los conjuntos de cosas cualesquiera entre las cuales se puede establecer una correspondencia de uno en uno. Por ejemplo: si consideramos, por una parte, el conjunto formado por un libro, un caballo y un vaso, y por otra parte, el conjunto formado por un tintero, un retrato y una moneda, cada objeto del primer conjunto se puede aparear con uno del segundo y recíprocamente. La idea adscrita a todos los conjuntos de cosas entre las cuales se pueda establecer dicha correspondencia es un *número*, que en el ejemplo citado es el número tres. Por extensión se suele también llamar número al vocablo y al signo que representan esa idea.

La idea anterior es la de número *natural*, o *positivo*, para distinguirlo del negativo que fue necesario inventar a fin de hacer posible la sustracción cuando el minuendo es menor que el sustraendo. Como ejemplos inmediatos de estas dos clases de números pueden citarse los saldos deudor y acreedor en las cuentas comerciales, los grados de temperatura sobre cero y bajo cero, los años antes y después de Jesucristo, las distancias recorridas hacia la derecha y hacia la izquierda.

Dos números naturales en cierto orden forman el número *racional*, que comprende como caso particular el *fraccionario*, infinitos números racionales determinan el número *real*, y dos números reales en cierto orden, componen el *complejo*, con todos los cuales se construye la aritmética, que queda así definida como la ciencia de los números.

El número natural correspondiente al último elemento de un conjunto es el número cardinal de éste, y la operación necesaria para determinarlo se llama *contar* los objetos del conjunto lo que exige ordenar estos objetos de cierto modo, surgiendo la duda de si, al contarlos en otro orden, resultará también el mismo número cardinal. Esta duda no se puede resolver, en general, experimental ni intuitivamente porque la experiencia y la intuición humanas son muy restringidas pero, a fin de que la aritmética no sea una ciencia contradictoria, los matemáticos han aceptado el principio que se llama de *invariación del número*, en virtud del cual el número cardinal de un conjunto es el mismo, cualquiera que sea el orden en que se cuenten los elementos que lo forman.

De aquí se deduce que el número cardinal representa un conjunto, cualquiera sea la naturaleza de sus elementos y la manera en que estén colocados, y el ordinal tiene en cuenta esa colocación.

Los vocablos con que se designan los números varían, naturalmente, según los idiomas, pero los signos o símbolos, que se llaman cifras o guarismos, son los mismos. Su origen no está bien establecido históricamente; pero las cifras que se usan en todos los países civilizados se considera que fueron inventadas por los indios y trasmitidas a Europa por los árabes, y de aquí que se designen con el nombre de arábigas. Estas cifras son: 1, 2, 3, 4, 5, 6, 7, 8 y 9, a las que se agrega el símbolo 0 (cero) que también se considera como número y que representa el vacío y la nada.

Las reglas y convenciones que permiten representar todos los números constituyen un sistema de numeración, siendo el más corriente y práctico el decimal, así llamado por ser diez el número de sus cifras. Los otros sistemas tienen interés principalmente teórico.

En el sistema decimal diez unidades equivalen a una decena, diez decenas a una centena o ciento, diez centenas a un millar o mil, diez millares a una decena de millar, etcétera, y se forma el nombre de un número con las palabras que expresan el número de unidades que contiene de cada orden. Para escribirlo, se colocan las cifras unas a continuación de las otras, conviniendo en que cada una exprese unidades del orden indicado por el lugar que ocupa contando de derecha a izquierda.

Los romanos usaron un sistema literal que hoy se emplea para numerar los capítulos de los libros, las fechas en ciertos monumentos conmemorativos, y algunos otros casos especiales. El sistema romano consta de las siete letras I, V, X, L, C, D y M, cuyos valores son 1, 5, 10, 50, 100, 500 y 1,000 respectivamente. Para escribir los distintos números con estas letras se conviene en no repetir ninguna más de tres veces y en que una letra colocada a la izquierda de otra disminuya el valor de ésta, así, por ejemplo: 17 = XVII, 43 = XLIII. Este sistema hacía muy complicados los cálculos y cayó en desuso hacia el siglo XIII.

La numismática se encarga de catalogar y estudiar las monedas.

Corel Stock Photo Library

numismática. Ciencia que trata del conocimiento de las monedas y medallas, principalmente de las antiguas. La numismática se relaciona con la arqueología, la historia, las bellas artes y la tecnología de los metales. Estudia todo lo referente al procedimiento y al arte con que fueron diseñadas y acuñadas las monedas y las medallas, investiga la interpretación que debe darse a sus símbolos, fechas, emblemas y leyendas. La numismática es un poderoso auxiliar de la historia, a la que ayuda a establecer la exactitud de ciertos hechos, revelando con mucha frecuencia el grado de civilización, las costumbres, el estado político o la religión de los pueblos a los que pertenecieron. Comprende, además, la investigación de los *jetones*, *teseras* y fichas cuyo valor nominal obedece a un convenio o acuerdo previo entre los que las usan. En los tiempos antiguos, las monedas y medallas llegan en ocasiones a confundirse, pues han desempeñado indistintamente uno u otro papel. Las casas en las cuales antiguamente se acuñaban las monedas, se llamaban en España *ceca*, nombre derivado de esta palabra árabe, que significa *troquel*. Para proceder al estudio científico de cualquier moneda es preciso considerar, previamente, las diferentes partes que teóricamente la componen, a saber: el lugar donde van grabadas las efigies (*cara, anverso, faz* o *cabeza*), su superficie opuesta (*reverso* u *obverso*), el espacio destinado para las inscripciones *(exergo)*, y las palabras alusivas que suelen rodear a las figuras *(leyenda)*, el espesor o contorno *(cordón)*, el reborde que protege, sobre todo en las monedas cuando son apiladas, las efigies *(listel)*, las señales que identifican la clase del metal, la fecha o lugar de su fabricación, el grabador que las hizo *(marcas o símbolos)*. En ciertos tipos de monedas antiguas deben también estudiarse los signos que señalan el lugar donde fueron acuñadas y los que expresan su valor intrínseco en el cambio o en el curso que pueda dárseles cuando se empleen en países distintos de aquellos en que fueron acuñadas. En las monedas modernas cabe distinguir, aún, la fecha de acuñación que se halla regularmente inscrita en ellas. La numismática se divide en tres épocas fundamentales que son: *antigua*, que comprende todas las monedas y medallas acuñadas hasta la caída del imperio romano de Occidente, *media*, desde entonces hasta mediados del siglo XV, esto es hasta la extinción del imperio de Oriente o Bizantino, y *moderna*, que se inaugura con el Renacimiento, y llega hasta nuestros días. Establece, luego, una clasificación metódica de las piezas (monedas y medallas griegas, latinas, consulares, imperiales, familiares, votivas, reales, merovingias, abaciales, señoriales, ducales, etcétera) que estudia y analiza por separado para descubrir su significado peculiar del cual poder deducir los hechos históricos y sociales que representan. Forman parte, además, de esta vasta especialidad, el estudio de ciertas piezas raras o curiosas, tales como los pies fuertes o monedas de cuádruple peso que las ordinarias, que en ciertos momentos fue costumbre regalar a los altos funcionarios en recuerdo de una nueva serie o modelo puesto en circulación, y que se distinguían también por alguna inscripción alusiva, tal como *exemplar probati numismatis*; los *jetones*, o pequeñas piezas de bronce o cobre, doradas o plateadas, que se distribuían como estímulo y premio a los componentes de sociedades o corporaciones científicas y literarias y que luego se cambiaban por monedas corrientes; los *nummi matutinales* o piezas de dicho tipo, muy usadas en el siglo XIII, que se entregaban a los canónigos que asistían al oficio de maitines; las *monedas de casamiento*, expresamente acuñadas con motivo de celebrarse algún matrimonio principal; las *plaquetas* o suerte de medallas de distintos tamaños y formas, destinadas a servir de premios en las exposiciones y concursos de Bellas Artes; las *militares* o *guerreras*, que conmemoran algún hecho bélico, sirven de condecoración y se usan como distintivos, etcétera. Aun cuando por algunas referencias parece que los antiguos romanos poseyeron algunas colecciones de monedas, la verdadera numismática no empezó a ser conocida hasta los tiempos del Renacimiento. Petrarca inició esa clase de investigaciones, al que siguieron los Médici de Florencia, Matías Corvino (rey de Hungría) y Alfonso V de Aragón, siguiendo luego muchos otros. La mayoría de los museos modernos tienen su sección o departamento de numismática, entre los que se destacan el del Vaticano, el del Louvre, el del museo Británico y el del museo Nacional en Washington. Las colecciones reunidas por particulares son bastante numerosas. Entre los artistas que han intervenido en la confección de medallas y monedas, pueden mencionarse a Eumenos Frigillus y Cimón entre los griegos, Víctor Pissano o Pissanello, y Mateo de Pasti entre los italianos, debiendo destacarse al primero como el iniciador del estilo moderno, Hans Scharz y Luis Krug entre los alemanes; German Pilon, Dupré y Guillermin entre los franceses; Schwartz entre los austriacos; Wyon entre los ingleses; Arnau y B. Maura entre los españoles; Gil y Sursa entre los mexicanos. *Véanse* COLECCIONISMO; MEDALLA; MONEDA.

numulita. Animal protozoario marino, del orden de los foraminíferos, provisto de caparazón calizo. En ciertas especies el caparazón forma una gran lenteja, que llega a alcanzar hasta 2 cm de diámetro. De composición caliza, hialino y bastante duro, el caparazón tiene las paredes perforadas por pequeños orificios por donde salen las expansiones protoplásmicas. El caparazón está constituido por una infinidad de pequeñas celdas, dispuestas en espirales concéntricas y superpuestas, separadas unas de otras por tabiques radiales. Existen numulitas que viven actualmente en las aguas de los mares cálidos, pero en otras épocas geológicas han sido más abundantes que en la actualidad. La sedimentación de sus caparazones ha constituido rocas calizas; se encuentran numulitas fósiles desde el cretácico, pero llegan a su mayor abundancia en el eoceno, sirviendo estos fósiles para reconocer los terrenos de dicho periodo.

nuncio. Representante diplomático de la Santa Sede que equivale al cargo de embajador, pero que supera este carácter por ciertas facultades espirituales que le otorga su condición de legado del papa de la Iglesia católica. Nuncios e internuncios (estos últimos están equiparados al cargo de ministro plenipotenciario) se encuentran acreditados ante los gobiernos de países católicos y ante otros que no lo son, y esos países corresponden con representación equivalente ante el Vaticano, embajadores o ministros. Los diplomáticos de la Santa Sede no están autorizados para intervenir en la administración de la Iglesia católica del país en que actúan, pero sí ejercen fiscalización sobre ella y pueden mediar en casos especiales. Por su carencia de intereses temporales y como representante de un estado puramente espiritual, el nuncio es casi invariablemente el decano del cuerpo diplomático residente. La representación diplomática de la Santa Sede fue perfeccionada durante el pontificado de Gregorio XIII (1572-1585).

Núñez, Rafael (1825-1894). Poeta y político colombiano considerado como uno de los más grandes intelectuales de su patria en el siglo XIX, Sus poesías principales fueron *Todavía*, *El mar muerto* y *Que-sais-Je*, en las que se entremezcla el lirismo con la preocupación filosófica. Sus obras en prosa están condensadas en dos libros los *Ensayos de crítica social* y *La reforma política*, en el cual se recogieron sus artículos periodísticos, obra de la que se han hecho numerosas ediciones. Fue jefe del movimiento político denominado la regeneración y ocupó varias veces la presidencia de la República a partir de 1880. Fue el inspirador de la reforma constitucional de 1886.

Núñez Cabeza de Vaca, Alvar (1507-1559). Conquistador y explorador español, nacido en Jerez de la Frontera o en Sevilla. Era nieto del famoso Pedro de Vera, conquistador de Gran Canaria. Su viaje más célebre está narrado por el heroico explorador en su obra *Naufragios de Alvar Núñez Cabeza de Vaca* (1542), que fue traducida a varios idiomas. Puede considerarse a Cabeza de Vaca como el primer colonizador que describe tierras que hoy forman parte de Estados Unidos. A mediados del año 1527 embarcó para ir a la Florida con Pánfilo de Narváez en calidad de alguacil mayor y tesorero. Llegó a las costas de la Florida y acompañó al caudillo de la expedición en su marcha hacia el oeste. La rápida corriente del Mississippi dispersó las frágiles embarcaciones en que viajaban, y de los 300 hombres de que se componía la expedición, sólo se salvaron Núñez, sus dos compañeros Castillo y Dorantes y un esclavo negro llamado Esteban. Tras infinitas penalidades y seis años de cautiverio en la tribu masiames, Cabeza de Vaca pasó a la costa de Texas. Gracias a sus conocimientos en el arte de curar, Alvar Núñez gozaba de gran prestigio entre los indígenas, cosa que lo ayudó a llevar a cabo repetidas expediciones hacia el interior. En su odisea, Cabeza de Vaca recorrió unas diez mil millas, atravesando entre otras regiones, la parte meridional de Texas y los estados mexicanos de Chihuahua y Sonora. En 1537, de regreso en España, fue nombrado adelantado y dirigió la expedición al Río de la Plata. En su viaje naufragó en las costas del Brasil, continuó su viaje por tierra, se internó en el continente, hasta la Asunción, en el Paraguay, donde se estableció el 11 de marzo de 1542 y, compartiendo el mando con Irala, se dedicó a suprimir las discordias suscitadas por los oficiales del rey y a dominar las insurrecciones de los indios en el interior del país. En aquellas jornadas castigó a los indios guaycurúes, venció a los guaraníes e hizo descubrimientos en las provincias de los xarayes; pero a fines de 1543 los oficiales reales, disconformes con que Cabeza de Vaca les impidiese satisfacer su codicia, excitaron a los soldados para que se negasen a seguir adelante por aquellas desconocidas tierras y Alvar Núñez se ve obligado a regresar a la Asunción, donde el 25 de abril de 1544 fue depuesto y encarcelado e Irala ocupó su lugar. Tras haber permanecido casi un año encerrado en un calabozo se le embarcó para España cargado de cadenas y con un proceso que fue fallado por el Consejo de Indias en sentido condenatorio para Cabeza de Vaca, a quien se desterró a Orán. Sin embargo, en la revisión del proceso, celebrada ocho años más tarde, fue completamente reivindicado, aunque con la prohibición de regresar al Río de la Plata, se le señaló como indemnización una renta de 2,000 ducados sobre las aduanas de Sevilla y fue nombrado juez en esta ciudad. El nombre de Núñez Cabeza de Vaca figura en el *Catálogo de autoridades de la Lengua* publicado por la Academia Española.

Núñez de Arce, Gaspar (1834-1903).

Poeta y dramaturgo español, nacido en Valladolid. Cursó estudios en Toledo y en Madrid. Fue cronista de la guerra de África, diputado a Cortes, gobernador civil de Barcelona, ministro de Ultramar y miembro de la Real Academia Española. Su poesía, de gran perfección formal, que llega al virtuosismo, es con frecuencia poesía de tesis, en la que aparecen en conflicto la fe y la razón, se condena la moral de la época o se recrean temas históricos en los que encarna ideas y símbolos, un tanto a la manera romántica, aunque muchas veces con más grandilocuencia que verdadera efusión lírica. Cultivó la poesía política en libros como *Gritos de combate* y escribió largos poemas como *La selva oscura*, *El vértigo*, *La visión de fray Martín*, *Raimundo Lulio* y, sobre todo *La última lamentación de lord Byron*, quizá el mejor de todos. De su producción teatral se destaca, muy especialmente, su drama histórico *El haz de leña*, sobre Felipe II y la muerte de su hijo, el príncipe don Carlos.

Núñez de Balboa, Vasco (1475-1517).

Conquistador español. Extremeño de nacimiento se disputan su cuna Badajoz y Jerez de los Caballeros; pasó la adolescencia al servicio de don Pedro de Portocarrero. En 1500 se unió a Rodrigo de Bastidas en una expedición que llegó a las costas de Venezuela en 1501. Los expedicionarios recorrieron por primera vez las tierras situadas entre el Golfo de Urabá y el Cabo de la Vela. Con las ganancias que le produjo aquella campaña, Balboa se retiró a La Española (Santo Domingo), donde compró una propiedad, y allí residió varios años ocupado en negocios agrícolas; pero éstos le fueron tan mal que llegó a verse seriamente endeudado. Para librarse de sus acreedores, se metió en una barrica de las que se cargaban en una de las embarcaciones del bachiller Fernández de Enciso, que partía con una expedición destinada a socorrer a Alonso de Ojeda. Éste se hallaba con unos 60 hombres en el lugar donde después se levantó la ciudad de Cartagena de Indias y se había salvado de la extinción total merced a la llegada de un barco pirata con huídos de La Española. Ojeda se marchó con los piratas y dejó la plaza a cargo de Francisco Pizarro, que entonces no era más que un valiente soldado, en espera de que llegase la expedición de Enciso. Esta expedición llegó por fin, y en ella figuraba Balboa, a quien su jefe, al descubrirlo a bordo, había amenazado con dejarlo en una isla desierta; pero convencido de la utilidad que podían reportarle los conocimientos y condiciones de Balboa, lo toleró a su servicio, llegando ambos a ponerse de acuerdo en la desagradable eliminación de Nicuesa, gobernador de aquellas tierras del Darién. Enciso, aunque era un oficial de grandes méritos, dio pruebas de no estar capacitado para el mando, y fue sustituido por Balboa en el mando de la expedición hasta el Darién, *muy fresca y abundante tierra de comida*. Todos estuvieron de acuerdo en que Núñez de Balboa debía ser el alcalde de una ciudad que acababan de fundar con el nombre de Santa María la Antigua, que después fue conocida siempre con el nombre de Darién. No faltaron pretextos para desposeer del mando al bachiller Enciso, a quien se envió a España arrestado, hecho que tuvo después trágicas consecuencias para Balboa.

El nuevo alcalde demostró que tenía excelentes condiciones para el mando, y después, en los cargos de capitán general y gobernador interino, sus dotes de caudillo se destacaron pronto. Recorrió con varios bergantines 25 leguas al oeste, sojuzgó a unas tribus y se atrajo la amistad de otras; remontó ríos, cruzó montañas y atravesó pantanos en busca de oro, esclavos y poder. Supo aplacar las revueltas de los españoles contra su autoridad y poco después pudo decir al rey en una carta: "He ido adelante por guía y aun abriendo los caminos por mi mano". Por una combinación, admirablemente administrada por él, de fuerza, diplomacia y espíritu conciliador, consiguió gran ascendiente sobre los indígenas. Derrotó al jefe indio llamado Cáreta y se casó con su hija, y luego sojuzgó también a otro poderoso cacique de nombre Comagre. Ambos jefes aceptaron el bautismo y recibieron nombres cristianos. Sembró maíz y recibió provisiones y hombres de la Española y de España, y sus soldados llegaron a habituarse a la vida de los exploradores de tierras coloniales. Balboa recogió mucho oro, sobre todo procedente de los adornos de las mujeres indígenas, y el resto obtenido por métodos no del todo pacíficos. En 1513 escribió una extensa carta al rey en la que le solicitaba hombres aclimatados en la Española, armas, provisiones, carpinteros para construir buques y los materiales necesarios para levantar un astillero. Dos años después, en otra carta a Fernando *el Católico*, hablaba de su política humanitaria para con los indígenas y aconsejaba, al mismo tiempo, que las tribus caníbales o tenidas por tales fueran castigadas con energía y severidad extremas.

El Mar del Sur. Cuando Balboa y los suyos se hallaban pesando el oro en la puerta del cacique Comagre, un hijo de éste dio un golpe en la balanza y señaló hacia el sur, donde había un mar rico en oro. La inesperada noticia fue tomada en cuenta por el conquistador. Valiéndose de informes suministrados por jefes indios adictos, Balboa emprendió el viaje a través del istmo de Panamá. Iban en la expedición 190 españoles y algunos guías indígenas. Varias veces, a lo largo de unas 60 millas, encontró obstruido el camino por tribus enemigas, pero mediante su conocido método de combinar la astucia diplomática con la fuerza fue conquistando terreno y convirtiendo los caciques enemigos en amigos y adictos. En el curso de su expedición se encontró en la cumbre de las montañas, desde donde presenció un espectáculo impresionante: un extenso y calmoso océano se ofrecía ante sus ojos. Se hincó de rodillas, alzó las manos al cielo en señal de plegaria y oró un momento en silencio. Luego, indicó a sus compañeros que lo imitasen en una oración en común, y después expresó que había llegado al fin de todos sus trabajos y ambiciones. Era el 25 de septiembre de 1513, 21 años después del primer desembarco de Cristobal Colón. Unos días más tarde se acercaron todos al Golfo de San Miguel, y allí el conquistador se adentró en las aguas del océano hasta la cintura, elevó el estandarte de Castilla e hizo testigos a sus compañeros de que tomaba posesión de aquellas aguas en nombre de los reyes de España. Era el descubrimiento del océano Pacífico al que llamó Mar del Sur por la dirección que había tomado hasta alcanzar sus orillas. Este hecho es considerado por la historia como el capítulo más importante de la conquista de América después del descubrimiento. En frágiles canoas se embarcó con sus hombres a través del mar que acababa de descubrir y encontró en sus costas oro en abundancia y una rica pesquería de perlas. Tras unos cinco meses de ausencia regresó a Darién rebosante de riquezas, el quinto de las cuales envió al rey, como lo establecían las leyes.

El fin de la aventura. Los mensajes enviados por Balboa al rey llegaron demasiado tarde. Las acusaciones del bachiller Enciso, a quien Balboa había despojado del poder, tuvieron curso más rápido y eficaz que las cartas del conquistador. El rey había nombrado gobernador de Darién a Pedro Arias de Ávila, más conocido por Pedrarias Dávila, quien después se destacó por sus instintos sanguinarios. Las peticiones de hombres que Balboa había hecho al monarca las satisfizo éste por medio del nuevo gobernador, quien partió con una expedición de 1,500 hombres, la más numerosa y completa que había salido de España con destino al Nuevo Mundo. Más de quinientos de estos expedicionarios murieron de hambre o víctimas del clima a poco de desembarcar en la nueva tierra de promisión. El historiador Oviedo, que iba en la expedición en calidad de oficial real, dice que caballeros cubiertos de sedas y brocados, que se habían distinguido valerosamente en las guerras de Italia, morían de inanición consumidos por la naturaleza virgen del trópico. Balboa recibió a los emisarios de Pedrarias cuando se hallaba ayudando a los indios a colocar el techo de paja de su casa. Aceptó resignado la sustitución de gobernador por el nuevo cargo que le daba el rey; adelantado del Mar del Sur y gobernador de las provincias de la costa. Las relaciones amistosas con Pedrarias duraron dos años escasos. El gobernador, para demostrar su afecto al descubridor del Pacífico, le dio en matrimonio a su hija, a la sazón en España, y comenzó a tratarlo con afecto paternal. Balboa quiso continuar la exploración del Mar del Sur, pero su suegro retardó cuanto pudo su partida. Como la oposición a este proyecto ya no era sostenible dentro de la aparente cordialidad que reinaba entre ambos, Pedrarias consintió que Balboa llevase a cabo la expedición que se había propuesto. En 1517 navegó el conquistador 46 millas por el Pacífico y regresó para continuar la construcción de embarcaciones más sólidas. Pedrarias le escribió en términos cariñosos para que se presentase ante él a parlamentar, y Balboa accedió. En mitad del camino se encontró con una partida al mando de su amigo Francisco Pizarro, quien lo detuvo por orden del gobernador, y el prisionero fue acusado de traidor por suponer que aspiraba a sustituir a su suegro en la gobernación de Darién. Negó Balboa indignado tal acusación y solicitó que se le enviase a la Española o a España para que le juzgasen. Pero Pedrarias, obrando por medio del alcalde Gaspar de Espinosa, ordenó que se apresurase la causa. El descubridor del Pacífico fue sentenciado a muerte y decapitado con otros cuatro infelices para demostrar que la supuesta conspiración tenía raíces en la colonia. Acla fue el escenario de esta tragedia y Gaspar de Espinosa, que se había destacado en la matanza de indios por orden de Pedrarias, fue quien exploró parte del océano Pacífico en los barcos que Balboa había mandado construir.

Corel Stock Photo Library
Fuente dorada en Nuremberg, Alemania.

Nureiev, Rudolf (1938-1993). Bailarín ruso que adquirió la nacionalidad británica en 1962. Se formó en la compañía de teatro Kirov y más tarde ingresó en el Royal Ballet Británico (1962) formando pareja con Margot Fonteyn. Actuó como bailarín invitado en las mejores compañías de balet. Realizó importantes coreografías en *Tancredo* y *Clorinda* (1965) y *Don Quijote* (1967).

Nuremberg. Ciudad alemana, situada en el land de Baviera, a orillas del río Pegnitz. Población: 498,500 habitantes (1992). Es uno de los principales centros artísticos de Alemania; posee importantes fábricas de juguetes, automóviles, lápices, relojes, instrumentos ópticos y armas de fuego, que gozan de merecida fama en el mundo entero. Entre sus numerosos monumentos históricos se hallan las iglesias de San Lorenzo y San Sebaldo, los restos de las fortificaciones medievales, la casa de Durero y las hermosas fuentes de las plazas principales. Nuremberg es una ciudad de excepcional importancia histórica. Fundada a fines del siglo XI, adquirió pronto un gran desarrollo. Junto con sus artesanos y sabios –a quienes se atribuye la invención del reloj de bolsillo, la reproducción esférica del globo terráqueo, los naipes y el alambre– se hicieron famosos sus artistas. Durero, el insigne pintor y grabador, formó en Nuremberg la escuela que habría de dar una orientación decisiva al arte alemán; Hans Sachs, el zapatero poeta, fue el más genuino representante de un arte popular que Wagner supo retratar con trazos inmortales en sus *Maestros cantores.*

El gobierno nacionalsocialista convirtió a Nuremberg en la sede de sus grandes concentraciones anuales, que se realizaban en el gigantesco estadio construido con ese objeto. En 1945 se reunió en la ciudad el tribunal internacional encargado de juzgar a 22 jefes del movimiento nazi, mediante la sentencia definitiva, dictada al cabo de diez meses de deliberaciones, se resolvió condenar a la horca a 12 de los acusados, encarcelar a siete y absolver a los tres restantes.

Nurmi, Paavo (1897- 1973). Atleta finlandés. Fue el primer gran fondista del atletismo mundial, su fama ha resistido el paso de las épocas y se le considera todavía entre los mejores de todos los tiempos. Fue el primero que asimiló nuevos métodos de entrenamiento, considerados, en su época, imposibles por su dureza; corría siempre con un reloj en la mano, lo cual le servía para comprobar la regularidad de su ritmo, y al llegar a la última vuelta lo dejaba en el suelo y corría lo más rápidamente posible hasta la meta. Obtuvo nueve medallas de oro en los Juegos Olímpicos y estableció 29 marcas mundiales en todas las distancias comprendidas entre 1,500 y 20,000 m. Ganó los 10,000 m y la carrera a campo traviesa, en Amberes (1920); los 1,500 m (individuales), el cross-country (individual y por equipos) y los 3,000 m con la selección finlandesa en París (1924), y los 10,000 m en Amsterdam (1928). Fue descalificado, por profesional, en 1932 cuando se preparaba para el maratón olímpico de los Ángeles.

Nüsslein-Volhard, Christiane (1942-). Bióloga alemana, investigadora del Instituto Max Planck. En 1995 compartió el Premio Nobel de Medicina o Fisiología por sus descubrimientos acerca del control genético de las primeras etapas del desarrollo embrionario. Sus trabajos en grupos de moscas de la fruta que habían sufrido malformaciones permitieron conocer más acerca de los defectos del nacimiento.

nutación. Ligera irregularidad en el movimiento de precesión del eje de rotación terrestre (nutación significa *inclinación de cabeza*). La principal nutación, conocida por lo común simplemente como la nutación, tiene un periodo de 8.6 años y hace que el polo norte astronómico se aleje unos 10 segundos del círculo precesional simple.

A causa de su relativa proximidad con la Tierra, la Luna contribuye con el doble de fuerza que el Sol a que suceda el fenómeno. El plano de la órbita lunar alrededor de la Tierra está inclinado 5° con respecto a la elíptica, y su movimiento de precesión tiene un periodo de 18.6 años debido a perturbaciones creadas por el Sol. Este movimiento es el causante de la nutación principal. Otras nutaciones son originadas por perturbaciones planetarias.

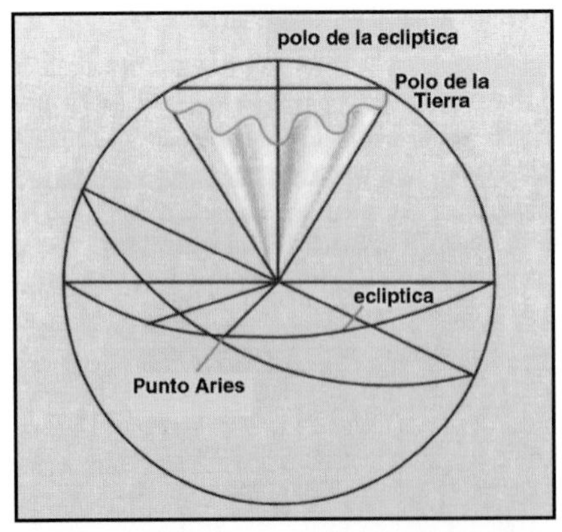

Salvat Universal

Movimiento del eje de rotación de la Tierra, resultante de la combinación de los movimienos de nutación y precesión.

nutria. Mamífero de la familia de los mustélidos. Mide desde el hocico al arranque de la cola de 80 cm a 1 m, con una altura media de 40 cm. Posee cabeza grande y achatada, hocico obtuso, orejas pequeñas y redondas, ojos chicos y salientes; cuerpo delgado; patas cortas con dedos, unidos con una membrana; cola larga, puntiaguda y plana. Tal es la *nutria común (Lutra lutra)*. Su piel, que figura entre las más valiosas, está cubierta con pelos largos, generalmente de color pardo con variaciones de oscuro apagado o rojizo claro, muy suaves y densos; gracias a esto último no siente frío en el agua. La hembra es de color más claro, y más pequeña y graciosa que el macho; sus hijos son casi grises a poco de nacer. Hay diferentes clases y especies que se encuentran en todos los continentes, menos en Australia.

Vivienda. Muchos de los hábitos de la nutria de río se asemejan a los del castor. Esa similitud se hace especialmente visible en la construcción de la madriguera familiar, que ambas especies realizan en las orillas de arroyos y ríos, prefiriendo las cubiertas de bosques, y cerca de los remansos. Para ir a su guarida, la nutria abre en la orilla, bajo el nivel del agua, la entrada de la galería de acceso, que sube en forma oblicua en una longitud aproximada de dos metros, a cuyo término se halla la madriguera que es un espacio circular cubierto de hierbas y hojas. Abre también otra galería que va desde la guarida a un punto en tierra, a alguna distancia de la orilla del río, siendo difícil de descubrir a primera vista. Esa doble salida le permite esquivar a sus enemigos, entre los cuales figura en primer término el hombre, de modo que resulta casi imposible capturarla en su madriguera.

El hogar perfecto. Estos animales constituyen familias que aun entre los seres humanos podrían citarse como ejemplo. Unida la pareja, se instala en su guarida y sólo la muerte o algún accidente la separa. Allí nacen los hijos y son atendidos y cuidados celosamente por los padres, a quienes acompañan en sus correrías alrededor de tres meses; y más o menos a los seis se separan y comienzan a hacer su propia vida. A veces se prolonga este plazo, y los padres se ven rodeados por hijos tan desarrollados como ellos y por otros más pequeños. La madre vela siempre que sus retoños duermen y los cubre con su cuerpo si se presenta algún peligro, prefiriendo morir con ellos antes que abandonarlos, y el macho es tan heroico defensor de la hembra como ésta de sus pequeños.

Costumbres. El agua es su verdadero elemento, y en ella transcurre gran parte de su vida. La nutria se alimenta de peces. Se sumerge y nada con rapidez extraordinaria, sirviéndose de las patas a modo de remos. Entonces extiende su cuerpo y parece mucho más grande de lo que es en realidad. A ratos toma posición vertical y en seguida se sumerge vertiginosamente; es que ha percibido su presa y cae sobre ella, si ésta logra huir al primer intento, pocos segundos después es atrapada. De día permanece en su madriguera y sólo sale de noche en busca de alimento, pero no se aventura demasiado si la oscuridad es muy espesa. En las noches de luna, en cambio, efectúa largas exploraciones, nadando contra la corriente y cubriendo distancias que resultan considerables; también entonces forman grupos y juegan alocadamente, dando saltos en el agua. No es difícil domesticar a la nutria; pero se la debe conseguir pequeña para lograrlo.

La caza. Este mamífero es buscado por el gran valor que tiene su piel, pero el cazador ha de tener paciencia para aguardar el momento oportuno y ser buen tirador, si usa arma de fuego. Un método muy usado es el de trampas formadas con estacas en los pasos estrechos del río que frecuentan las nutrias. Aparte de la piel, se aprovecha en ciertos casos la carne; es comestible, pero común.

La nutria marina. Se encuentra en el litoral americano del Pacífico (Canadá y Chile) y en los mares interiores de Asia. Su piel es mucho más valiosa que la de nutria de río. Fue motivo de lujo en los trajes de ceremonia de los mandarines del viejo imperio chino. Su color varía desde el pardo rojizo al gris-negro con rayas plateadas. La nutria marina *(Enhydra lutris)*, casi desaparecida por la persecución de que ha sido objeto, se alimenta principalmente de moluscos y crustáceos. En México existe la especie *Lutra felina* conocida con el nombre de *ahuizote*, que tiene fama de ser sanguinaria.

nutrición. *Véase* ALIMENTACIÓN.

Nyasa o Ñasa. Lago del África Suroriental encajado entre montañas y situado entre Tangañica, Nysalandia (Malawi) y Mozambique. Cubre una superficie de 28,500 km^2, su profundidad media es de 600 m y su altura sobre el nivel del mar de 478 m. Desagua en el río Zambeze y en el océano Índico por medio del río Shire. Vapores lacustres comunican entre sí los puertos de Karonga, Manda, Kota Kota y otros. Viajeros portugueses lo mencionan, a partir del siglo XVII. David Livingstone en 1859 llegó al lago y trazó la carta de sus orillas.

Nyasalandia. *Véase* MALAWI.

Nyerere, Julius Kambarage (1921-). Político y profesor africano. Hijo de un jefe de tribu, cursó sus primeros estudios en Musona donde fue bautizado por los misioneros católicos; después pasó a las universidades de Uganda y Edimburgo. Fue profesor en Tabora y en Dar Es Salaam. En 1954 fundó el Partido Tanganyka African National Union (TANU). En 1961 y 1962 desempeñó el cargo de primer ministro en Tangañica cuando este país alcanzó la independencia (diciembre de 1961). En noviembre de 1962 las elecciones para designar al primer presidente de Tangañica bajo un régimen constitucional republicano, dieron el triunfo a Julius Nyerere, quien inauguró en 1963 la conferencia de solidaridad afroasiática y en 1964 sofocó varios motines militares. En este mismo año, cuando se unieron Zanzíbar y Tangañica en un solo Estado con el nombre de República Unida de Tanzania, fue nombrado presidente de la nueva República, con lo cual culmina su carrera política (1964-1985).

Nylon. *Véase* NAILON.

ñ. Decimoséptima letra del alfabeto español, y decimocuarta de sus consonantes. Su nombre es *eñe*. Su origen procede de la contracción de dos enes (año, de *annum*); de la unión de las letras *mn* (daño, de *damnum*), de la contracción de las letras *gn* (estaño, de *stagnum*), y de la unión de la *n* con las vocales *e o i* (viña, de *vineam*; España, de *Hispaniam*). Ninguna voz castellana termina en esta letra, que siempre debe ir seguida por una vocal. La *ñ* no existe en los alfabetos hebreo, griego y latino, ni en la casi totalidad de los modernos. Por su estructura fonética, tiene una articulación nasal, palatal y sonora.

ñame. Planta dioscoreácea de los países cálidos, originaria de África, y cultivada hoy para alimento en zonas tropicales. Tiene tallos delgados y trepadores, de los que brotan hojas acorazonadas, opuestas dos a dos en verticilos cruzados y con nervios arqueados en relieve. Las flores son pequeñas, unisexuales, con tres sépalos y tres pétalos, poco vistosos del mismo aspecto que los sépalos. Las raíces fusiformes, alargadas, se cargan de sustancias feculentas, formando tubérculos tortuosos. Estas raíces son la parte comestible de la planta. En los países cálidos donde no se produce bien la patata, la sustituye en la alimentación del hombre y los animales domésticos. Tiene gusto ácido cuando está cruda, que desaparece al cocerla. Se planta en terrenos ricos y sueltos, dispuestos en camellones, donde entierran trozos de tubérculos, clavando a lo largo de ellos varas largas, unidas entre sí por la parte alta, para que sirvan de soporte a los tallos trepadores. Se cultivan numerosas variedades: *ñame* amarillo, *ñame* pelado, etcétera, de las que el ñame blanco o de China es el más apreciado por sus grandes y sustanciosos tubérculos. El *ñame* morado o de Guinea, a más de los tubérculos subterráneos, produce otros amargos y pequeños en las axilas de las hojas, por lo que en América se les llama *papa del aire o papa voladora.* En algunas islas de las Antillas el ñame constituye el principal alimento de los indígenas. En Colombia y Panamá se le conoce como *cabeza de negro.*

ñandú. Nombre común que se da al avestruz sudamericano, que pertenece a la familia de los reidos. Tiene semejanza aparente con el avestruz africano, pero las diferencias son numerosas. El ñandú tiene en cada pata tres dedos que terminan en garfio, y el avestruz sólo posee dos de garra menos pronunciada, el ñandú no pasa de los 90 a 95 cm de altura, que es la mitad de la corriente en el avestruz, y éste es de plumaje más fino que aquél, y también su cabeza y cuello están más desprovistos de plumas. El ñandú tiene alas más desarrolladas, aunque no es ave que vuela, sino que gusta de correr con bastante rapidez; al hacerlo se agacha y parece aún más pequeño de lo que es. Su color más común es el gris con manchas de color castaño, diferenciándose el macho de la hembra en que es más grande y oscuro. Se le encuentra en los desiertos arenosos del sur de Brasil, Uruguay, Paraguay, Argentina y Chile. Se alimenta de gusanos, semillas y todo pequeño ser del reino animal. Posee fuerza extraordinaria y se defiende con bravura al sentirse atacado o en peligro. Vive en grupos hasta de 40 ejemplares y cada macho tiene de 2 a 4 hembras, todas las cuales van depositando sus huevos en un mismo nido; cuando se han reunido 20, es el macho el encargado de empollarlos. Su carne es ordinaria, pero hay sitios en que se condimenta y se come. Con sus plumas se fabrican escobas, y mantas con su piel, todo muy rudimentario y primitivo. En Argentina el ñandú sirve a los gauchos para ejercitarse en las boleadas, es decir, se le hace correr a pampa abierta y luego se le caza tirándole las boleadoras. Allí también se llama *suri* al ñandú, y a los pichones: charitas, charabones y churis. En Brasil se da al ñandú o rea el nombre de emá.

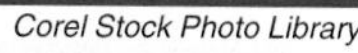

ñandubay. Árbol de América meridional que abunda sobre todo en Argentina.

Ñames aplilados.

Corel Stock Photo Library

Corel Stock Photo Library

Grupo de ñúes corriendo.

Se le llama también *nandubay* y pertenece a la especie *Prosopis ñandubay.* Es una mimosa de madera rojiza, muy dura e incorruptible. Su propiedad más característica es que, cuando se la entierra, se endurece todavía más, razón por la que se utiliza, con preferencia, para levantar empalizadas, vallas y para traviesas de la vía férrea.

ñapindá. Planta arbustiva, del grupo de las acacias, que crece en América meridional y alcanza en las regiones tropicales porte arbóreo con 7 m de altura. Su tronco es de corteza negra y rugosa, y las ramas son muy espinosas; las hojas, compuestas, de numerosos folíolos pequeños. Las flores amarillas, de tamaño reducido y forma amariposada, tienen grato aroma.

Ñeembucú. Departamento de Paraguay, que los ríos Paraná y Paraguay separan de la República Argentina. Ocupa un área de 13,868 km^2, con 84,470 habitantes. Se divide en 16 distritos, siendo la capital Pilar, con 27,997 habitantes (1995). Su principal riqueza es la agricultura y la ganadería. La ciudad de Pilar se dedica a manejar los productos que pasan entre el río Paraná y el río Paraguay. Tiene un pequeño aeropuerto.

ñú. Mamífero rumiante, de talla casi tan grande como la del caballo, que vive en las estepas de África meridional, pertenece al grupo de los antílopes y su cabeza está provista de dos astas arqueadas, parecidas a las de los búfalos. Las patas, terminadas en pezuñas, le permiten fácil carrera. Vive en grandes rebaños; las hembras crían un solo hijo por año, uniéndosele frecuentemente otros herbívoros, como cebras, gacelas, etcétera. Su carne es comestible, por lo que es objeto de activa caza por los indígenas que se sirven además de sus astas y cola como adorno.

Ñuble. Provincia septentrional de la Octava Región de Chile, en la zona central del país. Tiene una superficie de 13,951 km^2 y cuenta con una población de 360,000 habitantes. La capital es Chillán. Corresponde hidrográficamente a la hoya del río Itata. El valle Longitudinal alcanza en esta provincia la mayor anchura de la región. Al este, los Nevados de Chillán constituyen las mayores alturas de su sector andino. La Laguna del Laja, que comparte con la provincia de Biobío, surte de agua a las principales centrales de la región. Cuenta con excelentes conexiones viales y ferroviarias, así como con variados recursos turísticos: playas de Cobquecura y de Puaún, termas y canchas de esquí en Chillán, etcétera. Su base económica es agropecuaria: vid, remolacha, plantas azucareras y lecheras. La ciudad de Chillán fue fundada en 1580 pero fue trasladada al norte después de ser destruida por un terremoto (1835). Chillán fue cuna del libertador Bernardo O·Higgins.

(De izq. a der.) ñu macho en la pradera; ñu azul bebiendo agua; ñu cerca de un pantano.

Corel Stock Photo Library

o. Decimoctava letra del abecedario español y cuarta de sus vocales. Es la más sonora después de la *a*. Se pronuncia emitiendo la voz con los labios un poco sacados hacia afuera en forma redonda, y libre la cavidad de la boca por retraimiento de la lengua. En gramática es también conjunción disyuntiva que denota contraposición, diferencia, separación o alternativa entre dos o más personas, cosas o ideas: *Luis* o *Juan*; *encima* o *debajo*; *renovarse* o *morir*. También indica incertidumbre o duda, y entonces suele ponerse el verbo en plural aun cuando los sujetos unidos por dicha conjunción estén en singular: el *padre* o el *hijo me lo contaron*. Indica equivalencia: *el maestro* o *director los ensayaba*. En todos los casos expresados, esta conjunción se convierte en *u* si la palabra que le sigue empieza por *o* o por *ho*. En química es símbolo del oxígeno y en geografía, del oeste.

Oak Ridge. Población de Estados Unidos, fundada en 1943 por el gobierno estadounidense en el estado de Tennessee, condado de Anderson, a 29 km al noroeste de Knoxville, para iniciar la fabricación de las primeras bombas atómicas que luego fueron lanzadas sobre Hiroshima y Nagasaki (agosto de 1945). Hallándose el país en guerra y dado el propósito perseguido, se instaló con gran secreto. La población, durante la época de guerra, llegó a tener más de 70,000 habitantes; pero, diez años después, descendieron a 30,500. El administrador de la comunidad es designado por la Comisión de Energía Atómica. La población se compone de hombres de ciencia, investigadores, especialistas, funcionarios y empleados del gobierno. Grandes edificios e instalaciones secretas se dedican a la obtención de uranio-235, materiales radiactivos y fabricación de bombas atómicas. El área que ocupan la población y las plantas atómicas están adecuadamente custodiadas.

oasis. Lugares aislados en los desiertos o llanuras arenosas, particularmente en África y Asia, que poseen vegetación y a veces manantiales. Esta voz parece derivar del egipcio *oasos* que significa albergue, lo que explica el sentido del término. Los faraones concedieron una gran importancia al dominio de los oasis, pues ello les garantizaba la posesión del desierto. En sus alrededores se han encontrado, frecuentemente restos o piezas arqueológicas de gran valor histórico. La formación de los oasis es debida a la peculiar estructura geológica de los terrenos desérticos, en los que pueden distinguirse unas formaciones primitivas que ofrecen relieves, prominencias y declives, y otras actuales compuestas por las aglomeraciones arenosas –dunas– que cubren y disimulan las primeras. Si bien la cantidad promedio de lluvias en esos parajes es relativamente débil e irregular –unos 200 mm por año–, el líquido caído no se pierde y se filtra a través de las arenas hasta tropezar con el subsuelo o estructura impermeable en donde queda retenida, ya estancada, ya corriendo por cauces subterráneos. Es, pues, en esos lugares precisamente donde aparece la vegetación y los manantiales. Entre los oasis más famosos pueden citarse el Mayor y el Menor, en Libia y el Laghonat y El-Kantara, en Argelia. En los territorios de Ghardaia existen oasis artificiales, creados por el hombre por medio de pozos artesianos y una red de canales que distribuye el agua regularmente y con medida. Se plantan palmeras y se cultivan corales, maíz y soja por la población indígena que habita en ellos. *Véase* DESIERTO.

Arriba: oasis en el desierto de Argel; abajo, oasis en el Desierto de Taklamaigan.

Corel Stock Photo Library

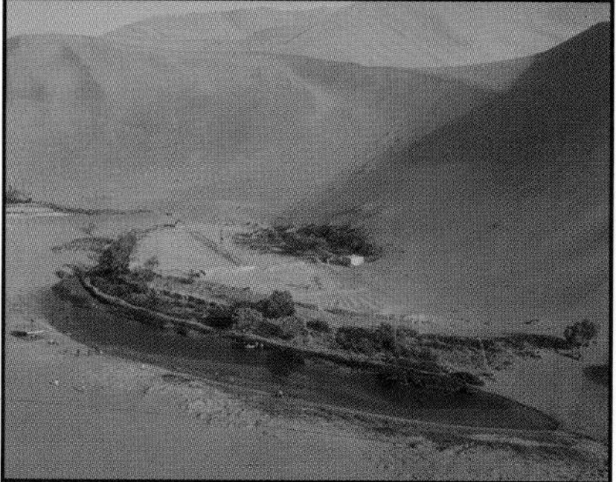

Oasisamérica. Término que se refiere al área cultural precolombina de lo que actualmente es el noroeste de México y el suroeste de Estados Unidos. Alguna vez perteneciente al territorio de Aridamérica, esta área es una de las mejor conocidas en el mundo desde el punto de vista de la arqueología, la lingüística y la etnohistoria. El desarrollo temprano de cultígenos, la irrigación de las áreas cercanas a los ríos y la influencia de grupos más avanzados provenientes del centro de México influyeron para que sus moradores se instalaran permanentemente en asentamientos agrícolas, que a la llegada de los conquistadores europeos sufrían de nueva cuenta la infiltración de grupos nómadas del norte de habla atapascana, ancestros de los apaches y navajos.

Entre la multitud de culturas que habitaron el área se encuentran la Anasazi, al norte; la Mogollón, al sureste, y la Hokokam y la Patayan, al suroeste. Sus límites geográficos al norte y al sur son la región de las *Cuatro Esquinas* –Arizona, Nuevo México, Utah y Colorado– y los estados mexicanos de Chihuahua y Sonora, respectivamente. De oriente a occidente, éstos van de Arizona, Nevada y California hasta cerca de la frontera entre Nuevo México y Texas.

Oasisamérica se caracteriza por sus habitaciones multifamiliares construidas en los acantilados de las mesas, su dieta a base de maíz, frijol y calabaza enriquecida con los productos de la caza y la recolección de productos del desierto, sus elaborados rituales, palpables en sus peculiares formas de arte, la calidad de los objetos empleados en el culto, y sus tradicionales cerámica y cestería.

Oaxaca. Estado de México. Tiene 93,952 km² y 3.228,895 habitantes (1995). Limita con los estados de Guerrero, Puebla, Veracruz y Chiapas, y el océano Pacífico. Sus principales centros de población son Oaxaca de Juárez, capital del estado (157,284 h.), Juchitán, Ixtepec, Tehuantepec, Salina Cruz, Matías Romero, Huajapan, Loma Bonita, Unión Hidalgo, Tuxtepec, Tlacolula, Miahuatlán, Zimatlán y Zaachila. Cruzan el estado la Sierra Madre Meridional o del sur, el llamado Nudo Mixteco y el Macizo del Cempoaltopetl (3,396 m) con numerosas ramificaciones que forman sierras que reciben distintos nombres y montañas de gran altura, separadas por hermosos y fértiles valles con laderas cubiertas de bosques frondosos. Son dignos de mención, entre otros, el valle de Atoyac, y los del curso superior del Coatzacoalcos y el Papaloapan.

Las costas tienen una longitud de unos 450 km, son generalmente bajas y arenosas y presentan grandes entrantes al este, dos de las cuales reciben el nombre de Laguna Superior y Laguna Inferior. Entre los ríos principales figuran el Verde, Tehuantepec, Mixteco y Ometepec. Otros ríos de Oaxaca son afluentes del Papaloapan y Coatzacoalcos que partiendo del límite norte de Oaxaca, atraviesan el estado de Veracruz y desaguan en el Golfo de México. El clima es frío en las grandes elevaciones de las sierras, templado en gran parte de las regiones del centro, y cálido tropical al norte, en los niveles inferiores, y al sur, en partes del litoral.

Corel Stock Photo Library

Mercado de artesanía idígena en Oaxaca, México.

Los recursos minerales son variados y de gran riqueza y se explotan principalmente yacimientos de oro, plata, carbón, petróleo, ónix, cristal de roca y las salinas del litoral. La fertilidad agrícola es extraordinaria. Se cultivan maíz, arroz y otros cereales, hortalizas, frutas, legumbres, algodón, caña de azúcar, remolacha, papa, cacahuate, café, tabaco, cacao, vainilla, alfalfa, plátano, piña y gran número de otras exquisitas frutas tropicales. La explotación forestal comprende maderas preciosas y de construcción, resinas y gomas. Se cría ganado vacuno, lanar y caprino, principalmente. La pesca es actividad de importancia.

Patio interior de las ruinas de Mitla en Oaxaca. México.

Corel Stock Photo Library

En cuanto a industria y comercio, hay fábricas de azúcar, aguardiente, tejidos, cemento, tabacos, cerámica, sombreros de palma; plantas de envases de frutas y de otros productos agrícolas; plantas hidroeléctricas y metalúrgicas, etcétera. Entre las industrias típicas se destacan la confección de sarapes y huipiles bellamente bordados y joyería de exquisita filigrana de plata y de oro. El comercio es activo y la capital es el centro mercantil e industrial más importante del estado. La red de vías de comunicación comprende varias líneas de ferrocarril y carretera, una de las cuales es la Gran Carretera Panamericana (que pasa por Oaxaca y continúa por Chiapas hasta Guatemala), y servicios aéreos. Pero el estado necesita más comunicaciones para explotar debidamente sus grandes riquezas potenciales. Las comunicaciones marítimas se efectúan por Salina Cruz y Puerto Ángel.

En octubre de 1997 el huracán Paulina, con vientos de 220 km/h y rachas de 260 km/h, causó fuertes daños en el estado: destrucción de hospitales, escuelas y viviendas; 70 muertos y 30 municipios parcial o totalmente incomunicados. A largo plazo, la zona cafetalera resultará muy afectada a causa de la pérdida de fuentes de trabajo vías de comunicación y, desde luego, de la cosecha de café.

Historia. Fue asiento de dos grandes reinos prehispánicos, el *mixteca*, que se extendía por la región occidental de Oaxaca; y el *zapoteca*, que ocupaba la región oriental. Ambos reinos, celosos de su independencia, se defendieron tenazmente contra la dominación azteca y dejaron testimonio del grado de civilización que alcanzaron, en las zonas arqueológicas de Mitla y Monte Albán. La penetración española se inició hacia 1522, y durante el virreinato perteneció al reino de la Nueva España aunque una gran parte de Oaxaca fue cedida a Hernán Cortés, formando parte del marquesado del Valle. Posteriormente, a fines del siglo XVIII, formó parte de la Intendencia de Oaxaca. Después de independizarse México, se erigió esta región en estado en el año 1824. La política mexicana de la segunda mitad del siglo XIX estuvo dominada por dos presidentes nacidos en Oaxaca: Benito Juárez y Porfirio Díaz. También es cuna de los pintores Rufino Tamayo y Francisco Toledo.

Oaxaca de Juárez. Ciudad de México, capital del estado de Oaxaca. Tiene 157,284 habitantes y está situada a 1,550 m sobre el nivel del mar en el hermoso y fértil valle de Oaxaca, de clima agradable. Es el gran centro comercial e industrial del estado, y ciudad hermosa y atractiva, con calles amplias y rectas. Entre sus bellos edificios se destacan la catedral, el palacio de Gobierno, el convento de Santo Domingo, de admirable esplendor, y los templos de san Felipe y la Soledad. Es notable el cerro del Fortín de Zaragoza, con la colosal estatua de bronce de Benito Juárez.

Es uno de los centros de turismo más importantes de México, ya que además de sus atractivos propios, es punto de partida para excursiones a lugares interesantes del estado, entre otros, a las imponentes ruinas de Mitla y Monte Albán, al célebre árbol de Santa María del Tule, gigante ahuehuete milenario que tiene 41 m de alto y su tronco 50 m de circunferencia; y a la cima del Cempoaltépetl, donde, a 3,396 m de altura, se admira uno de los más grandiosos y bellos panoramas de América, y se abarcan con la mirada las aguas del océano Pacífico y las del Atlántico, y las cumbres nevadas más altas de México, que se yerguen a cientos de kilómetros de distancia.

Historia. Existía una población precortesiana de Huaxyacac (de donde se originó el nombre de Oaxaca), fundada en 1486, que fue ocupada por los españoles en 1524, quienes la llamaron también Antequera, y trazaron la planta de la villa colonial en 1529, que fue elevada a la categoría de ciudad en 1532. El rey de España concedió a Hernán Cortés, en 1529, el título de marqués del Valle de Oaxaca, y le otorgó grandes extensiones de dicho territorio. El nombre actual de la ciudad es el de Oaxaca de Juárez, en honor del defensor de la libertad de México, Benito Juárez, que nació en el estado de Oaxaca. En 1976 fue declarada monumento nacional y en 1987, patrimonio cultural de la humanidad.

Obaldí, María Olimpia de (1891-1979). Poetisa y pedagoga panameña, llamada por sus compatriotas María Olimpia de Panamá, al ser laureada en el homenaje nacional que le rindieron en 1930. De su extensa y magnífica obra se destacan: *Breviario lírico,* Selváticas y Orquídeas. Es autora de numerosos cuentos y ensayos y ha desarrollado una intensa obra cultural dedicada a la niñez y a la dignificación de la mujer.

Obaldía, José Domingo de (1845-1910). Político panameño, que nació en David (Chiriquí). Antes de que Panamá se separara de Colombia, fue representante de la entonces provincia de Panamá en el Congreso colombiano. Una vez llevada a efecto la separación, representó a la nueva República ante Estados Unidos de América. Nombrado después vicepresidente de la República, el año 1908 sucedió a Manuel Amador, que era presidente de la misma.

Obando, José María (1795-1861). Militar y presidente de la República de Colombia. Después de servir en el ejército realista abrazó la causa de la República y pasó a integrar el ejército de Bolívar, destacándose muy pronto en varios combates. En 1828 se sublevó contra el Libertador, venciendo al general Mosquera en la Ladera y Popayán. Fue subjefe del Estado Mayor en la guerra contra Perú. Mantuvo la campaña contra el Ecuador para recuperar el terreno que aquella nación había ocupado. En 1831 fue nombrado vicepresidente de la República; en 1839 se rebeló contra el gobierno de Márquez, mas fue derrotado, y debió ausentarse del país hasta 1848. En 1849 fue miembro del Congreso y en 1850 gobernador de Cartagena; en 1851 Comandante en Jefe de la Primera División, y en 1853 fue elegido presidente de la República, pero fue depuesto y desterrado por el golpe militar de Melo. Regresó a Colombia en 1860, llamado por el general Mosquera para defender la Federación y murió en un combate cerca de Subachoque.

obediencia. Acción de obedecer. Se llama también obediencia a los preceptos de un superior, especialmente cuando se trata de órdenes regulares. En dichas órdenes, recibe también este nombre el permiso que da el superior a un súbdito para que vaya a predicar, así como también la asignación de oficio para otro convento o para hacer un viaje. Se llama igualmente obediencia en las órdenes regulares a que acabamos de referirnos, al oficio o empleo que, dentro de la comunidad, sirve o desempeña un religioso por orden de sus superiores. Recibe también este nombre la sumisión voluntaria que hacemos a la voluntad o a la ley de Dios, así como también a las leyes y autoridades constituidas en la Iglesia. Es uno de los votos que hacen los religiosos, junto con los de pobreza y castidad, al ingresar en religión. En la doctrina de Cristo constituye una de las condiciones absolutamente precisas para llegar a la perfección. Dicho voto supone que el que ingresa en una de las órdenes regulares renuncia a toda iniciativa de carácter personal y promete el cumplimiento más estricto a la voluntad del superior, tanto en el fuero externo como en el interno. Obediencia ciega es la que se presta sin un previo examen de los motivos o razones en que se funda la orden del que ordena. Obediencia debida es la que el inferior está obligado a prestar al superior en la jerarquía correspondiente, por cuyo motivo queda exento de responsabilidad. Constituye, por lo tanto, una causa de justificación que borra la antijuridicidad que pueda haber en la conducta del inferior pero con dos condiciones: que lo ordenado reúna todos los requisitos necesarios para que se repute legal y que el subordinado desconozca la ilegalidad de la orden a la cual prestó obediencia en virtud del precepto antes mencionado.

Obelisco de la Fuente de los Ríos *de Bernini.*

Corel Stock Photo Library

obelisco. Monumento típico del antiguo Egipto constituido por un pilar sacado de un solo bloque de piedra. Es alto, cuadrangular, pulido y va angostándose hacia su extremo, para terminar en una pequeña pirámide que recibe el nombre de *piramidión.* En los costados se inscribían jeroglíficos con el motivo de su erección. Los primeros griegos que visitaron Egipto vulgarizaron el nombre de aguja dado al obelisco por la forma de su extremo superior. Por lo general se les colocaba en parejas en las puertas de templos, casas y tumbas de altos personajes. Los mayores obeliscos conocidos son: el de Assuán, inconcluso, de 42 m; el de la reina Hatshepsut, en Karnak, de 33 m, el sacado de Heliópolis y llevado a San Juan de Letrán, en Roma, de 32 m, y el que también fue transportado a París desde Heliópolis, erigido por Ramsés II en Luxor a la entrada del templo de Amón, de 23 m. Entre los más hermosos y acabados se considera el llamado Aguja de Cleopatra. En varios países hay monumentos en forma de obeliscos, como el de Washington (Estados Unidos) y el de Buenos Aires aunque no son monolíticos.

obenque. Cada uno de los cabos gruesos que, en los buques, sujetan la cabeza de un palo o de un mastelero a la mesa de guarnición o a la cofa correspondiente. Se dice abozar los obenques para indicar que deben ajustarse a la borda por medio de un cabo no muy largo, la boza, mantenido fir-

Corel Stock Photo Library

Palacio de Linderhof *en Oberammergau, Bavaria.*

me en la proa de las embarcaciones menores, que sirven para amarrarlas a un buque, muelle, etcétera. Con los estayes, constituye el elemento más importante del sistema de sujeción y seguridad de la arboladura.

Oberammergau. Población alemana, situada en Baviera, célebre por las representaciones de la Pasión de Cristo, realizadas de mayo a septiembre por aficionados locales interesados en mantener la tradición. Tiene 3,000 habitantes. En 1633, cuando una epidemia de tifus asolaba a Europa, el consejo municipal de Oberammergau acudió en masa a la iglesia y prometió solemnemente que si la aldea se salvaba, sus habitantes representarían la Pasión cada diez años. Con algunas interrupciones, motivadas principalmente por los graves conflictos bélicos que ha sufrido Europa, el pueblo ha mantenido fielmente su promesa.

Las representaciones son organizadas por un comité formado por el alcalde, el consejo municipal, el sacerdote local y seis ciudadanos. Toman parte en la representación 700 personas con la cooperación de otras mil. Centenares de miles de visitantes extranjeros acuden a Oberammergau atraídos por la representación, que dura desde las ocho de la mañana hasta las seis de la tarde, con dos horas de intervalo para el almuerzo. Los actores no emplean maquillaje y el sol es la única fuente de iluminación.

Obermaier, Hugo (1877-1946). Paleontólogo e historiador austriaco. Doctor en Filosofía en la Universidad de Viena y profesor del Instituto de Paleontología Humana de París, pasó a España como profesor agregado del museo de Ciencias Naturales de Madrid. Más tarde, se nacionalizó español y se le designó para desempeñar la cátedra de prehistoria de la Universidad Central. Realizó interesantes investigaciones, especialmente en las cuevas prehistóricas de la provincia de Santander. Descubrió la de La Pasiega, que encierra interesantes pinturas rupestres, el yacimiento prehistórico de Las Carolinas (Madrid) y la estación protoneolítica de Ciriego (Santander). Estudió el glaciarismo en los Pirineos, los Alpes y varias sierras españolas. Sus obras más renombradas son: *El hombre fósil, El hombre prehistórico* y *Estudio de los glaciares de los Picos de Europa.*

Oberón. Rey de las hadas y de los genios del aire, según la mitología escandinava. Esposo de Titania, vive con ella en la India, pero por la noche atraviesa los mares y va a Escandinavia, donde baila hasta la llegada del nuevo día. Desempeña un papel muy importante en la obra de Shakespeare titulada *Sueño de una noche de verano.* También hay una ópera de este nombre, basada en un poema épico de Wieland y con música de Weber. Dicha ópera se estrenó en Londres el año 1826 y obtuvo mucho éxito.

Oberth, Hermann Julius (1984-1979). Físico e ingeniero rumano naturalizado alemán. Estudió en la Universidad de Munich y, en 1924, publicó una ampliación de su tesis doctoral rechazada por la universidad de Heidelberg titulada *Los cohetes hacia los espacios interplanetarios,* donde explicaba matemáticamente cómo los cohetes pueden alcanzar una velocidad que les permitía escapar de la atracción gravitacional terrestre. En 1929 fue galardonado por su obra *El camino hacia la astronáutica* donde analiza los problemas relativos al descenso, necesidades energéticas, orientación y equipamiento eléctrico de los vehículos espaciales. En 1941 fue enviado al centro de investigación de cohetes de Peenemünde, donde trabajó estrechamente con W. von Braun. Terminada la Segunda Guerra Mundial se dedicó a desarrollar el diseño y la construcción de cohetes.

obertura. Término de amplia significación que incluye varias formas musicales conocidas con diversos nombres desde principios del siglo XVII: preludios, sinfonías, tocatas. Se trata de una composición orquestal, que comúnmente sirve de introducción a una ópera o a un trabajo musical extenso; pero puede ser también una obra independiente. La primera obertura fue probablemente escrita en 1607, por el músico italiano Claudio Monteverdi, para su ópera *Orfeo.* Las más tempranas e importantes contribuciones a este género se deben al compositor francoitaliano Juan Bautista Lully, quien compuso para sus óperas y ballets, las llamadas oberturas francesas, más tarde fueron empleadas por Purcell, Haendel y otros. Consistían en dos cortos movimientos, el primero de ritmo lento y el segundo de tipo fugado.

Glück escribió por primera vez, para *Ifigenia en Tauride,* una obertura temáticamente relacionada al resto de la obra. Esta nueva modalidad fue muy trabajada durante el siglo XVIII. Al introducir en ella los temas más importantes de la obra principal, no sólo obtenía el autor una unidad musical, sino que le permitía crear una atmósfera adecuada a la índole de la misma. En 1787 Mozart, siguiendo ese criterio, compuso oberturas para sus óperas *Don Juan, La flauta mágica* y *Las bodas de Fígaro.* Beethoven compuso la admirable obertura de *Leonora,* La importancia de la obertura culmina con Wagner (1813-1883) y la escuela operística alemana. Basta recordar *Tristán e Isolda, El ocaso de los dioses, Lohengrin, Tanhäuser.* Paralelamente, en Italia desarrollan el género, Rossini, Verdi, etcétera. Por último cabe citar las llamadas oberturas de concierto, semejantes a poemas sinfónicos y que se ejecutan separadamente como piezas de concierto; así *La gruta de Fingal,* de Mendelssohn, y el *Festival académico* de Brahms.

obesidad. Afección que resulta de la grasa excesiva en el cuerpo humano. El tejido adiposo (grasoso) del organismo se acumula en las diferentes partes del cuerpo, sobre todo debajo de la piel, determinando adiposidad o polisarcia. Mucha gente no le da importancia a la obesidad pero se sabe que los gordos viven menos que los flacos. Un proverbio dice: "Cinturón largo, vida corta". Las compañías de seguros de vida en todos los países conceden mucha importancia a la obesidad. En sus tablas de calificación consideran obeso al que tiene un aumento mayor de 10% sobre el peso normal. Las causas de la obesidad obedecen a varios factores, entre los que se cuentan la herencia y el mal funcionamiento de las glándulas de secreción interna, como la pituitaria, la tiroides, el páncreas y las sexuales. El apetito excesivo o glotonería es también una de las causas principales.

La obesidad puede ser de origen *alimenticio*, cuando la causa reside en los excesos nutritivos, produciéndose la gordura por la gran ingestión de grasas, alimentos farináceas y azúcares principalmente; de origen *constitucional* cuando es debida a factores hereditarios, y de origen *patológico*, cuando existe mal funcionamiento de algunos órganos.

Durante los tiempos de guerra, cuando los alimentos escasean, se ha observado que los gordos suelen perder peso y muchos se convierten en flacos. Los obesos enfermos del corazón mejoran con la dieta mínima. La gordura de ciertos bebedores se debe a la acción del alcohol que cuando se añade a una alimentación suficiente, determina un aumento o hipertrofia del tejido adiposo.

El tratamiento se fundará en la reducción de alimentos, aunque es peligroso seguirlo sin consultar al médico dietólogo. Muchos jóvenes enferman de anemia y tuberculosis por emprender una cura de adelgazamiento sin vigilancia médica. Las grasas deben ser restringidas lo mismo que los azúcares, las pastas, las legumbres y los postres de repostería. Al principio conviene que el paciente posea una balanza de cocina para poder calcular con exactitud los pesos de cada alimento en crudo. Dentro de las carnes se elegirán las magras hechas a la plancha o parrilla. Muy apropiados son determinados pescados, como la merluza, pescadilla, pejerrey, corvina y bacalao. Los vegetales y frutas son necesarios en los regímenes para obesos, prefiriendo los de menor contenido en azúcar. Se tomará poco pan y poca sal. Las bebidas alcohólicas no son aconsejables. La leche, el vino y el agua se restringirán en lo que sea posible. Entre los medicamentos se emplean algunos de acción laxante y los productos tiroideos, estos últimos en dosis infinitesimales. El ejercicio, sin llegar a la fatiga, los baños de vapor o baños turcos y los masajes ayudan muy eficazmente.

Obi. Río de Siberia occidental, formado por el Katun, que nace en el monte Blanco o Bieluja, y el Biya. Ambas corrientes se juntan en Ikonnicovo, cerca de Busk, desde donde el río es navegable, aunque las muchas islas e islotes dificultan algo la navegación. Como por la estepa la pendiente es poco pronunciada, el Obi se divide y subdivide en brazos y forma lagos y pantanos. Cerca de Koliván se ensancha tanto que semeja un mar. Aguas abajo, su caudal es engrosado por el poderoso río Irtish. En su curso hacia el norte se divide en varios brazos, entre ellos el Pequeño Obi y el Gran Obi, que terminan en el océano Glacial, en el golfo a que da nombre el río. El curso del Obi, desde la unión de los dos ríos que lo forman, es de 3,600 km. Como vías navegables, el Obi y sus afluentes son de gran importancia, aunque se hielan durante el invierno. La cuenca del Obi ocupa una extensión tan grande y de terreno parecido al del valle del Mississippi, por cuya razón ha sido denominado el Mississippi de Rusia. El Golfo del Obi, formado por el océano Glacial Ártico en la costa norte de Siberia, separado del Mar de Kara al oeste por la península de Yamal, y del Golfo del Yenesei por la península que termina con el Cabo Matsol, tiene unos 700 km de norte a sur, con una anchura de 100 a 120 metros.

obispo. Prelado superior de una diócesis o distrito eclesiástico a cuyo cargo está la educación espiritual, dirección y gobierno religioso de los fieles. Chateaubriand afirma que nada hay más excelente en la historia de las instituciones religiosas que todo lo que se refiere a la autoridad, obligaciones e investidura de los prelados entre los cristianos. Según las decisiones del Concilio de Trento, entre las principales cualidades que hay que tener en cuenta en los obispos figuran todas las que son necesarias a un simple presbítero, es decir, el obispo no debe tener ninguna de las irregularidades ni defectos que excluyen de las órdenes, ha de haber cumplido los 30 años de edad y haber nacido de un matrimonio legítimo; que sea doctor o licenciado en Teología o derecho canónico; que sea eclesiástico y goce de una reputación intachable. Las insignias propias de la dignidad episcopal son las que a continuación se mencionan: el traje morado y los ornamentos pontificiales como las cáligas, sandalias, tunicelas, dalmáticas, guantes y mitra; la cruz de oro al cuello que, por descender sobre el pecho, se llama pectoral; báculo pastoral, curvado en su extremidad; y anillo en señal de desposorio con su iglesia. En cuanto a los deberes y obligaciones de los obispos, pueden resumirse a dos objetos principales: el culto divino y la dirección de las almas.

Altorrelieve del obispo de Absalom (1128-1201).

Corel Stock Photo Library

objetivismo. Toda teoría filosófica que admite que las creencias y opiniones de los sujetos son independientes de los conceptos, verdades, significados y valores, entre otros.

Si pensamos en el término como antónimo de *subjetivismo*, el Objetivismo posee diversos sentidos filosóficos. Así, en metafísica es sinónimo de *Realismo*, pero también de *Idealismo objetivo*, doctrina que identifica la naturaleza real del exterior con el pensamiento o actividad del espíritu universal (no del *subjetivo)*. Y aunque en epistemología designa toda doctrina que postula que aquello aprehendido es independiente del aprehensor, el término se aplica específicamente al Neorrealismo estadounidense –Montague, Marvin–, que considera al mundo como *representación neutra* y no de alguien, como en el idealismo subjetivo.

objetivo. Dispositivo óptico consistente en un tubo o cilindro metálico o de material plástico en cuyo interior se hallan dispuestas una o varias lentes, de modo que al recibir en su parte anterior los rayos luminosos que bañan un objeto o emanan de él, los refleja en la posterior, aumentando o disminuyendo la imagen, que puede ser observada ya directamente (por medio de un ocular) ya indirectamente (por proyección sobre una superficie o pantalla). Los anteojos y los prismáticos pueden ser considerados como objetivos dobles (uno para cada ojo) sencillos o no, provistos de ocular. Según el uso a que vaya destinado el objetivo, puede ser telescópico, fotográfico o microscópico. Las combinaciones ópticas de las lentes que intervienen en cada una de las clases de objetivos mencionados responden a las siguientes finalidades: 1) para el telescopio: reflejar imágenes de objetivos muy distantes en el plano focal por medio de haces de ángulo reducidísimo y paralelos al eje; 2) para el microscópico: reproducir imágenes diminutas, invisibles al ojo humano, por medio de haces de gran abertura angular, y 3) para el fotográfico: obtener la imagen reflejada de haces de pequeña abertura, pero muy inclinados al eje, sobre todo cuanto mayor o más extenso deba ser el campo visual. Todos los objetivos tienen montadas sus lentes según que las imágenes que deban reproducir se hallen a mayor o menor distancia del aparato respectivo y sean de mayor o menor tamaño y número. Se denomina corrección acromática aquella que consigue que dos haces de distintos colores produzcan imágenes coincidentes: si estos rayos paralelos al eje son tres, la corrección es apocromática. Anastigmático es el objetivo que impide que el haz procedente de un objeto luminoso dé imágenes difusas por refracción múltiple de un mismo rayo luminoso y aplanético el que corrige la aberración esférica que dispersa hacia los márgenes o bordes de la imagen los haces luminosos. Los gran-angulares poseen un ángulo de visión tan abierto que permiten, a muy corta distancia de su foco, reproducir imágenes de gran tamaño (edificios, paisajes, arbolados, etcétera). Los universales se hallan dotados de gran luminosidad, corrigen las aberraciones cromáticas y esféricas y resultan excelentes para las fotografías instantáneas. Los ortoscópicos dan la imagen de una cuadrícula con los rayos perpendiculares entre sí; se utilizan preferentemente en arquitectura, reproducciones ampliadas, etcétera. Triplar es el objetivo anastigmático dotado de una luminosidad tan uniforme que lo hace muy conveniente para retratos. De proyección son los que utilizan los aparatos cinematográficos y de diapositivas.

objeto. Se llama así a todo lo que puede ser materia del conocimiento o de la sensibilidad por parte de un sujeto, incluido el mismo sujeto. Es, también, lo que sirve de materia o asunto a la actividad de las facultades mentales; el término o fin de los actos o las potencias, y el fin o meta a que se dirige o encamina una acción u operación. También se llama objeto a la materia o contenido de una ciencia. En filosofía se llama objeto a lo que posee una existencia en sí, independiente del conocimiento que los seres pensantes pueden tener de él. En este sentido, para Newton el espacio es un objeto, como lo es el mundo externo para el realismo cognoscitivo, o para Kant el noumeno. Es, en último término, todo lo que es representado o pensado sólo en cuanto se le distingue del acto por el cual se piensa. El objeto es, por lo tanto, para un sujeto lo mismo que éste a su vez es para el objeto. De lo dicho se deduce que no hay objeto sin sujeto ni sujeto sin objeto. En la moderna filosofía fenomenológica se llamaría objeto a todo lo que puede ser sujeto a un juicio, o sea, todo aquello de lo que puede decirse algo. De acuerdo con la moderna ontología hay cuatro clases de objetos: *sensibles, suprasensibles, ideales y valores.* Los primeros son los que pueden percibirse por los sentidos y entre los cuales puede darse una relación de causalidad. Se dividen a su vez en *físicos*, que son los que ocupan un lugar en el espacio o suceden en el tiempo, y en *psíquicos*, que son los que no pueden ocupar un lugar en el espacio pero sí suceden en el tiempo. *Suprasensibles o metafísicos* son los que en ningún caso pueden ser percibidos por los sentidos. *Ideales* son los que, aunque no perceptibles por los sentidos, pueden deducirse de otros que sí pueden ser percibidos, como, por ejemplo, los objetos matemáticos. *Valores* son los que valen o se imponen a nuestra voluntad. En derecho, se llama objeto a todo lo que es susceptible de servir de contenido a una relación jurídica. A este orden pertenecen las cosas y las acciones humanas. En teología, lo que es el Ser Supremo o Dios. Se le llama entonces objeto de atribución por ser el conocimiento o fin último de dicha ciencia. En derecho penal se llama objeto del delito a la persona o cosa sobre la que recae materialmente el acto del mismo.

oblación. Ofrenda o sacrificio hecho a la divinidad. Acto por virtud del cual la víctima de un sacrificio es ofrecida a Dios. Algunos teólogos sostienen que en la oblación radica la esencia del sacrificio. Muy especialmente se llama así al ofrecimiento de la hostia hecho por el sacerdote después de la consagración. En los tiempos primitivos era costumbre que los fieles que concurrían a la Misa, se asociaran al sacerdote con ofrendas de pan y vino, que servían para la celebración del Santo Sacrificio y para que los fieles comulgaran con ellas. De aquí que se las llamara oblaciones. En el derecho romano se llamaba oblación a una forma de legitimación de los hijos, por virtud de la cual eran ofrecidos a la curia. Esta forma de legitimación se debió a los emperadores Teodorico y Valentiniano. Tenía un carácter puramente fiscal, pues de esta manera se podían llenar los claros que en las curias responsables de la recaudación de los impuestos dejaban los individuos que abandonaban el cargo.

oblea. Lámina muy delgada y esponjosa hecha con harina y agua, cocida después en un molde apropiado, de modo que sus trozos, cuadrados o circulares, sirvan para pegar sobres o cubiertas de oficios. Se llama también oblea a cada uno de esos trocitos a que acabamos de referirnos. Se da el mismo nombre a un pedacito por regla general circular, hecho de goma arábiga e igualmente destinado a cerrar cartas. En medicina recibe el nombre de oblea una capsulita de pan sin levadura en la que se introducen medicamentos que tienen mal gusto o que, por otra circunstancia cualquiera, se trata de impedir que hagan contacto con la boca; también se le llama *sello.* La oblea medicinal se traga entera, una vez que ha sido humedecida con agua. Se conoce con el nombre de oblea la pasta dulce y perfumada que, cocida entre dos hierros, se emplea para la confección de barquillos y otras golosinas. También se le da el nombre de oblea a la persona o al animal que, debido a enfermedad u otra circunstancia cualquiera, se ha quedado escuálido.

obligación. En sentido genérico, se da este nombre a la imposición o exigencia moral que impele al cumplimiento de los deberes que tiene una persona respecto de la sociedad, de sus semejantes y de sí misma. Pero en derecho la palabra tiene un sentido técnico y preciso, pues designa el vínculo legal que sujeta a hacer o a dejar de hacer una cosa. Los elementos de la obligación son tres: 1) el sujeto, formado por las personas entre quienes se forma la obligación; 2) el objeto, que es el acto o prestación que integra su contenido, y 3) la causa, que es el hecho jurídico que le da nacimiento. El sujeto de la obligación es, esencialmente, el ser humano, aunque la ley extiende la aptitud para ser sujeto a las personas jurídicas o de existencia ideal: sociedades civiles y comerciales, asociaciones, fundaciones, etcétera. El sujeto activo se llama acreedor; el sujeto pasivo se denomina deudor.

En cuanto al objeto de la obligación, puede consistir en *dar, hacer* o *no hacer* alguna cosa. Obligación de dar es la que tiene por objeto la entrega de una cosa mueble o inmueble. Obligación de hacer es aquella en que el sujeto activo debe prestar algún servicio al sujeto pasivo. Cuando el objeto de la prestación consiste en un hecho negativo, o sea en privarse o abstenerse la obligación es de no hacer.

El efecto general que produce toda obligación es doble; respecto del acreedor, crea el derecho de exigir la prestación; respecto del deudor, impone la carga de cumplir esa prestación de la manera estipulada o en la forma que la ley impone. Cumplida la obligación, el deudor adquiere el derecho de obtener la liberación correspondiente. Si no la cumple, el acreedor puede utilizar diversos medios de compulsión. Si la obligación es de hacer, el acreedor puede exigir la ejecución forzada del deudor o limitarse a pedir daños y perjuicios, si es de dar, puede exigir judicial o extrajudicialmente la posesión material del bien. En el caso de bienes inmuebles se acude al desalojo y en el de sumas de dinero se utiliza el recurso del embargo de bienes.

Se llama obligación *condicional* la que está subordinada, ya sea en su nacimiento o en su ejecución, a determinados hechos o accidentes: 1) la condición, que consiste en subordinar la adquisición o resolución de un derecho a un acontecimiento futuro e incierto, que puede o no producirse; 2) el plazo, que consiste en subordinar el ejercicio de un derecho al transcurso de un lapso cierto o incierto, 3) el cargo, que es la cláusula por la cual el sujeto que quiere mejorar a otro limita su promesa, exigiéndole una prestación a cambio de la que recibe.

obligación. *Véase* VALORES MOBILIARIOS.

Obligado, Pedro Miguel (1892-1967). Poeta argentino. Autor de una poesía formalista vinculada a las últimas notas del romanticismo. A su primer libro, *Gris* (1918), siguieron *El ala de sombra* (1920), *El hilo de oro* (1924), *Melancolía* (1945) y Los *altares* (1959). *Los ensayos La tristeza de Sancho* (1927) y Qué es el verso (1957) lo muestran como un agudo analista. Escribió también numerosos libretos y adaptaciones cinematográficas.

Obligado, Rafael (1851-1920). Poeta argentino. Fue doctor honoris causa de la Universidad de Buenos Aires, cuya facultad de filosofía y letras contribuyó a crear, y miembro correspondiente de la Real Academia Española. Compuso una notable colección de poemas, publicados en un solo volumen, que bastó para cimentar su condición de escritor netamente representativo de su país. En ellos nos habla, con alta inspiración, de emociones nacidas en las riberas del Paraná, donde transcurrió gran parte de su existencia; de hechos de la historia de su patria que ensalzó con severa grandeza, y de leyendas populares recogidas en los campos. De todas, la que mayor repercusión tuvo fue *Santos Vega*, que bien pronto se convirtió en obra clásica de la literatura argentina. Pero no menos felices resultaron *La retirada de Moquegua, El negro Falucho y Ayohuma*, composiciones históricas de singular vigor. Y en el terreno de las emociones íntimas, de las pequeñas experiencias enaltecidas por su pluma, fueron verdaderas joyas *El hogar paterno, El niño de boyeros* y *La flor del ceibo*. Todo ello configuró su bien ganado prestigio de poeta nacional, que empleó el lenguaje culto en la representación simbólica del payador y del gaucho de las pampas argentinas.

oboe. Es un instrumento músical de viento, confeccionado en madera con embocadura de caña en lengüeta doble, provisto de agujeros principales y accidentales que se tapan y abren por medio de llaves. Su ejecución resulta muy difícil porque debe soplarse muy poco aire, haciéndose necesario respirar más lentamente que lo normal.

Obregón, Alejandro (1920 - 1991). Pintor colombiano, nacido en Barcelona, España. Se crió en Barranquilla (su madre era española y su padre colombiano). Estudió arte en España, y más tarde en la Boston School of Fine Arts. Su primera exposición individual tuvo lugar en Bogotá (1947). Era la época de su estilo figurativo, de rasgos que recuerdan la etapa tahitiana de Gauguin, aunque había también una fuerte dosis de cubismo. En 1958 recibió el Premio Internacional Guggenheim por su obra *Vigilia*, y en 1964 el Primer Premio en la Bienal de Córdoba, Argentina. Su obra representa un esfuerzo fascinante por transformar el mundo que lo rodea en imágenes de su propia creación. Así, su temática más perdurable: volcanes, cóndores, paisajes marinos, iguanas, son intelectualizados mediante una visión muy personal del expresionismo abstracto (*Iguana devorando a un tigre, Torocóndor, El último cóndor*, y *Flores carnívoras*, uno de sus cuadros más famosos). La pintura moderna en Colombia comienza realmente con Obregón, quien no deja de reconocer su deuda con Picasso y Tamayo.

Obregón, Álvaro (1880-1928). General y político mexicano. Nació en Nogales (Sonora). Perteneció a una acaudalada familia de agricultores, dedicándose al cuidado y mejoramiento de sus fincas hasta 1912 en que se unió al presidente Madero para impulsar la reforma agraria. A la muerte de Madero (1913) Obregón se unió a Carranza, que sostenía la causa de la legalidad frente al usurpador Huerta. Carranza, en su carácter de primer jefe del ejército constitucionalista, nombró a Obregón jefe del ejército del noroeste, al frente del cual tuvo amplio campo Obregón para desplegar sus grandes dotes de estratega natural, y ascendió a general de división. Alcanzó notables victorias contra los aguerridos militares profesionales que mandaban las tropas huertistas. Cuando sobrevino la ruptura entre Carranza y Villa, el carrancismo se vio en condiciones difíciles y obligado a replegarse, evacuando la capital de la nación y otras ciudades importantes, ante el empuje de las tropas de Villa. Pero Obregón, después de reorganizar sus fuerzas, fue al encuentro de Villa y en Celaya se libraron dos grandes batallas entre los 35,000 hombres de Villa y los 20,000 de Obregón. La astucia y la táctica de Obregón se enfrentaron contra la impetuosidad de Villa. Derrotado Villa parcialmente en la primera batalla (6-7 de abril de 1915) se reforzó y atacó de nuevo (13-15 de abril) siendo derrotado decisivamente y perdiendo en esta segunda batalla 5,000 hombres prisioneros, 3,000 muertos, casi toda su artillería, 1,000 caballos y muchos otros pertrechos de guerra. Esta victoria aumentó grandemente el prestigio militar de Obregón, quien poco después, perdió el brazo derecho, amputado a causa de una herida que recibió en un combate en Santa Ana del Conde. Fue designado presidente de la República para el periodo de 1920 a 1924, y durante su gobierno fomentó el progreso agrícola, dictó medidas para mejorar la condición de los trabajadores del campo, acentuó el laicismo del Estado y firmó los llamados *tratados de Bucareli* que restablecieron y fijaron las relaciones con Estados Unidos. Al finalizar su periodo, entregó el poder a su sucesor Plutarco Elías Calles (1924-1928). En 1928 fue elegido otra vez presidente, pero antes de tomar posesión, cuando asistía a un banquete en San Ángel un fanático lo asesinó el 17 de julio de 1928.

Oboe.

Corel Stock Photo Library

obrerismo. Movimiento a favor de la mejora y dignificación del estado económico y social del proletariado, que reivindica sus derechos y la valoración justa de su trabajo, como elemento importante de la producción. Las condiciones sociales y económicas creadas desde principios del siglo XIX, como resultado de la revolución industrial, dieron origen a la concentración de grandes masas de trabajadores en los centros mineros y regiones fabriles en las naciones de gran actividad industrial. Las condiciones de vida y de trabajo a que inicialmente tuvieron que sujetarse los obreros, eran de extrema dureza. Con el propósito de mejorar esas condiciones, los obreros fueron agrupándose en uniones y sindicatos, cuya acción colectiva dio origen al obrerismo organizado. Concurrentemente, y espoleadas por esa acción colectiva, en las grandes naciones industriales se fue desarrollando una legislación obrera e industrial que regulaba los salarios, la duración de la jornada y las condiciones de trabajo. Actualmente, en casi todos los países existe una legislación de trabajo que, en diversos grados y alcances, regula las relaciones entre obreros y patronos, establece organismos y procedimientos de mediación, arbitraje y conciliación, determina los salarios mínimos y las jornadas máximas, concede a los obreros el derecho de organización y de huelga, estipula beneficios de retiro y jubilación, pensiones a la vejez, compensaciones por accidentes de trabajo, asistencia médica, seguros contra desempleo, etcétera. El espíritu de equidad económica distributiva y justicia social, que anima a los estados modernos, ha encontrado expresión en una legislación social y obrera que tiende a mejorar, gradual y constantemente, el nivel de vida y el progreso cultural de las clases trabajadoras.

obrero. Persona que, en un sistema de capitales, vende su fuerza de trabajo al dueño de los medios de producción, a cambio de un salario. La figura contemporánea del obrero surge como consecuencia de la Revolución Industrial. La operación de las nuevas máquinas y herramientas, sucesoras del taller, se convirtió en la nueva ocupación de campesinos y artesanos. Al principio inconforme –recuérdese el movimiento de destrucción de máquinas en Gran Bretaña a comienzos del siglo XIX–, la masa obrera adquirió con el tiempo identidad y deseos de gozar derechos. Las primeras asociaciones obreras surgieron en Gran Bretaña desde el primer cuarto del siglo XIX. En 1831 y 1834 en Francia surgieron los primeros sectores obreros en iniciar una huelga.

observación. Acción o efecto de observar, investigación o comprobación atenta de los hechos tal como se presentan naturalmente, sin forzarlos o modificarlos. En filosofía el término *observación* se opone al de *experimentación*, distinguiéndose el primero porque al objeto observado se le deja manifestarse tal como es, sin intervenir para nada en su funcionamiento, mientras que en la experimentación se varía o se interviene en su funcionamiento. Constituye, pues un procedimiento científico que tiene por objeto el conocimiento intuitivo de una cosa llevado a cabo con alguna atención y un propósito deliberado. De acuerdo con esto, la observación puede ser sensible, si en ella intervienen los sentidos, o intelectual, si sólo la inteligencia interviene en ella. Por otra parte, según la clase de instrumentos de que nos valgamos para llevarla a cabo, puede ser telescópica, como la empleada en astronomía; microscópica, como aquella de que se vale la histología; laringoscópica, oftalmoscópica, etcétera. Se llaman ciencias de observación las que, como las físicas, las químicas y naturales, tienen por principal fuente de conocimiento el examen directo de los fenómenos del mundo exterior para de este examen deducir las leyes a que están sujetos. Todas estas ciencias emplean con carácter predominante la observación para dar cumplimiento a la tarea que les corresponde. También otras ciencias, como por ejemplo la etnografía, se valen casi exclusivamente del mismo procedimiento, para estudiar los diversos pueblos y razas, sus creencias y modos de vida, sus artes e industrias, etcétera. Esta ciencia puede, pues, ser considerada como el prototipo de las de observación, pues sólo se vale de dicho procedimiento con exclusión de cualquier otro, en tanto que las físicas y químicas se valen también del experimento.

observatorio. Edificio dotado de instrumentos adecuados en que se realizan observaciones astronómicas o meteorológicas. El estudio del firmamento ha preocupado a los hombres de ciencia desde la más remota antigüedad, sabiéndose de observatorios de los más diversos tipos desde los primeros tiempos de la historia. El más antiguo de que se tiene noticia, aunque no muy precisa, es el del templo de Belos, en Babilonia. Eratóstenes, en el siglo II a. C., fundó el observatorio de Alejandría. En los templos egipcios los sacerdotes observaban las estrellas desde lugares especiales, y los mayas en América precolombina, construyeron templos especiales con el mismo objeto. A partir de la invención del anteojo de Galileo y del perfeccionamiento posterior de los telescopios, la astronomía dio un paso gigantesco y los observatorios pudieron contar con poderosos instrumentos de investigación. Actualmente existen más de 300 observatorios repartidos por el mundo.

Telescopio con espejo de 1.5 m en el Observatorio de Dominion.

Corel Stock Photo Library

Los observatorios modernos se instalan en edificios independientes y los aparatos se colocan en locales cubiertos por techos en forma de media naranja, que pueden girar sobre la circunferencia de su base y descubrir cualquier sector del cielo, permitiendo enfocar el telescopio hacia el punto deseado. La menor transparencia de las capas inferiores de la atmósfera, así como las perturbaciones de las iluminaciones de los centros urbanos, durante la impresión de placas fotográficas del cielo, han inducido a construir modernos observatorios, en las cimas de grandes montañas, donde la capa de la atmósfera es más delgada y más pura.

El principal aparato con que se realizan las observaciones astronómicas, es el telescopio. Existen varios tipos, pero todos ellos están formados por elementos similares de concentración de la luz. Un telescopio está formado por un objetivo, que tiene por función recoger los rayos luminosos que llegan del astro, y concentrarlos en un punto que se llama foco, y otro sistema convergente, el ocular, que recoge los rayos concentrados en el foco y los hace pasar al ojo del observador. En un principio tanto el objetivo como el ocular estaban formados por sistemas de lentes convergentes, llamándose telescopios refractores, porque en ellos la luz se concentraba por refracción. Como el poder de concentración del telescopio es proporcional al área de su objetivo, se tendió a construir los telescopios con diámetros de objetivos cada vez mayores, hasta fabricarlos de 91,43 cm (36 pulgadas) de diámetro, como el de Lick de la Universidad de California, y de 101,6 cm, o sea 40 pulgadas, como el de Yerkes de la Universidad de Chicago, que es el mayor telescopio refractor del mundo. Para evitar defectos de aberración de estas lentes es preciso que los objetivos estén montados en tubos muy largos. Para suprimir el inconveniente del enorme peso que ello significa, se volvió a la solución ideada por Jaime Gregory en 1663, de utilizar un espejo con superficie reflectora de forma parabólica, como objetivo. Colocado este espejo en el fondo de un tubo, los rayos por él recogidos se reflejarían, sin aberraciones, concentrándolos en un foco, de donde pasando a través de un ocular ordinario van al ojo del observador. Este sistema, conocido con el nombre de telescopio reflector, reduce extraordinariamente la longitud del tubo y el peso, permitiendo dar mayor diámetro al objetivo y obtener mayor poder de condensación. El telescopio del observatorio de Monte Wilson cerca de Pasadena en

California, tiene un espejo reflector de 254 cm de diámetro y el del observatorio de Monte Palomar, del Instituto Tecnológico de California, tiene un espejo de 508 cm de diámetro, siendo el mayor telescopio reflector que se ha construido.

Los grandes telescopios son movidos por motores eléctricos que enfocan con toda precisión, el astro que se quiere estudiar. Para compensar los movimientos de la Tierra y conseguir que las imágenes permanezcan fijas durante la exposición, es necesario imprimir al telescopio un movimiento igual y en sentido contrario del que realiza la Tierra, lo que se logra con complicados mecanismos automáticos. La mayoría de los observatorios actuales están dedicados a la investigación científica, lo que no ha impedido que en algunos se hayan obtenido conocimientos de gran utilidad práctica.

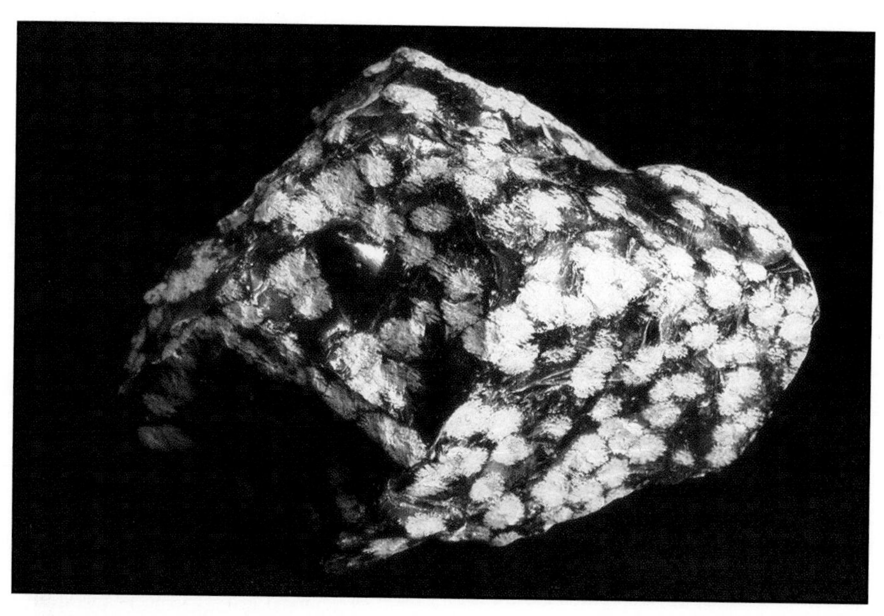

Corel Stock Photo Library

Piedra de obsidiana.

obsidiana. Vidrio natural de origen volcánico, formado por la solidificación, por enfriamiento rápido, de lavas ácidas de tipo feldespático. Es de color negro, algunas veces gris verdoso, sin inclusiones cristalinas, y los trozos obtenidos por fractura tienen superficies concoideas y bordes cortantes. Es inatacable por los ácidos. De composición idéntica a la piedra pómez, se encuentra frecuentemente asociada a ésta en los mismos mantos de lava, dependiendo que se forme una u otra, de las condiciones de consolidación. Los indios mexicanos empleaban la obsidiana para la fabricación de instrumentos cortantes y armas, como puntas de flechas. Las superficies pulimentadas se empleaban en América como espejos, de donde le viene el nombre de *espejo de los incas*, y actualmente se emplea en aparatos de física para polarizar la luz reflejada en su superficie.

obstetricia. Especialidad médica que se encarga de los cuidados que deben recibir las mujeres que planean un embarazo y durante éste, el parto y las primeras semanas posteriores al alumbramiento (el puerperio). Todos los obstetras cuentan con un grado académico de ginecólogos para ofrecer atención completa a los problemas que afectan el sistema reproductor femenino (incluidos los senos) durante todas las etapas de la vida. No obstante, algunos gineco-obstetras pueden optar por alguna especialización: problemas de la fertilidad, por ejemplo del tracto urinario, embarazos complicados o cáncer en los órganos reproductores.

Aunque el alumbramiento sucede por lo general sin complicaciones, un obstetra está capacitado, mediante la teoría y la práctica, para hacerse cargo de situaciones delicadas y responder ante las emergencias que surjan ocasionalmente. Entre los problemas que pueden presentarse están el desprendimiento prematuro de la placenta, la placenta previa (situación en que la placenta sangra por encontrarse inserta en una posición baja), compresión del cordón umbilical o ruptura del útero. Otro caso se presenta cuando el obstetra debe recibir al bebé mediante operación cesárea si éste no presenta primero la cabeza o si ocurren otros problemas antes del parto o durante éste.

obturador. Dispositivo o aparato que sirve para tapar o cerrar una abertura o conducto. En anatomía se llama obturador al orificio oval subpubiano situado en la pelvis, así como también a los órganos próximos o relacionados con dicho orificio. En fotografía es el dispositivo que, en las cámaras fotográficas, permite regular el tiempo o la velocidad de exposición de la placa. Los hay de muy diversas clases, entre las cuales merecen destacarse los obturadores de objetivo o centrales, llamados así porque están colocados por delante o por detrás de las lentes o entre ellas, y los obturadores de cortina, que lo están por el contrario, cerca de la película sensible. Por otra parte, se llaman *obturadores de precisión* los que están dotados de unas laminitas que se abren por el centro.

Obús M119 de 105 mm.

Corel Stock Photo Library

obús. Pieza de artillería parecida al cañón, pero de menor longitud, y que se emplea para arrojar granadas y metralla. Es la pieza intermedia entre el cañón y el mortero. Parece que los holandeses fueron los primeros en servirse de los obuses, en el siglo XVII. La principal característica del obús es la de poder batir objetivos verticales y horizontales, por lo que suele emplearse en el tiro indirecto y en la defensa de costas. Pueden montarse sobre carros y sobre plataformas móviles que circulan entre rieles. *Véase* ARTILLERÍA.

oca. Juego de salón que se desarrolla sobre un tablero cuyo espacio está dividido en 63 casillas. Debe su nombre a que en nueve de aquellas aparece trazada una oca, exactamente en las casillas 9, 18, 27, 36, 45, 54 y 63; en 1a 6 figura dibujado un puente; en la 19, una posada; en la 31, un pozo; en la 42 un laberinto; en la 52 una celda de cárcel y en la 58, la muerte. La suerte es decidida por dos dados que se arrojan sobre el tablero con un cubilete. Para ganar la partida es necesario que el jugador llegue a situarse en la casilla 63. Cuando excede de 63 el número de puntos, tiene que retroceder tantas casillas como números de exceso haya hecho. El que saca uno de los números en los que hay dibujadas ocas tiene derecho a volver a tirar hasta dar en otra casilla que no tenga oca. El que llega a la casilla número 6, donde está el puente, deja de jugar una vez y va a la casilla 12. El que reúne 19 puntos, donde está la *posada*, deja que los demás jueguen dos veces cada uno; cuando uno de ellos va a ocupar la posada el primero la abandona yendo a situarse en el puesto en que se hallaba el nuevo ocupante. El que se para en la casilla 31, donde está el *pozo* o en la 52 *(la cárcel)* no puede salir de ella hasta que cae otro jugador. El que llega a la casilla 42, donde está el *laberinto*, paga un tanto y retrocede 3 puntos situándose en la casilla 39. El jugador que se detiene en la casilla 58, donde está la *muerte*, *muere* y tiene que volver a empezar la partida. Cuando un jugador se sitúa en la casilla 60, juega con un solo dado. Para ganar hay que reunir exactamente 63 puntos.

Ocampo, Florián de (1513-1590). Historiador español, nacido en Zamora. Estudió en las universidades de Alcalá y Salamanca, y tuvo por maestro al sabio Alonso de Nebrija, quien le inspiró el gusto por la antigüedad. Tras su ordenación, obtuvo una canonjía en la Catedral de Zamora, pero a causa de serios disgustos con el cabildo, logró su traslado a Córdoba y fue nombrado cronista por el emperador Carlos V, con encargo de escribir la crónica general de España. En 1553 se publicaron los cinco primeros libros de su *Crónica general de España*. Ocampo, en esta obra, se remontó hasta los tiempos del Diluvio y llegó solamente hasta la época de los dos Escipiones, aunque se había propuesto llegar hasta el nacimiento de Jesucristo.

Ocampo, Melchor (1814-1861). Político mexicano. Nació en el estado de Michoacán. En los albores de su carrera política fue gobernador de su estado natal y ministro de Hacienda. Sufrió persecuciones y destierros por sus ideas liberales. Presidió, en 1856, el Congreso Constituyente. Fue uno de los más decididos defensores de las leyes de Reforma que propiciaba Benito Juárez. Al triunfar Juárez y la causa reformista, Ocampo fue ministro varias veces y desempeñó las carteras de Gobernación, Relaciones Exteriores, Hacienda y Guerra. En junio de 1861 se había retirado a una de sus haciendas, la que fue asaltada por una partida de guerrilleros, enemigos del liberalismo, y Ocampo fue hecho prisionero y fusilado. Se le da el sobrenombre de *Mártir de la Reforma.*

Ocampo, Victoria (1891-1979). Escritora argentina. Realizó desde joven numerosos viajes a Europa, siendo sus primeros trabajos publicados en España por la *Revista de Occidente*. De gran sensibilidad y aguzado espíritu crítico, fundó en 1931 en Buenos Aires la revista *Sur*, desde la que se difundieron en toda América Latina los más altos valores de la literatura contemporánea universal. Esta revista, en cuyas páginas han sido asimismo presentados los más significativos autores argentinos del presente, constituye en la historia literaria hispanoamericana una etapa de verdadera renovación. Entre los libros más importantes de Victoria Ocampo figuran: *De Francesca a Beatrice*, *Domingos en Hyde Park* y *Testimonios.*

Fila de palmeras en Bora Bora en la Polinesia Francesa.

Corel Stock Photo Library

ocarina. Pequeño instrumento musical de viento, de forma ovoide, fabricado con arcilla, muy fácil de manejar. Fue inventado alrededor de 1880 por el italiano Giuseppe Donati. Consta de 8 agujeros para la modulación de las notas: 4 para los dedos de la mano derecha y 4 para los de la izquierda.

Occam u Ockham, Guillermo de (1290?-1347). Filósofo y teólogo inglés. Franciscano, fue profesor de las universidades de París y Oxford. Por defender la regla primitiva de su orden, tuvo diferencias con el Papa Juan XXII. En filosofía continuó e hizo progresar las doctrinas de Duns Escoto; consideró la filosofía como separada de la teología, y basó el conocimiento en la experiencia. Sus proposiciones, lo mismo que su método, constituyeron sus principales aportaciones al criticismo, escepticismo y nominalismo de la filosofía del siglo XIV, así como uno de los núcleos principales del pensamiento moderno.

occidente. Punto cardinal del horizonte por el cual se pone el Sol. Equivale a oeste o poniente. Es también nombre genérico que se da al conjunto de naciones de Europa y América –uniformadas en una misma civilización– para distinguirlas de los pueblos milenarios de Asia y de la costa africana del Mediterráneo. Caracteriza a estas naciones la llamada cultura occidental, nacida en Grecia, asimilada en Roma, y conservada y transformada luego por el cristianismo hasta adquirir su forma actual.

Occidente, Imperio de. Se dio este nombre a las tierras de Italia, España, las Galias, Gran Bretaña, África y la mitad de la Iliria que, siendo parte del imperio romano, recibió Honorio a la muerte de su padre, Teodosio *el Grande* (395). Duró hasta la invasión de Italia por el bárbaro Odoacro, y fue restaurado por Carlomagno (800) y Otón I de Alemania (962).

Oceanía. Nombre general de todas las islas del Pacífico occidental, central y meridional, en las que a veces se incluyen Nueva Zelanda y Australia para formar una de las cinco partes del mundo. Son miles de islas, pero su superficie de aproximadamente 8.940,000 km^2 es una cifra insignificante al lado de los 180 millones de km del océano Pacífico. Lo mismo puede decirse de la población de esa parte del globo terráqueo, que apenas llega a 29.271,000 habitantes.

Australia y Nueva Zelanda no se incluyen a veces en Oceanía y en esta ocasión se ha preferido tratarlas en artículos aparte. Excluidos estos dos países, la superficie de las demás islas es de alrededor de 990,000 km^2 y 700,000 habitantes aproximadamente.

Las islas de Oceanía se asientan en la plataforma continental o surgen de la cuenca oceánica. La isla de Nueva Guinea es la segunda del mundo por su extensión, después de Groenlandia. Dos distintos procesos participan en la formación de las islas de Oceanía: el vulcanismo, que hace brotar la lava del interior de la Tierra y, con el tiempo, sobrepasa la superficie del agua formando una isla. El segundo es el coralífero, combinado con el vulcanismo. En efecto, las islas volcánicas a veces quedan sumergidas pues el peso de la lava contribuye al hundimiento del fondo del océano. Cuando esto ocurre, las colonias de corales se superponen a veces en la cumbre del volcán submarino y constituyen arrecifes inmediatamente bajo la superficie del agua. Si la arena que resulta de la disgregación de las rocas coralinas se acumula en la parte superior, se crea una baja isla arenosa. Cuando adopta la forma de un anillo, recibe el nombre de atolón. Un gran número de islas de Oceanía son atolones.

Oceanía, prescindiendo aquí de Australia, se divide en tres grandes grupos: Melanesia *(islas negras)*, Micronesia *(islas pequeñas)* y Polinesia *(muchas islas)*.

Los habitantes. Las poblaciones de las islas, en consecuencia, se dividen a menudo en tres grupos étnicos paralelos, aunque esto no sea una clasificación estrictamente correcta, ya que propiamente ninguno constituye un grupo distintivo. En realidad, todos están formados por gente de muy variados orígenes.

Los polinesios son de constitución robusta, piel ligeramente morena y pelo negro ondulado. Predominantemente de raza caucásica, tienen también características malayo-mongoloides y aun negroides. Existen afinidades lingüísticas con los micronesios y los melanesios.

La mayoría de los melanesios vive en la Isla de Nueva Guinea y en otras más pequeñas adyacentes. Casi todos ellos son de mediana estatura, pelo crespo y piel de pigmentación muy oscura. Hay una gran diversidad en el matiz de la piel, desde el tono café hasta el negro azulado, así como en la estatura, desde los altos habitantes de Fidji hasta los pigmeos o negritos de Nueva Guinea.

Los micronesios pueblan sobre todo las islas del Pacífico occidental, al norte del ecuador. Sus características físicas corresponden a la raza mongoloide. La mayoría de los micronesios vive en las islas administradas por Estados Unidos.

Historia. Las primeras tierras de Oceanía fueron descubiertas en 1521 por el portugués Fernando de Magallanes, al servicio de España, que las llamó islas de los Ladrones, ahora islas Marianas. Otro gran navegante, el español Álvaro de Mendaña descubrió y exploró en 1568 las islas Salomón y posteriormente las Marquesas y Santa Cruz. Siguieron luego el español Luis Váez de Torres, quien dio su nombre al estrecho entre Australia y Nueva Guinea, el portugués Pedro Fernández de Queiroz, descubridor de Tahití y Nuevas Hébridas (actualmente Vanuatu), el holandés Willem Cornelis Schouten (1616), que exploró las Fidji y las Tonga, el francés Louis Antoine de Bougainville que visitó las Samoa, y el inglés James Cook, descubridor de Nueva Caledonia y el primero en desembarcar en Australia.

Corel Stock Photo Library

Isla Bora Bora en Oceanía.

Niño subiendo a un árbol en Salamunu, Samoa.

Corel Stock Photo Library

La colonización europea de Oceanía se inició con la toma de posesión por España de las islas Marianas y poco después de las Carolinas y Palaos. En 1898, por el tratado de París, España cedió a Estados Unidos la isla de Guam y al año siguiente vendió sus restantes posesiones a Alemania, que las perdió después de la Primera Guerra Mundial. Los japoneses asumieron el control de las Marianas y Carolinas occidentales, pero las perdieron a su vez después de la Segunda Guerra Mundial. En la actualidad la mayoría de las islas de Oceanía al norte del ecuador pertenecen a Estados Unidos. Las Hawai, muy ricas y pobladas, se convirtieron en 1959 en el quincuagésimo estado estadounidense.

Francia domina casi todas las islas orientales del Pacífico meridional, así como Nueva Caledonia y otras islas del oeste. Gran Bretaña gobernó durante mucho tiempo la mayor extensión territorial en Oceanía aunque, primero Australia y Nueva Zelanda y luego todas sus otras posesiones, se han independizado.

Recursos naturales y economía. La mayoría de las islas poseen climas tropicales o subtropicales. Los productos agrícolas más comunes son: cocos, ñames, boniatos y frutas tropicales. La pesca es importante y la copra es el principal producto de exportación. Varias islas contienen oro, níquel y cromo. Algunos atolones (Naurú,

Ocean y Makatea) tienen ricos yacimientos de fosfatos.

La copra es la almendra del coco, que una vez seca se exporta a Europa y Estados Unidos, principalmente, donde se utiliza el aceite y la manteca para fabricar, entre otras cosas, jabón y margarina. En Samoa Americana existe una importante enlatadora de pescado. Además de las islas productoras de fosfatos ya mencionadas, en Nueva Caledonia se extraen níquel y cromo y en Bougainville (Papua Nueva Guinea), hay grandes yacimientos de cobre.

Arte y religión. El arte ha desempeñado un papel importante en las vidas de los pueblos de Oceanía. En las islas del Pacífico meridional, los polinesios tallaban imágenes de espíritus que se creía influían en los elementos y en el crecimiento de las personas, animales y cosechas.

Algunas estatuas especiales, llamadas fetiches, supuestamente curaban enfermedades y protegían a sus poseedores contra el mal y la mala suerte. Como muchos otros pueblos los isleños rendían culto a los antepasados. Las esculturas a imagen de sus antepasados recibían poderes mágicos que les trasmitía el sacerdote tribal. Máscaras y esculturas eran utilizadas en la realización de ceremonias y rituales religiosos.

Además del arte propiamente religioso, se hacían numerosos utensilios como cuencos y copas, artículos de joyería y armas, que se exhibían como símbolos de riqueza y poder. Los tatuajes realzaban la belleza del hombre y probaban su valor.

Los estilos artísticos eran sumamente variados. En algunas islas del sur, las imágenes del hombre se combinaban con las de animales, aves o pescados. Complicados dibujos, curvas rítmicas y airosas, así como ricos colores decorativos caracterizaban a las tallas.

El material más usual era la madera. Sin embargo, donde la madera no abundaba se tallaba la piedra. Algunas esculturas tienen varios siglos de antigüedad. En la isla de Pascua son notables las monumentales estatuas de piedra. Representan espíritus guardianes y todos ellos se asemejan por las macizas mandíbulas, largas narices y ojos hundidos bajo cejas prominentes.

El centro del arte melanesio se hallaba en Nueva Guinea y otras islas cercanas. Las estatuas de los antepasados, llamadas orovar, estaban cubiertas de patrones complejos y sinuosos. La imagen representaba a un hombre sentado o de pie, con un escudo decorativo simbólico. Su enorme cabeza estaba a menudo hueca, para contener el cráneo de la persona fallecida.

Las muestras artísticas de Micronesia son mucho más limitadas que las de Melanesia y Polinesia. Las esculturas humanas están elegantemente talladas, en formas geométricas sencillas y pequeñas cabezas ovaladas sin rasgos faciales.

océano y oceanografía.

La palabra océano se emplea para designar las enormes extensiones de agua que de modo continuo e ininterrumpido rodean las masas continentales. Los griegos ya emplearon esta palabra para designar una corriente de agua profunda, o un extenso mar que circundaba la tierra, aunque no se tenía conocimiento de la existencia de los océanos propiamente dichos. El conocimiento geográfico de los antiguos estaba limitado a la región del Mediterráneo, tenían una idea confusa de las aguas europeas del Atlántico Norte, y suponían que las masas de agua estaban separadas y divididas entre sí en varias cuencas cerradas rodeadas de tierra. Los geógrafos árabes fueron quienes revolucionaron este concepto, sostenido durante siglos por la autoridad de Tolomeo, aunque no dieron una visión mucho más aproximada a la realidad. Los descubrimientos geográficos posteriores, que culminaron con las exploraciones al Nuevo Mundo a partir del descubrimiento, demostraron que el mar estaba constituido por grandes extensiones de agua comprendidas entre los continentes, a las que comenzó a dárseles el nombre de océanos.

Extensiones y límites de los océanos. A partir del siglo XVI adoptaron los autores la división de las aguas del mar en tres partes fundamentales: océano Atlántico, océano Índico y océano Pacífico. Después se agregaron dos más para delimitar perfectamente los conocimientos marítimos: océano Glacial Ártico y océano Glacial Antártico. Se llama océano Atlántico a la masa de agua que se extiende casi desde el Círculo Polar Ártico al Antártico y que baña las costas de América oriental, Europa y África occidentales. Los límites del Atlántico con el Pacífico y con el Índico son, respectivamente, los meridianos del cabo de Hornos y del de Buena Esperanza, al sur de los mismos. El Atlántico cubre una extensión de aguas de unos 82.5 millones de km^2, sin contar los mares interiores, como el Mediterráneo, el del Norte, etcétera. La distancia más corta entre las dos costas se halla cerca del Ecuador, y es de 2,840 km. El océano Pacífico abarca una extensión de más de 165.2 millones de km^2, sin incluir los mares dependientes de él, y su anchura máxima es de 16,000 km en la línea cercana al Ecuador. Sus aguas bañan las costas occidentales de América y se extiende hasta las costas orientales de Asia y Australia. El océano Índico baña las costas orientales de África, el sur de Asia y el occidente de Australia. Tiene unos 73,5 millones de km^2. El océano Glacial Antártico está representado por el conjunto ininterrumpido de masas oceánicas que rodean a la Antártida, en amplia comunicación con el Atlántico, el Pacífico y el Índico, por lo cual resulta imposible determinar sus límites exactos con ellos. El océano Glacial Ártico está incluido entre los límites septentrionales de Europa, Asia, América del Norte, incluyendo Groenlandia, y el océano Atlántico hasta el Círculo Polar Ártico. Con el Atlántico tiene comunicación abierta y las corrientes frías y las templadas se entrecruzan e influyen mutuamente. Con el Pacífico está unido por el estrecho de Bering. Se calcula que ocupa una extensión de 14.1 millones de km^2. El Ártico y el Antártico son dos regiones polares totalmente distintas en su formación física. El Ártico es un océano

Buque oceanográfico RRS Shackleton en la Antártica.

Corel Stock Photo Library

casi todo rodeado de tierras, y el Antártico es, por el contrario, un continente rodeado por agua. Estas características tienen un fuerte influjo modificador en el clima. La Antártida está permanentemente cubierta de hielo y rodeada por aguas de frialdad uniforme. La temperatura media de estas tierras es crudísima. Su vegetación es raquítica, compuesta en su mayoría por diversas especies de cianofíceas. Esta pobreza y desolación contrasta notablemente con los veranos del Ártico, durante los cuales la tundra luce su rica policromía floral. El límite polar de la vegetación está impuesto por las corrientes templadas del Atlántico, que llegan en forma muy intensa al océano Ártico y dan una fisonomía totalmente distinta al paisaje del extremo norte, en relación con el del Antártico. Resulta difícil establecer las dimensiones del océano Ártico, el menos estudiado de todos, aunque modernamente se han dedicado a esta tarea reiteradas y sistemáticas expediciones.

Corel Stock Photo Library

La oceanografía se encarga entre otras cosas del estudio de la fauna marina.

El fondo de los océanos. La región menos conocida del océano está situada entre las aguas de la superfice y las montañas escondidas en las profundidades. El océano cubre aproximadamente unas tres cuartas partes de la extensión total de la tierra y forma una sola masa de agua, aunque lleve nombres distintos, con la sola excepción de los mares interiores. El agua se va haciendo oscura a medida que la luz del sol pierde fuerza, pues es sabido que la luz se debilita rápidamente al penetrar en el agua. Los rayos rojos desaparecen aproximadamente a los 100 m de profundidad, al ser absorbidos por las aguas, y con ellos las tonalidades anaranjadas y amarillas. A los 300 m sólo persisten con débil fuerza las radiaciones azul oscuras, y a partir de aquí no existe más que la oscuridad y los peces de las profundidades tienen sus órganos visuales adaptados a esa carencia de luz. Esta oscuridad influye en la fauna oceánica en forma muy notable en todos los órdenes. Al nivel de las aguas la presión del aire sobre el cuerpo de un hombre es aproximadamente de un kilo por cada centímetro cuadrado de superficie y, si se desciende, la presión aumenta a razón de 1 kilo por cada 10 m. Esta presión, la oscuridad y los sonidos de origen biológico que se han detectado en el fondo del mar son descubrimientos modernos. Durante la Segunda Guerra Mundial se hicieron notables adelantos en la captación de estos sonidos y se sabe que son producidos por la inmensa fauna que vive en las profundidades del océano. De la topografía, en general, del fondo del océano se conocen detalles muy precisos. Las tres grandes regiones del océano están formadas por la plataforma continental, el borde abrupto de esta plataforma, llamado también talud o cantil, y el fondo profundo del mar, o sea las cuencas oceánicas propiamente dichas. La plataforma continental es la parte del océano que más se parece a la tierra. La más ancha plataforma es la que bordea el océano Glacial Ártico, que tiene, en algunas partes, más de 1,000 km de anchura, extensión que está surcada por gargantas y cañones profundos, entre los que se elevan islas. La plataforma más profunda es la que rodea al océano Glacial Antártico. El talud de la plataforma se levanta en los limites de los continentes como imponente muralla. Su altura media es de 4,500 m. El talud oceánico forma una barrera de montañas más compacta y elevada y en él hay enormes cañones que constituyen los accidentes más notables de la corteza terrestre.

Los geólogos suponen que el fondo del mar no ha variado mucho desde su formación. Hasta hace poco los oceanógrafos hablaban del fondo como una llanura sin accidentes. Investigaciones recientes han revelado el misterio de los abismos, sorprendiendo a los propios científicos. En el fondo hay valles y planicies, profundas depresiones y elevadas cordilleras. Las depresiones más grandes están en el Pacífico. En la llamada fosa de las Marianas se ha registrado una profundidad de 10,960 m, la mayor conocida hasta la fecha. En la fosa de Mindanao se han medido 10,540 m, y en la fosa de Japón, 10,374 m. Las mayores profundidades del Atlántico están cerca de las Antillas y al sur del cabo de Hornos. En el Índico destacan las depresiones cercanas a las islas del archipiélago malayo. La zona menos conocida del fondo del océano es la del Ártico pues la gruesa capa de hielo permanente dificulta los sondeos. A partir de 1940 fue posible incluir en los mapas de las zonas submarinas una serie de 160 elevaciones planas. situadas en las cercanías de las islas Hawai y la Marianas de 800 a 1,600 m de la superficie. Son vastas planicies cuya formación es un enigma. igual que el de los cañones submarinos. Un accidente del fondo del océano es la cordillera del Atlántico. Nace cerca de Islandia y se prolonga hacia el sur a la misma distancia de Europa y América; cruza el ecuador y continúa hasta las cercanías del paralelo 50 de latitud sur donde cambia de direc-

Planta tubular púrpura en el fondo del océano Atlántico.

Corel Stock Photo Library

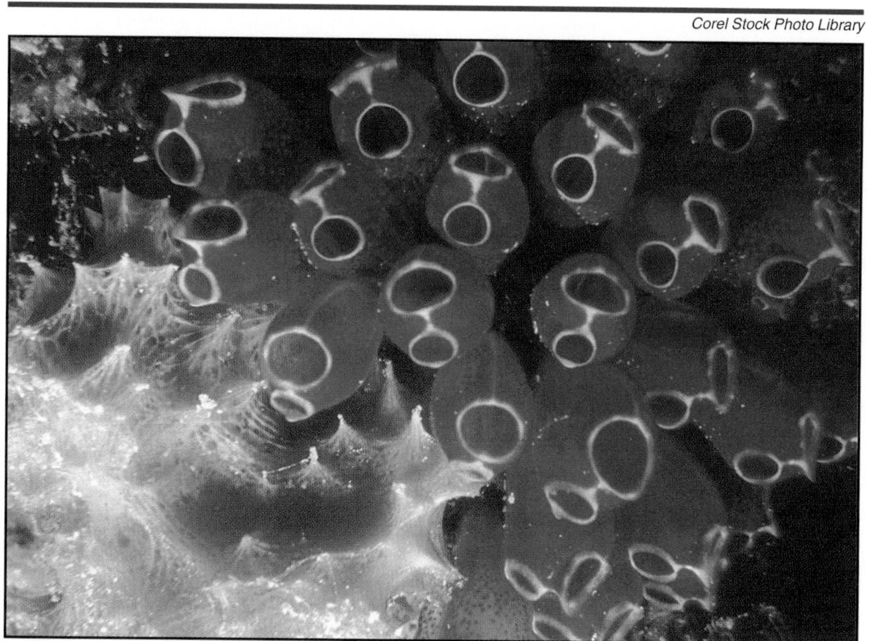

ción para internarse en el Índico. Sus accidentes son paralelos en casi todo su curso a los continentes que bordean el Atlántico e incluso marca las salientes de Brasil y de la costa africana. Esta extraña característica ha acentuado la creencia de que dicha cordillera fue en lejanos tiempos un continente emergido, pero estudios recientes han demostrado que en el fondo del Atlántico existen masas de sedimentos de gran espesor que han necesitado millones de años para acumularse. Esta teoría destruye también la utópica idea de la existencia de la Atlántida, a que hacen referencia varios antiguos autores griegos, entre ellos Platón. Hoy se sabe que si ha existido este hipotético continente tuvo que ser millones de años antes de la aparición del hombre sobre la tierra. La cordillera del fondo del Atlántico se extiende a lo largo de 16,000 kilómetros. A la altura del Ecuador tiene una profunda depresión por la que se comunican las aguas de la parte oriental con las de la occidental. Esta depresión se llama en las cartas marinas *fosa de la Romanche*. Lo que podríamos llamar columna vertebral de esta cordillera se eleva entre 1,500 y 3,000 m sobre el fondo del océano. La cumbre más alta por encima de la superficie de las aguas es la isla de Pico, en las Azores. Esta isla tiene desde el fondo del océano 8,000 m de altura, pero sólo sobresale de la superficie de las aguas 2,400. Los picos más abruptos de la cordillera atlántica son el grupo de islotes llamados San Pablo, cerca de la línea ecuatorial.

En el Pacífico y en el Índico también hay cordilleras, aunque mucho más modestas que la del Atlántico. Las islas Hawai son tierras emergidas de una cadena de montañas que cruza el fondo del Pacífico central a lo largo de 3,200 km, y las islas Gilbert y Marshall son el resultado visible de otra cadena montañosa de las profundidades. Una extensa meseta sumergida une, a través del Pacífico, la costa de la América del Sur con las islas Tuamotú. Desde la India hasta el Antártico hay otra extensa cordillera a través del Índico. Los estudios geológicos recientes suponen que la corteza terrestre no es más notable debajo del mar que en tierra firme, y que las montañas submarinas son un fenómeno de proceso parecido a las montañas y cordilleras de los continentes. El océano guarda aún celosamente muchos secretos. Sin embargo, la ciencia moderna lucha incesantemente por arrancárselos, y hoy los conocimientos sobre su geografía están a la altura de los conocimientos de la geografía de la superficie de la tierra. A pesar de las diversas denominaciones, se sabe que el océano es sólo uno. Las masas de agua que circulan incesantemente por las profundidades oceánicas pertenecen a todos los océanos por igual y el oleaje que anima ahora una alegre playa veraniega acaso se ha roto contra los hielos antárticos o ha acariciado las costas de las islas tropicales de la Polinesia. Todos los mares forman un solo y único océano que circula sin interrupción alrededor del globo terráqueo.

Corel Stock Photo Library

Ocelote.

Oceanografía. Es esta una ciencia que estudia los mares en el aspecto físico, químico y biológico. La oceanografía nació con las grandes exploraciones que hicieron españoles y portugueses en el siglo XVI, pero la oceanografía moderna parte de la expedición que efectuó el buque inglés *Challenger*, que dio la vuelta al globo desde 1872 a 1876 y cuyos resultados constituyen los fundamentos de esta ciencia tal como hoy se estudia. A partir de entonces se realizaron numerosas expediciones, que tuvieron la virtud de revelar aspectos fundamentales relacionados con los seres que pueblan los mares, como el *plancton*, las profundidades, el movimiento de las olas, las corrientes marinas y la temperatura de las aguas en todas las latitudes. La oceanografía estudia también las condiciones climáticas de superficie para la navegación aérea y las comunicaciones inalámbricas. Durante la celebración del Año Geofísico Internacional (1957-1958), en lo concerniente a investigaciones científicas marinas, 20 de las naciones participantes equiparon 80 buques oceanográficos que efectuaron estudios trascendentales sobre orografía submarina, corrientes, mareas, etcétera. Entre los resultados obtenidos se destaca el descubrimiento de varias corrientes marinas, entre ellas dos de gran magnitud: una que fluye bajo la Corriente del golfo, en el Atlántico, y otra bajo la Corriente Ecuatorial, en el Pacífico, y ambas en dirección opuesta a la de las corrientes superiores. Esos estudios oceanográficos se continuaron en 1959 y años posteriores, en una incesante labor científica que va desentrañando los secretos de las profundidades oceánicas. *Véanse* ABISAL; AGUA; BATISFERA; MAR.

ocelote. Mamífero felino de mediana talla que vive en las regiones boscosas del continente americano, desde el sur de Estados Unidos hasta el norte de Argentina, y al que se le denomina vulgarmente leopardo. Pertenece a la especie *Leopardus pardalis*. Tiene el aspecto de un gato grande, llegando a medir el cuerpo del macho 80 cm y 40 la cola. La hembra es algo menor. Pelo corto y suave, con largas manchas oceladas de color pardo, contorneadas de negro, que parecen formar bandas oblicuas sobre el fondo gris amarillento del lomo y costados. En la parte inferior y ventral el pelo es blanco. La cabeza, ancha, tiene orejas cortas y ojos verdes amarillentos con pupila vertical. Sus patas robustas terminadas en fuertes uñas le proporcionan una gran agilidad para trepar por los árboles donde vive, guareciéndose en los huecos de los troncos, donde protege sus cachorros. Los hijuelos no adquieren la coloración del pelo de los padres hasta el año y medio. Realiza sus cacerías por parejas, preferentemente en las noches oscuras y tormentosas, acechando oculto en las ramas desde donde salta sobre sus víctimas. Se alimenta de aves, pequeños mamíferos y monos. Es objeto de activa caza, por su piel, que es apreciada en peletería. Soporta fácilmente la cautividad, y criado desde pequeño se hace manso y cariñoso con los dueños.

ochavo. Antigua moneda española de cobre, cuyo peso era de un octavo de onza y su valor el de dos maravedises, o sea, de céntimo y medio de peseta. Fue mandada acuñar por Felipe III y, aunque muy disminuida de peso, siguió siendo acuñada hasta mediados del siglo XIX.

Ochoa Albornoz, Severo (1905-1993). Bioquímico español, naturalizado estadounidense. Nació en Luarca (Oviedo). Se doctoró en medicina en la Universidad de Madrid (1929) en la que desempeñó después la cátedra de fisiología (1931-1935). Amplió sus estudios y prosiguió sus investigaciones en las universidades de Heidelberg (1936-1937) y Oxford (1938-1940). Se trasladó a Estados Unidos en 1940 y fue profesor en la Universidad de Washington, en Saint Louis (1941). Ingresó en la facultad de medicina de la Universidad de Nueva York (1942), en la que fue director del departamento de farmacología (1946) y del de bioquímica (1954). Le fue otorgado el Premio Nobel de Medicina o Fisiología (1959), que compartió con su discípulo el doctor Arthur Kornberg, por el descubrimiento del mecanismo en la síntesis biológica de los ácidos ribonucleico y desoxirribonucleico, de gran importancia en la síntesis de las moléculas de proteína en las células de los organismos y en la transmisión de los patrones genéticos y los caracteres hereditarios.

Ochoa, Eugenio de (1815-1872) Escritor español. Nació en Lezo (Guipúzcoa) y murió en Madrid. Llevó a cabo una copiosa producción literaria en Madrid y en París. Su obra se divide en traducciones, numerosas ediciones de autores clásicos españoles con prólogos, notas y estudios originales, y en obras propias en prosa y en verso. Entre estas últimas se destacan: *Ecos del alma, El auto de fe y París, Londres y Madrid.*

ociosidad. Vicio de no trabajar, perder el tiempo o gastarlo sin provecho. Igualmente se llama así a la situación en que se encuentra una persona que no trabaja o carece de empleo. La ociosidad puede ser absoluta o relativa. Lo primero si se prescinde en absoluto del trabajo; lo segundo si, por el contrario, se reduce a malgastar las energías que debían dedicarse a él en cosas de escaso o ningún provecho. Puede ser, además, física, intelectual o moral, según se oponga a la actividad de las energías del cuerpo, de la inteligencia o de la voluntad. La ociosidad, una de las manifestaciones más frecuentes y nocivas de la pereza, tiene su origen remoto en la organización del hombre y en la naturaleza del trabajo, pues en toda acción tiene, necesariamente, que consumirse alguna energía y producirse, por tanto, algún cansancio, fatiga o malestar, que, como es natural, pretende evitar en la medida de lo posible el que lo sufre. Ante la dificultad o el malestar la persona diligente se impone y lo vence; pero el perezoso se deja dominar por los obstáculos, en primer lugar, y luego, mira con aversión al trabajo, sucumbiendo así a los halagos de la ociosidad. La ociosidad es uno de los vicios más detestables del hombre.

oclusión. Acción y efecto de ocluir o ocluirse; es decir, de cerrar un conducto, como, por ejemplo, el intestino, con algo que lo obstruya, o un orificio, como, por ejemplo, el de los párpados, de tal manera que no puedan abrirse naturalmente. En química es la capacidad que, en presencia de condiciones determinadas, tienen ciertos metales, como el paladio, el níquel, la plata, el cobre, el carbón, el hierro, etcétera, de absorber y retener gases entre sus moléculas. En meteorología se llama oclusión al fenómeno que consiste en que el frente frío de una masa de aire impida la penetración de otra caliente, obligando, de este modo, al último a elevarse en la atmósfera. En gramática es el obstáculo que impide la salida del aire respirado, cosa que da lugar a ciertos fenómenos, como, por ejemplo, la oclusión labial cuando se quiere pronunciar la *b* o la *p*. En medicina recibe este nombre el impedimento del curso corriente del contenido del intestino, cosa que provoca graves trastornos en el organismo.

O'connell, Daniel (1775-1847). Patriota irlandés llamado por sus compatriotas el *Libertador*. Educado en Francia, se estableció como abogado en Irlanda y tras ardua lucha obtuvo la admisión en el Parlamento, para el que fue elegido en 1828, pero no ocupó su asiento, por negarse en su condición de católico a prestar juramento a la iglesia protestante de Inglaterra. Suprimida tal exigencia por la ley de emancipación católica, promulgada el año siguiente, pudo ejercer sus funciones en la Cámara de los Comunes, y ser el jefe del partido irlandés en dicha Cámara. En 1843 fue detenido y acusado de sedición, pero la sentencia fue revocada por la Cámara de los Lores. Fue orador eminente.

O'connor, Flannery (1925-1964). Novelista y cuentista norteamericana. Nació y murió en Georgia. Es clasificada como escritora del *Gótico sudista* y, a la vez, como escritora católica. Sus protagonistas están obsesionados por Dios, pero no de manera característicamente católica. *A Good Man is Hard to Find* (1957) muestra, por ejemplo, la historia de un asesino psicópata que comete sus crímenes como una forma de forzar a Dios a revelarse. En la obra de O'Connor el horror y la exageración se encuentran subordinados a la pasión por Dios. Escribió *Sangre sabia*; *Las dulzuras del hogar.*

Ocotepeque. Departamento de Honduras, limítrofe con las repúblicas de Guatemala y El Salvador. Ocupa un área de 1,680 km^2, con 77,000 habitantes (1995). Produce arroz, añil, caña de azúcar, café y cereales, y hay yacimientos de plata y cobre. Por su situación fronteriza es un activo centro comercial. Se divide en cuatro distritos y 16 municipios. La capital es Nueva Ocotepeque, a orillas del Lempa, con 6,979 habitantes.

ocozol. Árbol hamamelidáceo americano, llamado también acozote y ocoxote. Por su tronco y ramas exuda liquidámbar, alcanza hasta 15 m de altura. El liquidámbar es una resina apreciada como bálsamo estimulante. La madera del ocozol es muy apreciada en ebanistería. Este árbol abunda en México y América Central.

ocre. Mineral terroso, generalmente de color amarillo, que es lo que significa su nombre. Se trata de un óxido de hierro hidratado que, por regla general, aparece mezclado con arcilla. El ocre *amarillo*, que es al que nos estamos refiriendo, se encuentra puro pocas veces, pues casi siempre se halla mezclado con el ocre *rojo* y también con el óxido de manganeso. Debido a estas mezclas, su coloración varía entre el amarillento de la herrumbre y el pardo oscuro.

octano. Nombre oficial aceptado por la Unión Internacional de Química para el hidrocarburo saturado, con ocho átomos de carbono. La fórmula química del octano es C_8H_{18}. Este hidrocarburo es un líquido más ligero que el agua, hierve a 125.8 °C y se encuentra abundantemente en los petróleos crudos, especialmente en los de origen estadounidense, de los que se obtiene por destilación mediante procedimientos de desintegración catalítica. El octano, por sus propiedades antidetonantes, es muy estimado para las gasolinas destinadas a quemarse en motores de combustión interna. El índice de octano mide la calidad de las gasolinas en función de una relación entre el metilheptano (isooctano) con valor de 100 y el heptano normal con valor de cero. De este modo tenemos gasolinas con 65 octanos, 80, 90 y las de 100 octanos o más destinadas a motores de avión. El octanaje puede ser mejorado con la adición de antidetonantes químicos, como el tetraetilo de plomo.

octava. Espacio de ocho días durante los cuales la Iglesia celebra una solemnidad o conmemora el objeto de la misma. Es también, el librito en el que se contiene el rezo de una octava, como, por ejemplo, la de Pentecostés, Epifanía, etcétera. En literatura se llama octava a la combinación de ocho versos, endecasílabos, que riman el primero con el tercero y quinto, el segundo con el cuarto y sexto, y el séptimo con el octavo. También se denomina octava a toda combinación de ocho versos, cualquiera que sea el número de sílabas que los componen y el modo de estar ordenadas las consonantes. En música se llama así al sonido que forma la consonancia más sencilla y perfecta con otro, que, en la octava alta, es producido por un número doble de vibraciones que el sonido fundamental. Recibe también este nombre la serie diatónica en la cual van incluidos los siete sonidos que constituyen una escala y la repetición del primero de ellos. En el órgano se llama igualmente octava a uno de sus registros.

Octavia. (70-11 a. C.). Dama romana, hermana del emperador César Augusto. Contrajo matrimonio con el cónsul Marcelo en el año 50 a. C., y a la muerte de su esposo se casó con Marco Antonio. Éste la abandonó al poco tiempo por Cleopatra, hecho que fue una de las causas de la guerra entre Marco Antonio y Augusto. Octavia fue famosa por su belleza y sus virtudes.

octógono. *Véase* POLÍGONO.

octubre. Décimo mes del año. Su nombre viene de una palabra latina que significa *ocho*, pues en un principio, octubre ocupaba el octavo lugar en el calendario romano. En el hemisferio norte, ya empezado el otoño, es el mes en que suelen caer las primeras heladas en algunas regiones y en el que se hace la recolección de varias cosechas. A los días de frío suceden, sin embargo, otros templados y de sol brillante. Las hojas comienzan a cambiar de color y los pájaros emigran hacia el sur. En el hemisferio sur, en cambio, reina la primavera.

ocular. Lente o sistema de lentes dispuestas de tal forma que hagan posible, por la simple aplicación del ojo, la observación directa de la imagen reflejada en un telescopio, microscopio o cualquier otra clase de instrumento óptico. Las condiciones que debe reunir un ocular son las siguientes: 1) distancia focal ajustada al campo visual correspondiente; 2) ser acromático y hallarse corregido de aberraciones paraxiales (rayos paralelos al eje), ortoscópicas (imágenes de cuadrículas con sus rayas perpendiculares entre sí) y esféricas (dispersión de los haces hacia los bordes de la imagen). La trayectoria óptica de los rayos luminosos en el ocular es semejante a la del objetivo fotográfico: los haces que penetran en él son de ángulo muy reducido, convergiendo luego en el punto real del objeto. Los oculares pueden ser simples o compuestos, según se hallen formados de una sola lente o de varias separadas o superpuestas (doblete). La lupa ordinaria puede ser considerada como un ocular simple de corrección manual. Los oculares se usan en gran número de aparatos tales como los periscopios, armas de fuego de gran alcance (miras), telémetros, micrómetros, espectroscopios, cámaras fotográficas, etcétera, y, en general, allí donde convenga realizar, con exactitud y precisión, la observación directa de un campo visual cualquiera, próximo o alejado, pequeño o grande. Muchos oculares tienen, además, como finalidad, la de enderezar la imagen que el aparato da invertida a causa del juego de sus lentes.

ocultismo. Doctrina que pretende conocer todos los secretos de la naturaleza. Sus teorías y normas son enseñadas y practicadas en secreto, pues los ocultistas creen que su divulgación les restaría eficacia. La alquimia (que pretendía obtener el oro y el elixir de larga vida de la mezcla de los elementos más heterogéneos), la necromancia (que invoca el poder de los muertos), la magia (que utiliza fórmulas de toda índole para superar las leyes naturales), la Cábala (conjunto de creencias desarrolladas por los judíos y que tienen como fundamento la interpretación de la Biblia como libro mágico), forman parte del ocultismo. Una de las manifestaciones más populares de este tipo de creencias es la teosofía, especie de religión influida principalmente por doctrinas hindúes. Los hombres de ciencia niegan la existencia de fenómenos ocultos y afirman que tanto las pretendidas apariciones de fantasmas y demonios, como el poder que dicen tener los magos, son sólo producto de la superchería y de la credulidad de las gentes. Sin embargo, en la actualidad existe el criterio de someter a experimentación científica todo fenómeno sobrenatural, es decir, todo fenómeno que no puede ser explicado por leyes naturales conocidas. En muchas universidades modernas, principalmente en las estadounidense, se estudian así ciertos fenómenos (telepáticos, de adivinación, de influencia de la mente en la materia) con el propósito de verificar su veracidad y encontrar si es posible la explicación de su existencia. La extensión y popularidad de las ciencias ocultas ha servido en muchos casos para desarrollar las ciencias modernas. Así, la astrología (que antiguamente era una ciencia oculta, practicada por los caldeos) tuvo gran influencia en el desarrollo de la astronomía; la química actual debe también gran parte de su desarrollo a los alquimistas medievales. *Véase* METAPSÍQUICA.

En un telescopio refractor, (A) los rayos de luz (1) emanan de un objeto (2) y pasan a través de los lentes (3) los cuales refractan la luz hacia un punto focal (4) y forman una imagen invertida (5). En un reflector (B) los rayos de luz del objetivo son reflejados por un espejo cóncavo (7) a un foco común (8) formándose así la imagen invertida (9). En un telescopio tipo Schmidt o cámara (C) un amplio campo de vista libre de aberraciones es logrado mediante el uso de un espejo esférico y de lentes de correción. La luz del objetivo pasa a través de unos delgados lentes o de un plato corrector (1) y es reflejada desde el espejo esférico (11) hacia una superficie focal curva (12). Esta superficie sostiene la película fotográfica.

Del Ángel Diseño y Publicidad

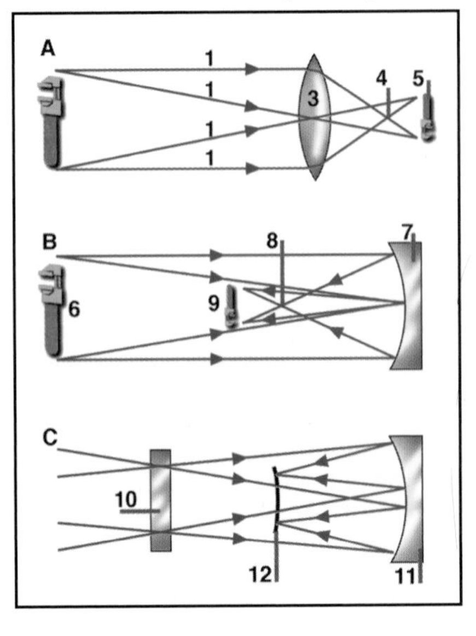

ocupación. Modo de adquirir la propiedad de una cosa. Según la doctrina tradicional del derecho romano, todo aquel que se apoderaba pacíficamente de una cosa con ánimo de hacerla suya y siempre que ésta no perteneciera a nadie *(res nullius)* adquiría, por mera ocupación, la propiedad de la misma. En derecho internacional, ocupación es el acto material por el cual un país puede adquirir territorios que no pertenezcan a otro estado. Sin embargo, la ocupación, tanto civil como militar, no suele tener carácter definitivo, y suele adoptar la fórmula provisional del protectorado, lo que significa que debe cesar en el mismo momento en que las circunstancias que la motivaron desaparezcan.

oda. Composición poética del género lírico, de tono elevado, apta para expresar pasiones y sentimientos, que suele componerse de estrofas o partes iguales, y según la temática puede ser heroica, safrada, filosófica, amatoria, etcétera. La palabra proviene del griego y significa canto. Entre los poetas de la antigüedad que la cultivaron se destacan Píndaro, Anacreonte, Safo y Alceo. Horacio creó un tipo de oda, perfecto en su clase, que influyó en los escritores del Renacimiento. La cultiváron en Italia Claudio Tolomei y Bernardo Tasso; y en España alcanzó singular majestad y grandeza en manos de fray Luis de León quien se inspiraba en temas religiosos y filosóficos, mientras Quevedo y Lope la volvieron más combativa y humana. En Francia, Malherbe, Racine, Ronsard, Chénier, Hugo, la adaptaron a sus diversos temperamentos; y en Inglaterra culminó con Keats y Shelley. También poetas hispanoamericanos le rindieron tributo, principalmente Heredia, Andrés Bello, Mármol y Obligado. La época actual, poco propicia al desarrollo majestuoso de la oda, la ha sustituido por poemas cortos, a menudo sin metro ni rima, o por la concisión del soneto. *Véase* POESÍA.

odeón. Entre los griegos, el odeón era el edificio donde se ensayaba la música que debía cantarse en el teatro, se celebraban certámenes poéticos y se daban conciertos de música y canto. Pericles ordenó construir en Atenas el primer odeón, cuyo techo estaba formado con mástiles de la armada de Jerjes. En Roma se construyeron también odeones, de los cuales el más célebre fue el de Domiciano, con planta cuadrada y un propileo. Siguiendo el modelo del teatro romano, posteriormente se construyeron odeones sin techo. Entre estos últimos fue célebre por su magnificencia el que erigió Herodes Atico en Atenas.

oder. Río europeo que nace en los montes de Moravia y pasa por Polonia y Alemania. Tras un corto recorrido por terreno montañoso y después de pasar por la zona carbonífera de Alta Silesia, se adentra en la llanura germánica, si bien, después de la Segunda Guerra Mundial pertenece a Polonia toda la cuenca media del Oder, cuyo curso sirve de frontera con la antigua Alemania Oriental desde la confluencia del Neisse de Lusacia (Lausitzer Neisse) hasta que entra en régimen de estuario, el cual es ahora polaco en ambas orillas, con inclusión del gran puerto de Szczecin, llamado Stettin por los alemanes. En su tramo de llanura, los afluentes corren paralelos y próximos al Oder, circunstancia por la que a veces se producen grandes inundaciones. Sus principales tributarios: el Glatzer Neisse Katzbach Bober y Lausitzer Neisse por la izquierda, y el Wartha, Malapane y Bartsch por la derecha. Es navegable en gran escala y pasa por Breslau (Wroclaw en polaco), Francfort y Stettin. Cuando se dirige hacia el norte se divide y subdivide en varios brazos que vuelven a reunirse en uno solo para terminar por desembocar en tres ramales en el Báltico, tras un recorrido de 903 km. Su cuenca mide 115,000 kilómetros cuadrados.

Odessa. Ciudad y puerto en Ucrania Meridional, situado 50 km al este de la desembocadura del río Dniéster en el Mar Negro, del que es su primer centro comercial. Su población: 1.073,000 habitantes (1994), entre los que abundan griegos, turcos y polacos. Fundada por colonos griegos en años anteriores a nuestra era, ha sido objeto de devastaciones que la han puesto sucesivamente en manos de lituanos, polacos, tártaros, turcos, rusos, alemanes y rusos nuevamente. Su modernización fue iniciada por un emigrado francés que fue su gobernador, Armand du Plessis, duque de Richelieu. Es una ciudad bella y confortable, de suave y templado clima, excepto en invierno, cuando cae la nieve y se hielan hasta las aguas del Mar Negro. El antiguo régimen soviético desarrolló grandes industrias: astilleros, maquinaria agrícola, metalúrgica y vidrios. Es centro de aprovisionamiento de petróleo, para lo cual se ha construido un puerto independiente, junto a los muelles principales. Fue escenario de la sublevación de los tripulantes del acorazado ruso Potemkin (1905), lo que contribuyó a que el zar Nicolás II modificara en parte el gobierno autocrático.

Odín. Dios supremo en la mitología escandinava, el *Wotan* germano y el *Wodin* sajón. En un principio fue el más noble entre los dioses secundarios, y más tarde se convirtió en el soberano de todas las deidades nórdicas, fuente de todas las ciencias e inspirador de la poesía. Como dios de la guerra, era el padre de las Walkyrias, quienes presiden los combates y conducen al Walhalla a los héroes muertos en la batalla. Tuvo tres esposas: Frigg, símbolo de la tierra fecunda; Geirrod, de la tierra habitada, y Rinda, de la tierra invernal. Se le representa como un anciano guerrero armado de casco, escudo y lanza, montado en un caballo de ocho patas, o en su trono, acompañado de los cuervos Huginn (el Pensamiento) y Muninn (la Memoria), que diariamente volaban alrededor del mundo para informarle de lo que veían y oían.

Odisea. Poema griego atribuido a Homero. En él se narran las aventuras de un héroe griego, Ulises, y sus peregrinaciones por el Mar Mediterráneo. Es notable en la *Odisea* el conocimiento que parece tener su autor de la geografía de ese mar y de las leyendas más populares entre sus navegantes. Se cree con algún fundamento que Homero pudo haberse inspirado para escribir esta obra en alguna fuente fenicia, pues los fenicios eran consumados marinos y acostumbraban a comerciar con casi todos los pueblos del Mediterráneo. La *Odisea* puede considerarse la continuación de la *Ilíada*, el poema en el que Homero ha descrito el sitio de Troya, con el héroe griego Aquiles como protagonista. Ulises, rey de Itaca, pequeña isla situada en el oeste de Grecia, no se distingue, sin embargo, como el héroe de la *Ilíada*, por su valor y su afición a la guerra, sino por su inteligencia y su astucia. En todas las difíciles situaciones por las que pasan Ulises y sus compañeros, la inteligencia del héroe encontrará siempre una salida, un hábil recurso. Estas aventuras están unidas en la *Odisea* a una descripción de la vida griega en tiempos de paz, tal como transcurría en la isla de Itaca. Allí, en el palacio real, espera Penélope la vuelta de Ulises. Su belleza y la prolongada ausencia de su esposo animan a muchos pretendientes a solicitar su mano; pero la reina los entretiene prometiéndoles casarse con uno de ellos cuando concluya la labor de su telar. El fin del trabajo nunca llega, pues Penélope deshace durante la noche lo que ha hecho durante el día. En los cuatro primeros cantos de la *Odisea* se narran las aventuras de Telémaco que, a instancias de los dioses, decide partir en busca de su padre, Ulises. La narración de las desventuras de Ulises comienza en el canto V. Los dioses del Olimpo, compadecidos de la suerte de Ulises, deciden enviar a Mercurio como mensajero a una isla donde la ninfa Calipso, enamorada del héroe griego, lo retiene desde hace doce años. Mercurio pide a la ninfa que deje partir a Ulises y éste emprende viaje en una balsa. Una tempestad arroja la frágil embarcación a las costas del país de los feocios. El canto VI describe el encuentro de Ulises con Nausicaa, hija de Alcinoo, el rey de ese país, y el VII la estancia del héroe en el palacio real. En este mismo canto Ulises comienza a narrar sus aventuras marítimas. Luego de un intermedio (descripción de una fiesta con banquetes y combates fingidos) en el canto VIII, Ulises cuenta sus aventuras con los lotófagos y los cíclopes. Los lotófagos, a cuya isla llegan Ulises y sus compañeros llevados por una tempestad, se alimentaban de las flores del loto, planta que tenía la propiedad de hacer perder la memoria. Los compañeros de Ulises no resisten a la tentación de probarla y el héroe debe atarlos a las bancas de las naves, sumidos en un profundo sueño, para proseguir el viaje. Llegan así a la isla de los cíclopes, país muy fértil donde habita el gigante Polifemo, hijo de Neptuno, el dios de los mares. El gigante se apodera de Ulises y su tripulación y los encierra en una cueva. El héroe griego aprovecha un momento de descuido de su carcelero para atravesarle con una estaca su único ojo y luego sale de la cueva con sus compañeros, ocultos todos bajo unos carneros que el gigante lleva al campo en las primeras horas de la mañana. En el libro X Ulises se encuentra con Eolo el dios de los vientos. Eolo le hace un curioso presente: un odre de cuero en el que están encerrados todos los vientos, menos el que debe llevar las naves a Itaca. Los compañeros de Ulises celosos del regalo, abren el odre y los vientos desencadenados destrozan las naves. En este mismo libro se narran otros episodios; el de las sirenas que atraen con

Imagen de Homero, autor de La Odisea.

Nova Development

sus cantos a los marinos y el de la maga Circe que transforma a los hombres en cerdos. Para librarse de las sirenas, Ulises tapa con cera los oídos de los tripulantes. Circe no retiene a Ulises y éste atraviesa felizmente el estrecho de Mesina, guardado por dos monstruos, Escila y Caribdis. El canto XI cuenta el descenso de Ulises a los infiernos. En el libro XII los compañeros de Ulises matan a los bueyes del Sol y son castigados con una terrible tormenta. De toda la expedición sólo queda con vida Ulises, quien en un madero llega a la isla de la ninfa Calipso. De este modo terminan las aventuras de Ulises en el punto en que las encontró el libro V. Los doce cantos siguientes narran el regreso a Ítaca, las intrigas de los pretendientes de Penélope y la muerte de éstos a manos de Ulises.

La *Odisea* ha interesado de muy diversos modos a la posteridad. Durante mucho tiempo se consideró como obra superior a la *Ilíada*. Muchos críticos estiman a Ulises como un hombre de carácter complejo, de sumo interés. Penélope y Nausicaa son también dos notables tipos de mujer. Hay además en la *Odisea* un amor por el paisaje, la vida doméstica y las aventuras, ausente en la *Ilíada*. *Véanse* ÉPICA; HOMERO.

Odoacro (434-493). Jefe de los hérulos y rey de Italia, que puso fin al imperio romano de Occidente, después de derrotar a Orestes y deponer al emperador Rómulo Augústulo. Fue aclamado rey por su ejército y reconocido por Zenón, emperador de Oriente. Supo gobernar enérgica y sabiamente, respetando las leyes y el Senado, dejando los cargos públicos en manos de funcionarios romanos y tratando con tolerancia al clero. Tuvo al comienzo varios éxitos de armas, pero fue derrotado posteriormente por el ostrogodo Teodorico y se retiró a Ravena en donde hubo de sufrir un sitio de tres años, y rendirse en febrero de 493. Poco después fue asesinado en un banquete por el mismo Teodorico.

O'Donnell y Jorris, Leopoldo (1809-1867). General y político español, conde de Lucena y duque de Tetuán, que se destacó entre los jefes liberales por sus condiciones de mando. En 1844 fue nombrado capitán general de Cuba. En 1853 estuvo al frente de la insurrección de Vicálvaro, fue jefe del Partido Liberal y participó en los acontecimientos de 1856, que derrocaron al general Espartero, pese a que con él había compartido el poder en 1854. Fue varias veces presidente del Consejo de Ministros y asumió el cargo de general en jefe del ejército de África durante la guerra de Marruecos, en donde su brillante desempeño le valió el título de duque de Tetuán.

O'Donojú, Juan. General y gobernador español. Fue ministro de la Guerra durante la Regencia y desempeñó altos cargos militares. A principios de 1821 fue designado por el gobierno español capitán general y jefe político de la Nueva España (México) cuyas funciones equivalían a las de virrey. Llegó O'Donojú a México y desembarcó en Veracruz el 30 de julio de 1821, encontrando que la mayor parte del país estaba en poder de las tropas de Iturbide que hacían la guerra contra la dominación española en México. Celebró una entrevista con Iturbide y el 24 de agosto ambos firmaron los llamados tratados de Córdoba, en los que se estipulaba que la Nueva España era una nación soberana e independiente. Al ser conocidos por el gobierno español, fueron desaprobados y declarados nulos. O'Donojú se trasladó a la ciudad de México y fue uno de los firmantes del Acta de Independencia del imperio mexicano (28 de septiembre de 1821) y pasó a ser miembro del Consejo de Regencia; pero falleció el 8 de octubre siguiente. O'Donojú fue el último gobernante español de la Nueva España. Fue enterrado con grandes honores en la bóveda del Altar de los Reyes, en la catedral de México.

Odontólogo con un paciente.

Corel Stock Photo Library

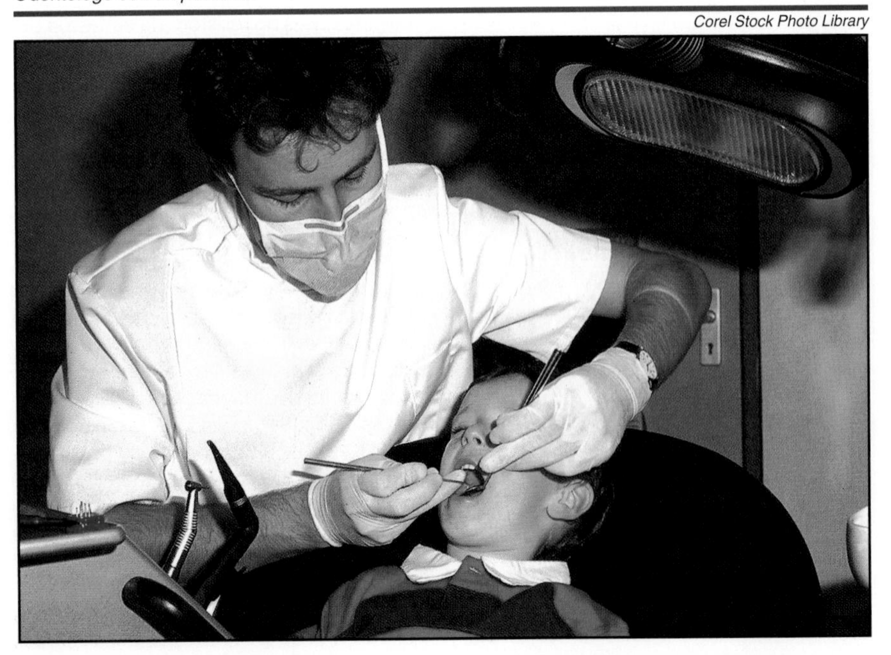

odontogénesis. Término médico que designa la generación de los folículos dentales y los dientes. El proceso de formación y desarrollo dentario comienza con la invaginación –movimiento hacia dentro– de la mucosa de las encías, a la que se conoce como matriz o cresta dentaria. De ésta surgen los gérmenes dentarios, casquetes epiteliales que segregan un caparazón de esmalte. Dentro, se encuentran los odontoblastos, células dentarias generadoras de dentina o marfil. Cubierta por el marfil, en la cavidad central del diente, queda una sustancia gelatinosa llamada pulpa.

odontología. Rama de la medicina que tiene por objeto el estudio de los dientes, sus enfermedades y su tratamiento. Antigua como la propia medicina, sus vestigios aparecen en las obras de Hipócrates, donde se habla de las caries, las extracciones y los colutorios empleados para atenuar los dolores. Parece que en el templo consagrado a Apolo en Delfos se guardaba un rudimentario instrumental destinado a las extracciones y Cicerón afirma que el inventor de ese género de operaciones fue Esculapio, pero que los romanos lo atribuyeron a Apolo. Celso desarrolla una técnica odontológica y alude ya a los cauterios de las encías y a los peligros que se derivan de extracciones incompletas, citando entre ellos las hemorragias y las fracturas alveolares y de mandíbula. Describe, al propio tiempo, dos suertes de ingeniosos aparatos: el fórceps para sacar los dientes y la rizagra para extraer las raíces. Escribonio Largo explica cómo pueden vaciarse los dientes cariados y Paulo de Egina recomienda, como colutorio, los gargarismos de sal con vinagre. El árabe Albucasis que es el primero en preconizar el empleo de los dientes artificiales tallados en huesos de buey, prescribe la supresión del sarro por medio de raspados y Ambrosise Paré enumera una serie de reglas de prudencia, basadas en sus propias observaciones clínicas, encaminadas a prevenir los peligros de las extracciones, menciona el relleno de las piezas cariadas, los colutorios y gran número de instrumentos para realizar las operaciones odontológicas.

En la época moderna, la odontología progresó enormemente, sobre todo en la prótasis y en la cirugía dental, cuyas intervenciones se hacen sin dolor gracias a la anestesia local. Hasta el siglo XIX los dentistas eran generalmente personas que no poseían conocimientos científicos de la profesión, bastándoles su arte o habilidad práctica para actuar. Los barberos, al propio tiempo que sangradores y cirujanos, solían también ser dentistas, y muchos practicantes, pintorescos charlatanes, alborotaban las plazas y las calles de los pueblos extrayendo dientes y muelas públicamente. Los curanderos, por su parte, vendían toda suerte de drogas y elíxires para calmar el dolor de muelas, elaborados muchas veces con sustancias capaces de provocar graves irritaciones e infecciones. Tal estado de cosas aconsejó reglamentar oficialmente el ejercicio de la profesión, y se crearon escuelas de odontología cuyo plan de estudios comprendía, además de las materias propias de la especialidad, asignaturas de medicina, particularmente anatomía y fisiología.

A fines del siglo XVII, Anton van Leeuwenhoek descubrió la existencia de una importante fauna microbiana en el sarro y en las caries. A este gran observador, al que se debe el perfeccionamiento del microscopio –muchos lo consideran como su inventor– se le ocurrió examinar en el microscopio gotas de su propia saliva y partículas de sarro, quedando asombrado ante la gran cantidad de bacterias que pululaban en ellas y contrastando luego el fenómeno de que, cuando la observación la realizaba después de su desayuno, o sea, después de haber ingerido, según su costumbre, una taza de café muy caliente, los microbios habían casi desaparecido. Dicha observación le hizo comprender que la temperatura mataba a las bacterias y lo coloca entre los precursores de la higiene dental. Los descubrimientos de esta clase trajeron la convicción de que la mayoría de las enfermedades dentales son de origen infeccioso y hoy se presume que muchas dolencias del organismo, como el artritismo y las anginas, pueden ser engendradas por ellas.

Los rayos X han permitido realizar notables observaciones en los dientes y sus raíces (radiografías) y los antibióticos aplicados directamente sobre las zonas infectadas se han revelado como poderosos agentes curativos, tanto que muchas piezas dentales enfermas, que antes eran extraídas irremisiblemente, hoy pueden conservarse y sanar merced a esos procedimientos. Las dos enfermedades que pueden reputarse clásicas de la dentadura son las caries y la piorrea. La primera se debe a circunstancias de origen diverso, y consiste en la desaparición del esmalte y luego de la dentina (o segunda capa protectora del diente) hasta formarse un orificio que termina fatalmente con la necrosis o total destrucción de la pieza dentaria atacada. La piorrea produce el relajamiento progresivo del alvéolo, verdadero estuche que mantiene sujeto al diente en las encías, hasta causar su desprendimiento total; su síntoma más característico es el movimiento oscilatorio de las piezas dentarias como un badajo de campana.

Cuando no hay más remedio que sustituir una pieza dental, ya sea por el hecho de una fractura accidental, ya porque no haya sido posible su cura, se recurre a la prótesis o colocación de un diente artificial por medio de ingeniosos artificios. Los orificios de las caries, en las muelas que pueden conservarse después de haber curado e inactivado sus raíces y nervios, se rellenan de cemento especial, pudiendo reforzar la misma con una funda o corona de oro, platino o de otros metales; los espacios que dejó la pieza extraída pueden suplirse con puentes sujetos a las piezas colaterales o con dientes artificiales. Éstos han dado lugar a una importante industria y se fabrican con gran perfección con diversos elementos, entre los que entran como ingredientes principales el feldespato, la sílice y el caolín, coloreados luego con óxidos metálicos. Las dentaduras completas son un alarde de ingeniería dental y alcanzan tal grado de precisión que quien las emplea, una vez habituado, apenas percibe el artificio. *Véase* DENTADURA.

odre. Vasija que sirve para contener líquidos, tales como vino, aceite, etcétera. Se compone, generalmente, de una piel de cabra cosida y empegada por todas partes menos por la correspondiente al cuello del animal. Se llama también así a los fuelles de la gaita y de la cornamusa que son unos depósitos de aire para alimentar el sonido. Cuando el odre se confecciona con un cuero de cabra, se hace enterizo, o sea, con toda la piel, pero si es de becerro, se hace cosiendo las diversas partes en que se ha dividido previamente la piel de dicho animal.

Odría, Manuel (1897-1974). Militar y político peruano. Cursó estudios en la escuela militar de Chorrillos. Luego pasó a la Escuela Superior de Guerra. En 1930 fue jefe del batallón de infantería de la Escuela Militar. General en 1946, se le designó jefe del Estado Mayor; en 1947, ministro de Gobierno y jefe de policía en la administración del presidente Bustamante Rivero. En 1948 encabezó el golpe militar que derrocó a dicho mandatario, asumiendo entonces la primera magistratura. Como único candidato, fue elegido presidente de la República para el periodo 1950-1956.

Oe Kenzaburo (1935-). Escritor japonés. Sus primeras obras, *El orgullo de los muertos* (1957), y *La presa* (1958, premio Akutagawa), publicadas mientras estudiaba literatura francesa en la Universidad de Tokio, causaron sensación, y los críticos lo saludaron como *el nuevo Mishima. Una cuestión personal* (1964, premio Shincho) se inspiró en el nacimiento de un hijo con hidrocefalia, tema sobre el que volvió a reflexionar en *Despierta, hombre nuevo* (1983). *Nota sobre Hiroshima* (1965), *Fútbol del primer año de la era Manen* (1967, premio Tanizaki) y *Las cartas de los años de la nostalgia* (1986), son otros títulos capitales en su obra narrativa, siempre comprometida con los problemas sociopolíticos de su país y de su tiempo. Ha cultivado, también, el ensayo (*Nuestra generación,* 1959; *El hombre de después de la bomba atómica,* 1971) y el periodismo. Premio Nobel de Literatura en 1994.

Oested, Hans Christian (1777-1851). Físico y químico dinamarqués que alcanzó gran celebridad como descubridor del electromagnetismo.

Dirigió la Escuela Politécnica de Copenhague y en 1842 ingresó en la Academia de Ciencias de París. Allí construyó, en colaboración con Fourier, la pila termomagnética. Se le deben también numerosas investigaciones en otros sectores de las ciencias químicas y físicas. Además de una obra en que explica su más importante descubrimiento, escribió *Mecánica de la propagación de las fuerzas eléctrica y magnética, Investigaciones sobre la identidad de las fuerzas químicas y eléctricas,* etcétera. Mereció los más altos honores del Instituto de Matemáticas de París.

Oeste. Delegación especial de la República de Bolivia, en la jurisdicción de las provincias de Pacajes (departamento de la Paz) y Carangas (departamento de Oruro). Fue creada en 1941 y se halla enclavada en la zona fronteriza con Perú y Chile.

Ofelia. Nombre de uno de los personajes más famosos de la literatura shakesperiana que, a través de ella, ha adquirido resonancia universal. En *Hamlet,* Ofelia es la desgraciada prometida del taciturno príncipe y una de las víctimas de sus indecisiones. Se la considera como el prototipo de la mujer débil y enamorada que, ante el desvío injustificado del amante y el dolor que le causan las desgracias de su familia, acaba por volverse loca y se suicida arrojándose al río. También se llama así al asteroide número 171, descubierto por el astrónomo Borrelli en 1877, desde el Observatorio de Marsella. Se conoce con este nombre el género de gusanos que se caracteriza porque su lóbulo cefálico contiene otros dos más pequeños de carácter tentacular.

ofelimidad. Es la propiedad que, en términos económicos, tienen los objetos para satisfacer nuestras necesidades. Es el término acuñado por Pareto a finales del siglo XIX en su libro *Curso de economía política,* para referirse al momento en que la redistribución de un bien ocasiona que la satisfacción de al menos uno de los participantes en ella sea menor. Pareto recurrió a este término, convencido de que *utilidad* no era el adecuado. La deseabilidad de un bien, según él, no sólo depende de las características que éste ofrece, sino también de su disposición en cantidad y de los otros bienes.

ofensa. Acción y efecto de ofender u ofenderse. La iconografía la ha representado de muy diversas maneras y muy especialmente bajo la figura de una mujer de aspecto desagradable que está recibiendo armas de manos de una furia. En derecho penal se llama *ofensa grave* a una circunstancia atenuante de la responsabilidad personal. De acuerdo con la legislación de diversos países, constituye una atenuante de responsabilidad criminal al haber obrado en vindicación próxima de una ofensa grave, hecha al autor del delito, a su cónyuge, a sus ascendientes, descendientes, hermanos legítimos, naturales o adoptivos o afines en los mismos grados. Para que se aplique dicha atenuante es, sin embargo, preciso que concurran las tres circunstancias siguientes: que se trate de una ofensa grave, o sea, de una que cause grave daño tanto a la persona como a la reputación del ofendido; que la vindicación sea próxima, es decir, que no haya transcurrido mucho tiempo entre la ofensa y la vindicación; y que la ofensa haya sido inferida al propio vindicador o a sus parientes dentro del grado que el Código correspondiente determine. Hay que tener presente que si la ofensa sufrida es circunstancia atenuante para calificar la acción violenta que haya podido ejercer el ofendido, en cambio, para el ofensor y la violencia que éste pueda ejercer sobre el ofendido, constituye, por el contrario, una agravante. La aplicación de esta circunstancia modificativa de la responsabilidad es de uso muy delicado.

oferta y demanda. Ley que, según los economistas clásicos, establece el precio de las cosas, diciendo que éste varía en razón directa de la demanda e inversa de la oferta; es decir, que el precio de un producto será tanto mayor cuanto mayor sea la demanda del mismo, y tanto menor cuanto mayor sea la oferta. La demanda depende de tres factores: la utilidad que para el adquirente tengan las cosas; el trabajo que ahorre su adquisición, y la facilidad de trasmisión de los objetos de una mano a otra. La demanda es a la vez efecto y causa del precio. La oferta depende de la escasez o abundancia de los productos y del trabajo empleado por el vendedor, o lo que es igual, de las dificultades implicadas en la producción. Prácticamente esta fórmula, que dista mucho de tener la rigidez de una ley matemática, es más complicada de lo que parece.

Offenbach, Jacques (1819-1880). Compositor alemán cuyo verdadero apellido era Levy. Conquistó su fama con numerosas operetas, casi todas breves, que en cierto modo reflejaban la frivolidad en muchas partes del panorama artístico de su época. Se naturalizó francés y, radicado en París, después de encargarse de la orquesta del teatro de la Ópera Cómica, tuvo bajo su dirección las de muchos teatros, entre ellos el pequeño dedicado a operetas y pantomimas que denominó *Bufos Parisienses.* Sus célebres obras musicales fueron sucediéndose entonces. El número total de ellas pasa de cien. Realizó una gira artística por América en 1876. Se distinguió como director de orquesta. Toda su música original, de éxito innegable, fue calificada, por los críticos exigentes, de fácil, trivial, pulcra y, a veces, con pasajes brillantes y emotivos. Al conjunto de su obra se añade su ópera cómica *Cuentos de Hoffmann,* estrenada poco después de su muerte.

Esquema del proceso de impresión en offset.

Salvat Universal

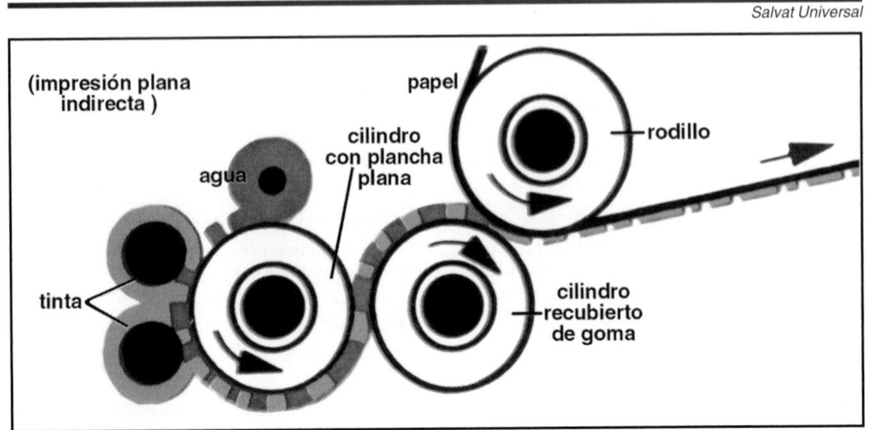

offset. Con este vocablo inglés se designa un sistema de estampación, llamado también *rotocalco,* que se distingue por ser indirecto, esto es, por trasmitir el grabado que se coloca en un cilindro a otro que lo recibe y lo trasmite a su vez al papel. Se considera que este útil procedimiento de impresión surgió ante la dificultad de imprimir litografías en los envases de hojalata usados en el comercio. Prottier y Missier obtuvieron en 1878 una patente o privilegio de un sistema de estampación en hojalata y la casa Voirin, de París, construyó, alrededor de esa fecha, las primeras prensas. Luego, ante la nitidez, economía y rapidez con que se obtenían los grabados, se pensó en la forma de hacer aplicable el offset a las impresiones en papel. La citada casa constructora proyectó con tal objeto un nuevo tipo de prensa que fue terminada con éxito en 1880. Una de las ventajas más interesantes que ofrece el rotocalco es la de que puede ser empleado en toda clase de papeles, gruesos, finos y rugosos, sin que por ello se altere la fidelidad y pureza de las reproducciones.

Esquemáticamente la prensa de *offset,* se halla constituida por tres cilindros en la superficie de uno de los cuales se halla arrollado el clisé, o plancha de cinc al que se trasladaron fotográficamente, por procedimientos especiales, las imágenes que deben reproducirse. Se halla adherida al segundo cilindro una banda o tela de caucho que al hacer contacto con el anterior y con un entintado y presión convenientes, recibe la impresión. Del segundo cilindro la impresión pasa al papel, en el que queda reproducida la imagen. El contacto entre el papel y el cilindro de caucho se establece por el tercer cilindro, que es el que, mediante su movimiento de rotación, presenta la cara del papel que debe ser impresa. Su manejo exige escrupulosa limpieza, ajuste preciso de los rodillos para regular las presiones según la clase del papel empleado, y vigilancia del entintado. Existen prensas de *offset* que imprimen a la vez, con la combinación adecuada de sus rodillos, el anverso y el reverso del papel de una bobina. Se pueden obtener hasta 6,000 impresiones por hora. La banda de caucho que recibe la impresión del clisé para trasmitirla a su vez al papel debe ser lisa y uniforme, sin granulaciones que podrían traducirse en defectos de impresión y su entintado debe ser permanente y uniforme, conservando un grado de humedad apropiado durante todo el trabajo. El exceso de humedad produce impresiones grises y los polvillos minerales o metálicos que llevan algunos papeles (los satinados, por ejemplo) como residuo de su fabricación pueden alterar, asimismo, la pureza de las impresiones.

La característica fundamental del procedimiento *offset* es la transmisión indirecta de la imagen del cilindro portador de la plancha o forma de impresión al cilindro portador de una mantilla de caucho, la cual realiza la impresión indirecta (*offset*) que da nombre al proceso.

En el *offset* moderno se utilizan diversos procesos fotomecánicos tanto para la obtención de los clinches fotográficos o fotolitos como para la preparación de las formas de impresión o planchas *offset*. El procedimiento puede dividirse en las siguientes operaciones: 1) Obtención de los clichés fotográficos o fotolitos de ilustraciones y textos; 2) Montaje de fotolitos. 3) Preparación de las formas o planchas de impresión; 4) Impresión en las prensas rotativas. *Véanse* FOTOGRABADO; GRABADO; IMPRESIÓN.

oficial. Lo que dimana de la autoridad del Estado y no de un particular o privado. Se dice *documento oficial* y *noticia oficial* a las que proceden de la autoridad correspondiente. Se llama oficial al empleado que, bajo las órdenes de un jefe, estudia y prepara el despacho de los negocios que le corresponden. También se llama oficial al que, dentro de un oficio manual, ha dejado de ser aprendiz, pero no ha llegado todavía a maestro. En el orden militar, es oficial el que posee un grado o empleo desde alférez o segundo teniente hasta capitán inclusive. Recibe el nombre de *oficial mayor* el empleado que ocupa un alto grado en la jerarquía administrativa, por regla general el inmediato inferior al subsecretario del departamento correspondiente. En la época que siguió a la conquista y colonización de América se llamó *oficiales reales* a los empleados enviados por el rey para que tuvieran a su cargo la cuenta y razón de los caudales del monarca.

oficina. Lugar o dependencia donde se organizan y administran las actividades propias de un negocio. También son oficinas aquellos otros departamentos en que se desenvuelven los servicios de la administración pública y en que centran el registro de sus actividades las sociedades particulares, ya sean culturales, benéficas, deportivas, etcétera. Cada oficina debe estructurar su plan de trabajo con arreglo a las exigencias y necesidades de los asuntos en que interviene; su función básica queda concretada a tramitar y despachar los asuntos de que se ocupa desde su iniciación o fuente de origen hasta su conclusión o término. Cuando una oficina desarrolla actividades de escaso volumen o importancia, puede hallarse integrada por un reducido número de empleados a condición de que cada uno de ellos realice, al propio tiempo, diversas tareas, pero cuando se trata de grandes empresas, no hay más remedio que asignar a cada cual una función determinada, distribuyendo el trabajo por secciones o departamentos. Una sección o departamento es un núcleo de empleados con un responsable a la cabeza –jefe– que realiza un trámite específico de los varios que requiere cada asunto. Así, si se trata de un negocio de exportación, será conveniente estructurarlo con las oficinas siguientes: compra, almacenaje, ventas, contabilidad, correspondencia, facturación, clientes, transportes y reclamaciones. El criterio que debe presidir toda distribución de esa índole debe ser peculiar de quien la dirige, y sobre todo práctico, para que el mecanismo administrativo sea rápido y eficaz.

Corel Stock Photo Library

Trabajando en una oficina.

En términos generales puede decirse que las finalidades que deben lograrse son: 1) conocimiento exacto del negocio en un momento preciso, 2) atención inmediata de las demandas; 3) investigación del mercado para poder aprovechar las oportunidades y contrarrestar la competencia; 4) satisfacción de los gustos de la clientela, y 5) controles, ausencia de errores y rapidez en los trámites. La mayoría de las operaciones que se realizan en una oficina pueden ser mecanizadas, lo que implica seguridad de trabajo, economía de tiempo y ahorro de gastos. La estadística, por ejemplo, que resulta imprescindible para muchos tipos de negocios, tales como la banca, seguros y, en general, para todos aquellos que manejan un gran número de clientes o suscriptores, puede hacerse por medio de máquinas automáticas que utilizan fichas perforadas, aplicando el denominado sistema unitario, puesto que cada ficha sirve para multiplicidad de fines, desde la impresión de recibos y estados de contabilidad, hasta la confección de planillas con arreglo a un plan predeterminado.

La clasificación y ordenamiento de las referidas fichas se efectúa, asimismo, por medio de clasificadoras automáticas que trabajan a un ritmo de 450 fichas por minuto, acoplándolas o separándolas según las necesidades. Otro tipo de máquinas muy usado es el que funciona por medio de clisés metálicos, con selección, asimismo, automática, que permite en breve espacio de tiempo imprimir gran cantidad de recibos y direcciones en los sobres de envíos.

Oficina del Alto Comisionado de las Naciones Unidas para los Refugiados. Después de haber desaparecido en 1952 la Organización Internacional para los Refugiados (IRO, en inglés), se estableció la figura de Alto Comisionado de las Naciones Unidas para los Refugiados (UNCHR, en inglés) para continuar ofreciendo ayuda legal y política a los refugiados. Entre las principales responsabilidades del UNCHR están ayudar a que los refugiados regresen a su patria o se establezcan en el extranjero, garantizando el goce de los derechos legales relacionados con el empleo y el aseguramiento social, y suministrándoles documentos de identificación y de viaje. Al promover su objetivo, la UNCHR pide a los gobiernos que acepten a los refugiados por, al menos, un periodo de asilo. La UNCHR obtuvo el Premio Nobel de la Paz en 1954 y nuevamente en 1981.

Oficina Internacional Permanente de la Paz. Organización fundada en Berna en 1892 para promover la cooperación internacional y la solución pacífica de los conflictos internacionales. En 1910 fue galardonada con el Premio Nobel de la Paz. Su sede está en Ginebra.

oficio. Ocupación referente a un arte manual y también conocimiento práctico de un trabajo. Los oficios son conocidos desde la época más remota de la humanidad, como una consecuencia del principio económico-social de la división del trabajo: el hombre se dedica a la caza, pesca, construcción, guerra, etcétera; la mujer, a la agricultura, cocina, confección de ropa y educación de los hijos. A medida que las necesidades crecen, los oficios se diferencian y multiplican. En la Edad Media los gremios implantan una regulación metódica de los oficios, clasificándolos, señalándoles prerrogativas y estableciendo el grado de conocimientos que deben poseer para desempeñar cada una de sus categorías. En la actualidad el oficio es la sola fuente de recursos para la gran población productora o asalariada, al cual adquiere por este solo hecho un rango de importancia y elevación social. La constante perfección de los procedimientos industriales con el complemento de las máquinas, ha liberado al obrero de las tareas más groseras y penosas, pero en cambio han exigido de él una mayor inteligencia y preparación para poder desempeñarse. De ahí la creación en todos los países de escuelas profesionales, en las que se capacita al trabajador enseñándole práctica y teóricamente el oficio.

ofidio. *Véase.* SERPIENTE.

O'Flaherty, Liam (1896-1984). Novelista irlandés de vida agitada y aventurera. Combatió en 1915 por Inglaterra, bajo nombre supuesto, y poco después contra ella, por la libertad de su patria, distinguiéndose en los comandos revolucionarios. Fue leñador en el Canadá, estibador en Venezuela, agente turco en Asia Menor y mozo de café en Estados Unidos. Durante años, en sus comienzos literarios, escribió todas las noches un cuento, que rompía cada mañana. Entre sus obras se destacan *Insurrección*, donde narra episodios del alzamiento irlandés de 1917, y *El delator* y *El puritano*, libros utilizados para dos películas del mismo nombre.

oftalmía. Inflamación de los ojos. Este término genérico es sustituido, en la práctica, por las denominaciones que se aplican a las diversas afecciones oculares de carácter inflamatorio.

La oftalmía puede ser alérgica, como ciertas inflamaciones primaverales; producida por avitaminosis, o carencia de determinada vitamina; neuroparalítica, por lesiones de algún nervio ocular, o infecciosa. Se da el nombre especial de *ophthalmia neonatorum* a la conjuntivitis purulenta que suele atacar a los recién nacidos.

oftalmología. Parte de la medicina que tiene por objeto el estudio de los órganos de la visión desde el punto de vista anatómico, fisiológico, patológico y terapéutico. Esta rama de los conocimientos médicos es muy antigua, pero como disciplina científica data solamente del siglo XIX. Una clase entera de sacerdotes del antiguo Egipto se dedicaba exclusivamente al tratamiento de las enfermedades de los ojos. Se ha supuesto que el viaje de Tobías a Egipto fue una peregrinación hecha con objeto de aprender los medios de curar a su padre ciego, en cuyo caso Tobías puede considerarse como el primer oculista del pueblo hebreo. Según los griegos, Zeus mató de un rayo a Esculapio por haber devuelto la vista al hijo de Fénix. Hipócrates aconsejó la incisión hasta el hueso de los tegumentos de la frente y la aplicación de un hierro candente sobre las venas que vienen del ojo en los casos de grandes inflamaciones, recomendó la operación del trépano contra las afecciones amauróticas y créese que conoció el tratamiento quirúrgico de las cataratas.

En la Edad Media los árabes hicieron progresos notables en esta ciencia. En el siglo XVII Kepler fue el primero en demostrar que las imágenes de los objetos se reflejan en la retina y no en la coroides. Merecen especial mención la gran obra y atlas de las enfermedades de los ojos por Demours, los trabajos de Dupuytren acerca del tratamiento de la fístula lagrimal y el tratado sobre la oftalmía, la catarata y la amaurosis de Sichel. Con el descubrimiento del oftalmoscopio desapareció la infranqueable barrera que ocultaba el fondo del ojo a las miradas del observador.

La oftalmología da el nombre de emetropía a la visión normal del ojo. La hipermetropía es la condición en que la imagen de un objeto distante se forma en un plano posterior al de la retina; es corregido por medio de lentes convexos. La miopía o hipometropía, que es la situación inversa se corrige mediante lentes cóncavos. El astigmatismo, condición en que no se forma una imagen clara del objeto distante, sino dos se corrige mediante lentes cilíndricos. La presbicia, condición bastante frecuente a partir de los cuarenta años, es una pérdida de acomodación que impide ver con claridad los objetos a corta distancia. Las cataratas, el glaucoma y el tracoma son otras enfermedades que estudia el oftalmólogo. *Véase* OJO.

oftalmoscopio. Instrumento que emplean los oculistas para reconocer el interior del ojo. Consiste en un espejo cóncavo, agujereado en su centro y montado en un mango. El oculista examina el fondo del ojo, a través del agujero, mediante un haz lumisoso convenientemente dirigido. Existen varios modelos: fijo, de Lorin y de refracción. El binocular está adaptado para ambos ojos del observador. Helmholtz inventó el oftalmoscopio en 1851.

Ogé, Vincent (1750-1791). Revolucionario y patriota dominicano. Sus dotes le valieron ser elegido diputado de la Asamblea Constituyente francesa y se trasladó a París para defender los derechos de la gente de color (a cuyo grupo mestizo pertenecía) contra los abusos de los colonos y obtuvo de la Asamblea francesa un decreto que garantizaba tales derechos. Al regresar a Santo Domingo se encontró que el gobernador de la colonia rehusaba el cumplimiento del decreto, por lo que encabezó una insurrección. Fue hecho prisionero y descuartizado.

OGO. El proyecto Observatorio Geofísico en Órbita (OGO) fue una serie de seis satélites científicos de la NASA, lanzados entre 1964 y 1969, que proporcionaron datos sobre la atmósfera, la ionosfera y la magnetosfera terrestres, y sobre las interacciones entre la Tierra y el Sol.

Los satélites. Construidos por los laboratorios espaciales TRW, variaban en peso desde 487 hasta 632 kg y estaban equipados con páneles de celdas solares. El cuerpo de cada satélite consistía de una caja de aluminio de 173 cm de largo, 84 de ancho y 84 de fondo. Una vez puesto en órbita, se extendían dos largueros de carga de 7 m y cuatro de 2 m. Dos páneles rectangulares cubiertos con 32,000 celdas solares suministraban 500 watts de energía, que recargaban las baterías internas de níquel-cadmio. Dependiendo del satélite, había de 20 a 25 instrumentos a bordo para observar el medio espacial, entre los que estaban telescopios, cámaras de ionización y trampas de iones y electrones, espectrómetros, detectores de micrometeoros y un fotómetro para estudiar la luz zodiacal.

Tres satélites de la series OGO –OGO 2, lanzado el 14 de octubre de 1965; OGO 4, el 28 de julio de 1967, y OGO 6, el 5 de junio de 1969– fueron enviados al espacio desde Western Test Range en Vandenberg AFB, de manera que pudieran alcanzar una órbita polar. Los otros tres –OGO 1, lanzado el 4 de septiembre de 1964; OGO 3, el 6 de junio de 1966, y OGO 5, el 4 de marzo de 1968–, lanzados desde el Centro Espacial Kennedy en Florida, fueron colocados en órbitas altamente excéntricas. Todos estos satélites dejaron de funcionar hace mucho tiempo.

Contribuciones científicas. La serie OGO de satélites científicos resultó un programa de gran éxito. Cada uno de ellos realizó importantes aportaciones a la astrofísica. Sus logros incluyeron la primera observación de protones causantes de un anillo de corriente eléctrica que rodea a la Tierra durante las tormentas magnéticas, la recolección de datos para una nueva propuesta de modelo de campo magnético para el campo internacional geomagnético de referencia, la clara identificación de la influencia controladora del campo magnético de la Tierra sobre el número de iones en la magnetosfera, la verificación de la existencia de la plasmapausa (la frontera interna que rodea la región de radiación atrapada en la magnetosfera) y las primeras observaciones de una región de electrones de baja energía que cubren totalmente las regiones de radiación atrapada.

Los satélites realizaron también las primeras observaciones de las auroras diurnas, proporcionaron datos para la realización del primer mapa del mundo de distribución del fulgor del cielo nocturno y contribuyeron para entender mejor el gran escudo azul, que es creado por los efectos del viento solar sobre la magnetosfera de la Tierra. Ofrecieron pruebas de inestabilidades en la frontera de la magnetosfera, las cuales indicaban de qué manera las partículas solares podían entrar a la magnetosfera misma. Finalmente, permitieron tener datos fundamentales de las ondas de radio de baja frecuencia conocidas como silbidos atmosféricos.

O'Gorman, Juan (1905-1982). Pintor y arquitecto mexicano, nacido en Coyoacán. Estudió arquitectura en la Universidad Nacional de México. Fue profesor en el Instituto Politécnico, Director del Departamento de Arquitectura, Secretario de Educación Pública y Profesor Visitante de la Universidad de Yale en Estados Unidos. Desde muy temprano se incorporó a la escuela artística de Diego Rivera, quien encontró en el joven arquitecto-pintor a un discípulo capaz de extraer la arquitectura vernácula del conservatismo imitativo en la que estaba sumida. Entre sus trabajos más conocidos se destacan los murales del Aeropuerto de la Ciudad de México, los famosos mosaicos que adornan la Biblioteca de la Universidad Nacional, el mural de Cuauhtémoc en el Hotel Posada de la Misión, en Taxco, y el mural al fresco para el museo Nacional de Historia, en el castillo de Chapultepec, titulado Retablo de la Revolución. Recibió varios premios entre ellos el Premio Nacional de Arte en 1912.

O'Gorman, Miguel (1736-1819). Médico argentino de origen irlandés. Alistado en la expedición de don Pedro de Cevallos, arribó a Buenos Aires en 1777, ciudad en la que fundó la Escuela de Medicina en 1801, cuyo plan de estudios redactó y de la que fue catedrático. Redactó asimismo las instrucciones para la inoculación de la vacuna, de la que fue esforzado propagador.

O'Henry. Seudónimo de William Sydney Porter (1862-1910). Escritor estadounidense. Ejerció diversos oficios y en 1882 marchó a Texas en busca de fortuna. Entre 1894 y 1895 dirigió el semanario humorístico *The Rolling Stone.* Empleado de banca, fue inculpado de sustracción de fondos en 1896; marchó a Honduras, pero a su regreso a Texas ingresó en prisión bajo dicha acusación (1897-1901). Publicó su primer libro de narraciones en Nueva York; *Pícaros y reyes* (1904). Sus mayores aciertos se encuentran en *Los cuatro millones* (1906). Otros títulos: *La lámpara pulimentada* (1907); *La voz de la ciudad* (1908). El juego de coincidencias irónicas y un final imprevisible eran los frecuentes recursos técnicos de su cuantiosa producción narrativa.

O'Higgins, Ambrosio (1720-1801). Gobernador de Chile y virrey del Perú. Oriundo de Irlanda, llegó a América del Sur como comerciante. Radicado en Santiago de Chile se consagró al servicio de España,

Art Today

Ambrosio O´Higgins.

llegando al cargo de gobernador, que prestigió por su actividad. En Chile fundó las ciudades de Illapel, Combarbalá y Vallenar; ordenó las de Los Andes, San José de Maipo y Constitución, e hizo repoblar Osorno. Todas son actualmente prósperas localidades. Construyó el camino carretero de Santiago de Valparaíso y fundó el tribunal de comercio. Padre de Bernardo, libertador de Chile. Murió en Lima a poco de haber sido sustituido del cargo del virrey del Perú, debido a las actividades revolucionarias de su hijo.

O'Higgins, Bernardo (1778-1842). Militar y político chileno, de muy destacada actuación en la lucha por la independencia de su patria y en la organización de la expedición libertadora del Perú. Hijo del gobernador de Chile, y posteriormente virrey del Perú, don Ambrosio O'Higgins y de la chilena Isabel Riquelme. Una de las figuras románticas de la época de la emancipación sudamericana por su arrojo temerario y su culto a la amistad, sin medir los sacrificios que ésta le representara. El virrey O'Higgins, que deseaba para su hijo la mejor educación, puso a Bernardo en manos del Padre Javier Ramírez para que le enseñara las primeras letras, y cuando cumplió los 10 años lo envió a Lima al Colegio del Príncipe, el mejor de su clase en América hispana. Irlandés de origen, don Ambrosio quería que su hijo se educara en Inglaterra, país al que llevó al muchacho poco después de cumplir 15 años.

Previamente estuvo en España, en donde su padre le había designado como tutor al chileno don Nicolás de la Cruz, conde de Maule, quien lo detuvo breve tiempo en la península. Se instaló en Londres alrededor de 1794. Allí coincidió con el ilustre venezolano y precursor de la independencia hispanoamericana don Francisco de Miranda. Ambos, a pesar de la diferencia de edad, fueron amigos e intimaron, y la historia no vacila en indicar que Miranda fue el maestro del sudamericano en las ideas de libertad que más tarde guiaron su vida. Tal amistad influyó en su porvenir, como se verá más adelante, por su ingreso en las sociedades secretas, así como las entrevistas que posteriormente tuvo en España con los sacerdotes José Cortés Madariaga y Juan Pablo Fretes, chileno el primero y paraguayo el segundo, y ambos, reconocidos defensores de la emancipación de las colonias en América.

Hasta fines de 1798 la posición de O'Higgins en Londres es cómoda y desahogada, pero entonces los joyeros Spencer & Perkins, que atendían sus necesidades, le suspenden el suministro de fondos y no responden a las peticiones de Bernardo, quien las formulaba en nombre de las instrucciones enviadas por su padre. Pidió por carta a De la Cruz que solucionase sus dificultades o que lo trasladase a España, y acordado lo último realizó el viaje a fines del año siguiente. Es en esta oportunidad cuando conoce a los sacerdotes Cortés y Fretes.

En los primeros días de abril de 1800 embarca para Chile, y esto es el comienzo de un periodo de penurias y estrecheces. A los cuatro días es capturado por los ingleses el velero en que viaja y devuelto a Gibraltar; luego emprende el viaje a pie hasta Algeciras. Allí lo embarcan hasta Cádiz, donde De la Cruz lo recibe de manera muy distinta a la vez anterior, aislándolo y sin ayudarlo, hasta el punto de que O'Higgins hubo de rehuir el trato de sus antiguos amigos por el mal estado de sus ropas. De la Cruz huye a Sanlúcar de Barrameda ante una epidemia de vómito negro que irrumpe en Cádiz y se lleva a O'Higgins; pero éste enferma y se le presta poquísima atención. El propio Bernardo se salva mediante el uso de quinina que debe procurarse por sí mismo. Hallándose convaleciente, recibe la noticia de la muerte de su padre y entonces le es posible regresar a su patria, a la que llega a principios del año 1802.

Fue la anterior la peor época de su vida, pero la recordaba sin amargura y aún agregaba que le había valido una experiencia inapreciable el conocimiento directo de tales necesidades y penurias. O'Higgins se radica en su hacienda Las Canteras, en Los Ángeles, al recibir la herencia dejada por su padre, y sus relaciones lo ponen en contacto con quienes alientan la revolución emancipadora, a la que él contribuye activamente. Cuando se preparan los acontecimientos del 18 de septiembre de 1810, fecha que pasa a ser la del nacimiento de la nueva nación, a O'Higgins le corresponde convencer a don Juan Martínez de Rozas que debía aceptar la designación de vocal de la Junta y con ello se facilita el primer paso de la histórica revolución, pues representa Martínez de Rozas el grupo más activo de los patriotas que ya se encontraba actuando.

A partir de ese instante, es manifiesta la influencia directa o indirecta que O'Higgins ejerce sobre los principales acontecimientos. Su personalidad pública surge junto con la de su patria. Por mucho tiempo es O'Higgins quien sostiene a Martínez de Rozas en su decisión de no alejarse del gobierno, y lo acompaña en el retiro al irrumpir la dictadura de José Miguel Carrera (1811). El brigadier español don Antonio Pareja desembarcó súbitamente con sus fuerzas en la bahía de San Vicente, al sur de Concepción, en marzo de 1813, amenazando con seguir hacia el norte. Lo supo O'Higgins y en dos días reunió y armó las reservas de su jurisdicción de Las Lajas (Los Ángeles), y a la cabeza de ellas partió a Concepción. Esta ciudad había capitulado, por lo que resolvió volver al norte.

Los españoles avanzaban y ocupaban ciudades una tras otra, mientras O'Higgins y Carrera se encontraron en Talca y allí resolvieron deponer sus antiguas diferencias y unir sus fuerzas ante el enemigo. Detenido Pareja en Yerbas Buenas, se encerró en Chillán. Los patriotas pusieron sitio a esta ciudad, pero la operación fracasó totalmente, determinando a su vez la caída de Carrera. O'Higgins fue nombrado jefe de las fuerzas chilenas, y en la batalla de El Roble rechazó el ataque español (17 de septiembre de 1813). En el año siguiente combatió en Gomero, Tres Montes y Alto del Quilo, donde se condujo con heroicidad. En el curso de este año fue ascendido a general.

El 3 de mayo de 1814 fue suscrito a orillas del río Lircay el tratado de este nombre, por el cual ambos bandos ponían fin a la guerra a cambio de mutuas concesiones: los patriotas reconocían la soberanía del rey de España, pero el general hispano Gainza se retiraba con sus tropas del país y se mantenía la autonomía del gobierno de Santiago. Este documento, que ha sido objeto de apasionadas discusiones, fue conocido por Carrera, que aprovechó la circunstancia para apoderarse de la dirección del país mediante un golpe militar. O'Higgins desconoció su autoridad y quedó planteada la renovación de la guerra civil. Carrera derrotó a O'Higgins en Tres Acequias, encuentro de poca importancia, pero que presagiaba una guerra larga y agotadora.

El hecho de que desembarcasen nuevas tropas españolas llegadas del Perú al mando de Mariano Osorio, puso término a esta guerra civil, y Carrera y O'Higgins unieron sus fuerzas para enfrentar al enemigo reforzado. Avanzó éste sobre Santiago y O'Higgins dispuso cerrarle el paso en Rancagua, donde se hizo fuerte. Encerrado en esta ciudad (1 y 2 de octubre), O'Higgins resistió durante 36 horas una furiosa lucha desarrollada en las calles, en las que se hizo derroche de valor, al cabo de la cual y al frente de un pequeño grupo que pudo montar a caballo, se abrió paso por entre las fuerzas enemigas, conquistando la admiración de todos por su audacia.

Art Today

Bernardo O´Higgins.

Perdida la revolución, como consecuencia de esta derrota, O'Higgins emigró a Mendoza, lo mismo que varios miles de sus compatriotas que pudieron escapar de las fuerzas realistas. De allí pasó a Buenos Aires, donde residió por algún tiempo, presentando al gobierno un plan para la reconquista de Chile. El gobierno argentino resolvió que marchase a Mendoza con el fin de colaborar con el general San Martín en la organización del Ejército de los Andes. En Mendoza se ganó en seguida la confianza de San Martín; la historia destaca el relieve que tuvo para la causa de la independencia americana esta amistad profesada por ambos patriotas y que alcanza relieves emocionantes cuando el héroe argentino se expatria en Europa y entonces el chileno, también desterrado en Lima, se preocupa de sus apuros económicos y pide que Chile cumpla con las obligaciones que tiene para con uno de los padres de la patria.

En enero de 1817 partió de Mendoza el Ejército Libertador de los Andes. Soler y O'Higgins mandaban el cuerpo que hizo irrupción por el paso de Los Patos, mientras Las Heras hacía lo propio por el paso de Uspallata. En la cuesta de Chacabuco, próxima a la capital chilena y en el valle de aquel nombre, es O'Higgins el que transforma una maniobra de simulación frente al enemigo en una carga sobre éste y se cubre de gloria, el 12 de febrero. El día 16 un cabildo abierto reunido en Santiago lo proclama Director Supremo de Chile. A partir de Chacabuco ya no desaparece más el gobierno propio en el país y sus instituciones van evolucionando y asentándose. Como Director Supremo del Estado, O'Higgins firmó la proclamación de la independencia de Chile, jurada por el pueblo (12 de febrero de 1818). Fuerzas realistas al mando del general Osorio desembarcaron en Talcahuano y se dispusieron a atacar a los patriotas. En la batalla de Cancha Rayada (19 de marzo de 1818) Osorio derrotó a San Martín y O'Higgins, y éste fue herido en un brazo. Pero San Martín reorganizó rápidamente las fuerzas chileno-argentinas, que, pocos días después, derrotaron decisivamente a los realistas en la batalla de Maipú (5 de abril de 1818).

O'Higgins se había comprometido en Buenos Aires a organizar en Chile la expedición libertadora al Perú, pues participaba de la idea de San Martín de que sin ello no había independencia segura para el continente sudamericano. Para tal empresa contaba a fines de septiembre de 1818 con siete pequeños barcos, regularmente equipados, a los que se agregó pronto la fragata española *María Isabel*, capturada por Blanco Encalada en Talcahuano, a la que se dio el nombre de O'Higgins y se designó como buque insignia.

Pero no es sino en agosto de 1820 cuando parte de Valparaíso la expedición libertadora dirigida por San Martín, y al mando de la escuadra el almirante inglés lord Cochrane. La despide O'Higgins desde el Alto del Puerto con su profética frase: "De esas cuatro tablas dependen los destinos de América". La preparación de aquella empresa había sido larga y difícil y de alto costo para un país de economía incipiente. La misión emancipadora de San Martín fue cumplida, y su acción estuvo siempre estimulada y respaldada por O'Higgins, su más ardoroso defensor. Así cuando lord Cochrane llega a Chile pidiendo que San Martín sea juzgado por las acusaciones que le formula, O'Higgins se niega a ello con energía, aun cuando por tal razón pierde al jefe de la flota, que se dirige a Brasil.

O'Higgins mantuvo un gobierno fuerte, aunque con aspectos democráticos. Por lo demás, su administración fue siempre bien inspirada. Después de la batalla de Maipú, la misma aristocracia que lo había llevado al poder solicitó el término de la dictadura, la reunión de un congreso, la formación de una junta de gobierno y una Constitución. El Director Supremo rechazó la demanda. La Constitución que después hiciera aprobar en 1818, reafirma su criterio. El poder Ejecutivo estaba constituido por el Director Supremo, dotado de amplísimos poderes y sin plazo para el término de su mandato. Afortunadamente, O'Higgins supo proceder con discreción admirable y gracias a ello no tomaban cuerpo las campañas opositoras y pudo realizar una magnífica labor.

De su administración de seis años (1817-1823) pueden señalarse los siguientes hechos destacados: abolió los títulos de nobleza y el uso de los escudos e insignias de los mismos en forma pública, abrió la actual avenida que en Santiago lleva su nombre; fundó el Cementerio General; construyó el primer teatro oficial; dictó ordenanzas sobre juegos; fundó las ciudades de Vicuña en el centro-norte, La Unión en el sur y San Bernardo en las vecindades de la capital; restableció la Casa de Huérfanos; creó el hospital militar y propagó el uso de la vacuna contra la viruela. En el orden intelectual, a más de fundar escuelas, sostenidas por los municipios o los conventos, introdujo la enseñanza lancasteriana o mutua, establecida en Inglaterra por José Lancaster, consistente en que los alumnos más adelantados instruyeran a sus compañeros menos aprovechados. Reabrió el Instituto Nacional y el Seminario Conciliar, fundó el liceo de La Serena y restableció la Biblioteca Nacional.

En el terreno diplomático, obtuvo el reconocimiento de la república por Estados Unidos (1822) y mantuvo un agente en Londres. Envió al Vaticano en misión especial (1822) al canónigo Cienfuegos, para plantear el reconocimiento del país por la Santa Sede y el derecho de patronato respecto de la Iglesia católica romana. El mayor daño que recibiera O'Higgins en ese periodo, fue la ejecución de los hermanos Carrera en Mendoza y el asesinato del abogado y famoso guerrillero Manuel Rodríguez, en Tiltil. Sus enemigos culparon directamente a la Logia Lautarina, fundada en principio por Francisco de Miranda, en Londres, como Gran Reunión Americana, a la que pertenecían O'Higgins, San Martín, Alvear, Pueyrredón y casi todos los caudillos revolucionarios hispanoamericanos.

El régimen de O'Higgins basado en la fuerza pudo salvar los escollos, hasta sin aquellas muertes; pero éstas y el haberse rodeado de elementos sin prestigio, intensificaron la falta de apoyo de la aristocracia y del pueblo, formalizando una fuerte oposición. La crisis sobrevino a fines de 1822, en que se alzó contra el gobierno la provincia de Concepción, encabezada por su propio intendente, general Ramón Freire, siguiendo inmediatamente tal actitud la provincia de Coquimbo. Ésta en el norte y aquélla desde el sur encerraban como entre tenazas a la capital de la república. En los primeros días de 1823 se reunió en cabildo abierto la población de Santiago y el 28 de enero se designó una comisión, compuesta por los señores Agustín Eyzaquirre, Fernando Errázuriz y José Miguel Infante, encargada de solicitar a O'Higgins su renuncia del cargo de Director Supremo.

Reveló entonces el prócer la grandeza de su espíritu y la pureza de sus intenciones. Contaba con la casi totalidad de la única fuerza armada existente en el país, era un general de reconocida habilidad y podía aplastar el movimiento después de alguna lucha, a lo que muchos le incitaban. Se negó categóricamente a ello porque "no quería que por su causa se derramara una sola gota de sangre chilena". Abdicó sencilla y tranquilamente el mando, sin expresión de molestia ni amargura, y reveló en ese instante que no era la ambición la que le había aconsejado el gobierno de fuerza, sino las circunstancias en que se encontraba el país en sus primeros años de independencia y soberanía. Poco después partió al Perú y allí le sorprendería la muerte 19 años más tarde, cuando, anciano y enfermo, estaba próximo a regresar a Chile, pues deseaba esperar en su patria la llegada de su última hora. Ese final de O'Higgins en Perú es emocionante. Listo para embarcarse, no pudo hacerlo en la primera fecha fijada porque los dolores no le permitían movimiento alguno, y se extinguió su existencia cuando se acercaba una nueva oportunidad para su viaje.

La historia le ha hecho justicia. Su férrea dirección en los difíciles momentos de la organizacion de la república salvó a ésta de la anarquía. Además, su patriotismo, su serenidad, sentido de la justicia y de la amistad, honradez en el manejo de los dineros públicos y un corazón abierto a la más amplia generosidad personal, son cualidades que le fueron reconocidas hasta por sus enconados enemigos. Creyó que bastaba servir rectamente, pero aislado de la popularidad artificial y bullanguera. Pero ello también le deparó un prestigio nada común en política y fue la base de su estrecha amistad con San Martín: se sabía que en la palabra y el compromiso de O'Higgins podía confiarse ciegamente, sin que nada ni nadie le hiciera retroceder. América le ha reconocido sus méritos. No sólo en su patria sino en muchas naciones del continente se alza su estatua como símbolo de patriotismo y ejemplo de las más altas condiciones morales.

O'Higgins, Libertador General Bernardo. Región VI de Chile, localizada en el centro-sur del país, en la zona del Valle Central. Superficie: 16,393 km^2. Población: 688,385 habitantes (1992). Limita con el Pacífico y Argentina. Se halla integrada por las provincias de Cachapoal, Cardenal Caro y Colchagua. Hidrográficamente pertenece a la hoya del río Rapel. Se registran en los Andes alturas superiores a los 4.000 m, (Cerro del Palomo, volcán Tinguiririca). En el sector agropecuario se destacan los cultivos de trigo, maíz, arroz, fruta y, sobre todo, remolacha. Su centro cuprero, El Teniente es el segundo del país. Importante sector manufacturero. Capital: Rancagua (200,361 h., 1995).

Ohio. Está bordeado por Indiana en el oeste, Michigan y el lago Erie en el norte, y Pennsylvania y West Virginia en el este. El río Ohio fluye por el sur del estado colindando con West Virginia y Kentucky. Superficie: 116,103 km2. Población: 11.102,000 habitantes en 1994. La capital y la ciudad más grande es Columbus (643,000 h., 1992). Entró a formar parte de la Unión en 1803, y fue el primer estado admitido del Territorio Noroeste de Estados Unidos.

Tierra y recursos. Forma parte de las dos mayores provincias físicas del país -las planicies de los montes Apalaches y las tierras

Buque de guerra chileno nombrado en honor de Bernardo O´Higgins.

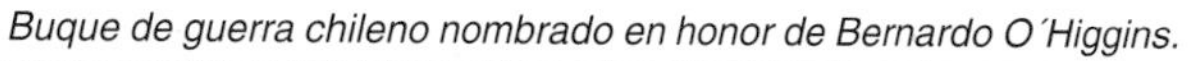

Art Today

bajas centrales. La cordillera entre estas dos regiones divide al estado en dos regiones paralelas, la del noreste y la del suroeste. Estas dos regiones se distinguen por su superficie y elevación. La geología del estado es relativamente simple. Las rocas consisten en sedimentos paleozoicos; debido a los movimientos de las rocas hacia el este, las antiguas formaciones paleozoicas están más cerca de la superficie en el oeste, mientras que los estratos más jóvenes están en el este.

Hidrografía. La división geográfica de Backbone es una importante frontera física, la cual separa a los ríos que van al lago Erie de los que fluyen al río Ohio. Sólo 29% de las corrientes desembocan en el lago Erie. Éstas son pequeñas y fluyen paralelas. En la región del sur existen ríos mayores, como el Muskingum, el Scioto y el Miami. Debido a la escasa infraestructura de control fluvial la mayoría de los ríos, éstos tienen un patrón dentrítico. Las corrientes superficiales son la principal fuente de agua, mientras que las preglaciales o subterráneas, constituyen una perenne reserva de agua.

Clima. Excepto por una pequeña área a lo largo del río Ohio, un clima húmedo continental domina el estado. Son comunes las largas estaciones con temperaturas cambiantes, en enero por debajo de los 0 °C y en julio exceden de los 24 °C. Las precipitaciones promedian de 762 mm hasta 1,016 mm. La pluviosidad es mayor durante el verano y menor en el otoño.

El clima de Ohio se refleja en sus poblaciones de latitud media en el este. Los sistemas ciclónicos en los vientos del oeste favorecen un clima variable. Otros factores que afectan el clima son la topografía de las colinas del este y el lago Eire. En primavera la proximidad del lago evita los deshielos tardíos beneficiando así la producción agrícola. En el invierno esta misma proximidad influye en la caída de nevadas más fuertes en la región noreste. La cordillera de los Apalaches tiene un importante efecto de clima local, el cual crea frecuentes cambios de temperatura.

Vegetación y vida animal. La vegetación original del estado era una mezcla de bosques que virtualmente lo cubrían. Las únicas regiones con vegetación eran las del bosque pantanoso o la planicie del noroeste del lago. Los asentamientos humanos y el desgaste de las tierras han alterado totalmente estos hábitats. Actualmente sólo 25 % del territorio son tierras de bosque. La temperatura favorable así como la abundancia de agua, ayudan al desarrollo de una fauna variada, por lo cual la pesca y la caza son muy populares. Algunos de los animales más comunes son los patos salvajes, el conejo cola blanca, la ardilla gris, etcétera.

Recursos. La importancia de los recursos en el estado se derivan de la antigua producción de carbón. Los recursos de carbón sólo se encuentran en el este, desde el condado de Geauga en el norte hasta el condado de Lawrence en el sur. Otros minerales no metálicos y combustibles incluyen la piedra caliza, la arena, la grava, la sal, el gas natural y el petróleo.

Corel Stock Photo Library

Monumento a la guerra moderna en las orillas del río Ohio.

Actividad económica. Ha sido históricamente la exportación de alimentos y materiales al lejano oeste. La habilidad para ensamblar económicamente distintos materiales, ha acelarado el proceso industrial urbano haciendo de Ohio un estado principalmente manufacturero con los subsecuentes problemas de la urbanización, como de la provisión de energía eléctrica y la contaminación del aire y del agua. La manufactura sigue siendo la mayor actividad económica con 30% del producto del estado, la industria de servicios en su conjunto cubre el resto de la producción.

La agricultura del estado es el mejor ejemplo de su localización geográfica. Los campos de cosechas del noroeste cultivan principalmente el maíz y la soya, mientras que en el sureste hay una mezcla de cultivos que consiste en forraje de ganado y una producción mínima de granos. En los últimas décadas el número de granjas se ha reducido, pero su tamaño se ha incrementado. Los condados con mayor número de granjas se encuentran en el oeste.

Turismo. Es uno de los negocios más importantes del estado, por lo cual se encuentra en constante crecimiento. Las áreas de recreación y los parques naturales locales cubren gran parte del territorio y ofrecen actividades tanto en verano como en invierno.

Ohlin, Bertil (1899-1979). Economista y político sueco. Obtuvo su maestría por la Universidad Lund en 1917 y su doctorado en economía por la Universidad de Copenhague en 1924. Fue profesor de economía en la Universidad de Copenhague (1924-1929) y en la Escuela de Economía de Estocolmo (1929-1965). Entre sus muchos libros importantes están su tesis doctoral, *Teoría del comercio*, (1924); *Comercio internacional e interregional*, (1933), y *Reconstrucción económica internacional*, (1936). Ohlin fue dirigente del Partido Liberal Sueco (Folkpartiet) (1944-1967) y se desempeñó brevemente, (1944-1945), como ministro de Comercio. Compartió el Premio Nobel de Economía con James E. Meade en 1977 por su "decisiva contribución a la teoría del comercio internacional y del movimiento de capitales internacionales".

Ohm, Georg Simon (1787-1854). Físico alemán, hijo de un modesto cerrajero. Fue profesor de matemáticas y física en el Colegio de los Jesuitas en Colonia, dirigió la Escuela Politécnica de Nuremberg y tuvo a su cargo la cátedra de física de la Universidad de Munich. Descubrió importantes leyes sobre la electricidad que por un tiempo se atribuyeron a Pouillet. La Real Sociedad de Londres le concedió la medalla de Copley y en Munich se le erigió un monumento. Publicó numerosas obras y monografías entre las que figura una *Teoría matemática de las corrientes eléctricas*. Entre sus principales descubrimientos figura el de la ley que establece que la intensidad de una corriente eléctrica viene dada por la relación entre la fuerza electromotriz y la resistencia del conductor, de cuya fórmula se conduce a la vez que esta intensidad es directamente proporcional a la fuerza electromotriz o potencial y está en relación inversa con la resistencia del conductor. El Congreso Internacional de Electricidad, celebrado en Chicago en 1893, dio el nombre de *ohmio*, en honor de Ohm, a la unidad de medida de resistencia eléctrica.

ohmio. Unidad adoptada para medir la resistencia de los conductores eléctricos. Equivale a la resistencia que una columna de mercurio de un milímetro cuadrado de sección, una masa de *14.4521* gr y 1,063 mm de longitud a la temperatura de 0 °C, opone al paso de una corriente eléctrica constante.

Ohnet, George (1848-1918). Escritor, autor teatral y crítico francés. En el teatro comenzó con grandes éxitos, especialmente con su drama titulado *Marthe*. En el campo de la novela, al publicar *Sergio Panine*, su fama se extendió por toda Francia. Puso a su serie de muy numerosas novelas el título general de: *Batallas de la vida*. Entre sus obras se destacan algunas como

Felipe Derblay y *La hija del diputado*. *Sergio Panine* le valió el premio de la Academia Francesa. Con todo, la crítica moderna lo considera más narrador ameno e imaginativo que novelista de profunda valía literaria.

oídio. Nombre genérico que se da a ciertos hongos de carácter parásito que, en forma de filamentos blanquecinos y polvorientos, suelen desarrollarse sobre los tejidos orgánicos enfermos. Es una enfermedad criptogámica de las plantas, que recubre, con más o menos extensión, las partes atacadas con una especie de polvo blanquecino. El oídio más conocido y estudiado es el de la vid, de cuyo nombre científico, *Oidium Tuckeri*, se ha derivado la denominación vulgar. Este nombre se ha extendido igualmente, junto con el de añublo, mal blanco, cenizo, cendrosa quintal, niebla, etcétera, a enfermedades de otras plantas, producidas muchas veces por parásitos diferentes del oídio, pero que presentan exteriormente una forma muy semejante a la de éste. Los auténticos oídios tienen, en su mayor parte, la forma de los hongos erisifáceos. Se previene y combate con azufre pulverizado.

oído. Sentido que permite percibir los sonidos y nombre de cada uno de los dos órganos que sirven para la audición. El oído se divide en tres partes: oído externo, medio e interno. En el primero se halla el pabellón del oído o simplemente la oreja, y el conducto auditivo externo, que se extiende desde el hueco central de la oreja al oído medio. Su longitud: 25 a 30 mm. Tiene forma cilíndrica y su misión es la de conducir las vibraciones sonoras hacia el tímpano. En los animales que tienen orejas móviles éstas cumplen una función importante, adaptándose a la dirección de donde procede el sonido. El hombre no posee esta facilidad. Un investigador llevó a cabo la experiencia de rellenar con cera los huecos de la oreja y comprobó que el oído oía menos. Los pelos y una secreción viscosa que se llama cerumen contribuyen a la protección del conducto auditivo. El oído medio está excavado en el espesor del hueso temporal, entre el conducto auditivo que está por fuera y el oído interno que está por dentro. Es una cavidad llena de aire, que comunica con la faringe por la trompa de Eustaquio y con las cavidades mastoideas. Contiene los huesecillos del oído y en toda su extensión los cubre una membrana, la mucosa timpánica. Ésta tiene forma ovoidea y de color gris perla. El oído medio tiene como misión fundamental transformar las ondas sonoras que recibe por el aire, en movimientos vibratorios del tímpano y los huesecillos en su camino hacia el oído interno. Cuando el funcionamiento del tímpano o de los tres huesecillos, martillo,

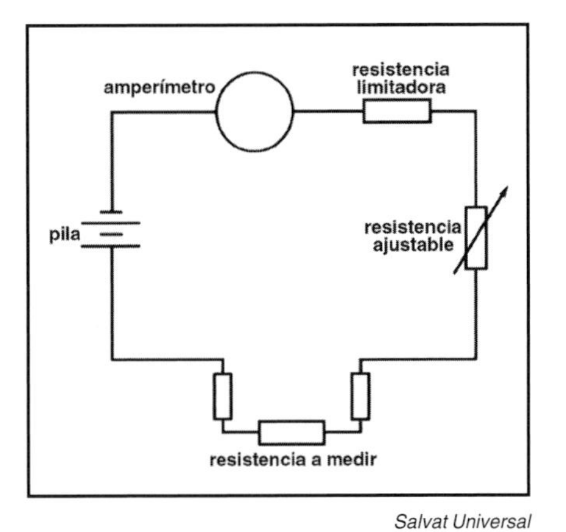

Salvat Universal

Ohmímetro. Esquema eléctrico.

yunque y estribo, está afectado por lesiones destructivas, las vibraciones sonoras impresionan directamente otras partes del oído, percibiendo el cerebro aunque defectuosamente las diferentes clases de sonidos. Es curioso conocer el fenómeno constante de que el tímpano, al ponerse en vibración debido a las ondas sonoras, reproduce la forma de estas ondas. Ello se ha comprobado pegando un espejito a la cara externa del tímpano y enviándole un rayo de luz. Se observan las desviaciones ante determinadas ondas sonoras, que persisten a pesar de que el tímpano se halle perforado. La cadena de huesecillos y las funciones de dos músculos en la caja del oído, complementan la transmisión. La cavidad del oído medio comunica con el exterior por medio de la trompa de Eustaquio, que logra un equilibrio abriéndose durante la deglución y los bostezos. Cuando no lo hace, por ejemplo, a consecuencia de un catarro, o por un ascenso o descenso brusco de avión, hay peligro de que se rompa el tímpano con dolor y sordera y hasta con producción de un derrame líquido, que muchas veces hay que hacer salir, perforando el tímpano con bisturí, pero anestesiando antes esa membrana que es muy sensible a los roces. Clínicamente hay dos clases de sordera: de transmisión, cuando se lesiona el oído externo o el medio, y de recepción, por lesión de las vías auditivas o del oído interno. Un sistema de arterias, venas y nervios se distribuye por toda esta región para que las funciones permanezcan activas. El oído interno se aloja en el espesor del peñasco, por detrás de la caja del tímpano. Se compone de cavidades cuyo conjunto constituye el laberinto óseo. Estas cavidades encierran otras más pequeñas, de paredes blandas, que forman en su conjunto el laberinto membranoso. Las cavidades más pequeñas están llenas de un líquido, la endolinfa, y sumergidas en otro líquido, la perilinfa. En total las cavidades son: el vestíbulo, que es la central y se corresponde con la caja del tímpano, los canales semicirculares, que están detrás y por encima, y el caracol o cóclea que se encuentra por delante. El oído interno, junto con sus nervios y vasos sanguineos, constituye la parte esencial del aparato auditivo. La destrucción del caracol produce la sordera irreparable de ese lado, en cambio, la destrucción del laberinto posterior no provoca alteraciones en la audición. A pesar de los grandes descubrimientos en la fisiología del oído todavía hay numerosas funciones que se ignoran. En 1930 dos investigadores observaron el fe-

Oído. Estructura anatómica.

Salvat Universal

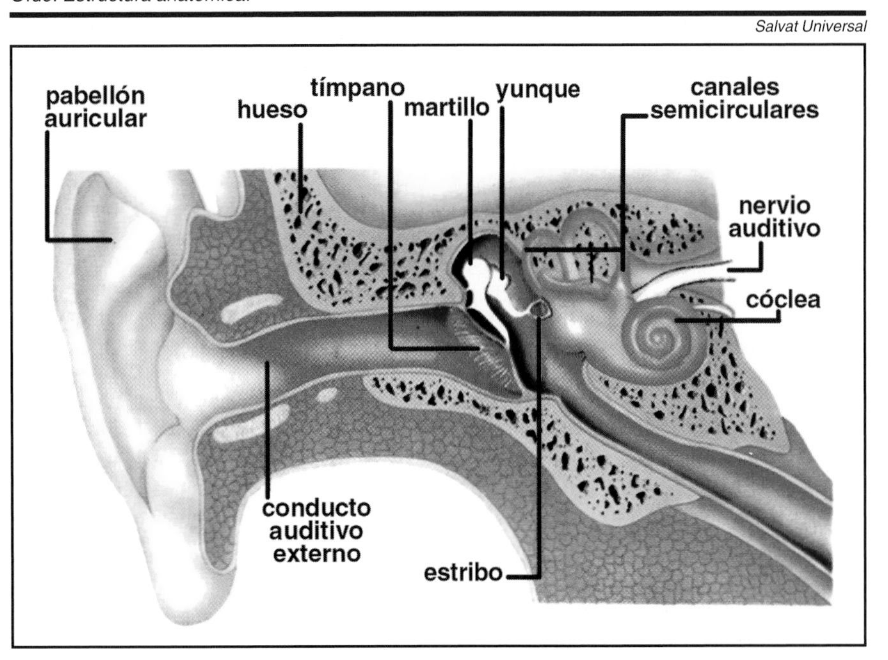

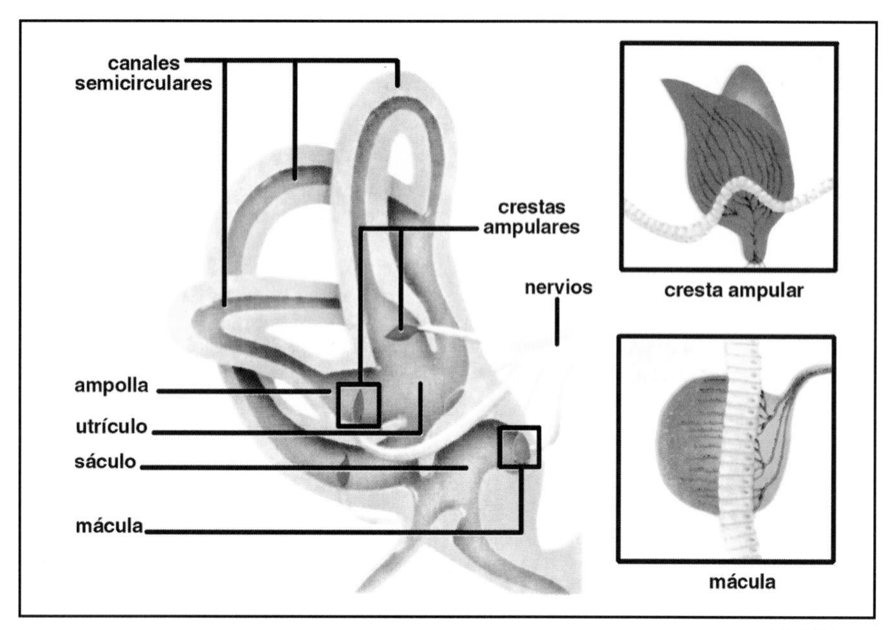

Órganos del laberinto del oído.

nómeno de que si colocaban electrodos unidos a un teléfono, sobre el nervio acústico de un gato, al cual se le había extirpado el cerebro, se oían en el teléfono o altoparlante las palabras o sonidos que se trasmitían al oído del gato. Este hecho extraordinario se comprobó en varias especies animales. Se sabe que nacen en el caracol fenómenos eléctricos, como resultado de las vibraciones sonoras llegadas del exterior. Su significado es de gran valor y se les suele llamar *corrientes microfónicas,* por su parecido con los micrófonos. Estas corrientes pueden ser registradas en aparatos especiales y hasta ser retransformadas en sonidos. Su característica es que reproducen con fidelidad el sonido de origen. Esta cualidad es la que permite a un observador, colocado en una habitación lejana, escuchar lo que se habla en el oído de un animal y hasta reconocer la voz de la persona que lo hace, por medio de un teléfono unido a un dispositivo que recoge y amplía las corrientes microfónicas. El órgano de Corti, situado en el vestíbulo, toma parte importante en estos fenómenos maravillosos. En patología humana es bien conocida la sordera de los viejos para los tonos agudos, observación que coincide con lesiones destructivas del órgano de Corti. Este hecho se puede reproducir en el animal, mediante una inyección de cocaína o de sal común, a través del tímpano. Con los datos obtenidos experimentando en animales se han construido gráficas en las que se han pintado zonas que corresponden a los tonos graves, que se reciben cerca del vértice del caracol, y la de los tonos agudos, cerca de la base. Otro hecho interesante es el efecto electrofónico, un fenómeno inverso al de las corrientes microfónicas, pues en este caso eran los sonidos los que originaban corrientes eléctricas, todo lo contrario del otro, donde las corrientes eléctricas ofrecen la sensación de ser sonidos. Stevens, en 1937, conectando con la cabeza los hilos de un equipo de radio, demostró que es posible oír la música y las palabras cuando la corriente no es muy intensa. Apoyados en todos estos conocimientos podemos deducir cómo funciona el oído interno a la llegada de los sonidos. Las vibraciones en la cadena de los huesecillos hacen variar la presión en la perilinfa del vestíbulo y ello produce una serie de ondas pequeñísimas que se trasmiten a todo lo largo y ancho del oído interno, el cual se continúa con el nervio acústico y de aquí al cerebro como órgano supremo. Los caracteres generales del nervio acústico son los comunes a los demás nervios de los sentidos. Este nervio doble, uno para cada oído, conduce las vibraciones a una velocidad de 30 m/seg, igual a la de los dos nervios de los ojos y a los que trasmiten las sensaciones del tacto.

Propiedades de los sonidos. En especial interesan dos: el tono y la intensidad. El tono resulta del número de vibraciones por segundo. Si la frecuencia es grande, el tono será agudo y si es pequeña, grave. La intensidad depende de la amplitud de las vibraciones. Si éstas son amplias, los sonidos serán fuertes, y débiles en el caso contrario. Recordaremos que los sonidos son producidos por vibraciones con ritmo regular de los cuerpos elásticos y los ruidos por vibraciones irregulares. La intensidad del sonido se expresa en decibeles (el decibel es la décima parte del bel). El bel, así llamado en homenaje al inventor del teléfono, Graham Bell, es la unidad física de intensidad del sonido. Cuando esa intensidad pasa de cien decibeles, resulta molesta para el oído humano, y llega a ser dolorosa e insufrible de 130 decibeles en adelante.

Los límites extremos de la escala de vibraciones que el oído normal puede percibir, se hallan entre 16 y 20,000 vibraciones por segundo. Entre los instrumentos musicales, en el piano, por ejemplo, el sonido de tono más bajo es de unas 25 vibraciones, y el más alto de 4,800. La voz humana, en una conversación en tono normal, registra una escala de 300 a 3,000 vibraciones. Entre los animales, se sabe que el perro oye mejor los tonos agudos que el oído humano. Con la rata sucede lo mismo. Cuando vuela el murciélago, da gritos de altísima frecuencia, verdaderos ultrasonidos que el hombre no puede oír, pero que le sirven al murciélago para orientarse en la oscuridad, ya que esas ondas rapidísimas se reflejan en los objetos, volviendo otra vez a los oídos, marcándole de ese modo el rumbo. El murciélago sordo está incapacitado para el vuelo nocturno y si está obligado a volar tropieza constantemente con los obstáculos que le rodean. El radar, uno de los más grandes inventos, empleado por submarinos, aviones y barcos a partir de la Segunda Guerra Mundial, se funda en el mismo principio físico que orienta al murciélago en su vuelo.

Audimetría. Existen varios métodos, para medir la agudeza auditiva, pero es el audiómetro el que más se emplea. Éste es un aparato que produce tonos puros y constantes. La frecuencia y la intensidad las regula el operador. Los resultados se expresan en el audiograma, donde hay marcada una línea de abscisas, para las distintas frecuencias del sonido, y otra línea de ordenadas, para las intensidades. Los datos que suministra la audiometría facilitan conocer la parte del área auditiva afectada por una sordera. En este aspecto los aparatos amplificadores terapéuticos, para sordos, deben ser selectivos, no debiendo aconsejarse los que aumenten las vibraciones de todos los sonidos, porque al mismo tiempo se intensificarían todos los ruidos. Conviene recordar que los sonidos más fáciles para la audición son los de 1,000 y 2,000 vibraciones por segundo. El oído puede reconocer la dirección de donde procede el sonido y aun la naturaleza del mismo, así como descubrir los componentes simples de un sonido completo. A esta cualidad se le llama poder analítico. Como ejemplo típico se menciona la virtud de poder reconocer las sonoridades de los diferentes instrumentos, cuando toca una orquesta.

Sonidos dañinos. Ruidos o sonidos fuertes pueden lesionar el oído medio y el interno, ocasionando sorderas irreparables, como las que suelen aquejar a los mineros, artilleros, caldereros y también aviadores y conductores de tanques. Existen protectores que tapan los dos conductos auditivos externos, evitando que las lesiones se produzcan.

Enfermedades del oído. Su estudio y tratamiento corresponden a la rama de las ciencias médicas, que recibe el nombre de otorrinolaringología. El instrumental clínico que corrientemente se emplea comprende el espejo frontal, otoscopios de diferentes tamaños y pinzas de reconocimiento. *Véanse* OTITIS; OTORRINOLARINGOLOGÍA; SENTIDOS; SONIDO.

Oise. Río francés, afluente del Sena en el que desemboca, a 65 km al noroeste de París. No nace en Francia, sino en Bélgica, en la provincia de Namur. Tiene un curso de 300 km. Cuando nace, en Chimay, a 300 m sobre el nivel del mar, es un río de escaso caudal; pero después que penetra en Francia, por el bosque de Saint Michel, va engrosando con las aportaciones de numerosos afluentes hasta convertirse en un río bastante caudaloso. Su primer afluente de importancia es el Gland, y después el Thon. En Vadencourt recibe al Norien y se comunica, por un canal, con el Sambre. Recibe después al Ailette y luego al Verse, frente a Noyon. Sigue engrosando su caudal con numerosos afluentes. Es navegable en gran parte de su curso y constituye una importante arteria de transporte fluvial, conectada al sistema de canales de Flandes y del Somme.

O. I. T. *Véase* ORGANIZACIÓN INTERNACIONAL DEL TRABAJO.

Ojeda, Alonso de (1466?-1515?) Conquistador español que acompañó a Cristobal Colón en su segundo viaje. Realizó después numerosas empresas, entre ellas la expedición de enero de 1494 sólo con 15 hombres hacia el interior de la provincia de Cibao; la derrota de los indígenas que sitiaron la fortaleza de Santo Tomás, en cuyo auxilio acudió con cuatrocientos hombres; el apresamiento, con la añagaza de ofrecerle unas preseas reales, que no eran sino grillos dorados, del cacique Caonabo; la expedición de 1502 en que fue preso por sus compañeros Vergara y Ocampo y absuelto después por los reyes; las vicisitudes y durísimas luchas para defender la fortaleza que llamó San Sebastián, villa fundada en la infructuosa búsqueda del Darién, etcétera. Tuvo casi tantas rivalidades con otros jefes españoles como luchas con los indios; especialmente con Talavera, el cual, así como el grupo de sus secuaces, terminó en el cadalso sin que Ojeda sufriera al final castigo alguno. Perteneció a una distinguida familia española de la comarca de Onia. Fue amigo del obispo Juan Rodríguez de Fonseca, primer presidente del Consejo de Indias, quien le ayudó en todos sus proyectos. Murió en Santo Domingo cuando se había retirado a la vida monástica en la orden franciscana, según escribe el padre *Las Casas.*

ojo. Órgano de la visión, de importancia primordial. Permite recibir a distancia las sensaciones externas y es de la mayor utilidad para la vida de relación y el aprendizaje de la mayoría de las actividades humanas. El ojo humano, con sus diversas partes constitutivas, se asemeja a una cámara fotográfica. Como ella es de una sensibilidad notable y recoge y retiene las imágenes situadas a su alcance. El ojo se halla alojado en una cavidad ósea llamada *órbita,* que lo protege de las sacudidas y choques exteriores. Esa protección se encuentra aumentada por una capa de grasa situada entre dicha cavidad y el globo ocular. Completan su protección las cejas y los párpados. Las cejas, prominencias transversales y arqueadas provistas de pelos y situadas en el borde superior de la cavidad orbitaria, sirven además para detener el sudor que se desliza de la frente. Los párpados son unos repliegues movibles músculomembranosos, que recubren por delante el ojo y lo protegen contra los traumatismos exteriores, los cuerpos extraños y la luz excesiva. Distribuyen las lágrimas, lubrificando el globo ocular. Del borde de cada párpado nacen las pestañas destinadas a detener las partículas de polvo. Los párpados están formados, del exterior al interior: por una piel fina; un músculo circular (el orbicular de los párpados), y una mucosa, llamada *conjuntiva.* La conjuntiva tapiza no solamente el interior de los párpados, sino también todo el exterior del ojo excepto la córnea transparente. La superficie de la conjuntiva, lubrificada por las lágrimas y por sus propias glándulas, favorece el deslizamiento de los párpados sobre el globo ocular. En el ángulo interno del ojo la conjuntiva forma un repliegue mamelonado, la carúncula lagrimal, y un pliegue, el pliegue semilunar.

Las cubiertas del globo del ojo son, de fuera a adentro: la conjuntiva, la esclerótica y la coroides. La esclerótica es la parte comúnmente llamada blanco del ojo. Es una membrana fibrosa, opaca y muy resistente, que constituye las cinco sextas partes de la cubierta protectora del globo ocular. La córnea transparente constituye la otra sexta parte. El espesor de la esclerótica es de 1 mm y es suficientemente elástica como para resistir eficazmente los choques exteriores relativamente fuertes. La coroides es una membrana constituida principalmente por vasos sanguíneos, arterias y venas, que se extiende, tapizándola, por el interior de la envoltura formada por la esclerótica. Es la membrana que nutre el globo del ojo y contiene también pigmentos negros destinados a oscurecer e impedir que la luz penetre a través del espesor de la esclerótica. En la parte anterior de la coroides está el cuerpo ciliar compuesto por el músculo y los procesos ciliares, cuya función es la de acomodar el ojo a las distancias visuales. El iris, unido a la coroides, es el que da al ojo los diversos colores (negros, azules, grises, etcétera), según la pigmentación que se asocie al tejido propio de esta membrana. El iris constituye un diafragma contráctil a la luz y a la acomodación. Su centro está atravesado por un orificio llamado *pupila* que varía de diámetro según la intensidad de la luz o según la distancia del objeto que el ojo capta.

Los medios transparentes del ojo son el humor acuoso, el cristalino y el humor vítreo, y, antepuesto a todos ellos, la córnea transparente ya mencionada. El humor acuoso es un líquido transparente y muy límpido, ligeramente salado, situado en el espacio limitado por delante por la córnea y por detrás por la doble pared que forman el iris y el cristalino. Ese espacio se denomina cámara anterior del ojo. El cristalino es una lente biconvexa situada entre el iris y el humor vítreo. De un diámetro de .5 cm, su convexidad posterior es más acentuada que la curva de su cara anterior. De consistencia blanda en el niño se endurece a medida que la edad avanza. Su transparencia debe ser perfecta; su opacificación constituye la catarata. El cristalino es el órgano que sirve a la acomodación, es de-

Ojo. Estructura anatómica.

Del Ángel Diseño y Publicidad

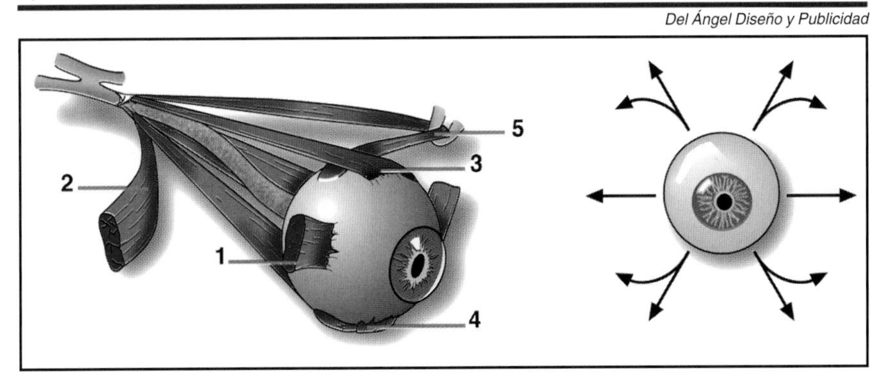

cir que permite al ojo adaptarse a las diferentes distancias. Por su elasticidad se presta bien a esos movimientos, pero éstos son más fáciles en los individuos jóvenes. Con la edad se pierde gradualmente ese poder de acomodación: esa perturbación se llama *presbicia*.

El humor vítreo situado en la cavidad comprendida entre el cristalino y la retina es una masa gelatinosa transparente contenida en una membrana llamada *la membrana hialoide*.

La percepción de las imágenes visuales se efectúa por la retina, y su trasmisión al cerebro se hace por los nervios y los cordones ópticos. La retina es una sensitiva membrana nerviosa que recubre todo el fondo del ojo, constituyendo las últimas ramificaciones del nervio óptico. Es de un espesor de .5 mm en su parte posterior haciéndose menos gruesa a medida que se acerca al iris. Contiene varias capas de células y de fibras superpuestas. La más importante de estas capas está formada de células que tienen la forma de bastoncillos y de conos sobre los cuales se registran las impresiones visuales. Una capa de células intensamente pigmentada de negro separa la retina de la coroides constituyendo el fondo de la cámara oscura del ojo.

La parte más sensible del ojo en la retina se encuentra en la extremidad de su eje ánteroposterior y se llama *mancha amarilla* o *mácula lútea*, y presenta en su centro una depresión, la fóvea central. El nervio óptico, al nivel de su continuidad con la retina, está estrangulado, y su extremidad terminal ofrece el aspecto de una cúpula circular, que se llama *papila*. Hacia delante la retina termina por un borde festoneado que corresponde a la zona de Zinn y se llama *ora serrata*. El nervio óptico, después de salir del globo ocular, atraviesa el fondo de la órbita y pasa a la cavidad craneal por el orificio óptico. Llegado a este punto, se entrecruza con el nervio óptico del lado opuesto, formando el quiasma, para dirigirse después al cerebro bajo la forma de prolongaciones llamadas *cordones ópticos*. El extremo final de las fibras de los nervios ópticos se encuentra en la circunvolución del cerebro que se halla en la cara interna del lóbulo occipital. Ahí está el centro de la visión.

Seis músculos estriados rigen y coordinan los movimientos necesarios para que el ojo reciba convenientemente los rayos luminosos que proceden de los objetos que el ojo mira. Un aparato lagrimal compuesto de glándulas lagrimales y de conductos lagrimales mantiene húmeda y brillante su superficie y favorece el deslizamiento de los párpados. La visión normal está frecuentemente alterada o bien por trastornos de la refracción o por lesiones o enfermedades del ojo que modifican su acuidad visual, haciendo ver las imágenes borrosas o llegando hasta la privación total de la vista o ceguera. La determinación de la acuidad visual se efectúa por un método extremadamente simple: una serie de letras de dimensiones escalonadas llamadas optotipos, inscritas sobre un cuadro situado a cinco metros de distancia de la persona que debe someterse al examen, permite precisar su grado de acuidad visual. La más empleada y conocida es la escala optométrica de Monnoyer. Esta escala debe estar iluminada con luz constantemente igual y al examinar la acuidad de un ojo debe taparse cuidadosamente el otro para que su visión no falsee el resultado. El examen de la acuidad visual debería efectuarse sistemáticamente sobre todo al principio de la edad escolar, para descubrir prontamente y poder corregir cualquier anomalía ignorada.

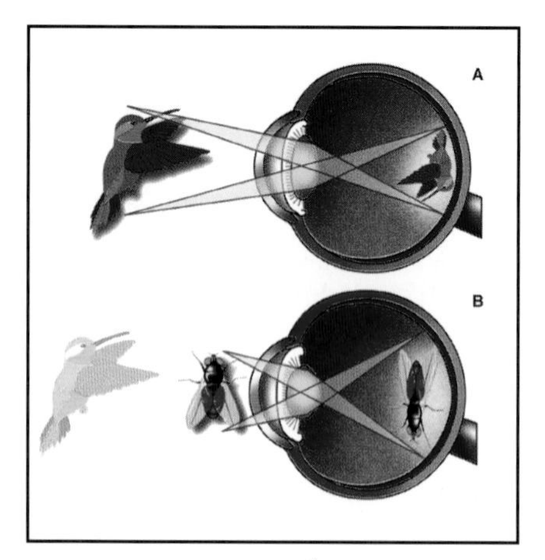

Del Ángel Diseño y Publicidad

El proceso de enfocar implica ajustes inconcientes del ojo para ver objetos cercanos y lejanos mediante el cambio en la curvatura de los lentes. Para enfocar un objeto lejano (A) el cuerpo ciliado (al cual están asidos los lentes) dilata o contrae la superficie de los lentes. El ojo enfoca un objeto más cercano (B) contrayendo el cuerpo ciliado de tal manera que los lentes elásticos se tornen mas curvos para enfocar el objeto. En ambos casos las imágenes volteadas de los objetos son enfocadas precisamente en contra de la retina para después retornar en la forma conrrecta de la imagen que manda el cerebro.

La refracción normal puede estar alterada, y dar origen a los trastornos siguientes: miopía, hipermetropía y astigmatismo. La miopía o cortedad de vista es casi siempre causada por el alargamiento excesivo del diámetro ánteroposterior del ojo, y con menos frecuencia por la curvatura excesiva de la córnea o por espasmo de la acomodación. El miope forma las imágenes delante de la retina. Se corrige con lentes cóncavas gracias a las cuales el foco se aleja de la córnea para formarse en la retina.

En la hipermetropía, por el contrario, se forma la imagen detrás de la retina. En oposición a lo que ocurre en la miopía el eje ánteroposterior del ojo está disminuido. También puede ser ocasionado por incapacidad de acomodación. Se corrige con lentes convexos. La presbicia es la dificultad en el empleo cómodo del ojo en la visión de cerca. Es una alteración fisiológica que afecta al ojo a partir de los 40 ó 45 años. Es producida por la pérdida de elasticidad del cristalino. La presbicia no afecta la visión a distancia. Se corrige con lentes convexas esféricas para el trabajo de cerca. El astigmatismo es una anormalidad de la refracción del ojo, que da como resultado una visión defectuosa, consistente en que los rayos de luz al penetrar en el ojo, no convergen en un solo punto de la retina, sino que se difunden en un espacio más o menos grande. La causa ocasional puede ser la desigualdad de curvatura de los diferentes meridianos de la córnea, defectos del cristalino, contracción desigual de los músculos ciliares, o defecto de la retina. Para establecer el género, el grado y la corrección óptica adecuada, es necesario recurrir al examen por un oftalmólogo. Existe variedad de formas en los lentes que corrigen la visión: planos, cilíndricos, esféricos y mixtos convexos en la parte superior y cóncavos en la inferior para corregir con una misma lente la visión de lejos y de cerca. Se emplean también lentes de contacto directo, que se aplican contra la esclerótica bajo los párpados.

Son numerosas las enfermedades de los ojos. Unas localizadas en algunas de sus partes constituyentes y otras en la totalidad del globo ocular. La preocupación justificada de proteger los ojos contra las enfermedades y los trastornos de la visión, hace que la higiene de los mismos deba ser rigurosa e inteligente. Los cuidados que los ojos requieren deben observarse estrictamente, evitando los excesos de luz, el polvo, los cuerpos extraños que pueden introducirse en ellos y, si la corrección óptica es necesaria, procurar que sea hecha de la manera más precisa. Un ojo que trabaja en buenas condiciones no está irritado ni es doloroso. El objeto que se mira al trabajar conviene que se halle a una distancia aproximada de 30 a 40 cm para evitar al ojo esfuerzos de acomodación.

El ojo en los animales inferiores es un órgano visual reducido a tan escasa complicación que no es otra cosa que un órgano rudimentario sensible a la luz. Al evolucionar biológicamente la escala animal, puede observarse paralelamente el perfeccionamiento que va alcanzando el órgano visual. En las medusas los ojos son pequeñas manchas constituidas por unas células sensitivas o retinianas, que en las estrellas de mar están reducidas a puntos oculares. En los gusanos la complicación es ya apreciable y en algunos de ellos está formado por una foseta pigmentaria que consta, en los casos más evolucionados, de un epitelio, una mancha pigmentaria, células sensoriales y nervio óptico. En los gusanos superiores el ojo está integrado por una vesícula cerrada cuya parte exterior puede considerarse como una córnea externa, y la posterior convertida en una retina. Poseen además cuerpo vítreo y nervio óptico. Mayor complicación se encuentra ya en los ojos de los pulpos y de la sepia, que se asemejan a los de los vertebrados, pues constan de un globo ocular, de pared resistente, reforzado por láminas cartilaginosas de una córnea provista de un pequeño orificio por el que penetra el agua del mar en la cámara acuosa; tienen también cristalino y retina. En los animales vertebrados el ojo se asemeja ya considerablemente al ojo humano, con algunas diferencias, por ejemplo, el ojo de los peces está desprovisto de órganos anexos del globo ocular, párpados y glándulas lagrimales; la córnea es casi plana; el cristalino, grueso y esférico; la esclerótica, endurecida; la coroides presenta una membrana argentina. El ojo de los anfibios tiene cierta similitud con el de los peces. En las ranas y sapos existen los párpados y junto al inferior un tercer párpado, llamado membrana nictitante. En la rana hay además músculos retractores que le permiten retirar el ojo en el fondo de la órbita. En las aves los ojos están alargados en el sentido ánteroposterior, con una córnea hemisférica y saliente; esclerótica con una lámina ósea circular, cristalino casi esférico, rodeado de músculos ciliares muy desarrollados, que dan al ojo gran facultad de acomodación, aumentada por un órgano acomodador especial llamado peine, prolongación conjuntiva de la coroides, parecido a las púas de un peine. El ojo de los mamíferos se asemeja considerablemente al del hombre. *Véanse* ASTIGMATISMO; CONJUNTIVITIS; IRIS; MIOPÍA; OFTALMOLOGÍA; OPTOMETRÍA; PRESBICIA.

Ojotsk, Mar de. Parte del océano Pacífico en el noreste de Asia. Forma un mar interior, comprendido entre la Península de Kamchatka –que lo separa del Mar de Bering–, las islas Kuriles, las de Yeso (Japón) y Sajalin. Cubre una superficie de 1.580,000 km². Zona de tormentas frecuentes, está afectada por las nieblas y se hiela de noviembre a abril en las proximidades de las costas. El principal río que desagua en este mar es el Amur. En sus orillas se encuentra la ciudad de su nombre, que fue importante centro comercial y las de Nikolaievsk y Aian.

okapi. Mamífero jiráfido que vive en los bosques poco explorados del Congo, donde se le descubrió en 1900. Es animal arisco, asustadizo y de hábitos nocturnos que tiene muchas semejanzas con la jirafa. La cabeza es grande, con pelo blanco, menos en el hocico y en las orejas que son negras y anchas. El macho tiene un par de cuernos que miden alrededor de diez centímetros. El cuerpo, de color pardo rojizo, presenta cierta inclinación hacia atrás, por ser las patas posteriores más cortas que las delanteras. El pelaje de las patas es blanco surcado por franjas negras transversales en la parte superior.

okay. Palabra inglesa cuyo uso se generalizó tanto en los países de habla inglesa como en los de otros idiomas. Se pronuncia okey. *Okay* u *O. K.* equivale en el idioma castellano a *Visto Bueno* o *Vo. Bo.* En un principio, se escribía *O. K.* de donde se derivó el vocablo *okay*, que en lengua inglesa significa aprobar. El origen de este término es incierto, y se supone que es una corrupción en abreviatura de la expresión inglesa *all correct*.

Okinawa. Isla del océano Pacífico, la más importante del archipiélago de Riu-Kiu. Cuenta con una población de 1.247,000 habitantes (1997) y tiene 1,176 km². De costas escarpadas con profundas bahías, la parte norte es montañosa y baja la del sur. Su clima es caluroso y es azotada por frecuentes tifones. En 1875 pasó a poder de Japón. Su capital es Naha; produce arroz, bananas, batatas y azúcar. En la Segunda Guerra Mundial fue escenario de luchas violentas cuando los estadounidenses la ocuparon después de dos meses de lucha y de aniquilar a casi toda la guarnición japonesa.

Oklahoma. Localizado en la parte central de Estados Unidos. Está bordeado por Kansas y Colorado en el norte, New Mexico en el oeste, por Texas en el oeste y el sur, y Missouri y Arkansas en el este. Superficie: 181,049 km2. Población: 3,258,000 habitantes en 1994. La capital y la ciudad más grande es Oklahoma City (454,000 h., 1992). Formado por la unión del Territorio de Oklahoma y el Territorio de los Indios, fue admitido como el estado número 46 en 1907. Oklahoma viene de una palabra choctaw que significa hombre rojo.

Tierra y recursos. Está situada en la zona de transición entre la parte este y la oeste del país. La meseta de Ozark y las montañas de Ouachita son similares a las altas tierras de los montes Apalaches en el este, el centro del estado constituye la parte sur de las tierras bajas centrales y el noroeste es parte de la Gran Llanura. Las elevaciones van desde los 88 m cerca del sureste a los 1,516 m en la Mesa Negra en el noroeste. Las montañas de Ozark, o meseta de Ozark, y las montañas Ouachita están separadas por el río Arkansas.

Siempre ha sido reconocido por la gran cantidad de minerales. El petróleo se obtiene desde 1856, y a partir de 1896 ha sido el estado líder en producción de petróleo. Hay localizadas grandes reservas de carbón en la zona este. Sal, yeso, plomo, cobre y granito también se encuentran en grandes cantidades. Desde la Segunda Guerra Mundial se empezó a explotar la energía hidroeléctrica. Las fértiles llanuras están cubiertas con granjas de trigo y ranchos de ganado. Los bosques del estado proveen a una importante industria de papel.

Hidrografía. Todos los drenajes del estado provienen del río Arkansas que fluye por el noreste y el río Rojo que lo hace por el sur. Los mayores tributarios del río Arkansas son:

Guerrero Apache en Oklahoma, EE.UU.

Corel Stock Photo Library

el Canadian, el Cimarron, el Neosho y el Illinois. Existen algunos lagos artificiales que se formaron por los diques de los ríos. La reserva de agua Eufaula es la más grande.

Clima. Varía de un clima árido continental en el oeste a uno húmedo subtropical en el sureste. Las precipitaciones van de 381 mm en el oeste de Panhadle hasta más de 1,270 mm en las montañas de Ouachita. En la zona del oeste las temperaturas van desde los -23 °C en enero a los 38 °C en julio. En el sureste, las temperaturas varían desde los 0 °C en el invierno a los 32 °C en el verano.

Vegetación y vida animal. Los pastos son la vegetación dominante en las planicies del estado. Las hierbas bajasson muy comunes en el noreste y la sabana, mientras que las hierbas altas lo son en un área en la zona central y en el suroeste. Ciervos, coyotes y gran número de pequeños animales son comunes. En las montañas de Wichita viven ciervos, ganado, perros de las praderas, etcétera.

Actividad económica. Desde 1950 la economía del estado ha cambiado dramáticamente. No es es en esencia un gran estado agricultor. Las industrias manufactureras y de servicios contribuyen más a la riqueza de Oklahoma que la agricultura, donde ha habido una transformación: de las pequeñas granjas que producían una escasa variedad de granos actualmente existen grandes granjas y ranchos especializados en granos específicos o animales de producción. El trigo de invierno es el más importante de los granos; otros importantes son: el maíz, el sorgo, etcétera. La crisis que hubo en la economía de la agricultura estadounidense en la década de 1980, fue particularmente dura y larga en este estado.

Debido a la ubicación geográfica de Oklahoma y a que tiene un adecuado suministro de energía y una fuerza de trabajo capaz, muchas empresas están instaladas en el estado, como las industrias manufactureras de productos derivados del petróleo y del carbón, las fábricas de productos de metales y plásticos, etcétera.

ola. Onda de gran amplitud que se forma en la superficie de las aguas. Es una masa líquida que se eleva y desciende alternativamente en la superficie del mar y de los lagos, impulsada por el viento. Éste, al sacudir las partículas de agua les imprime un movimiento hacia arriba y en el sentido en que sopla; pero como la acción de la gravedad las hace caer, vuelven a su posición primitiva describiendo una órbita circular en un plano vertical. El diámetro de la órbita es igual a la altura de la ola, cuya parte elevada se llama cresta y la inferior, depresión, siendo la altura la distancia entre la depresión y la cresta. Las olas suelen ser de menos de 1 m a 10 m de altura; pero, excepcionalmente pueden alcanzar 20 y aún más, aunque en este caso puede tratarse de olas de interferencia, esto es, varias olas que se encuentran viniendo de diferentes sentidos.

El movimiento que producen las olas es, de oscilación sin traslación horizontal y el avance de las aguas es una ilusión óptica, debida a que la cresta de la ola pasa rápidamente a formar la depresión y viceversa, esto se puede comprobar observando un objeto flotante (un corcho, un pájaro marino posado en la superficie, etcétera): se levanta y baja rítmicamente sin trasladarse, describiendo una curva cerrada cuyo centro sería un punto en equilibrio de la superficie. Sólo avanzará llevado por un movimiento del agua independiente del de oscilación, que se produce por varias causas como las mareas, perturbaciones sísmicas, corrientes, etcétera.

La acción del viento tiende a acelerar la velocidad del movimiento, agrandando la órbita y el tamaño de las olas. Mientras persiste un viento constante, la altura y potencialidad de las olas crece, pero cuando el viento cesa, se estabilizan siendo de la misma altura y equidistantes, se les llama *olas de leva*.

Las olas son un movimiento superficial, que afecta sólo a la masa de agua situada a pocos metros bajo la superficie, sin llegar generalmente al fondo, pero en las rampas costeras, cuando la profundidad es menor que la órbita de giro de las partículas, la parte baja del agua en movimiento choca contra el fondo y disminuye su velocidad, mientras la cresta sigue avanzando; este desequilibrio hace que la ola se empine hacia adelante y se rompa. El continuo golpear de estas masas de agua contra las costas es lo que produce el mayor trabajo erosivo de los mares.

Cuando una ola se encuentra con agua que es más baja que el promedio de agua de la ola, se reduce su velocidad por la fricción interactiva con la cresta (A). Las olas que vienen de lejos, se sobreponen a las olas que están en la orilla de la costa incrementando su tamaño hasta volverse un pico (1). Si el fondo de la orilla es profundo, la cresta rápidamente romperá creando la parte descendiente de la ola (B) ya que no hay agua submarina que soporte a la cresta (2). Después de romper (C) el agua llega a la orilla como golpe de agua (3).

Del Ángel Diseño y Publicidad

Además de estas olas, a veces se producen olas de traslación, impropiamente llamadas de marea, ya que no tienen relación con éstas, sino que se producen, por lo general, a causa de lejanos maremotos o huracanes. Tienen de 10 a 20 m de altura y mueven todas las capas de agua, incluso en el fondo, por lo que, lanzadas contra las costas, ocasionan grandes estragos, como las que en 1946 arrasaron gran parte de la zona costera de Japón. La aparición de estas olas puede preverse con cierta aproximación gracias a los sismógrafos que registran el temblor y calculando su velocidad y la de la ola que produce según la profundidad del agua.

El intenso oleaje producido por los vientos tormentosos suele ser un peligro para la navegación, sobre todo en parajes próximos a las costas y estrechos en que se cruzan corrientes y producen violentas rompientes.

Se ha observado desde muy antiguo que arrojando aceite al mar agitado se forma una capa en la superficie que calma en gran parte las olas. La protección es más eficaz con aceites densos que con fluidos, y la cantidad necesaria es relativamente pequeña comparada con el área que afecta. En algunos casos han bastado algunos litros para que un barco pesquero se defendiese con éxito algunas horas de un fuerte oleaje. Los barcos de guerra suelen lanzar proyectiles especiales cargados de aceite sobre la ruta que habrán de seguir, para reducir la intensidad del oleaje. *Véase* MAREMOTO.

Olaf I. *Véase* NORUEGA.

Olah, George Andrew (1927-). Químico húngaro, nacionalizado estadounidense, reconocido por sus importantes contribuciones a la metodología de las síntesis orgánicas, en particular la preparación de compuestos orgánicos fluorados y nitrocompuestos. Olah estudió en la Universidad Politécnica de Budapest, de donde fue profesor (1949-1954). Hasta 1956, año en que huyó de su país, fue director del Instituto Central de Investigaciones Químicas de la Academia de Ciencias. En 1957 trabajó como investigador para la Dow Chemical Company en Canadá y luego en Estados Unidos. Nombrado en 1965 director y catedrático de química en la Western Reserve University de Cleveland, pasó luego (1977) a ser director del Loker Hydrocarbon Research Institute de la Universidad de California del Sur en Los Angeles, cargo que desempeña actualmente. Sus trabajos sobre el control de las reacciones químicas de los carbocationes (compuestos de carbono) le valieron el Premio Nobel de Química de 1994.

Olancho. Departamento de la República de Honduras. Tiene una superficie de 24,351 km² y 309,00 habitantes (1991). La capital es Juticalpa, con 74,163 habitantes (1995). Es el más extenso y hace frontera con Nicaragua. El terreno abunda en aguas y es muy fértil. Sus productos principales son café, azúcar, palma de junco para fabricar sombreros, valiosas maderas y frutas. A mediados del siglo XIX fue una próspera, aunque discreta, región minera y exportadora de plata. En la actualidad la lucha por los recursos forestales se disputa entre campesinos y compañías transnacionales.

Olavarría. Ciudad de la provincia de Buenos Aires en la República Argentina, con 72,821 habitantes (1996), y cabeza del partido del mismo nombre. La explotación agropecuaria es bastante intensa, contando, además, con importantes caleras como la de Avellaneda, y algunas fábricas de cemento. La cruza el arroyo Tapalqué, a orillas del cual han sido emplazados varios clubs y centros de recreo.

Olavarría, José Valentín de (1801-1845). Militar argentino, uno de los más gloriosos guerreros de la independencia de América Hispánica, que intervino en las batallas libradas en Argentina, su patria, Chile y Perú, a las órdenes de los libertadores San Martín y Bolívar. A los diez años figuró como cadete en un cuerpo de caballería. En 1815, con el grado de alférez, se incorporó al que sería ejército de los Andes, en cuyas filas combatió en Chacabuco Cancha Rayada, Maipú –la batalla que decidió la independencia de Chile–, Chillán, Bio Bío y otros encuentros. En 1820, siempre bajo el mando de San Martín, intervino en la acción de Pisco, una de las primeras en la campaña libertadora del Perú, y posteriormente en las de la Sierra, con el general Arenales. Herido en 1824, cayó prisionero y fue rescatado en la batalla de Junín, ganada por Bolívar frente al español Canterac. Con posterioridad peleó en Ayacucho el último combate de la emancipación americana. Enemigo del gobierno de Rosas, sus días terminaron en el exilio en Montevideo, República Oriental del Uruguay.

Olaya Herrera, Enrique (1881-1937). Orador, político y presidente de la República de Colombia. Fue gran parlamentario, y a su poder oratorio se debió el movimiento del 13 de marzo de 1909 que precipitó la caída del general Reyes. Fue ministro de Relaciones Exteriores con Restrepo, luego pasó a la diplomacia y desempeñó importantes cargos en el exterior como ministro en Washington y delegado de Colombia a la Conferencia Panamericana de La Habana. Como candidato del liberalismo obtuvo la mayoría y fue elegido presidente de la República para el periodo 1930 a 1934.

O'Leary, Daniel Florencio (1800-1854). General venezolano, de origen irlandés. Nació en Dublín o en Cork y murió en Santa Fe de Bogotá. Entró al servicio de Venezuela como alférez de los Húsares Rojos, al mando del coronel Wilson. A principios de junio de 1819, después de la acción de La Gamarra, fue ascendido a capitán. En septiembre del mismo año fue nombrado primer edecán del general Anzoátegui, y cuando éste murió pasó a ser- lo de Bolívar. A consecuencia de las diferencias entre Perú y Colombia, O'Leary fue nombrado ministro plenipotenciario, con poderes para arreglarlas, pero el gobierno del Perú rechazó todo pacto y no se pudo evitar el conflicto armado. Fue nombrado general de brigada en el campo de batalla de Tarqui e intervino en el convenio que debía poner fin a la guerra. Al morir Bolívar, O'Leary se retiró a la vida privada, vivió algunos años en Inglaterra y, en 1842, regresó a Venezuela como ministro plenipotenciario de aquella nación. Algunos años después ocupó el mismo cargo en Bogotá. Es autor de unas *Memorias* sobre la guerra de la independencia sudamericana.

Olegario, san (1060-1137). Prelado español nacido en Barcelona. Fue obispo de esta ciudad y de Tarragona. Sobre esta figura religiosa, Torres Amat ha escrito: "Predican la gloria de este excelso y santísimo prelado varios antiguos documentos, concilios e innumerables esfuerzos que hizo para restaurar la disciplina eclesiástica y el culto divino. Ayudado por los reyes y príncipes piadosos expelió los moros de casi todo el campo de Tarragona. Restauró aquella catedral, y con su doctrina y buen gobierno vivificó el clero y pueblo de Tarragona". Casi todos los escritos de san Olegario se han perdido. A la muerte del obispo Ramón, el clero y el pueblo de Barcelona lo nombraron obispo suyo, cargo que sólo aceptó porque el Papa se lo exigió así. El cuerpo de san Olegario se conserva en la catedral de Barcelona. La Iglesia celebra su fiesta el 6 de marzo aniversario de su muerte.

oleico, ácido. Líquido incoloro, límpido, de consistencia oleaginosa, sin olor ni sabor. Es uno de los principales ácidos orgánicos y se encuentra en los aceites de oliva y de almendra y en las grasas animales. Se extrae de las grasas que lo contienen, mediante la saponificación con álcalis. La masa que resulta se disuelve en agua y se trata con ácidos sulfúrico y clorhídrico para separar los ácidos grasos, obteniéndose así ácido oleico en estado de impureza. Este ácido se trata con óxido de plomo pulverizado y se somete a la acción del calor. Las sales de plomo que se forman se extraen con éter y se procede a la acidificación mediante ácido clorhídrico diluido para precipitar el plomo convertido en cloruro. Después se pasa a evaporar el éter y se obtiene así el ácido oleico puro. A la temperatura ordinaria es un líquido incoloro que se solidifica a 4 °C. Tiene diversos usos en las industrias y en medicina, entre ellos en la fabricación de jabones y velas y en la de distintos productos farmacéuticos.

óleo. *Véase* PINTURA.

oleoducto. *Véase* PETRÓLEO.

oleomargarina. Grasa alimenticia que se utiliza como sucedáneo de la manteca. Se prepara tratando algunas grasas animales como las de ganado vacuno y porcino y utilizando aceites vegetales procedentes del sésamo, maní, maíz, soya o semilla de algodón, más cierta cantidad de agua y de sal. *Véanse* GRASA; MARGARINA.

olfato y olor. El olfato es el sentido corporal con que se perciben los olores. Comparado con el olfato de algunos animales, el del hombre es mucho menos agudo y preciso, sirviéndonos para completar las sensaciones que del mundo exterior nos suministran sentidos más desarrollados, como el de la vista y el tacto y, muy especialmente, para informarnos sobre los alimentos que llevamos a la boca. El olfato es en muchos animales el guía que los conduce hasta las materias de que se alimentan y mediante este sentido, casi exclusivamente, ellos identifican otros animales y cosas.

En el hombre está localizado el olfato, en el interior de la nariz, exactamente en la región superior de las fosas nasales, que están tapizadas por una membrana mucosa, sembrada de infinidad de fibrillas nerviosas, a manera de bastoncitos, que son las últimas ramificaciones del nervio olfativo. Estas terminaciones son una especie de células ciliadas encargadas de recibir las sensaciones olfativas y están unidas por filamentos nerviosos a un bulbo olfativo, alojado en la parte anterior de los lóbulos olfatorios del cerebro. La porción del cerebro del hombre ocupada por estos lóbulos es muy reducida comparada con la extensión que ocupan en el cerebro de otros animales, como en el del perro, en que llega a ser la mayor parte de este centro nervioso. Los órganos olfativos de los animales de respiración pulmonar están organizados de manera análoga a los del hombre, y las células olfativas se encuentran situadas en el camino que ha de recorrer el aire para la respiración, pero en los animales acuáticos, como los peces, con respiración branquial, el olfato es independiente del aparato respiratorio, está poco desarrollado y consiste en papilas olfativas, que se excitan por las sustancias disueltas en el agua. Los insectos tienen los órganos del olfato localizados en las antenas, siendo en algunas especies de una extraordinaria sensibilidad. Las abejas son guiadas por el olfato hacia las flores y la miel, las moscas son atraídas, desde largas distancias, por el olor de carne muerta, y muchas mariposas recorren kilómetros de distancia, atraídas por el olor de sus machos o hembras.

El olor es la propiedad que tienen ciertas sustancias de excitar el sentido del olfato. Para que un cuerpo sea oloroso es preciso que pueda llegar a excitar las terminaciones nerviosas de las mucosas olfativas, siendo los gases y vapores los que con más facilidad producen olores. Sus partículas, mezcladas con el aire que penetra en la nariz para la respiración, impresionan las células olfativas. Los líquidos y sólidos, para ser olorosos, deben volatilizarse para que sus efluvios o vapores puedan penetrar en la nariz. Las partículas que llegan a la mucosa olfativa se disuelven en la secreción que continuamente baña esta mucosa, excitando así las células olfativas; a esto se debe que cuando se seca la mucosa se pierde el sentido del olfato. La cantidad de sustancia necesaria para que su olor sea percibido es muy variable, pero hay algunas como el almizcle, que basta una millonésima de miligramo por litro de aire para que produzca un fuerte olor. Cuando un olor es muy intenso o persistente, el olfato deja de percibirlo, continuando sensible al resto de los olores; al cabo de algún tiempo esa saturación pasa y vuelve la sensibilidad a ese olor.

Generalmente, los olores se conocen por el nombre de los objetos o sustancias que los producen, se llaman *olor a jazmín* u *olor a brea* a los producidos por éstos. Hay fenómenos físicos y químicos que producen olores característicos, debido a los gases que de ellos se desprenden, como el olor a quemado o el producido por las descomposiciones. Los olores se suelen agrupar, atendiendo a la naturaleza de las sustancias que los producen, en: olores de especias como el del clavo, anís, etcétera; olores de flores, el del jazmín, azahar; olores de frutos, como el del limón, fresa, etcétera; olores resinosos, como el del pino; putrefactos como el del ácido sulfhídrico y el producido por las descomposiciones. La mayoría de las sensaciones olorosas que percibimos no son olores puros, sino la mezcla de varios de ellos, como el olor a café que es la mezcla de resinoso y quemado. *Véase* SENTIDOS.

Olid, Cristóbal de (1488-1524). Conquistador español. Fue oficial de Diego de Velázquez, el gobernador de Cuba. Hernán Cortés le confió el mando de una de las naves de la expedición para la conquista de México (1519), en la que figuró como uno de sus valientes capitanes. Se distinguió en la retirada de la *Noche triste* y en la batalla de Otumba (1520). Fue gravemente herido en Xochimilco. Combatió activamente en el sitio y toma de la ciudad de México (1521). Cortés le dio el mando de la expedición para la conquista de Honduras (1523), uno de cuyos objetivos era averiguar si existía un estrecho que comunicara el Atlántico con el Pacífico. Al tocar en La Habana, de paso para Honduras, Olid se alió con Diego de Velázquez en contra de Cortés, y desembarcó después en Honduras. Enterado Cortés de la insurrección de Olid, envió a Francisco de las Casas con una expedición para castigar a Olid. Las Casas llegó a Honduras, pero una tempestad destruyó sus naves y Olid lo hizo prisionero. Posteriormente, también aprehendió a Gil González Dávila, jefe de otra expedición. El mismo Hernán Cortés se puso a la cabeza de una expedición, la llamada de *Las Hibueras*, para castigar a Olid, pero en el intervalo éste fue gravemente herido por los jefes de las expediciones anteriores, que guardaba en su casa como prisioneros y sentaba a su mesa como amigos. Después de herido, Olid se defendió bravamente, pero fue preso y juzgado por sus agresores y degollado en la plaza de Naco (Honduras).

oligarquía. Gobierno en que la autoridad es ejercida por un pequeño núcleo de personas o familias en el que todo depende de su arbitrio. Aristóteles la definió como degeneración de la forma aristocrática de gobierno. Oligarquías históricas famosas fueron la de los Treinta Tiranos, en Atenas; los dos Triunviratos, en Roma, y el Consejo de los Diez, en Venecia. Modernamente se entiende por tal el abuso de poder en detrimento de las clases sociales que forman la mayoría de una nación, a las que se utiliza en favor del interés, dominación y riqueza de la minoría que ejerce el gobierno.

oligisto. Mineral de hierro que se presenta en la naturaleza cristalizado y más frecuentemente en masas informes de estructura concrecionada, granulosa o terrosa, de color pardo rojizo o rojo guinda, por lo que se le llama también *hematites roja*. Es un óxido de hierro, pesado, de fractura concoidea, que cristaliza en láminas hexagonales romboédricas, irisadas y de superficie muy brillante, se le llaman entonces *hierro especular*. Se emplea en pintura, para pulimentar metales y, sobre todo, para la obtención de hierro.

oligoceno. *Véase* GEOLOGÍA.

oligoelemento. Cuerpo simple necesario para el desarrollo normal de los procesos biológicos –crecimiento y ciclo reproductivo– de animales y plantas. Los oligoelementos son metales y metaloides que actúan en pequeñas dosis y cuya alteración en cantidad provoca severos trastornos metabólicos. El primer oliogoelemento descubierto fue el manganeso (Mn), que participa en la oxidación. Algunos, como el cobre (Cu), actúan en los procesos de fotosíntesis y otros más lo hacen en la fijación del nitrógeno.

oligofrenia. Subdesarrollo congénito o adquirido de la inteligencia. La oligofrenia es un retraso mental que la psiquiatría ha clasificado en diversas categorías, según su origen e intensidad; así, en el primer caso se puede hablar de oligofrenia adquirida, oligofrenia congénita; y en el segundo, de debilidad, deficiencia o retraso mental, de imbecilidad y de idiocia o idiotez. La forma más común de oligofrenia es la debilidad mental; entre las características que muestran quienes la padecen están que su coeficiente intelectual está entre 0.7 y 0.9 y que, mediante las terapias y la ayuda adecuadas, pueden llevar una vida casi normal. Por el contrario, los imbéciles no pueden aprender a leer ni escribir, y los idiotas, ni a hablar siquiera.

En cuanto a sus causas, la oligofrenia congénita puede ser hereditaria o causada por daños ocurridos durante el embarazo, mientras que la oligofrenia adquirida puede deberse a trastornos durante el parto, la infancia o a elementos del medio cultural de desarrollo del individuo.

oligopolio. Mercado integrado por unos cuantos oferentes, así como las relaciones entre el comportamiento de éstos. Un oligopolio se caracteriza porque ninguna de las empresas que lo componen puede prever en ningún momento cómo reaccionará el mercado respecto a las acciones que ella lleva a cabo y, por ende, debe tomar en cuenta las posibles iniciativas de las otras. Esta situación entre competidores se debe a que el porcentaje de la oferta total que aporta cada uno es considerable. Las condiciones del mercado dependen de aquello que hagan todas y cada una de las empresas que integran el oligopolio, y ellas lo saben. Como consecuencia, la actuación de cada oferente se ve condicionada.

Desde finales del siglo XIX los economistas han intentado explicar cómo funciona un oligopolio y su posible solución. Antoine Augustin Cournot, por ejemplo, demostró que el precio de equilibrio de un producto oligopolizado es superior al que tendría en un mercado competitivo, pero inferior al que correspondería a un monopolio. Otros –Bertrand en 1883 y Edgeworth en 1897– criticaron sus conclusiones y propusieron un modelo diferente basado en el precio y no en la cantidad producida: las empresas manipulan dicha variable de tal manera que el precio de competencia sea la pauta, o que el precio de equilibrio se mantenga entre éste y el de monopolio. Un punto de vista distinto fue el de Fellner, quien en su libro de 1949, *Competencia entre pocos,* postula que las empresas podrían actuar de común acuerdo, lo que beneficiaría a la industria. Si tomamos en cuenta que las empresas no tienen los mismos costos ni procesos productivos nos daremos cuenta de que esta solución no es viable.

Otro modelo es el que propone la existencia de una *empresa líder* que determinaría el precio en función de sus necesidades y beneficios y los del resto de los oferentes. De éste se han derivado diversas teorías que varían sólo en algunos aspectos.

oligoquetos. Gusanos terrestres y de agua dulce, de cuerpo segmentado en anillos –conocidos por lo tanto como anélidos–, dividido en porciones de órganos esenciales, llamadas metámeras, iguales. Están provistos de clitelo y de un pequeño número de quetas, siempre repartidas en cuatro por *metámera*, dos en el dorso y dos en el vientre. La boca se encuentra en esta última región.

Los oligoquetos son en su mayoría hermafroditas. Sin embargo, su reproducción puede ser sexual o asexual. En el primer caso, dos especímenes copulan, dispuestos con la parte superior del cuerpo frente a la parte inferior del otro. La fecundación se produce cuando los espermatozoides, almacenados en receptáculos para este propósito, alcanzan el gameto femenino ya maduro. El clitelo sirve para generar un capullo donde se encuentran los huevos y que suministra proteínas para que los jóvenes se nutran. Los oligoquetos no tienen larvas, es decir, su desarrollo es directo. La reproducción asexual, alcanzada mediante la simple división transversal del cuerpo, es común entre las especies de agua dulce y tierra.

Entre los oligoquetos se encuentran más de 3,000 especies. El representante más común es la lombriz de tierra.

Olimpia. Ciudad de la Grecia antigua, en la Élida, Peloponeso. Es famosa en la historia por los juegos que en ella se celebraban y por un magnífico templo consagrado a Júpiter Olímpico (Zeus). Más que propiamente una ciudad, era un vasto conjunto de grandes edificios religiosos, con un templo principal y otros secundarios, además de los edificios para los encargados del culto sagrado y los deportes. En el templo principal se admiraba la célebre estatua de Júpiter, esculpida por Fidias, de la que Pausanias dice: "El dios, construido de oro y marfil, aparece sentado en un trono y en la cabeza lleva una corona de hojas

Corel Stock Photo Library

Columnas de la Arboleda de los Olivos en Olimpia, Grecia.

de olivo silvestre". La ciudad se había ido formando en torno del Altis o bosque sagrado de Zeus, alrededor del cual podían verse la palestra, el gimnasio, el gran estadio, el hipódromo y los templos menores. En estos edificios, hoy en ruinas, los griegos, que deponían sus rencillas, se reunían en una tregua sagrada, para entregarse a las luchas corporales llamadas *Juegos Olímpicos*, que se celebraban cada cuatro años y que a partir del año 776 a. C. sirvieron de norma para la cronología griega. En el siglo V a. C. se construyeron las nuevas murallas del Altis y muchos edificios. Tres siglos después los romanos de Mummio acumularon en Olimpia las riquezas que había robado Nerón. Después del emperador Adriano, que llenó Olimpia de estatuas, la ciudad fue decayendo en importancia, tanto religiosa como política. Teodosio I prohibió la continuación de las ceremonias religiosas, y en el año 426 Teodosio II ordenó la destrucción de los templos. En el siglo V Cristo era adorado en el taller del escultor Fidias y un siglo más tarde un terremoto derribó las columnas de los templos. En el siglo XVIII, un sabio benedictino francés, Montfaucon, llamó de nuevo la atención sobre Olimpia en una carta dirigida al obispo de Corfú, y Francia emprendió las primeras excavaciones. Se levantó un mapa del país, se estudió su fauna y su flora y se trazaron los planos de los antiguos monumentos. Medio siglo después, el historiador alemán Curtius interesó en la antigua Olimpia a su discípulo el príncipe imperial Federico y a su padre Guillermo I, emperador de Alemania. El Reichstag votó los créditos necesarios, y en abril de 1875 el gobierno griego autorizó las excavaciones, que duraron hasta 1881. Fueron hallados 13,000 objetos de bronce, 6,000 monedas, 1,000 objetos de tierra cocida y 130 esculturas, entre ellas un Hermes de Praxíteles. Se halló también un disco, llamado de *Ifito*, que tiene grabadas las principales reglas de los Juegos Olímpicos.

olimpiada. Fiesta o juego que se celebraba cada cuatro años en la ciudad de Olimpia, en la Grecia antigua. Por la regularidad de su celebración se usó el término olimpiada para el cómputo del tiempo en la época que comprende desde el año 776, a. C., hasta el año 394 d. C. Durante la celebración de la Olimpiada tenían lugar los Juegos Olímpicos y ambas denominaciones, con el correr del tiempo, llegaron a usarse indistintamente para designar tanto el periodo de cuatro años como los juegos. Se cree que los Juegos Olímpicos fueron iniciados por Ifito, rey de la Élida, hacia el año 884 a. C.

Los Juegos Olímpicos comenzaron con carreras pedestres en homenaje a Zeus, que encontraron eco entusiasta en toda Grecia. Pronto se verificaban iguales pruebas en el resto del país y, posteriormente, llegóse a la organización de una competencia general y periódica. A partir de la Olimpiada del año 776 a. C., se empezó a registrar con regularidad los nombres de los triunfadores. A las carreras fueron agregándose más tarde competencias de saltos, lucha, carreras de carros, de caballos y pedestres con armadura, y lanzamientos del disco y de la jabalina.

El programa se desarrollaba en cinco días: el primero se dedicaba a homenajes, sacrificios, procesiones y otras ceremonias;

seguían tres de juegos, y en el último se hacía la proclamación de los vencedores, que como premio sólo recibían palmas y coronas de olivo. A continuación se celebraba una solemne procesión y después un banquete en el Pritaneo, mientras salían mensajeros para todo el país para propagar los nombres y las hazañas de los atletas victoriosos. Éstos volvían a sus ciudades nativas, donde eran recibidos en triunfo.

En aquella época, el galardón más preciado en Grecia era lograr un triunfo olímpico y ofrecerlo a una ciudad o pueblo, que erigía una estatua del hijo predilecto, lo eximía de impuestos y le reservaba lugar destacado en los actos públicos. En Atenas y otras ciudades se les asignaba una pensión vitalicia.

Para poder tomar parte en las pruebas, se requería ser griego de pura sangre y tener antecedentes limpios y honrosos. Posteriormente, los romanos participaron en las mismas condiciones, pero nunca se admitieron esclavos ni los súbditos de las razas consideradas bárbaras. En los primeros tiempos no asistían mujeres, excepto las sacerdotisas del templo de la diosa Deméter. Antes de iniciarse los juegos, atletas y jueces juraban que procederían honesta y justamente. Con motivo de los juegos se realizaban conciertos, fiestas, declamaciones y banquetes. En éstos se cantaba y declamaba un poema en honor del atleta vencedor, compuesto por un poeta famoso. Hasta el mismo Píndaro compuso poesías para este fin.

En su apogeo, los antiguos Juegos Olímpicos abarcaban los cinco órdenes de competencias siguientes: *dromos*, diversas carreras a pie; *hoplitodromos*, carreras a pie en que los participantes llevaban vestidos y armas de guerra; *palé*, luchas a mano libre; *pygmé*, o pugilato; *pankration* o lucha libre; *pentathlon*, que comprendía pruebas de salto, carrera, pugilato y lanzamiento de disco y de jabalina. En el hipódromo se celebraban carreras de carros tirados por dos o por cuatro caballos (bigas y cuadrigas) y otras diversas competencias ecuestres.

Corel Stock Photo Library

La Flama Olímpica permanece encendida a lo largo de todas las Olimpiadas.

Las olimpiadas tuvieron beneficiosos efectos en el país: estrecharon las relaciones entre los diversos estados griegos, se desarrolló la cultura física, la raza ganó en belleza y dio hermosos motivos de inspiración a escultores y poetas. Se celebraban las olimpiadas desde hacía 1,170 años, cuando fueron prohibidas por el emperador romano Teodosio el Grande. La interrupción duraría 1,500 años.

Entrada al estadio Olímpico original en Olimpia, Grecia.

Corel Stock Photo Library

Los Olimpiadas modernas. A principios del siglo XVIII un sabio francés, el benedictino Montfaucon, logró que su país realizara excavaciones y descubriera las ruinas de Olimpia en Grecia. Esto despertó el interés de otras naciones, y en 1875 el arqueólogo alemán Heinrich Schlieman, estimulado por su compatriota el historiador Curtius y el gobierno alemán, que suscribió un acuerdo para este fin con el de Grecia, logró descubrir las ruinas del antiguo estadio griego. Un entusiasta deportista francés, el barón Pierre de Coubertin, logró que en 1893 la Unión de Sociedades Deportivas de Francia pidiera la reanudación de los Juegos. En junio de 1894 se instaló en la Sorbona el primer comité olímpico internacional y en 1896 el propio Coubertin inauguraba en Atenas las primeras Olimpiadas modernas, en una fiesta solemnísima que reunió a altas personalidades y a los mejores atletas aficionados mundiales. Se ofreció como prueba básica la carrera de Maraton a Atenas, en memoria del soldado que llevó la noticia de la victoria griega.

Desde la inauguración de los modernos Juegos Olímpicos, en 1896, las fechas de su celebración y las ciudades en que han tenido lugar han sido las siguientes: 1896; Atenas; 1900, París; 1904, Saint Louis; 1908, Londres; 1912, Estocolmo; 1916, no se celebraron debido a la Primera Guerra Mundial; 1920, Amberes; 1924, París, 1928, Amsterdam; 1932, Los Angeles; 1936, Berlín; 1940 y 1944, no se celebraron por la Segunda Guerra Mundial; 1948, Londres; 1952, Helsinki; 1956, Melbourne; 1960, Roma; 1964, Tokio; 1968, México; 1972, Munich; 1976, Montreal; 1980 Moscú; 1984, Los Angeles; 1988, Seúl; 1992, Barcelona; 1996, Atlanta. Las del 2000 serán en Sidney.

A partir de 1924 los deportes de invierno se separaron de los Juegos Olímpicos y pasaron a constituir los Juegos Olímpicos de Invierno, celebrados en los años y en los lugares siguientes: 1924, Chamonix; 1928, St. Moritz; 1932, Lake Placid; 1936, Garmisch-Partenkirchen; 1940 y 1944, no se celebraron debido a la Segunda Guerra Mundial; 1948, St. Moritz; 1952, Oslo; 1956, Cortina de Ampezzo; 1960, Squaw Valley (California); 1964, Innsbruck; 1968 Grenoble; 1972, Sapporo (Japón); 1976, Innsbruck; 1980, Lake Placid; 1984, Sarajevo; 1988, Calgary; 1992, Alberfuille; 1998, Nagano. Tanto en los Juegos Olímpicos como en los Juegos Olímpicos de Invierno participan atletas de ambos sexos. En algunos casos como en patinaje sobre hielo, participan parejas mixtas.

Los deportes que compiten en los Juegos Olímpicos de Invierno son los que se practican sobre hielo. Las competencias de esquí se celebran en trayectos de 15, 18 y 50 km. Otras competencias comprenden saltos, *slalom* (carrera y saltos combinados); competencias de *bobsled* (trineo) para equipos de uno, dos y cuatro personas; hockey sobre hielo; patinaje de velocidad en 500, 1,500, 5,000 y 10,000 metros, y patinaje artístico o de figura.

El número y las clases de deportes que compiten en los Juegos Olímpicos han ido variando y aumentando en el curso de los años. En las últimas competiciones, comprendían carreras a pie de 100, 200, 400, 800, 1,500, 5,000 y 10,000 metros; carreras con vallas, de 110 y 400 m; de obstáculos, de 3,000 m; de marcha, de 10,000 y 50,000 m; la famosa carrera de Maratón, de 42 km; carreras de relevo, de 400 y 1.600 m; saltos de longitud, de altura y con pértiga; lanzamientos de peso, de disco, de martillo y de jabalina; levantamiento de pesas; competencias de natación en diversos estilos y diferentes distancias.

Otras competencias abarcan equitación y ejercicios ecuestres; ejercicios gimnásticos; regatas de remo y de vela; polo acuático; luchas; boxeo; esgrima, tiro al blanco con distintas armas; ciclismo, básquetbol, fútbol, etcétera.

Organización de los Juegos Olímpicos. El Comité Olímpico Internacional es el órgano principal que dirige los juegos y vigila las normas y principios olímpicos. Es un organismo totalmente autónomo que tiene su sede en Lausana (Suiza). En 1976 coordinaba 132 Comités Olímpicos Nacionales y poseía 78 miembros, elegidos como individuos y no como delegados de ninguna nación. Los delegados tienen que ser residentes de un país con un Comité Olímpico Nacional reconocido por el Comité Olímpico Internacional. El órgano principal de este organismo es la Junta Ejecutiva, integrada por un presidente, tres vicepresidentes, cinco miembros, un director y un jefe de protocolo.

En cada nación existe un Comité Olímpico Nacional, que entre otras funciones tiene la de elegir a los atletas y equipos que representen a la nación en los Juegos Olímpicos. Las federaciones internacionales dirigen todo lo referente a cada uno de los deportes que figuran en el programa de los Juegos Olímpicos. Cada cuatro años se designa el comité organizador de cada Olimpiada; su duración es temporal y su función se circunscribe a organizar la Olimpiada para la que fue creado.

La duración de los Juegos Olímpicos no deberá exceder de 16 días, y se celebran en los lugares escogidos de antemano. El Comité Olímpico Internacional elige, con tres años de anticipación, el lugar y la fecha en que habrán de celebrarse los juegos y encarga la organización de los mismos al Comité Olímpico Nacional a que pertenezca la ciudad elegida, y se designa el comité organizador. Los juegos se celebrarán en cualquier mes dentro del primer año de la Olimpiada a que correspondan.

En los estadios y campos deportivos en que se celebren los juegos ondearán la bandera olímpica y las de las naciones participantes. La bandera olímpica es blanca, con cinco círculos entrelazados, cada uno de un solo color: azul, rojo, amarillo, verde y negro. Los atletas participantes en los juegos deberán ser aficionados, y los profesionales están totalmente excluidos. Los premios consisten en una medalla y un diploma para cada triunfador, otorgándose tres premios, primero, segundo y tercero, en cada una de las diferentes competiciones.

Grandes atletas de fama internacional han obtenido resonantes y, algunas veces, repetidos triunfos en los Juegos Olímpicos, como los famosos corredores Paavo Nurmi, de Finlandia, y Emil Zatopek, de Checoslovaquia.

Los atletas de América Latina han figurado brillantemente. En los Juegos Olímpicos de 1904, tres cubanos obtuvieron primeros lugares en esgrima: Ramón Fonst, en florete y sable; M. de Díaz, en sable, y A. V. Z. Post, en bastón.

En diversas olimpiadas, Argentina alcanzó señalados primeros lugares: en 1928, con Alberto Zorrilla en natación, y con A. Rodríguez Jurado y V. Avendaño, en boxeo. En 1932, volvió a triunfar la Argentina en boxeo con S. Alberto Lovell y C. Ambrosio Robledo. El primer lugar en el reñido Maratón lo conquistaron los argentinos, Juan Carlos Zabala en 1932 y Delfo Cabrera, en 1948. En las Olimpiadas de 1936, el equipo argentino de polo resultó triunfador en primer lugar. Otros atletas argentinos también conquistaron primeros puestos en 1936, entre ellos, Oscar Casanovas en boxeo y Jeanette Campbell en natación. En 1948 triunfaron los boxeadores argentinos Rafael Iglesias y Pascual Pérez. Y en 1952, T. Cappoza y E. Guerrero, en remo.

México tiene, también, lugar eminente en las Olimpiadas. En la de 1948, el coronel Humberto Mariles en equitación obtuvo el Prix des Nations, en la categoría individual, y el equipo ecuestre mexicano, con los capitanes Rubén Uriza Castro y Alberto Valdés Ramos, el de categoría colectiva. En la Olimpiada de 1956, Joaquín Capilla triunfó en primer lugar en natación (zambullida). En los Juegos Olímpicos de 1968 obtuvo tres medallas de oro, dos en box con Ricardo Delgado (peso mosca) y Antonio Roldán (peso pluma); la tercera medalla de oro la ganó Felipe Muñoz en natación (200 m). Daniel Bautista consiguió, en 1976, la medalla de oro en la caminata de 20 kilómetros.

Otras naciones sudamericanas también obtuvieron merecidos triunfos, como Brasil, con Adhemar da Silva, en salto, en 1952 y 1956; Perú, en 1948, con E. Vázquez Can, en pistola, y Uruguay, en 1932, con Guillermo R. Douglas, en remo, Venezuela, en 1968, obtuvo medalla de oro en box con Francisco Rodríguez (peso mosca ligero). Cuba logró tres medallas de oro en la Olimpiada de 1972, y seis, en la de 1976. Correspondió la primera serie a los boxeadores Teófilo Stevenson (pesado), Emilio Correa (welter ligero) y Orlando Martínez (gallo). La segunda, a los púgiles Jorge Hernández (mosca ligero). Ángel Herrera (pluma) y Teófilo Stavenson (pesado); al judoka Héctor Rodríguez (ligero) y al corredor Alberto Juantorena (400 y 800 metros planos).

Olimpo. Morada de los dioses, según la mitología griega, que se suponía estaba en las altas cumbres del Monte Olimpo, situado en el límite de la Tesalia y la Macedonia. En el pico más alto se hallaba la residencia de Zeus, quien convocaba a las asambleas de divinidades mayores y menores para resolver los asuntos del mundo y enviaba águilas como heraldos, portando sus órdenes. Los dioses ocupaban mansiones de pesadas puertas exteriores de cobre y pisos de oro, y a la entrada del Olimpo cuidaban las Horas de que nadie perturbara a sus amos. Con el tiempo, el Olimpo tomó un mero valor simbólico.

Olimpo. Anterior nombre del Departamento Alto Paraguay, situado en el norte del país, que limita con Bolivia y Brasil. Le corresponde el distrito de Fuerte Olimpo así como las poblaciones del Chaco comprendidas dentro de sus límites. La capital es Fuerte Olimpo (1,320 h.) y sus productos principales son la agricultura y la ganadería. Tiene 45,982 km^2 y 10,100 habitantes.

Oliphant, Marcus Laurence Elwin (1901-1989). Físico australiano. Estudió en el Trinity College de Cambridge, fue director asistente del laboratorio Cavendish y profesor de la Universidad de Birmingham. Durante la Segunda Guerra Mundial colaboró con Lawrence en Berkeley. Realizó experimentos de bombardeo de átomos de deuterio con neutrones rápidos, obteniendo una fuente abundante de neutrones. En 1943 sugirió la construcción de un acelerador con forma de anillo en el que los protones se acelerarían a radio constante haciendo variar simultáneamente la frecuencia de la tensión aplicada.

Olivari, Nicolás (1900-1966). Escritor argentino. Fue colaborador de la revista de poesía *Martín Fierro.* Escribió libros de poemas (*El gato escaldado*, 1929; *Los poemas rezagados*, 1947; *Poemas*, 1958), relatos (*El hombre de la baraja y la puñalada*, 1936; *La noche es nuestra*, 1953; *Un negro y un fósforo* 1959; *Mi Buenos Aires Querido*, 1966) y piezas teatrales (*Tedio*, 1930; *Dan tres vueltas y luego se van*, 1937).

Oliveira, Antônio Mariano Alberto de (1859-1937). Escritor brasileño. Destacado exponente del parnasianismo en Brasil, en su obra poética se encuentran asimismo rasgos simbolistas. Cabe citar los libros de poemas *Canciones románticas* (1878), *Sonetos y poemas (*1885), *Sol de verano* (1904) y *Poesías escogidas* (1933).

Oliveira Martins, Joaquím Pedro de (1845-1894). Notable escritor portugués. Sobresalió por sus vastos conocimientos, que aplicó con gran talento a cuestiones históricas, filosóficas, filológicas y científicas, temas a los que supo dar forma bella. Sus principales obras son: *Historia de la civilización ibérica, Historia de Portugal, Las razas humanas, Las instituciones primitivas, Sistema de los mitos religiosos,* etcétera. Apasionado de la historia de su patria, la presentó en función civilizadora a lo largo de su fecunda vida. Se distinguen sus escritos por el estilo brillante, poderosa imaginación, penetración psicológica y aguda ironía. Ferviente patriota, vio con ojos nostálgicos la decadencia de la antigua grandeza de Portugal. En nombre de principios democráticos rechazó un cargo de ministro que le ofreció el rey Carlos al subir al trono.

Oliveira Salazar, Antonio de (1889-1970). Político y estadista de Portugal. Siguió la carrera eclesiástica que abandonó y pasó a la Universidad de Coimbra a cursar los estudios de derecho, cuya cátedra de finanzas y economía ocupó muy pronto. En 1928 le fue encomendada la cartera de Hacienda, que ya había desempeñado en 1926 durante sólo tres días. Se hizo conocer por su energía, detuvo la bancarrota, equilibró el presupuesto, consolidó la deuda flotante y saneó la moneda. En 1932 tomó a su cargo la presidencia del Consejo de Ministros, desde la que ejerció la jefatura del Gobierno. Redactó una Constitución, aprobada en posterior plebiscito, por la que se instauraban dos cuerpos legislativos: la Asamblea Nacional, renovada cada cuatro años, que estudia los decretos dictados por el gobierno y la aprobación del presupuesto anual, y la Cámara Corporativa, integrada por patronos y trabajadores, a la cual compete el estudio de las cuestiones sociales y económicas. En 1968 Oliveira Salazar sufrió una hemorragia cerebral y se retiró de las tareas del gobierno.

Olivier, sir Laurence. (1907-1989). Actor teatral y cinematográfico inglés. Se graduó en la Universidad de Oxford, no sin antes figurar como aficionado en representaciones teatrales estudiantiles, hasta que un empresario amigo de su padre lo introdujo en el ambiente teatral londinense. En 1937 se incorporó a la tradicional compañía del Old Vic, figurando en una temporada clásica en la que Vivien Leigh, después su esposa, personificaba a las heroínas juveniles. En Estados Unidos cumplió contratos cinematográficos, destacándose en el papel de Heathcliff de *Cumbres Borrascosas*, junto a Merle Oberon. Vuelto a Inglaterra al comenzar la Segunda Guerra Mundial, llevó a la pantalla varias obras de Shakespeare *(Enrique V, Hamlet)*, que adaptó al lenguaje cinematográfico sin mengua de su estructura teatral. Su versión de tales dramas enriqueció las posibilidades de éstos como espectáculo, por lo que, aparte de sus méritos como actor, ocupa un relevante lugar en la historia del cine. Su significación artística le valió el título nobiliario concedido por Jorge VI. En 1970 la reina Isabel II lo nombró par del reino.

olivo y aceite de oliva. El olivo es un árbol oleáceo de mediana talla, tronco grueso y retorcido, originario de Oriente, que se cultiva para extraer el aceite de sus frutos, y es conocido desde los tiempos más remotos. Pinturas de las antiguas dinastías egipcias reproducen escenas de la recolección de aceitunas. El Antiguo Testamento ya nos cita la rama de olivo con que volvió la paloma al Arca de Noé después del diluvio, y el rey David aconsejaba a sus súbditos el cultivo del olivo, hasta el punto que antes de la Era Cristiana se había extendido a muchos lugares de la cuenca del Mediterráneo. La rama de olivo se la considera como símbolo de paz.

Laurence Olivier en 1959.

Corel Stock Photo Library

Es uno de los árboles frutales de más larga vida, y existen ejemplares que cuentan muchos siglos de edad. Tiene copa ramosa y ancha con hojas verdes perennes de forma de lanza afilada, cortos peciolos y opuestos dos a dos, verdes y lustrosas por el haz, y con pelillos escamosos en el envés que le dan un aspecto plateado. Las flores son numerosas, pequeñas y blancas. Brotan en racimos en las axilas de las hojas y producen una gran cantidad de polen, que transportado por el viento de unos árboles a otros realiza la fecundación. Con el fin de facilitar la diseminación del polen por el viento y la fecundación, se plantan los olivares al tresbolillo, y distantes unas plantas de otras.

El fruto, la aceituna u oliva, es una drupa ovoide; que tiene de 2 a 4 cm de eje mayor, de color verde; al madurar se transforma en negro violado, con una pulpa amarga rica en aceite, que envuelve un hueso grande con semilla.

El olivo se cultiva principalmente para la extracción del aceite que contiene en proporciones de 15 a 30% del peso de sus frutos. Es árbol de clima templado, que prospera en todos los terrenos, por lo que se le suele cultivar en los de calidad inferior y pedregosos, con tal que sean secos. Se multiplica por simientes que se plantan en almácigas, quebrantando el hueso antes de plantarlas, con lo que se consigue que germinen en un año en vez de en dos o más. Más rápida es la reproducción por estacas o chupones de los que brotan de sus raíces, con los que se forman viveros, de donde una vez que han arraigado se trasplantan al terreno definitivo. También se multiplican por medio de trozos de raíces que posean corteza con alguna yema. La planta produce fruto a los cuatro años, pero no se considera en producción hasta que ha pasado de los siete años. Necesita podas cuidadosas, para despojarla de las ramas secas y de las que no producirán fruto, así como de los vástagos verticales que brotan de las raíces. La recolección se realiza en los meses de invierno, debiendo hacerse a mano o sacudiendo el árbol, pero nunca vareando, porque los golpes la perjudican. Las labores serán superficiales, para no perjudicar las raíces, y se obtienen mejores rendimientos abonando con productos ricos en nitrógeno.

Cuando el olivo no recibe un cultivo adecuado o vegeta en terrenos muy pobres, degenera, produciendo fruto escaso y de pequeño tamaño, adquiere las características del olivo silvestre y se le llama *acebucheno.*

Gran parte de los frutos del olivo, o sea las aceitunas, se preparan en algunas regiones para ser consumidas crudas, rellenas o condimentadas de las más diversas maneras. Para la preparación de las aceitunas en conserva se emplean métodos diversos, según el tipo que se desee obtener. Las más apreciadas en el mercado son las verdes, de tipo sevillano, cuya preparación requiere especial cuidado. Deben recolectarse cuando han alcanzado el máximo tamaño, pero aún verdes, antes que se inicie el oscurecimiento que produce la maduración. Muchas veces es necesario hacer recolecciones parciales por ir madurando los frutos de una manera escalonada. La primera operación después de la recolección es mantener las aceitunas en lejía algunas horas y someterlas seguidamente a un prolongado lavado en agua, que elimine su amargor, teniendo la precaución de que los frutos no estén en contacto con el aire, pues los oscurece y les resta valor comercial. Después se envasan en toneles de roble que contienen salmuera a 10%, y luego se someten a fermentación por medio de ácido láctico. Finalmente se envasan en recipientes cerrados herméticamente, que se pasteurizan a temperaturas de 60 °C, que los esteriliza convirtiéndolas en un alimento sano y agradable.

Algunas variedades de aceitunas se deshuesan y se rellenan de anchoas, pimiento, almendra, etcétera. Otra clase de aceitunas comestibles no conservan al prepararlas el color verde característico de las sevillanas, por lo que se las llama *negras*. Esta preparación se inicia machacando las aceitunas o cortándoles la piel, antes de someterlas a un intenso lavado para quitarles el gusto amargo, y cuando ha desaparecido, se aliñan con ajo, tomillo, limón, laurel, etcétera, en una solución de sal.

La mayor parte de las aceitunas recolectadas en los olivares se dedican a la extracción del aceite de oliva, que es una de las grasas vegetales de mayor poder alimenticio y más apreciadas. Los frutos destinados a la extracción de aceite se dejan madurar en el árbol y no se cosechan hasta que empiezan a caerse por sí solos. No deben recogerse verdes para evitar el gusto amargo del aceite, ni dejarlos almacenar después de recogidos, por fermentar fácilmente, trasmitiendo al aceite un gusto rancio muy desagradable. La primera operación a que se somete la aceituna es la trituración. La papilla resultante se coloca en capachos de esparto o de cualquier otro material textil grosero, que suele tener un metro cuadrado de superficie por unos 10 cm de altura. Apilando estos capachos unos sobre otros se les somete a la presión de una potente prensa, que los comprime entre sus muelas haciendo fluir los jugos que contienen las aceitunas. Este líquido se filtra y deposita en tanques donde se le hace reposar 48 horas, dejando en el fondo un sedimento de posos oscuros, que se le quita antes de transvasarlo a otros depósitos de interior estañado o vitrificado en que habrá de permanecer varios meses clarificándose, de cuyos fondos se extraen periódicamente los posos que se van sedimentando. Este aceite de *primera presión*, que se llama también *aceite virgen*, es el de mejor calidad y en algunas fábricas se obtiene únicamente de la presión de la pulpa de aceituna, conservando un sabor y aroma muy delicados.

Corel Stock Photo Library

De las aceitunas se obtiene el aceite de oliva.

La pasta que está en los capachos prensados, se suele someter a una nueva trituración, que quebranta los huesos y semillas, seguida de un escaldo en agua hirviendo, antes de prensarla nuevamente con mayor fuerza. El líquido que se obtiene de esta presión produce los aceites de segunda categoría que se utilizan también como comestibles y para la fabricación de jabones, perfumes, lubricantes, combustible y usos medicinales. El gusto y aroma de los aceites de oliva depende fundamentalmente de las especies cultivadas y de los climas y terrenos en que se cultiven.

Monolito con forma de cabeza pertneciente a la cultura Olmeca, en La Venta, Tabasco.

Corel Stock Photo Library

El olivo es uno de los árboles de mayor importancia económica. Además de sus frutos se aprovecha su madera, que es dura y de apretada fibra, en trabajos de ebanistería y tornería. La principal zona olivarera la forman los países que bordean el Mediterráneo, figurando España entre los primeros productores del mundo con 43% de la producción mundial, seguida por Italia, Grecia y Portugal. Los conquistadores y misioneros españoles llevaron el cultivo del olivo a América, lo extendieron por gran parte del continente. Entre los enemigos que perjudican las cosechas de aceituna hay numerosos pájaros que se alimentan de los frutos maduros y sobre todo la llamada *mosca de olivo*.

Para prosperar, el olivo exige que el suelo reúna estas cinco condiciones: temperaturas elevadas, sol abundante, ausencia de heladas severas, escasa humedad y vientos no muy fuertes. En las zonas húmedas es atacado por numerosas enfermedades, y en las regiones de vientos abundantes su crecimiento es perturbado. Con sus innumerables raicillas de intrincada disposición, el olivo soporta con facilidad los periodos de sequía prolongada; en África del Norte existen plantas que tienen doscientos años de edad y sólo reciben 180 milímetros anuales de lluvia.

En las regiones próximas al Mar Mediterráneo, el olivo es cultivado desde hace treinta siglos. En este prolongado lapso ha suministrado la mayor parte de los aceites utilizados por los pueblos del sur de Europa así como del norte de África.

olmecas. Los olmecas constituyeron la primera civilización de Mesoamérica. Su presencia está atestiguada desde el 1500 a.C. y estuvo asentada al sur del golfo de México, en la zona que hoy día ocupan los estados de Veracruz y Tabasco. La gran humedad de esta región ha provocado que apenas queden restos y vestigios de su cultura. Sin embargo, su influencia es innegable. Contó con una organización social avanzada y jerarquizada, una economía desarrollada, basada en la agricultura y en el comercio, y sólidas estructuras religiosas. Su arte también es notable, en particular su escultura monumental plasmada en sus colosales cabezas monolíticas en piedra y basalto. También sobresalen sus representaciones en jade con figuras humanas y zoomorfas. Sus centros principales fueron la Venta y Tres Zapotes.

Olmedo, José Joaquín de (1780-1847). Poeta y patriota ecuatoriano. Estudió derecho en Lima, fue diputado por Guayaquil ante las Cortes de Cádiz y en 1820 asumió la presidencia de la Junta de Gobierno de Guayaquil independiente. Después de la victoria de Ayacucho fue ministro plenipotenciario del Perú en Londres y París, y en 1835 presidió la Asamblea Constituyente de Ambato. Posteriormente fue miembro del primer gobierno provisional constituido en Guayaquil siendo derrotado en las elecciones a la Presidencia. Entre los ajetreos de su vida pública, Olmedo halló tiempo para llevar a cabo una labor poética reducida pero de elevada jerarquía. Escribió una treintena de composiciones, en las que se reveló como uno de los más brillantes neoclásicos americanos. "Uno de los tres o cuatro grandes poetas del Nuevo Mundo", dijo de él Menéndez y Pelayo. La más conocida de sus composiciones es *El canto a la victoria de Junín*, también son dignos de mención el *Canto a Bolívar*, y la *Oda al general Flores*.

olmo. Árbol perteneciente a la familia de las ulmáceas, de hojas alternas, ásperas y ovaladas. Se cubre de flores precoces que se presentan en racimos, con cáliz algo acampanado, rojizo, de cinco lóbulos. Existen más de quince especies que habitan en la mayoría de los países templados de Europa, África y Asia. No tan numerosas son las pertenecientes al continente americano, donde también se produce. Es un árbol de crecimiento rápido en los primeros años; al llegar a los cincuenta, alcanza, por término medio, 30 m de altura y 6 de circunferencia. Puede alcanzar varios siglos de vida. Es muy hermoso, apreciado por su madera, y preferido para adorno de parques y caminos. Con sus tablas, duras, elásticas y fuertes, se fabrican toneles, implementos agrícolas, embarcaciones, ruedas de carros y coches, etcétera. La corteza se destina a la obtención de tanino, sustancia utilizada en la curtiduría y teñido de cueros, que se emplea igualmente en farmacia como producto astringente.

olor. *Véase* OLFATO.

olla de presión. Recipiente destinado a la cocción rápida e integral de los alimentos. Su funcionamiento se basa en el vapor que se produce durante la cocción y que queda encerrado dentro de la olla. Este vapor provoca una presión interna, regulada por una válvula alojada en la tapadera. Cuando la presión alcanza un valor determinado, la válvula deja salir una cierta cantidad de vapor que produce un ligero siseo, señal que indica el momento a partir del cual hay que iniciar el cronometrado del tiempo de cocción. Una válvula de seguridad colocada en la tapa evita una posible explosión de la olla motivada por un aumento excesivo de la presión interna. Debido a que el vapor penetra dentro de los alimentos, gracias a la presión interna, el tiempo de cocción disminuye con respecto a las ollas normales, así como el combustible consumido. Hay ollas que cuentan con un dispositivo de seguridad que funciona cuando el mango de la tapa y el de la olla quedan paralelos uno sobre el otro e impide que la olla se abra si hay la mínima presión dentro.

Ollantay. Leyenda incaica contenida en un famoso drama de autor anónimo, redactado en lengua quechua y traducido a diversos idiomas europeos. *Ollantay o los rigores de un padre y generosidad de un rey*, narra la siguiente fábula: Ollantay, aguerrido y apuesto capitán de las tropas imperiales del Inca, está vehementemente enamorado de la hija de su soberano. Éste se obstina en no permitir el enlace de Cusi-Coyllur, la doncella, con el galán, quien, despechado y enfurecido, se alza contra el poder real y se encierra en la fortaleza de Ollantaytambo. Mientras tanto el rey muere de dolor al tener la princesa una hija, y el príncipe heredero asume el papel de vengador. Encarcela a su hermana y con el ejército real sitia la fortaleza. Después de largos años de asedio, Ollantay se rinde y cae en poder del sitiador. Era inminente la muerte del vencido, mas la intercesión de Ima-Sumac, la hija de los dos enamorados, inclina al vencedor a la piedad, perdona a Ollantay, libera a su hermana y los autoriza a casarse, con lo que se corona el anhelo de los dos protagonistas. Es una de las viejas leyendas americanas más difundidas, considerada como un canto de amor y heroísmo, comparable a los europeos de inspiración heroica. Lo vertieron al castellano Barranca y Nadal.

Ollantaytambo. Población de Perú en la provincia de Urubamba, departamento del Cuzco, situada a más de 3,000 m de altitud; tiene 5,810 habitantes (1995). Notable porque en sus cercanías hay importantes ruinas arqueológicas consideradas anteriores a los incas. Las piedras enormes y regulares, perfectamente ajustadas, testimonian la habilidad de los arquitectos peruanos de la época. Sobresalen las ruinas del Castillo y los vestigios de canales de riego abiertos en la roca viva. Se atribuye parte de estas obras a Ollantay, gobernador de una provincia inca. Durante la conquista, las fuerzas de Manco Inca derrotaron a los españoles en este lugar.

Oller y Cesteros, Francisco (1833-1917). Pintor puertorriqueño, nacido en Bayamón. Comenzó sus estudios de pintura en San Juan y a los 17 años de edad pasó a Madrid, donde estudió con el pintor Federico Madrazo en la Escuela de San Fernando. Posteriormente viajó a París, y durante tres años fue discípulo de Thomas Couture y del famoso pintor realista Gustave Courbert. Luego participó en el movimiento impresionista francés, siguiendo la escuela de Cézanne, Pissarro y Manet. De esta época es su cuadro *El estudiante*, hoy en el museo del Louvre de París.

En 1878 Alfonso XII nombró a Oller pintor de la Corte en el Palacio Real de Madrid. Allí ejecutó algunos de sus retratos de importantes personalidades españolas: *El Retrato Ecuestre de Alfonso* XII, *El Retrato del General Contreras* y varios de la reina María Cristina. Al retirarse del cargo, en 1884, fue condecorado con la Cruz de la Orden de Carlos III. Más tarde se le otorgó la cruz de comendador de la misma orden. De regreso a su patria, fundó escuelas gratuitas de dibujo y pintura. Cultivó principalmente el paisaje, la naturaleza muerta, y temas de tradición nacional: *El velorio*, *Un boca-abajo en una hacienda de Puerto Rico* y *La ceiba de Ponce*.

omaguaas. *Véase* INDIOS AMERICANOS.

Omán. Sultanía independiente situada a lo largo de la costa sudoriental de la Península de Arabia. Limita al norte con el Golfo de Omán, al este y sur con el Mar Arábigo, y al oeste con los Emiratos Árabes Unidos, Arabia Saudita y la República Democrática del Yemen. Tiene 212,457 km^2 de superficie y una población de 2.265,000 habitantes (1997), en su mayoría árabes, con minorías paquistaníes, indios y del África Oriental. La religión predominante es la islámica. Las mayores concentraciones demográficas se registran en la región sudeste de Al Batinah y en la suroeste de Zufar. El interior es desértico y existen cadenas montañosas paralelas al litoral, entre las que descuella al norte la de Jabal Al Akhdar. La capital es Mascate (85,000 h.); le sigue en importancia Matrah. Ambas se asientan en el Golfo de Omán. La economía, hasta 1967, fue esencialmente agrícola: dátiles, limas, cocos, trigo, cebada, mijo y ganado. A partir de esa fecha el petróleo se convirtió en el principal renglón de la exportación. Tras un periodo de dominación portuguesa (1508-1650), los omaníes llegaron a establecer un imperio que alcanzaba el África Oriental y parte del actual Pakistán. En el siglo XIX se inició una fase de estrechos lazos con el Reino Unido que terminó con la retirada de los ingleses del Golfo Pérsico y el ingreso de Omán en la ONU a principios de 1972. El jefe de estado es el sultán, que ejerce el poder asistido por un consejo de ministros nombrados por él mismo.

Omán constituyó, junto con otros países ribereños del Golfo Pérsico, el Consejo de Cooperación del Golfo (CCG) en 1981.

Denominado *guardián del Golfo Pérsico*, el sultanato siguió con inquietud la guerra Iraq-Irán (1980-1988). Su situación estratégica le ha permitido recibir la ayuda de numerosos países afectados por la seguridad del tráfico marítimo en el Estrecho de Ormuz. Su armada es una de las mejores equipadas y los gastos de defensa (36% PNB) son de los más altos para un país en tiempos de paz. Durante el conflicto desatado por la invasión iraquí de Kuwait (agosto de 1990) y la posterior guerra del Golfo Pérsico (enero-febrero de 1991), el sultanato apoyó a la coalición internacional que se formó para la liberación del emirato. En 1992, acordó con los Emiratos Árabes Unidos una liberalización de los trámites de tránsito de personas entre ambos países. En 1995 y 1996, Omán estableció y consolidó, por primera vez, relaciones diplomáticas con Israel.

Corel Stock Photo Library

Fuerte del pueblo Bausher, Omán.

Omar I (591-644). Califa musulmán que nació en La Meca. Fue el segundo de los califas, que sucedió a Abu-Bekr el año 634. Se distinguió por su capacidad organizadora y por su actividad guerrera. En el primer orden se le debe la constitución legal del estado musulmán y en el segundo consiguió apoderarse de Palestina y Mesopotamia (actuales Jordania e Iraq) y Siria. La famosa Mezquita de Omar, en Jerusalén, construida por él, es uno de los monumentos más notables de la arquitectura.

Omar II (? -720). Califa de Damasco que ocupa el octavo lugar de la dinastía de los ommiadas. Fue gobernador de Medina, en cuyo cargo demostró sus extraordinarias dotes para el mando. Cuando murió su primo Soleimán, en el año 717, fue elevado al trono. Se distinguió por sus costumbres caritativas y piadosas.

Omar Ben Hafsun (854-917). Caudillo hispanoarábigo que se rebeló contra el yugo musulmán acaudillando un pequeño ejército de *muladíes* y musulmanes descontentos. Trató de independizarse del emirato cordobés y llegó a constituir un gran foco de resistencia en Bobastro (Málaga), en donde estableció la capital de su reino. Su vida fue un permanente guerrear, en el que nunca fue abatido, hasta que, viejo y enfermo, murió en plena campaña, cuando Abderramán III castigaba duramente a sus fuerzas.

Omar Khayyam (1057?-1123). Poeta, matemático y astrónomo persa. Amigo del gran visir del sultán Malik, fue designado para hacer investigaciones astronómicas y matemáticas. Resultado de sus observaciones fueron la reforma del calendario persa y la preparación de sus tablas astronómicas, pero jamás habría logrado la fama de que hoy goza a no mediar la paciente obra del poeta inglés y traductor Edward Fitzgerald (1809-1883), quien, en 1859, descubrió y editó el poema en cuartetas *Rubaiyat*: serie de epigramas de profundo sentido humano en que se cantan los deleites del amor y demás goces de la vida, con las transiciones de optimismo y amargura que son propias del carácter del individuo, acentuando así su realidad.

Omar, Mezquita de. Célebre edificio religioso mahometano que se encuentra en la ciudad de Jerusalén. Constituye, con La Meca, uno de los lugares de peregrinación de los musulmanes.

Los árabes la llaman *Kubhet-er-Sajra*: la *cúpula de la roca*. Fue erigida por el califa Omar en el año 643 y, según se cree, ocupa el lugar del antiguo templo de Jerusalén. Fue reconstruida en el estado que actualmente presenta durante los años 687 a 690 por Abd-el-Malek ibn Meruan. Posteriormente, El Walid volvió a restaurarla y cubrió su cúpula con láminas de bronce arrancadas de una iglesia de Baalbek.

ombú. Arbol de la familia de las fitolacáceas originario de la selva misionera de Argentina y extendido por todo el país, el

Mezquita de la Roca en Jerusalén, Israel.

Corel Stock Photo Library

sur de Brasil y Uruguay. Es grande y de madera blanda que no arde, y que con la copa espesa y enorme, alcanza hasta veinte metros de altura. Esta planta arraiga con sus voluminosas raíces en la pampa argentina. Sirve de tema a incontables poemas y canciones, cantadas por el gaucho de las llanuras, agradecido por la sombra reparadora que, en medio de la inmensidad, su follaje le brinda. Sus hojas, que hervidas son medicinales, despiden por la noche emanaciones perjudiciales para la salud.

ombudsman. *Agente* en sueco; el término se refiere a un funcionario público cuya labor es encargarse de las quejas públicas en contra de las acciones del gobierno. Idealmente, el *ombudsman* debe actuar como defensor público, ocupándose de manera imparcial y expedita de las reclamaciones públicas. El *ombudsman* procede por lo común a petición de los ciudadanos inconformes, pero también puede iniciar investigaciones de interés público general.

El primer *ombudsman* fue establecido por la legislatura sueca en 1809; el funcionario debía ser una persona *de capacidad jurídica reconocida e integridad sobresaliente*, elegida por el parlamento para cumplir un periodo de cuatro años. Las responsabilidades de este tipo de funcionario se han ido incrementando con el tiempo. Entre los países que cuentan con uno o más ombudsman están Finlandia (1919), Dinamarca (1955), Nueva Zelanda (1962), Noruega (1963) y Gran Bretaña (1967).

En Estados Unidos varios estados, entre los que sobresalen Hawai y Nebraska, han puesto a prueba la figura del ombudsman y otros han designado funcionarios con actividades similares. Condados y ciudades han establecido también ombudsman, como el condado de Nassau en New York. Algunas empresas privadas cuentan con su propio ombudsman, entre ellas se encuentran Xerox y General Electric. En el gobierno federal, en el Departamento de Comercio existe un *ombudsman del sector empresarial*, cuya función consiste en encargarse de las quejas, dudas y sugerencias de la gente de dicho sector económico en contacto con esta oficina.

Omeya. (s. VII-VIII). Nombre del jefe árabe que fundó el califato de Damasco y de la dinastía que reinó en el mismo. Con ella, el imperio árabe alcanzó su apogeo y se extendió hasta España. Fueron destronados en Damasco por los amasidas (749) pero conservaron el califato de Córdoba hasta 1031.

omisión. Es la abstención de hacer algo, decirlo, o el incumplimiento de una acción necesaria o que convenía para alcanzar algo. Puede omitirse una acción o asunto por descuido, negligencia, dolo, etcétera. Para el derecho penal, los delitos de omisión son aquellos que se perpetran quebrantando un deber nacido de un contrato o cualquier otra forma de obligación jurídica. También deben incluirse los delitos que surgen contra el deber moralmente exigido por la convivencia social. Este delito se encuentra definido en la mayoría de los códigos europeos y latinoamericanos.

ómnibus. Vehículo, por lo general de grandes dimensiones, destinado al transporte de pasajeros. Los primeros eran de tracción animal y circulaban exclusivamente por las ciudades. Actualmente están impulsados por motores de combustión interna, y compiten en muchos casos ventajosamente con el ferrocarril en comodidad y economía, aún cuando se trate de largos recorridos. El ómnibus moderno está equipado con un motor Diesel, por lo general colocado atrás. Los destinados al tránsito ciudadano poseen cambios automáticos, de modo que el conductor sólo acciona el pedal del acelerador y el del freno. Desarrollan alta velocidad en muy poco tiempo, y se detienen rápida y seguramente merced a la utilización del aire comprimido para el frenado. Los ómnibus que hacen trayectos prolongados, están provistos de asientos reclinables.

La palabra ómnibus, que en latín significa *para todos*, suele ser reemplazada por la expresión autobús, que es una contracción híbrida de los términos automóvil y ómnibus. A dos categorías pertenecen estos vehículos: urbanos e interurbanos. La red de líneas de ómnibus más extensa del mundo ha sido desarrollada por la compañía Greyhound, en Estados Unidos, una de cuyas líneas, la que une las ciudades de New York y Los Angeles, tiene una longitud superior a los 4,000 km. También existe un tipo especial de ómnibus eléctrico, llamado *trolebús*, que funciona como el tranvía, pero no marcha sobre rieles, sino con el auxilio de ruedas y llantas neumáticas como las del ómnibus.

omoplato. *Véase* ESQUELETO.

Omsk. Oblast (región) de Rusia, en el suroeste de Siberia. Tiene 150,000 km^2 y 2.400,000 habitantes. Es región de gran fertilidad con importante producción de cereales, frutas y hortalizas. Su capital es la ciudad de Omsk, a orillas del Irtish, fundada en 1716. Tiene 1.161,000 habitantes. Es centro de comunicaciones fluviales y ferroviarias, cruzado por el ferrocarril Transiberiano tiene gran actividad industrial y mercantil y cuenta con fábricas de maquinaria agrícola, de harinas, de tejidos y productos alimenticios.

ona. Pueblo indígena que habita en la isla de Tierra del Fuego (Argentina). Son cazadores de guanacos, animales cuya carne cruda les proporciona alimento y cuya piel emplean para confeccionar su escaso vestuario y para construir el paravientos que constituye la única vivienda. Es un pueblo belicoso que carece de organización social. Practica algunos ritos de iniciación de los jóvenes, y los adultos forman una sociedad secreta llamada *Klóketen*, que consideran necesaria para evitar que renazcan viejas prácticas matriarcales.

onagro. Asno silvestre, oriundo de Asia Central. Se parece al caballo, pero tiene la cabeza más grande, orejas más largas y pelo más sedoso. Su color es blancuzco con tonalidades pardas en los costados, el anca y la cabeza.

Oncken, Guillermo (1838-1905). Historiador y político alemán que nació en Heidelberg. Estudió en su ciudad natal, Gottinga, y en Berlín. En 1866 fue nombrado profesor de historia de la Universidad de Heidelberg, de donde pasó a Giessen. Debido a sus grandes méritos, fue designado diputado al Landtag de Hessen por la ciudad de Giessen y después diputado por la misma demarcación al Reichstag. Su obra más importante, pues no sólo la dirigió, sino que también escribió varias de sus partes, es la monumental *Historia Universal.*

Oncken, Hermann (1869-1946). Historiador alemán. Fue profesor de diversas universidades alemanas, entre ellas las de Heidelberg, Munich y Berlín. Sus obras principales son: *Lasalle, Rudolf von Bennigsen, América y las grandes potencias, Política renana de los franceses* y *Cromwell.* Fue, además, un editor famoso que publicó los *Clásicos de la política* e *Historia general de los estados.*

oncogén. Designa el segmento de ADN, o gen, de un virus carcinógeno, que es causante directo de la conversión de una célula normal en célula cancerosa. Algunos oncogenes, principalmente aquellos que se encuentran en el ARN de los virus carcinógenos, han evolucionado a partir de genes análogos relacionados estructuralmente, denominados *proto-oncogenes*, que se hallan en las células normales. Otros oncogenes, que se encuentran en el ADN de los virus carcinógenos, no tienen una contraparte fácilmente identificable en la célula normal. Los proto-oncogenes pueden ser activados en oncogenes por una variedad de sucesos mutágenos. Algunos oncogenes celulares no tienen contraparte viral. La activación de proto-oncogenes en oncogenes celulares puede provocar la transformación de las células de un cultivo para determinar un fenotipo maligno; o en el cuerpo, para originar el desarrollo de cáncer.

El término antioncogén se refiere a los genes cuya función es antagonizar con los efectos carcinógenos de los oncogenes. Los antioncogenes se encuentran incluidos en la actualidad en el grupo de los genes supresores de tumores, cuya función resulta genéticamente dominante en la supresión de la transformación neoplásica. Su función inhibitoria del cáncer en una célula es eliminada solamente cuando ambos alelos (copias de los genes) en la célula diploide son no-funcionales. Por consiguiente, el cáncer producido por la pérdida de la función de un gene supresor de tumores por la inactivación de ambos alelos, es recesivo. En contraste, el efecto carcinógeno de los oncogenes celulares activados es genéticamente dominante, y se requiere sólo un alelo activado o mutado para efectuar la transformación neoplásica.

oncología. Estudio científico de los tumores, tanto benignos como malignos. Tales estudios pueden tener fines de terapia (oncología clínica) o de investigación de tumores en animales de laboratorio o en células tumorales que crecen en cultivos de tejidos (oncología experimental). A lo largo de la historia la detección de tumores ha ido de la confianza puesta en el reconocimiento físico al empleo de microscopios, rayos X y otras técnicas basadas en imágenes para el estudio de las células del cuerpo.

Los procedimientos terapéuticos de la oncología comprenden cirugía, quimioterapia, radiología e inmunoterapia. Entre los estudios de las causas de los tumores se encuentran la investigación de las funciones de diversas sustancias químicas, de agentes físicos como la irritación crónica, los rayos ultravioleta y de agentes biológicos como los virus. En los últimos años se ha prestado atención al papel de los oncogenes en la formación de tumores y a la tendencia hereditaria de la disposición a la formación de tumores.

onda corta. Tipo de onda empleada en radiofonía, cuya longitud se suele estimar convencionalmente comprendida entre los 0.01 y 100 m. Las ondas menores de 10 m se suelen llamar ultra cortas. Las ondas cortas ofrecen un campo de acción mucho más amplio que el de las medias y largas, y se revelan como excelentes para las trasmisiones a largas distancias sobre todo si se emplean antenas dirigidas. Las estaciones emisoras de radio suelen tener equipos e instalaciones que les permiten trasmitir simultáneamente con ambas clases de ondas. En la televisión, ejército, marina, aviación y policía las comunicaciones se efectúan por medio de onda corta.

Todas las ondas cortas son de altas frecuencias; la clasificación de las distintas bandas por encima de los 3,000 kilociclos es la siguiente:

Frecuencia en kilociclos	Designación de la frecuencia	Longitud de onda en metros
3,000 a 30,000	Alta (AF)	100—10
30,000 a 300,000	Muy alta (MAF)	10—1
300,000 a 3.000,000	Ultra alta (UAF)	1—0.1
3.000,000 a 30.000,000	Super alta (SAF)	0.1—0.01

ondas. Si dejamos caer una piedra en un estanque de aguas tranquilas, destruirá el equilibrio del líquido, y su superficie se ondulará formando círculos concéntricos; su centro coincidirá con el punto de caída de la piedra, y se desplazará radialmente a medida que aumentan de tamaño. Este movimiento de la superficie del agua es un ejemplo de ondas visibles. A primera vista, el agua sometida a la ondulación de la superficie parece desplazarse hacia los bordes del estanque, pero no es sino una apariencia, pues colocando un corcho sobre el agua, veremos que flota y se mantiene siempre en el mismo lugar sin movilizarlo las ondas; al pasar éstas, ascenderá y descenderá sin avanzar. Las ondas producidas en el agua son, por lo tanto, un movimiento alternativo de subida y bajada de las partículas del agua, que tiene la propiedad de trasmitirse a todas las partículas que la rodean con velocidad que depende de la rapidez de propagación de la onda.

Si pudiésemos dar un corte perpendicular al agua del estanque, pasando por el punto de caída de la piedra, la línea de la superficie del agua nos daría la representación gráfica del movimiento vibratorio que produce la onda. Las posiciones ocupadas por las partículas de la superficie en un momento determinado marcan la línea ondulante característica del movimiento vibratorio. La distancia que recorre una molécula, o el corcho, desde el momento en que está en la posición más alta a la más baja, es lo que se llama amplitud de la onda y el número de veces que la molécula ocupa la posición más alta, o la más baja, en una unidad de tiempo, es la frecuencia; o sea el número de vibraciones que realiza en un segundo.

De izq. a der: formación de una onda transversal en una cuerda mediante oscilación de uno de sus extremos.La forma en la que una onda se mueve, depende de la naturaleza de la fuente oscilatoria y del medio en el que la onda viaje.

Del Ángel Diseño y Publicidad

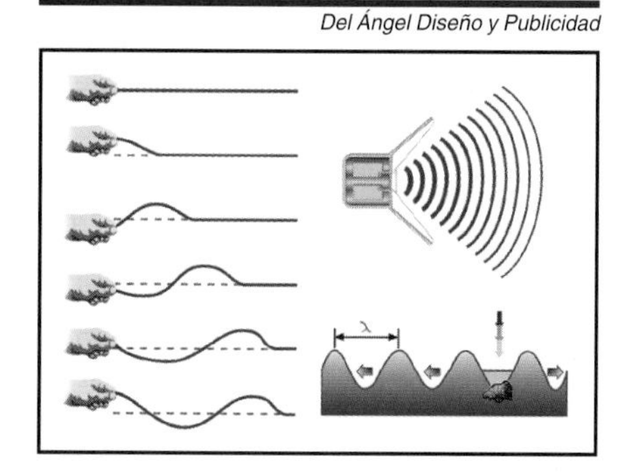

Otro ejemplo palpable de ondas lo podemos producir si atamos uno de los extremos de una larga cuerda a un punto fijo y sujetándola tensa, le imprimimos un rápido movimiento de arriba abajo. La cuerda formará una ondulación, con una serie de altos y bajos similares a los formados por la superficie del agua. Parecerá que la cuerda se desplaza, pero las distintas moléculas de ella, como las del agua en el ejemplo anterior, no hacen sino vibrar con un movimiento ascendente y descendente. En el conjunto de la cuerda se podrán apreciar unas partes salientes, que se llaman crestas de la onda, que alternan con otras porciones entrantes que se llaman depresiones. La distancia que separa dos crestas, o dos depresiones contiguas, se llama longitud de onda, y es una de las características que diferencian los distintos tipos de ondas.

En las ondas producidas en la superficie del agua, igual que en las de la cuerda, los movimientos vibratorios se hacen en dirección perpendicular a la de la trasmisión de la onda, por lo que se las llama *transversales*, pero existen otras ondas en que el movimiento vibratorio de las moléculas se realiza en la misma dirección en que se propaga la onda y se las llama *ondas longitudinales.* Un ejemplo gráfico de esta onda sería un alambre de acero arrollado en tirabuzón, con uno de sus extremos sujeto al techo. Si tiramos del extremo inferior, se producirá un movimiento vibratorio, que sería con respecto al producido por la cuerda, lo que las ondas longitudinales son con respecto a las transversales. Hay otros tipos de ondas que no son visibles y que se hacen patentes por los efectos que producen. Los sonidos se trasmiten por medio de ondas del aire o de los cuerpos que los propagan. La luz y el calor también se propagan por medio de ondas que se llaman *luminosas* y *caloríficas.* Otra clase de ondas *electromagnéticas* sirven a la radio y televisión, para trasmitir la energía, desde las estaciones emisoras hasta los aparatos receptores. Aún existen otras muchas clases capaces de transmitir energía, como son los rayos ultravioleta, los rayos X, los gamma y los cósmicos, diferenciándose fundamentalmente unas de otras, en sus frecuencias y longitudes.

Las ondas que trasmiten el sonido son contracciones y expansiones del aire, o del medio que lo propaga, que se producen en la misma dirección en que se trasmite el sonido. Es decir son longitudinales. Las sustancias a través de las cuales se trasmiten las ondas, se llaman *medios*. Las sonoras necesitan un medio para propagarse, como el aire, el agua, la madera o cualquier otra sustancia, y no se pueden propagar en el vacío. La luz, por el contrario, se propaga en el vacío. El medio de trasmisión no se desplaza, no hace sino vibrar, siendo la onda la que se mueve y transporta la energía; a la dirección en que lo hace se le dice *línea de propagación*.

Cuando un conjunto de ondas de una misma dirección, o tren de ondas, tropieza en su camino con un medio diferente a aquel en que venía propagándose, cambia de rumbo. Si el medio que encuentra es permeable a la onda, sigue propagándose en él, pero generalmente con otra dirección, produciéndose el fenómeno de refracción.

Onega, Lago. Segundo lago en extensión de Europa (9,835 km^2), situado en el norte de Rusia, en la República Socialista Soviética Carelo-Finesa. Se encuentra a 40 metros sobre el nivel del mar y su profundidad media es de 32 m y la máxima de 123 m. El río Svir lo comunica con el lago Ladoga, y mediante una serie de canales está conectado con los ríos Volga y Dvina. Forma parte de la vía de navegación interior que enlaza los mares Blanco y Báltico.

O'Neill Eugene Gladstone (1888-1953). Dramaturgo estadounidense. Hijo de un actor y una pianista, llevó desde su infancia una vida azarosa y de aventura. Viajó mucho acompañando a sus padres en giras; cursó estudios en diversas escuelas y en la Universidad de Princeton. Hizo los más diversos trabajos, desde el de actor y director teatral, hasta el de marinero, buscador de oro en Honduras y electricista en Argentina. Quebrantada su salud, comenzó a interesarse por la literatura, y así se reveló en él una vocación de dramaturgo que dio sus primeros frutos en 1912 y 1913. En 1920, con *Más allá del horizonte*, le fue concedido el premio Pulitzer, que significó para él una rápida fama. A partir de entonces, sus obras se sucedieron sin interrupción, siendo representadas en los principales teatros del mundo y originando, por su concepción y realización singulares, una revolución en ese arte. Entre sus obras, que son más de treinta, se destacan: *Deseo bajo los olmos, El luto le sienta bien a Electra, El gran dios Brown, El emperador Jones* y *El mono velludo*. Obtuvo el Premio Nobel de Literatura en 1936. *Véase* DRAMA.

Onetti, Juan Carlos (1909-1994). Novelista y cuentista uruguayo, autor de una de las primeras obras latinoamericanas cuyos personajes se ven asediados por la soledad, la miseria y el absurdo de las grandes urbes: *El pozo* (1939). Santa María es la ciudad imaginaria y mítica donde en varios de sus libros –*La vida breve* (1950), *Para una tumba sin nombre* (1959), *El astillero* (1961) y *Juntacadáveres* (1964)– los personajes viven entre frustración, fatalidad y desánimo, que sólo el erotismo y el engaño parecen curar. Mundos de depravación, mentira y conveniencia donde la vida termina desgastada y convertida en el eco de tristes monólogos de sarcasmo y maledicencia. Esta perspectiva pesimista e irónica tratada con maestría se refleja en todos los trabajos de Onetti, como *Tierra de nadie* (1941), *Jacob y el otro* (1960), *El infierno tan temido* (1962), *Tan triste como ella* (1963), *Las máscaras del amor* (1968), *La muerte y la niña* (1973), *Dejemos hablar al viento* (1979), *Los adioses* (1980), *La novia robada y otros cuentos* (1980) y *Cuando entonces* (1987).

En 1974 el escritor fue detenido por las autoridades de su país e internado en un hospital psiquiátrico; se le acusaba de haber premiado, como miembro de un jurado literario, un cuento pornográfico. Recuperada la libertad, Onetti abandonó su país y se dirigió a España, donde en 1980 recibió el premio Cervantes.

Onganía, Juan Carlos (1914-1995). Militar y político argentino. Pieza militar de la agitada vida política argentina de los años sesenta, en marzo de 1962 participó en el golpe de Estado contra Frondizi, y en junio de 1966 dirigió otro contra Illía, de cuyo gobierno había sido jefe militar. Onganía había renunciado en 1965 a dicho cargo en protesta por la negativa del gobierno a formar parte de una fuerza militar interamericana para intervenir en Santo Domingo. Tras el golpe de Estado contra Illía fue nombrado jefe de la junta militar, pero sería derrocado mediante otro golpe de Estado el 8 de junio de 1970. La apabullante inflación vivida en Argentina, el *cordobazo* de 1969 y las divisiones internas en el ejército habían debilitado ya enormemenete su figura.

ónice. Ágata listada de colores alternados claros y muy oscuros que se emplea frecuentemente para hacer camafeos. Es un cuarzo duro y translúcido con franjas de colores. Otra clase de ónice es el ónix de México o *tecalli*; calizo y translúcido que se presenta con tonalidades amarillas, rojizas verdosas, etcétera;

onicóforo. Gusano de la rama de los artrópodos. Su cuerpo es blando, flexible y largo. Se estrecha hacia los extremos, siendo su número de patas variable, entre 17 y 43 pares, que terminan en forma de uñas. Se mueve por medio de ondulaciones producidas por músculos. Se encuentra en América Central y del Sur, África y Australia.

Onís, Federico de (1885-1966). Ensayista y erudito español. Se distinguió como crítico de finura y sagacidad, y también como paladín de la difusión de la cultura española en el continente americano. Nació en Salamanca y se doctoró en letras en la Universidad de Madrid. Catedrático de literatura en Salamanca y Oviedo y en la Universidad de Columbia. Director del departamento de estudios hispánicos en la Universidad de Puerto Rico. Entre sus monografías, ensayos y estudios pueden citarse: *Torres Villarroel, Fray Luis de León, El español en Estados Unidos, Martín Fierro y la poesía tradicional* y otros.

Onnes, Heike Kamerlingh. (1853-1926). Físico holandés, reconocido por sus investigaciones de las propiedades de la materia a bajas temperaturas. Estudió en Heidelberg entre 1871 y 1873. En 1878 se convirtió en asistente en el Polytechnicum de Delft, donde también fue profesor en 1881 y 1882, año en que fue nombrado profesor de física experimental y meteorología en la Universidad de Leyden. En 1879 recibió el título de doctor, con una tesis llamada *Nuevas pruebas de la rotación de la Tierra*. A la edad de 30 años fue nombrado miembro de la Real Academia de Ciencias de Amsterdam. Hacia 1892 había logrado desarrollar un método para licuar grandes cantidades de aire y oxígeno. En 1906 logró licuar hidrógeno y en 1908 oxígeno. En 1913 recibió el Premio Nobel de Física por sus investigaciones sobre criogenia, que le permitieron producir helio líquido y demostrar la superconductividad.

onomatopeya. Imitación del sonido de una cosa en el vocablo que se forma para significarla. Se la llama también armonía imitativa, reduciendo su acción a tres imitaciones: de los sonidos, del movimiento de los cuerpos y del ánimo. Casi todas las palabras imitativas han sido tomadas de las voces de los animales: bramido, aullido, maullido, rugido, balido, etcétera. También pueden imitarse los estados de ánimo; los agradables, por medio de sonidos blandos, suaves y claros; los tristes, con sonidos oscuros y palabras largas; las pasiones ardientes, con voces breves y sonidos vivos y agudos. Se considera a la onomatopeya como la fuente más abundante de raíces en todas las lenguas del mundo.

Onsager, Lars (1903-1976). Físico y químico noruego, naturalizado estadounidense, ganó el Premio Nobel de Química de 1968 por sus estudios teóricos de la termodinámica de los procesos irreversibles. Basado en el trabajo de Peter Debye y Erich Hückel, Onsager estableció los fundamentos de una teoría completa sobre el movimiento de los iones en las soluciones electrificadas. Posteriormente se interesó por la física de bajas temperaturas y predijo la existencia de vórtices en el helio en estado superfluido.

Ontario. Provincia de Canadá comprendida entre la bahía de Hudson al norte y los Grandes Lagos al sur. Tiene 1.072,700 km^2 y 10.753,573 habitantes (1997). La provincia es bastante llana y se halla bien regada, pues en ella abundan los ríos y los lagos. Sus tierras, muy fértiles, producen trigo, maíz, remolacha, frutas, tabaco y otros productos agrícolas. La ganadería también es muy rica. Posee minas de oro, cobre y níquel. Tiene importantes industrias entre las que se destacan las metalúrgicas, de productos químicos, de tejidos, y las de industrialización de madera y fabricación de papel. Su capital es Toronto. Ciudad importante, situada en el extremo sureste de Ontario, es Ottawa, capital de Canadá.

Ontario. Lago de la América del Norte, situado entre el Canadá y Estados Unidos. Es el menor y el más oriental de los Grandes Lagos y tiene 18,800 km^2 de extensión. Su profundidad media es de 90 m y la máxima de 225 m. La superficie de sus aguas está a 74 metros de altura sobre el nivel del mar. Se encuentra conectado, al suroeste, con el lago Erie, por medio del río Niágara y el canal de Welland; al sureste, con el río Hudson y New York por conducto del canal de Erie, el río Genesee y el canal de Oswego. El lago Ontario descarga sus aguas por el noreste, en el río San Lorenzo. Su importancia económica y como vía de comunicaciones es muy grande, y en sus orillas se levantan las ciudades canadienses de Toronto, Hamilton y Kingston, y las estadounidenses de Oswego, Sackets Harbor y Charlotte, esta última puerto de la ciudad de Rochester.

ontogenia. Del griego, *ontes*, ser y *genes*, origen, es decir, origen del ser. La ontogenia estudia la formación y desarrollo del individuo independientemente de la especie. En esto se diferencia de la filogenia que atiende a la especie sin concretarse especialmente al individuo. Estudia la ontogenia la primera célula generatriz siguiendo paso a paso su evolución hasta que el individuo es adulto. Abarca las fases que van sucediéndose desde la fecundación del óvulo hasta que el individuo adquiere–a través del desarrollo– los atributos peculiares que le dan su individualidad propia. *Mórula*, *blástula* y *gástrula* son las tres etapas básicas que intervienen en el periodo evolutivo del ser. El *ectodermo* y el *endodermo* son las dos capas de diferenciación del *blastodermo* primigenio. El *mesodermo* es

Corel Stock Photo Library

Vista aérea de un muelle en Ontario, Canadá.

la llamada *capa intermedia* que cubre el *celoma*. A través de este ciclo evolutivo el ser experimenta ciertas fases similares a las etapas filogenéticas por las cuales atraviesan las especies congéneres, es decir, aquellas que pertenecen a la misma rama generadora. Aristóteles afirmó que los órganos básicos de la vida son los que primeramente surgen en la evolución de la embriología del ser y que después aparecen las demás estructuras orgánicas accesorias, sentando con esta aserción el principio fundamental básico de las leyes evolutivas de la biología. Malpighi en el siglo XVII estudia –en cuanto al periodo evolutivo– el huevo de gallina, estimando que en él existe, preformado, el pollo en miniatura, es decir, embrionario. Haeckel creó la ley biogenética –repetición de las fases del desarrollo– en la evolución histórica de las especies animales.

ontología. Parte de la filosofía que trata del ser en general y de sus propiedades trascendentales. Únicamente el nombre es moderno; en cuanto a la ciencia misma, existía ya, definida de la misma manera, en la época de la escolástica. Ésta denominó trascendentales *(trascendentia)* a las determinaciones comunes a todos los seres. La palabra *ontología* aparece por primera vez en el libro *Ontosophia* del filósofo alemán Clauberg (1656) y la generalizaron Leibnitz y Wolf. Kant quería darle un nuevo sentido: atribuía a ésta como función determinar el sistema de todos los conceptos y principios del entendimiento, que son, por otra parte, en su doctrina, el equivalente de las *transcendentia* escolásticas. No prevaleció, y hoy sirve para designar, sin equívocas, la metafísica sustancialista, que se propone como objeto aprehender, bajo las apariencias, las cosas en sí. *Véase* FILOSOFÍA.

O.N.U. *Véase* NACIONES UNIDAS.

onza. Mamífero carnicero de la familia de los félidos, parecido a la pantera, con pelo castaño amarillento, sembrado de numerosas y pequeñas manchas negras. Habita las estepas y desiertos alimentándose de animales que acecha durante largo

Patinadores en el Canal Rideau en Ontario, Canadá.

Corel Stock Photo Library

Corel Stock Photo Library

Onza.

tiempo para después sorprenderlos con su rápida carrera. Sus presas más frecuentes son pequeños antílopes, liebres y aves de vuelo corto. Las principales especies son la onza africana, que vive desde el sur de Marruecos hasta la unión sudafricana, la onza asiática que habita las estepas de Persia y la India y la onza cazadora o guepardo, que se encuentra en Asia y África.

Es un animal que se domestica con facilidad, aunque se le capture ya en estado adulto, siendo frecuente que los rajás y nobles de la India lo utilicen en la caza del antílope. Para ello se conduce a las onzas atadas y con los ojos vendados a la cacería, y cuando las sueltan, persiguen y atrapan las presas como los perros de caza.

onza. Peso que consta de dieciséis adarmes y equivale a 287 decigramos. Es una de las dieciséis partes iguales del peso de la libra. Desde el siglo XVII hasta la primera mitad del siglo XIX existió en España la onza de oro, moneda de este metal que valía ochenta pesetas.

Oña, Pedro de (1570-1643?). Poeta hispanoamericano nacido en la ciudad de Los Confines (Chile). Hijo del valeroso capitán Gregorio de Oña. Siendo joven se trasladó a Lima, dando a conocer en 1596 su poema *Arauco Domado*, en donde ofrece la novedad de no emplear las octavas reales –estrofa típica de los poemas narrativos–, sino que usó octavas de su invención aunque no logró seguidores. En él se relatan las proezas de García Hurtado de Mendoza en sus luchas contra los araucanos que Ercilla había silenciado en su *Araucana*. Más tarde publicó *Temblor de Lima el año 1609* poema en octavas y en un solo canto.

En 1639 se publicó en Sevilla su poema heroico *El Ignacio de Cantabria*, que alaba las empresas de Ignacio de Loyola, y el poema *Vasauro*. Oña es una gloria de la poesía chilena, elogiado por Lope de Vega, y su nombre figura en el *Catálogo de autoridades de la Lengua* publicado por la Academia Española.

Oñate, Juan de (1549-1624?) Explorador y conquistador español nacido en Guadalajara (México), ciudad que también fundara su antecesor, don Cristóbal, en 1530. Después de varias misiones cumplidas al norte de ese país, recibió el encargo de explorar y colonizar Nuevo México. Iniciada la empresa en 1596, sólo pudo darle cima dos años después, tras de vencer enormes dificultades y reprimir varios alzamientos de la gente que le acompañaba. Llegó al río Grande y tomó posesión del territorio en nombre del rey de España (1598). A pesar de todos los obstáculos que se oponían a su marcha, la falta de recursos y los continuos motines, fue también el primero en reconocer la región que hoy ocupa el estado estadounidense de Kansas (1601).

Llegó hasta el Mar del Sur y fundó (1605) la ciudad de San Gabriel del Yunque, actualmente llamada Santa Fe, para capital de la provincia. Fue nombrado gobernador del territorio y continuaba su obra de colonizador, cuando le obligaron a renunciar (1607), llevándolo sus enemigos ante un tribunal que lo acusó de haber desobedecido al rey, por lo que lo condenaron a salir de Nuevo México.

Ópalo australiano.

Corel Stock Photo Library

oolita. Del griego *oón, huevo*, es una roca sedimentaria, por lo común una piedra caliza, formada de oolitos –partículas esferoidales parecidas a huevos de pescado y del tamaño de un grano de arena (0.25 a 2 mm de diámetro)– pegados unos con otros. Los oolitos tienen anillos concéntricos, constituidos regularmente de carbonato de calcio, alrededor de un núcleo como un fragmento de concha, una bolita de alga o un grano de cuarzo. Estas partículas ovoides se forman solamente en aguas poco profundas y de intenso oleaje como aquellas que existen cerca de los bancos de arena y los deltas. Para mover las partículas se requiere que la corriente tenga altas velocidades, pero los oolitos deben permanecer dentro del depósito el tiempo suficiente como para desarrollar una capa de carbonato.

ópalo. Mineral silíceo hidratado, generalmente traslúcido, duro y quebradizo, que ofrece diversas coloraciones, y que en ciertas formas es considerada piedra preciosa. Químicamente es un hidróxido de silicio amorfo, no cristalizado. La proporción de agua que interviene en su constitución es muy variable, ordinariamente de 5 a 12%. El ópalo que corresponde a la calidad de piedra preciosa ofrece numerosas variedades, entre las que citaremos el de fuego, de color rojo brillante y reflejos amarillentos que se encuentra en México; el común que se halla en Hungría, Bohemia y España, de coloración gris amarillenta, rojiza, azulada o blanquecina; el girasol, azul o amarillo de oro con reflejos muy intensos, que se halla en las islas Canarias; el noble, de Hungría y México, casi transparente, blanco o azulado; el de una curiosa especie tan porosa y ligera que llega a flotar en el agua; el leñoso que conserva la estructura fibrosa de los vegetales o troncos fosilizados de los que procede y que se encuentra en las islas Filipinas, Egipto y España.

El ópalo fue conocido desde muy antiguo (Plinio le daba los nombres de ojo del mundo o piedra mutable, debido a su irisaciones) y era considerado, por los supersticiosos, como de influencia nefasta.

Oparin, Aleksandr Ivanovich (1894-1980). Bioquímico ruso, pionero en el desarrollo de teorías sobre el origen de la vida. Bajo la influencia del pensamiento darwinista propuso en 1922 que los organismos primitivos podrían haber surgido de compuestos orgánicos ya existentes que a su vez provendrían de manera natural de compuestos más simples. Con ello Oparin extendió la teoría de la evolución hasta el origen de la vida. Propuso luego que los primeros organismos eran heterótrofos y obtenían sus nutrientes de fuentes diversas. Sus teorías encontraron gran oposición, pero Oparin respondió a sus críticos con resultados obtenidos en cuidadosos experimentos de laboratorio. Su obra definitiva es *El origen de la vida en la Tierra* (1936). Oparin fue director del Instituto A. N. Bakh de Bioquímica de Moscú desde 1946 hasta su muerte.

op art. El arte op (de óptico) fue un movimiento desarrollado en Europa y Estados Unidos. Por su relación con el constructivismo y el futurismo, ambos de origen europeo, tuvo mayor importancia en el continente europeo. El arte op se basa en principios científicos de dinámica perceptiva y centelleo retinal. Concentrado en el acto de percepción como el factor más importante del arte, este movimiento exploró el potencial, tanto de las imágenes en color como de las disposiciones lineales en blanco y negro, de inducir una experiencia visual. También emplearon efectos ilusionistas al oponer sistemas de perspectivas o áreas de color que contrastaban con violencia en tinte pero que tenían el mismo valor tonal. Tales confrontaciones creaban complejas pulsaciones de luz y movimiento. Los pioneros europeos de este estilo fueron Joseph Albers y Victor Vasarely. En Estados Unidos su principal exponente fue Richard Anuszkiewicz. En 1965 se presentó en el museo de Arte Moderno de Nueva York una extensa muestra llamada *El ojo sensible.* Debido a la importancia que el movimiento tiene para ambos estilos, el op art y la escultura cinética están estrechamente relacionados.

ópera. Obra teatral concebida y escrita para ser cantada por los actores que la representan, con acompañamiento orquestal. La ópera es un espectáculo complejo que se dirige a la inteligencia, al oído musical y a la vista, contiene música de jerarquía, junto con los argumentos, diálogos, acciones y decorados del teatro. La definición que hemos dado permite distinguirla de otros géneros con los que guarda cierto parentesco. La revista y el vandeville carecen de argumento orgánico; las cantatas y los oratorios reducen al mínimo el movimiento escénico; la opereta y la comedia musical tienen melodías de carácter semipopular. argumentos ligeros y diálogos hablados. La ópera –"ese entretenimiento irracional y exótico", como la definió el cáustico Samuel Johnson en Inglaterra en el siglo XVIII– es una forma artística muy costosa, que debe recibir subsidios del gobierno o de entidades privadas para poder subsistir. En casi todas las grandes ciudades es un símbolo de poderío social, estrechamente ligado a las inclinaciones de las clases superiores y alejado de los gustos populares. Su existencia depende de varias convenciones que el auditorio debe aceptar como válidas: la más importante consiste en admitir que las palabras puedan ser cantadas por los actores de un drama o comedia, en lugar de ser emitidas en forma natural. La ópera dramática equivale al drama y la tragedia del teatro clásico, la ópera y la ópera bufa equivalen a las diversas formas de la comedia.

Historia. Como muchas otras formas artísticas de nuestra civilización, la ópera tiene sus antecedentes más remotos en Grecia. Las tragedias helénicas usaban coros y otros elementos que reaparecieron en la escena de Italia, cuando algunos compositores empezaron a experimentar con breves dramas cantados. En 1597 se estrenó en Florencia una obra llamada *Dafne*, hoy desaparecida, que es juzgada generalmente como la primera ópera. Sus autores fueron el poeta Rinuccini y el músico Jacopo Peri, y la orquesta sólo constaba de cuatro instrumentos de cuerda. Tres años más tarde, en 1600, el mismo Peri y Giulio Caccini presentaron su obra *Eurídice* en una fiesta principesca. Estos experimentos atrajeron la atención de Claudio Monteverdi, el más distinguido de los músicos italianos de la época, quien presentó en Mantua, en 1607, su ópera *Orfeo*, en la que la declamación de los maestros florentinos se enriquecía con arias, escenas corales y trozos de ballet. Treinta años mas tarde se inauguraba en Venecia el primer teatro consagrado exclusivamente a la nueva forma artística, bautizada ya con la palabra latina ópera, que significa obra. La ópera veneciana abandonó bien pronto la sobriedad aristocrática del estilo florentino: sus argumentos se convirtieron en pesados melodramas, los coros fueron olvidados, se introdujeron efectos escénicos truculentos, la orquesta adquirió mayor importancia aparecieron las primeras oberturas y los solistas más o menos virtuosos comenzaron su largo reinado. Mientras Francesco Cavalli, Giovanni Legrenzi y Agostino Steffani desarrollaban el estilo veneciano, la ópera penetraba en Inglaterra gracias a Enrique Purcell y adquiría nueva fuerza melódica en Nápoles con Alejandro Scarlatli. El siglo XVIII trajo una renovación total en la técnica operística gracias a la obra de dos músicos geniales: Gluck y Mozart. En sus obras *Orfeo* y *Eurídice*, *Alcestes* e *Ifigenia* en Táuride, Gluck

Casa de la Ópera en París, Francia.

Corel Stock Photo Library

Corel Stock Photo Library

Interpretación de la ópera Aída *en el teatro Kirov de San Petesburgo, Rusia.*

se rebeló contra los convencionalismos italianos y logró que la ópera se convirtiese en verdadera creación dramática. Siguiendo sus huellas, Mozart logró amalgamar la melodía italiana con la jerarquía dramática lograda por Gluck. Paradójicamente, este compositor de origen alemán es autor de las dos óperas italianas más perfectas de todos los tiempos: *Las bodas de Fígaro* y *Don Giovanni* (*Don Juan*). En La flauta mágica supo también colocar los cimientos de la literatura operística alemana del siglo XIX, iniciada por Weber y Beethoven y llevada a su culminación por Wagner y Ricardo Strauss.

La ópera italiana resurgió en los primeros años del siglo XIX, gracias a Joaquín Rossini cuyos recursos fueron explotados por Donizetti y Bellini, y depurados más tarde por el fecundo José Verdi. La herencia de Verdi fue recogida por Puccini, Montemezzi, Mascagni y Leoncavallo; los dos últimos cultivaron el verismo, que trataba de reflejar la realidad sin caer en la opulencia grandilocuente de sus predecesores. Durante la segunda mitad del siglo XIX, florecieron varias escuelas nacionales de ópera, entre las que descuellan la rusa, con Glinka, Mussorgsky y Rimsky-Korsakov, y la francesa, con Berlioz, Gounod, Bizet, Massenet y Saint-Saens. Entretanto, Ricardo Wagner creaba en su Teatro modelo de Bayreuth el *drama del futuro*. Ensalzado y vituperado, ejerció sobre la historia del arte lírico una influencia más profunda que la de cualquier otro músico. A partir de la gran revolución wagneriana, la ópera ha demostrado una vitalidad que sus críticos no sospechaban. Entre las óperas más importantes de la primera mitad del siglo XX cabe mencionar la siguientes: *Pelléas et Mélisande*, de Debussy; *Salomé* y *Electra*, de Ricardo Strauss; *Porgy and Bess*, de Gershwin; *Wozzeck*, de Alban Berg, *Cardillac* de Paul Hindemith, y *Cristóbal Colón*, de Darío Milhaud.

Operas famosas. He aquí los argumentos y los rasgos principales de cincuenta óperas mundialmente famosas.

La Africana. Ópera romántica en cinco actos, compuesta en francés pero representada generalmente en italiano. Música de Jacobo Meyerbeer; estrenada en la Gran ópera de París en 1865. El libreto narra, con mucha libertad, la vida y los amores de Vasco de Gama. La escena se inicia en Lisboa, a comienzos del siglo XVI, y presenta al navegante cuando se aleja de doña Inés, su gran amor; Vasco es encarcelado, y la enamorada se asa con don Pedro para liberarlo de la prisión. Más tarde Vasco llega a una isla del África después de muchas peripecias y está a punto de casarse con Selika, princesa indígena. Pero doña Inés también había arribado a aquel lejano país, a pesar de un naufragio que cuesta la vida a don Pedro, su marido. La princesa Selika se da cuenta del amor que Vasco siente aún por Inés, y lo deja huir con ella. Meyerbeer juzgaba que ésta era su obra maestra, pero la crítica moderna prefiere Los hugonotes.

Aída. Ópera dramática en cuatro actos en italiano. Compuesta por José Verdi a petición de Tsmail Pashá, jedive de Egipto, para celebrar la apertura del canal de Suez. Estrenada en El Cairo en 1871. Grandilocuente y espectacular, sigue gozando de gran popularidad. El argumento narra que la esclava Aída, hija del rey de Etiopía, es amada por el general egipcio Radamés, capitán de la Guardia Real. Pero Amneris, la hija del Faraón, también ama al apuesto militar y trata de conquistarlo, sin advertirlo Radamés traiciona a su patria y es condenado a muerte Amneris le ofrece salvarlo si promete casarse con ella Fiel a su amor, el capitán se niega y muere junto con Aída. La obra contiene muchas páginas célebres. Entre ellas, la *Marcha triunfal* del segundo acto, el *aria de Radamés Celeste Aída* y la vibrante *aria Ritorna vincitor* que entona la protagonista. Al prepararse para morir, Aída y Radamés entonan un dúo conmovedor: *o terra addio*.

El anillo de los Nibelungos. Tetralogía dramática de Ricardo Waguer, iniciada en 1852 y concluida en 1876. Esta obra, la más ambiciosa que jamás haya intentado un compositor, consta de un prólogo y tres partes, íntimamente unidos por su argumento y sus temas musicales. Las cuatro obras que componen esta tetralogía monumental *El oro del Rin*, *La Valkiria*, *Sigfrido* y *El crepúsculo de los dioses* se tratan por separado en este artículo.

El barbero de Sevilla. Ópera cómica en dos actos, en italiano. Música de Joaquín Rossini y argumento basado en la primera comedia de la trilogía del Fígaro de Beaumarchais. Estrenada en Roma, en 1816, y cantada en italiano. El conde Almaviva trata de conquistar a la bella y acaudalada Rosina, celosamente guardada por don Bartolo, su tutor, quien trata de casarse con ella para conseguir la dote. Fígaro, barbero y ayudante del conde, idea múltiples recursos para casar a los jóvenes; entre ellos, la humorística actuación de Basilio, maestro de canto y agente matrimonial. La música es ligera y brillante, y el ritmo de la obra no decae un solo momento. Los cantantes tienen ocasión de exhibir sus dotes en muchas escenas, entre ellas, la celebérrima *aria de Fígaro, Largo al factótum*, la difícil página *Una voce poco fa*, que canta Rosina, y el *aria La calumnia*, a cargo de don Basilio.

Los bodas de Fígaro. Ópera cómica en cuatro actos en italiano, compuesta por Wolfgang Amadeo Mozart y estrenada en Viena en 1786. Se inspira, como el Barbero rossiniano, en la segunda de las comedias del Fígaro de Beaumarchais. Fígaro, barbero del conde Almaviva, quiere casarse con la joven Susana, doncella de la condesa Almaviva. Pero los equívocos y enredos no tardan en multiplicarse: el conde corteja a Susana y tiene celos de Rosina, su esposa, que mira con tiernos ojos a Cherubino, su paje y admirador, a su vez, Fígaro desconfía de Susana. Mozart saca admirable provecho del argumento, creando una música juguetona y colorida, de deliciosa claridad. Entre las páginas más conocidas sobresalen la chispeante Obertura; las *arias Non so piar* y *Voi che sapete*, cantadas por Cherubino en los actos primero y segundo, y el *ducto de la carta*, del acto tercero.

La Bohème. Ópera romántica en cuatro actos en italiano, con música de Giacomo Puccini y libreto extraído de la obra de Mürger Escenas de la vida bohemia. Estrenada en Turín en 1896. En una buhardilla del Barrio Latino de París, cuatro amigos llevan una vida desordenada y alegre, pero de penuria; son ellos: Mimí, una bordadora enferma de tuberculosis, Rodolfo, un poeta que la ama; Marcelo, un pintor, y Musetta, su novia. En el estudio de Rodolfo viven también Colline, un filósofo, y Schaunard, un músico. Mimí y Rodolfo tienen un altercado y se separan, pero el poeta torna a reunirse con su amada en el último acto, cuando se entera de que ella está agonizando. Los ribetes melodramáticos del argumento quedan suavizados por las ruidosas y movidas escenas intercaladas por Puccini. Páginas célebres son: *Mi chiamano Mimi*, aria con que se presenta la protagonista; *Che gelida manina*, narración de Rodolfo, y el *Vals de Musetta*.

Boris Godunov. Drama musical ruso en cuatro actos con música de Modesto Mussorgski, basado en la obra de Pushkin. Estrenado en la ópera imperial de San Petersburgo en 1874, fue revisado y modificado posteriormente por Rimsky-Korsakov. La ópera rusa culmina en esta partitura de asombrosa fuerza dramática. Boris, consejero privado del zar, ordena secretamente la muerte de Dimitri, único hijo del monarca; al morir éste, Boris ocupa el trono. Pero el monje Gregorio llega a conocer las circunstancias del asesinato y, aprovechando su parecido físico con el hijo del zar, convence al pueblo de que él es el auténtico heredero del trono y marcha hacia Moscú. Angustiado por los remordimientos y el terror, Boris enloquece y muere. La acción se desarrolla a fines del siglo XVI y se basa en hechos históricos. Las escenas colectivas y los soliloquios de Boris son de indescriptible potencia trágica.

El buque fantasma. Ópera dramática alemana con texto y música de Ricardo Wagner, estrenada en Dresde en 1843. El título verdadero es *Die fliegende Hollandischer* (*El holandés errante*). La escena tiene lugar en Noruega durante el siglo XVIII, El capitán Daland divisa desde su nave un extraño buque de casco negro y velamen rojo. El comandante de ese barco es un holandés que ha sido condenado a errar por los mares hasta que encuentre una mujer cuyo amor y fidelidad lo rediman de sus pecados. El holandés, que solamente puede bajar a tierra una vez cada siete años, pide a Daland que lo lleve a su hogar. Allí se encuentra con Senta, la hija de Daland, quien ama al joven Eric, pero se siente llamada a salvar al holandés errante, le promete casarse con él, pero en un momento dado el holandés ve a Eric arrodillado a los pies de Senta implorando su amor y cree que la joven le es infiel. Se embarca de nuevo, desesperado, y Senta se arroja al mar para suicidarse. El buque fantasma se hunde, pero Senta y el holandés, redimidos por la fidelidad, aparecen elevándose hacia los cielos. La popularísima *obertura*, *la Balada de Senta* y la rítmica *Canción de los marineros* son las páginas mejor conocidas de esta obra que Wagner escribió antes de los 30 años v que inicia la serie de sus grandes dramas.

El caballero de la Rosa. Ópera cómica alemana en tres actos compuesta por Ricardo Strauss, sobre libreto del dramaturgo Hugo von Hofmannsthal. Estrenada en Dresde, en 1911. El argumento retrata con humorística fidelidad la discutible conducta de las clases acaudaladas de Viena durante el siglo XVII. El nuevo rico Faninal intenta casar a su hija Sofía con el anciano barón Ochs de Lerchenau. El joven conde Octavio (interpretado por una mezzasoprano) enamorado de Sofía, trata de evitar el casamiento y lo logra despues de varias peripecias. La música, de brillante orquestación, utiliza diversos ritmos de vals con los que se ha preparado una suite sinfónica famosa.

Carmen. Ópera posromántica francesa en cuatro actos con música de Jorge Bizet y libro inspirado en la novela de Próspero Mérimée. Estrenada en París en 1875, se desarrolla en España hacia 1820. La cigarrera Carmen, una gitana fascinante, ha seducido a don José, un sargento de dragones que todo lo olvida por seguirla, don José abandona a Micaela, su antiguo amor, y se une a un grupo de contrabandistas, pero a su vez es abandonado por Carmen, que se ha enamorado del popular torero Escamillo. Don José, enloquecido por los celos, mata a Carmen junto a la puerta de la plaza de toros, mientras Escamillo abandona la arena para reunirse con ella. La música, de un españolismo un poco dudoso, pero sumamente brillante, contiene páginas tan famosas como la *Canción del toreador* que entona Escamillo, la *Habanera* cantada por Carmen, la bellísima *Aria de la flor*, a cargo de don José y el *colorido preludio*.

Cavalleria rusticana. Ópera verista italiana en un acto con música de Prieto Mascagni y argumento extraído de una narración siciliana de Giovanni Verga. Estrenada en Roma en 1890. La acción se desarrolla en la plaza de un poblado de Sicilia, en una bella mañana de abril. Turiddu, un soldado, regresa de la guerra y descubre que su novia Lola acaba de casarse con Alfio. Despechado, hace el amor a Santuzza, bella muchacha del lugar, pero la veleidosa Lola reconquista su amor. Desesperada, Santuzza informa a Alfio de lo que ocurre y en un duelo a cuchillo, Alfio mata a Turiddu. Los números más famosos son el Preludio, la Siciliana, que Turiddu canta desde fuera del escenario, el Intermezzo, que la orquesta ejecuta con la escena vacía, y el dúo de Santuzza y Turiddu.

El crepúsculo de los dioses *(Die Gotterdammerung).* Ultima parte de la tetralogía de *El anillo de los Nibelungos.* Música y texto de Ricardo Wagner; estrenada en el teatro de Bayreuth, en 1876. Sigfrido entrega el anillo mágico a Brunhilda, se despide amorosamente de ella y se separan; Hagen, hijo del gnomo Alberico, le da a Sigfrido una pócima mágica que le hace olvidar a Brunhilda y enamorarse perdidamente de Gutruna, la hermana del rey Gunther. Ha-

Vista interior de la Gran casa de ópera *en Texas, EE.. UU.*

Corel Stock Photo Library

Corel Stock Photo Library

John Woodvine interpretando a Falstaff, *en la ópera homónima de Verdi.*

gen mata a Sigfrido y Brunhilda perdona la infidelidad de éste al saber que obraba bajo el influjo de la bebida mágica. Brunhilda hace construir una gigantesca pira en la que incinera el cadáver de su amado. Brunkilda monta en su corcel de guerra y se lanza al cerco llameante. Las aguas del Rin se desbordan y las ondinas se apoderan del anillo, mientras el Valhalla, la terrible morada de los dioses, es consumida por las llamas. Ha concluido el reinado de los dioses y se inicia, gracias al sacrificio de Brunhilda, la era perenne del amor.

Esta obra contiene páginas de impresionante belleza; el *Viaje de Sigfrido al Rin*, la desgarradora *Marcha fúnebre* y la *Inmolación de Branhilda*, que cierra la última escena, síntesis de la estética wagneriana.

Los cuentos de Hoffmann. Ópera sentimental francesa, con música de Jacques Offenbach y libro basado en tres cuentos del narrador romántico alemán E. T. Hoffmann. Estrenada en París en 1881. En el prólogo, el poeta Hoffmann se halla bebiendo en una taberna de Nuremberg con un grupo de jóvenes, a quienes promete narrar la historia de sus tres grandes amores. Los tres actos de la ópera contienen estas narraciones. En el primero, Hoffmann se enamora de Olimpia, una muchacha bellísima que en realidad es una muñeca mecánica. En el segundo se siente atraído por Giulietta, una mujer fascinadora que primero lo atrae y luego lo abandona y se burla de él. En el tercero se enamora de Antonia, una virtuosa mujer que ama la música, pero está por morir de tuberculosis; al final Antonia trata de cantar con su bellísima voz pero cae muerta a causa del esfuerzo. Concluidas las narraciones, Hoffmann reaparece a solas, mustio y desconsolado, y se entrega a la bebida; pero una musa aparece ante su ojos y le recuerda que aún tiene su arte. Los elementos fantásticos y las suaves melodías se combinan de modo singular en esa ópera, cuya página más conocida es la armoniosa Barcarola que cantan la soprano y la contralto, en el acto segundo.

Don Giovanni. Ópera de estilo italiano, compuesta por Wolfgang Amadeo Mozart a los 30 años de edad, utilizando la arcaica leyenda española de *Don Juan, el burlador de Sevilla*. Estrenada en Praga, en 1787, representa la culminación de la ópera clásica. Don Juan, el perpetuo enamorado, acaba de seducir a doña Ana y de matar en duelo a don Pedro el padre de ella. Sólo doña Elvira, uno de sus antiguos amores, le guarda fidelidad; pero cuando don Juan engaña a la joven aldeana Zerina, sus víctimas planean vengarse. En una de sus correrías nocturnas, don Juan y su humorístico criado Leporello llegan frente a la estatua de don Pedro, a quien el burlador invita a cenar. Ante su asombro, una voz de ultratumba contesta aceptando la invitación. En la escena final, la estatua se presenta ante don Juan. El suelo se abre y manos infernales arrastran al libertino hacia el fuego eterno. Prodigio de equilibrio y armonía, el *Don Juan mozartiano* no ha podido ser superado por ninguno de los músicos que abordaron el tema.

Falstaff. Ópera cómica italiana, en tres actos, compuesta por Giuseppe Verdi y estrenada en Milán en 1893, cuando el autor tenía ochenta años. El libreto se basa en dos obras de Shakespeare: Las alegres comadres de Windsor y Enrique IV. El obeso y simpático Falstaff se ve envuelto en un enredo porque ha escrito dos cartas de amor exactamente iguales a dos mujeres casadas. Mientras los airados maridos tratan de buscar venganza, Falstaff se ve forzado a esconderse en un cesto de ropa que es arrojado al Támesis. Después de muchas peripecias, los perseguidores lo encuentran en medio de un oscuro bosque; disfrazados de hadas y espíritus, le proporcionan un tremendo susto y el burlón personaje se compromete a portarse bien en el futuro. Verdi nunca había escrito una ópera cómica, pero este trabajo de senectud resultó ser una de sus obras maestras.

La fanciulla del West (*La muchacha del Oeste*). Ópera en tres actos, estilo italiano, escrita por Puccini, utilizando la comedia del autor norteamericano David Belasco. Estrenada en New York, en 1910, se desarrolla en un campamento minero de California a mediados del siglo *xix*. El bandolero Ramérrez, que deambula con el nombre de Dick Johnson, ama a una muchacha llamada Minnie, que administra el salón de bebidas que le dejó su padre como única herencia. Pero el sheriff Jack Rance también ama a la muchacha y trata de encarcelar al bandido, éste decide llevar en lo sucesivo una vida honesta, pero es atrapado por los hombres de Rance. Minnie lo salva haciendo trampas en una partida de póquer con el sheriff, pero éste intenta hacerlo ahorcar por los mineros. La muchacha lo salva por segunda vez y ambos parten juntos. Esta historia del Oeste estadounidense fue utilizada con habilidad melódica por Puccini.

Fausto. Opera dramática francesa en cinco actos compuesta por Carlos Gounod y libreto basado en el poema *Fausto* de Goethe. Fue presentada al público de París en 1859. El doctor Fausto, anciano sabio, dedicado al estudio, invoca a Mefistófeles y éste le promere la juventud y el amor de la bella Margarita a cambio de su alma. Fausto firma el contrato y conquista el amor de Margarita, pero la traiciona y ella muere en la prisión. Mientras el alma de la muchacha es llevada al cielo entre las voces de los coros angélicos, Mefistófeles arrastra a Fausto hacia las regiones infernales. La ópera contiene páginas de gran belleza: el solo de Mefistófeles en el acto segundo, la *Canción de la rueca*, que canta Margarita, la *Canción de la flor* entonada por Siebel, amigo de Fausto, y el coro de los soldados en el acto cuarto, aparte de la música de ballet.

Fidelio. Ópera prerromántica alemana, la única que compuso Ludwig van Beethoven. Sus cuatro oberturas, compuestas por el gran músico en distintas épocas de su vida, son más conocidas que la ópera misma. La acción transcurre en una cárcel de Sevilla, durante el siglo XVIII. El noble Florestán ha sido encarcelado injustamente y en secreto por el jefe de la prisión, Pizarro. Pero la fiel Leonora, esposa de Florestán, descubre que su esposo está preso y penetra en la cárcel disfrazada con las ropas del joven Fidelio. Entretanto, Pizarro llega para matar a Florestán porque ha sabido que un ministro del rey se ha enterado de la prisión y pretende liberarlo. Leonora se interpone y el enviado del ministro llega a tiempo para poner en libertad a los esposos y castigar a Pizarro. El genial músico pudo componer con este argumento, una partitura llena de aciertos dramáticos. La obra fue estrenada en Viena en 1805.

Der Freischüt *(El francotirador o El cazador furtivo).* Ópera romántica alemana de Carlos María von Weber, presentada al público de Berlín en 1821. Weber utilizó una antigua leyenda germánica, según la cual una persona podía vender su alma al demonio y recibir en compensación siete balas mágicas; una vez empleada la última de tales balas debía entregar su espíritu al diablo, a menos que encontrase una persona dispuesta a vender su alma al diablo, en cuyo caso, el francotirador recibiría siete nuevas balas y más larga vida. Max y Agata son dos novios que viven en Bohemia hacia 1750; Agata promete casarse siempre que Max gane la próxima competencia de tiro. Inducido por su amigo Gaspar, Max invoca al demonio y firma el pacto. Durante la celebración de la competencia, Max dispara su séptima bala contra una paloma que resulta ser Agata, así transformada por el diablo. Pero unas flores mágicas que le había dado un ermitaño la salvan de la muerte. La bala se desvía y mata a Gaspar, cuya alma pasa a poder del diablo. Max y Ágata se unen para siempre.

Hänsel y Gretel. Ópera alemana de Engelbert Humperdinck, basada en una antigua narración infantil. Fue estrenada en Weimar en 1894 y su texto suele ser cantado en diversos idiomas, inclusive castellano. Hänsel y Gretel, hijos de un humilde fabricante de escobas, se pierden en un bosque mientras buscan fresas. Cae la noche, y ambos niños duermen protegidos por sus ángeles custodios; al amanecer ven una bella casita de caramelo en la que vive una bruja que desea convertirlos en estatuillas de mazapán. Gretel logra que la vieja se asome al horno y la empuja dentro del mismo. El padre y la madre hallan a ambos niños sanos y salvos. Los papeles de Hänsel y Gretel son desempeñados por una soprano y una mezzosoprano que deben tener gran ductilidad interpretativa.

La hija del regimiento. Ópera cómica de la escuela italiana, compuesta por Cayetano Donizetti Se canta en francés y su título original es *La fille du régiment,* pero también existe una versión italiana. Presentada al público de París en 1840, narra la historia de una muchacha huérfana que es adoptada por los soldados de un regimiento de Napoleón. La muchacha se enamora de un joven campesino que se incorpora al regimiento para acompañarla; las peripecias son narradas con ágiles recursos musicales en los dos actos de la obra.

Los hugonotes. Ópera dramática en cinco actos que Jacobo Meyerbeer presentó en francés, en París en 1836. Narra un episodio de la matanza de San Bartolomé, acaecida en Francia, en agosto de 1572. Para aplacar los ánimos exacerbados de católicos y protestantes se organiza el matrimonio de Valentina, una joven católica, con Raúl de Nangis, un noble protestante. Éste desconfía equivocadamente de la honestidad de su prometida y la denuncia en forma pública. Estalla entonces la terrible masacre de la noche de san Bartolomé; Raúl descubre demasiado tarde su error y abraza por última vez a Valentina antes de buscar la muerte en las calles. Un último acto, que no se suele representar, muestra el casamiento de los amantes y su posterior asesinato por un grupo de bandidos. Esta ópera, de espectacular despliegue, se ejecuta con poca frecuencia porque exige demasiados recursos técnicos y actores.

Le jongleur de Notre Dame. *(El juglar de Nuestra Señora).* Ópera francesa en tres actos compuesta por Jules Massenet, cuyo argumento se basa en una leyenda medieval. Fue estrenada en Montecarlo, en 1902. Juan, un juglar callejero, entra en un monasterio, y su amigo Bonifacio, el cocinero, le convence de que toda tarea bien realizada agrada a Dios. Juan se encierra en la capilla y realiza todos sus juegos ante una imagen de la Virgen; cuando los horrorizados monjes acuden al lugar descubren que la imagen ha adquirido vida y bendice a Juan, quien muere frente al altar.

Actor de la ópera china.

Corel Stock Photo Library

Lakmé. Ópera romántica francesa compuesta por Léo Delibes, y estrenada en París en 1883. La escena se desarrolla en la India, donde vive Lakmé hija del sacerdote brahmánico Nilakantha. Mientras ambos rezan para que los ingleses abandonen el país, penetra en la casa un grupo de turistas británicos entre los que se halla Gerald, un apuesto oficial. Ambos jóvenes se enamoran, pero el padre de Lakmé se disfraza de mendigo y busca al inglés por las calles de la ciudad; al encontrarlo le da una puñalada. Lakmé esconde y cura al herido, pero al enterarse de que ama a otra, se envenena y muere. El endeble argumento unido a la dificilísima partitura que Delibos escribió para la protagonista, hacen que la ópera no sea representada con frecuencia. La parte mejor lograda es el *Aria de las campanas,* que hizo famosa a Lily Pons.

Lohengrin. Ópera romántica alemana en tres actos, escrita y compuesta por Richard Wagner y presentada en Weimar a mediados de 1850. La acción tiene lugar en Alemania durante el siglo X. El joven duque Godofredo ha desaparecido y Telramund acusa falsamente a su hermana Elsa de haberlo asesinado. Cuando se llama a su defensor, aparece un apuesto caballero de reluciente armadura sobre una embarcación impulsada por un cisne. Pide a Elsa que nunca le pregunte su nombre, estirpe y origen; el caballero vence a Telramund y se casa con Elsa, pero en la noche de bodas, con la curiosidad acuciada por la perversa Ortruda, Elsa formula la interrogación fatídica. El caballero dice solemnemente, ante todos los presentes, que su nombre es Lohengrin y que es hijo del rey Parsifal, cuidador del Santo Grial que contiene la sangre de Cristo. Lohengrin libera al cisne, que se transforma en el joven duque desaparecido, y abandona el lugar. Elsa cae sin vida. Tres leyendas combinó Wagner, con hábil técnica, para producir esta obra maestra del arte romántico, llena de pomposas escenas e interés dramático y animada por una música de exuberante orquestación en donde sobresalen el *Preludio al Acto III* y la *Marcha nupcial.*

Lucia di Lamermoor. Ópera trágica italiana en tres actos compuesta por Cayetano Donizetti basandose en una novela de Walter Scott. Fue estrenada en Nápoles, en 1835. Por motivos económicos y políticos, sir Henry Ashton quiere que su hermana Lucia se case con sir Arthur Bucklaw. Pero Lucia ama a sir Edgar Ravenswood; su hermano falsifica una carta que demuestra la supuesta traición de sir Edgar y Lucía acepta contraer matrimonio con sir Arthur. Edgar irrumpe dramáticamente en el instante de la boda, y los protagonistas cantan el sexteto *Chimi Jrena,* una de las páginas más perfectas y famosas de la música operística. Lucia enfoque, mata a su futuro esposo y se suicida, mientras Edgar también se da muerte. Las páginas principales son el sexteto, la conocida Escena de la locura y el monólogo final de Edgar.

Luisa. Ópera romántica francesa en cuatro actos con letra y música de Gustave Charpentier. Presentada en Paris en 1900, gozó de una popularidad singular que hoy ha desaparecido. En conflicto entre el deber filial y sus aspiraciones personales, la costurera Luisa abandona el hogar para vivir con Julián, un pacta Ambos viven felices en una buhardilla de Montmartre hasta que aparece la madre de Luisa que anuncia la grave enfermedad del padre. Luisa regresa a su casa, el padre quiere que se quede, pero ella se niega y vuelve a la humilde vivienda de Julián. Las páginas más famosas son la *Coronación de la masa de Montmartre* y el *aria de Luisa, Depis le jour.*

Madame Butterfly. Ópera dramatica italiana en tres actos que se basa en una obra de John Luther Long y otra de David Belasco, ambos estadounidenses. La música es de Puccini y fue estrenada en Milán, en 1904. Para amenizar su estadía en el Japón, el marino norteamericano Pinkerton adquiere, al modo oriental una esposa que le ofrece Goro, agente matrimonial. La muchacha se llama Cho-Cho-San, pero el marino la llama *madame Butterfly.* Pinkerton regresa a su país, prometiendo volver cuando los pájaros aniden de nuevo en las ramas; tres años después Pinkerton regresa con una esposa estadounidense; ha olvidado a la pequeña geisha, que le espera con un hijo. La muchacha comprende que su amor es imposible y se suicida. Con su habilidad caracteristica, Puccini supo combinar elementos pintorescos y patéticos hasta producir un resultado óptimo. Partes famosas son: el solo de *madame Bulterfly, Un bel di vedremo,* y el dueto de amor *Viene la sera.*

Las Maestros Cantores de Nuremberg *(Die Meistersinger von Nürnberg).* Ópera cómica alemana en tres actos. Es una obra maestra de Wagner y se basa en la vida del poeta-artesano Hans Sachs y en la historia de los antiguos gremios alemanes. El caballero Walter von Stolzing se ha enamorado de la bella Eva, cuyo padre promete su mano al hombre que gane el concurso de canto que se celebrará entre los gremios de Nuremberg. El pedantesco Beckmesser, defensor de las reglas del torneo y candidato a la mano de Eva, se opone a la intervención de Walter. Pero Hans Sachs, hombre de talento auténtico y amplio espíritu, advierte que el caballero es un poeta inspirado y le permite entonar su admirable Canción del premio, con la que gana la preciada recompensa. Wagner presentó esta obra en Munich, en 1868, demostrando en ella una nueva faceta de su genio múltiple: el espíritu humorístico y satírico. La música tiene pasajes de asombrosa belleza rítmica y melódica.

Manon. Ópera dramática de Jules Massenet, basada en la novela Manon Lescaut del abate Prévost. Estrenada en Paris en 1884, narra que Manon Lescaut se dirige hacia un convento y se detiene en Amiens, donde conoce al caballero Des Grieux y ambos deciden huir. Después de cierto tiempo, Manon abandona a Des Grieux y se marcha con el acaudalado noble De Brétigny. Des Grieux entra en un monasterio, pero Manon le sigue y logra recuperar su amor. Al final Manon es condenada al exilio por su conducta mientras espera la partida del buque en los muelles de El Havre, Des Grieux llega hasta ella para salvarla, pero la muchacha muere en sus brazos, agotada por privaciones y sufrimientos. El trozo más famoso es la canción El sueño que entona Des Grieux.

Con el título de *Manon Lescaut* e idéntico argumento, Puccini presentó nueve años más tarde una ópera que no ha podido desplazar en el favor de los públicos a la de Alassenet.

Marta. Ópera romántica al estilo francés en tres actos compuesta por el alemán Federico von Flotow en 1847. La escena se desarrolla en Inglaterra. Lady Harriet Durham, dama de honor de la reina Ana, está hastiada de la vida cortesana; cierto día decide, en compañía de su doncella Nancy, visitar una feria rural, disfrazada de aldeana. Allí ambas se encuentran con dos campesinos prósperos, Lionel y Plunkett, que con toda seriedad les ofrecen empleo como sirvientas. Después de muchas peripecias, las dos parejos terminan por enamorarse y contraen matrimonio. La melodía de la soprano, *La última rosa de verano,* goza de gran popularidad, así como el aria de Lionel titulada *M'appari.*

Mignon. Ópera sentimental francesa compuesta por Ambrosio Thomas utilizando un tema de Willelm Meister de Goethe. Estrenada en París en 1866, pertenece a la época postromántica. Mignon, una joven bailarina que viaja con un grupo de gitanos, es salvada de su cautiverio por Wilhelm Meister, un estudiante de espíritu aventurero, quien le permite viajar a su lado como paje. Mignon se enamora de Wilhelm, pero éste no le presta atención, atraído por los encantos de Filina, una actriz. Mignon sufre heridas durante el incendio de un castillo y es salvada de las llamas por el estudiante, que advierte que la ama. Lotario, un viejo trovador que es en realidad un noble italiano aquejado de amnesia, la lleva consigo a Italia y descubre, al recobrar la memoria, que Mignon es su hija que fuera raptada por los gitanos. Llega Wilhelm y declara su amor a la muchacha. Páginas famosas son: *Connais-tu le pays?* cantada por Mignon sobre unos versos célebres de Goethe, *la Polonesa* de Filina y la *Canción de cuna,* de Lotario, además de la obertura.

El oro del Rin *(Das Rheingold).* Preludio en cuatro escenas de la vasta tetralogía wagneriana *El anillo del Nibelungo.* Estrenada en Munich en 1869. El odioso gnomo Alberico oye de labios de las ondinas del Rin una revelación sorprendente: el hombre que renuncie para siempre al amor podrá robar el tesoro que ellas guardan, el oro del Rin, y un anillo hecho con el mismo lo convertirá en amo del mundo. Alberico reniega del amor y se adueña del oro,

Casa de la ópera *en Sidney Australia.*

Corel Stock Photo Library

con el que fabrica el anillo y un yelmo mágico llamado Tarn helm. Wotan, padre de los dioses, quita el anillo al gnomo y lo entrega a los gigantes Fasolt y Fafner en cumplimiento de una promesa. Los gigantes riñen y Fafner mata a su hermano. Alberico, transformado en sapo, lanza una maldición sobre el anillo. Así queda anudada la vasta tragedia, que prosigue con *La Valkiria*.

Otelo. Ópera dramática italiana en cuatro actos, compuesta por Giuseppe Verdi y basada en la tragedia de Shakespeare. Se estrenó en Milán en 1887 e inicia una nueva época en la vasta producción de Verdi. Creyéndose injuriado por Otelo, el gran capitán moro de Venecia, el tortuoso Yago urde un plan para arruinar su felicidad. Con habilidad diabólica instila en el alma de Otelo el veneno de los celos, insinuando que su joven y bella esposa, Desdémona, le es infiel. Enloquecido por las sospechas y la angustia, el moro estrangula a Desdémona en el lecho; súbitamente, un relámpago de lucidez le muestra la profundidad del error y del engaño, y se suicida. Páginas conocidas son el *Credo* de Yago, el *Ave María* de Desdémona y la *Muerte de Otelo*.

I Pagliacci (*Los payasos*). Ópera dramática italiana, única de Ruggiero Leoncavallo que se mantiene en los escenarios. Consta de un prólogo y dos actos breves, cuyo argumento se asemeja al de *Un drama nuevo* de Tamayo y Baus. La escena se sitúa en un villorrio de Calabria, donde actúa una compañía de comediantes. Canio, jefe del conjunto, tiene celos de su esposa Nedda, que planea fugarse con Silvio, un habitante del lugar. La compañía representa ura obra en la que Canio desempeña el papel de Paglinecio, que tiene celos de su esposa Colombina, encarnada precisamente por Nedda. Incapaz de contener sus impulsos, Canio se deja llevar por la similitud de las situaciones y mata a Nedda de una puñalada. Silvio, que se halla entre el público, se abalanza sobre el escenario, pero también es muerto. Enloquecido de dolor, Canio se vuelve al auditorio y musita: "Aplaudid, amigos: la comedia ha concluido". La obra es muy breve y su material dramático ha sido dosificado con maestría. Aparte del bello prólogo cantado por el barítono, contiene dos arias para tenor que el recuerdo de todos los públicos asocia al nombre de Enrico Caruso, su gran intérprete: *Vestí la giubba* y *No, papliaccio non sono*. El mismo Leoncavallo escribió la letra de la ópera, que fue presentada al público de Milán en 1892 y generalmente se interpreta junto con *Cavalleria rusticana*.

Parsifal. Monumental drama sacro que cierra la producción de Richard Wagner. Estrenado en el teatro de Bayreuth en 1882, meses antes de la muerte del autor, marca el abandono de los temas paganos por una leyenda cristiana. En un castillo de la España medieval, el Montsalvat, vive un grupo de caballeros que se ha consagrado a cuidar el Santo Grial, la copa en que bebió Jesucristo durante la última Cena y en la que fue recogida su sangre, durante la Crucifixión. El malvado Klingsor, un mago que no ha podido ingresar en la orden, vive cerca del castillo y abriga el deseo de apoderarse de su divina reliquia. Con la ayuda de una mujer de extraordinaria belleza, llamada Kundry, logra apoderarse de la lanza con que Cristo fue herido durante la Pasión; con la lanza hiere a Amfortas, hijo del rey Titurel, guardador del Grial. Una revelación celestial explica a Amfortas que su herida sólo será curada por un joven inocente, simple y puro. Entonces aparece Parsifal, que obtiene la lanza de Klingsor y es declarado sumo sacerdote del Montsalvat; el joven toca con su lanza la herida de Amfortas, y éste se cura de inmediato. La música de *Parsifal* tiene pasajes de inolvidable belleza, como el Preludio del acto primero y el llamado *Encantamiento del Viernes Santo*.

Pellèas et Mélisande. Ópera dramática compuesta por Claudio Aquiles Debussy y estrenada en París en 1902. La profunda originalidad de su concepción musical ha sido obstáculo para que ganara el favor del público, habituado al colorido superficial del bel canto. El argumento proviene de la obra homónima de Mauricio Maeterlinck, cargada de simbólico misticismo y se divide en cinco actos. Golaud encuentra en un bosque a Mélisande llorando y la lleva al castillo real como su esposa. Mélisande se enamora de Pellhas, el joven hermanastro de Golaud; éste descubre el secreto amor y asesina a Pelleas. Repitiendo que su amor era inocente, Mélisande muere en el palacio. Debussy ha evitado todos los recursos efectistas de la ópera alemana e italiana y ha logrado hallar matices absolutamente nuevos en el género operístico. Entre las escenas más bellas se cuentan el diálogo de ambos jóvenes junto a la ventana del castillo y la escena del estanque, entre Mélisande y Golaud.

Porgy and Bess. Ópera costumbrista estadounidense en tres actos, que ha logrado renombre universal. Compuesta por George Gershwin, se basa en una comedia dramática de Du Bose Heyward y contiene muchos elementos extraídos del folclore negro. Fue estrenada en New York en 1935. La escena se desarrolla en una calle típica de Charleston, en Carolina del Sur, y todos los personajes son negros. Bess es la novia del holgazán Crown, que en un momento de ofuscación mata a un hombre y tiene que huir; sola y abandonada, Bess busca el amparo de Porgy, un mendigo lisiado. Pero Crown regresa y Porgy lo mata, y es enviado a la cárcel. Al salir descubre que Bess ha huido a New York con un traficante de drogas. Con la resignación de su raza, Porgy toma su cabra y su carromato e inicia la lenta marcha hacia la gran ciudad, inientras cae el telón. Esta historia amarga y colorida, con ribetes humorísticos y patéticos, ha servido a Gershwin para elaborar una musica de novedosa fuerza rítmica que emplea recursos de los blues y del jazz.

Rigoletto. Ópera dramática italiana que José Verdi compuso en 1851 sobre la base de la obra de Víctor Hugo *El rey se divierte*. El licencioso duque de Mantua obtiene el amor de Gilda, hija de Rigoletto, el jorobado bufón de la corte. Rigoletto conspira contra el duque, pero su hija se entera del plan y sustituye a la víctima. El bufón recibe un saco en el que debería estar el cadáver del duque, pero sólo halla en el mismo el cuerpo moribundo de su hija. A despecho del argumento truculento y melodramático, Verdi compuso una serie de melodías inolvidables. Ninguna ópera tiene tantas páginas famosas como Rigoletto: el dugue de Mantua entona la celebérrima aria *La donna e mobile* y las ágiles estrofas de Questa o quella; Gilda canta *Caro nome*, melodía predilecta de las sopranos de coloratura, y Rigoletto entona la trágica aria *Parísiamo*. Los cuatro personajes principales cantan además el cuarteto *Bella fiplia dell'amore*, traducido a todos los idiomas.

Romeo y Julieta. Ópera romántica en cinco actos cuyo argumento proviene de la tragedia homónima de Shakespeare. Compuesta por Carlos Gounod y presentada en Paris en 1867. Los jóvenes Romeo y Julieta, pertenecientes a las familias rivales de Montescos y Capuletos, son casados en secreto por fray Lorenzo; cuando la situación de ambos se torna desesperada, el fraile da a Julieta una poción que le permitirá dormir como si estuviera muerta y manda llamar a Romeo. Un equívoco desgraciado hace que el joven, al hallar a su amada, la crea muerta; angustiado, bebe un veneno y cae muerto a su lado. Cuando despierta, Julieta ve la agonía de su amado y se quita la vida con una daga. El fragmento más famoso de la obra es el alegre vals que canta Julieta en el primer acto.

Salomé. Ópera dramática alemana con partitura de Ricardo Strauss y argumento extraído de una obra de Óscar Wilde inspirada en la narración bíblica de la muerte de San Juan Bautista. Herodes Antipas, tetrarca de Judea, ama a su hijastra Salomé, pero ésta se siente atraída por el profeta Juan; aunque encarcelado por Herodes, Juan rechaza el amor de la mujer. El tetrarca indica a Salomé que le pida lo que desea pues su solicitud será cumplida. Salomé pide la cabeza del Bautista, y cuando la recibe y comienza a acariciarla, Herodes ordena a los guardias que la maten. El amargo argumento ha impedido que esta ópera de música exuberante se hiciera más popular. Su estreno tuvo lugar en Dresde, en 1905.

Sansón y Dalila. Ópera dramática francesa en tres actos cantada en francés e inspirada en la narración bíblica. Compuesta por Camile SaintSaens y estrenada en Weimar durante el año 1877. Sansón, jefe hebreo de asombrosa fuerza, cae en las redes amorosas de Dalila, que lo entrega en manos de los filisteos. En el segundo acto aparece rapado, ciego y encadenado ante un festín de los filisteos; pere invoca a Jehová se abraza a las columnas del edificio y lo derrumba. La música, de gran riqueza melódica, culmina en los coros del primer acto, en la exquisita canción de amor de Dalila *Mi corazón se abre a tu voz* y en la *Bacanal* del último acto que las orquestas sinfónicas y las compañías de ballet suelen interpretar por separado.

Sigfrido. Tercera parte de la tetralogía *El anillo del Nibelungo.* Wagner la presentó en su teatro de Bayreuth en 1876. Sigfrido, el hijo de Siglinda, es criado por el enano Mime, le incumbe la misión de vencer al gigante Fafner, dueño del anillo mágico, quien se ha transformado en feroz dragón. Con los pedazos de la espada de su padre forja un arma nueva con la que derrota a Fafner y le quita el anillo. Después de beber unas gotas de la sangre del dragón, Sigfrido aprende a entender el lenguaje de los pájaros; uno de éstos lo conduce a donde se halla la valkiria Brunhilda, que duerme protegida por un círculo de fuego y Sigfrido la despierta con un beso. Los dioses han perdido el anillo mágico; su reinado toca a su fin. La última parte de El *crepúsculo de los dioses*, habrá de relatarlo.

Tannhäuser. Ópera romántica al estilo tradicional que Richard Wagner escribió antes de dar forma definitiva a su drama musical. Estrenada en Dresde, en 1845, tiene tres actos y el argumento también pertenece al músico. Tannhauser, el caballero trovador, permanece durante un año en la morada de Venus, pero se hastía de su encantos y retorna al hogar. Allí encuentra a Isabel, su antigua novia, y a Wolfram, su viejo amigo y rival, quien lo insta a participar en un concurso de trovadores. Tannhäuser accede, pero comienza a cantar el placer del amor y la belleza de Venus y es expulsado. Arrepentido, se dirige a Roma para pedir el perdón del papa. Isabel lo aguarda, esperanzada, mientras Wolfram llora su soledad en el exquisito *Himno a la estrella vespertina.* Agotado y harapiento, Tannhauser regresa sin la ansiada bendición para morir junto a Isabel y a Wolfram. En el último instante su alma es salvada por las oraciones de la amada. Muchas son las páginas memorables de esta obra inmortal: los preludios de los actos primero y tercero, la *Música del Venusberg, el Coro de los peregrinos* y la canción de Wolfram a la estrella vespertina.

Thaïs. Ópera posromántica en cuatro actos de Jules Massenet con texto basado en la novela homónima de Anatole France. Fue estrenada en París en 1894. Narra la historia de la encantadora actriz y cortesana Thaïs, que es convertida por el monje Athanael después de muchos esfuerzas; pero el monje pierde la gracia divina y mientras Thaïs yace moribunda en un convento, llega hasta ella pidiendo que lo acompañe a Alejandría. El telón cae sobre una escena en que el monje llora su desesperación junto al lecho de muerte. El fragmento mejor conocido es la bella *Meditación* que forma el Intermezzo de la obra y simboliza la transformación espiritual de Thaïs.

Corel Stock Photo Library

Actor de la ópera de Beijing ejecutando El Rey Mono.

Real Casa de Ópera *en Londres, Inglaterra.*

Corel Stock Photo Library

Tosca. Ópera dramática italiana, compuesta por Puccini y estrenada en Roma en 1900; se basa en un drama de Sardou. Es la obra maestra del *verismo* italiano. La cantante Floria Tosca y el pintor Mario Cavaradossi son amantes en la Roma de 1800. Por salvar a un amigo revolucionario, el pintor ha caído en manos del perverso Scarpia, jefe de policía, quien promete salvar a Mario de la muerte siempre que Tosca se vaya a vivir con él; la cantante acepta, pero mata al jefe de policía cuando éste se le aproxima. Mario es ajusticiado y cuando llega la policía para prenderla, la angustiada Tosca se lanza al vacío desde un parapeto y muere. Esta ópera tiene escenas de dramatismo extremado, que realzan las bellas melodías de Puccini. Entre ellas se destacan el aria *Visi d'arte* que canta Tosca y dos bellos solos del protagonista: *Recondita armonia* y *E lucevam le stelle.*

La Traviata. Ópera dramática italiana, en tres actos, estrenada en Venecia, en 1853. Giuseppe Verdi compuso para ella una partitura emotiva. El texto es de Piave y se basa en *La dama de las camelias*, de Alejandro Dumas, hijo. Durante una fiesta celebrada en un salón de París, Violeta Valéry, bella mujer de dudosa regulación, se enamora de Alfredo Germont. Ambos viven juntos hasta que interviene el padre de Alfredo quien pide a Violeta que abandone al joven por respeto a la reputación de su familia. Así lo hace ella, aunque el joven cree que lo está traicionando, conoce la verdad cuando ya es demasiado tarde y Violeta muere de tuberculosis. Los preludios de los actos primero y tercero, el brindis del comienzo, el aria de Violeta *Ah, fors'e lui,* el monólogo del padre *Di Provenza il mare* y el dramático Addio del pasatto son los fragmentos más gustados de una partitura llena de aciertos melódicos.

Tristán e Isolda. Drama musical en tres actos de Richard Wagner, estrenado en Munich en 1865. El caballero Tristan conduce a la princesa irlandesa Isolda hacia Cornwall, donde habrá de casarse con el rey Marcos. Isolda prepara una copa de veneno e invita al caballero a beberla. Ambos beben el líquido, pero Isolda advierte demasiado tarde que Brangania, su doncella, ha mezclado una poción amorosa en el vaso y ambos quedan sujetos por un hechizo irresistible. Después de casada con el rey Marcos éste sorprende a Isolda con Tristán. Un caballero hiere en duelo a Tristán, que es llevado para su curación a un castillo de Bretaña. Mientras se dispone a morir llega Isolda, que canta su sublime *Muerte de amor*, una de las páginas más elevadas de la operística universal, y ambos expiran juntos. Además de este fragmento cabe recordar el Preludio del primer acto y el inmortal *Dúo de amor* del acto segundo. Algunos musicólogos consideran que el drama musical culmina en esta obra perfecta.

Il Trovatore. Ópera romántica italiana en cuatro actos y música de Giuseppe Verdi, presentada al público de Roma en 1853. El libreto narra que el trovador Manrico (que cuando era niño fue robado por los gitanos) ha sido criado por la gitana Azucena, pero que es hermano del conde de Luna. El conde y Manrico se han enamorado de la duquesa Leonora, dama de honor de la princesa de Aragón. El conde encarcela a Manrico y a su supuesta madre, Leonora le promete casarse con él si deja en libertad al trovador. El conde accede, pero Leonora ingiere un veneno y muere en brazos de Manrico, que es asesinado por el conde. La gitana le revela entonces que ha dado muerte a su propio hermano. Verdi matizó esta historia con páginas tan famosas como el *Miserere* de la contralto y el aria *Di quella pira* favorita de todos los tenores.

La Valkiria *(pie Walküre).* Segunda parte en tres actos de la tetralogía wagneriana *El anillo del Nibelungo.* Presentada en Munich, en 1870. Las Valkirias son las nueve hijas del dios Wotan; tienen la misión de cabalgar en sus corceles alados y recoger a los más valientes de los soldados caídos en el campo de batalla. Brunhilda, la primera de ellas, es la favorita de Wotan; sin embargo, durante una reyerta entre Hunding y Sigmundo, hijo humano del dios, toma partido por éste violando las órdenes recibidas y es transformada en mujer mortal. Airado, Wotan da muerte a ambos contendientes. Brunhilda entrega a Siglinda, la esposa de Sigmundo, los pedazos de la esposa del héroe. Wotan la sume entonces en profundo sueño y la rodea de una muralla de fuego, prometiéndole que será la esposa del primer hombre que tenga la valentía necesaria para atravesar la muralla y despertarla. Así termina la última escena, que prepara los elementos para la aparición de Sigfrido, héroe de la tercera parte de la tetralogía. En este último acto Wagner ha derrochado su genio musical con la rítmica *Cabalgata de las Valkirias*, la dramática *Despedida de Wotan* y el *Fuego mágico. Véanse* ESPECTÁCULOS; MÚSICA; ÓPERETA.

operación.

Acción y efecto de operar. Ejecución de una cosa cualquiera. En términos quirúrgicos, operación se le llama a la acción de cortar, abrir o separar una parte de un cuerpo vivo, mediante el uso de instrumentos adecuados. La operación practicada en un cadáver se llama autopsia y tiene por objeto realizar el examen anatómico del cuerpo. Al practicar una operación, el cirujano deberá elegir el método o procedimiento operatorio más conveniente, aprovechar las circunstancias más favorables y observar cuidadosamente el estado físico y moral del paciente. Se ha dado el nombre de *Método operatorio* al conjunto de preceptos que determinan las reglas operatorias y las indicaciones para la intervención quirúrgica aplicable a numerosas afecciones que varían por su naturaleza y localización. En la técnica militar, operación es toda maniobra bélica con fines tácticos o estratégicos. La operación matemática es el método por el cual, de ciertas cantidades conocidas, llamadas *datos,* podemos, obtener una nueva, llamada *resultado.* Las operaciones aritméticas fundamentales son: suma, resta, multiplicación, división, elevación a potencias y extracción de raíces. Operaciones bancarias son las efectuadas normalmente por los bancos, tales como descuentos, préstamos, cuentas corrientes, etcétera.

operación matemática.

Véase ÁLGEBRA.

operación quirúrgica.

Véase CIRUGÍA.

operativo, sistema.

Programa de computadora que coordina los procesos de la operación de ésta. Este programa establece la secuencia de trabajos que debe ejecutar la computadora y asigna diversas tareas a las distintas unidades. También le ordena a la Unidad Central de Procesamiento (CPU, por sus siglas en inglés) cargar, almacenar y ejecutar programas; y procesa la diversidad de datos que entran y salen a través de las unidades de entrada/salida.

Los primeros sistemas operativos, producidos en los años cincuenta, estaban diseñados para ejecutar un procesamiento por lotes. Los usuarios remitían los programas y los datos a un operador de sistemas que enlistaba las *tareas* almacenadas en conjunto. En el procesamiento por lotes, ningún trabajo podía ser modificado una vez que se encontraba en la fila. Posteriormente se desarrollaron sistemas operativos interactivos que permitían que los usuarios modificaran los programas mientras éstos eran corridos o que alteraran los datos producidos por el programa mismo. Los sistemas de multitareas, el principal avance que siguió, permitían que uno o más usuarios ejecutaran varios programas al mismo tiempo. Los sistemas operativos que controlan la conexión en red de varias computadoras fueron una consecuencia natural. Entre la gran variedad de sistemas operativos disponibles actualmente, ejemplos conocidos son el *Ms-dos* y *Windows* de Microsoft, *Macintosh* de Apple y el sistema *UNIX*, diseñado en su primera versión por Bell Laboratories.

A medida que los sistemas operativos crecen en tamaño y complejidad, su mantenimiento se vuelve más difícil. Por esta razón, muchas tareas que tradicionalmente eran desarrolladas por los sistemas operativos se asignan en su lugar a aplicaciones de software.

opérculo.

Véase PEZ.

opereta.

Ópera de carácter frívolo en la que alterna el canto con la declamación y que ha tenido una evolución constante para satisfacer las exigencias del público de cada época. Mucho se ha aproximado a este género la llamada *zarzuela grande española*, con piezas musicales bellísimas y populares, pero su regionalismo le ha restado la universalidad alcanzada por las operetas francesas y austriacas. En 1848, Hervé, presenta una especie de intermedio titulado *Don Quijote y Sancho Panza*, y en 1858 el genio de Offenbach orienta el género por su verdadera senda con *Orfeo en los infiernos*, obra en que aparecen los principios básicos de las operetas del futuro: la romanza, la canción, el baile, el cuplé y la sátira de actualidad. Hasta fines del siglo XIX son los franceses los que mantienen la supremacía con *Madame Angot* (1873), *Las campanas de Corneville* (1877), *La mascota* (1880) y *Mam'zell Nitouche* (1883). En el mismo periodo aparecen *Boccaccio* (1880), de Suppé, y *El vendedor de pájaros* (1881), de Zeller, ambos alemanes; y *El murciélago* (1874) y *El barón de los gitanos* (1885), del vienés Johann Strauss hijo, quien introduce los valses como motivo principal en el género. En 1907 comienza la época que pertenece por entero a la opereta vienesa con obras que luego se hacen universales: de Leo Fall, *La princesa del dólar* y *La divorciada*; de Franz Lehar, la mundialmente aclamada *La viuda alegre*, llevada al cine mudo y al sonoro, *El conde de Luxemburgo* y *Eva*; de Oscar Strauss, *El sueño de un vals* y *El último vals*; de Emmerich Kalman, *La princesa de las czardas* y *La condesa Maritza.*

operón.

Término que designa a un gen y sus elementos genéticos, que actúan como interruptor de entrada y salida en la regulación de la transcripción de un gen. El operón aparece en los procariotas como las bacterias y las cianobacterias (el alga verde-azul).

Casi todos los organismos contienen su material genético en forma de ácido desoxirribonucleico (ADN). Dicho material genético se compone de muchas secuencias distintas de un sinfín de nucleótidos. Por ejemplo: en los seres humanos existen 3 mil millones de pares de nucleótidos en un solo grupo de 23 cromosomas. Muchas secuencias de nucleótidos parecen no tener función, mientras que otras contienen información codificada determinada por las secuencias de aminoácidos del largo arreglo de proteínas encontradas en los organismos. Entre estas secuencias se encuentran los genes estructurales del ADN. Otro grupo de secuencias de nucleótidos consta de elementos genéticos distintos que regulan el proceso de transcripción de un gen estructural particular. Un gen estructural y sus elementos de transcripción constituyen el operón.

En un operón típico existen tres tipos de secuencias de nucleótidos de regulación: el promotor, el operador y el represor. El promotor es una sección de nucleótidos a la que debe enlazarse la enzima ARN-polimerasa antes de poder moverse y transcribir un gen estructural particular. Un promotor cuenta por lo general con unos diez nucleótidos localizados frente a su gen estructural acompañante. Esta sección participante de diez nucleótidos constituye el operador. Éste debe hallarse libre de cualquier molécula adherida para que la enzima ARN-polimerasa llegue al gen estructural. La tercera secuencia de nucleótidos es el gen represor, que contiene en código una proteína (proteína represora), que bajo ciertas condiciones se adhiere al operador, evitando así que la molécula ARN-polimerasa se mueva hacia el gen estructural. La acción del operón puede apreciarse mejor en la producción de dos tipos de enzimas: las enzimas inducibles y las reprimibles.

Enzimas inducibles. Las enzimas que bajo circunstancias preestablecidas incrementan su concentración se conocen como inducibles. Las enzimas inducibles dividen las moléculas de gran tamaño (sustratos) en otras más pequeñas. Una enzima inducible se produce sólo cuando el sustrato específico sobre el que actúa está presente. Por ejemplo: la enzima beta-galactosidasa, que descompone la lactosa en galactosa y glucosa, se forma sólo cuando la lactosa está presente. Cuando el sustrato lactosa, considerado un inductor, está presente, una de sus moléculas se combina con la proteína represora adherida al operador. Esto origina un cambio de constitución en la proteína, ocasionando que se separe del operador. Ocurrido esto, la enzima ARN-polimerasa pude llegar a transcribir el gen estructural, formando una línea de nucleótidos mensajeros de ácido ribonucleico (ARN), que constituyen el complemento del gen beta-galactosidasa. Ante la ausencia de lactosa la proteína represora puede adherirse al operador, bloqueando con ello cualquier movimiento de la enzima ARN-polimerasa.

Enzimas reprimibles. Las enzimas que en condiciones preestablecidas disminuyen su concentración se conocen como reprimibles. Las enzimas reprimibles agrupan pequeñas moléculas para formar otras más grandes. Una enzima reprimible se produce sólo cuando la molécula que forma está ausente. Por ejemplo: las enzimas que participan en la síntesis del aminoácido histidina se forman sólo cuando la cantidad de histidina libre en la célula se restringe drásticamente. Ante la ausencia de histidina libre, la combinación entre la proteína represora y el aminoácido se separa del operador y la molécula de histidina es empleada para producir la proteína. La proteína represora no puede adherirse a la secuencia operadora y la transcripción de los genes estructurales ocurre junto con la producción de las enzimas sintetizantes de la histidina. Cuando la histidina está presente, la proteína represora se combina con el aminoácido para formar una molécula capaz de adherirse al operador, evitando con ello la transcripción.

Regulación de los genes en los organismos eucariotas. La regulación de los genes en los organismos procariotas se efectúa mediante procesos que inhiben la transcripción, pero en los organismos eucariotas (protozoarios, moho y organismos superiores) la regulación de los genes está controlada mediante procesos que facilitan la transcripción. El inicio de la transcripción depende de la acción de una o más proteínas reguladoras que se enlazan a las secciones especiales de ADN localizadas cerca de cada uno de los promotores. Las proteínas reguladoras sirven para que las moléculas de ARN-polimerasa se unan al promotor contiguo, iniciándose así la transcripción. Un factor que complica esto es la presencia de tres tipos de enzimas ARN-polimerasa. Cada una de estas enzimas especializadas se une a los diversos promotores gracias a un tipo distinto de proteína reguladora. En gran número de organismos superiores las hormonas esteroides (estrógeno, progesterona, cortisol) y la hormona tiroidea funcionan como reguladores de genes. Estas hormonas activan la transcripción de genes específicos.

opinión pública.

Sentir o estimación en que coincide la generalidad de las personas acerca de asuntos determinados. Para el mejor desarrollo de las cuestiones que abarca este artículo, lo dividiremos en seis apartados.

Noción de la opinión. La opinión, en general, puede considerarse como un estado de la mente que oscila entre la duda y la certeza, puesto que su formulación no excluye aquellos elementos que pudieran cambiarla o transformarla. En tal aspecto, la opinión se diferencia del juicio en que éste, sea o no equivocado, tiene siempre carácter de firmeza, mientras que la opinión resulta algo provisional, aceptado como solución momentánea entre dos o más posiciones posibles de criterio. Esta distinción *psicológica* que hacemos resulta muy importante, ya que es capaz de explicar, por sí sola, las aparentes contradicciones que se han observado al recoger el estado de opinión de una masa que luego obró en forma distinta de aquella que se había presumido. Recuérdese que según la encuesta verificada en 1948, con ocasión de las elecciones presidenciales de Estados Unidos, por el Instituto Americano de la Opinión Pública (Gallup), debía triunfar el candidato demócrata Tomás A. Dewey y, sin embargo, fue Truman quien alcanzó el puesto.

Ciclo de formación de la opinión. Los factores que contribuyen a formar la opinión pública son numerosos y complejos. Cada modo de pensar, afirman los especialistas en psicología social, tiene una repercusión en el prójimo. Se obra sobre un punto determinado y pronto un círculo de influencia se extiende, y cuanto más se difunde tanto mayor es la fuerza sugestiva que adquiere, propagándose como por contagio, de manera que es difícil sustraerse a la influencia. De tal modo, las corrientes psíquicas van aumentando en la masa hasta alcanzar una fuerza tal que nunca hubieran adquirido en el individuo solitario. Pérez Galdós explica magistralmente este fenómeno en uno de sus *Episodios nacionales*, refiriéndose a la derrota que sufrieron los carlistas en el valle de Aranzazu, derrota que les obligó a abandonar precipitadamente el pueblo de Oñate, donde habían constituido su cuartel general, describe los momentos de pánico y nerviosismo en que el pueblo, ya desbordado, comentaba por calles y plazas la significación del desastre, y relata cómo el capellán Ibarburu supo, con habilidad dialéctica, transformar la opinión de las gentes sobre hecho tan evidente, haciéndoles creer en la pericia de los generales del ejército faccioso y en que el cielo no podía abandonarles porque todos ellos representaban la fe, la razón, el derecho, la justicia y la honradez, y tanto les incitó a que todos repitiesen que tal derrota no podía ser, que terminaron *conformándose por el pronto, repitiendo como papagayos que no podía ser y que no podía ser.*

Si analizamos el proceso de gestación de la opinión pública, veremos que intervienen en él tres clases de organismos, a saber: *los productores, los difusores* y los *colectores.* Los organismos *productores* son, principalmente, el gobierno y los partidos políticos. Cada uno de ellos, desde su respectiva esfera, tiende a crear un estado de opinión favorable a su causa valiéndose de todos los medios de propaganda, orales o escritos, que se hallan a su alcance. Como muy bien afirma Ortega y Gasset: "De lo que hoy se empieza a pensar depende lo que mañana se vivirá en las plazuelas". Los organismos *difusores* son el vehículo a través del cual puede hacerse conocer aquel pensamiento a la masa. La prensa, la radio, el cine, la televisión y el libro han sido los recursos *indirectos* de que se valen dichos organismos, los cuales, complementados con los *directos*, tales como reuniones, asambleas, conferencias, etcétera, sirven para trasmitir y sembrar entre la masa los elementos esenciales que luego harán germinar la opinión.

Bernard Shaw dice que "un club de filósofos políticos no puede convertirse en gobierno sin años de contacto con las muchedumbres" mediante libros, folletos y sobre todo, como sostenía Adolfo Hitler, mediante discursos en mítines, reforzados hoy enormemente por charlas que, con la radiotelefonía, llegan desde el estudio a todos los hogares. Así fue como los bolcheviques, que empezaron en un club marxista, llegaron en Rusia al poder con el apoyo de los campesinos y de los soldados, ninguno de los cuales era comunista, pero a quienes con discursos, folletos y periódicos se les llevó a creer que quienes les iban a dar la tierra y la paz eran ellos. Así fue también como Adolfo Hitler llegó a ser en Alemania un autócrata a quien apoyaban políticamente millones de alemanes a quienes de palabra y por escrito les habían hecho creer que él era una especie de Mesías.

Los órganos *colectores* concentran y canalizan las corrientes de opinión, dándoles su verdadera fisonomía y consistencia al patrocinarlas con la autoridad o el prestigio de su representación moral. Así vemos surgir dos tipos distintos de corrientes: las que pudieran llamarse intelectuales, que surgen de los centros escolares y universitarios, de los círculos, ateneos, tertulias literarias, salones, cafés, etcétera (bastará señalar al respecto la gran influencia que tuvieron en el movimiento de la *Enciclopedia* y, posteriormente, en la Revolución Francesa, ese género de reuniones celebradas en los propios salones de las gentes pudientes, y de los que salieron más tarde muchas de las principales figuras de la Convención), y las *sociales*, que se esparcen, como mancha de aceite por fábricas, talleres y oficinas hasta culminar en los sindicatos, que son sus exponentes.

Clases de opinión. Considerando lo anteriormente manifestado puede llegarse a la conclusión de que las opiniones de la masa pueden ser de cuatro clases, según la intervención mayor o menor que hayan tenido en su elaboración los elementos apuntados. Aclararemos, sin embargo, que la opinión pública es un producto exclusivo de la civilización moderna y, si se quiere, propia del periodo democrático, ya que el sistema político de la antigüedad en que el Estado se confundía con el Gobierno, aunado con la ignorancia de las muchedumbres, no era propicio para que aquéllas pudiesen manifestarse, y que en la Edad Media el régimen y las instituciones feudales coartaron notablemente la opinión hasta que el Renacimiento dio rienda suelta a la expansión comunicativa del pensamiento. Sin embargo, y por lo que se refiere a la Edad Moderna, debe hacerse la salvedad de que las monarquías absolutas que imperaron en sus comienzos no eran tampoco favorables a la creación de la opinión pública.

La opinión pública acerca de un hecho o asunto cualquiera es impuesta cuando la única fuente informativa que ha llegado a la masa procede de las declaraciones oficiales u oficiosas del Gobierno. Es indirecta cuando esas informaciones provienen únicamente de los órganos difusores, los cuales, muchas veces y por múltiples motivos que no es del caso detallar, pueden ser parciales o interesados, hasta el punto de tener que convenir con Sánchez Toca en que "no cabe determinar si es el periodismo la opinión de los lectores o bien los lectores la opinión del periódico". Es mixta cuando la información se produce asociando la visión directa del hecho o la consideración del asunto con la información que de ellos proporcionen los órganos difusores.

Debemos destacar aquí ese vicio psicológico, tan usual en las masas, de su *pereza a pensar por sí mismas*, por lo cómodo que resulta acomodarse y repetir los esquemas del pensamiento ajeno. Esto hace que la primitiva visión de un hecho, clara y acertada, pueda deformarse al no ser formulada inmediatamente por el propio sujeto, quien prefiere aceptar, por la causa indicada, el comentario de los otros sin detenerse a investigar si es el que realmente corresponde. Por último, la opinión pública es directa cuando ha sido formulada sin influencias extrañas de especie alguna. No ocultaremos que esto resulta bastante difícil, por no decir casi imposible, salvo los casos flagrantes de reacciones impulsivas de las masas ante el espectáculo de hechos vivos de diversa naturaleza, tales como tumultos, atropellos, catástrofes, ataques de fuerzas armadas, etcétera, en que aquélla se manifiesta impulsivamente y sobre el mismo lugar del suceso. Debe tenerse en cuenta que la opinión pública no es un concepto individual, sino masivo o colectivo; por tanto, su formulación nunca se hace a través de un sujeto, sino a través de un grupo de ellos, ligados por los vínculos de una mutua conformidad o disentimiento.

Modos de registrar la opinión. Los procedimientos empleados para recoger las manifestaciones de la opinión pública plantean un doble problema de orden sociológico y psicológico, siendo necesario saber entresacar, de cada experiencia de esa naturaleza que se realice, las enseñanzas que encierra, tanto en lo que se refiere al grado de instrucción y conocimiento que la masa sobre la que se ha operado demuestra tener acerca de las cuestiones que le fueron sometidas, como en lo que concierne a la actitud adoptada por el individuo frente a las mismas. La mayor o menor solidez de los materiales obtenidos sirve de poderosa guía; los resultados, de excelente orientación para dirigentes y educadores. Una opinión puede ser medida, a la vez, por su *cantidad*–como sucede con los sistemas electorales–, por su *calidad* –como ocurre en las encuestas especialmente dirigidas a un núcleo seleccionado de personas– o por su *intensidad* como en los procedimientos en virtud de los cuales se analiza el valor de las minorías opinantes. Estas medidas deben aplicarse aislada o conjuntamente, según sea el género de investigación que se efectúe, pero siempre con arreglo a un módulo o escala que sirva de índice valorativo. El encargado de realizarla debe procurar, ante todo, que cada interrogado responda según su propio criterio. De la pureza que las contestaciones tengan en dicho sentido depende la mayor parte del éxito de la investigación. La técnica empleada requiere un examen preliminar y minucioso del objeto que se proponga averiguar, no formulando sino después las respectivas cuestiones, cosa que debe ser hecha con la máxima precisión y claridad. Uno de los sistemas más generalizados es el del cuestionario, que puede ser manejado por la persona encargada de tomar directamente las respuestas del propio interesado; pero a veces estos cuestionarios se envían por correo o se publican en la prensa y, entonces, cotejando el número de los contestados con el de aquellos que no lo fueron, se pueden formular conclusiones acerca de la *intensidad* o grado de interés que ofrece la cuestión planteada. La organización de una encuesta requiere: *1*) formulación de preguntas; *2*) análisis de las respuestas; *3*) selección de las contestaciones, y *4*) tabulación de resultados. Las preguntas, como antes hemos dicho, deben ser claras y precisas, previendo la capacidad de comprensión de una mentalidad inferior, y dejando entrever, en lo posible, el género de respuesta que se desea, para evitar las divagaciones. Además, es conveniente, en muchos casos, que los cuestionarios lleven anotadas las circunstancias personales del consultado, sobre todo cuando su condición social puede influir en las ulteriores clasificaciones que se hagan con las respuestas, de las que pueden establecerse *núcleos* o *grupos de opinión*.

Las mejores preguntas son, sin duda, aquellas que entrañan una sola contestación positiva o negativa. Este género de interrogatorios hace innecesario el análisis de las respuestas, bastando para obtener resultados la simple clasificación y tabulación de los que establecen luego los respectivos porcentajes. Otra forma de cuestionario muy empleado consiste en comenzar por exponer ampliamente el objeto de la investigación, detallando luego las distintas actitudes que pueden adoptarse y rogar al cuestionado que tache las que no se conformen con su opinión y deje en blanco las que coinciden.

C. R. Pace facilita el siguiente ejemplo: "Su Estado necesita un impuesto complementario para equilibrar el presupuesto. Si usted pudiera votar y se sometiera al pueblo del Estado, para su aprobación, un proyecto de ley impositiva que previera un impuesto sobre la venta al por menor en general, ampliamente distribuido, ¿qué haría usted?: *a)* No votar de ningún modo; *b)* votar en favor del proyecto de ley; *c)* votar en contra del proyecto de ley; *d)* votar en favor del proyecto de ley y tratar de persuadir a otros de votar en favor de él; *e)* votar en contra del proyecto de ley y tratar de persuadir a otros de votar también en contra de él". La selección de las respuestas, así como las tabulaciones definitivas, pueden hacerse en la actualidad muy fácilmente y a salvo de errores –tan peligrosos cuando se manejan grandes cantidades de fichas– por medio de máquinas apropiadas, capaces de realizar en muy breve tiempo operaciones que antes hubieran requerido meses y años.

La historia de esas prodigiosas máquinas data de 1890, cuando la Oficina del Censo en Washington se hallaba ante el problema de compilar el 10° censo de Estados Unidos, labor que le exigió siete años de trabajo. El doctor Hollerith, que había sido contratado expresamente por el gobierno para solucionar tan grave cuestión, pues se preveían constantes aumentos de población y, por consiguiente, mayores dificultades censales, elaboró su famoso sistema mecánico de selección, registro, compilación y tabulación de datos por medio de fichas distribuidas y manejadas automáticamente en dispositivos adecuados. Así nació el sistema llamado *unitario* de clasificación, que emplea una sola ficha para todas las operaciones y hace posible, por medio de perforaciones, la obtención de los datos deseados con absoluta eficiencia, seguridad y rapidez.

Organismos encargados de registrar la opinión. Todos los Estados democráticos se han preocupado siempre de recoger la opinión pública, sobre todo porque a través de ella se conocen con mayor prontitud los errores y los aciertos, y porque constituye un barómetro seguro a través del cual es posible prevenir alteraciones y conflictos. Pero los datos que figuran al respecto en sus archivos tienen más bien un carácter de reseñas de tipo particular, enfocadas a un ambiente o situación determinada, careciendo de ese sentido generalizador que caracteriza a las obtenidas por procedimientos científicos. Los organismos que emplean la técnica de la investigación social son, casi siempre, los centros especializados expresamente creados para esas tareas, tales como el Instituto Americano de la Opinión Pública (Gallup) y el Centro Nacional de Investigación Pública de la Universidad de Denver, en Estados Unidos, o el Instituto Mexicano de la Opinión Pública, en Hispanoamérica. Estos

Corel Stock Photo Library

*Adormidera (*Papaver Somniferum*).*

organismos cuentan con personal técnico y experimentado y poseen, además, una perfecta instalación mecánica que les ayuda en sus trabajos. Se ha calculado que en la mayoría de las investigaciones efectuadas el coeficiente de errores no llega a 4%, por lo que, si se tienen en cuenta las veleidades de la opinión colectiva, puede afirmarse que los registros que de ella realizan son exactos en el sentido sociológico de la palabra. Muchas de tales encuestas son patrocinadas por los propios gobiernos y los periódicos, y las empresas particulares suelen encargarlas a su costa por serles de gran utilidad.

Campo de acción de la opinión pública. El ámbito de la investigación referente a la opinión pública resulta sumamente amplio. A través de ella puede conocerse desde la simpatía más o menos acentuada que los peatones tengan por un determinado sistema de regulación del tránsito hasta la opinión de las amas de casa en relación con la calidad del pan. El uso de ese género de investigaciones resulta, en la práctica, de gran utilidad, y las empresas comerciales que lo emplean pueden saber con certidumbre las razones de sus éxitos y fracasos, guiándoles al propio tiempo por vías seguras para lograr la prosperidad de sus negocios. La encuesta tiene otras veces la virtud de poner de relieve una necesidad social antes desconocida, señalando al propio tiempo los medios que deben ser empleados para satisfacerla. Y no sólo los fenómenos demográficos pueden ya pronosticarse de ese modo, sino otros muchos que ponen en evidencia, cada vez más, la existencia de una auténtica mecánica social cuyas leyes rigen los destinos de las sociedades con independencia de las voluntades individuales de cada uno de sus componentes. *Véanse* CENSURA, PROPAGANDA; PUBLICIDAD.

opio. Narcótico muy usado en medicina. Se obtiene mediante la desecación del jugo de las cabezas de la adormidera verde, llamada en términos técnicos *Papaver somniferum.* En dosis recetadas por el médico, el opio deprime la excitabilidad nerviosa y acelera las pulsaciones, pero ocasiona frecuentemente embriaguez y alucinaciones. En dosis altas provoca terribles convulsiones y luego la muerte. Los fumadores de este producto, que abundan en algunos países de Oriente, terminan padeciendo caquexias y luego embrutecimiento paulatino. Los principales alcaloides que contiene el opio, son: morfina, codeína, narceína y tebaína. Su sabor es amargo, el color opaco y el olor fuerte.

El opio fue conocido por los antiguos desde los tiempos más remotos. En los escritos de Teofrasto se designa con el nombre de *meconio,* Plinio *el Viejo* habla también de él y cita sus numerosas aplicaciones en medicina. Los árabes extendieron el uso del opio a Persia y a otros pueblos de Oriente. Aunque la adormidera produce en todas partes el jugo lechoso del cual se extrae el opio, la explotación comercial de la sustancia sólo es productiva en las regiones de clima templado o subtropical. Durante mucho tiempo su explotación fue una industria exclusiva de algunos países de Asia Menor, pero después pasó a otras zonas, entre ellas Egipto, la India y China. También se cultivó algo en Europa y América.

El opio ha sido objeto de intensísimo tráfico clandestino como producto destinado no sólo a la elaboración de preparados medicinales, sino como artículo de consumo en numerosos países. En 1757 la East Indian Company, una empresa inglesa, adquirió el monopolio del comercio del opio y pocos años después controlaba su cultivo en casi todo el territorio de la India. En 1839, atento a los estragos que ocasionaba la costumbre de fumar opio, el gobierno chino prohibió su importación y las medidas que adoptó en tal sentido provocaron la guerra anglo-china (1840-1842) que terminó con la derrota de China. Gran Bretaña obligó a la potencia vencida a abrir sus puertas al comercio del opio. De ahí que esta lucha se llame también guerra del Opio. El comercio internacional adquirió desde entonces enorme importancia en todo Oriente y muchos gobiernos europeos se sintieron también alarmados por la proliferación que el uso del opio estaba alcanzando en Occidente.

Después de duras batallas en el campo económico y diplomático, se llegó en 1912 a la adopción de convenios para el control internacional del opio y de otros estupefacientes. En 1922 se iniciaron debates en la Liga de las Naciones, en Ginebra, en torno a la prohibición del opio, y en 1925 dicho organismo aprobó una convención internacional que prohibió su tráfico ilícito. Como consecuencia de esta medida, el gobierno de la India anunció en 1926 que su producción iba a ser disminuida en 10% por año, y en 1936 declaró que sólo se limitaría a producir el opio necesario para usos medicinales. La conciencia internacional considera el uso del opio como un vicio trágico para la salud moral y física de la humanidad. *Véanse* ALCALOIDE; MORFINA.

Oporto. Llamada también Porto, importante ciudad de Portugal, segunda del país, situada sobre el río Duero, a 5 km de su desembocadura y en el centro de una amplia región vinícola. Es capital de la provincia de Douro Litoral. Tiene 350,000 habitantes (1997) y es uno de los principales puertos lusitanos e importante centro comercial y manufacturero. Entre sus industrias figuran la fabricación de tejidos, conservas, alfarería y joyería. Es el centro mercantil y distribuidor de los mundialmente famosos vinos de Oporto, fabricados con uvas seleccionadas de la región llamada Paiz do Vinho. Grandes depósitos para el almacenamiento de vino se encuentran en Vila Nova de Gaia, sector de la ciudad, en la orilla izquierda del río. Se supone que la *Cale* o *Portus Cale* de los romanos corresponde a Vila Nova de Gaia.

oposición. Procedimiento para proveer los empleos o cargos públicos mediante la prueba o examen de la capacidad técnica de los pretendientes. Se realiza mediante concurso de los pretendientes que deben demostrar su capacidad en ejercicios orales públicos y ejercicios escritos, conforme a programas establecidos previamente y en presencia de un tribunal. La oposición es superior a otros procedimientos para cerciorarse de la aptitud de los aspirantes, y resulta necesaria, especialmente para aquellos cargos que exigen una determinada preparación técnica. En astronomía, se dice que dos cuerpos celestes están en *oposición* cuando sus longitudes difieren 180°; si las longitudes son iguales, entonces están en *conjunción.*

opoterapia. Tratamiento de ciertas enfermedades o irregularidades funcionales del organismo, valiéndose de jugos o extractos procedentes de órganos de animales. Se denomina, también, organoterapia. La preparación de estas sustancias exige grandes cuidados, para evitar que los principios activos contenidos en tales órganos puedan alterarse o modificarse con la manipulación. En primer término, conviene que los órganos que se obtengan para esos fines procedan de animales sanos, así como que se hallen en perfecto estado y exentos de toda sospecha de anormalidad capaz de destruir las propiedades curativas de los elementos químicos que contienen, cuya naturaleza se desconoce a veces. Se procura, entre otras cosas, no someterlos a temperaturas superiores a 50 °C, que coagularían los albuminoides o destruirían las enzimas que los mismos contienen. Según el tratamiento, que puede ser por la vía bucal o hipodérmica, la preparación varía. Para lo primero, los órganos suelen reducirse a polvo seco, desmenuzándolos previamente con aparatos especiales y deshidratándolos luego por la acción del calor (40 °C). Realizado esto, se pulverizan y se lavan con eter para disolver las grasas que, con ser inocuas, podrían dar origen a ulteriores fermentaciones. Se conservan en frascos bien cerrados, preservándolos del aire y, sobre todo, de la humedad, pues estos polvos son muy higroscópicos. Los extractos se logran macerando estos mismos polvos en agua destilada. Cuando se preparan inyecciones hipodérmicas, conviene procurar la fluidez del líquido, así como su esterilización rigurosa por medio de autoclaves. Cada día se producen en mayor cantidad esta clase de preparados que se han revelado muy enérgicos para combatir buen número de afecciones. Los órganos animales más frecuentemente empleados son el timo, la tiroides, la hipófisis, los testículos, los ovarios, el hígado, el bazo, los riñones, la médula de los huesos, el tejido nervioso, etcétera. De varios de estos órganos y glándulas se han extraído hormonas y compuestos químicos tales como la adrenalina, procedentes de las cápsulas suprarrenales, muy utilizadas para reforzar la acción cardiaca; la insulina del páncreas, etcétera.

Oppenheim, Edward Phillips (1866-1946). Novelista inglés. Se dedicó con preferencia a los escritos de género policiaco en los que reveló ingenio y humor. Sobresalió entre sus contemporáneos creando un nuevo género de intriga y amenidad que ha alcanzado gran popularidad. Su obra literaria comprende más de cien novelas y numerosas narraciones cortas. Entre sus novelas más famosas se destacan: *El lobo y los corderos, El impostor, Siete tabernas de Marsella* y *La sonrisa de Morán.* En 1942 publicó sus memorias y en 1943 su última novela, *Mr. Mirabel.* Sus obras han sido traducidas a varios idiomas.

Oppenheimer, J. Robert (1904-1967). Físico estadounidense. Estudió en la Universidad de Harvard con Percy Bridgman y en Inglaterra, con Lord Rutherford, relacionándose allí con Niels Bohr. Profesor del Instituto Tecnológico de California y de la Universidad de Berkeley, desarrolló en esta última una escuela preeminente de físicos teóricos. En 1943 el gobierno de su país le encomendó la dirección del laboratorio científico de Los Álamos, en el que se efectuó trascendental labor de investigación que culminó con la fabricación de la bomba atómica. A la terminación de la Segunda Guerra Mundial, fue designado presidente de la comisión asesora sobre la energía atómica, y nombrado director del Instituto de Estudios Avanzados de la Universidad de Princeton, donde prosiguió sus investigaciones. En 1953 se le suspendió de sus cargos oficiales en los organismos relacionados con investigaciones atómicas hasta que se determinara en qué grado había estado ligado con elementos comunistas. Aunque se declaró que era un ciudadano leal, se mantuvo la orden de suspensión por considerarlo un riesgo para la seguridad militar de Estados Unidos.

optar. Pequeño aparato para facilitar la orientación de los ciegos. Se carga con una pila eléctrica y común y las personas ciegas lo pueden llevar consigo sin mayores molestias. Es como un radar diminuto que permite a los ciegos darse cuenta de la proximidad y situación de los obstáculos que puedan encontrar en su camino. *Véase* CEGUERA.

óptica. Parte de la física que trata de las leyes y fenómenos de la luz y de la visión. El primer libro sobre óptica se atribuye a Euclides. De éste a Tolomeo, que escribió sobre refracción, los progresos de la óptica fueron notables. En el siglo XI, Alhazen formó un cuerpo de doctrina con los fenómenos relativos a la refracción y reflexión de la luz. Sin embargo, hasta mediados del siglo XVI no llegó la óptica a constituirse como verdadera ciencia. Hoy es una de las más adelantadas y extensas, dividiéndose en: *geométrica, física, aplicada, médica,* etcétera. La primera, que estudia los fenómenos luminosos en su aspecto matemático, se subdivide en: catóptrica, que estudia la reflexión de la luz; dióptrica, que trata sobre la refracción de la luz; cromática, que se ocupa de la descomposición de la luz en colores, espectros luminosos, fosforescentes y fluorescencia. La óptica física estudia la naturaleza de la luz (teorías de la emisión, de la ondulación). La óptica aplicada, la utilización de lentes, espejos, prismas, diferentes aparatos de óptica desde el microscopio simple al más perfecto, anteojos, telescopios, aparatos de proyección y fotografía, etcétera. *Véase* FISICA.

optometría. Técnica de las mediciones visuales. Se basa fundamentalmente en la relación que existe entre el tamaño, la distancia, el color o la intensidad luminosa de determinadas imágenes u objetos y la capacidad visual de la persona que las obser-

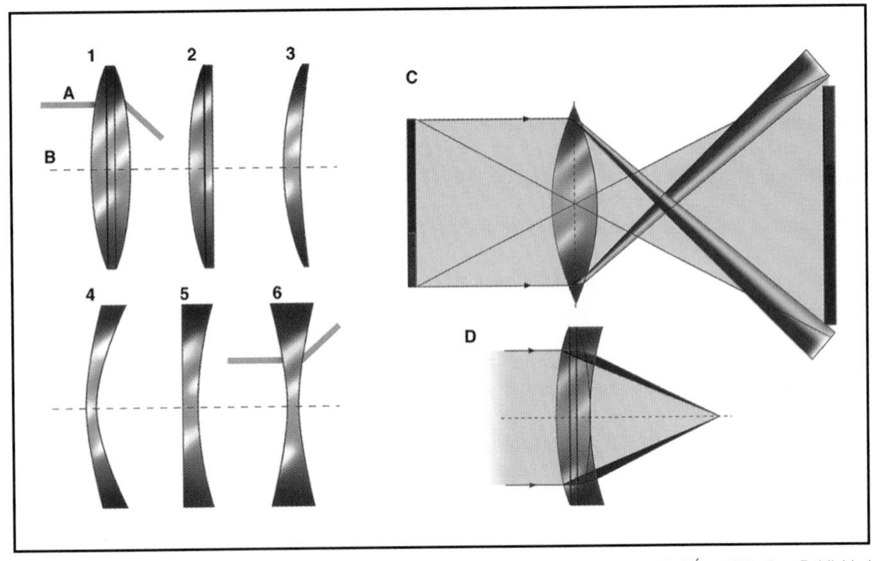

Del Ángel Diseño y Publicidad

Los lentes convergentes, reflejan la luz (A) hacia el eje (B). Existen los lentes de doble convección (1), plano convexos (2) y cóncavos convexos (3). Los lentes divergentes incluyen los convexocóncavos (4), los plano cóncavos (5) y los cóncavos dobles. La aberración cromática ocurre debido a varias ondas de longitud que son refractadas en diferentes ángulos (C). Combinando los lentes cóncavos y convexos (D) de diferentes tipos de vidrio, se puede corregir este defecto.

va. Para el reconocimiento de la vista los oculistas disponen de juegos de lentes de pruebas, optómetros y otros aparatos de examen óptico, y utilizan unos carteles blancos en los que se hallan impresos en negro caracteres del alfabeto ordenados por tamaños. Situado el paciente a cierta distancia se le hace leer las letras en orden de tamaño decreciente, hasta el momento en que éstas se hacen confusas e ilegibles. La diferencia entre la distancia que separa el observador del cartel y la que la escala señala para que una vista normal pueda leer los caracteres, indica la agudeza visual.

Opus Dei. Institución de la iglesia católica, de extensión y régimen universales, compuesta en 1982 por más de 72,000 miembros de 87 nacionalidades, de toda raza, estado y condición social. Fue fundado en 1928 por monseñor Escrivá de Balaguer. La finalidad del Opus Dei es difundir en todos los ambientes de la sociedad el mensaje evangélico de la llamada universal a la santidad y al apostolado, en medio de las circunstancias de la vida corriente, y específicamente, en el ejercicio del trabajo profesional ordinario. Son admitidos como cooperadores los no católicos y aun los no cristianos. El principal apostolado del Opus Dei es el que realiza cada uno de los socios con el ejemplo de su trabajo y de su vida cristiana. Los miembros del Opus Dei gozan de plena libertad personal en las cuestiones temporales.

Tras el fallecimiento de monseñor Escrivá de Balaguer (26 junio 1975) con fama de santidad, fue elegido sucesor, por unanimidad, monseñor Alvaro del Portillo. En noviembre de 1982 Juan Pablo II erigió el Opus Dei en Prelatura personal, figura jurídica creada por el Concilio Vaticano II que responde plenamente al carácter secular de los miembros de la institución.

oración. Invocación, ruego, súplica que se dirige a Dios y a los santos. Cuando se realiza por medio de actos interiores del entendimiento y la voluntad, se llama *mental*, y cuando se exteriorizan los efectos y deseos del alma por medio de palabras y signos externos, se llama vocal. Entre las principales oraciones de la religión católica, figuran el *Padre nuestro* y el *Ave maría*. La oración requiere fe, humildad, recogimiento, fervor e intención. La teología establece la necesidad de orar, que divide en dos clases: de medio y de precepto.

oración gramatical. Palabra o conjunto de palabras con que se expresa un concepto cabal. También puede decirse que es la expresión de un juicio lógico es decir, la manifestación del acto en virtud del cual afirmamos una cosa de otra. Los elementos esenciales de la oración gramatical son dos: el vocablo con que se designa el ser (persona, animal o cosa) de que se afirma algo, el sujeto, y el que expresa la cosa afirmada, el predicado. El sujeto ha de ser siempre un nombre sustantivo u otra palabra o expresión que haga sus veces. Puede omitirse cuando sea un pronombre o se trate de verbos unipersonales. El predicado es siempre un verbo solo o acompañado de otras palabras. También puede omitirse, pero sólo en casos muy raros.

El sujeto y el predicado, es decir, el nombre sustantivo y el verbo, que desempeñan la función de tales, son las dos palabras a las cuales se refieren inmediata o mediatamente todas las demás de la oración simple, por compleja que sea. El verbo es la palabra que por su propia naturaleza exige y admite más complementos que ninguna otra; pueden desempeñar el oficio de complementos del verbo un adjetivo, un adverbio o modo adverbial, un nombre o pronombre, otro verbo en infinitivo o gerundio y una oración entera. Complemento directo es la palabra que precisa la significación del verbo transitivo y denota, a la vez, el objeto sobre el cual recae la acción de éste. Responde a la pregunta *¿quién?* o *¿qué?*. Complemento indirecto es la palabra que expresa la persona, animal o cosa en quien se cumple o termina la acción del verbo. Responde a las preguntas *¿a quién?* o *¿para quién?* Complemento circunstancial es la palabra, modo adverbial o frase que termina o modifica la significación del verbo, denotando una circunstancia de lugar, tiempo, modo, materia, contenido, etcétera. Responde a las preguntas *¿dónde?*, *¿cuándo?*, *¿cómo?*, etcétera.

Los verbos transitivos o usados como tales pueden llevar los tres complementos; los intransitivos o neutros no pueden tener el directo, pero sí el indirecto y el circunstancial. Transitivo o activo es el verbo cuya acción pasa de la persona o cosa que la verifica a otra exterior y distinta de ella, intransitivo, aquel cuya acción no pasa de la persona que la verifica. La acción transitiva o intransitiva de muchos verbos no depende de ellos en sí mismos, sino de su construcción dentro de la oración y del modo como la concibe o expresa el entendimiento del que habla. Jamás se da oración sin sujeto y verbo, aunque el primero suele omitirse a veces y también el segundo, según se dijo antes. Atendiendo a la índole del verbo, las oraciones se dividen en: sustantivas, transitivas, intransitivas, pasivas, reflexivas, impersonales y unipersonales; atendiendo al modo en aseverativas, interrogativas, admirativas, desiderativas y exhortativas.

Oraciones de verbo sustantivo son las que expresan esencia o sustancia y se construyen con el verbo ser colocado entre el sujeto y un nombre o adjetivo o participio. Ejemplo: *Dios es omnipotente, Juan es pintor.* Transitivas son las que se construyen con verbos transitivos o sea aquellos cuya acción recae sobre un objeto distinto del sujeto: *San Fernando conquistó a Sevilla*; *Pedro ama la gloria.* Oraciones pasivas son aquellas en las que el sujeto, en vez de ejecutar la acción, la recibe; pueden ser primeras o segundas, según se indique o no el agente de la acción correspondiente. Ejemplos de las primeras: *La gloria es amada por Pedro, Sevilla fue conquistada por San Fernando*; ejemplos de las segundas: *La gloria es amada, Sevilla fue conquistada.* Como puede verse, la segunda se distingue de la primera porque carece de complemento agente y sólo consta, por tanto, de dos términos: sujeto y verbo. Reflexivas son las oraciones en que uno mismo es el que ejecuta y el que recibe la acción expresada por el verbo. Ejemplos: *Juan se lava, Tú te has hecho un traje, Yo me arrepiento.* La forma de expresión de estas oraciones es la voz activa del verbo con las formas átonas de los pronombres personales. Oraciones de verbo recíproco son una especie de las reflexivas, en las cuales dos o más sujetos ejecutan la acción expresada por el verbo, que se cruza o cambia entre ellos. Ejemplo: *Juan y Pedro se tutean.*

Oraciones impersonales son las construidas con los verbos de esta naturaleza, constan de una sola palabra. Ejemplo: *Llueve anochece, nieva.* También se llaman impersonales las oraciones que, sin sujeto alguno, se construyen con el pronombre indeterminado se y no expresan conceptos pasivos, ni el verbo tiene carácter de reflexivo. Ejemplos: *En los viajes* se *aprende mucho, En Buenos Aires* se *vive bien.* Aseverativas son aquellas oraciones en que afirmamos o negamos la realidad de un hecho o la posibilidad del mismo. Ejemplos: *Juan tiene veinte años, Antonio no quiere trabajar.* La primera se llama aseverativa afirmativa y la segunda, aseverativa negativa. Oración interrogativa es la expresión de un estado mental intermedio entre la aseverativa afirmativa y la aseverativa negativa. Ejemplos: *¿Ha venido Pedro? ¿Qué libro es ése?* Admirativas son aquellas en que ni preguntamos, ni negamos, ni afirmamos, sino que manifestamos sorpresa o admiración. Ejemplos: *¡Qué cosas has dicho, amigo! ¡Cómo llueve! ¡Si parece mentira lo que está pasando!* Desiderativas son aquellas en las que expresamos el deseo de que se verifique o no un hecho. Ejemplos: *Ojalá tengas éxito, Que sea enhorabuena, Así Dios te ayude.* Exhortativas son las que indican exhortación, mandato o prohibición. Ejemplos: *Tengamos la fiesta en paz, No salga nadie, Estudia tú, ¡Callad! ¡A cenar!* Elípticas son las oraciones que eliminan o suprimen el sujeto o el predicado de la oración. Ejemplos: *Canto, Buenos días.* En la primera se elide el sujeto *yo* y en la segunda, el verbo *te deseo.* Estas elisiones son muy corrientes en el habla común o familiar.

Hay también *oraciones de infinitivo* que constan de sujeto, verbo regido por él, un presente de infinitivo y un segundo término regido del verbo, cuando son primeras: *Todos pretenden obtener la preferencia.* En las segundas, el infinitivo es complemento del otro verbo: *El trabajador necesita descansar.* Las oraciones de infinitivo que se forman con los verbos ser y estar exigen un complemento de nombre, adjetivo o participio: *Quiero ser ingeniero, Deseo estar sentado.* También se forman oraciones de infinitivo con el gerundio, pero carecen de sentido si no se complementan con otras. Cuando el pensamiento que se quiere enunciar no cabe en una sola oración y ha de continuarse en otra, se usa el pronombre relativo, del cual toma su nombre la oración. Ejemplo: *Tu padre, que estuvo presente, no me desmentirá.* El mismo relativo sujeto en la oración precedente, sirve de complemento directo en otras: *Recibí la carta que me escribiste.* Según los calificativos, los adverbios, las conjunciones o las preposiciones con los cuales suelen comenzar las oraciones, reciben éstas las denominaciones de comparativas, condicionales, causales, copulativas, disyuntivas, adversativas, etcétera. Las oraciones que por sí solas hacen sentido se llaman simples: *La fe obra milagros.* Las que terminan en otra o dependen de ella se llaman compuestas: *Mientras Felipe comía, le dieron la noticia.* En la oración simple los elementos que intervienen son ideas expresadas por palabras; en la oración compuesta, juicios expresados por oraciones.

Las oraciones compuestas pueden ser de tres clases: coordinadas, yuxtapuestas y subordinadas. Todas las oraciones se unen en el periodo de dos modos: o siguen unas a continuación de otras, sin influencia recíproca entre sí, como *Juan desea, Antonio viene,* papá descansa, o se relacionan de tal modo que una se nos ofrece como complemento de otra, a la cual se subordina, no sólo en la manera de concebirla el entendimiento, sino también en el modo de expresión. Dos oraciones o más están *coordinadas* cuando el juicio enunciado en cada una de ellas se expresa como independiente del indicado por las demás, de manera que puede enunciarse solo, sin que por ello deje de entenderse clara y distintamente. La coordinación se verifica por medio de conjunciones; pero, cuando éstas se omiten, decimos que las oraciones se hallan yuxtapuestas o unidas por yuxtaposición. Las oraciones coordinadas se dividen, según la índole y naturaleza de la relación que mantienen entre sí, en copulativas, disyuntivas, adversativas, causales y consecutivas. Las copulativas consisten en dos o más oraciones, colocadas unas a continuación de las otras, enlazadas por las conjunciones copulativas *y, ni.* Es el modo más elemental y sencillo después de la yuxtaposición. En la coordinación adversativa las oraciones van unidas por las conjunciones *pero, mas, sino, aunque* y el adverbio *antes* (o *antes bien*), la locución *fuera de* y los adverbios *excepto, salvo, menos.* La coordinación causal está determinada por las conjunciones *que, pues, porque, por supuesto, puesto que, supuesto que.* La consecutiva por las conjunciones *pues, luego* y *conque*, además de por los modos conjuntivos por *consiguiente, ahora bien, así que* y algún otro.

Las oraciones subordinadas desempeñan en la oración compuesta el mismo oficio que los complementos del nombre o del verbo en la oración simple. Pueden ser adjetivas, sustantivas y adverbiales. Se las llama de *relativo* porque están unidas a su principal por un pronombre relativo y porque se refieren a un nombre o pronombre. Cuando equivalen a un adjetivo o participio se las llama también adjetivas. Son éstas las que se unen a otra, denominada principal, por medio de un pronombre relativo que. como tal, se refiere siempre a un pronombre expreso o sobrentendido en ella. Ejemplo: *De una dama era galán un vidriero que vivía en Tremecén.* Oración principal: *De una dama era galán un vidriero*; de relativo, *que vivía en Tremecén.* Las subordinadas *sustantivas* desempeñan en la oración compuesta las mismas funciones sintácticas que el sustantivo en la oración simple. Pueden desempeñar, como el nombre, las funciones de sujeto, complemento directo, indirecto y circunstancial; las que desempeñan el oficio de complemento directo pueden ser explicativas, interrogativas o de temor; las finales hacen oficio de complemento indirecto; las causales y otras oraciones que no pueden comprenderse en una denominación común, vienen a ser complementos circunstanciales. Las oraciones sustantivas se enlazan con su principal mediante la conjunción que, la cual puede omitirse especialmente cuando el verbo está en subjuntivo; ejemplo: *Le rogó fuese breve,* en lugar de *Le rogó que fuese breve.* En vez de que se emplea, a veces, *como.* Las oraciones subordinadas adverbiales determinan o modifican el verbo de la oración principal, como puede hacerlo un adverbio o locución equivalente. Son tantas como adverbios y todas correlativas, relacionándose con la principal por medio de conjunción que corresponde a un adverbio demostrativo, expreso o tácito en aquélla. Las de lugar se unen a la principal por medio del adverbio correlativo donde; ejemplo: *Esta es la casa* donde *nací.*

Partes de la oración. Las palabras, por las ideas que representan o por el oficio que desempeñan pueden reducirse a nueve clases, denominadas partes de la oración, a saber: nombre sustantivo, nombre adjetivo, pronombre, artículo, verbo, adverbio, preposición, conjunción e interjección. Las partes de la oración, a su vez se dividen en variables e invariables. Son variables las que, por virtud de ciertos accidentes gramaticales, admiten, en su estructura, alguna alteración. A esta clase pertenecen el nombre, el adjetivo, el pronombre, el artículo y el verbo. Las invariables se llaman así porque no consienten tales modificaciones. Entre ellas figuran el adverbio, la preposición, la conjunción y la interjección. *Véanse* ADJETIVO; ADVERBIO; ARTÍCULO; CONSTRUCCIÓN GRAMATICAL; CONJUNCIÓN; INTERJECCIÓN; PRONOMBRE; GRAMÁTICA; SINTAXIS; SUSTANTIVO; VERBO.

oráculo. Respuesta que en la antigüedad se suponía daban las divinidades a las cuestiones más o menos arduas que se les sometían directamente o por medio de sus sacerdotes y ministros. Se conoce, también, con el nombre de oráculo el lugar, estatua o simulacro que representaba la deidad cuyas respuestas se pedían. Desde los tiempos más remotos el hombre se ha sentido inclinado a consultar el porvenir a sus dioses, así como a pedirles reglas de conducta para actuar en casos graves. Los oráculos pueden ser: inmediatos, como el de Delfos, cuyas decisiones se hacían conocer por las emanaciones de vapores escapados en una grieta en el suelo de sus templos; mediatos, como el de Zeus, cuyas respuestas debían interpretarse a través de determinados signos, tales como el rumor del follaje o el viento; y mixtos como el de los sacerdotes de Fiji, que hablan por boca de los dioses que se han infiltrado con ese objeto en su cuerpo. Los oráculos han resultado en ocasiones peligrosos, como el de Besa, al que se sometían las consultas por escrito. El emperador Constantino ordenó le fueran enviadas estas consultas selladas y su lectura costó la prisión o el destierro a muchos de los consultantes. Otras veces los sacerdotes encargados de trasmitir y responder a las consultas, redactaban las respuestas con tal astucia que era posible interpretarlas en dos sentidos contrarios (anfibologías gramaticales), como, por ejemplo la respuesta "Vencerás, no morirás" o "Vencerás no, morirás", omitiendo, desde luego la coma que varía el sentido de la frase. Los oráculos se obtenían asimismo de circunstancias exteriores: vuelos de pájaros graznidos de aves, aullidos de perros, etcétera, y el significado atribuido a los sueños (adivinos). *Véanse* ADIVINACIÓN, DELFOS.

oral, historia. Información basada en entrevistas con quienes han participado en sucesos históricos, la historia oral es tan antigua como el estudio de la historia misma. En el siglo V a. C. los historiadores griegos Herodoto y Tucídides, ante la ausencia de fuentes escritas de las que han llegado a depender los historiadores modernos, interrogaban a los sobrevivientes de las guerras que describían. En las sociedades tradicionales, sin lenguaje escrito ni alfabetización difundida, la tradición oral transmitida de generación en generación sirve a menudo como sustituto de relaciones escritas. El historiador estadounidense Alan Nevins comprendió que los hombres y mujeres de hoy, acostumbrados al uso del teléfono, no dejarían ya cartas ni documentos que alguna vez constituyeron el material básico de la historia. A partir de 1948, junto con un grupo de investigadores de la Universidad de Columbia, comenzaron a preservar relatos autobiográficos de personas destacadas mediante entrevistas grabadas en cinta.

La historia oral ha sido impulsada por el interés creciente en las vidas de la gente común y por el reconocido trabajo de talentosos entrevistadores y compiladores. Un ejemplo notable es Studs Terkel, cuyos libros de historia oral son extraordinarios documentos de la vida estadounidense.

oral, literatura. Creaciones de la gente que no posee lenguaje escrito. Ejemplos contemporáneos de estas literaturas podrían ser los cuentos y cantos de las tribus rurales africanas o las narraciones de los grupos aborígenes estadounidenses. Los ejemplos más destacados de la antigüedad son *la Iliada* y la *Odisea*, obras atribuidas al poeta griego Homero.

Las formas literarias en que las creaciones más importantes de la literatura oral se han transmitido a lo largo de los siglos son la épica heroica, la saga y el cuento popular, pero las canciones tradicionales, los dichos, las adivinanzas y un buen número de rondas y rimas infantiles también pertenecen al género. Entre los pueblos anteriores a la invención de la escritura esta literatura era compartida por toda la sociedad y se mantenía viva al transmitirse de manera oral a través de las generaciones. Las formas más largas y complejas, la épica y la saga, fueron quizás composiciones, creadas con el tiempo, de bardos y juglares, los poetas de la época. Homero les llama *cantores*.

La cuestión de si las grandes épicas heroicas griegas *la Iliada* y la *Odisea*, fueron compuestas por un solo poeta que no conocía la escritura parece haber sido respondida de manera concluyente por el investigador homérico estadounidense Milman Parry (1902-1935), quien sostuvo la posibilidad de que un solo poeta compusiera y recitara trabajos tan monumentales como aquéllos. Las composiciones, afirmaba, eran el fruto de un proceso secular de creación oral; su autor trabajaba de acuerdo con una estructura de técnica oral que conocía desde su infancia, y sus escuchas estaban familiarizados con los sucesos descritos en su relato, pues pertenecían a la historia tradicional del pueblo.

El elaborado lenguaje de las épicas homéricas contiene fórmulas verbales tradicionales, como el epíteto homérico, empleadas una y otra vez para caracterizar a cada uno de los personajes del poema. Modelos verbales formulares se presentan recurrentemente para describir las situaciones similares: batallas, discusiones, fiestas. El recitador de una saga o épica era guiado a lo largo del complejo poema por frases y modelos repetitivos de este tipo, que él iba recordando e inventando al mismo tiempo.

Las literaturas orales de cada cultura comparten características especiales no presentes a menudo en las literaturas escritas. Estas cualidades facilitan la producción y memorización de las obras. Las técnicas de *composición oral formularia*, como Parry las llama, son reveladas en las literaturas del mundo antiguo y en las creaciones literarias de los actuales pueblos sin escritura.

Entre los poemas europeos antiguos que se cree fueron compuestos de manera oral se encuentran *Beowulf, Cantar de los Nibelungos,* la *Canción de Rolando* y el *Poema del Cid.*

Orán. Llamada actualmente *Ovahran.* Ciudad de Argelia, capital del departamento del mismo nombre y uno de sus puertos y aeropuertos principales en el Mediterráneo, con una población de 600,000 habitantes. Metrópoli de una extensa región agrícola (Oranés) que produce vinos, naranjas, alfalfa, etcétera, e importante centro comercial que trafica con las ciudades del interior de África y los puertos del sur de Europa. Fue construida por los moros, siendo conquistada por los españoles en 1509. Los turcos la ocuparon en 1708, reconquistándola los españoles en 1732 y reteniéndola hasta 1791, año en que fue destruida por un terremoto. Los franceses la reconstruyeron en 1831, después de tomar posesión de la misma. Durante la Segunda Guerra Mundial fue ocupada por los estadounidenses que invadieron el norte de África.

Orange, Estado libre de. Provincia de Sudáfrica. Tiene 130,000 km^2 y 2.726,840 habitantes (1997), de ellos unos 227,000 de ascendencia europea. Limita con el Transvaal, Natal, El Cabo y la colonia inglesa de Basutolandia. El clima es benigno. Cultiva con éxito los cereales, pero es aún más importante la ganadería. Su riqueza mineral la constituyen los diamantes, a la que siguen la hulla y el oro. Posee buena red de ferrocarriles y una industria limitada a la preparación de pieles y extracción de sal. Está regida por un administrador nombrado por el presidente de Estado, cuyo mando dura cinco años, asistido por un consejo de 25 miembros. Sus principales poblaciones son Kroonstad, Ladybrand, Harrismith, Bethlehem y Fiskburg. Su capital es Bloemfontein (104,381 habitantes).

Los holandeses establecidos en El Cabo (bóers) comenzaron a colonizar el territorio situado a la derecha del Orange entre 1810 y 1820. Después de largas disputas con las autoridades británicas se constituyó, en 1854, por la Convención de Bloemfontein, el Estado Libre de Orange. Sin embargo, continuaron las agrias diferencias con Gran Bretaña, principalmente por lo que se refería a la posesión del país de los basutos, y durante la guerra de 1899-1902 correspondió a los bóers de Orange una participación destacada. Al advenir la paz se constituyó la Colonia del río Orange, dependiente de la Corona Británica; pero en 1907 se instituyó un gobierno responsable elegido por los colonos y en 1910 pasó a integrar la Unión Sudafricana (hoy República de Sudáfrica) como provincia del Estado Libre de Orange.

Orange, Río. El más importante de la República de Sudáfrica, que nace en los montes Drakensberg (Basutolandia) y luego de recorrer 2,018 km de este a oeste desagua en el océano Atlántico por una sola boca, en parte cegada por bancos de arena e islotes. Sirve de límite entre la provincia del Cabo y el Estado Libre de Orange, Bechuanalandia y África Suroccidental. Tiene poco valor comercial, pues no es navegable por las numerosas caídas, destacándose la del rey Jorge, de 120 m de altura. Los holandeses lo exploraron en el siglo XVIII.

orangután. Mono antropoide, con pelaje de color rojizo tostado y brazos largos, que le llegan casi hasta los tobillos. Junto con el chimpancé y el gorila, es el mono más parecido al hombre, tanto en su conformación exterior cuanto en sus caracteres anatómicos. Se conocen sólo dos especies, el de Borneo y el de Sumatra, bastante semejantes entre sí; son de regular talla, llegando hasta 1,60 m de alto. Viven en lo más intrincado de las selvas, en lugares húmedos y sombríos, lejos de las regiones habitadas por el hombre. Los árboles gigantescos les sirven de vivienda y en ellos construyen un nido de ramas entrelazadas a varios metros del suelo. No atacan sino en raras ocasiones al hombre, y cuando se ven forzados a ello, pelean con valor y tenacidad. Son muy hábiles trepadores, y si no los amenaza ningún peligro se mueven muy despacio y avanzan con verdadera prudencia entre el follaje.

Corel Stock Photo Library

Orangután.

oratoria. Arte de hablar y de exponer con orden, método y elocuencia los pensamientos e ideas, con el propósito de infiltrarlos en quienes escuchan. Comprende dos aspectos: el psicológico, que concierne al orador y al auditorio; y el *técnico* o retórico, que se refiere a los recursos dialécticos, poéticos y literarios, de forma y de fondo, que conviene emplear en el discurso. El orador ha de conservar en todo momento la serenidad, sean cuales fueren las reacciones del auditorio; ha de conocer las preferencias de los oyentes, y utilizar el lenguaje y los símbolos más adecuados para que le comprendan fácilmente; debe poseer el sentido justo de la medida en relación con el grado de fatiga o cansancio del auditorio, y no inmutarse ante errores que puedan cometerse en la dicción, ni empeñarse demasiado en la búsqueda inútil de algo que se haya olvidado. Es tan importante la *forma* de lo que debe decirse, como lo que *debe* decirse, de modo que aquel que comprende bien las ideas y los pensamientos siempre hallará la forma de expresarlos y hacerlos entender.

La técnica del discurso puede concretarse así: 1) exposición general de los motivos que constituyen el objeto del discurso; 2) relación o descripción de los hechos; 3) análisis y examen de los mismos a la luz de la opinión propia y de la ajena; 4) argumentos en favor de la tesis que se sustenta, combatiendo las opiniones contrarias a la misma; y 5) resumen o recopilación de lo tratado, reafirmando esquemáticamente las líneas generales del pensamiento propio.

Los géneros oratorios son muy varios, pues existen oratorias forense, política o parlamentaria, académica, religiosa o sagrada, militar, etcétera. Los estilos dependen del idioma, de los gustos literarios y de la época y costumbres. Por eso es recomendable que quien se proponga hablar lea mucho a los clásicos, de donde puede inspirarse entresacando bellos modelos de elocuencia. Sin embargo, la corrección gramatical en la expresión no resulta absolutamente necesaria, ya que la palabra hablada tiene un valor muy distinto que la escrita, hasta el punto que su colocación inadecuada e intencional en ciertas oraciones pronunciadas produce notables efectos.

Para no perderse en lo que se llama el *hilo* del discurso, resulta muy práctico el empleo de un guión en el cual se habrán sintetizado las ideas principales de lo que debe decirse. El hábito de hablar en público únicamente puede adquirirse con la práctica, ejercitándose progresivamente y escuchándose lo que se habla. Las máquinas para registrar la voz, como las llamadas *grabadoras* y los *dictáfonos* constituyen un precioso instrumento para el que quiere ejercitarse en el arte de la oratoria. Si se tiene cierta facilidad de palabra es posible llegar a ser orador si uno se lo propone verdaderamente, puesto que de la conversación ordinaria al discurso no media más diferencia que la que existe entre la improvisación y la preparación, entre un oyente conocido y una masa de oyentes desconocidos. Es preciso pronunciar con pausa y claridad, a un ritmo más lento que el empleado en el lenguaje ordinario; reflexionar antes de hablar, sin preocuparse por el hecho de que entre uno y otro párrafo determinado pueda mediar un breve silencio que, a veces, da más valor y hace resaltar la frase; haber construido previamente un plan que contenga la ordenación de las diferentes partes que debe contener el discurso; accionar con soltura, subrayando con el ademán los pasajes que convenga; y ser melódico, rehuyendo la monotonía en la pronunciación, valiéndose al efecto de inflexiones y modulaciones fonéticas que hagan musicalmente agradable lo que se dice.

oratorio. Composición musical religiosa, para uno o varios solistas, coros y orquesta, escrita generalmente sobre temas bíblicos. Tuvo su origen en Italia a fines del siglo XVI, y se derivó de los antiguos misterios. Los primeros se representaron escénicamente, pero luego de algunas transformaciones se convirtieron en obras de concierto, aunque conservando el carácter religioso. Entre los más famosos se cuentan *La Pasión según san Mateo* y el *Oratorio de Navidad* de Juan Sebastián Bach; el *Mesías, Israel en Egipto* y *Judas Macabeo* de Händel; *La Creación* y *Las Estaciones* de Haydn, el *Elías* de Mendelssohn, y entre los de compositores modernos *Edipo Rey* de Stravinsky y *El rey David* de Honegger.

obre. Pez plectognato del Mar de las Antillas, con cuerpo de forma redondeada cubierto de fuertes espinas y de unos 30 cm de diámetro. Cuando se siente en peligro, infla su estómago de tal modo que su cuerpo llega a tomar el aspecto de una esfera; por este motivo se le llama también pez globo. Así asciende a la superficie del mar, donde flota, hasta que, pasado el peligro, se desinfla y se sumerge.

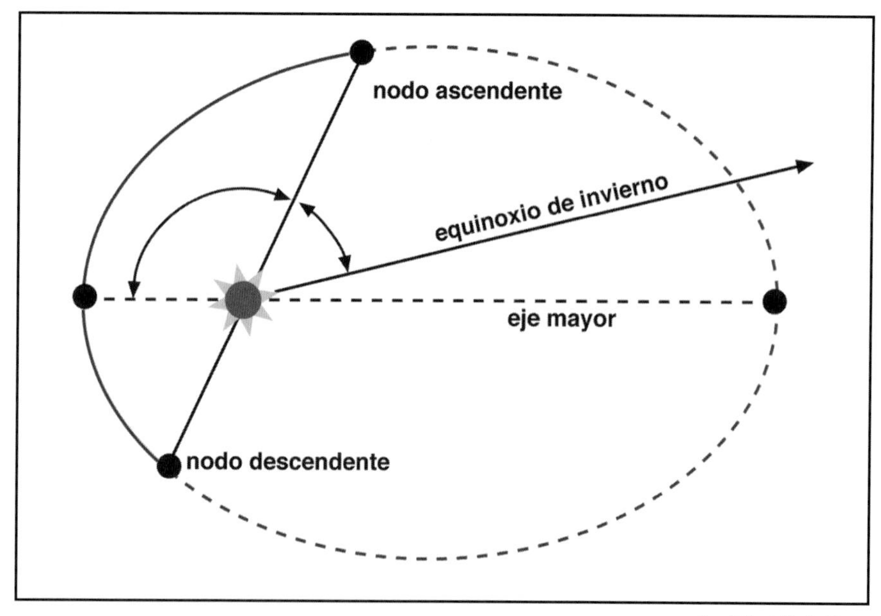

Corel Stock Photo Library

El diagrama representa la órbita de un planeta alrededor del Sol. Sus elementos están en parte definidos por el plano orbital de la Tierra, aquí representado como el plano de la superficie de la página. La órbita mostrada está inclinada respecto a este plano, pasando en parte por debajo (línea punteada) y en parte por encima (línea contínua).

órbita. Trayectoria que sigue un cuerpo celeste al moverse alrededor de otro de acuerdo con las leyes de la gravitación universal. En el sistema solar, los satélites trazan una elipse al moverse alrededor de los planetas de que dependen y lo mismo hacen éstos al girar alrededor del Sol. Los cometas tienen trayectorias cuya forma depende de la velocidad que llevan y pueden ser parábolas, hipérbolas o elipses.

Las leyes de Kepler y Newton afirman que las órbitas de los planetas que forman el sistema solar son elipses. El punto más próximo al Sol se llama *perihelio* y el más alejado recibe el nombre de *afelio*. El afelio de la órbita lunar recibe el nombre especial de *apogeo* y el perihelio se denomina *perigeo*. Se denomina *nodo* al punto de intersección del plano de la órbita con la eclíptica de la esfera celeste. Los datos que sirven para determinar la posición de un astro en un instante dado son los diversos elementos de la órbita: longitud de los nodos, inclinación, longitud del perihelio, semieje mayor de la elipse, excentricidad y fecha del paso del astro por el perihelio. Los estudios de Laplace y Gauss han permitido determinar con gran exactitud las órbitas de los astros.

Orcas en un acuario de San Diego, California.

Corel Stock Photo Library

orbitador. Denominación de las sondas lunares utilizadas en el proyecto del mismo nombre, encaminado a la exploración fotográfica de la superficie de la Luna desde astronaves automáticas en órbita lunar. Este programa fue auspiciado por la NASA y en él se empleaba un cohete Atlas-Agena. Se trataba de un laboratorio fotográfico equipado con los controles y mandos necesarios para colocar correctamente la cámara sobre el lugar que se deseaba fotografiar y enviar la imagen a la Tierra. La cámara llevaba dos objetivos, de alta y media resolución. La energía eléctrica la suministraban cuatro paneles solares desplegados en cruz, con 10,856 células solares.

El objetivo del programa fue obtener fotografías de la superficie lunar, en especial de los puntos previstos para los alunizajes de los módulos lunares del programa *Apolo*. Se lanzaron con éxito un total de cinco orbitadores: El *Lunar Orbiter 1* (10 de agosto de 1966) fotografió unos 5 millones de km^2 de la superficie lunar, de los que 40,000 km^2 correspondían a las zonas de interés para el programa *Apolo*. Tomó la primera fotografía de la Tierra vista desde un cuerpo celeste (23 de agosto de 1966). Los *Lunar Orbiter 2* (6 de noviembre de 1966), 3 (4 de febrero de 1967), 4 (4 de mayo de 1967) y 5 (1 de agosto de 1967) prosiguieron el estudio de la superficie lunar, que fotografiaron sistemáticamente hasta totalizar 99% de la misma. Los datos obtenidos por las alteraciones de la órbita del *Lunar Orbiter 5* permitieron descubrir las concentraciones masivas que se supone son grandes masas de roca situadas bajo la superficie de los mares lunares.

orca. Mamífero marino delfínido, de cabeza redondeada, con dientes grandes y fuertes, grandes aletas pectorales y alta aleta dorsal. Miden entre 6 y 8 m de longitud. Su coloración es negra en la parte superior y amarillenta o blanca en la inferior. Habita en todos los mares, prefiriendo las zonas templadas cuando llega el invierno. Suele formar bandadas numerosas que nadan velozmente con movimiento ondulatorio. Es un cetáceo sanguinario, que se alimenta normalmente de vertebrados de grandes dimensiones, persigue con ensañamiento a los tiburones y focas, e incluso ataca a las ballenas, que en ocasiones sucumben ante el número, agilidad y astucia de estos voraces y dañinos animales. Se han dado curiosos casos de suicidios colectivos de grandes bandadas de orcas, por motivos desconocidos, lanzándose hacia las playas para quedar varados, rebatiéndose sobre la arena hasta morir. Tal sucedió con varios centenares en la isla Chatham (Nueva Zelanda) en 1903; en las costas de Escocia en 1927, en las rocas del Cabo de Buena Esperanza en 1931 y, la más sorprendente de todas, la irrupción de 835 orcas en la playa de mar del Plata (Argentina) en octubre de 1946.

Órcadas del sur. Archipiélago en el océano Atlántico Austral. Pertenece a la República Argentina, y corresponde administrativamente a la provincia de Patagonia, está constituido por las islas Coronación, Laurie, Powell, Signy y 26 menores, cuya superficie total es de 1,064 km^2. Son montañosas y de escasa vegetación. La isla Laurie es asiento de un observatorio meteorológico argentino desde el año 1904. La mayor parte del año están bloqueadas por los témpanos de hielo que llegan de la Antártida. Se forman glaciares en las colinas de la Laurie que tienen 1,000 m de altura. Su fauna es la de la región antártica: pingüinos, focas y petreles, y los líquenes y musgos constituyen su flora. Vientos huracanados las barren, haciendo dura la existencia de la misión científica allí destacada. Situadas entre los paralelos 60° 30' y 60° 50', les dio, en 1821, el nombre que tienen el navegante Michael McLeod, en recuerdo de las islas homónimas del norte de Escocia. *Véase* ARGENTINA *(Mapa)*.

Orczy, Emmusku, Baronesa de (1865-1947). Novelista inglesa. Nació en Tarnaors (Hungría) y se educó en París y Bruselas. Se trasladó a Inglaterra y establecióse definitivamente en la ciudad de Londres. En un principio creía que la pintura y la música era su vocación, pero encontró su verdadero camino al dedicarse a la novela. Casi todas sus obras tienen como tema la lucha de los aristócratas ingleses contra la Revolución Francesa. Son muy conocidas sus novelas, *La pimpinela escarlata*, de la cual se han vendido millones de ejemplares, *El candelabro del emperador*, *Un hijo del pueblo*, etcétera. La primera de las que se mencionan contribuyó más que todas las restantes a su fama y su popularidad.

ordalías. Pruebas a que eran sometidos los acusados de algún delito, reputándoseles inocentes si salían indemnes de las mismas. Se practicaron en la Edad Media, denominándose *juicios de Dios*. Las más usuales eran el duelo a caballo y a pie con lanzas, mandobles y otras armas; las inmersiones en agua o aceite hirviendo. Las aplicaciones sobre la piel de hierros candentes, la comunión pidiendo a Dios la muerte en caso de ser perjuro y la carrera de 3 o 4 m con los pies desnudos sobre brasas de leña o de puntas de rejas de arado puestas al ojo. Muchos papas y concilios condenaron con severidad esas pruebas y se esforzaron por lograr su desaparición.

Ordaz, u Ordás, Diego de (1480?-1532) Conquistador español. Fue uno de los más valientes capitanes de Hernán Cortés. En 1511 acompañó a Diego Velázquez en la conquista de Cuba, y éste, en 1519, lo designó para que formara parte de la expedición de Hernán Cortés para la conquista de México, durante la cual Ordaz realizó muchas proezas. Se batió valerosamente con los tlaxcaltecas. En la marcha de Cortés sobre México, al pasar entre los volcanes Iztaccíhuatl y Popocatépetl, éste se hallaba en erupción, y al saber por los indios que nadie se había atrevido a escalar su cima, Cortés, para aumentar el prestigio de los españoles ante los indígenas, autorizó a Ordaz para que lo hiciera, con un destacamento de soldados. Sobre difícil terreno, cubierto de cenizas, y sorteando la lluvia de piedras volcánicas, Ordaz pudo llegar al borde del cráter y ver la masa de fuego que surgía en su interior. Cuando Cortés se vio forzado a abandonar la ciudad de México (1520), Ordaz tuvo a su cargo la peligrosa misión de proteger la retirada al mando de 300 hombres, y pocos días después hizo prodigios de valor en la histórica batalla de Otumba.

Recibió varias heridas en distintos combates y perdió la mano derecha. Cortés lo designó para que fuera a España (1523) a dar cuenta al rey de la conquista de México, y Carlos I lo premió por sus hazañas, autorizándolo a poner en su escudo una sierra nevada con un volcán en erupción y le dio los títulos de adelantado, capitán general y alguacil mayor de las tierras comprendidas entre el golfo de Venezuela y el río Marañón, para que fuese a descubrir la fabulosa región de El Dorado. Ordaz equipó una armada con 400 hombres y zarpó en 1531. La expedición, después de muchos peligros, sólo descubrió selvas impenetrables y encontró tribus feroces, que la hostilizaron. Ordaz enfermó a causa de tantos trabajos y fatigas y murió en alta mar cuando la expedición regresaba a España.

orden y orden público. Colocación de las cosas en el lugar que les corresponde. Puede ser natural o artificial según que para su existencia haya intervenido o no la mano del hombre. Orden público es la esfera de acción dentro de la que las leyes colocan respectivamente a cada ciudadano para que la vida en común o social pueda desarrollarse pacíficamente. Los principios que definen ese orden se hallan enunciados en la ley fundamental de algunos Estados y están contenidos en las garantías constitucionales.

orden religiosa. Agrupación masculina o femenina, organizada como una institución jerárquica y que tiene por objeto uno o varios fines de naturaleza espiritual. Agrupaciones de esta índole se encuentran en diversas religiones, pero se han desarrollado muy especialmente en el seno del catolicismo.

Nacimiento de las órdenes monásticas. El precedente más antiguo de la vida en común con fines piadosos se remonta a los primeros días del cristianismo y puede hallarse en los *Hechos de los Apóstoles*, don-

Interior de la abadía Moyne, de la orden religiosa de los franciscanos, en Irlanda.

Corel Stock Photo Library

de se dice expresamente que, poco después del día de Pentecostés, a la vista de los muchos prodigios que obraban los apóstoles, "todos los que creían vivían unidos teniendo sus bienes en común, pues vendían sus posesiones y haciendas y los distribuían entre todos"; juntos oraban en el templo y, vueltos a sus casas, partían el pan con alegría y sencillez de corazón.

El ejemplo de estos primeros cristianos, movidos por la palabra evangélica a reformar sus vidas, fue el que sin duda inspiró a gran número de almas a proceder de un modo semejante, el cual, con el correr del tiempo, fue evolucionando hasta dar origen a las diversas órdenes religiosas. Una institución propiamente dicha, esto es, regularmente organizada, no aparece hasta el siglo IV. Con anterioridad, y especialmente en los tiempos de las persecuciones, fueron muchos los cristianos que huyeron del bullicio del mundo para, bien a solas o bien en común, entregarse a la oración y la contemplación.

Estos cristianos, por su alejamiento del mundo, recibieron el nombre de *monjes* –del griego *monos*: solo– que equivale a *solitarios*. Muy pronto, la vida monástica adoptó dos formas claramente diferenciadas la eremítica, representada por san Antonio Abad, y la cenobítica, representada por san Pacomio. La nota característica de la primera era el individualismo; a ejemplo de san Antonio, los monjes vivían aislados, reuniéndose en muy contadas ocasiones y ocupándose principalmente en trabajos manuales con objeto de rehuir los peligros de la ociosidad; estos eremitas carecían de regla común fija y se establecieron con preferencia en el norte de Egipto, al oeste del delta del Nilo, hacia el desierto de Libia.

La misión de unificar y sistematizar aquel género de vida le cupo a un contemporáneo de san Antonio: san Pacomio, que practicaba la vida monástica en el sur de Egipto. Fue este último quien, temeroso de los peligros que amenazaban la vida eremítica, concibió la idea de agrupar a los monjes dentro de un mismo círculo o *cenobium* –del griego *koinos*: común, y *bios*: vida–, estableciendo unas normas y una autoridad directora comunes a todos ellos. Este primer cenobio, fundado hacia el año 315, produjo tan buenos resultados que muy pronto se propagó por todo Egipto, de donde pasó después a otros países, llegando a Roma, donde un doctor de la Iglesia, san Jerónimo, se puso al frente del monacato. Por otra parte, en su sede africana de Hipona, san Agustín fundó un monasterio para clérigos de su diócesis, el cual fue asimismo imitado en otros países, especialmente en el norte de Italia, España e Inglaterra.

Una etapa de transición entre la primera organización monástica de san Pacomio y la de san Benito, quien sería el que le diera su contextura definitiva, fue la representada por san Basilio, promotor del monacato oriental y fundador, hacia el año 360, de un monasterio cerca de Neo-Cesárea, a semejanza de los que había visto en sus visitas a Egipto, Siria y Palestina. A san Basilio se debe la unificación de todas las instituciones monásticas de Oriente, como a san Benito se deberá la unificación de las de Occidente. Al sobrevenir la invasión de los bárbaros procedentes del norte y este

Corel Stock Photo Library

Sacerdote perteneciente a una orden Budista en Camboya.

Altar en la iglesia de un monasterio de la orden de los cartujos en España.

Corel Stock Photo Library

de Europa, los conventos, verdaderos *asilos de paz*, serán el único elemento civilizador que salvará a la cultura occidental de su exterminio. Pero para ello fue preciso que se operase dentro de las instituciones monásticas una gran reforma que les diera una mayor solidez y las afianzase frente al caos producido por aquellas invasiones. Esa gran reforma fue operada por san Benito.

La regla benedictina. San Benito nació en la ciudad italiana de Nursia hacia el año 480, contaría 20 años cuando decidió retirarse a hacer vida de penitencia y oración, eligiendo para ello una cueva casi inaccesible en las cercanías de Subiaco, a unas 45 millas de Roma. Al cabo de algún tiempo hubo de acceder a los ruegos de algunos pastores y labriegos de las inmediaciones que, atraídos por la santidad de su vida, le suplicaron que fuera su guía espiritual. La fama de aquel piadoso varón se fue propagando y llegó a ser tal la concurrencia de los que acudían a seguir su ejemplo que se levantaron hasta doce monasterios en aquellos lugares. Finalmente, san Benito dejó los monasterios de Subiaco al cuidado de sus abades respectivos y en compañía de algunos monjes se fue a un lugar llamado Cassino, a media distancia entre Roma y Nápoles, y allí, en la cima de un montículo construyó un nuevo monasterio, que andando el tiempo se haría famoso bajo el nombre de abadía de Montecassino. Dicha fundación se efectuó hacia el año 525, y poco después san Benito redactó la *Santa Regla* por la que habría de regirse su orden.

La idea básica que informa dicha regla es la moderación: una vida llena de simplicidad, distribuida entre el oficio divino, que ocupaba cuatro horas, el trabajo manual, en el que se invertían de seis a ocho horas, y la lectura, a la que se debían consagrar otras cuatro horas. Ayunos, abstinencia perpetua y silencio completan las normas. La clausura no es absoluta, pero se deben evitar las relaciones con el exterior, la comunidad, establecida en un lugar aislado, debe bastarse a sí misma mediante el trabajo. Catorce siglos de vida han demostrado la admirable eficacia de la Regla, que ha sido respetada por hombres de las culturas, las sociedades y los tiempos más diversos. Setenta años después de la fundación, en el año 590, un monje benedictino llega a ser papa y recibe el nombre de Gregorio I. El pontificado de este varón virtuoso –a quien la historia recuerda como san Gregorio Magno– es decisivo para la evolución del monasticismo. Sus cartas a los obispos dan a conocer por toda la cristiandad la Regla benedictina, y otro tanto ocurre con sus famosos diálogos.

Con san Gregorio Magno puede decirse que dio comienzo la verdadera difusión de la orden benedictina, pues fue entonces cuando la Regla se trasplantó primero a Inglaterra y luego, por medio de los monjes ingleses, a los demás países de Europa central. Llevó a cabo aquella misión, iniciada en 596 por encargo del pontífice, el monje Agustín, prior del monasterio de san Andrés del Monte Celio, quien en compañía de un grupo de benedictinos evangelizó gran parte de la isla y unificó el monacato celta, de honda raigambre en el país. Un poco anterior a la de san Benito fue la Regla del monje irlandés san Columbano que durante algún tiempo alcanzó gran difusión, especialmente por los dominios francos; pero poco a poco fue siendo eclipsada hasta ceder el lugar a la benedictina, cuyos monasterios se convertirían en poderosos centros de vida intelectual durante toda la Edad Media. Centenares de monjes benedictinos consumieron sus vidas en las bibliotecas de la orden, copiando las obras maestras de la literatura y la filosofía clásica. La magnitud de su labor puede juzgarse por el simple hecho de que un monje necesitaba un día entero para copiar tres folios y todo un año para transcribir una Biblia.

Corel Stock Photo Library

Monasterio de Batalha, perteneciente a una orden religiosa católica en Portugal.

La reforma de Cluny. Con el correr del tiempo, la orden benedictina sintió que sus fuerzas se iban debilitando a causa de la misma magnitud de la empresa fundacional y evangelizadora que acababa de realizar; por añadidura, el roce continuo con el mundo, debido a la predicación y a la enseñanza de las ciencias y las artes en los colegios creados por la orden, las muchas concesiones otorgadas por reyes y magnates, así como las perturbaciones motivadas por las guerras e incursiones de normandos y sarracenos, fueron otras tantas causas de cierta relajación en la disciplina. Para conjurar el peligro surgió la reforma de Cluny, con la cual puede decirse que se inaugura la edad de oro de la orden benedictina. Hacia el año 910, el duque de Aquitania, Guillermo el Piadoso, entrega al monje Bernón algunas tierras del condado de Macon para que funde en ellas un convento.

El monje comienza por establecer un retorno a la obediencia estricta de la regla benedictina. Disminuye al mínimo el trabajo manual y consagra la mayor parte del día al Oficio Divino. La nueva fundación se caracteriza por su independencia: logra evitar toda intervención extraña y suprime drásticamente los contactos con el mundo brutal y corrompido. La Carta convierte al monasterio en "propiedad inalienable de los santos Pedro y Pablo", es decir, lo coloca bajo la dependencia directa de la Santa Sede, pasando por encima de obispos y gobernantes. La expansión de la orden, cuya casa central se establece en el monasterio de Cluny, en la Borgoña, es rápida y general: a los dos siglos de su fundación cuenta con 1,450 establecimientos, en los que viven diez mil monjes.

Cluny responde a las aspiraciones religiosas de la época y tiene la singular fortuna de contar con jefes de admirables cualidades, que unen al prestigio de su santidad grandes condiciones como gobernantes. La organización de la orden es totalmente centralizada; toda ella forma un solo monasterio y, por consiguiente, tiene un solo abad. La gran unidad que de este modo se logra sufre el contrapeso de que todo depende en exceso de la personalidad del jefe. De las filas de la gran orden, cuyo influjo se advierte en la Iglesia entera, surgen numerosos obispos y hasta un papa, Urbano II. Odilón, el más famoso de sus abades, logra imponer sobre la sociedad feudal la práctica humanitaria de la Tregua de Dios, consistente en estar rigurosamente prohibido cualquier ataque desde la tarde del viernes hasta el lunes por la mañana, desde el principio de Adviento hasta la octava de Epifanía y desde Septuagésima hasta la octava de Pascua, poniéndose término con ello a las continuas guerras entre los diferentes señores feudales.

Alrededor del año 1100 comienza la decadencia de la orden de Cluny, san Bernardo ataca enérgicamente el lujo, el enriquecimiento de los monasterios y el relajamiento de la disciplina. Hacia esta época se advierte la fragmentación del monasticismo en una serie de institutos diferentes y más débiles que los de san Benito y el de Cluny. Esteban de Muret, san Bruno, Roberto de Arbrissel, san Norberto y otros fundan congregaciones de tendencias eremíticas o *activas.*

El Císter. Todos los nuevos institutos son pequeños y débiles, con la sola excepción del que se conoce por el nombre de *el Císter* –de Citeaux, lugar de la primera fundación–, que logra establecer cierto equilibrio entre las diversas tendencias de la época y cuya organización servirá de modelo durante varios siglos. Los primeros tiempos del monasterio originario, situado cerca de la ciudad francesa de Dijón, fueron penosos y mediocres. Pero hacia la Pascua del año 1112 llegó al monasterio, en compañía de 30 gentilhombres, un joven de Borgoña, a quien la posteridad recuerda como san Bernardo. En 40 años de prodigiosa actividad, este hombre excepcional logró construir 280 monasterios, entre los cuales descuellan los de Pontigny y Claraval. Místico de personalidad extraordinaria, san Bernardo dejó su huella sobre la cristiandad del siglo XII. Con su verbo cálido y lleno de unción divina, se atrajo las multitudes con una fuerza irresistible.

Hombre verdaderamente providencial, brilló en todos los aspectos: como doctor, predicador, árbitro de los reyes, azote de las herejías y gran defensor del Pontificado. Por encargo del Papa Eugenio III practicó la segunda cruzada contra los mahometanos, inflamando en todas partes a sus oyentes; el fracaso de aquella cruzada, que no dio los frutos que se esperaban de ella, apresuró la muerte del santo, que agotado por el trabajo y la penitencia falleció en Claraval, el 20 de agosto de 1153. El espíritu del Císter es extremadamente austero. Los monjes visten prendas burdas de lana blanca sin teñir; no pueden recibir limosnas y se abstienen de todo diálogo. Sus iglesias se caracterizan por su sobriedad ascética que dio origen a un peculiar estilo arquitectónico. La orden proporcionó a la Iglesia catorce cardenales y 75 obispos en un solo siglo.

Las órdenes militares. La idea, aparentemente paradójica, de crear órdenes religiosas especializadas en hacer la guerra, se explica históricamente porque los peregrinos que se dirigían a Tierra Santa para visitar el Sepulcro de Jesucristo necesitaban una protección militar contra los salteadores y los ejércitos no cristianos que merodeaban por Asia Menor. A ello se debe el establecimiento de núcleos de religiosos (con carácter laico, no sacerdotes, porque éstos no pueden derramar sangre) dedicados a la guerra Santa y dispuestos a suministrar una fuerza militar estable a la cristiandad europea. La primera orden de esta índole fue la del Temple, creada en 1118 por un grupo de ocho caballeros franceses que se reunieron alrededor de Hugo de Payns; protegidos por Balduino II, rey de Jerusalén, establecieron su sede en el lugar donde se había alzado el templo de Salomón, y de este hecho proviene su nombre. San Bernardo les impuso algunos principios cistercienses que podían ser aplicados a la vida militar.

El papa acordó a los templarios numerosos privilegios, entre ellos el de poder conservar todo lo que conquistaran. La orden del Temple o de los Templarios llegó a ser un verdadero estado soberano al que sólo faltaba un territorio continuo. Numerosas donaciones y la incorporación de herederos de grandes fortunas, así como los botines tomados en sus campañas, fueron los factores que la convirtieron en potencia financiera de primera magnitud. La autoridad soberana pertenecía al Gran Maestre, elegido por los religiosos del templo de Jerusalén, había caballeros, escuderos, capellanes, domésticos y artesanos. La orden tenía tres provincias en Oriente y siete en Occidente, dirigidas todas ellas por grandes comendadores, elegidos por el Capítulo de la institución, formado por los religiosos de Jerusalén. A fines del siglo XII la orden ya poseía quince mil caballeros, pero casi todos vivían en Europa y no abrigaban deseo alguno de realizar una cruzada a Tierra Santa. El Temple comienza a acoger elementos de dudosa conducta y nobles sin recursos que sólo tienen ambiciones terrenas. Con la decadencia del Temple, fracasó la tentativa de unir la vida monástica con la vida caballeresca.

La orden hospitalaria de san Juan de Jerusalén no tuvo origen militar. Su fundador, el francés Gérard, se propuso crear una institución que prestara asistencia a los caballeros heridos en las Cruzadas. Pero sus sucesores le dieron carácter militar para poder participar en la ansiada reconquista del Santo Sepulcro. La orden consta de caballeros, de sargentos encargados de curar a los enfermos, de capellanes y de monjas, éstas últimas organizadas por separado. De espíritu menos aristocrático y más religioso que la del Temple, la Orden Hospitalaria durará mucho más tiempo que ésta. Sobre su molde se creó, en 1143, la llamada Orden Teutónica, que adopta al mismo tiempo el reglamento hospitalario de la orden de san Juan y las prescripciones militares del Temple.

En España también se crearon otras órdenes de carácter militar, siendo la principal misión de casi todas ellas contribuir a la lucha contra los infieles. Las más importantes de estas órdenes fueron: la de Calatrava, instituida en Castilla por los cistercienses en tiempos del rey Sancho III (1158); la de Santiago, dedicada especialmente a la protección de los peregrinos que se dirigían a Compostela, iniciada durante el reinado de Alfonso VIII; la de Alcántara, que se debió a los reyes leoneses Fernando II y Alfonso IX, y la de Montesa, llamada así por tener la sede de su dirección en el castillo de su nombre y que fue creada en Valencia por Jaime II de Aragón en 1317, a la extinción de los Templarios. Anterior a la de Montesa y más tarde adjuntada a ésta por el rey Martín, fue la orden de san Jorge de Alfama, la más antigua en Cataluña y Aragón, que había sido creada en 1201 por Pedro el Católico.

Sacerdote copto en Egipto.

Corel Stock Photo Library

Órdenes mendicantes. La prolongada influencia de la orden benedictina concluye en el siglo XIII, cuando la Edad Media llega a su esplendor. En el sur de Francia aparecieron las sectas heréticas de los valdenses y albigenses, que amenazaban desde el interior la unidad de la sociedad cristiana. Para conjurar el peligro hacía falta una reforma de mayor profundidad y eficacia que las intentadas en siglos anteriores. El espíritu de misión vino así a reemplazar al espíritu de cruzada, ya que lo que se requería no eran grandes expediciones militares, sino misioneros y predicadores. Las dos grandes órdenes mendicantes –franciscanos y dominicos– habrán de suministrarlos.

Domingo de Guzmán nació en 1170 en el seno de una familia noble de Castilla la Vieja. Al atravesar con su obispo la región francesa del Languedoc, advirtió la profundidad y extensión que había adquirido la herejía albigense y comprendió que los monjes del Císter no podrían extirparla. En consecuencia, se propuso fundar una orden religiosa que, saliendo al paso de las herejías, laborara entre el pueblo, no sólo mediante la predicación, sino también y muy especialmente mediante la ejemplaridad de la estricta pobreza que habría de ser la norma de dicha orden.

El segundo gran reformador en el siglo se llamó Francisco Bernardone y nació en 1182 en el seno de una próspera familia de la ciudad italiana de Asís. Después de una juventud disipada, se convirtió a los veinticinco años de edad y abrazó como divisa el consejo evangélico: "Si quieres ser perfecto, ve, vende todos tus bienes y entrégalos a los pobres". Rodeado por algunos compañeros a quienes deslumbró la mágica simplicidad de su persona, vagó por campos y montañas, vestido con harapos, mendigando, predicando, curando a los enfermos del cuerpo y del alma. La pobreza era, para santo Domingo, un instrumento para la conversión de los heréticos y un medio para no dejarse absorber por las preocupaciones temporales; para Francisco es el fin mismo. La predicación sabia y dogmática del español se proponía refutar los argumentos de los heréticos; la moral simple y luminosa del *pobrecito de Asís* trata de arrastrar las almas. Francisco no piensa en la fundación de una orden universal: vive con sus *hermanos* en amable anarquía, sobre un terreno próximo a Asís. La Regla se reduce a unos pocos consejos evangélicos y a la obligación de ganar la vida mediante el trabajo o la mendicidad.

La Regla dominica une la vida canónica con la observancia monástica, pero la obligación básica de sus seguidores es la predicación. La orden adopta el nombre de Orden de Predicadores (la abreviatura O. P., colocada después del nombre de un sacerdote, significa que éste pertenece a la institución fundada por santo Domingo). La duración del Oficio Divino queda reducida al mínimo, y por primera vez en una orden monástica el trabajo manual no es mencionado en forma alguna. Con excepción de varios libros y otros efectos, un dominico no puede tener propiedad alguna. Su razón de ser es el trabajo intelectual, orientado en sentido apostólico. La Regla franciscana carece de esa unidad. La predicación es una actividad entre otras, junto con el trabajo manual, la mendicidad y la asistencia a los enfermos.

Carmelitas y cartujos. Mientras franciscanos y dominicos introducían sus reformas en la vida monástica, llegaban a su apogeo otras órdenes nacidas en siglos anteriores. Hacia el año 1100 se había fundado, sobre un contrafuerte montañoso de la bahía de san Juan de Acre, en Palestina, la Orden de Nuestra Señora del Monte Carmelo. Se ignora el origen exacto del monasterio construido en el lugar; lo más probable es que provenga de los ermitaños cristianos que, huyendo de las persecuciones sarracenas, se refugiaron en aquellos parajes. Hacia el año 1171 recibieron de Alberto, patriarca de Jerusalén, una Regla extremadamente rigurosa, que en 1245 fue reconocida definitivamente por el Papa Inocencio IV. Por vestir un manto blanco sobre sus hábitos pardos, los carmelitas recibieron también el nombre de *padres blancos*. Se repartieron por Europa durante la Edad Media, y el extremo rigor de su votos primitivos no tardó en suavizarse. Al sobrevenir la Contrarreforma, santa Teresa de Ávila fundó en España un convento de monjas carmelitas, reviviendo el rigor de los primitivos votos. La renovación alcanzó también a la rama masculina y dio origen a la Orden de los Carmelitas Descalzos o Reformados –en oposición a los Mitigados o Calzados– a la cual perteneció san Juan de la Cruz, uno de los mayores poetas de la lengua castellana. Los Carmelitas Descalzos tuvieron pronto ocho provincias en España y doce en Italia, y durante la Colonia enviaron numerosos monjes a América. El culto de Nuestra Señora del Carmen, por ellos introducido, ha adquirió gran difusión en Chile y Argentina.

Hacia la época en que se formaba el primer monasterio de carmelitas, san Bruno y otros seis compañeros se reunían en un lugar de los Alpes del Delfinado, en un hermoso valle al pie de la Grande Chartreuse.

Corel Stock Photo Library

Sacerdotes pertenecientes a la orden de los franciscanos, en una procesión en Italia.

Allí se erigió en el año 1084 el monasterio llamado la Cartuja, deformación española del nombre francés de Chartreuse, y de este modo nació la Orden de los Cartujos. Sus miembros vestían hábito blanco y correaje del mismo color, con capuchón y esclavina negros. La orden, que era de una severidad extrema, adoptó las reglas benedictinas; sus monjes dormían sobre paja y comían frugalmente a base de pan y verduras, practicando el ayuno, la disciplina y la vigilia durante la noche. Guignes, que fue el quinto general de los cartujos, hizo extensiva la orden a las mujeres, que se rigieron por reglas semejantes y vestían de manera parecida, con túnica blanca, capa y escapulario. El monasterio más importante de los cartujos era el central de la Grande Chartreuse, en el cual fue fundada la orden, y que es famoso por sus grandes riquezas artísticas. Saqueado por los hugonotes durante las guerras de religión, y destruido parcialmente durante la Revolución Francesa, ha perdido buena parte de sus riquezas seculares. En él se fabricaba el famoso licor tónico llamado *chartreuse*, que era elaborado por los mismos monjes, trasladados en 1903 a Tarragona, en España, donde siguen fabricando el licor con arreglo a sus fórmulas tradicionales.

Influencia de las órdenes mendicantes. Hacia 1320, los franciscanos tenían ya 1,400 casas y 30,000 miembros; los dominicos, por su parte, disponían de 400 conventos y 10,000 frailes. El ideal de pobreza que ambas órdenes encarnaban no tardó en extenderse a las congregaciones menores y, en última instancia, a toda la cristiandad europea. En el primer siglo de su existencia, los dominicos proporcionan a la Iglesia 450 prelados, doce cardenales y dos papas, y los franciscanos aportan 200 prelados y ocho cardenales. Los dominicos asumen la terrible misión de buscar y castigar a los disidentes religiosos. La Inquisición queda unida, desde este momento, a la historia de sus luchas apostólicas. Pero ésta no se limita al combate contra la herejía, sino que asume, por primera vez, la evangelización de los países de ultramar por medio de las misiones, y aborda la tarea gigantesca de dar forma a la filosofía cristiana. Será un dominico, santo Tomás de Aquino, el autor de la definitiva *Suma Teológica*, verdadera catedral del pensamiento cristiano en estos siglos atribulados.

Las órdenes femeninas. Durante largos siglos han existido pequeñas congregaciones femeninas, casi todas surgidas a la sombra de la orden benedictina. Entre ellas fue notable el monasterio de vírgenes fundado por santa Escolástica, la hermana de san Benito, no muy lejos de Montecassino. En el siglo XII aparecen las primeras congregaciones de monjas tal como las conocemos hoy. Santo Domingo de Guzmán funda, junto a su institución masculina, una *segunda orden femenina*. Una joven de 18 años Clara de Asís, crea en 1212 la Orden de las Clarisas, bajo la influencia espiritual de san Francisco.

Sin embargo la primera gran personalidad femenina de la Iglesia medieval es santa Catalina de Siena, discípula espiritual de la Regla dominica. Esta gran mística y visionaria fue también una mujer de acción, de autoridad férrea y de energía tenaz, que llegó a tener una enorme influencia política y, al mismo tiempo, a dejar una huella espiritual imborrable.

Corel Stock Photo Library

Mosaico español de San Francisco de Asis, fundador de la orden de los franciscanos.

A partir del siglo XI comienzan a surgir comunidades especializadas en tareas caritativas, que a causa de la evolución social ya no pueden ser realizadas por las órdenes tradicionales. Los miembros de estas nuevas órdenes se agrupan en comunidades, se someten a la autoridad de un prior o una superiora, pronuncian los votos habituales y adoptan la Regla de san Agustín. Entre estas órdenes cabe recordar las de los Antoninos, Crucíferos y Cruzados, la de san Lázaro de Jerusalén, las Penitentes de santa María Magdalena y la Orden de Nuestra Señora de la Merced, fundada en 1223 por san Pedro Nolasco y san Raimundo de Peñafort. Esta orden, también llamada de los Mercedarios, se especializó en la redención de esclavos cristianos y logró libertar a más de 5,000 en menos de un siglo.

La Reforma y san Ignacio. Producida la rebelión protestante, se operó dentro de la Iglesia un vasto movimiento de reacción que la historia recuerda con el nombre de Contrarreforma. La primera de las órdenes que surgieron a impulsos de esta renovación dinámica fue la de los Capuchinos, fundada por Mateo de Bassi, en el año 1525. Aunque surgidos de la observancia franciscana, los Capuchinos no tardaron en asumir el carácter de una orden nueva que trataba de restaurar la Regla de san Francisco de Asís en toda su integridad originaria. Al mismo tiempo nace una fórmula que procura responder a las necesidades de los nuevos tiempos. Cayetano de Tiena y Juan Pedro Carafa, obispo de Theato, crean la Orden de los Teatinos, sacerdotes consagrados al mismo ministerio de los demás, pero que emiten votos monásticos. Sobre este modelo surgen en Milán, en 1530, los Clérigos Regulares de san Pablo, o Barnabitas, creados por san Antonio Zaccaría. Poco después, san Carlos Borromeo, arzobispo de Milán, funda los Oblatos de san Ambrosio sobre bases similares. Esta nueva fórmula de los clérigos regulares no trata de luchar directamente contra la herejía, sino de formar núcleos de sacerdotes fervorosos y muy capacitados, dedicados a iguales tareas que el clero secular. En cuanto a las órdenes femeninas, adquirieron nuevo auge con la fundación de la congregación de las Ursulinas. Creada por Angela Merici, oriunda de Brescia, tenía la finalidad de educar gratuitamente a las jóvenes. La organización de esta orden fue reformada en varias ocasiones, y a fines del siglo XVII llegó a contar cerca de 200 establecimientos.

Imágen polaca que representa la ordenación religiosa de los apóstoles de Jesucristo.

Corel Stock Photo Library

Pero el arma más eficaz de la Contrarreforma habría de ser forjada por el hijo de un gentilhombre del país vasco, Íñigo de Loyola. Después de llevar una juventud disipada, sufrió una herida en la defensa del castillo de Pamplona el año 1521 contra los franceses, cuando tenía treinta años de edad, y decidió consagrarse a la salvación de las almas. Después de un breve retiro en el monasterio catalán de Montserrat, y una estancia más prolongada entre los dominicos de Manresa, que le iniciaron en la mística, realizó una peregrinación a Jerusalén y, al regresar, estudió en la Universidad de Alcalá, donde redactó sus celebérrimos *Ejercicios espirituales*; molestado por la Inquisición, que lo encontró sospechoso de simpatizar con la doctrina de los *alumbrados*, se trasladó a Salamanca, donde tropezó con las mismas dificultades e incluso llegó a estar preso durante tres semanas. Se dirigió a París y el 15 de agosto de 1534, reunido con seis condiscípulos en el barrio de Montmartre Ignacio pronunció solemnes votos de pobreza y castidad, y prometió viajar antes de un año hacia Tierra Santa o ponerse, si ello era imposible, a disposición del papa. El universitario saboyano Pedro de Le Fèvre dijo misa en la abadía de Montmartre y dio la comunión a sus compañeros. Juntos partieron hacia Tierra Santa pero, viéndose detenidos en Venecia e imposibilitados de cumplir la primera parte de sus votos, decidieron llevar a cabo la segunda parte y se encaminaron hacia Roma para ver al papa. Antes de emprender la marcha se prescribieron un método de vida uniforme, adoptaron un conjunto de reglas y decidieron llevar el nombre de Compañía de Jesús, como si formaran parte de un vasto ejército. Reunidos en Roma lograron, tras muchas contrariedades, que la Santa Sede aprobara sus Reglas, y san Ignacio fue elegido como primer general de la Compañía. El Papa Pablo III aprobó el primer esbozo de las Constituciones de la Orden, pero limitando a sesenta el número de sus miembros. san Ignacio logró luego que el Pontífice eliminara todas las restricciones y permitiera que la Orden se extendiese sin límites. Obtuvo la Iglesia de san Andrés, en la Ciudad Eterna, y en ella inauguró su primera casa; los sesenta jesuitas de la primera hora, número señalado como límite por la bula de 27 de septiembre de 1540 sancionando la constitución de la Compañía, llegaron a ser mil unos dos años más tarde.

La Compañía de Jesús posee numerosos rasgos de gran originalidad. El reclutamiento de sus miembros es severísimo y la perfecta formación de la inteligencia y la voluntad –que se prolonga por espacio de doce o trece años– asegura la cohesión y la eficacia de sus actividades. Existen cuatro categorías de jesuitas: los coadjutores temporales, comparables a hermanos legos, que son individuos poco aptos para los estudios; los escolásticos o escolares; los coadjutores espirituales o formados, y los sacerdotes profesos. A los tres votos comunes a todas las órdenes religiosas, estos últimos agregan un voto especial de obediencia al papa. La formación del jesuita tiende a prepararlo para la acción; se basa en los *ejercicios espirituales*, método formativo que continúa la tradición ascética española, pero tiende, además, con admirable penetración psicológica, a asegurar al miembro de la Compañía un dominio absoluto de sí mismo, perfecta docilidad de espíritu y obediencia total. Todos los poderes están en manos del General, que elige a los Provinciales y convoca a su arbitrio la Congregación General. Una absoluta centralización jerárquica, unida a la autonomía respecto de los obispos y la dependencia directa ante el papa, permitió que la Orden se afianzara rápidamente en toda Europa. Influye en el Concilio de Trento, representa a la Santa Sede en la Dieta de Augsburgo y, sobre todo, obtiene en numerosos países un gran prestigio por sus excelentes métodos pedagógicos que dan origen a una abundantísima literatura escolar. A partir casi del mismo día de la fundación de la orden, lanza centenares de misioneros hacia África, América y Asia. San Francisco Javier, miembro de una noble familia navarra y uno de los seis que formaron con Loyola el grupo inicial, impaciente y valeroso hasta la temeridad, es el arquetipo de los misioneros jesuitas: en 1542 desembarca en la India, predica el Evangelio en Japón durante tres años (1549-1551) y muere en las costas de China al iniciar una nueva empresa apostólica. En toda América Latina dejan los jesuitas las huellas de su paso: iglesias, escuelas, esculturas, libros y las famosísimas misiones del Paraguay.

El siglo de san Vicente. La figura luminosa de san Vicente de Paul domina el panorama religioso del siglo XVII, como la de san Ignacio de Loyola había dominado la época de la Contrarreforma. En los sesenta años transcurridos desde su ordenación en 1600 hasta su muerte en 1660, son innumerables sus obras de caridad, sus fundaciones y sus tareas de asistencia a enfermos y desvalidos. San Vicente fundó en 1617 la congregación de las Siervas de los Pobres, exigiendo a las mujeres que abandonaran la religión puramente contemplativa y ayudaran a curar miserias humanas. Éste fue el embrión de su admirable comunidad de las Hermanas de la Caridad, que funda junto con Luisa de Marillac. Crea

Corel Stock Photo Library

La Vírgen María, es la patrona de la orden religiosa de los maristas.

también la congregación de los Hermanos de la Misión, conocidos luego como Lazaristas, y suma así el aporte masculino a la obra anterior. En 1643 funda la institución de las Hijas de la Providencia para atender las casas de ancianos y los asilos de niños huérfanos, que su celo admirable va creando en toda Europa. San Vicente fue también el iniciador de la Asistencia Pública de París y el precursor de las obras de Servicio Social, pues inauguró la primera casa para dementes y un asilo para la niñez. La obra de la educación popular fue asumida también por las órdenes religiosas durante el siglo XVII. Un canónigo de Reims, Juan Bautista de La Salle, logró resolver el problema de los maestros y de los métodos, al crear en 1680 el instituto de los Hermanos de las Escuelas Cristianas.

El asalto contra las órdenes religiosas comenzó durante el siglo XVIII y se prolongó durante toda la centuria pasada. Innumerables leyes, decretos y resoluciones, que sería imposible resumir aquí, restaron influencia a las órdenes monásticas, a las congregaciones mendicantes y, de modo muy especial, a la poderosa Compañía de Jesús, a la que declararon su enemiga muchos gobiernos europeos. Los jesuitas fueron expulsados de Portugal (1759), Francia (1762), España y sus colonias (1767) y Nápoles Bajo la presión de los gobiernos de estos países, el Papa Clemente XIV ordenó por el breve *Dominus ac redemptor noster* (21 de julio de 1773) la disolución de la Compañía, que restableció Pío VII en 1814. Después de un largo eclipse, las órdenes masculinas y femeninas comenzaron a renacer a mediados del siglo XIX. El anticlericalismo casi se apaciguó hacia la época de la Primera Guerra Mundial, y el Vaticano suscribió, con diversos países, varios concordatos que garantizan el libre desarrollo de las órdenes.

En nuestro siglo han surgido innumerables congregaciones nuevas, en especial femeninas. Es imposible enumerar la totalidad de estas instituciones, dado su extraordinario número. El cuadro siguiente enumera las principales órdenes masculinas, indicando la fecha y el lugar en que fueron fundadas, así como el número aproximado de sus miembros en la actualidad.

Celebración Eucarística de la Iglesia Luterana en Jerusalén, Israel.

Corel Stock Photo Library

Orden	Fundación Año	País de Fundación	Miembros
Antoninos	300?		1,000
Basilianos	320?		1,150
Canónigos de Letrán	430	África	750
Benedictinos (O.S.B.)	529	Italia	9,100
Cartujos	1084	Francia	750
Cistercienses (O.C.E.S.)	1098	Francia	5,300
Canónigos Premonstratenses	1120	Francia	1,150
Trinitarios Descalzos	1100?	Francia	400
Carmelitas	1209	Palestina	4,900
Franciscanos (O.F.M.)	1209	Italia	41,800
Dominicos (O.P.)	1215	Francia	8,000
Mercedarios (O.M.)	1218	España	1,700
Siervos de María	1233	Italia	1,500
Agustinos (A.A.)	1256	Italia	3,700
Mínimos 1435		Italia	500
Teatinos	1524	Italia	200
Barnabitas	1530	Italia	600
Jesuitas (S.I.)	1534	Francia	28,500
San Juan de Dios	1537	España	2,500
Oratorianos	1575	Italia	250
Camilianos	1582	Italia	1,600
Clérigos de las Escuelas Pías	1597	Italia	2,000
Lazaristas	1625	Francia	5,100
Eudistas	1643	Francia	800
Misiones Extranjeras de París	1653	Francia	1,050
Hermanos de las Escuelas Cristianas (H.E.C.)	1680	Francia	14,400
Sacerdotes del Espíritu Santo (S.E.S.)	1703	Francia	6,000
Hermanos de San Gabriel	1705	Francia	1,250
Compañía de María (C. M.)	1705	Francia	2,000
Pasionistas (C.P.)	1720	Italia	4,250
Redentoristas (O.R.)	1732	Francia	6,700
Picpucianos	1800	Francia	1,150
Hermanos Cristianos de Irlanda	1802	Irlanda	2,200
Hermanos de la Caridad	1807	Bélgica	1,500
Oblatos de María Inmaculada	1816	Francia	6,500
Maristas	1816	Francia	1,400
Hermanos Maristas de las Escuelas (H.M.E.)	1817	Francia	7,500
Marianistas	1817	Francia	2,900
Hermanos del Sagrado Corazón	1821	Francia	2,250
Palotinos	1835	Italia	3,100
Religiosos de la Santa Cruz	1837	Francia	1,300
Hermanos de San Francisco Javier	1839	Bélgica	700
Hermanos de la Inmaculada Concepción	1840	Holanda	800
Hermanos de Nuestra Señora de la Misericordia	1844	Holanda	1,000
Asuncionistas	1845	Francia	2,200
Misioneros Hijos del Corazón de María	1849	España	4,300
Misiones Extranjeras de Milán	1850	Italia	500
Misioneros de Nuestra Señora de la Salette	1852	Francia	850
Misioneros del Sagrado Corazón de Jesús	1854	Francia	2,000
Misiones Africanas de Lyon	1856	Francia	1,500
Sacerdotes del Santísimo Sacramento	1856	Francia	1,000
Salesianos de Don Bosco (S.D.B.)	1859	Italia	14,000
Misioneros del Corazón de María	1862	Bélgica	1,200
Hijos del Sagrado Corazón de Jesús	1867	Italia	1,000
Padres Blancos	1868	África	2,300
Pía Sociedad de San José	1873	Italia	700
Sociedad del Verbo Divino (S.V.D.)	1875	Holanda	4,500
Sacerdotes del Sagrado Corazón	1877	Francia	2,100
Salvatorianos	1892	Italia	1,100
Sacerdotes de la Pequeña Obra	1892	Italia	1,100
Misioneros de la Sagrada Familia	1895	Holanda	1,000
Misioneros de la Consolata	1901	Italia	850
Misioneros de Marianhill	1909	Gran Bretaña	600
Pía Sociedad de San Pablo (S.P.)	1914	Italia	600

Las órdenes religiosas prestan a la Iglesia múltiples servicios en todos los aspectos: obras de beneficencia, predicación, enseñanza y, sobre todo, en las misiones, donde ocupan la mitad de los vicariatos apostólicos y los dos tercios de las prefecturas. Algunas órdenes, como la de los jesuitas y dominicos, desarrollan extraordinaria labor intelectual por medio de libros y revistas, y cultivan todos los ramos de la ciencia y la filosofía. La superabundancia de pequeñas agrupaciones se explica en virtud del tradicionalismo de la Iglesia; las órdenes no se suceden, sino que se yuxtaponen con gran libertad. *Veanse* MISIONES AMERICANAS.

orden sagrado. *Véase* SACRAMENTO.

ordenación del territorio. Política de programación y planificación de los recursos económicos y humanos de una región específica, aplicada bien con el fin de evitar desequilibrios entre zonas distintas, o para aumentar la riqueza nacional. La óptima utilización de los recursos se ve obstaculizada a veces por la limitación de éstos o por deficiencias en los análisis desarrollados, principalmente de tipo costo-beneficio. En sus orígenes, la política de ordenación del terreno se basaba en la concesión de ayuda o incentivos para el desarrollo de las zonas poco favorecidas mediante el mejor aprovechamiento de sus recursos y la ubicación de actividades económicas. Posteriormente se comenzó a recurrir a la formación de fondos de apoyo al establecimiento de industrias y mano de obra, y se otorgaron beneficios, tales como exenciones fiscales. El primer programa completo y coherente de ordenación del territorio se aplicó en el valle de Tennessee, EE.UU., en los años treinta.

ordenador. *Véase* COMPUTADORA

Ordoñez, Bartolomé (? -1520). Escultor español. Impulsado por su vocación, marchó a Italia, donde estudió con los grandes maestros de la época. A su regreso, se estableció en Barcelona y allí esculpió la célebre tumba del cardenal Cisneros de acuerdo con los planos de Fancelli, tumba que ahora puede verse en la iglesia del Colegio Mayor de san Ildefonso de Alcalá de Henares. También es autor de las tumbas de doña Juana *la Loca* y don Felipe *el Hermoso* en la Capilla Real de la Catedral de Granada. Es, igualmente, el autor del grupo *La Virgen con el Niño y san Juan* de la catedral de Zamora. Aunque influido por sus maestros italianos, su gusto depurado lo convirtió en uno de los maestros más apreciados de su época.

ordovícico. *Véase* GEOLOGÍA.

Orduña, Juan de (1904-1974). Director de cine español. Comenzó su carrera como actor con la película *La casa de la Troya*. Posteriormente se dedicó a dirigir producciones cinematográficas entre las cuales sobresalen *Locura de amor*, *Pequeñeces*, *Agustina de Aragón* y *El último cuplé*.

orégano. Planta de la familia de las labiadas. Es una hierba vivaz, aromática, de hojas enteras o algo dentadas, flores en espiga, regularmente desarrolladas y cáliz aovado y acampanado. Abunda en España y en otros países de la cuenca del Mediterráneo y se utiliza mucho como condimento y también en medicina, pues posee grandes virtudes tónicas. Destilando sus flores secas o frescas se obtiene la esencia de orégano que resulta incolora o ligeramente amarillenta, de sabor amargo y olor muy agradable y penetrante.

Oregon. Es uno de los estados del noroeste, se extiende a lo largo de la costa del océano Pacífico. Está bordeado por Washignton en el norte, Idaho en el este, y Nevada y California en el sur. Superficie: 254,471 km2. Población: 3.086,000 habitantes en 1994. La capital es Salem (108,000 h., 1992) y la ciudad más grande es Portland (445,000 h., 1992). Fue admitido en la Unión en 1859.

Tierra. Hay siete regiones físicas distintas: la costa Range (la elevación más alta es la del el pico de Mary con 1,249 m) tiene 320 km de largo por 50 a 100 km de ancho; ésta se extiende por la costa del estado en el oeste. Las montañas Klamath, llamadas algunas veces Siskyou (la elevación más alta es las del monte Ashland 2,296 m), se extienden por el sureste hasta la costa Range cerca de California. La más conocida de estas regiones es el valle del río Rouge. El valle del río Willemette está ubicado al este de la costa Range. La cascada Rauge (la elevación más alta es la del monte Hood con 3,426 m) se encuentra en el valle del río Willemette. La meseta de Deschutes-Umatilla (la elevación más alta es sobre los 2,100 m) está localizada al este de las cascadas. Y en el sureste del estado dos superficies distintas: las altas praderas de lava y la región de la provincia de Range.

Hidrografía. El río Columbia fluye al norte de Oregon, creando una frontera con Washington. Éste y sus tributarios drenan 58 % de la tierra. Muchos de ellos desembocan directamente en el océano Pacífico, excepto por la parte sureste, ya que debido a la evaporación del agua no existen ríos. El río Columbia es el tercer río más grande de Estados Unidos. Sus dos principales tributarios son el río Sanke y el Willamette. Un gran nùmero de lagos se crearon por glaciares en las altas montañas y por el bloqueamiento del fluir de la lava o por dunas de tierra. El lago más grande del estado es el de Klamath; el lago Crater es el más profundo del país.

Corel Stock Photo Library

Vista de la costa, parque estatal de Ecola,Oregon.

Clima. La precipitación y la temperatura son afectadas principalmente por la latitud y la influencia del océano. A bajas altitudes en enero las temperaturas varían desde 2 a 10 °C; en julio van desde los 13 a los 24 °C. Las precipitaciones van desde los 250 mm en el sureste a más de 2,500 mm en el oeste. En la alta montaña más de la mitad de las precipitaciones caen en forma de nieve. La mayoría de ellas son en el invierno.

Vegetación y vida animal. Las coníferasexistentes incluyen el abeto de Douglas -el cual es la principal madera de construcción del estado- el pino ponderosa y la cicuta. Las principales maderas son el roble, el arce y el aliso. Grandes áreas del este de Oregon están cubiertas con pasto o con artemisa. La vida animal del estado es abundante (ciervos, antílopes, osos, etcétera).

Recursos minerales. Tiene variedad de minerales. Muchos de ellos en pequeños depósitos que son poco provechosos para la extracción, excepto en tiempos de altos precios. Hay depósitos de arena, grava, piedra y arcilla. Los metales que se encuentran son el oro, la plata, el níquel, el plomo, etcétera.

Actividad económica. La economía del estado ha cambiado gradualmente de un énfasis en la agricultura a un énfasis en industrias madereras, manufactureras e industrias de servicio. La agricultura emplea menos de 5 % de mano de obra porque muchas de las operaciones están mecanizadas. Menos de 10 % del área total del estado está cultivado. Los granos más importantes son: trigo, frutas, vegetales, patatas, etcétera. Las zonas donde la agricultura tiene más auge son el valle de Willamette y meseta de Deschutes-Umatilla.

Los bosques de Oregon son la vida de la economía del estado. El abeto de Douglas es el árbol más utilizado en la construcción y es el que más abunda. Se puede decir que es el jefe de los árboles. También se trabaja con el roble, el arce y el aliso. La pesca comercial tiene muy poca ocupación en el estado; el salmón, el atún, el halibut, etcétera son las especies más importantes.

Las industrias manufactureras emplean a 200,000 personas, muchos de ellas en la

Detalle de la Universidad de Oregon.

Corel Stock Photo Library

industria maderera. Las industrias del metal y las de procesamiento de alimentos son otras de las industrias importantes del estado. La mayoría de las industrias están concentradas en el valle de Willamette. Oregon depende del la energía hidroeléctrica, del petróleo importado, del gas natural y del carbón. La mayoría de las plantas hidroeléctricas se encuentran localizadas cerca del río Columbia y en los márgenes de la cascada Range.

Turismo. Miles de habitantes de Oregon y de otros estados y países visitan cada año el estado, para pescar, acampar, practicar ciclismo, etcétera. Muchos de los lugares de recreación están localizados en uno de los parques nacionales del estado -lago Crater.

Orellana, Francisco de (1511?-1550). Conquistador español nacido en Trujillo, como los hermanos Pizarro, de los que era pariente. Partió muy joven para América y tras de residir algún tiempo en Panamá, pasó al Perú, en cuya conquista tomó parte; parcial de los Pizarro, combatió junto a ellos contra los almagristas, interviniendo en diversas acciones de aquella guerra civil, y cuando Francisco Pizarro repartió entre sus capitanes las tierras que aún quedaban por disputar a los indígenas, a Orellana le asignó una de las provincias del norte, donde ya habían fracasado otros capitanes. Tras enconados combates, Orellana logró consolidar su dominio, fundando por tercera vez la ciudad de Santiago de Guayaquil, a la que le dio un emplazamiento más ventajoso que el que hasta entonces había tenido. Dos años después se unió a la expedición emprendida por Gonzalo Pizarro en busca de l*as tierras del Dorado y de la Canela*, penosísima y desastrosa aventura, pero que dio ocasión a que Orellana realizase la inaudita proeza de navegar con una frágil embarcación, improvisada por él y por sus hombres, todo el curso del Amazonas, del que propiamente fue el descubridor, ya que sólo era conocida su desembocadura por haberla avistado Vicente Yáñez Pinzón en 1500. Orellana, comisionado por Gonzalo Pizarro, inició su navegación por el río Coca, descubrió el río Napo (21 de diciembre de 1540) y siguió después por el Amazonas hasta llegar, al cabo de ocho meses, al Atlántico (26 de agosto de 1541). Durante su recorrido, en el que cubrió 1,800 leguas, fue hostilizado por las mujeres *coniapayaras*, guerreras belicosas a las que pretendió identificar con las míticas amazonas de la antigüedad clásica, y de ahí el nombre que se le dio al gran río. Llegado a España, informó de su viaje y descubrimientos al Consejo de Indias, y provisto por éste del título de adelantado para las nuevas tierras, reunió quinientos hombres y partió de nuevo para América con cuatro navíos; un temporal le obligó a detenerse en las Canarias, y cuando llegó al estuario del Amazonas sólo le quedaban dos naves; perdió otra más cuando ya había remontado el río en unos 500 km, y prosiguió con la que le quedaba, hasta que finalmente, hostilizado por los indios y víctima de unas fiebres, pereció en los alrededores de Montealegre. De la expedición sólo pudieron salvarse algunos hombres y la joven esposa de Orellana, doña Ana de Ayala, que había ido en su compañía, la cual pudo llegar con vida a la isla Margarita. Pese a este fracaso y a la escasa fortuna de sus empresas, el nombre de Francisco de Orellana es uno de los más destacados de aquella época febril de descubrimientos y conquistas, correspondiéndole la gloria indiscutible del establecimiento definitivo de la ciudad de Guayaquil y de haber sido el primer navegante del Amazonas.

orenda. Para los iroqueses, pueblo indígena de América del Norte, la orenda es una especie de energía espiritual o fuerza supranatural que alienta a todos los seres y les confiere poderes extraordinarios. Es además el principio de sus creencias religiosas.

Orense. Provincia española perteneciente al antiguo reino de Galicia. Limita con Pontevedra, Lugo, León, Zamora y Portugal. Su superficie es de 7,281 km^2 y su población alcanza 364,521 habitantes (1995). Aparte de la capital, la ciudad de Orense, sus poblaciones más importantes son Carballino, Verín, Ribadavia y Valdeorras. Como todas las provincias del norte de España, posee grandes prados en los que se cría ganado vacuno. Cuenta con minas de wolframio y estaño, fundiciones de hierro, aserraderos, elaboración de harinas y mantecas, y fábricas de chocolate.

Orense u Ourense. Capital de la provincia de su nombre, en España, con 110,796 habitantes. Se halla regada por el Miño, sobre el cual cruza un puente monumental, cuyo arco central mide casi 38 m de luz. La población se ha modernizado y cuenta con amplias y cómodas avenidas, bellos edificios (catedral, asilo, museo, etcétera), y jardines, como el principal de Posio, en donde se alza una estatua al poeta Lamas Carvajal. Posee importantes manantiales de aguas termales, llamados Las Burgas. Es sede episcopal.

Orestes. Héroe o personaje de la mitología griega, célebre sobre todo por haber servido como elemento de algunas creaciones de los mejores poetas y trágicos griegos: *La Orestiada* de Esquilo, *Electra* de Sófocles, e *Ifigenia* de Eurípides. Según la genealogía mítica, su padre era Agamenón, rey de Micenas y Argos, y su madre Clitemnestra. Sus hermanas fueron Electra e Ifigenia. Agamenón había muerto a manos de Egisto, amante de Clitemnestra, y Orestes estaba destinado a tener el mismo fin. Para evitarlo y salvarle, su hermana Electra lo condujo a la Fócida donde lo ocultó en su casa el rey Etrofio. Años después salió de su refugio, regreso a Micenas y para vengar la muerte de su padre, mató a Clitemnestra juntamente con su amado. Las Erinias (Euménides), encolerizadas, lo persiguieron por tal acción y lo obligaron a vagar incesantemente. Al fin, Palas Atenea dispuso que se le abriese un solemne proceso en el Areópago para juzgarlo. El Areópago lo absolvió y Orestes ocupó el trono de su padre.

orfanato. Institución, dedicada a recoger, albergar y educar a los huérfanos, además de prepararlos y adiestrarlos en un oficio, arte o profesión. Los orfanatos son conocidos desde muy antiguo. Moisés recomendaba socorrer a las viudas y a los huérfanos, y los atenienses, que tanto culto rendían a los héroes, instituyeron la costumbre de que los hijos de aquellos que murieran por la patria fuesen educados a cargo del Estado en *orfanotrofios*. Lo mismo sucedió en Roma, donde varios emperadores (Augusto, Trajano, Adriano, etcétera) crearon varios establecimientos con tal objeto. Los cristianos hallaron en esa modalidad una de las formas más puras para ejercer las virtudes caritativas que la religión ensalza, y ya a principios del siglo IV aparecen en Constantinopla los que podría considerarse como primeros orfanatos.

Las órdenes religiosas, más tarde, sobre todo las denominadas hospitalarias se dedicaron a practicar esa protección. En el siglo XVI, sobre todo en Italia, se fundan orfanatos que, a diferencia de los hospicios, recogen y albergan solamente huérfanos, y a partir de esa época, ese género de establecimientos se difunde notablemente, nutriéndose de los fondos de la caridad privada o de las aportaciones de la asistencia pública. Muchos sociólogos y educadores señalan que en los orfanatos no se encuentra ese calor de hogar, amor y ternura que sólo puede dispensar la familia. Para subsanar en lo posible esa carencia recomiendan las adopciones o educación de los huérfanos en el seno de familias que por diversas causas quieran hacerlo con las debidas garantías de moralidad, probidad y suficiencia económica.

orfebrería. Arte de labrar objetos artísticos de oro o plata. Es la aplicación de la escultura a los metales preciosos. Se divide en *orfebrería mayor* y *orfebrería menor*. La primera comprende la fabricación de piezas de gran tamaño: ornamentos eclesiásticos, cálices, custodias, cofrecillos, estatuitas, vajillas, etcétera. La orfebrería menor, como su nombre indica, se limita a la fabricación de utensilios y objetos de tamaño reducido. Los orígenes de la orfebrería se remontan al principio de la Historia y se confunden con los de su rama gemela, la joyería. Se cree que entre los primeros metales empleados por el hombre figura el oro, debido a la facilidad con que puede ser trabajado en su estado original, y poco después la plata. En la orfebrería de la antigüedad se destacan los orfebres faraónicos, que embellecieron las joyas con labores de cincelado, grabado, relieves y esmaltes. Asimismo, se conservan monumentos persas y asirios en los que aparecen figuras engalanadas con adornos suntuosos. Los griegos conocieron la orfebrería a través de los fenicios y sus obras más importantes fueron las grandes estatuas de oro y marfil de Apolo de Amiclea, Júpiter de Olimpia y la Minerva del Partenón. A juzgar por la perfección técnica que se advierte en los adornos afiligranados y la delicadísima labor de granulado, la orfebrería romana alcanzó un alto grado de perfección; cuenta Plutarco que había en Roma palacios cuyos muebles eran de plata y oro.

La orfebrería bizantina se caracterizó por lo pesado del metal y la profusión de pedrerías. La orfebrería románica tuvo su centro en Francia. La alemana sobresalió en la fabricación de lámparas, candelabros e incensarios, siendo piezas valiosas el arca de los Reyes Magos de la catedral de Colonia y el sarcófago que guarda los restos de san Macrino, en la iglesia de Santa María de Schnurgasse, de la misma ciudad, predominando en ambas el estilo gótico. En el siglo XIII la orfebrería dejó sentir la influencia del arte ojival, periodo éste que fue muy fecundo en España y Francia. Orfebres famosos fueron los italianos Pedro y Pablo de Arezzo y Andrés de Ognabene, precursores de Verrocchio, Pollaiuolo, Finiguerra y Tovolaccino. Pero el más genial de todos fue Benvenuto Cellini (autor de un *Tratado de orfebrería*), del que se conservan piezas notables en Italia, Austria, Francia y España. La orfebrería goza de gran prestigio en los países asiáticos, lo que se advierte por las obras que los orífices cingaleses, hindúes, malayos, anamitas, camboyanos, chinos y japoneses exponen frecuentemente en el mercado occidental.

Orfeo. Personaje célebre de la mitología griega por el hecho de haberse precipitado a los infiernos en pos de su esposa que había fallecido el mismo día de desposarse con él, a causa de la picadura de una serpiente. Su aventura fue narrada ampliamente por los glosadores de los mitos. Habiendo llegado al imperio de las sombras donde reinaba el temible Plutón, penetró en el antro y al encararse con el dios infernal, arrancó armoniosos acordes a su lira. Conmovido por tal música, Plutón consintió en restituirle la esposa, para lo cual había de prometer Orfeo no volverse a mirarla hasta trasponer las puertas de los infiernos. Sucedió que su impaciencia no pudo ser contenida, y en el momento que tocaba la puerta volvió la cabeza para cerciorarse de que era seguido por Eurídice, su mujer. En el mismo instante desapareció ésta. Entonces Orfeo se dio a vagar tristemente por las montañas de Tracia. Las mujeres tracias se enamoraron de su música y su porte, y al convencerse de que él se obstinaba en no volver a unirse con mujer alguna, se arrojaron sobre él y lo destrozaron. La cabeza fue echada al mar y dice la leyenda que se oyeron y siguieron siempre oyéndose los ruidos lastimeros que salen de sus labios y se propagan por las olas. Orfeo era hijo de Eagro, rey de Tracia, y de la musa Calíope. Apolo le regaló la lira y las Musas le infundieron los conocimientos musicales, por lo que Orfeo fue un músico inspirado que tocaba la lira con singular maestría, ante cuyos acordes se inclinaban los árboles, se amansaban las fieras y quedaba suspenso el curso de los ríos.

Corel Stock Photo Library

Trabajo de orfebrería colombiana, Museo de Bogotá, Colombia.

Conjunto de cantores al aire libre.

Corel Stock Photo Library

orfeón. Conjunto de cantores que actúan en coro sin que los acompañe instrumento musical alguno. El nombre procede del personaje mitológico Orfeo. El músico francés Bocquillon es considerado como el fundador del primer orfeón en 1833, agrupando los coros de distintas escuelas de canto por él organizadas en París. Uno de los orfeonistas más ilustres fue, sin duda, Gounod, que dirigió diversos conjuntos parisienses. La actuación organizada y eficiente de dichos conjuntos corales empezó en España con la influencia de José Anselmo Clavé, quien tomó a su cargo en Barcelona la enseñanza del arte del canto a las masas populares. Clavé llegó a reunir miles de cantores que sin aprendizaje musical, y adiestrándose de viva voz, consiguieron consumados efectos. Otros maestros catalanes siguieron, especialmente en Barcelona, la huella de Clavé y luego la afición cundió por toda España, principalmente en las provincias vascongadas, Galicia y Navarra, cuyos habitantes siempre conservaron la inclinación a tales expresiones del canto reuniendo las voces de diferentes tonos y matices. En Alemania aparece la primera sociedad coral en 1809, fundada por Zelter. En Inglaterra y sucesivamente en los distintos países europeos se fueron generalizando las formaciones corales. Algunos orfeones adquirieron renombre internacional y recorrieron el Viejo y el Nuevo continente. *Véase* CLAVÉ, J. A.

Orfila, Mateo José Buenaventura (1787-1853). Médico y químico español fundador de la toxicología. Nació en Menorca y estudió en las universidades de Valencia y Barcelona con gran aprovechamiento. La Junta de Comercio barcelonesa le pensionó para proseguir sus estudios en París y aprender especialmente química aplicada a la industria. Al estallar la guerra de la Independencia española la Junta no pudo seguir pasándole su pensión y Orfila hubo de dedicarse a dar clases particulares para subvenir a sus necesidades. Al doctorarse presentó su famosa tesis *In-*

vestigaciones sobre la orina de los ictéricos. Adoptó la nacionalidad francesa y a partir de entonces se dedicó a investigaciones sobre las sustancias tóxicas, entre otras la morfina. De aquella época es su célebre *Tratado de los venenos,* que fue varias veces reeditado y traducido a diversas lenguas y que le valió el nombramiento de médico de Luis XVIII. Más adelante fue nombrado profesor de medicina legal en la facultad de París y desempeñó luego la cátedra de química llegando a ser decano de la misma. Organizó el Hospital de Clínicas, el museo de Anatomía Patológica (museo Dupuytren) y la galería de Anatomía Comparada (museo Orfila). En 1851 fue nombrado presidente de la Academia de medicina. Frecuentemente era consultado en los procesos por envenenamiento, por su saber en toxicología. Su modestia fue pareja con sus grandes méritos y nunca ostentó más condecoración que la de caballero de la Legión de Honor. Entre sus obras, además de las ya citadas, figuran: *Elementos de química aplicada a la medicina y a las artes, Tratado de medicina legal* y *Tratado de las exhumaciones jurídicas.*

orfismo. Estilo pictórico creado y practicado (1912-1914; década de los años treinta) por el pintor francés Robert Delaunay. Originalmente denominado Cubismo órfico por el poeta Guillaume Apollinaire, consiste en un método para el cual el color (identificado con la luz) es el elemento pictórico básico; el término deriva del reconocimiento de que la luz en su constante movimiento y cambio produce formas cromáticas independientes de los objetos y crea diseños que se aproximan a la abstracción. Adicionalmente, ciertas combinaciones de colores en contraste armónico pueden reproducir el movimiento de la luz. *Ventanas,* la serie de Delaunay pintada entre 1910 y 1913 ejemplifica las posibilidades caleidoscópicas del orfismo, como es el caso de *Ventana sobre la ciudad No 4* (1910-1911, museo Guggenheim de New York).

El Orfismo se fundamentó en los hallazgos de movimientos anteriores como el Impresionismo, el Cubismo, el Futurismo y particularmente en las teorías del color del siglo XIX, estudiadas y exploradas por George Seurat. Éste influyó en un número de pintores, incluidos Frantisek Kupka, el grupo Der Blaue Reiter, Lyonel Feininger y los sincromistas.

orfismo. Secta de carácter místico que se propagó en la antigua Grecia hacia el siglo VI a. C. Sus miembros adoraban a un dios denominado Dionisos Zagreo, al que honraban con celebraciones al aire libre. El origen del orfismo se atribuye a Orfeo, de donde se deriva su nombre. El poeta y vidente Onomácrito ordenó todos los escritos referentes al orfismo entonces existentes, la mayor parte de los cuales ha desaparecido, y reformó la doctrina y la celebración de los misterios órficos. El orfismo continuó existiendo hasta los primeros siglos del cristianismo.

Orff, Carl (1895-1982). Compositor alemán. Estudió hasta 1914 en la Academia de Música de Munich y más tarde con H. Kaminski (1921-1922). Sus principales obras son escénicas: *Carmina Burana* (1937), *La Luna,* (1939), *La astuta* (1943), *Catulli Carmina* (1943), *Trionfo d'Afrodite* (1953), *Prometheus* (1968) y *De Temporum fine comoedia* (1972). Sus mejores composiciones tienen un lenguaje de gran originalidad.

orgánicos, compuestos. Sustancias químicas cuya denominación proviene de la antigua creencia de que su origen, a diferencia del de los compuestos inorgánicos, radicaba únicamente en la *fuerza vital* de los seres vivos. La idea de que los compuestos orgánicos no podían obtenerse en el laboratorio fue desmentida en 1828 por el químico alemán Wöhler, cuando éste logró sintetizar urea, compuesto químico originado por la descomposición de las proteínas de los mamíferos. Los compuestos orgánicos son el objeto de estudio de la química orgánica, y su clasificación primera los divide en aquellos que poseen solamente átomos de carbono e hidrógreno –hidrocarburos– y aquellos que presentan otros átomos adicionales. Éstos, según el tipo de átomos adicionales, pueden ser, por ejemplo, compuestos organooxigenados, organonitrogenados u organohalogenados. Existe un tercer grupo, integrado por los compuestos que no se ajustan a estos criterios, como los heterocíclicos, los esteroides y los polímeros orgánicos.

Los hidrocarburos. Sustancias orgánicas formadas exclusivamente por carbono e hidrógeno, cuyas moléculas se encuentran dispuestas en cadenas de átomos de carbono, unidos por lo general por una sola valencia, pero a veces por enlaces dobles o triples. Los hidrocarburos, pricipales componentes del petróleo y el gas natural, se dividen en acíclicos –la cadena de átomos de su molécula tiene principio y fin–, o de cadena abierta, y cíclicos –la cadena de átomos de cárbono se cierra sobre sí misma–, o de cadena cerrada. Dentro de estos últimos existe un importante subgrupo: los hidrocarburos aromáticos o arenos.

Los hidrocarburos se emplean como combustibles y en la elaboración de muchos polímeros orgánicos, disolventes y lubricantes.

Los compuestos organooxigenados. Son aquellos que contienen cuando menos un átomo de oxígeno unido a un carbono de su molécula. Los más importantes son los alcoholes, los fenoles, los éteres, los aldehídos, las cetonas, los ácidos carboxílicos y los éteres carboxílicos.

Los alcoholes y los fenoles se caracterizan porque su molécula consta de un hidrocarburo (aromático en el caso de los fenoles) que tiene anexado uno o varios grupos OH (hidroxilo). Entre los alcoholes más importantes está el etanol o alcohol etílico, que se encuentra en las bebidas alcohólicas, y cuya fórmula es CH_3-CH_2-OH. El fenol más común es el hidroxibenceno, obtenido del alquitrán de hulla.

OH

Los éteres son compuestos parecidos a los alcoholes –aunque menos densos, menos solubles en agua y con puntos de ebullicón y fusión menores–, cuyo grupo funcional consta de un oxígeno unido a dos átomos de carbono de un hidrocarburo. El compuesto más conocido de este grupo es el etoxi-etano o éter dietílico, que tiene por fórmula: H_3C-CH_2-O-CH_2-CH_3.

Compuestos organonitrogenados. Son aquellos que contienen cuando menos un átomo de nitrógeno unido a un carbono de su molécula. Entre los más importantes de este grupo están las aminas, las iminas, los nitrilos, los azocompuestos, las hidracinas orgánicas, los nitrocompuestos y nitrosocompuestos, las amidas y las imidas.

Compuestos organometálicos. Son aquellos que contienen cuando menos un átomo de algún metal unido a un carbono de su molécula. El tetraetilplomo, por ejemplo, antidetonante de la gasolina con plomo, tiene la disposición siguiente:

$$
\begin{array}{c}
CH_3 \\
| \\
CH_2 \\
| \\
CH_3{-}CH_2{-}Pb{-}CH_2{-}CH_3 \\
| \\
CH_2 \\
| \\
CH_3
\end{array}
$$

Una gran variedad de compuestos organometálicos se emplean como catalizadores y productos intermedios de muchas síntesis químicas.

Heterocíclicos. Son aquellos cuya molécula está formada por uno o varios anillos en cuya cadena hay algún átomo distinto del carbono. Los más comunes están formados por anillos de 5 ó 6 átomos, con uno de oxígeno, nitrógeno o azufre.

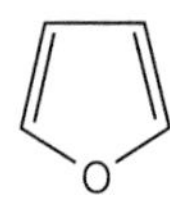

furano

tiofeno

pirrol piridina

Los heterocíclicos son compuestos de primera importancia para los seres vivos; numerosos antibióticos, vitaminas y pigmentos naturales pertenecen a este grupo. Las purinas y las pirimidinas, consituyentes de los ácidos nucleicos, base de la vida, son también heterocíclicos.

Polímeros orgánicos. Son aquellos cuyas moleculas, de gran tamaño, están formadas por una secuencia de unidades moleculares menores, llamadas monómeros. Dos claros ejemplos son el polimetacrilato de metilo y el poliestireno:

$$\cdots - CH_2 - \underset{COOCH_3}{\overset{CH_3}{C}} - CH_2 - \underset{COOCH_3}{\overset{CH_3}{C}} - \cdots$$

polimetacrilato de metilo

$$\cdots - CH - CH_2 - CH - CH_2 - \cdots$$

poliestireno

organigrama. Diagrama o esquema que resume la organización de una entidad, empresa o un proceso. En el ámbito industrial y tecnológico, a la descripción de un proceso se le conoce también como ordinograma o, más comúnmente, diagrama de flujo. Entre los diagramas de flujo más conocidos están los empleados en la descripción de los programas y equipos de computadoras y los de procesos industriales.

El organigrama de una empresa muestra con detalle las diversas secciones y funciones existentes, las relaciones jerárquicas, el nombre del responsable o responsables de cada dirección, subdirección, departamento o coordinación y, en general, su disposición administrativa y técnica. Existen dos tipos de organigramas: el primero es una representación vertical, en forma de pirámide, determinada por el orden jerárquico de los distintos componentes de la empresa. La segunda forma se ajusta a estándares internacionales. Los niveles inferiores del organigrama y los servicios anexos se expresan en conjunto y se incluyen los nombres de los empleados y los responsables correspondientes.

organillo. Instrumento musical. De un modo estricto recibe este nombre todo diminutivo del órgano de gran tamaño y sonoridades propias. Puede llamarse organillo a cualquier órgano de tamaño menor del usual y que sea transportable. Pero el uso ha reservado tal denominación para los instrumentos de manubrio en los cuales se producen las notas por las revoluciones de un cilindro.

Sustancia orgánica. Nomenclatura de diversos compuestos de función simple

Función	Radical que representa la función	Prefijo	Sufijo
Ácido	$-C(=O)-O-H$	Carboxi-	-carbónico -carboxílico -oico
Aldehído	$-C(=O)-H$	Oxo-	-al
Amida	$-C(=O)-O-NH_2$	—	-amida
Amina	$-NH_2$	Amino-	-amina
Anhídrido	$-C(=O)-O-C(=O)-$	Anhídrido + nombre del ácido	—
Arseniuro	$-AsH_2$	Arsino-	-arsina
Azoderivado	$-N=N-$	Azo-	
Cetona	$>C=O$	Oxo-	-ona
Epóxido	$>C-C<$ (con puente O)	Epoxi-	—
Éster	$C(=O)-O-R$	—	Nombre del ácido-ato + radical
Éter	$>C-O-C<$	Alcoxi-	—
Haluro	$-X$	Halógeno-	—
Hidracina	$-NH-NH_2$	Hidracino-	-hidracina
Imina	$=NH$		-imina
Mercaptano	$-SH$	Mercapto-	-tiol
Nitrilo	$-C\equiv N$	Ciano-	-nitrilo
Nitroderivado	$-NO_2$	Nitro-	—
Nitrosoderivado	$-NO$	Nitroso-	—
Sulfona	$=SO_2$	Sulfonil-	—
Sulfónico	$-SO_3H$	Sulfo-	-sulfónico
Sulfóxido	$=SO$	Sulfinil-	
Sulfuro	$=S$	Alcohiltio-	

Organización de las Naciones Unidas (ONU). *Véase* NACIONES UNIDADAS.

Organización de Estados Americanos (OEA). Organismo continental en el marco la ONU instituído para la cooperación política entre los estados americanos y la coordinación de todos los organismos interamericanos. Con sede en Washington, y constituída originalmente por 21 Estados del continente americano para el fomento de la paz y la solidaridad, defensa de la soberanía y promoción del desarrollo económico, social y cultural. Fue Simón Bolívar quien concibió el ideal de un continente unido, aspiración que tuvo su primera expresión concreta en el Tratado de Unión, Liga y Confederación Perpetua firmado en el Congreso de Panamá en 1826. Las naciones del continente celebraron la Primera Conferencia Internacional en 1890, en Washington, y allí surgió la Unión Internacional de las Repúblicas Americanas representada por una Oficina Comercial, cuyo objeto era recoger y distribuir información comercial útil para los países miembros. La fecha de la firma de este acuerdo, el 14 de abril, se conmemora desde entonces en todo el continente como *el día de las Américas.* La organización fue desarrollándose paulatinamente; en 1910 se asignaron nuevas funciones a la Oficina Comercial, a la cual se dio el nombre de Unión Panamericana y se consideró como el organismo central de la asociación. Luego, en 1948, en la Novena Conferencia Internacional Americana celebrada en Bogotá, se le dio el nombre de Organización de los Estados Americanos y se aprobó su carta constitutiva. La Unión Panamericana pasó a ser su Secretaría Permanente. La Carta de la Organización de los Estados Americanos consagró todos los principios del derecho americano que habían sido reconocidos en los años anteriores, reafirmó los derechos y deberes fundamentales de los estados miembros, y estableció los órganos y dependencias para llevar a cabo su cometido. En febrero de 1967 los delegados a la Tercera Conferencia Extraordinaria efectuada en Buenos Aires, firmaron el Protocolo de Reformas a la Carta de la Organización de los Estados Americanos para fortalecer la estructura de la OEA, y capacitarla para afrontar los problemas del continente. Dicho protocolo entró en vigor el 2 de febrero de 1970 cuando lo ratificaron las dos terceras partes de los estados miembros (Argentina, Bolivia, Brasil, Colombia, Costa Rica, Cuba, Chile, Ecuador, El Salvador, Estados Unidos, Guatemala, Haití, Honduras, México, Nicaragua, Panamá, Paraguay, Perú, República Dominicana, Uruguay y Venezuela).

Las reformas sustanciales pueden resumirse en propiciar la justicia social y el desarrollo económico de los pueblos para alcanzar la meta de la integración económica de América Latina, y promover la ciencia y la cultura. La Asamblea General reemplaza a la Conferencia Interamericana y se reúne anualmente una vez cada cinco años, el Consejo Permanente sustituye al Consejo de la OEA, y se elevan a la misma categoría el Consejo Interamericano Social y el Consejo Interamericano para la Educación, la Ciencia y la Cultura. En cuanto a los cambios estructurales, según aparece en el esquema de la Organización de los Estados Americanos, se cambió la estructura de la OEA y actualmente incluye ocho órganos principales:

1) La Asamblea General.
2) La Reunión de Consulta de Ministros de Relaciones Exteriores.
3) Los Consejos de la Organización.
4) El Comité Jurídico Interamericano (que reemplaza al Consejo Interamericano de Jurisconsultos, anterior órgano del Consejo de la OEA.
5) La Comisión Interamericana de Derechos Humanos.
6) La Secretaría General (conocida antes como Unión Panamericana).
7) Las Conferencias Especializadas.
8) Los Organismos Especializados.

Los idiomas oficiales de la Organización de los Estados Americanos son el español, el inglés, el francés y el portugués.

Organización de Estados Centroamericanos (ODECA). Con fundamento en las normas que informan la actuación de la OEA y de las Naciones Unidas, se aprobó en 1951 la Carta de San Salvador, por la que se creó la Organización de Estados Centroamericanos (ODECA), que agrupa a las cinco naciones: Costa Rica, Guatemala, Honduras, Nicaragua y El Salvador. Sus propósitos principales son los de estimular y fortalecer sus sistemas económicos y fomentar su progreso social y político, dentro de los ideales democráticos americanos y de igualdad jurídica.

El órgano supremo de la ODECA lo constituye la Conferencia de los cinco jefes de Gobierno, y el órgano ejecutivo está constituído por los ministros de Relaciones Exteriores; otros órganos son el Consejo Legislativo, el Tribunal Supremo de Justicia –que actúa de secretaría general con sede en San Salvador (El Salvador)– y el Consejo Económico. Entre sus actividades principales se cuentan la creación del Banco para la Integración Centroamericana (BIECA) del Consejo Monetario (que estableció una moneda común); Consejo Superior Centroamericano Universitario, la celebración del Tratado General de Integración Económica Centroamericana (1960-1961), y otros organismos económicos.

De gran importancia para la integración económica interamericana ha sido, también, la creación del Mercado Común Centroamericano (MCCA) revitalizado tras el acuerdo entre el Salvador y Honduras (1976) que se propuso de la que se trata en la unión aduanera a partir de 1996. *Véanse* CONFERENCIAS PANAMERICANAS; PANAMERICANISMO; UNIÓN PANAMERICANA.

Organización del Tratado del Atlántico Norte (OTAN). Organización establecida en 1949 por los representantes de 12 países: Bélgica, Canadá, Dinamarca, Estados Unidos, Francia, Holanda, Islandia, Italia, Luxemburgo, Noruega, Portugal y Reino Unido. Grecia y Turquía se integraron en 1952, la República Federal Alemana en 1955 y España en 1982. El Tratado del Atlántico Norte, que fue firmado en Washington el 4 de abril de 1949, disponía la defensa mutua y la seguridad colectiva, principalmente ante la amenaza de agresión por parte de la Unión Soviética. Se trató de la primera alianza en tiempos de paz a la que se unió Estados Unidos.

El motivo para celebrar el tratado fue la estridencia en aumento de la guerra Fría. Debido a que los países de Europa occidental se consideraban demasiado débiles para defenderse de manera individual contra un posible ataque soviético, comenzaron a formar en 1947 una estructura para conseguir la cooperación en su defensa. En marzo de 1948 cinco naciones –Bélgica, Francia, Holanda, Luxemburgo y Reino Unido– firmaron el Tratado de Bruselas, que se convirtió en la base de la OTAN, que aparecería un año después.

La columna vertebral del Tratado del Atlántico Norte es el artículo 5: "un ataque armado contra cualquiera de las partes contratantes en Europa o Estados Unidos, será considerado un ataque dirigido contra todas ellas". La OTAN fue planeada para apegarse a las disposiciones del artículo 51 de la *Carta de las Naciones Unidas,* que establecía el derecho a la autodefensa colectiva de las organizaciones regionales. Al incluir a Estados Unidos, comisionó a este país para la defensa de Europa occidental y el Atlántico Norte. La OTAN también fue planeada para impulsar lazos políticos, sociales y económicos entre sus miembros.

En 1950 se creó una fuerza militar de la OTAN como respuesta a la guerra de Corea, que comenzó en junio de ese año y era percibida por las naciones occidentales como parte de una ofensiva comunista mundial. El principal elemento de esta fuerza es el Comando Aliado Europeo; el general Dwight D. Eisenhower fue nombrado en diciembre de 1950 para desempeñarse como el primer comandante supremo aliado de Europa (SACEUR, por sus siglas en inglés). Los cuarteles generales del comando, llamados Cuarteles Supremos de las Fuerzas Aliadas de Europa (SHAPE, por sus siglas en inglés) se localizan en Bruselas.

El principal cuerpo legislador de la OTAN es el Consejo del Atlántico Norte, que se reúne en Bruselas (hasta 1967 lo hizo en París) y ofrece asesoría intergubernamental. Cada país participante envía al consejo un representante permanente de carácter diplomático, y dichos oficiales se reúnen cuando menos una vez a la semana. El Consejo del Atlántico Norte se reúne también dos veces al año en sesión ministerial y ocasionalmente en sesión de jefes de estado. El secretario general preside el consejo y encabeza un staff internacional. Cuando se discuten asuntos relacionados con la defensa, los representantes permanentes se reúnen en el Comité de Planeación de Defensa (DPC, por sus siglas en inglés).

El Comité Militar que depende del DPC, integrado por representantes militares de alto rango de cada país –excepto Islandia, que no cuenta con fuerzas militares y es representada por un civil, y Francia, que se retiró de la estructura militar en 1966 pero continuó siendo miembro del consejo–, recomienda al DPC aquellas medidas de defensa que considera necesarias y guía los tres comandos militares de la OTAN: el Atlántico, el Europeo y el del Canal. Las fuerzas de los países miembros incluyen aquellas asignadas en tiempos de paz a los comandantes de la OTAN y aquellas reservadas para caso de guerra. Los comandantes de la OTAN son los encargados de la formulación de planes de defensa para sus áreas respectivas, para la determinación de las necesidades de las cuentas y para el despliegue y actuación de las fuerzas bajo su mando.

Con el fin de la guerra Fría y la disolución de la Organización del Tratado de Varsovia en 1991, la función de la OTAN en Europa cambió. La principal preocupación de la organización se centró en la cooperación con las instituciones europeas, como la Conferencia sobre Seguridad y Cooperación en Europa (CSCE por sus siglas en inglés), para formular políticas para enfrentarse a las amenazas menores a la seguridad continental. La OTAN esperaba también cooperar con su antiguos adversarios, los estados de la ex-Unión Soviética y del Pacto de Varsovia. La *sociedad para la paz* declarada en enero de 1994 eliminó los obstáculos para que las naciones de Europa del este pudieran volverse miembros de la OTAN, mientras que Rusia sostendría una *relación especial* con la organización. La creciente resistencia rusa ante la expansión de la OTAN al este, sin embargo, dividió las opiniones en occidente respecto a la pertinencia de este curso de acción.

La función y efectividad de la OTAN han sido puestas a prueba severamente en la otrora Yugoslavia, donde una genocida guerra civil amenazó la seguridad europea. En 1992, la OTAN y las Naciones Unidas (ONU) acordaron coordinar sus actividades en Bosnia, incluyendo un bloqueo naval y un embargo de armas. En 1994, las fuerzas de la OTAN que operaban bajo auspicio de las Naciones Unidas llevaron a cabo ataques aéreos contra las posiciones serbias. En diciembre de 1995, después de que las facciones en guerra firmaron un acuerdo de paz en Dayton, Ohio, la OTAN, con la cooperación de la ONU, desplegó una fuerza de 60,000 hombres en Bosnia para mantener la paz. El papel de la OTAN en el futuro como institución para la conservación de la paz dependerá en gran medida de si la cooperación referida puede ser mantenida.

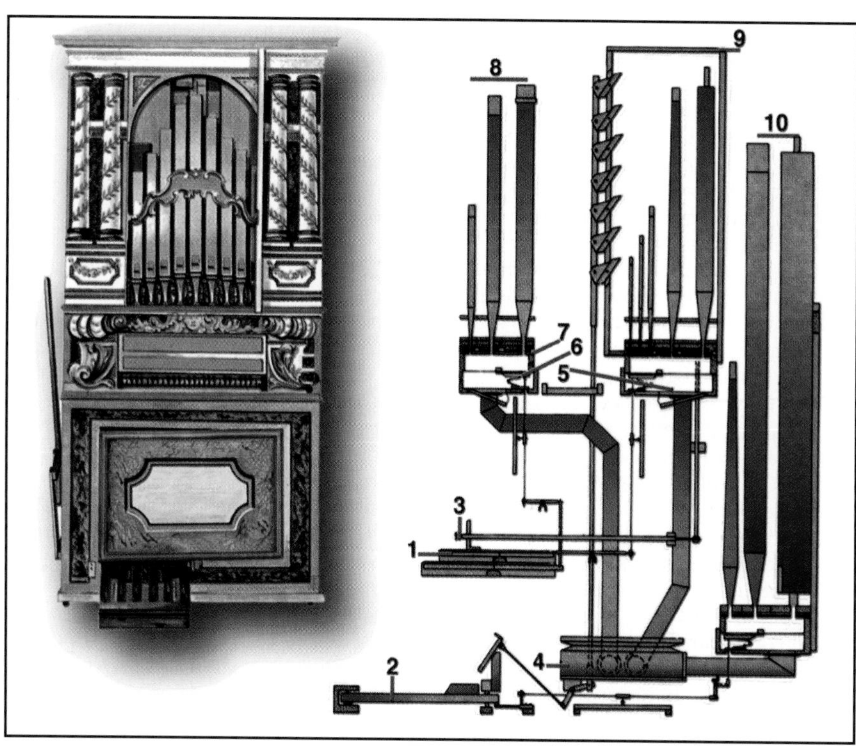

Del Ángel Diseño y Publicidad

(De izquierda a derecha). Órgano con teclas de tipo mecánico con sistema de pedales; en el segundo esquema se aprecian en órden numérico: (1) teclado, (2) tabla de pedales, (3) stops, (4) reguladores de presión de aire, (5) caja de admisión de aire, (6) válvulas, (7) orificios de escape, (8) división de pipas por tamaño, (9) división principal de pipas, (10) pipas profundas gobernadas por la tabla de pedales.

Organización Internacional del Trabajo (OIT). Organización establecida el 28 de junio de 1919 por el Tratado de Versalles, con el propósito de mejorar las condiciones de trabajo y el nivel de vida de los trabajadores de todo el mundo. Tiene su base en Ginebra, Suiza. En 1946 se convirtió en la primera agencia especializada de la Naciones Unidas. La OIT propone los promedios internacionales de salarios, jornadas de trabajo, vacaciones, seguro social y otras cuestiones que afectan a los trabajadores. Da asistencia técnica en asuntos como capacitación vocacional, manejo y desarrollo. En 1969 la OIT obtuvo el Premio Nobel de la Paz. En 1994, invirtió casi 500 millones de dólares en asistencia técnica a programas, principalmente en países menos desarrollados.

El supremo cuerpo deliberador de la OIT es la Conferencia Internacional sobre el Trabajo, que tiene lugar anualmente y a la cual asisten alrededor de 2,000 delegados, consejeros y observadores. Cada delegación nacional –cuenta con 171 países miembros– se compone de dos gobiernos representativos, un patrón representativo y un trabajador representativo. Votan y hablan de manera independiente. El consejo ejecutivo de la OIT es el Cuerpo Regulador, compuesto por miembros del gobierno de 28 países más 28 patrones y trabajadores miembros electos como individuos.

órgano. El mayor de los instrumentos musicales, en el que los sonidos se producen por las vibraciones del aire en diversos tubos sonoros. En principio, el órgano consta de cuatro partes principales: los fuelles, la tubería, el teclado, y los registros. Los fuelles toman del exterior el aire necesario para que funcione el aparato y lo llevan a la cámara del viento, denominada *secreto*, de donde se distribuye y pone en vibración a la tubería. Ésta se compone de cientos y, a veces, miles de tubos sonoros de diversas formas, tamaños y estructura: cónicos, cilíndricos, con diámetros variables, de pocos centímetros o de varios metros de altura, y de madera o de una aleación de plomo y estaño, que producen distintos timbres de cada nota de la escala musical. Las voces más importantes se producen en los llamados tubos labiales o tapados, es decir, los que están cerrados por su parte superior, y en los cuales el aire vibra como en un silbato; en los de lengüeta, es ésta la que se pone en vibración. Muchos tubos imitan el sonido de numerosos instrumentos: flautas, oboes, clarinetes, violines, violonchelos, etcétera, e incluso la voz humana. Van colocados en filas, distribuidas en grupos, llamados juegos, que dan una determinada calidad de sonido, y se apoyan verticalmente sobre una serie de agujeros que tiene la parte superior del secreto. Cada tubo está regido por una válvula que se mantiene automáticamente cerrada por medio de un resorte y la presión que ejerce el aire acumulado en el secreto, y se halla conectada con el teclado por un mecanismo neumático o electroneumático, de modo que se abre o cierra al pulsar las teclas.

Los órganos constan de dos, tres o cuatro teclados que se llaman *manuales*, análogos a los de los pianos, teniendo cada uno de ellos tantas teclas como tubos los juegos, y un teclado de pedales compuesto de teclas de madera. Los manuales están dispuestos escalonadamente en un mueble llamado consola, que tiene a derecha e izquierda y enfrente, varias hileras de palancas y botones, llamados *registros*, que son los que ponen en acción los juegos, y el ejecutante no tiene más que tirar o empujar estos registros para que los tubos correspondientes vibren o enmudezcan. Aunque visible en algunos casos, por lo general la tubería está colocada detrás de una fila de tubos profusamente decorados, pero que no funcionan, y que forman la fachada ornamental del órgano.

Con el órgano se relaciona el *armonio* cuyos sonidos se producen por la vibración de una serie de lengüetas de diversos tamaños; éstas se ponen en movimiento gracias al aire que origina la presión de los pies del ejecutante sobre los pedales. El órgano eléctrico es un instrumento parecido al de tubos en cuanto al sonido, pero cuyo mecanismo es totalmente distinto. Consiste en dispositivos electromagnéticos que producen impulsos eléctricos equivalentes a las frecuencias de las notas musicales, y en un sistema de amplificación con válvulas electrónicas análogas a las de los aparatos de radiotelefonía. No tiene, naturalmente, el bosque de tubos que dan al órgano ordinario su característico aspecto exterior.

Los orígenes del órgano se pierden en la antigüedad, pero se presume que se deriva de la flauta de Pan. Los primeros instrumentos constaban de un dispositivo accionado por dos fuelles de cuero. Posteriormente, hizo su aparición el órgano hidráulico, cuyo invento se atribuye a Ctesibio de Alejandría, que floreció en el siglo II a. C.; pero su empleo no persistió mucho tiempo, y el órgano neumático fue adquiriendo cada vez mayores dimensiones y perfeccionamiento en su mecanismo. Los primeros eran de reducido tamaño y se llevaban colgados del cuello mediante una correa, tocándose con una mano mientras con la otra se hacía funcionar el fuelle; otros, algo mayores, se sostenían sobre las rodillas o se colocaban en una consola. El uso de estos órganos se generalizó muy pronto y eran muy estimados en las fiestas cortesanas y en los teatros. Con el invento del teclado de pedales y la mayor perfección de los manuales, el órgano cobró una gran importancia y se introdujo en las iglesias a principios de la Edad Media. Desde entonces comenzó a evolucionar rápidamente y, aprovechando los adelantos mecánicos de la ciencia, ha adquirido tal perfección en su extraordinaria variedad de timbres, con una potencia y grandiosidad de expresión como no se encuentran en ningún otro instrumento, lo que le ha valido, no sin razón, el nombre de *rey de los instrumentos musicales*. *Véase* ARMONIO.

órgano. Cualquier parte del cuerpo de los seres vivos que se halle dotada de una función específica considerada como necesaria para su equilibrio fisiológico. Mientras unas veces se reducen a simples células, otras participan de diferentes tejidos y su estructura es más complicada. La reunión de órganos diferentes para realizar una misma función se denomina aparato (como el digestivo) y el conjunto de órganos homólogos, sistema (como el nervioso, vascular, etcétera). Entre los órganos más importantes pueden citarse los relativos a la respiración (pulmones, bronquios, etcétera), a la secreción (riñones, vejiga, etcétera); al movimiento (músculos y esqueleto); a las sensaciones (oídos, ojos, etcétera), y a la circulación (corazón, arterias, etcétera).

orgullo. Arrogancia, vanidad, exageración del propio valer y estima, debido a lo cual el individuo se cree superior a todos y a todo cuanto le rodea. El orgullo se halla representado simbólicamente por un bello joven vestido con traje haraposo, ojos vendados y pies apoyados en una esfera, lo que puede interpretarse diciendo que el orgullo es producto de la falta de experiencia, carece de base y que sus límites no reconocen fronteras.

Oriani, Alfredo (1852-1909). Literato italiano. Figura como uno de los precursores del fascismo. Sus obras más importantes son *El enemigo, Vórtice, Oro, incienso y mirra, Holocausto, La lucha política en Italia y Matrimonio.* Están escritas con un estilo lleno de ingenio y de vigor, pero a veces extravagante. Todas ellas fueron muy discutidas en su época, cosa que hizo famoso el seudónimo de *Ottone de Banzole* bajo el cual las escribió.

Oribe, Emilio (1893-1975). Escritor y poeta uruguayo. Se distinguió, sobre todo, como poeta dedicado a las diversas tendencias modernas, principalmente al abstraccionismo y al subjetivismo. Se doctoró en medicina y filosofía y fue catedrático de la Universidad de Montevideo. Entre sus obras más importantes figuran *La colina del pájaro rojo, El halconero astral, La serpiente y el tiempo* y *Teoría del Nous.*

Oribe, Manuel (1792-1857). Militar y político uruguayo. Comenzó su carrera militar al iniciarse la lucha por la independencia americana, asistiendo al sitio de Montevideo en 1811. Combatió a las órdenes de Artigas y de Rivera en su lucha contra los portugueses. Después de prestar servicios en Buenos Aires, fue uno de los treinta y tres orientales que iniciaron la cruzada libertadora de la Banda Oriental en 1825. Actuó en las batallas de Camacuá e Ituzaingó, en las que se distinguió. Alcanzada la independencia de su patria, fue ministro de Guerra y Marina del presidente Rivera. Al finalizar éste su mandato, el general Oribe fue elegido presidente. Inició su mandato en 1835, pero al año siguiente Rivera se pronunció en su contra y se desató una guerra civil, combinada con la política interna argentina y brasileña, que ensangrentó al país por muchos años. El gobierno de Rosas apoyó a Oribe y éste comandó las fuerzas de la Confederación Argentina. En esta lucha, que se desarrolló indistintamente en territorio argentino y de la Banda Oriental durante los años 1835 a 1852, Oribe fue batido en Yutucujá y Palmar y triunfó en el Yi. En su carácter de jefe de las fuerzas federales, triunfó sobre Lavalle en Quebracho Herrado y Famaillá. Después de su nuevo triunfo sobre Rivera en Arroyo Grande, Oribe puso sitio a Montevideo (1843) durante nueve años. En su transcurso se libraron numerosas acciones. Este sitio se tornó imposible a raíz del pronunciamiento del general Urquiza contra el gobierno de Rosas. Tomado entre dos fuegos, Oribe capituló en condiciones honrosas, tras de lo cual se retiró a la vida privada en el mismo Montevideo, donde falleció.

orientación. Acción y efecto de determinar la posición de una cosa con respecto a los puntos cardinales o en relación con los objetos o accidentes que la rodean. Animales y hombres poseen, en mayor o menor grado, el llamado *sentido de orientación.* Si nos encontramos en una ciudad a la que vamos por primera vez y que, por lo tanto, nos es desconocida, instintivamente trataremos de fijar en nuestra memoria las características de los sitios que visitamos y sus rasgos más destacados. Nos es muy conveniente adquirir un plano de la ciudad y estudiarlo con alguna detención, ya que nos servirá para darnos idea del trazado general de sus calles y barrios. Al mismo tiempo, deberemos fijarnos en la dirección en que corren las calles y avenidas principales, cuáles son, por ejemplo, las que van de norte a sur, de este a oeste, y dónde están los grandes monumentos, edificios públicos y jardines. De esa manera, habremos llegado a conocer algunos puntos esenciales de referencia, lo que nos permitirá trasladarnos de un sitio a otro dentro de la ciudad y poder regresar sin tropiezo al punto de partida.

Por otra parte, en todas las ciudades se asigna un nombre a cada calle y un número a cada casa, lo que contribuye grandemente a facilitar la orientación. Hay también grandes ciudades, especialmente en América, que tienen extensos sectores cuyas calles en vez de designarse por nombres se designan por números o letras, que siguen su orden preciso. Eso facilita, aún más, la localización de una dirección determinada, pues si necesitamos, por ejemplo, ir a la esquina de la avenida 24 y calle M nos damos cuenta inmediatamente de que la primera debe estar situada entre las avenidas 23 y 25, la segunda entre las calles L y N, ya que la nomenclatura de avenidas y calles empieza por el número 1 y la letra A. En otras ciudades, al nombre de la calle se añade, como elementos orientadores, las indicaciones sur, norte, este y oeste, para señalar su posición en relación con los puntos cardinales.

Cuando vamos de excursión al campo, los elementos que nos sirven de orientación son, generalmente, los accidentes del terreno, los árboles, arroyos, etcétera. La gente que ha nacido y vive en el campo –labradores, pastores, etcétera–, suele tener notable sentido de orientación, debido a los conocimientos de orden práctico, acumulados durante generaciones, que se trasmiten tradicionalmente de padres a hijos. Guiándose por la salida y la puesta del sol y por la altura de este astro sobre el horizonte y, de noche, por la posición y movimiento de estrellas y constelaciones, la gente del campo sabe no sólo orientarse sino también calcular con notable aproximación las horas del día y de la noche.

Hay animales que tienen el sentido de orientación mucho más desarrollado que el hombre. La mayoría de las aves de instintos migratorios, tras de recorrer todos los años enormes distancias en vuelo, que las llevan de un continente a otro, vuelven a las mismas regiones y aun a los mismos nidos que dejaron el año anterior. Las palomas mensajeras, trasladadas en cesta cerrada a centenares de kilómetros de sus palomares, vuelven a ellos gracias a su agudo sentido de orientación.

El hombre, para facilitar su orientación, ha establecido cuatro direcciones fijas en la Tierra, que se llaman los *puntos cardinales.* Estos son norte y sur, que corresponden a los extremos diametralmente opuestos del eje de giro de la Tierra; y este y oeste, que son los extremos de una línea perpendicular a la norte-sur, de manera que si miramos al norte, el este queda a la derecha y el oeste a la izquierda. De día nos podemos orientar, sabiendo que el Sol sale siempre por el este por lo que también se le llama a este punto cardinal *oriente o levante*, y se pone por el oeste o poniente. Colocándonos con los brazos en cruz, de manera que la mano derecha marque el punto por donde sale el Sol, o este, la izquierda nos indicará el oeste, al frente tendremos el norte y el sur a nuestra espalda. Para orientarnos de noche, se utilizan las estrellas que tienen una posición fija en el cielo. En el Hemisferio Norte la estrella polar de la constelación de la Osa Menor, nos marca el norte, y en el Hemisferio Sur, la constelación de la Cruz del Sur nos indica este punto cardinal.

Corel Stock Photo Library

Arriba: brújula, abajo: astrolabio. Ambos instrumentos sirven para orientarse.

El compás funciona para determinar distancias en los mapas de navegación.

Corel Stock Photo Library

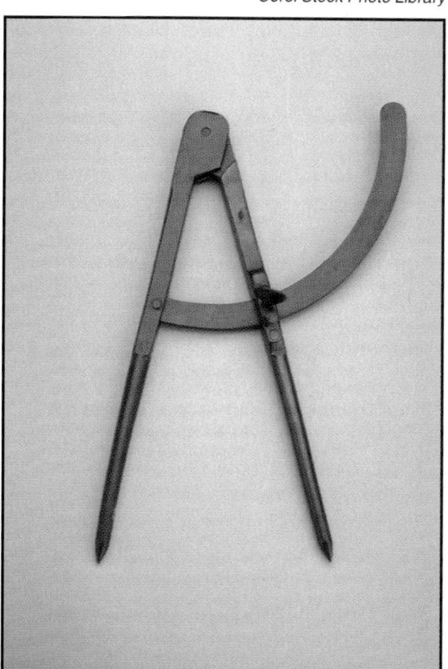

Los navegantes y exploradores utilizan la brújula magnética para orientarse. Esta clase de brújula consiste en una aguja imanada, que al girar libremente sobre un eje vertical señala el norte. Pero este tipo de aguja señala siempre el polo magnético, que está bastante alejado del polo geográfico, por lo que no apunta directamente al norte geográfico sino cuando las líneas de fuerza magnética de la Tierra coinciden con ciertos meridianos. Esa diferencia de la brújula, llamada *variación*, debe ser tenida en cuenta por los navegantes, para compensarla al efectuar los cálculos del rumbo, pues induce a error.

La ciencia moderna ha descubierto y perfeccionado otros notables instrumentos y sistemas de orientación más precisos que la brújula magnética. Uno de ellos es la brújula giroscópica que consiste en un giróscopo que gira a gran velocidad (impulsado por un motor eléctrico) y que está orientado de tal manera que señala siempre, sin variación alguna, la dirección norte-sur. Otros instrumentos y sistemas de orientación y navegación se basan en la radiogoniometría; entre los principales figuran el radar y el radiocompás, que sirven para determinar la posición de un buque o de un aeroplano mediante la emisión y recepción de ondas de radio y el cálculo de los ángulos que forman, entre estaciones fijas de radio, en tierra, y otras movibles en el mar (buques) o en el aire (aeroplanos).

orientación profesional. *Véase* VOCACIÓN.

orientalismo. Término empleado tradicionalmente para referirse a los estudios occidentales de Asia. Adquirió un nuevo significado en manos del crítico palestino-estadounidense Edward W. Said, gracias a su libro de 1978 *Orientalism.* Said afirmaba que la investigación dirigida al estudio del Islam en particular había sido determinada por el vivo deseo imperialista occidental. Las más falsas percepciones creadas mediante al proceso *orientalizador* operan en toda la cultura occidental y sirven para encasillar a las sociedades no occidentales, bajo la mirada occidental, en su antiguo estatus colonial –incluidos su carácter *exótico* y de sometimiento–. Said desarrolló sus argumentos en la publicación de 1993 *Cultura e imperialismo*, donde se refiere a "un modelo mundial general de cultura imperialista" especialmente en relación con la literatura de occidente.

oriente. Punto cardinal del horizonte por donde aparece el Sol en los equinoccios. Situadas allende el Mediterráneo Oriental. Es así como en la actualidad se distinguen: el *Lejano* o *Extremo Oriente*, con China, Japón y otros pueblos del oriente asiático; *Medio Oriente*, con India, Afganistán, Pa-

Corel Stock Photo Library

Los países de oriente son grandes productores de petróleo.Buques cargando petróleo en el Golfo Pérsico.

kistán, Irán (Persia) e Iraq; *Cercano Oriente*, con Siria, Asia Menor, Palestina, Arabia y países del noreste de África, como Egipto.

Oriente. Región nororiental de Ecuador, en la cuenca superior del Amazonas; llega hasta las laderas de los Andes, donde crecen cedros, caobas, cauchos y robles. La selva tropical, húmeda y densa, está surcada por numerosos ríos y alberga una rica fauna. Largo tiempo descuidada a causa del clima y la hostilidad de los aborígenes, Oriente ha alcanzado considerable importancia económica debido al hallazgo de yacimientos petrolíferos, que al parecer figuran entre los principales de América Latina.

Estadísticamente comprende las provincias de Morona-Santiago, Napo, Pastaza, Sucumbíos y Zamora-Chinchipe; cuenta con 130,270 km^2 y 383,200 habitantes. Los núcleos de población más importantes son Archidona, centro misionero, Tena y Macao.

Oriente, imperio de. Parte desmembrada del imperio romano que tuvo como capital a Constantinopla y que se mantuvo desde el reinado de Teodosio (395) hasta 1453, fecha en que dicha ciudad cayó en poder de los turcos.

Orígenes. (185-254). Escritor eclesiástico nacido en Alejandría, educado e instruido en la filosofía platónica y en la cristiana, por su padre Leónidas. Los estudios superiores los recibió en la célebre escuela de Clemente de Alejandría. Protestó contra la persecución desencadenada por Severo contra los cristianos. Contando solamente 18 años, tuvo a su cargo la instrucción de los catecúmenos. San Jerónimo lo calificó "el hombre más sabio de su época y apóstol incansable". Fue fundador de la escuela de Cesárea, digna sucesora en la fama de la de Alejandría. En la persecución ordenada por Decio, fue atormentado con la más refinada crueldad. Murió en Tiro a consecuencia de los tormentos sufridos. Se cuentan entre sus obras *Sobre el martirio, Contra Celso* y *Tratado de la oración.*

Orihuela. Ciudad de España, en la provincia de Alicante, bañada por el río Segura. Su población es de 52,000 habitantes (1995). Está situada en la Vega del Segura, una de las comarcas más fértiles de España. Entre sus edificios más notables se destacan el palacio Episcopal, la catedral que data del siglo XIV y los palacios de Rafael y Pinohermoso.

orín. Óxido rojizo que aparece sobre la superficie del hierro y a veces del acero, expuesto a la humedad del aire y que se forma por el proceso llamado *oxidación*, fenómeno consistente, en este caso, en la unión del oxígeno y el hierro a la temperatura ordinaria. La acción del aire húmedo sobre el hierro es compleja y espontánea; el oxígeno, el anhídrido carbónico y el vapor de agua contenidos en el aire son necesarios a la formación del orín, que corroe el metal convirtiendo en áspera una superficie pulida y prosiguiendo su acción destructora hacia las capas interiores.

Para impedir su formación sobre el hierro se recubre a diversos procedimientos: se le cubre de varias capas de pintura, o de una capa de cinc que sufra los efectos de la oxidación, o se forma sobre su superficie un depósito de cobre por galvanoplastia. Cuanto más puro es el hierro, menos expuesto se halla al orín. Asimismo resulta inoxidable el acero hecho al níquel-cromo con adiciones de manganeso y silicio. Las herramientas se protegen envolviéndolas en un paño previamente aceitadas. El orín puede sacarse del hierro o el acero restregándolo con agua o frotándolo con esmeril, siempre que sea de formación reciente. Las manchas amarillo-rojizas del hierro que ocasionalmente ensucian un tejido pueden ser eliminadas sumergiendo éste en una débil solución de ácido oxálico durante breve tiempo y lavándolo bien después; una solución fuerte puede destruir el género. *Véase* OXIDACIÓN.

orina. Líquido de color amarillo ámbar, de olor peculiar y sabor acre, que es segregado por los riñones pasando a la vejiga por los uréteres para ser a su vez expelido al exterior por la uretra. Su olor peculiar se hace más fuerte cuanto más tiempo está en contacto con el aire, tornándose en amoniacal por la fermentación. Las arterias renales llevan la sangre a los riñones, cuya función es la de eliminar las materias nocivas y los productos de desecho, principalmente urea, que la sangre contiene. Esos productos disueltos en una gran cantidad de agua, forman la orina. La cantidad de orina expulsada en 24 horas por un hombre adulto, oscila entre un litro y litro y medio. Los niños orinan tres o cuatro veces más en relación con su peso. La composición química de la orina puede dividirse en constituyentes inorgánicos y orgánicos. De los primeros mencionaremos los cloruros, los sulfatos de sodio, potasio, calcio y magnesio y los fosfatos de estas mismas sales. El amoniaco, constituyente normal de la orina, es el que le da su olor característico. De los orgánicos mencionaremos la urea, el ácido úrico y el hipúrico entre los más importantes. Como componentes anormales se destacan la albúmina, que puede reflejar una enfermedad grave, y la glucosa (azúcar urinario), propio de la diabetes. Cuando los riñones eliminan sangre o pus, el pronóstico es siempre grave. *Véase* RIÑÓN.

Orinoco, Río. Gran río de Venezuela que nace en la sierra de Parima, en los límites con Brasil, y desemboca en el océano Atlántico después de un curso de unos 2,750 km, de los cuales son navegables alrededor de 2,000. Es el primero de la nación venezolana, a la cual pertenece íntegramente, el tercero de los ríos de gran importancia económica de América del Sur.

En su desembocadura ofrece el imponente espectáculo de sus numerosos desagües vertiéndose en el mar, uno de cuyos estuarios (el Boca Grande o de los Navíos) tiene 28 km de ancho. Su delta cubre 20,000 Km^2, es decir, la mitad del territorio

Delta Amacuro, hallándose en aquel punto las islas de Paloma, Remolino, Curiapo, Moina y Cangrejo, que son las principales del grupo. Pocas selvas son tan exuberantes como esta fluvial, donde el río renueva anualmente el suelo con sus crecidas. Recibe cientos de afluentes siendo los más importantes: por su margen derecha, los ríos Ocamo, Padamo, Cunucunuma, Venturi, Sipapo, Suapure, Cuchivero, Caurá, Aro, Caroní e Imataca, y por la izquierda, Guaviare (que recibe al Atabapo y al Inirida), Vichada y Meta, que proceden de Colombia; Capanaparo, Arauca, Arichuna, Apure (que tiene como afluente al Guárico y al Portuguesa), Manapire, Suatá, Pao, Tigre y Marichal Largo. Todas estas corrientes son principalísimas para la hidrografía y comercio de tres naciones, y en ello tiene superioridad el Orinoco sobre otras del continente, baste mencionar los ríos Apure, Caroní, Vichada, Meta y Arauca, propulsores de civilización en regiones que serían abandonadas sin su concurso y a las cuales, por conducto de dichos afluentes, lleva el Orinoco su inyección vitalizadora, en una cuenca que abarca 950,000 Km². Además, navegando por el Casiquiare, que sirve de unión entre el Orinoco y el Negro, afluente del Amazonas, se llega al Brasil, y por el Meta, aguas arriba, a Colombia. El Orinoco aumenta su caudal en 70% a partir de junio y lo mantiene hasta entrado septiembre.

En Ciudad Bolívar, próxima a Soledad, el río ofrece su anchura menor, unos 800 m, siendo ésta la razón por la cual al centro que hoy lleva el nombre del libertador venezolano, anteriormente se le denominó Angostura, nombre con el cual se unió a gloriosas páginas de la historia del continente. La mayor anchura se halla próxima al delta, entre San Rafael de Barrancas y Piacoa y alcanza a 22 km de promedio en época normal. Se llama Alto Orinoco desde su nacimiento a los raudales de Atures y Maipures; Orinoco medio, de aquí a Ciudad Bolívar, y luego, hasta la boca, Bajo Orinoco. En sus orillas se establecieron desde la colonia poblaciones que deben en parte su prosperidad al río, como Ciudad Bolívar, fundada definitivamente en 1764 por Joaquín Moreno de Mendoza; Caicara, rica en ganadería y centro de exportación de madera de sarrapia; Barrancas, terminal ganadera del Llano Oriental, Tucupita, capital del territorio Delta Amacuro, Puerto Ayacucho, capital del territorio Amazonas. Con motivo de la explotación de las minas de hierro de Guayana, ha sido dragada una de las vías de las bocas del río. Esto permite el paso de grandes barcos hasta Puerto Ordaz. Dentro de la cuenca del Orinoco se halla una de las zonas de mayor porvenir del continente: los llamados Llanos venezolanos, inmensa y fecunda pampa capaz de constituirse en uno de los primeros graneros del mundo y que en su sector occidental se extiende sin mayores obstáculos a la llanura amazónica.

Historia. Cristobal Colón presintió la vecindad de un gran río en 1498 cuando cruzó por el golfo de Paria, creyendo que se trataba de algún río procedente del Paraíso. Dos años después Yáñez Pinzón descubre el Orinoco, y en 1531 Diego de Ordaz, de regreso de su aventura por el Atlántico, remontó el Orinoco hasta los raudales de Atures. Walter Raleigh subió por el río a fines del siglo XVI y después su teniente Keymes en 1618. Durante el siglo XVIII los jesuitas lo cruzan en todas direcciones y dos de ellos, José Gumilla, con su *Orinoco ilustrado*, y Filippo Salvatore Gilli, con su *Saggio de Storia Americana*, lo dan a conocer ante el mundo; lo mismo las expediciones de José Iturriaga, José Solano, Apolinar Díaz de la Fuente, Francisco Bobadilla, el padre José Antonio de Jerez, el padre Román y muchos más, a los que siguen Alejandro de Humboldt (1802), M. Schomburgk (1839), Ricardo Spruce (1854), Karl Ferdinand Appun (1859), Francisco Michelena y Rojas, J. Chaffanjon, Level y Escobar y Tavera Acosta. Una importante expedición realizada por el Orinoco fue la dispuesta por el gobierno venezolano en 1952. A orillas del río y en sus vecindades habitaron y habitan tribus indígenas ligadas a hechos resaltantes en la historia etnográfica y mítica del país. Gilli habla de los tamanacos, del rito de Amalivaca, padre de los tamanacos, abuelo del núcleo de tribus que integraron a Guayana, también abuelo de los caribes y fundador de la humanidad. Humboldt halló cerca de La Urbana *la piedra pintada*, el petroglifo a que alude la leyenda. Habitan no lejos del río los panares, guahibos, piaroas y numerosas tribus. Muchas comunidades indígenas florecientes durante la colonia han desaparecido.

Orión.

Constelación ecuatorial situada al oriente de la del Toro y al occidente del Can Menor y del Can Mayor. Dos de sus estrellas, Betelgeuse y Rigel, son de primera magnitud y forman, junto con otras dos, los vértices de un cuadrilátero imaginario. En el interior de este cuadrilátero se hallan las conocidas estrellas denominadas *los Tres Reyes*, que forman el llamado *tahalí de Orión*. En esta constelación está la nebulosa Messier 42, también llamada *gran nebulosa de Orión*.

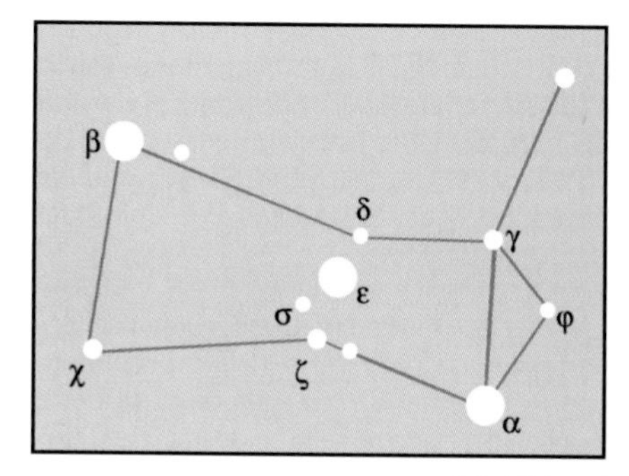

Salvat Universal

Principales astros de la constelación de Orión.

Orión.

Famoso gigante cazador, de la mitología griega, a quienes los dioses dotaron de tres cualidades: hermosura, fuerza y destreza. Se enamoró de Meropea, hija del rey de Chios, pero como éste no consintiera tal amor, privó a Orión de la vista y anduvo a tientas durante algún tiempo hasta que un oráculo le predijo que su ceguera se curaría si exponía la pupila de sus ojos a los rayos del sol naciente. Guiado por los golpes que Vulcano daba a su fragua, Orión llegó a Lemnos, donde un cíclope lo condujo a Oriente, donde nace precisamente el Sol. Recobró la vista y regresó a sus campos, convirtiéndose en el compañero de caza de Artemisa (Diana). En la leyenda de Orión se encuentran distintas versiones sobre su muerte. Una de las más difundidas refiere que Apolo, que desaprobaba la amistad de su hermana Artemisa con Orión, se valió de una estratagema e hizo que la diosa disparase una flecha a un punto lejano en el mar, que resultó ser la cabeza de Orión que estaba nadando. Al darse cuenta de lo que había hecho Artemisa rogó a Zeus que llevara al joven al cielo y el dios lo convirtió en la brillante constelación que lleva su nombre.

órix.

Nombre común de los mamíferos artiodáctilos del género *Orix*, parecido a los antílopes. Tienen tronco robusto, semejante al de los asnos, patas relativamente cortas, pezuñas puntiagudas y cola muy larga con un gran mechón terminal; la cabeza es de gran tamaño y ambos sexos presentan cuernos, rectos o poco arqueados, pero siempre largos. Habitan en las regiones áridas y desérticas de Arabia, África Oriental y Meridional.

Orizaba.

Ciudad de México, en el estado de Veracruz. Tiene 114,425 habitantes. Está situada a 1,248 m de altitud, en un hermoso y fértil valle a orillas del río Blanco, al pie del Tlachichilco o cerro del Borrego, rodeada de grandes montañas, sobre las que se eleva, al noroeste, el gigantesco Pico de Orizaba (5,747 m). Su clima es templado y húmedo, pero saludable. Es importante centro agrícola e industrial, de gran actividad, con fábricas de hilados, tejidos y paños, manufacturas de tabaco, fábricas de cerveza y de calzado, talabarterías, fundiciones y talleres metalúrgicos y ferroviarios. La ciudad es hermosa, con calles rectas y buenos edificios. Tiene excelentes comunicaciones por ferrocarril y carreteras con Veracruz, México y otras ciudades.

Historia. Fue la antigua Ahuilizapan de los aztecas, que después pasó a poder de los conquistadores españoles y recibió el título de villa en 1774. En el siglo XIX fue, durante breve periodo, capital del estado de Veracruz y durante la revolución, capital del país por unos días.

Orizaba, Pico de. Volcán de México que también se llama Citlaltépetl (*cerro de la estrella, en náhuatl*) y volcán de San Andrés porque en su falda se levanta la pintoresca población de San Andrés Chalchicomula, punto de partida para la ascensión. Es el volcán más elevado de México, tiene 5,747 m de altitud, está situado en el estado de Puebla, en el límite con el de Veracruz, y forma parte del Eje Volcánico Transversal. Su aspecto es imponente y majestuoso, está coronado de nieves perpetuas y su cráter, elíptico, tiene 500 m en su eje mayor, 400 en el menor y unos 300 m de profundidad. Tuvo periodos de erupción en 1545, 1559 y 1687, y actualmente no presenta signos de actividad. Una de las ascensiones más notables fue la efectuada en 1839, por el profesor Galeotti. Suelen organizarse excursiones de alpinistas que contemplan desde su cima un panorama de indescriptible belleza.

Orlando. Personaje de la literatura caballeresca, muy popular en Francia e Italia a fines de la Edad Media. Suponen los críticos más autorizados que las hazañas de Orlando se inspiran en Carlomagno y sus grandes paladines. El primer autor que dio realidad literaria a este personaje fue el poeta italiano Luis Pulci en 1480, al que siguió Mateo Boyardo en 1487 con el *Orlando enamorado.* Pero a ambos superó Ludovico Ariosto con *Orlando furioso,* poema en que Ariosto relata, en cuarenta cantos, las luchas de los cristianos contra los moros y los amores de Orlando por la bella Angélica, todo escrito en versos fantásticos y de encendida imaginación. *Véase* ROLANDO.

Orlando, Victor Manuel (1860-1952). Jurisconsulto y estadista italiano, primer ministro de 1917 a 1919. A raíz de la derrota sufrida por las tropas italianas en la batalla de Caporetto durante la Primera Guerra Mundial, inició un movimiento patriótico que culminó con la llamada *Unión Sagrada* de las fuerzas políticas. En 1919 presidió la delegación de su país a la Conferencia de Paz de Versalles, defendiendo los derechos de Italia sobre Fiume; en estas pretensiones chocó con el presidente norteamericano Wilson. Como protesta, la delegación italiana se retiró de dicha conferencia. En 1925 fue reelegido diputado y tres años después presentó la renuncia en disconformidad con el régimen fascista. Invadida Italia por los aliados en 1944 durante la Segunda Guerra Mundial y expulsado Mussolini hacia la zona alemana, volvió a desempeñar papel importante en la vida del país. En 1946 fue elegido miembro de la Asamblea Constituyente. Dejó notables obras jurídicas, entre ellas *Principios del derecho público.*

Orléans. Ciudad francesa, capital del departamento del Loiret a 120 km de París, con 105,000 habitantes. Antigua plaza fuerte a orillas del Loira, en ella se destaca la Catedral de la Santa Cruz. Es importante centro de comunicaciones y activa plaza mercantil e industrial. Entre sus industrias principales se cuentan fábricas de conservas, tejidos, industrias metalúrgicas, maquinaria, fábricas de dulces, chocolates, vinagre, etcétera. Es ciudad muy antigua y su origen se remonta a la época de los galos, en que fue el centro de la rebelión contra Julio César, en el año 52 a. C. Bajo la dominación romana se le dio el nombre de *Aurelianum,* de donde se deriva su nombre actual. En 1429, Juana de Arco, con un pequeño ejército, logró levantar el sitio que le habían puesto los ingleses y libertó la ciudad.

Orleans. Familia de la alta nobleza francesa varios de cuyos miembros fueron reyes de Francia. Sus dos ramas principales se conocen en la historia con los nombres de Valois-Orleans y Orleans-Borbón. El primer duque de Orleans fue Felipe (1336-1375), que era hijo del rey Felipe VI, quien le concedió ese título en 1344. El duque Felipe murió sin sucesión. El segundo duque fue Luis (1372-1407), que era hijo del rey Carlos V y hermano de Carlos VI. Luis recibió el ducado de Orleans en 1392. Fue, también, conde de Valois, y fundó la Casa de Valois-Orleans.

El hijo de Luis, Carlos (1391-1465), tercer duque, fue uno de los grandes poetas franceses de la Edad Media y reunió en Blois una corte literaria en la que figuraron François Villon y otros principales poetas de la época. Un hijo de Luis ascendió al trono de Francia con el nombre de Luis XII, en 1498, y el ducado de Orleans quedó unido a la Corona de Francia. A la muerte de Luis XII, en 1515, pasó la corona a los reyes de la casa de Valois-Angulema, descendientes, también, de esta rama de Orleans. En 1589, murió el rey Enrique III y se extinguió la línea de los Valois-Angulema.

La casa de Orleans-Borbón fue fundada por Felipe (1640-1701) hijo del rey Luis XIII y hermano de Luis XIV. Felipe recibió el ducado de Orleans en 1661. Su hijo, también llamado Felipe (1674-1723), fue regente de Francia durante la menor edad del rey Luis XV. El nieto de Felipe, llamado Luis Felipe José (1747-1793) fue el célebre Felipe *Igualdad* de la Revolución Francesa, que hizo causa común con los revolucionarios contra la nobleza, y votó por la muerte de Luis XVI, a pesar de lo cual Felipe *Igualdad* despertó los recelos de los revolucionarios y murió en la guillotina durante el Terror.

El hijo de Felipe *Igualdad* fue Luis Felipe (1773-1850), que subió al trono de Francia en 1830, con el nombre de Luis Felipe I, y reinó hasta 1848, en que lo destronó una revolución. Los descendientes de Luis Felipe adoptaron, entre otros títulos, el de duques de Orleans, y durante el siglo XIX se convirtieron en pretendientes al trono de Francia, apoyados en elementos orleanistas.

Ormandy, Eugene (1899-1985). Director de orquesta estadounidense, de verdadero nombre Eugen Blau. Cursó estudios de violín en su ciudad natal y en 1921 fijó su residencia en Estados Unidos. Alcanzó fama internacional al frente de las orquestas de New York, Minneapolis y Philadelphia, de la que fue director desde 1936.

Ormuz. Dios creador según el mazdeísmo o religión de los antiguos persas, fundada por Zoroastro. También llamado Ahura Mazda, según el Zend-Avesta, código sagrado de los persas, Ormuz es todopoderoso, creador de todo lo bueno y lo bello, tiene a sus órdenes un ejército de espíritus divinos, de los cuales seis, llamados Amchaspands, que representan la bondad, la piedad, la justicia, la salud, la inmortalidad y la caridad.

Ormuz. Isla de 30 km^2 de superficie, situada en el estrecho del mismo nombre, próxima a la costa de Persia (Irán). Los portugueses establecieron una ciudad-fuerte en la misma, que figuraba antes del siglo XIII como capital de un reino que abarcaba las costas de Arabia y Persia. En 1622 los persas aliados con los ingleses expulsaron a los portugueses, destruyendo la ciudad y la fortaleza. Su importancia se basaba en ser centro exportador de sal y azufre. *El Estrecho de Ormuz* une el Golfo Pérsico con el Golfo de Omán, situado entre Persia y el Cabo Ras Musendom, en Arabia.

ornamentación. Distribución, con método y ritmo, de los elementos necesarios para realizar la obra de arte propuesta y embellecer un lugar u objeto. Comprende por lo general la escultura y la pintura ornamental, aplicadas casi siempre a la arquitectura; pero cuyos motivos suelen ser también comunes a la cerámica, la orfebrería, la alfarería, la policromía, la metalistería, mosaicos, tapices, bordados, tejidos, papeles pintados, etcétera.

El dibujo, el colorido y la composición artística son las diferentes partes del conjunto ornamental. Las dos tendencias que predominan en la historia del ornato son el naturalismo y la geometría. La unión de ambas tendencias tiene efecto en la estilización que es la reducción de las formas naturales vivientes a las geométricas. A menudo se valen de la geometría y la caligrafía, la zoología y la botánica. La decoración geométrica y caligráfica usa con frecuencia la repetición, la continuidad, la alternancia, la imbricación, la contraposición, la simetría, el intercambio. En cuanto a formas vegetales y animales, motivos predilectos de la ornamentación en Egipto fueron el loto y la palmera; en Grecia, los óvalos, las perlas y las volutas del orden jónico, o las hojas de acanto del corintio, y en Bizancio se adoptó el follaje liso, que el románico enriqueció con figuras de hombres y animales simbólicos o fantásticos, y el ojival con diversos rasgos de la flora y la fauna autóctonas. El Renacimiento, imitando a griegos y romanos, fue admirable por sus capiteles y adornos. Después, en el siglo XVII, la ornamentación se hizo excesiva en la época de Luis XIV; alardeó de elegancia con Luis XV; se simplificó en el siglo XIX con el grecorromano, renovándose en el siglo XX con la vuelta a las fuentes primitivas y el geometrismo cubista.

En América merece señalarse la ornamentación en la cerámica mexicana, en los huacos y tejidos peruanos, en la alfarería boliviana, y en los *chamantos y choapinos* araucanos. Óscar Wilde, en célebres conferencias pronunciadas en Estados Unidos, realzó la nobleza de las artesanías ornamentales, y encareció la sinceridad en la elección de los motivos: "Dejen –dijo a los americanos– al griego esculpir sus leones, y al godo sus dragones; el búfalo y el gamo salvaje son los animales vuestros". Con esto condenaba la imitación e invitaba a crear. *Véase* DECORACIÓN DE INTERIORES.

ornitología. Parte de la zoología que trata de las aves y constituye una de las grandes divisiones del reino animal: la clase de las aves. Se divide en dos grandes subclases: arqueornitas y neornitas. La primera comprende las aves fósiles más primitivas. La segunda se subdivide en tres superórdenes: odontognatos, con dos órdenes, que clasifica diversas aves fósiles; *paleognatos*, con siete órdenes que abarca, entre otras aves, las avestruces, reas, casuarios, emús y kiwis, y neognatos, con 23 órdenes.

Al extenso superorden de los neognatos y encasillada en los numerosos órdenes en que este superorden se divide, corresponde la casi totalidad de los miles de especies de aves vivientes. Entre los principales órdenes de los neognatos se cuentan los siguientes: paseriformes, al que pertenecen golondrinas, alondras, vencejos, oropéndolas, cuervos y grajos; ciconiformes, cigüeñas, ibis, flamencos y garzas; anseriformes, gansos, patos y cisnes, falconiformes, buitres, halcones y águilas; pelicaniformes,

Corel Stock Photo Library

Joven hindú con ornamentos faciales.

cormoranes y pelícanos; procelariformes, albatros y petreles; estrigiformes, buhos y lechuzas; faisánidos, codornices, pavos, faisanes y pavos reales; columbiformes, palomas y tórtolas, psitaciformes, loros, cotorras y macaos; micropodiformes, colibríes; y paradiseidas, aves del paraíso.

Considerada como el estudio de las aves, la ornitología tiene una gran antigüedad. Siglos antes de la Era Cristiana, Aristóteles en su *Historia de los animales*, recopiló lo que en su tiempo se sabía sobre casi 200 especies de aves. Posteriormente, Plinio, en el siglo I, dedicó a las aves un libro entero de su *Historia natural*.

Tanto en la Edad Media, como a principios de la moderna, hubo observadores y naturalistas que escribieron sobre ornitología; pero hay que remontarse hasta Linneo que, a mediados del siglo XVIII, publicó su célebre obra *Systema naturae* y sentó las bases científicas de toda la zoología.

Linneo clasificó las aves en seis órdenes y unas 2,500 especies. Sobre los sólidos cimientos de Linneo, el estudio y la clasificación ornitológica fueron progresando con aportaciones de sabios como Cuvier, Illiger, Temninck, Oken, Gray, Claus y otros, hasta llegar a Sharpe y después a Mayr, en la primera mitad del siglo XX, en que la clasificación ornitológica se multiplicó al extremo de hacer necesaria su división en 23 órdenes, 8,600 especies y 28,500 subespecies. *Véanse* AVE; PÁJARO; ZOOLOGÍA.

ornitorrinco. Mamífero del orden de los monotremas, de unos 50 cm de largo y aspecto parecido al del topo, que vive en los ríos de Australia y Tasmania. Es uno de los animales más raros y curiosos, pues se trata de un mamífero que pone huevos de cáscara flexible y tiene pico como las aves. Su cuerpo está cubierto de una piel gris oscura, con pelo fino y tupido. La cabeza, redonda, está terminada en un fuerte pico de color amarillo rojizo de forma similar al del pato, recubierto en su base de una membrana muy rica en terminaciones nerviosas. Las patas son cortas y armadas de fuertes uñas que le sirven para sus trabajos de zapa y entre los dedos tiene membranas que le facilitan la natación. En las patas posteriores tiene un espolón que le

Ornitorrinco.

Dover Publications, Inc.

sirve de defensa. Ese espolón está conectado con glándulas que segregan veneno y emponzoñan la herida que causa. La cola, plana, parecida a la de los castores, le es, como a éstos de gran ayuda para nadar. Los ornitorrincos son animales torpes y pesados en tierra, pero se mueven con agilidad en el agua de los ríos donde viven, saliendo al oscurecer para hozar y picotear el fondo legamoso, en busca de larvas, moluscos y pequeños peces que constituyen su alimentación. Las mandíbulas, córneas en forma de pico, les son particularmente útiles en este trabajo, para lo cual tienen también los ojos protegidos por un reborde de la piel en forma de visera.

Animales huraños y retraídos, construyen galerías subterráneas con la entrada en la margen del río y a nivel inferior al del agua, para entrar y salir sin ser vistos por los enemigos. Estas galerías terminan en una cámara abovedada que les sirve de nido, acondicionado confortablemente con hojarasca, pelos, etcétera, y con respiraderos por donde se renueva el aire. En estos nidos la familia pasa el día, saliendo al atardecer en busca de sus alimentos, para volver al clarear. Allí ponen los huevos, generalmente dos por año, que incuban cuidadosamente. Cuando nacen los pequeñuelos se alimentan lamiendo los pelos del vientre de la madre, por donde fluye la secreción de las glándulas mamarias. Al acabar la lactancia pierden sus rudimentarios dientes, transformándose sus mandíbulas en el pico córneo que guardarán toda la vida. Son animales de sangre más fría que la de los mamíferos de su condición, lo que explica sus costumbres similares a las de los reptiles. Son perezosos y en las épocas de sequías de los ríos australianos pasan largas temporadas aletargados. Fueron objeto de activa caza, lo que unido a su escasa capacidad de reproducción motivó que corrieran peligro de extinguirse por lo que el gobierno australiano dictó medidas para su conservación.

oro. Metal amarillo muy dúctil y maleable. Es un elemento químico cuyo peso atómico es 197.2 u y su símbolo Au. Puede ser disuelto en una mezcla de ácido clorhídrico y nítrico, llamada agua regia, así como en soluciones alcalinas de cianuro, en una solución de cloruro férrico, en mercurio y en cloro naciente o libre. El prestigio que ha rodeado siempre al oro obedece en primer término a su escasez; pero el metal debe buena parte de su popularidad a las propiedades físicas de blandura, resistencia a los productos químicos y densidad, y a su bello color amarillo. Los químicos lo describen como dúctil porque puede ser convertido en alambres finísimos de un milésimo de milímetro de diámetro. Dicen también que es maleable porque puede ser transformado en finísimas hojas que conservan todas sus cualidades. Puede dársele la forma que se desee; una vez que la ha asumido resiste la herrumbre y los cambios químicos provenientes del aire, conservando intacta su belleza original.

Corel Stock Photo Library

Figura de un ángel terminada en oro.

Cuando se desea dotar de dureza al oro, debe ser combinado con algún otro metal para que aumente su resistencia. La aleación así obtenida se mide por medio de una unidad llamada quilate que equivale a una veinticuatroava parte. Por tanto, cuando decimos que una pieza de oro es de 24 quilates, estamos indicando que se trata de oro puro, cuando decimos que es de 18 quilates, ello significa que está compuesta por 18 partes de oro puro y 6 partes de otro metal.

Cáliz de oro del siglo XVIII.

Corel Stock Photo Library

Historia. Junto con la plata y el platino, el oro forma el grupo de los *metales preciosos*. Es posible que fuera el primero en atraer la atención del hombre prehistórico, pues en exploraciones efectuadas en lugares correspondientes en épocas muy remotas se han encontrado restos de objetos con él elaborados. La fábula de la búsqueda del Vellocino de Oro, repetida bajo diversas formas por religiones y mitologías muy dispares, demuestra que la atracción que ejerce sobre la humanidad es antiquísima. En el antiguo Egipto se desarrolló una técnica muy compleja para trabajar el oro, los orífices de Tebas sabían reducirlo a láminas tan finas que se necesitaban 150 mil de ellas para hacer una pila de 1 cm de altura. Durante la Edad Media los alquimistas se esforzaron en vano para obtener la famosa piedra filosofal, capaz de transformar el plomo en oro. La ciencia moderna ha logrado convertir en realidad algunos de los sueños de los alquimistas. Hoy es posible extraer oro del agua del mar, y los aparatos desintegradores del átomo pueden hacer oro del plomo y, también, obtener una forma inestable de oro a partir del platino y del iridio, metales ambos que son más costosos que el oro. El agua de todos los mares contiene oro en solución, pero se calcula que la proporción sólo asciende a 1 gr por tonelada de agua; por consiguiente, la explotación de las reservas áureas del agua de mar no rendiría beneficios económicos. La tarea de extraer el oro se ha convertido en una industria de gran importancia que es vigilada cuidadosamente por los gobiernos de los países que poseen yacimientos auríferos. Se calcula que, desde el descubrimiento de América hasta mediados del siglo XX, se ha extraído de las entrañas de la tierra oro en cantidad suficiente para formar un cubo que mediría catorce metros por lado. Más de la mitad de este oro se halla en poder de los gobiernos de cincuenta países, que garantizan por medio de él su papel moneda.

Producción. Los principales países productores de oro son, por orden de importancia: la Unión Sudafricana, la ex-Unión Soviética, Canadá, Estados Unidos, Australia, Costa de Oro, Rhodesia, México y Colombia. Prácticamente la mitad de la producción mundial proviene de los yacimientos de Witwatersrand, cerca de Johannesburgo, en África del Sur. Canadá fue durante mucho tiempo el segundo productor, pero la Unión Soviética ha logrado superarlo. Los yacimientos de Mother Lode son los principales de Estados Unidos, que tiene sus mayores centros productores en los estados de California, Dakota del Sur y Utah. Yacimientos de este metal se hallan en más de 40 países. La *quimera del oro*, satirizada por Chaplin en una de sus más famosas películas, ha atraído a millares de aventureros hacia los territorios de California, Alaska y Australia.

Extracción. Los geólogos suponen que el oro es depositado en las capas superficiales de la corteza terrestre por diversos gases y líquidos emanados del interior de la tierra, que atraviesan grietas o fallas para llegar a la superficie. El oro puede ser encontrado en varias clases de depósitos; los más importantes son las vetas, que aparecen como verdaderas venas en la corteza terrestre, y los placeres, que son depósitos formados por partículas de diversos tamaños mezcladas entre las arenas de ríos y arroyos. Estas partículas, llamadas *pepitas*, han sido arrastradas por una corriente de agua superficial que las extrajo de alguna veta junto con otras sustancias.

Los placeres son de dos clases: eluviales y aluviales. Los primeros aparecen a corta distancia de las vetas del mineral y los segundos se encuentran a gran distancia del yacimiento, por lo general en el lecho o cauce de algún río.

Los métodos utilizados para la extracción de oro varían según la clase del depósito, aunque en todos los casos se deben verificar dos etapas: extraer el mineral y separar del mismo el oro puro. En casi todas las explotaciones realizadas en los placeres, ambas operaciones tienen lugar en el mismo sitio. Pero en las minas en las que se trata de explotar vetas o filones, el mineral es transportado a instalaciones donde es tratado, separado y concentrado.

Las explotaciones auríferas en gran escala emplean procedimientos más complejos. El *gigante hidráulico* es un aparato que lanza un chorro de agua, a gran presión, contra escarpaduras y declives del terreno en los que se supone que hay oro; la fuerza del agua desmorona la tierra y la arrastra hacia depósitos e instalaciones con dispositivos que retienen y concentran las partículas de oro y eliminan el agua y el fango. Las dragas se utilizan para extraer grandes cantidades de fango y tierra del lecho de ciertos ríos; poseen numerosos cangilones de gran capacidad que se mueven alrededor de una cadena sin fin. El contenido de los cangilones se vierte en una serie de dispositivos que separan el oro de las impurezas. En algunos países se prohibe el empleo de dragas y gigantes hidráulicos porque tales métodos destrozan los terrenos y dañan la fauna de los ríos. Los depósitos contenidos en el interior de la tierra son objeto de una explotación similar a la de cualquier otro producto mineral: primero se cavan pozos verticales por los que circulan montacargas, y luego se abren galerías horizontales en busca de los filones.

Corel Stock Photo Library

Figuras laminadas en oro.

Purificación. Tres métodos principales se utilizan para separar el oro de las materias con las que aparece mezclado. Se llaman *flotación, amalgamación* y *cianuración*. En el primero, las partículas finamente pulverizadas del mineral son sumergidas en un líquido formado por diversos productos químicos que reciben el nombre de reagentes de flotación. Se trata de tres sustancias: uno de esos reagentes produce una espuma abundante; otro forma una película sobre el oro, de modo tal que las partículas del metal se adhieren a las burbujas que se dirigen hacia la superficie; y otro impide que ciertas sustancias se mezclen con el oro. A continuación se introduce gran cantidad de aire y las burbujas que contienen el oro se separan fácilmente del resto del líquido.

La amalgamación consiste en el empleo de mercurio. Se basa en el hecho de que el oro tiende a formar una amalgama con este metal líquido. El mineral, finamente pulverizado, es mezclado con abundante cantidad de agua hasta formar una especie de barro que es pasado por dispositivos depuradores para separar los distintos minerales existentes en la masa. Por último se coloca sobre placas de cobre recubiertas con mercurio. Estas placas atraen todo el oro que esté mezclado en el lodo; por último, el oro es liberado de la amalgama sometiéndolo a la acción del calor hasta que el mercurio se evapora.

El proceso llamado *cianuración* consiste en colocar el mineral en un tanque que contenga una solución débil de cianuro. El oro se combina con ésta y es luego separado poniéndolo en contacto con una capa de cinc metálico.

Aplicaciones. Combinado con otros metales, el oro se emplea en joyería. *El oro blanco*, aleación realizada con cierta cantidad de plata, se emplea generalmente para engarzar piedras preciosas en anillos. *El oro en hojas* se usa para dorar cantos de libros e imprimir *letras en oro*.

Aparte de estas aplicaciones, la importancia máxima del oro proviene de que se utiliza como patrón monetario. Hasta el primer tercio del siglo XX, la mayoría de los países del mundo utilizó el patrón oro en sus sistemas monetarios. Esta denominación significaba que el poseedor de una cantidad de papel moneda podía obtener, contra su presentación en la Casa de Moneda o en los Bancos oficiales, una cantidad de oro que era fijada por las leyes de cada país. El sistema funcionó en forma satisfactoria durante la segunda mitad del siglo XIX y subsistió hasta el inicio de la Primera Guerra Mundial. El régimen, que se generalizó en las postrimerías del siglo XIX, fue iniciado por Gran Bretaña. El sistema del patrón oro implicaba, como una de sus características básicas, la posibilidad de que el oro entrara o saliera sin ninguna dificultad de cada país.

La guerra de 1914 perturbó el funcionamiento clásico del patrón oro, al impedir el libre movimiento de importación y exportación del metal. Europa tuvo que adquirir muchos artículos en Estados Unidos, los que fueron pagados en oro, y esta nación se convirtió en el principal poseedor de oro en el mundo. Después de 1930, las naciones fueron abandonando el patrón oro o suspendiendo la convertibilidad de sus monedas en oro, por lo que éstas desaparecieron de la circulación y el metal existente se concentró en los bancos centrales de cada nación.

Después de la Segunda Guerra Mundial se estableció un nuevo sistema monetario internacional basado en el dólar, como moneda principal vinculada al oro. Los flujos de dólares subsiguientes destruyeron este sistema y el resultado fue que el oro inició un ascenso de precio incontenible y alcanzó para 1980 cotizaciones sin precedente.

Oro, El. Provincia del sur de Ecuador que limita con Perú. Tiene de superficie 5,988 km², con población total de 412,572 habitantes, población urbana de 290,749 y rural de 121,823. Clima tropical. La capital es Machala. Producción y exportación de plátanos, café, cacao y camarones. Valiosos yacimientos de oro dan este nombre a la provincia, los principales se encuentran en el cantón de Zaruma.

Oro, Justo de Santa María de (1772-1836). Eclesiástico argentino y gran patriota que nació en San Juan de Cuyo. Cuando se convocó el Congreso de Tucumán, el ano 1816, fue designado miembro del mismo y se pronunció contra la adopción de la forma monárquica de gobierno. Tomó el hábito de los dominicos en su ciudad natal y después se doctoró en Teología en la Universidad de San Felipe. En 1809 marchó a España, donde aún se encontraba cuando estalló la revolución en Buenos Aires al año siguiente. Como desde el primer momento simpatizó con la causa de la emancipación, se trasladó a esta última ciudad y desde ella a Santiago. Fracasado el movimiento, fue desterrado, pero cuando se constituyó el Ejército de los Andes, fray Justo se ocupó en procurar recursos para su sostenimiento.

Triunfante el movimiento, fue elegido diputado y después nombrado obispo de Taumaco, primero, y de Cuyo, después.

Oro del Rin, el. *Véase* ÓPERA.

orogenia. Parte de la geología que trata de las causas generadoras de los accidentes tectónicos. Es su principal objeto estudiar el origen y estructura de las montañas, las posibilidades mecánicas que presentan, relacionar estas observaciones con los conocimientos aportados por la geofísica sobre las características del interior de la Tierra, y deducir hipótesis que permitan explicar las modificaciones estructurales de la corteza terrestre. Ésta, aparentemente, permanece inconmovible, pero lo cierto es que las masas continentales están sujetas a la acción de dos clases de fuerzas: unas, que son perturbadoras del equilibrio de los diversos elementos geológicos, y otras, que restablecen ese equilibrio. Entre las primeras, unas son endógenas y otras de tipo planetario, como el movimiento de rotación de la Tierra y sus variaciones. El segundo grupo depende de la gravedad y cristaliza en la teoría isostática.

orografía. Parte de la geografía física que trata de la descripción de las montañas y de sus características geofísicas. La geografía contemporánea ha hecho suyas como específicas de su estudio muchas normas, hasta ahora consideradas exclusivas de la geología. Debido a ello el estudio de la altigrafía del suelo no se limita sólo al aspecto descriptivo, sino que profundiza en la evolución y dinámica de las grandes aglomeraciones orográficas, teniendo en cuenta los distintos agentes generadores de su constitución, forma y desgaste o erosión. De ahí los modernos estudios que se han hecho sobre los sistemas alpino, andino, balcánico y los sistemas montañosos españoles.

oropéndola. Pájaro de la familia de los oriólidos. Tiene el plumaje amarillo, y negros pico, alas, cola y patas. Propio de los climas templados, emigrando evita tanto los rigores del invierno como los del verano. Su alimentación consiste en insectos, en especial larvas, y es muy aficionado a las cerezas. Su canto agradable y hermoso aspecto tientan a aprisionarlo en jaulas, pero es muy difícil que se adapte a la cautividad. Vive en los bosques, cerca de los arroyos, y huye del hombre. Fabrica hábilmente nidos colgantes, donde nacen y crecen los pichones, mecidos por el viento. Para ello, aglutina ramitas con su saliva, y tapiza el interior con lana o fibras, hasta dejarlo suave y mullido.

Oropéndola posada en un ocotillo.

Corel Stock Photo Library

Orosio, Paulo. Historiador y teólogo del siglo v, nacido en la Península Ibérica, según unos en Tarragona y según otros en Lusitania (Portugal). Hacia el año 413 se trasladó a África y fue discípulo de san Agustín. Compuso una extensa historia, llena de intención apologética (418), en la cual continuaba *La ciudad de Dios* de San Agustín.

Oroya, Fiebre de. Dolencia infecciosa, típica del departamento de Junín (Perú) y comarcas limítrofes, causada por un microbio que penetra en la sangre, la *Bartonella bacilliformis*, descubierto por el bacteriólogo japonés Hideyo Noguchi. Por creerse que esta enfermedad iba casi siempre precedida por la llamada *verruga peruana*, en 1885 el estudiante peruano de medicina Alcides Carrión, se inoculó el microbio, a causa de lo cual murió, y se demostró que la fiebre y la verruga eran distintas fases de esta enfermedad. Se llamó *fiebre de Oroya*, por la epidemia que se desarrolló entre los obreros que construían el ferrocarril de Lima a Oroya en 1870. Se llaman también *enfermedad de Carrión* en honor del estudiante arriba citado.

Orozco, José Clemente (1883-1949). Pintor mexicano que nació en el estado de Jalisco. Considerado como una de las primeras figuras de la pintura mexicana contemporánea. Formó con Diego Rivera y David Alfaro Siqueiros el trío de los grandes pintores muralistas de México. Estudió en la Academia de San Carlos de México, y viajó posteriormente por Europa después que ya había consolidado en su patria su vigorosa personalidad artística. Fue, junto con los pintores mencionados, un renovador de la pintura mexicana, en el sentido de alejarse del academicismo y las directrices pictóricas europeas y propugnar la creación de una escuela mexicana con características propias. Ejecutó, también, pinturas de caballete, pero su obra principal consistió en grandes pinturas murales, que realizó con inconfundible técnica personal, de gran originalidad y fuerza, en extraña y notable síntesis de enérgico y agrio Abstraccionismo, y Naturalismo descarnado y sombrío. Sus temas principales fueron tomados de escenas y episodios de la Revolución Mexicana, que supo expresar en tono de protesta social, con estilo apocalíptico, pinceladas de potencia explosiva y trazos de violencia dramática. Pintó vastos murales en numerosos edificios públicos, entre ellos la iglesia del Hospital de Jesús, el palacio de Bellas Artes y la Escuela Nacional Preparatoria en la ciudad de México; la Escuela Industrial de Orizaba, la Universidad de Guadalajara, el Hospicio Cabañas, en Jalisco, el Pomona College de California; y la Escuela de Investigación Social, en New York.

Orozco y Berra, Manuel (1816-1881). Historiador y arqueólogo mexicano. Fue uno de los hombres más sabios de su tiempo, ingeniero, geógrafo, abogado, periodista y hombre de letras. Ocupó relevantes cargos, entre ellos los de director del Archivo General de la Nación, magistrado de la Suprema Corte de Justicia, catedrático de historia y geografía, ministro de Fomento, miembro y asesor de numerosas e importantes comisiones científicas. Su vida fue un conflicto continuo entre el cumplimiento de sus deberes oficiales, únicos que le procuraban recursos pecuniarios, pero que consumían todo su tiempo, y la necesidad que sentía de dedicarse a las investigaciones científicas a que lo impulsaba su vocación. Obligado por las circunstancias a colaborar en el gobierno del emperador Maximiliano, fue encarcelado a la caída de éste, aunque por poco tiempo, en atención a sus méritos excepcionales. Entre sus obras principales se destacan: *Historia antigua y de la conquista de México*, verdadera obra maestra; *Historia de la dominación española en México*; *Estudios de cronología mexicana*, y *Geografía de las lenguas y carta etnográfica de México*. El conocimiento de su obra es fundamental para el estudio de la historia, arqueología y geografía de su patria.

orozuz. Planta herbácea, de la familia de las leguminosas, conocida vulgarmente con el nombre de regaliz. Es planta de ribera y se la encuentra mezclada con sauces, chopos, álamos y fresnos. De tallos casi leñosos, de un metro de altura, invade campos, viñas y olivares, esparciéndose en numerosos brotes que germinan en primavera. Sus raíces contienen glicerina, azúcar y manita, que le dan un sabor dulce y agradable, además grasa, resina, fécula, esencia y materias proteicas. El jugo dulce y mucilaginoso de sus rizomas se usa en medicina como pectoral, emoliente, diurético y sudorífico. Los niños del sur de España mastican las raíces como golosina, a la que llaman *palo dulce*.

orquesta. Conjunto de instrumentos musicales y sus ejecutantes. La palabra orquesta es de origen griego. Se daba ese nombre al espacio vacío que separaba al escenario del público y, aun en la actualidad en las representaciones teatrales con acompañamiento musical, como los ballets, la orquesta suele ocupar ese sitio. En un principio, en la historia musical de Occidente la orquesta era sólo un conjunto de instrumentos de cuerda. En las óperas italianas del siglo XVII se unieron a esos instrumentos las flautas, los oboes, las trompetas y los tambores. La orquesta que ejecutaba la música de la ópera *Orfeo*, del italiano Claudio Monteverdi, estaba formada por dos clavicordios, dos órganos, diecinueve instrumentos de cuerda y algunos de viento, como trombones y trompetas. Sin embargo, el canto era lo más importante en estas obras y las ideas de Monteverdi no tuvieron en un principio muchos imitadores.

En las óperas de Lully, y más tarde de Scarlatti y de Purcell, la variedad de instrumentos era considerada como un adorno, un modo de dar color y animación a la representación, y en las ejecuciones de música de concierto continuaba prefiriéndose la orquesta formada por instrumentos de cuerda. Aun en Bach y en Handel, compositores alemanes del siglo XVIII, los instrumentos de viento sólo tenían una importancia ocasional. Sólo en los tiempos de Haydn y Mozart comienza a considerarse la orquesta como un conjunto de instrumentos mixtos, de cuerda y de viento. La orquesta de estos compositores estaba formada por un grupo de instrumentos de cuerda, comúnmente pequeño, y una flauta dos oboes, dos trompas y dos cornos. Las trompetas y los instrumentos de percusión eran añadidos sólo en ciertas ocasiones.

Los instrumentos de viento tuvieron mayor importancia en la orquesta utilizada por Ludwig van Beethoven. Ésta incluía, además del obligado conjunto de cuerdas, dos flautas, dos oboes, dos clarinetes, dos trompas, dos trompetas, cuatro cornos, tres trombones y un timbal. Desde entonces la orquesta fue cada vez mayor. Los instrumentos de madera y de metal comenzaron a usarse en grupos de tres y no ya de dos como en Beethoven, Mozart y Haydn; otros instrumentos, como el clarinete bajo y la tuba, fueron añadidos al conjunto. En Wagner es ya notable el gran número de músicos que necesita la orquesta, y Berlioz llega a afirmar que la orquesta ideal debía estar formada por 242 ejecutantes. Dos son las causas principales de esta evolución: la aparición de nuevos instrumentos musicales y la posibilidad de su afinación daba al compositor la oportunidad de intentar nuevas combinaciones sonoras, para las que necesitaba, naturalmente, mayor número de músicos.

El aumento del número de oyentes explica también, en cierto modo, el gran número de ejecutantes de las orquestas modernas. En los siglos XV y XVI, la música era ejecutada en lugares cerrados y pequeños, pero posteriormente, cuando la orquesta salió al aire libre, o a los teatros de gran tamaño, se advirtió que la sonoridad era insuficiente. Sin embargo, hoy muchos de estos problemas están solucionados por una mayor comprensión de las leyes de la acústica y la utilización de amplificadores sonoros.

Los instrumentos de una orquesta moderna pueden ser divididos en cuatro grupos, según su tipo: cuerdas, maderas, metales y de percusión. Las maderas y metales suelen recibir también el nombre común de instrumentos de viento. Las cuerdas comprenden primeros violines, segundos violines, violas, violoncelos y contrabajos. Este grupo de instrumentos, muy similar a la orquesta antigua, tiene la composición de un corno de voces humanas: soprano, mezzosoprano, tenor, barítono y bajo.

La orquesta sinfónica utilizada por casi todos los directores y músicos modernos tiene 10 o 15 primeros violines, diez o doce segundos violines, y de ocho a diez violas, violoncelos y contrabajos. Los principales instrumentos de madera son la flauta, el clarinete, el oboe y el corno inglés. Estos instrumentos suelen colocarse en grupos de tres. La sección de los metales está formada por las trompetas (de tono similar al de la voz de soprano), el corno francés (tenor), los trombones (tenores, barítonos y bajos) y la tuba (el bajo). Los instrumentos de percusión forman la sección rítmica de una orquesta. Los más importantes son los tambores, timbales, campanillas y triángulos.

Las diferentes secciones de la orquesta se colocan casi siempre en cierto orden, teniendo en cuenta la sonoridad de los distintos instrumentos. El más común es aquel en el que las cuerdas se sitúan en las partes delanteras y laterales del escenario, las maderas en las partes delanteras y centrales (entre las cuerdas), los metales detrás de las maderas y los instrumentos de percusión en el fondo de la orquesta. Algunos directores varían este orden según la sonoridad que quieren obtener, o a veces de acuerdo con las condiciones acústicas de la sala.

La importancia del director es muy grande. Aunque los instrumentistas sean muy hábiles, un mal director no podrá obtener de una orquesta una versión fidedigna y correcta de la obra musical. El buen director debe conocer perfectamente la partitura musical, y comprender el espíritu del músico que interpreta. Los movimientos que hace con su batuta (varilla de madera o marfil, que sirve para marcar los tiempos y destacar detalles y matices) o con sus manos tienen un significado preciso, que los ejecutantes deben conocer y seguir. *Véanse* BANDA DE MÚSICA; INSTRUMENTO; MÚSICA; SINFONÍA.

orquídeas. Familia de plantas herbáceas, una de las mayores del reino vegetal, pues el número de especies descritas llega a unas 15,000. Son de aspecto, tamaño y vida muy distintos, y se dividen en dos clases: terrestres y epífitas. Las primeras, propias de los climas templados y fríos, tienen flores pequeñas y poco llamativas dispuestas en racimos, raíces tuberosas donde se forma un tallo anual, y, naturalmente, se alimentan de la tierra. Las epífitas, como su nombre indica, crecen sobre árboles, pero sin nutrirse a expensas de ellos, sino que

Corel Stock Photo Library

(De izquierda a derecha y de arriba abajo). Diferentes tipos de orquídeas: Phalaenopsis, *orquídea Vanda, orquídea color durazno, orquídea Warcewiczii, orquídea* paphiopedilum *y orquídea* Cypripedium.

sólo los utilizan como apoyo. En los intersticios de las cortezas introducen algunas raíces que, frecuentemente, están provistas de seudobulbos donde se acumula la materia nutritiva y, además, muchas de ellas emiten raíces aéreas de naturaleza esponjosa con las que captan el polvo y la humedad que transporta el aire. Estas orquídeas se encuentran en las selvas tropicales. Son las más numerosas y estimadas por la belleza de sus flores, grandes y extraordinariamente vistosas, por sus formas raras y delicado colorido.

Su constitución es muy distinta de la de las flores comunes, pues no tiene sépalos ni pétalos verdaderos, sino seis piezas coloreadas, de estructura petaloide, de las cuales tres externas y semejantes entre sí, corresponderían al cáliz, mientras que de las tres internas que representan la corola, dos son iguales y la tercera es tan diferente en su forma y color que recibe un nombre especial, el de *labelo*; éste en algunas especies se extiende como una lengüeta o se ensancha hacia adelante en una especie de plataforma, en otras parece una bolsa, etcétera, todos ellos adaptados a la estructura y hábitos de los insectos que las fertilizan.

Las orquídeas son principalmente flores ornamentales, y en ese sentido figuran en lugar preferido entre las plantas, pero hay algunas especies que tienen valor industrial, como la vainilla, de cuyos frutos se saca el conocido extracto aromático; otras se utilizan en infusión, y de algunas se emplea la fécula de sus tubérculos para alimento, como el salep. Aunque las orquídeas crecen en numerosos países son pocos los que cuentan con variedades epífitas, siendo los más ricos y que producen las más bellas especies Colombia, México, Guatemala y Brasil.

orquitis. Inflamación de testículos que complica enfermedades como dengue, influenza, fiebre Q y paperas. La orquitis aguda ocurre durante el padecimiento de paperas en aproximadamente 20% de los varones que han pasado la pubertad, por lo regular entre el quinto y el décimo día de la enfermedad. Los casos benignos de orquitis causan sólo malestar, sensibilidad y fiebre ligera, mientras que los casos severos son a menudo acompañados de vómito, fiebre alta y fuerte hinchazón que puede ser en extremo dolorosa. Por lo general sólo uno de los testículos se ve afectado. La condición aguda cede en unos cuantos días o semanas, dependiendo de su severidad. La orquitis crónica es el crecimiento indoloro de los testículos causado comúnmente por sífilis, tuberculosis, lepra, brucelosis, muermo e infecciones parasitarias. Por lo general afecta ambos testículos.

Orr, John Boyd (1880-1969). Fisiólogo escocés. Profesor de agronomía y director del Instituto de Investigaciones sobre la Nutrición, de la Universidad de Aberdeen; rector de la Universidad de Glasgow. Director de la Organización de las Naciones Unidas para la Agricultura y Alimentación. Efectuó trascendentales investigaciones sobre la insuficiencia de la alimentación humana y preconizó la lucha contra la aridez del suelo, así como la intensificación de métodos agrícolas modernos. Le fue concedido el Premio Nobel de la Paz en 1949.

Ors, Eugenio d' (1882-1954). Filósofo, ensayista y crítico español nacido en Barcelona, en cuya universidad cursó estudios, que amplió después en la Sorbona de París, y se doctoró más tarde en Madrid. A los 16 años empezó a publicar sus primeros escritos en lengua catalana. Asistió a varios congresos de filosofía, entre ellos el de Heidelberg de 1909, al que presentó su conocida tesis titulada *Religio est libertas*. En 1906 inició la publicación de sus celebradas *Glosas* –artículos o ensayos breves, que van desde el comentario filosófico a la interpretación de un hecho cotidiano–, aparecidos primero en la prensa y reunidos posteriormente en libros, hasta formar más de 20 volúmenes. Durante algunos años dirigió la política cultural de la Mancomunidad Catalana, desarrollando con tal motivo una eficacísima labor. En 1919 empezó a escribir en castellano. Residió largas temporadas en otros países, pronunciando conferencias y dictando cursos en diversos lugares de Europa y América. Fue jefe del Servicio Nacional de Bellas Artes, secretario perpetuo del Instituto de España y académico de la Lengua y de Bellas Artes. En los últimos años de su vida explicó en la Universidad de Madrid la cátedra de ciencia de la cultura, creada con carácter extraordinario para que fuera desempeñada por él. Entre otros muchos honores y recompensas se hallaba en posesión del

Cóndor de los Andes por su labor cultural durante un decenio en el consulado de Bolivia en España. Sus obras se caracterizan por la precisión y variedad de los conceptos vertidos en ellas y por su constante defensa del orden frente a la anarquía, de la universalidad frente a los particularismos de cualquier especie, y de la categoría, que es lo permanente, frente a la anécdota, que es lo efímero; en el terreno filosófico explicó en diversas ocasiones su *filosofía del hombre que trabaja y que juega*, y como tratadista y crítico de arte puede decirse que renovó totalmente la literatura acerca de las bellas artes en la España de su tiempo, culminando esta labor con la creación de la Academia Breve de la Crítica de Arte, que durante muchos años ha servido de guía y orientación en la vida artística española. Entre sus principales obras figuran: *Aprendizaje y heroísmo, Grandeza y servidumbre de la inteligencia, De la amistad y el diálogo, Tres horas en el museo del Prado, La vida de Goya, Picasso, Las ideas y las formas y El secreto de la filosofía.*

Orsini, Familia. Célebre familia italiana, adversaria encarnizada de los Colonna, que tuvo gran influencia en los asuntos romanos en diversas épocas de su historia. Entre los principales miembros de esta poderosa familia se cuentan los siguientes.

Ana María (1642-1722). Princesa italiana que nació en París. En España fue conocida bajo el nombre de princesa de los Ursinos; y, en su calidad de camarera mayor de la reina María Luisa de Saboya, esposa de Felipe V, rey de España, ejerció tal influencia sobre ella que, en realidad, fue quien gobernó a España por bastante tiempo.

Felice (1819-1858). Político italiano. Gran patriota, dirigió a los voluntarios romanos que defendieron a Mestre en 1848. Cuando se derrumbó la república romana, buscó refugio en Londres. Plenamente convencido de que Napoleón III era el obstáculo mayor para la redención de su país, el 14 de enero de 1858 lanzó una bomba contra él, de la cual el emperador salió ileso, pero hubo muchas víctimas.

Fulvio (1529-1600). Humanista y bibliófilo italiano. Reunió una valiosa biblioteca de la cual hizo legado, cuando murió, a la Biblioteca Vaticana. También fue coleccionador de obras de arte.

Giovanni Gaetano (1210?-1280). Pontífice romano que, con el nombre de Nicolás III, ocupó la sede papal en 1277 y trató de reunir la Iglesia griega con la latina. Apoyó la política de Carlos de Anjou y consiguió del emperador Rodolfo la cesión al Papado de importantes territorios en la Italia central.

Pietro Francesco (1649-1730). Pontífice romano, que con el nombre de Benedicto XIII, gobernó la Iglesia católica desde 1724 hasta su muerte. Cuando un terremoto destruyó la ciudad de Benevento, hizo todo lo posible por reconstruirla. Trató inútilmente que los jansenistas aceptaran la bula *Unigenitus*.

Ortega Saavedra, Daniel (1945-). Político nicaragüense. Miembro del Frente Sandinista de Liberación Nacional (FSLN) desde su fundación (1962). Brilló en la lucha contra el régimen sandinista, lo que le acarreó su encarcelamiento en 1967. Fue liberado en 1974 y tras la derrota de Somoza, fue coordinador de la junta de Gobierno. En 1984 fue elegido presidente de Nicaragua. Ya en su puesto, se dedicó a viajar en busca de apoyo y ayuda internacional, obteniendo préstamos de casi 400 millones de dólares de varios países comunistas y de Europa occidental.

Ortega y Gasset, José (1883-1955). Filósofo y escritor español. Nacido en Madrid, estudió en esta ciudad y en Málaga y recibió el titulo de doctor en filosofía en 1904. Desde 1902 ya venía publicando artículos en *El Imparcial* que pronto llamaron la atención por su contenido y su forma. Posteriormente se trasladó a Alemania, y allí continuó los estudios filosóficos en las universidades de Marburgo, Leipzig y Berlín hasta 1907. En 1910 ganó por oposición la cátedra de metafísica de la Universidad de Madrid, donde formó un brillante conjunto de discípulos. Recorrió varios países de Europa y de América en gira de conferencias, en las que ganó fama de pensador profundo y de expositor original.

En 1924 fundó la *Revista de Occidente*, la publicación de mayor influencia en España durante muchos años y el vehículo por el que dio a conocer en España a los más grandes escritores de todo el mundo y llevó el nombre de jóvenes escritores y poetas españoles más allá de las fronteras patrias. Fue durante algún tiempo inspirador del diario *El Sol*, de Madrid, y con Gregorio Marañón y Ramón Pérez de Ayala formó la *Agrupación al servicio de la República*, que contribuyó, por el prestigio de sus creadores, al advenimiento de la República en 1931, a cuyas Cortes Constituyentes Ortega fue elegido diputado.

Sus obras principales *son Meditaciones del Quijote, El espectador* (8 volúmenes), *El tema de nuestro tiempo, Las atlántidas, La deshumanización del arte, La rebelión de las masas*, obra verdaderamente profética sobre el mundo actual, *España invertebrada, Estudios sobre el amor, Goethe desde dentro, Ensimismamiento y alteración*, y numerosos ensayos y prólogos valiosos en los que el pensador profundo y el escritor brillante aporta ideas y conceptos sobre acontecimientos, hombres y cosas. Las obras y las ideas de Ortega, y por ellas el genio de su autor, son conocidas en todos los idiomas modernos. Escribió con la misma intensidad y seguridad de juicio sobre Kant, sobre Dilthey, sobre Max Scheler, sobre Mirabeau, sobre Proust, etcétera. Su riqueza idiomática es sorprendente. Aplica cada palabra con rigor científico y con belleza expresiva al mismo tiempo. Maestro por excelencia de la generación intelectual anterior a 1936, después de la guerra Civil residió en el extranjero, particularmente en Francia, Argentina y Portugal, hasta que retornó a España. Ortega y Gasset es el escritor más europeo y universal que ha dado España en la primera mitad del siglo XX.

ortiga. Planta herbácea perteneciente a la familia de las urticáceas, que alcanza hasta 2 m de altura, provista en su tallo de largas excrecencias, y hojas dentadas. Crece y se propaga en todas las zonas de clima templado. Las hojas están cubiertas de pelos huecos que contienen un líquido irritante que se infiltra en la piel cuando se les toca. Se conocen unas 30 especies. Las fibras de la ortiga mayor se emplearon como materia textil en el viejo Egipto, y actualmente, en Noruega y Alemania, con la ortiga blanca se fabrican tejidos; es además conocida en medicina por sus propiedades estimulantes, diuréticas (favorece la secreción de la orina) y hemostáticas (detiene o coagula la sangre de las heridas). Las hojas tiernas y cocidas de ciertas ortigas son utilizadas por el hombre como alimento y son asimismo un buen pasto para el ganado. Sus semillas pueden mezclarse con toda clase de forrajes secos.

Ortiz, Alfonso. Escritor español del siglo XV, nacido en Villarrobledo (Albacete). Doctor en teología, muy versado en griego, hebreo y árabe, compuso y enmendó, por encargo del cardenal Cisneros, que tenía en gran estima su saber, el *Breviario* y el *Misal* mozárabes para ser rezados en la Catedral de Toledo. También es autor de varios tratados, que se imprimieron en Sevilla el año 1493, entre los que se cuentan *Tratado de la hérida del rey, Tratado consolatorio a la princesa de Portugal y Tratado contra la carta del prothonotario de Lucena.* Ortiz figura en el *Catálogo de autoridades de la lengua* publicado por la Academia Española.

Ortiz, Carlos (1870-1910). Poeta argentino, vinculado al Modernismo, traductor de los poetas franceses más importantes del siglo XIX. Destacan entre sus obras *Rosas del crepúsculo* (1899), *El poema de las mieses* (1902) y *Sangre nuestra* (1911).

Ortiz, Carlos (1936-). Boxeador puertorriqueño, proclamado campeón mundial de peso ligero en 1962 al vencer al estadounidense Joe Brown. Conservó el título hasta 1965, cuando lo derrotó el panameño Ismael Laguna, ante quien Ortiz lo recuperó ese mismo año. En 1968 volvió a perderlo, ahora frente al dominicano Teo Cruz. Se retiró en 1970.

Ortiz, Fernando (1881-1969). Escritor cubano nacido en La Habana. Se especializó en historia y etnología. Perteneció, como individuo de número, a la Academia Cubana de la Lengua y a las españolas de Historia, Jurisprudencia y Ciencias Morales y Políticas. Entre sus obras más importantes figuran las siguientes: *Ni racismo ni xenofobia, Las fases de la evolución religiosa, Los cabildos afrocubanos, Hampa afrocubana* y *Glosario de afronegrismos.*

Ortiz, José Joaquín (1814-1892). Escritor y educador colombiano. Sus obras más conocidas son *La bandera de Colombia* y *Los colonos*, dos odas patrióticas en las que se acusa la influencia de Quintana. Fundó el colegio *Instituto de Cristo.* Fue un polemista católico que se prodigó en gran número de artículos y libros. Entre sus obras en prosa más importantes figuran: *El lector colombiano, Huérfanos de madre, El oidor de Santafé, Las sirenas, María Dolores* y la tragedia *Sulma.*

Ortiz de Domínguez, Josefa (1773-1829). Heroína de la independencia de México. Es conocida en la historia con el nombre de Corregidora de Querétaro, por haber sido esposa de don Miguel Domínguez, corregidor de dicha ciudad. Animada de altos sentimientos patrióticos y deseando ver libre a su país, fue figura principal de la conspiración de Querétaro (1810), cuyas reuniones se disfrazaban de actividades literarias. Asistían a ellas Hidalgo, Allende y muchos otros patriotas, que después sacrificaron sus vidas por la independencia de México. La Corregidora alentó y ayudó a los conjurados y suministró datos e informes valiosísimos. Descubierta la conspiración y encarcelados muchos de los comprometidos, inclusive ella y su esposo, encontró el medio de comunicarse con Allende e Hidalgo y ponerlos sobre aviso, con el resultado de que éstos anticiparon la fecha del levantamiento y el movimiento, que habría de culminar años después en la independencia de México, estalló el 16 de septiembre de 1810. Fue recluida en el convento de Santa Catalina (1810-1813).

Ortiz de Montellano, Bernardo (1899-1949). Escritor mexicano. Fue director de la revista *Contemporáneos* (1928). Perteneció a este grupo de talentosos intelectuales, aunque fue poco reconocido. El intimismo y el desencanto vital marcan todas sus obras. Escribió *Sueños* (1933), *Muerte de cielo azul* (1937) y *Sueño y poesía* (póstuma, 1952).

Ortiz de Zárate, Juan (? -1576). Conquistador español. Pasó al Perú en 1534 y participó activamente en las guerras civiles, como ardiente enemigo de los Pizarro. El virrey del Perú lo designó adelantado del Río de la Plata en 1567, nombramiento sujeto a la confirmación real, por lo que Ortiz de Zárate se trasladó a España a gestionarlo. En 1569 capituló con el rey su adelantazgo, y arribó al Río de la Plata, donde encontró muchos inconvenientes con los indios antes de llegar a la sede de su gobierno en Asunción.

Ortiz Rubio, Pascual (1877-1963). Político mexicano nacido en Morelia (Michoacán). Antes de ser elevado a la primera magistratura de la nación, dirigió el movimiento revolucionario de 1920 en Michoacán y fue ministro de Comunicaciones al año siguiente. Fue elegido presidente de la República en 1930, pero renunció en 1932.

ortodoxa, Iglesia. Ritual bizantino del culto cristiano. La iglesia ortodoxa se separó de Roma con el cisma de Oriente (1054). Aunque las diferencias entre ambos ritos venían acentuándose desde el siglo IX, la mutua excomunión entre León IX de Roma y Miguel Cerulario de Constantinopla significó la separación real. Los ortodoxos conciben la catolicidad no como universalidad sino como colegialidad, y sólo mantienen un orden de precedencia honorífico gobernándose por sínodos. Sólo admiten los siete primeros concilios.

Arriba: ortoedro con sus diagonales y sus ejes de simetría; abajo: relación entre una diagonal y las aristas.

Salvat Universal

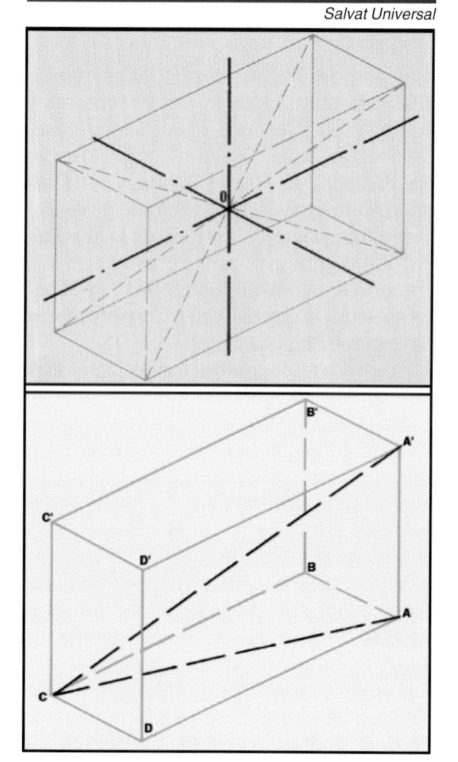

ortoedro. Las habitaciones de un departamento, los libros, las gavetas de un escritorio y muchos otros objetos tienen una forma especial que –prescindiendo del espesor de las paredes, del papel o de la madera, de la materia de que estén hechos, del color, etcétera, es decir: considerándolos como cuerpos geométricos– se llaman *paralelepípedos rectángulos*, o más brevemente, *ortoedros.*

Desarrollo. Desarrollar un cuerpo geométrico es extender sobre un plano sus diversas caras sin rasgarlas ni arrugarlas. Con arreglo a esta definición, el desarrollo de un ortoedro se compone de seis rectángulos iguales de dos en dos, y, por consiguiente, se pueden construir como indica la figura 2, recortando un cartón siguiendo la línea llena, doblándolo por las líneas de puntos y pegando los bordes con tiras de papel.

Área. El área del ortoedro es la suma de las áreas de sus caras, y como éstas son rectángulos iguales de dos en dos basta sumar las áreas de las tres caras que concurren en un vértice y duplicar esta suma. En particular, el área del cubo es seis veces la de una cualquiera de sus caras, de modo que si la longitud de las aristas de éstas es L, el área del cubo está dada por la fórmula $6L^2$.

Volumen. Supongamos que las dimensiones de un ortoedro, medidas en centímetros, son: 5 de largo, 3 de ancho y 7 de alto (figura 3). Si por los puntos de división *B, C, D,E,* de la arista $AF = 5$ cm hacemos cortes perpendiculares a la base, el ortoedro queda descompuesto en 5 rebanadas de 7 cm de altura, 3 de ancho y 1 de grueso; cortando luego cada una de estas rebanadas perpendicularmente a la cara posterior, por ejemplo, a la distancia de 1 centímetro un corte de otro, quedan divididas en 7, cuyas dimensiones serán, 3, 1 y 1 cm y tendremos en total 7 X 5 = 35 nuevas rebanadas, cada una de las cuales fragmentaremos de la misma manera, y como de cada una de ellas obtenemos 3, el número total de estas últimas rebanadas es 35 X 3 = 105, cada una de las cuales tiene 1 cm de largo, 1 cm de ancho y 1 cm de alto, es decir, son *centímetros cúbicos,* cuyo número, 105, es el volumen del ortoedro.

Diremos, pues: el volumen del ortotedro es igual al producto de los números que miden sus tres dimensiones, o también: el producto del área de su base por la longitud de su altura, o el producto de su base por su altura.

En particular el cubo, por ser un ortoedro cuyas tres dimensiones son iguales, su volumen es igual al cubo de su arista, de modo que si ésta tiene *L* unidades de longitud, el volumen del cubo es L^3 unidades cúbicas. *Véase* CUBO.

ortografía. Parte de la gramática que establece reglas y preceptos para el uso correcto de las letras y signos de la escritura. Muchas veces, la palabra no suele indicar fonéticamente, esto es, en la conversación o el discurso, cuáles y cuántas son las letras con que debe ser escrita, ya sea porque alguna de ellas no se pronuncia (como la *h* en huevo), ya porque su sonido resulta análogo aunque se halle escrita con diferentes letras (como *queso* y *keso*, *gitano* y *jitano*). La ortografía, pues, señala con sus reglas el distinto significado de las palabras según como se hallen escritas (como *aré* del verbo *arar*, y *haré* del verbo *hacer*), enseñando al mismo tiempo a intercalar en las oraciones aquellos signos que representan las pausas del lenguaje, intensidad de pronunciación, ordenamiento melódico de las locuciones y sucesión de las ideas, que son los puntos, comas, paréntesis, acentos, admiraciones e interrogaciones, etcétera. Algunos autores, como Andrés Bello para el castellano o Urbano Domergue para el francés, han ensayado la elaboración de una ortografía fonética que simplifica grandemente la gramática. El esperanto, idioma inventado por Zamenhof, emplea ese tipo de ortografía racional *Vease* GRAMÁTICA.

ortopedia. Rama de las ciencias médicas que trata de la prevención y corrección quirúrgico-mecánica de las deformidades del cuerpo humano, mediante el empleo de ciertos aparatos de la práctica de ejercicios corporales o de la cirugía. Ya se habla de ella en la colección hipocrática, pero su progreso parte del siglo XVI, cuando Ambrosio Paré y Arceo propusieron la utilización de corseletes de acero para las desviaciones raquídeas, y botas especiales para el pie zambo. El vocablo *ortopedia* lo creó André en 1741. La ortopedia científica, con una base anatómica positiva, data del siglo XIX e hizo grandes progresos en Alemania, Francia e Inglaterra. En nuestra época la construcción de aparatos ortopédicos se ajusta a la máxima precisión científica.

ortóptero. Insecto de un orden cuyos representantes típicos son los grillos, langostas, saltamontes y cucarachas. Son animales de metamorfosis incompleta, provistos de boca masticadora y cuatro alas, las anteriores son elitroideas y las posteriores son membranosas. Algunas especies carecen de alas. Se dividen en siete grandes familias: gríllidos, blátidos, mántidos, fásmidos, acrídidos, tetigónidos y grilloblátidos.

oruga. Nombre vulgar con que se conoce la larva de los lepidópteros (mariposas). La oruga nace de un huevo cuando el ambiente es favorable. Tiene al comienzo el tamaño de un pequeño gusano, adquiriendo, al desarrollarse, entre 3 y 12 cm, según la especie a que pertenezca.

Corel Stock Photo Library

Oruga de cuerpo segmentado posada en una rama.

El cuerpo de la oruga es cilíndrico y similar al de los gusanos, aunque es fácil distinguirla de éstos por las patas y la división del cuerpo en segmentos. Estos segmentos, que semejan anillos, existen en número de 12 ó 13, de los cuales el primero corresponde a la cabeza, tres al tórax y los restantes al abdomen. La cabeza es grande, córnea, dividida en dos lóbulos y provista de dos antenas muy cortas. La boca está armada de dos fuertes mandíbulas. Este aparato bucal masticador es semejante al de la langosta. Los tres segmentos del tórax llevan cada uno a los lados y por debajo un par de patas, llamadas *verdaderas* porque han de transformarse en las patas definitivas cuando el animal llegue a la forma adulta.

También los segmentos del abdomen están provistos de patas que luego han de desaparecer en la metamorfosis posterior. Algunas larvas llevan en el extremo del abdomen dos largos apéndices, que tienen por función rechazar a cierta clase de insectos que colocan sus huevos bajo la piel de la oruga. El cuerpo está cubierto generalmente de pelos, verrugas y espinas. Los pelos y a veces las espinas, corresponden a glándulas que segregan sustancias urticantes. Durante el crecimiento el animal cambia varias veces de piel, y cada cambio está precedido y seguido por un corto periodo de ayuno.

Al llegar a una determinada etapa de su evolución, la mayoría de estas orugas buscan un sitio adecuado para fabricarse el capullo que tejen con un hilo de seda segregado por una glándula especial. En esta fase, es decir, cuando completa su desarrollo, la oruga deja de comer y se despoja de su última piel larvaria, para lo cual ejecuta varios movimientos de contracción y distorsión con el cuerpo hasta que consigue rasgar un segmento. El capullo está destinado a proteger a la oruga durante su metamorfosis, profunda transformación que la convertirá de crisálida en mariposa.

El ciclo evolutivo, desde el nacimiento hasta el periodo de crisálida, dura de dos meses a dos años, según los casos. La alimentación de la oruga es exclusivamente vegetal, y produce ingentes estragos en los sembrados por su extraordinaria voracidad. Los agricultores se ven obligados a una lucha incesante contra esta plaga de los cultivos, para lo cual se valen de insecticidas, de la destrucción de los capullos o bien fomentando el desarrollo de sus enemigos naturales, animales insectívoros y ciertos insectos epiparásitos. Estos últimos, llamados así por ser parásitos de un parásito, son los agentes más eficaces para la destrucción de las larvas.

Las especies de orugas se distinguen por su forma y, a veces, por sus costumbres. Las *procesionarias* anidan en grupo en los pinos, en un nido tejido por ellas mismas, y salen a la mañana en fila india en busca de su alimento. Las más perjudiciales para la agricultura son las orugas llamadas *militares*; esta designación comprende las larvas más dañinas de ciertas mariposas conocidas, entre las cuales están: la *oruga babosa de los frutales*, que ataca a los citrus y plantas de jardín, tiene unos cuatro centímetros de largo y su cuerpo es verde

Corel Stock Photo Library

Avenida principal Soemon-cho en Osaka, Japón.

lustroso con arrugas a los costados; la *del capullo del algodonero*, muy semejante a la anterior y extendida en toda América, cuya mariposa es nocturna; la de los *naranjos*, muy estudiada en citricultura por sus estragos, tiene una mariposa de vistosos colores; por último, la de *las coles*, de cuerpo color pardo oscuro. *Véanse* BICHO DE CANASTO; INSECTO.

Oruro. Ciudad de Bolivia, capital del departamento que lleva su nombre. Se halla a 3,700 m de altura. Su población es de 340,114 habitantes (1992). El vocablo proviene de las palabras indias *uru-uru*, punto donde nace el sol. Fundada en 1606 por los españoles con el nombre de Real Villa de San Felipe de Austria, tomó el actual de Oruro en 1826, una vez constituida la república boliviana. Es ciudad industrial, centro exportador de minerales, con intensa vida comercial. Es importante nudo ferroviario. La ciudad de Oruro destaca por sus fiestas y folclore como en el caso de la celebración de La Virgen del Socavón donde se mezclan tradiciones indígenas y mestizas.

Oruro. Departamento de la República de Bolivia que se extiende sobre el altiplano andino a una altura de más de 3,600 m sobre el nivel del mar y limita al oeste con la República de Chile. Superficie: 53,600 km^2. Población: 340,114 habitantes. Capital: Oruro. La actividad es principalmente minera, con extracción de plata, oro, cobre, tugsteno y, en particular, estaño. Centro de comunicaciones ferroviarias con todo el país y con el Pacífico por el puerto chileno de Antofagasta, que es su principal vía de intercambio. En el sector oriental de este departamento se extiende el lago Poopó o Pampa Aullagas, que tiene 2,700 km^2 de superficie y recibe sus aguas del lago Titicaca por conducto del río Desaguadero. Región minera desde el tiempo de los incas, Oruro florece mediante la extracción de plata durante la colonia: la actividad comienza en 1606 pero, al mejorar las técnicas, la producción se duplica en 1627 alcanzando su punto máximo en 1632. A partir de entonces decae hasta terminar por la epidemia andina en 1762.

Orvieto. Ciudad italiana del distrito de su nombre y población de Perusa. Cuenta con 31,548 habitantes. Entre los edificios más notables que la adornan, figuran su célebre catedral, cuya construcción se empezó en 1290 y se terminó en 1580. Su fachada, toda de mármol, constituye una de las obras maestras del arte gótico debida a Lorenzo Maitani, de Siena. En su interior pueden admirarse frescos de Fra Angélico y Signorelli, una bellísima pila bautismal, un tabernáculo de plata y un magnífico púlpito. La ciudad cuenta, además, con varias iglesias, entre las que se destaca la de Santo Domingo, del siglo XIII, con el sepulcro del cardenal De Braye. Son notables el Museo Cívico, la fuente de San Patricio, el palacio de los Papas, el de Farina y las Casas Consistoriales, de gran valor artístico.

Arriba: Osa Mayor, abajo: Osa Menor.

Salvat Universal

orzuelo. Grano con pus que se forma en el borde de los párpados, por infección de uno de los folículos sebáceos. Es causado por gérmenes, generalmente estafilococos. El párpado se hincha y enrojece, y a los 4 ó 5 días el grano se abre y da salida a la supuración y el orzuelo desaparece sin dejar cicatriz. La causa más frecuente de esta afección reside en llevarse con frecuencia los dedos sucios a los ojos. El tratamiento consiste en compresas calientes y lavados con solución de ácido bórico. Si los orzuelos aparecen con frecuencia será necesario consultar a un médico que recetará el tratamiento adecuado, uno de los cuales podrá ser la inoculación de vacunas hechas con gérmenes extraídos del orzuelo.

Osaka. Segunda ciudad y principal centro industrial del Japón, en el sur de la isla de Honshu (Hondo) sobre el delta del río Yodo. Cruza por innumerables canales y brazos de río y de mar, tiene más de 1,000 puentes. Se le llama *la Venecia japonesa*. Población: 2.500,000 habitantes en 1993. Puerto de importancia internacional. Construcciones modernas. Cuenta con dos universidades, numerosos institutos de especialización, importantes arsenales y numerosas fábricas, entre las que sobresalen las de tejidos de algodón. Es una de las ciudades más antiguas de Japón, pues existen referencias históricas de ella a partir del siglo IV, y fue capital de Japón en 1583.

Osa Mayor y Osa Menor. Nombres que reciben dos bellas constelaciones del hemisferio septentrional, integrada cada una de ellas por siete estrellas, siempre visibles y que se reconocen con facilidad por su brillo y especial disposición, que ha sido comparada a la de un carro sin ruedas por lo que también se le da a esta constelación el nombre de *Carro*. La *Osa Mayor* tiene seis estrellas de segunda magnitud y la otra de tercera. Dos de ellas, llamadas *Guardianas*, se hallan situadas en línea recta con la estrella Alfa, de la *Osa Menor*. Antiguamente a las estrellas de la Osa Mayor se las denominaba *septemtriones* (Siete bueyes), palabra de la que se derivó *septentrión*, para referirse al norte. Las estrellas de la *Osa Menor* están dispuestas en sentido inverso a las de la *Osa Mayor*. La principal es la *Polar* (Alfa), de tercera magnitud, que está a menos de grado y medio del Polo Norte.

Óscar. Nombre que designa al premio anual otorgado por la Academia de Artes y Ciencias Cinematográficas, de Hollywood, a las personas y películas más destacadas de cada año. El premio está representado por una codiciada estatuilla de oro cuyo nombre nada significa. Para explicar su origen, se dice que la esposa del secretario ejecutivo de la Academia, al ver la imagen representada en la estatuilla, exclamó: "Es idéntica a nuestro tío Oscar". Repetida en todos los tonos la frase quedó reducida al simple nombre de *Óscar* con el transcurso del tiempo y la palabra no pudo ser separada del premio. Éste recompensa al mejor actor principal y secundario, a la mejor actriz principal y de reparto, a la mejor película, música, sonido, fotografía, vestuario, libreto, decorados, efectos especiales, recursos técnicos, dirección artística, dibujo animado, documental, etcétera. El responsable de cada uno de estos factores recibe un premio.

La figura de la estatuilla es propiedad y marca exclusiva de la Academia de Artes y Ciencias Cinematográficas de Hollywood, corporación de derecho privado fundada en 1927; y además, está estrictamente prohibido reproducir la estatuilla en cualquier forma sin el expreso consentimiento de la Academia.

oscilación. Espacio que recorre un cuerpo oscilante entre sus dos posiciones extremas. En física es la unidad del movimiento oscilatorio, compuesta por un par de movimientos alternos y de sentidos opuestos entre sí. La amplitud (espacio recorrido) y el periodo (frecuencia con que se realizan las oscilaciones) determinan las características del movimiento oscilatorio o vibratorio, el cual puede ser uniforme, uniformemente acelerado o uniformemente retardado. El movimiento de un péndulo, el trazo de la corriente eléctrica alterna, el movimiento anual de los astros, el girar de los electrones en un átomo, son ejemplos de movimientos oscilatorios cuando éstos se representan en un plano.

oscilador. *Véase* RADIOTELEFONÍA Y RADIOTELEGRAFÍA.

oscilógrafo. Aparato diseñado para registrar y medir las características de las oscilaciones. El físico alemán, ganador del Premio Nobel de Física en 1909, Karl Ferdinand Braun, inventó el oscilógrafo para rayos catódicos con el cual se pueden registrar en una pantalla fluorescente cuadriculada los cambios provocados por modificaciones eléctricas en los circuitos oscilantes. Este oscilógrafo registra las variaciones sufridas, ya sea que se realicen en unos microsegundos o en varios segundos. El oscilógrafo de Braun trabaja bajo principios electrónicos y es un aparato de gran exactitud y sensibilidad. Existen otros oscilógrafos que funcionan según otros principios físicos, como los oscilógrafos mecánicos, ópticos, magnéticos, de bobina móvil, electrostáticos, etcétera. Cada uno de ellos tiene aplicaciones específicas y determinadas. En medicina el oscilógrafo se usa para facilitar el diagnóstico de ciertas enfermedades mentales y cardiacas, y así la obtención de electroencefalogramas y electrocardiogramas permite conclusiones muy exactas en el diagnóstico.

osciloscopio. Instrumento usado para el control de máquinas en funcionamiento. Una lámpara de destellos muy cortos, ilumina un objeto en movimiento oscilatorio con intervalos coincidentes con su periodo. El objeto en movimiento, al ser iluminado siempre en la misma posición, aparece como si estuviera inmóvil mientras se mantenga en fase con el osciloscopio, permitiendo así controlar su movimiento.

Osculati, Cayetano (1808-1894). Viajero italiano que recorrió Grecia, Egipto, Asia Menor, Turquía, Arabia, Armenia, Persia y las costas de Malabar, donde recogió plantas e importantes documentos etnográficos. En 1834 embarcó para Sudamérica, recorrió las Pampas y las regiones andinas, y doblando el cabo de Hornos regresó a Italia. En 1846 emprendió otro viaje al Nuevo Mundo y visitó Canadá, Estados Unidos, las Antillas, Venezuela y Ecuador, y emprendió la expedición por el Napo, afluente del Amazonas, la que llevó a cabo no obstante haber sido abandonado por sus guías y en la que coleccionó magníficos ejemplares de la flora y la fauna que llevó a Europa. Publicó un interesante libro de este último y arriesgado viaje.

Oseas (864?-784? a. C.). Profeta hebreo, hijo de Becri. Fue contemporáneo de Amós y de Isaías y vivió durante los reinados de Ozías, Jotán, Acaz y Ezequías, reyes de Judá. Fue elegido por Dios para anunciar los castigos que enviaría a las diez tribus de Israel. Por mandato divino tomó esposa; tuvo tres hijos cuyos nombres significaban los sucesos que habrían de acaecer al reino de Israel, los que relata, con estilo sentencioso y vehemente, en el *Libro de Oseas*, que figura en la Biblia en catorce capítulos divididos en dos partes. En él promete al pueblo de Israel que recobrará la unidad perdida y quedará restaurada la dinastía de David en cuanto se reconcilie con su Dios y que, mediante el arrepentimiento, obtendrá su salvación.

Osheroff, Douglas D. (1945-). Físico estadounidense. Graduado del Instituto Tecnológico de California en 1961, se doctoró en la Universidad de Cornell en 1973 con una tesis sobre las propiedades físicas del helio a bajas temperaturas. Durante la elaboración de ésta descubrió, junto con sus asesores David M. Lee y Robert C. Richardson, que el isótopo 3 del helio se convierte en superfluido a –273 °C. De 1972 a 1987, Osheroff trabajó como investigador de AT&T; en ese último año fue designado profesor de física en la Universidad de Stanford. Por su descubrimiento del helio superfluido, que ha servido en gran medida para comprender el comportamiento de los sistemas cuánticos de muchas partículas de fuerte interacción, compartió con Richardson y Lee el Premio Nobel de Física en 1996.

Osián. Bardo legendario que aparece en la literatura gaélica de Escocia e Irlanda. Era hijo de Finn, héroe también legendario, que se cree existió en el siglo III, en tiempos de la dominación romana de las islas Británicas. Las hazañas de Finn se supone que fueron cantadas por su hijo Osián, según se relata en versiones y manuscritos del siglo XV. A partir de 1760, un profesor escocés, James MacPherson, publicó lo que, según él, eran traducciones fieles que había hecho de los poemas gaélicos, y que coleccionó en un volumen titulado *Los poemas de Osián*. La obra de MacPherson, aunque de cierto mérito literario, suscitó una gran controversia en los círculos intelectuales de la época. Posteriormente se demostró que no consistía en traducciones fieles, sino en interpretaciones libres de poemas antiguos, mezcladas con pasajes enteramente debidos a la pluma de MacPherson, los que quiso hacer pasar como traducciones de originales que resultaron apócrifos.

osificación. Proceso de la formación de los huesos y de las sustancias óseas. En las distintas fases de ese proceso, las células cartilaginosas se dilatan, se forman depósitos de granos calcáreos, acompañados de degeneración de las células de la zona calcificada y de regeneración de las otras de las zonas no calcificadas; aparecen vasos osificantes que reabsorben las células cartilaginosas degeneradas y arrastran elementos celulares con los que más tarde se formará la capa osteógena. Paulatinamente se constituyen los osteoblastos, se elabora la sustancia ósea fundamental, se forman las laminillas y surgen los canales de Havers. El proceso de la osificación no se

Corel Stock Photo Library

Mural del hombre muerto detrás de Osiris *en la tumba de Pashed, Egipto.*

efectúa simultáneamente en todos los huesos, ni tampoco en uno solo. Los puntos en que el mismo se inicia se denominan centros de osificación y están situados en determinados lugares constantes para cada hueso. La osificación puede acelerarse con la ingestión de alimentos apropiados que contengan en abundancia los elementos de que se halla formado el hueso, tales como la vitamina D y el calcio.

En la ósmosis (A, B), un solvente (agua) pasa de ser una solución diluída (1) a una concentrada (3) a través de una membrana semipermeable (2). El flujo de solvente continúa hasta ser detenido por la presión osmótica. La raíz de una planta (C), absorbe agua por ósmosis. El agua en el suelo (5) fluye hacia el citoplasma (7), que tiene mayor concentración, a través de una pared semipermeable (6). El agua pasa de esta célula a las vecinas (8), hasta alcanzar los vasos conductores (9).

Corel Stock Photo Library

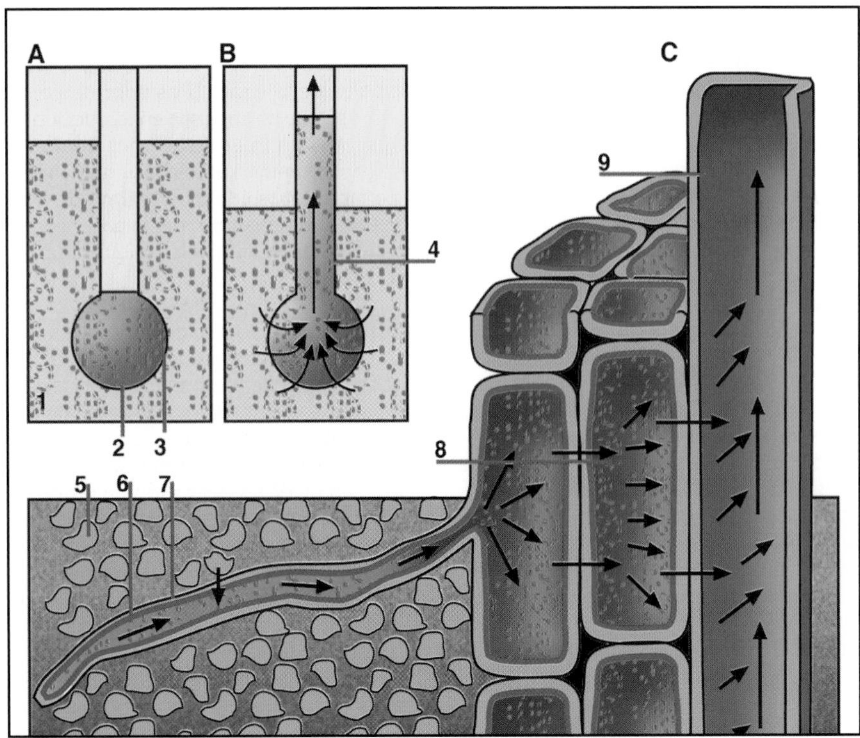

Osiris. Uno de los dioses máximos de la mitología egipcia. Junto con su esposa Isis y su hijo Horus, formaron la tríada de más difundido culto en el valle del Nilo. Era hijo del dios Seb y de la diosa Nut, que representaban la Tierra y el Cielo; por lo tanto, en él se combinaban los dones de la fertilidad y de las lluvias. También se le consideraba juez de los muertos y patrocinador de nueva vida, por el hecho de haber vuelto a la vida su cuerpo despedazado por su hermano Set, dios del mal, y arrojado al mar. Revive en Horus, que lucha con Set y lo vence, volviendo a reinar entre los mortales. Fue el dios más reverenciado de la religión egipcia, representado en diversas formas en templos, estatuas y relieves; la más conocida es su figura momificada, con la cabeza coronada con doble diadema.

Osler, Sir William (1849-1919). Médico canadiense, una de las personalidades que más han influido en el progreso de las ciencias médicas. Estudió en Montreal, y fue catedrático en Filadelfia, Baltimore y, finalmente, en Oxford. Fue médico hábil, uno de los más eminentes de su tiempo, y gran organizador de la enseñanza médica en los países anglosajones. Entre sus numerosas obras citaremos: *Principios y práctica de la medicina*, que es uno de los libros profesionales más usados y útiles, y *Estilo de vida*.

Oslo. Ciudad capital de Noruega con 487,781 habitantes en 1996. Situada en el fiordo de su nombre, precedida de pintorescas islas y rodeada de montañas cubiertas de pinos. Su excelente y moderno puerto, con la antigua fortaleza de Akershus, es el principal de la nación. La ciudad es moderna, con hermosos edificios, entre los que destacan el palacio Real, el museo Popular (donde se conservan varios navíos de los antiguos vikingos), el Teatro Nacional, la universidad (fundada en 1811) y la catedral de San Halvard. Entre sus monumentos citaremos el de Christian IV y los de Ibsen y Bjoernson. Posee hermosos jardines en el parque Frogner y bellos alrededores, con hermosos paisajes y rincones, que constituyen la máxima atracción para numerosos turistas. Fundada en 1048 y edificada en madera, fue destruida por un incendio en 1624, y se la denominó al reconstruirla Cristianía, nombre que conservó hasta 1925. Fue ocupada por los alemanes durante la Segunda Guerra Mundial.

osmio. Metal pesado y raro, de color blanco azulado muy duro, perteneciente al grupo del platino, que fue descubierto por el químico inglés Smithson Tennant en 1803. Es un elemento químico, cuyo símbolo es Os, su peso atómico es 190.2 y su punto de fusión 2,700 °C. Se encuentra mezclado con el iridio, usándose combinado con este cuerpo por su dureza en diversos instrumentos científicos. Aunque el osmio es usado en varios campos de la industria, no suele serlo en forma pura, sino en aleaciones. El OsO_4 es usado para tinción de preparaciones al microscopio, así como en la oxidación de alquenos en química orgánica.

ósmosis. Cuando dos fluidos están separados por una membrana permeable, se establece a través de la membrana un paso recíproco, que se conoce con el nombre de *ósmosis*. El experimento clásico para demostrarlo consiste en colocar una vejiga atada al extremo inferior de un tubo de vidrio y en su interior una solución de azúcar en agua coloreada. Si después introducimos la vejiga en un vaso de agua, se comprobará que parte del agua azucarada ha atravesado la membrana, como lo demuestra el color que va tiñendo el agua externa y el gusto azucarado que toma. Simultáneamente se produce un paso de agua del exterior al interior de la vejiga a través de la pared permeable, pues la vejiga habrá aumentado de volumen y ha ascendido el nivel que primitivamente alcanzaba el líquido en el tubo de vidrio. A la corriente de fuera hacia adentro se la denomina *endósmosis*, y a la que va de dentro hacia el exterior, *exósmosis*. La fuerza que impulsa a ascender el nivel en el interior del tubo se la llama *presión osmótica*, y varía con la diferencia de concentración de los dos fluidos, y con la temperatura de éstos. En las funciones vitales de plantas y animales son frecuentes los fenómenos osmóticos. Las células se alimentan de sustancias disueltas que pasan a través de las membranas que las rodean por ósmosis. El agua que absorben del suelo las raíces de los vegetales, pasa al interior de las plantas por ósmosis. En los animales las sustancias asimilables de los alimentos, pasan por ósmosis de los intestinos a la sangre de los capilares de las paredes intestinales, y en el pulmón, los cambios de oxígeno y anhídrido carbónico, entre la sangre que riega el pulmón y el aire, se realizan por ósmosis a través de las paredes de los capilares sanguíneos.

oso. Mamífero carnicero plantígrado de la familia de los úrsidos. Comprende especies de gran tamaño, caracterizadas por su cuerpo robusto, cubierto de pelaje lacio y tupido; patas cortas y fuertes, con cinco dedos armados de garras no retráctiles, que utiliza para cavar o trepar, cuello corto y cabeza ancha con el hocico más o menos puntiagudo, y cola muy pequeña, apenas visible entre el pelo. Su peculiar marcha bamboleante se debe al hecho de ser plantígrado, es decir que apoya toda la planta del pie, y además, porque avanza simultáneamente las dos patas del mismo lado y luego las dos del otro, en vez de hacerlo alternativamente como la mayoría de los cuadrúpedos.

Corel Stock Photo Library

Oso grizzly en la pradera.

A pesar de su corpulencia tiene cierta agilidad: algunos osos son consumados trepadores de árboles, y –aunque por lo general caminan lentamente– cuando están excitados pueden correr con gran rapidez. Con frecuencia adoptan la actitud bípeda, en cuyo caso utilizan las extremidades anteriores como instrumentos prensiles o de ataque, siendo de temer su abrazo, pues saben hacer uso de su fuerza y pueden quebrar un cuerpo con facilidad.

Sin embargo, y aunque pertenece al orden de los carnívoros, el oso es el menos carnicero de todos, ya que su régimen es omnívoro como lo demuestra su dentadura, apta para toda clase de alimentos: carne (de animales terrestres y acuáticos), plantas, insectos y, sobre todo, tiene una extraordinaria predilección por la miel, por lo que suele atacar las colmenas sin peligro a las picaduras de las abejas, ya que su gruesa piel le ofrece una magnífica protección. A veces ataca al ganado, pero, generalmente, no es peligroso para el hombre mientras no se le moleste, y sólo se vuelve hostil al envejecer.

Este animal tiene bien desarrollados los sentidos del oído y del olfato, pero su vista es muy deficiente. La mayoría revela bastante inteligencia, como se advierte por su astucia para procurarse alimentos, descubrir las trampas que se les tiende para cazarlos vivos, o la ingenua paciencia que a veces muestran al tratar de escapar de sus jaulas en los jardines zoológicos, así como la relativa facilidad con que se domestican y amaestran algunas de sus especies.

Su área de dispersión es muy amplia y se le encuentra en todas las latitudes, excepto en Australia y en casi toda África (donde sólo existe en la región del Atlas), y tanto a orillas del mar como en las grandes alturas. Vive con preferencia en los lugares montañosos, o en los bosques espesos, haciendo vida solitaria hasta la primavera; entonces encuentra su pareja y permanece con ella algunos meses, pero la abandona aun antes de que nazcan los hijos. A fines del otoño busca un refugio donde guarecerse para invernar: una caverna, la base de un tronco hueco, o a falta de ello, él mismo socava el suelo, y se construye su madriguera bajo algún árbol caído. Allí almacena hojas y hierbas secas, y se adormece –aunque no con un sueño letárgico como el de las marmotas y los lirones– hasta que terminan los grandes fríos, en que sale muy flaco pues durante todo ese tiempo no ha probado alimento ni bebida alguna. La hembra aparece acompañada de dos o tres oseznos nacidos pocas semanas antes, a los que enseña y protege celosamente hasta que pueden valerse por sí mismos.

Se conocen distintas especies en esta familia, cada una de las cuales cuenta con algunas variedades de tipo local. El *oso común o pardo* antaño tan abundante en el Viejo Mundo, se halla hoy recluido en ciertos macizos montañosos y de bosque espeso de Europa, Siberia, Asia Menor y Central. Es algo más pequeño que su gigantesco antecesor, el oso del paleolítico. Su peso oscila entre 200 y 400 kg, y es de distinto color según la región que habite: amarillento, pardo, marrón rojizo o casi negro. Suele alimentarse de insectos, sobre todo hormigas, frutos, y animales pequeños como liebres, ardillas, etcétera, y muy pocas veces ataca al ganado. Es relativamente pacífico, y el que con más frecuencia se ve amaestrado, en particular la especie de Asia Menor, llamada *oso sirio*, que suelen llevar los gitanos haciéndole bailar al son del pandero.

América del Norte cuenta con varias especies de osos. El más conocido es el *negro*, que habita las regiones forestales desde Canadá hasta México. En sus costumbres es muy parecido al europeo, pero es más pequeño, pues rara vez pesa más de 200 kg, muy ágil y experto trepador de árboles. Aunque la mayoría tiene el pelaje totalmente negro, ocasionalmente presentan el hocico pardo o una mancha blanca en el pecho, con una variedad de tono canela, por cuyo motivo se le conoce con el nombre de *oso canelo*. A veces, una misma madre tiene oseznos negros y canelos. Otra de las especies norteamericanas es la conocida como *oso gris*, aunque su color es de un pardo amarillento variable, pero con las puntas de los pelos tan claras que le dan un aspecto grisáceo. Por lo general es más grande que los anteriores, y mucho más fiero. Es el temible *grizzly*, que en otro tiempo diezmaba el ganado y los búfalos de las praderas norteamericanas, por lo que ha sido tan perseguido que está desapareciendo. Actualmente vive en los bosques, en las alturas de las Montañas Rocosas, y protegido en el Parque Nacional de Yellowstone. Contrariamente a la costumbre general de los osos, el *grizzly* no se adormece durante el invierno, sino que continúa sus correrías cazando en toda época.

Relacionado con el oso gris, se encuentra el gigantesco *oso de Alaska*, el mayor carnívoro del mundo, que llega a pesar más de 600 kg y estando en pie, mide 2.80 m. Sólo se halla en Alaska y las islas vecinas, alimentándose de pequeños animales salvajes, frutos y salmones que pesca con suma destreza cuando éstos remontan los ríos para desovar.

En América del Sur el oso está representado por una sola especie: el *hucumarí* u *oso de anteojos*, así llamado por tener una banda circular de color claro alrededor de cada ojo, mientras el resto del pelaje es de un negro intenso con el hocico pardo. Vive en la cordillera de los Andes, desde Venezuela hasta Bolivia y Chile, y particularmente, en los páramos de Colombia y Venezuela así como en los bosques ecuatorianos. Es uno de los más arborícolas y tiene la costumbre de hacer una tosca plataforma entre el ramaje de palos y hojas, donde se tiende para dormir. Sus costumbres no son muy conocidas, dado los lugares en que vive, tan poco frecuentados por el hombre blanco, pero, al parecer, es bastante pacífico mientras no se le provoque. Se alimenta principalmente de hojas tiernas y frutos, y para conseguirlos a veces trepa a enormes alturas por los troncos de los árboles.

Como especies asiáticas se conocen el *oso malayo*, propio de Sumatra, Borneo e Indochina. Es el miembro más pequeño de la familia, pues tiene el tamaño de un perro grande; muy ágil y de costumbres arborícolas, que han hecho se le compare a los monos. Su régimen es casi exclusivamente vegetariano, gustándole mucho los cocos por lo que se le conoce también como oso de los cocoteros. Es negro con una mancha blanca o amarillenta en forma de media luna en el pecho y semejante a él es el *oso tibetano*, nativo de la zona forestal del Himalaya. Es algo más grande que el anterior, y de carácter más salvaje, aunque su alimento habitual son los frutos, no deja de matar ganado e incluso puede ser peligroso para el hombre. En la India vive el oso bezudo, también negro con una mancha blanca en V en el pecho; pero constituye una especie totalmente distinta. Tiene el hocico muy largo y movible con la dentadura diferente de la de todos los demás carnívoros, y, en efecto, rara vez come carne. Su predilección son los vegetales dulces: higos, caña de azúcar y maíz tierno, así como hormigas y termes que captura con su lengua.

Finalmente citaremos el oso *blanco* o *polar* propio de las regiones árticas. Su cuerpo es más alargado que el de las demás especies, y de gran tamaño, pues mide hasta 3 m de largo y pesa alrededor de media tonelada. El pelaje es largo, muy tupido y de color blanco amarillento en su totalidad, lo que le hace invisible entre los hielos y le favorece en sus cacerías. Es esencialmente carnívoro, y sólo en casos extremos come algunos líquenes y algas. Su alimento consiste principalmente en focas y pequeñas morsas que caza al acecho, a veces renos o zorros, y delfines, bacalaos y otros peces que persigue hasta grandes distancias de la costa, pues es un experto nadador, y pasa buena parte de su vida en el agua. En la larga noche invernal de esas latitudes, la hembra se retira a una cueva bajo la nieve o el hielo y permanece recluida varios meses hasta que nazcan los oseznos y sean capaces de seguirla. El macho, aunque algunos naturalistas opinan que también se refugia, otros aseguran que permanece activo todo el año, ya que muchos han sido cazados durante el invierno. No suele atacar al hombre, pero acosado por el hambre, o si se ve perseguido, resulta peligroso.

Oso hormiguero en el bosque.

Corel Stock Photo Library

oso hormiguero. Mamífero desdentado de las regiones tropicales y subtropicales de América, cuyo cuerpo robusto y comprimido mide más de un metro de largo desde el hocico hasta el nacimiento de la cola, y ésta, muy peluda, es de unos 75 cm. Su pelo es áspero y tieso, de color agrisado y con listas negras de bordes blancos. Dispone de patas cortas y recias. Marcha siempre por tierra con un andar pesado, torpe y lento, apoyándose sobre los nudillos, con las garras dobladas hacia adentro para que no le estorben en la marcha. Aquéllas están dotadas de uñas fuertes en forma de hoz que el animal utiliza para cavar en los hormigueros y destrozar los nidos de los comejenes. Tiene la cabeza pequeña, prolongada por un largo hocico arqueado, en cuyo extremo se abre la boca en forma de embudo. De ésta proyecta al exterior una lengua larga, delgada y casi cilíndrica, impregnada de saliva viscosa que le sirve para atrapar las hormigas y termitas, que constituyen su alimentación.

El oso destroza los hormigueros con sus uñas y cuando sus habitantes salen alarmados, saca la lengua y se traga las hormigas que consigue adherir a aquélla. Es capaz de erguirse sobre las patas traseras y para defenderse procura abrazar a su enemigo y desgarrarle las carnes, como lo hacen los osos. Habita en los bosques llanos y se halla generalmente solo, salvo en la época de celo, en que forma pareja. Crían un hijuelo por año, que la hembra transporta sobre sus espaldas hasta que la cría puede servirse por sí misma. En las mismas regiones vive el *caguaré, tamandúa* u *oso colmenero*, también edentado mirmecófago, que se distingue de la especie anterior por ser más pequeño, por tener cuatro dedos en las patas delanteras y porque su cola está cubierta de pelo corto y afelpado y termina en una punta delgada y prensil que le permite ser arborícola. Su pelaje es de color amarillo blancuzco, con una faja oblicua oscura encima de cada hombro y en los costados. Trepa con facilidad a los árboles y se alimenta principalmente de hormigas y de larvas de las abejas silvestres.

Osorio, Miguel Ángel, *Véase* BARBA JACOB, PORFIRIO.

Osorno. Provincia de la Región de los Lagos (Región X), en el sur de Chile. Tiene costa en el Pacífico y limita al este con Argentina. Comprende la provincia tres importantes lagos: el Rupanco, el Puyehue y el Llanquihue, estos dos últimos compartidos con las provincias vecinas de Valdivia y Llanquihue, respectivamente. Los ríos principales son el Rahue y el Pilmaiquén. En el sector andino, el Cerro Puntiagudo alcanza los 2,493 m. Superficie: 9,236 km^2. Población: 190,857 habitantes. La capital es Osorno. Su economía es de base agropecuaria: trigo, cebada, remolacha; industrias lechera y frigorífica. Cuenta, además, con importantes recursos turísticos.

Osorno. Ciudad de Chile, capital de la provincia homónima, situada a orillas del río Rahue. Tiene una población de 133,158 habitantes (1997). Es el centro ganadero, industrial y comercial de la provincia. Fue fundada en el año 1558 por García Hurtado de Mendoza. Posee excelente aeródromo y ferrocarril, que la unen al resto de la república. Después de 1860 varias familias alemanas y suizas establecieron granjas lecheras que funcionan hasta el día de hoy.

Ospina, Pedro Nel (1858-1927). General y presidente de la República de Colombia. Notable por su espíritu progresista, le debe su país la modernización de los sistemas administrativos y la creación de nuevos organismos para el mejor servicio del Estado. Su gobierno (1922-1926) es considerado como uno de los mejores. Creó la Contraloría General de la República, modernizó el Banco de la Nación y realizó un vasto plan de obras públicas.

Ospina Pérez, Mariano (1891-1976). Hombre público colombiano que ocupó la presidencia de la República durante el periodo constitucional de 1946 a 1950. Fue catedrático de las universidades de Bogotá y Antioquía. En 1926 fue ministro de Obras Públicas. Durante su periodo presidencial tuvo lugar en Bogotá la IX Conferencia Panamericana (1948), en el curso de la cual se produjo el intento de revolución con motivo de la muerte del político Jorge Eliecer Gaitán. El doctor Ospina Pérez hizo frente a la situación y la Conferencia pudo normalizar sus labores.

Ospina, Rodríguez Mariano (1805-1885). Escritor y presidente de la República de Colombia. Fue autor del famoso plan de estudios de 1843, que renovó los sistemas educacionales. Escritor político, redactó, en colaboración con José Eusebio Caro, la declaración de principios del Partido Conservador colombiano en 1849. Aunque cultivó de preferencia el ensayo político, también son notables sus críticas literarias y su estudio histórico sobre don Félix de Restrepo. Fue elegido presidente para el periodo 1857-1861 y su gobierno se vio azotado por la guerra civil de 1860, dirigida por el general Tomás Cipriano Mosquera, que lo derribó y encarceló hasta que logró fugarse a Guatemala, donde terminó su vida dedicado a la enseñanza.

Ossendowski, Fernando (1876-1945). Escritor y científico polaco que se hizo famoso por el descubrimiento de minas de carbón y de metales preciosos en Asia, por sus estudios en el campo de la ciencia y por obras basadas en sus experiencias personales. Como escritor publicó obras de carácter científico y muchas otras literarias que adquirieron gran difusión, entre ellas *Bestias, hombres y dioses, El hombre y el misterio en Asia, El capitán blanco* y *El sombrío Oriente*. De sus expediciones llenas de vicisitudes y aventuras por el Tíbet y Mongolia, nació la mencionada obra *Bestias, hombres y dioses*. Su vida también fue accidentada, pues luego de permanecer al servicio de los zares, ya que Polonia pertenecía entonces a Rusia, corrió grave peligro al triunfar la revolución soviética. El almirante Alexsandr Kolchak lo había nombrado ministro de Agricultura y Hacienda en su efímera república del Extremo Oriente ruso. Por ello, al ser derrotado el almirante por los bolcheviques, Ossendowski fue condenado a muerte, aunque se le conmutó la pena por la de prisión, de donde consiguió fugarse. Desde entonces hasta su muerte residió en Varsovia (Polonia).

Ossietzky, Karl von (1889-1938). Periodista y pacifista alemán. Fundó el movimiento *Nie wieder Krieg* (nunca más la guerra) en 1922. Desde 1912 luchó contra el militarismo y entre 1931 y 1932 denunció el rearme alemán y fue encarcelado. A mediados de esa década el régimen nazi de Adolfo Hitler lo envió a un campo de concentración. En 1935 recibió el Premio Nobel de la Paz.

Ossorio y Gallardo, Ángel (1873-1946). Político y jurisconsulto español. Se doctoró en Derecho en la Universidad de Madrid. En los últimos años de la monarquía y durante la segunda República Española tuvo actuación importante y desempeñó cargos de gran relieve, entre ellos el de embajador de España, primero en Francia y después en Argentina. En los principios de siglo había sido gobernador civil de Barcelona, diputado por Caspe, ministro de Fomento y vicepresidente de la Real Academia de Jurisprudencia y Legislación. Militó desde su juventud en el Partido Conservador y siempre hizo gala de su catolicismo. Fue conferenciante enjundioso y muy ameno. Escribió obras jurídicas, históricas y literarias. Su gran cultura le permitía abarcar diversidad de temas. Entre sus obras figuran: *El alma de la toga, Rivadavia, El pensamiento vivo del Padre Vitoria, Los fundamentos de la democracia cristiana, Mis memorias* y el libro póstumo *Los derechos del hombre, del ciudadano y del Estado*. Falleció en Buenos Aires, donde redactó un notable *Anteproyecto del Código Civil boliviano*.

Ostade, Hermanos Van. Pintores holandeses del siglo XVI. El mayor *Adriaen* (1610-1685), discípulo de Franz Hals, es uno de los representantes más ilustres de la famosa escuela holandesa como pintor de género y como aguafuertista. Los cuadros de su primera época, de tonos grises uniformes, resultan fríos, pero la influencia de Rembrandt, de quien captó el estilo robusto, lo llevó a emplear la riqueza de colores y los efectos del claroscuro. Observador profundo, técnico admirable y hombre de viva imaginación, dotó a sus pinturas de extraordinaria animación. Algunos consideran como su mejor obra *El maestro de escuela*. Una de sus más características es *La posada del pueblo*. Otras obras: *La danza, Concierto rústico, El alquimista*.

Isaac (1621-1649), hermano menor, fue discípulo de Adrián a quien imitó en los primeros trabajos, pero pronto desarrolló su personal estilo en pinturas de género y en paisajes, que se distinguen por el colorido de admirable gradación y la intensidad de vida. Su temprana muerte malogró su brillante carrera. Dejó unos 340 cuadros entre ellos *El violinista, El canal helado* y *Los patinadores.*

Ostende. Ciudad de Bélgica en la provincia de Flandes occidental y uno de los principales puertos belgas; con una población de 69,067 habitantes (1994). Está situada a orillas del Mar del Norte y tiene gran importancia como balneario y centro de turismo. Su industria pesquera es muy importante, principalmente en bacalao y arenque, y son famosos sus bancos de ostras. Fue fundada en el siglo IX, fortificada más tarde y sitiada en varias ocasiones. Su puerto tiene grandes diques y modernos muelles en los que atracan barcos de gran tonelaje y está comunicada por canales con Brujas, Gante, Nieuport y Dunkerque. Durante la Primera Guerra Mundial fue ocupada por los alemanes y constituyó una importante base de destructores y submarinos. Durante la Segunda Guerra Mundial volvió a ser ocupada por los alemanes y sufrió numerosos daños. Muchos de sus edificios fueron destruidos en 1940 y reconstruidos posteriormente, como el chalet de Leopoldo I y el Kursaal. Anteriormente, la Iglesia de San Pedro y San Pablo, fue reconstruida en estilo gótico en el siglo XIX y se convirtió en museo de Bellas Artes. Casa y museo Ensor.

osteomielitis. Enfermedad que se manifiesta por inflamación de los huesos y de la médula ósea. Es más frecuente en la infancia y la adolescencia que en la edad adulta. Se debe a infecciones piógenas, es generalmente de carácter agudo y se propaga de la médula a la estructura ósea. En sus inicios se manifiesta por dolores e inflamación, acompañados de escalofríos, sudores y fiebre alta. En el curso de la enfermedad suelen sobrevenir supuraciones y desprendimiento de aquellas partes de tejidos y sustancias óseas que se encuentran en estado de necrosis. También puede aparecer la osteomielitis a causa de una amputación o debido a heridas que dejan al descubierto el canal medular, como fracturas o lesiones por armas de fuego. Es enfermedad de carácter grave que puede extenderse a una infección general y ocasionar la muerte. Casi siempre hay que recurrir a la intervención quirúrgica. En ciertos casos en que afecta a los miembros inferiores, puede ser necesario el empleo de aparatos ortopédicos para dar estabilidad adicional a aquellos músculos, tendones o ligamentos cuya función de facilitar los movimientos de las articulaciones haya sido entorpecida por la osteomielitis.

osteopatía. Nombre con que se designan, en general, las enfermedades de los huesos. Se emplea, también, para designar un sistema terapéutico que se funda en la teoría de que las enfermedades tienen su origen en desajustes mecánicos de ciertas partes del organismo como, por ejemplo, la desviación de los huesos, principalmente de las vértebras. Esas desviaciones oprimen nervios y vasos sanguíneos, lo que causa perturbaciones en el funcionamiento de la circulación de la sangre y del sistema nervioso, lo que, a su vez, es origen de otras perturbaciones anatómicas y fisiológicas en los distintos órganos del cuerpo que puedan resultar afectados, provocando, así, las enfermedades. El tratamiento consiste en la corrección y ajuste de las desviaciones por medio de manipulaciones practicadas por especialistas osteópatas. La osteopatía como sistema terapéutico fue creada en 1874 por el doctor Andrew Taylor Still, médico cirujano de Estados Unidos, y pocos años después la práctica osteopática se extendió rápidamente. En Estados Unidos y en el Canadá existen clínicas y hospitales osteopáticos y numerosos médicos graduados en colegios de esa especialidad, cuyos títulos están legalmente reconocidos.

Ostia. Población de Italia, situada junto a la desembocadura del río Tíber. Pertenece a la provincia de Roma y en sus proximidades se encuentran las ruinas de la antigua Ostia, hoy bastante alejadas del mar, pero que en tiempos antiguos era el puerto de Roma. La moderna Ostia está a orillas del Mar Tirreno, a unos 20 km al sudoeste de Roma, con la que está unida por una gran carretera. La antigua Ostia, fundada por Ancio Marco hacia el año 634 a. C., fue la primera colonia marítima de los romanos. En 1497, los españoles al mando de Gonzalo de Córdoba, el Gran Capitán, tomaron Ostia, tenazmente defendida por las tropas francesas de Carlos VIII, hecho de armas por el cual el papa le concedió la Rosa de Oro al Gran Capitán. En 1556 volvió a ser tomada por los españoles de Fernándo älvarez de Toledo y Pimentel, duque de Alba.

Ostia constituye uno de los mejores complejos arqueológicos de Italia. Se conservan restos de la ciudad más antigua. Capitolio (s. I a. C.). Teatro de tiempos de Augusto. Foro de la época de Tiberio con vestigios de las columnas de su pórtico. Templo de Roma y Augusto, entre muchos otros.

ostra. Molusco marino comestible, de la familia de los ostreidos, que viven en el interior de una concha bivalva. Es de los mariscos más apreciados y nutritivos. De cuerpo blando, sin cabeza diferenciada, se incluye en el grupo de los acéfalos. Posee una abertura bucal rodeada de tentáculos que le facilitan la corriente de agua que lleva hasta ella las algas y pequeños animales de que se alimenta. Carece de órganos trituradores, pasando los alimentos a un estómago donde se digieren por medio de una glándula digestiva, del hígado y el intestino. Rodeando el cuerpo están las branquias en forma de láminas, que le sirven para respirar; y envolviendo todo el conjunto una especie de membrana llamada *manto*, dividida en dos partes, cada una de las cuales segrega una de las valvas de la concha.

Es un molusco asimétrico, o sea, con las valvas de la concha diferentes, siendo la izquierda más gruesa y cóncava que la otra.

Ostra del tipo Lopha cristagalli

Corel Stock Photo Library

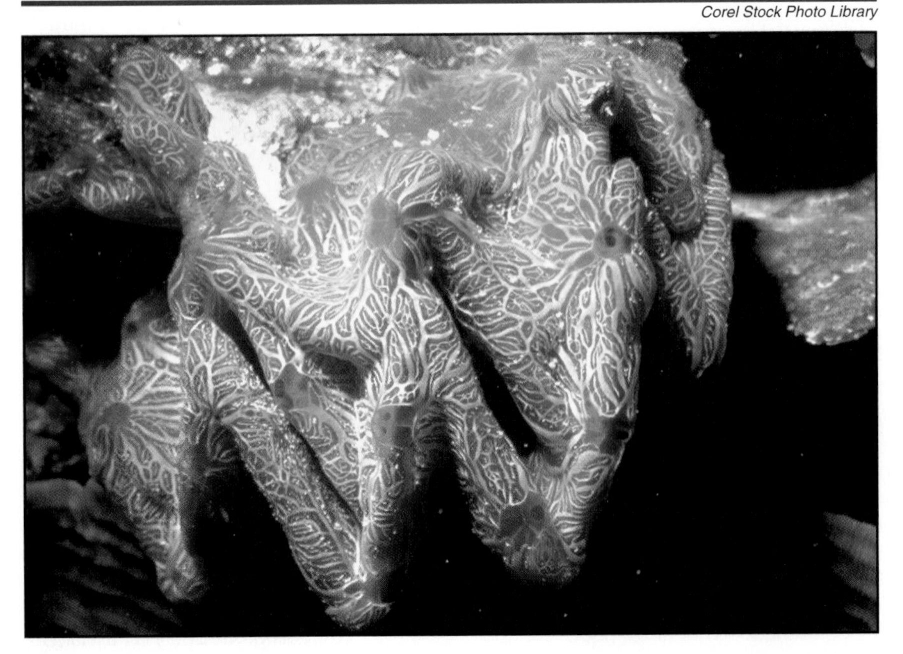

Ambas son ásperas y de color pardo verdoso por fuera, formadas por la superposición de capas de sustancias calizas, que en el interior presentan una superficie lisa, de color blanco y algo nacarada. Se adhieren por la valva izquierda al fondo, sirviendo su concavidad para alojar el cuerpo del animal y la otra valva hace el oficio de tapadera de la caja formada por la concha. La valva superior es casi plana, gira sobre una especie de bisagra, llamada charnela, accionada por un potente músculo llamado aductor, que une las dos valvas. Cuando el músculo se distiende, deja entreabiertas las valvas permitiendo la alimentación del animal, pero a la menor alarma se contrae, cerrándose con tal fuerza que no es posible abrirla sin seccionar el músculo. De esta manera se protege de sus muchos enemigos.

La ostra es un animal extraordinariamente prolífico. Se reproduce por huevos de tamaño muy pequeño, que forman una especie de crema de color amarillo que se almacena entre las branquias y el manto. La puesta la realizan en varias veces entre los meses de mayo y agosto, calculándose que una sola ostra puede producir en una sola temporada de 10 a 15 millones de huevos, que al salir forman como nubes blanquecinas mezclándose entre ellas para producir la fecundación. De estos diminutos huevos nacen al cabo de pocas horas unas larvas ciliadas, del tamaño de una punta de alfiler, que nadan libremente. Al segundo día ya empieza a aparecer una rudimentaria concha bivalva, que va poco a poco desarrollándose, durante los primeros 15 días que dura la vida errante de estas larvas. En este periodo constituyen un alimento codiciado por infinidad de peces, que de cada bocado destruyen millares de ellas, siendo pequeñísima la proporción de las que llegan al estado adulto.

Cuando las larvas encuentran un lugar adecuado, se fijan permaneciendo en él todo el resto de su vida. En condiciones óptimas una ostra puede vivir hasta veinte años, pero las más apreciadas y de mejor calidad son de 5 a 6 años de edad. Los lugares en que mejor se desarrollan son los próximos a las costas, de escasa profundidad y agua agitada, donde se agrupan unas junto a otras, cubriendo grandes extensiones que se llaman bancos de ostras. Las ostras constituyen un excelente alimento. Generalmente se comen vivas, aliñadas con limón, vinagre, pimienta, salsa picante o cualquier otro condimento fuerte. Entre los antiguos romanos eran un plato de lujo, y de ellos procede su conocimiento y conservación. Deben desecharse las entreabiertas, muertas, secas o de color oscuro, por ser peligrosas.

Las ostras son alimento muy nutritivo y contienen proteínas, hidratos de carbono y grasas en proporción similar a la de los principales alimentos y son muy ricas en vitaminas. El creciente consumo de este marisco ha desarrollado la industria de la ostricultura, con viveros y criaderos en que se cultivan las ostras. La ostricultura en algunos países ha alcanzado gran importancia, como en Francia, Holanda, Chile, Italia y, sobre todo, en Estados Unidos, en cuyas costas tanto del Atlántico como del Pacífico existen grandes zonas ostrícolas. En los bancos de ostras la pesca se hace con garfios, rastras metálicas y mecanismos de succión.

Corel Stock Photo Library

Ostra de la isla Carolina en Palau.

ostracismo. Destierro político practicado en Atenas. Lo introdujo Clístenes en el año 513 a. C. para deportar a Hiparco, y posteriormente lo sufrieron Arístides, Temístocles, Cimón y Tucídides, todos ellos grandes figuras de la historia de Atenas. La razón por la que se puso en práctica el ostracismo era la de evitar que los ciudadanos ambiciosos que gozaban de popularidad y que pudieran constituir un peligro para la tranquilidad pública y el buen gobierno, llegasen a adueñarse del poder y gobernar tiránicamente. Los atenienses escribían el nombre de la persona a quien deseaban desterrar en una concha llamada *óstrakon*, de lo que proviene el nombre de ostracismo. También se usaban para ello en lugar de conchas pedazos de vasijas de terracota. El condenado tenía que abandonar Atenas en el plazo de diez días y no regresar hasta diez años después. Sus bienes no eran confiscados. Métodos similares se emplearon en Argos, Mileto, Megara y Siracusa. *Véase* EXILIO.

ostrogodo. Individuo perteneciente a la parte del pueblo godo que estuvo establecida al este del río Dnieper. Fueron sojuzgados por los hunos, pero a la muerte de Atila, ocuparon la Panonia. Eligieron por rey a Teodorico *el Grande*, al mando del cual invadieron a Italia, fundando un reino, con Ravena por capital, que comprendió a Italia con Sicilia, Iliria, Nórica y Recia. Este reino fue destruido, poco después de la muerte de Teodorico, por los generales bizantinos Belisario y Narsés. *Véase* GODO.

Ostwald, Wilhelm (1853-1932). Químico y filósofo alemán, considerado, junto con Walter Nernst, Jacobus van't Hoff y August Arrhenius, uno de los fundadores de la físico-química. Estudió en Dorpat, fue profesor ahí mismo y en la Escuela Politécnica de Riga, y tuvo la cátedra de físco-química en la Universidad de Leipzig. En 1887 fundó con van't Hoff la revista *Zeitschrift für physikalische Chemie,* publicación que cambió el rumbo de la investigación química. Fue presidente de la Liga Monista y autor de las obras *La superación del materialismo científico* (1895) y *Bosquejo de la filosofía de la naturaleza* (1908). Ostwald postuló un monismo de corte *energetista*: para él todas las propiedades de la materia, inclusive lo psíquico y lo sociológico, son formas de energía. Aplicando los métodos y recursos de la física a los problemas de química, logró estudiar casi todos los grandes temas asequibles a la nueva disciplina, como la catálisis y la ionización del agua. En 1909 recibió el Premio Nobel de Química.

Osuna. Villa española de la provincia de Sevilla, con 18,000 habitantes (1997). Tiene importantes fábricas de aceite, harinas, jabón, yeso y esteras. En ella se han hallado importantes restos arqueológicos de los iberos; es la antigua *Gemina Urbanorum* de los romanos. Se halla emplazada en una fértil llanura, rica en olivares, cereales, vinos y legumbres. Posee una hermosa colegiata. Entre los edificios religiosos cabe destacar la parroquia de la Asunción (s. XVI), antigua iglesia colegial de estilo renacentista, que guarda una colección de lienzos de Ribera, y la iglesia del Sepulcro, con un patio plateresco. El edificio de la universidad, de estilo renacentista, data del siglo XVI.

Otavalo. Cantón del norte de Ecuador, provincia de Imbabura; 56,286 habitantes. Situado al suroeste de la capital de la provincia en la Hoya del Chota junto al lago de San Pablo. Sus principales productos agrícolas son: cereales, papas y hortalizas; su ganadería es ovina; y su principal industria es textil. Lo atraviesa la carretera Panamericana; y tiene gran afluencia turística. Su nombre viene de los indígenas así llamados, quienes durante la colonia continuaron sus labores textiles lejos de las encomiendas gozando de libertad. Con fama de grandes artesanos, en la actualidad se dedican a vender sus productos.

Otelo. *Véase* ÓPERA.

Otero Silva, Miguel (1908-1985). Escritor venezolano. Varios años exiliado, intervino como conciliador en la crisis política de 1963. Fundador del diario El Nacional en 1943. Se inició como poeta con los poemas de *Agua y cauce* (1937), libro al que siguieron *Elegía coral a Andrés Eloy Blanco* (1958), *La mar que es el morir* (1965) y *Poesía* (1966), entre otros. De su obra novelística, de temática social y estilo directo, cabe citar *Fiebre* (1939), sobre las luchas estudiantiles contra la dictadura de Juan V. Gómez; *Casas muertas* (1954), novela ganadora del premio Nacional de Literatura en 1955-56; *Oficina no. 1* (1961), sobre la explotación petrolera en Venezuela; *La muerte de Honorio* (1971), visión crítica de su país natal y *La piedra que era Cristo* (1985). En 1976 se publicaron *Obra humorística completa, Obra poética* y *Prosa completa,* y de 1979 data *Lope de Aguirre, príncipe de la libertad.*

Othón, Manuel José (1858-1906). Poeta mexicano. Nació en San Luis Potosí. Ejerció la abogacía y fue juez en pequeñas poblaciones. Su verdadera vocación la constituyó la poesía. Fue el cantor de la naturaleza, que ejercía sobre él un poderoso e íntimo influjo. Amaba la paz campestre, el aire libre y los amplios horizontes, que le sirvieron de inspiración para su admirable obra poética. En sus versos se juntan la perfección de la forma y la expresión de acendrados sentimientos.

otitis. Inflamación del oído. Según el sitio donde se produce, puede ser externa, media o interna. La primera afecta el pabellón de la oreja o el conducto auditivo externo; puede ser curada con antibióticos. La otitis interna se localiza en el laberinto del oído y puede ser primitiva (la producida por una afección del nervio acústico o de cualquier parte del laberinto) o secundaria (la que proviene del oído medio y toma forma catarral o purulenta). Por último, la otitis media es la que afecta la caja del tímpano o la trompa de Eustaquio; generalmente es producida por la diseminación de una infección procedente de la garganta. *Véase* OÍDO.

otomí. Grupo indígena mexicano que habita en los estados de Hidalgo, Estado de México, Guanajuato, Querétaro, Tlaxcala y Puebla. Pueblo antiguo, en el siglo XVI ocupaba diversos territorios como los alrededores del Nevado de Toluca, Xilotepec, Chiapan, Tula, Cuauhtlalpan, la Sierra y el Valle de Puebla y México-Tenochtitlan, donde, según se sabe, había tres barrios otomíes, Chichimecapan, Copolco y Tezcatzonco.

Su lengua es el otomí, la cual pertenece a la familia lingüística otomazahua, rama otomí-pame del tronco otomangue, y consta de siete dialectos. Entre las labores que realizan los otomíes para subsistir están la agricultura, que varía según la región, y la cría doméstica de puercos, gallinas, cabras, borregos, guajolotes y asnos. Su producción agrícola va de trigo, cebada y café –sus productos de comercio– hasta maíz, frijol, calabaza y chile, que constituyen su base alimentaria. El maguey ocupa un lugar central, ya que es empleado principalmente para elaborar la bebida alcohólica llamada pulque. También elaboran cestería, cerámica y tejidos de lana, algodón y otras fibras. La difícil situación que padecen en sus lugares de origen hace que los hombres salgan hacia las ciudades para trabajar en fábricas u obras de construcción, o que emigren a Estados Unidos como *braceros.* Las mujeres que llegan a las ciudades desempeñan por lo regular trabajo doméstico.

Según la zona, sus casas pueden ser de adobe con techo de dos aguas, cubierto de tablas delgadas, y estancia y cocina separadas –en el Valle de Toluca– o de paredes de pencas de maguey y techos de zacate –como en el Valle del Mezquital–. Con frecuencia construyen junto a su casa un baño de vapor.

Como en todas las provincias de México, su célula gubernamental es el municipio, cuyo gobierno o ayuntamiento está integrado por un presidente, cinco regidores y un juez auxiliar para cada barrio o ranchería correspondientes. Si existe el ejido, entonces hay un comisario ejidal. La familia otomí está presidida por el padre, y entre las relaciones de parentesco sobresale una, adquirida, que es el compadrazgo. Este vínculo llega a ser en ocasiones tan fuerte como los mismos lazos de sangre, o a veces más. Baste citar que en algunos casos el matrimonio entre los hijos de los compadres está prohibido. Respecto al matrimonio, es común que cuando un pretendiente no tiene recursos monetarios suficientes para la boda o es simplemente rechazado por los padres de la pretendida, ésta sea robada por él y los dos permanezcan aislados de la sociedad. Una vez nacido el primer hijo, la nueva familia regresa y es aceptada.

La religión de los otomíes es oficialmente el catolicismo o el protestantismo, pero el culto a las deidades antiguas se conserva. Los personajes cristianos, como en tantos otros casos, son identificados con ellos: el Sol con Cristo, o la Luna con la Virgen María. Existen otros dioses como el Padre Viejo, que es la divinidad del fuego, la Madre Tierra y el Coyote Viejo. Tienen un bello sentido de trascendencia después de la muerte: si ésta fue violenta, creen que el muerto va a habitar en la casa del Sol, donde tendrá el arduo trabajo de ayudar al astro a recorrer el cielo; si fue por parto, la mujer va a la casa de la Luna, lugar de tristeza; por enfermedad penosa, a la Gloria, sitio de gozo. Para los otomíes cada hombre tiene un acompañante animal, al que llaman *rogi,* habitante de los bosques y que ronda las casas y ayuda a su compañero humano mediante la magia; ambos comparten la muerte. Temen a los nahuales, seres míticos con capacidad para transformarse en animales, y a las brujas, mujeres que viajan por los aires y chupan la sangre de los pequeños en sus cunas.

Otón I *el Grande* (912-973). Rey de Germania y emperador del sacro imperio romano germánico. Hizo respetar su autoridad en todos los ducados del imperio, nombrando en cada uno de ellos un funcionario adicto llamado Palatino. Libró a su país de las periódicas invasiones de los húngaros, a quienes derrotó bajo los muros de Augsburgo en 955. En 962 ayudó al Papa Juan XII contra el rey Berenguer, conquistó el reino lombardo en Italia y haciéndose coronar emperador en Roma, fundó el sacro imperio romano germánico que duró hasta 1805, cuando lo disolvió Napoleón I.

otoño. Una de las cuatro estaciones del año. Astronómicamente se inicia en el equinoccio del mismo nombre y finaliza en el solsticio de invierno. En el Hemisferio Sur estas fechas corresponden del 20 al 21 de marzo, y del 21 al 22 de junio. En el Hemisferio Norte, del 22 al 23 de septiembre y del 21 al 22 de diciembre. En el equinoccio de otoño, tienen igual duración la noche y el día.

otorrinolaringología. Rama de la medicina que trata del oído, nariz y laringe y sus enfermedades, formando una sola especialidad. En todas las facultades de medicina se cursan estos conocimientos formando una asignatura. Las tres partes que engloba son muy afectadas por las enfermedades. Basta recordar que una tercera parte de los habitantes de la tierra, están afectados de algún oído. Para reconocer este órgano se emplea el otoscopio, iluminado por el espejo frontal que lleva luz propia conectada a la corriente eléctrica. Para ver el interior de la nariz, el rinoscopio.

Ottawa. Ciudad capital de Canadá, sobre el río de su nombre y en la desembocadura del canal de Rideau que la une a la ciudad de Kingston, y enlaza la navegación del Ottawa con el San Lorenzo. Se alza sobre colinas y se extiende a más de 40 m sobre el nivel del río, ofreciendo un sugestivo y hermoso panorama. Población: 1.022,700 habitantes (1996). Ciudad moderna con bella y grandiosa edificación, en la que sobresale el parlamento, de estilo gótico. Son también notables la catedral católica, la universidad, el palacio del gobernador general, y el archivo y museo nacionales. Entre sus importantes actividades económicas destacan las industrias madereras, con fábricas de papel y de pulpa de madera, plantas de refrigeración y carnes en conserva e industrias gráficas. El lugar en que se alza la ciudad fue explorado por Champlain en 1613; pero, hasta 1800 no se empezó a poblar de modo permanente. En 1826 el pequeño poblado entonces existente recibió el nombre de Bytown. En 1854 fue elevado a la categoría de ciudad y se le cambió el nombre por el de Ottawa. Cuatro años después la nueva ciudad fue designada capital de Canadá por la reina Victoria de Gran Bretaña, para solucionar la rivalidad existente entre las ciudades de Montreal, Toronto y Quebec, que se disputaban ese honor.

Corel Stock Photo Library

La Galería Nacional de Ottawa. Canadá.

Otumba, Batalla de. Otumba de Gómez Farías es una ciudad mexicana, de unos dos mil habitantes que pertenece al Estado de México. En sus cercanías se libró en 1520 una notable batalla durante la conquista de México por Hernán Cortés. En la noche del 30 de junio de 1520, Hernán Cortés se vio obligado a abandonar la ciudad de Tenochtitlán (México) y efectuar una célebre retirada, acosado tenazmente por los aztecas, en la que perdió toda su impedimenta y sucumbió la mayor parte de los españoles que componían su reducida hueste. En los días siguientes continuó Cortés su retirada hacia Tlaxcala, siempre en orden de batalla, hostigado continuamente por los aztecas.

El 7 de julio llegó Cortés al valle de Otompan (Otumba), donde un ejército enemigo le cortaba el paso. Eran grandes escuadrones de mexicas y tecpanecas cuyo número se ha hecho ascender a 40,000, al mando de Matlatzincatzin, gran guerrero, hermano del emperador Cuitláhuac. Los españoles no llegaban a 600, casi todos heridos, y sus aliados indios a menos de 3,000.

Cortés y su hueste se vieron rodeados y envueltos por los escuadrones enemigos y, durante cuatro horas, se trabó un terrible combate. Las fuerzas de Cortés solo podían avanzar dentro del mar de enemigos, combatiendo en un grupo compacto, procurando más defenderse que hacer daño. Las pérdidas que sufrían los mexicanos se cubrían con mayor número de guerreros que entraban en combate. Otro ejército de veteranos aguerridos, enviado por Cuitláhuac, marchaba a unirse al ya muy numeroso que tenía engolfado a Cortés.

El cansancio hacía presa en los españoles que empezaron a flaquear, y Cortés comprendió que era necesario realizar un esfuerzo supremo. Distinguió al general de los aztecas que estaba en una altura, sentado en unas andas, dirigiendo la batalla y protegido por numerosa guardia. Cortés ordenó que se cargara sobre él. Cortés y su séquito cayeron sobre Matlatzincatzin, lo derribaron de las andas y lo mataron. La muerte de su jefe introdujo el desconcierto entre los indios, que empezaron a retroceder. Los españoles renovaron sus cargas, los indios cedieron terreno y se desbandaron, y Cortés obtuvo la victoria.

Continuaron los españoles su marcha hacia Tlaxcala, en la que penetraron al día siguiente. Las pérdidas que habían sufrido fueron muy grandes, y solamente sobrevivieron al combate unos 450 españoles y muy pocos tlaxcaltecas. El propio Cortés resultó gravemente herido en la cabeza y en la mano izquierda, de la que perdió dos dedos. Después de descansar y de curar a los heridos, Cortés inició la reorganización de sus fuerzas que, un año más tarde, y mediante una serie de operaciones de guerra, habrían de alcanzar la toma de Tenochtitlán y la destrucción del imperio azteca. *Véanse* CORTÉS, HERNÁN; MÉXICO-TENOCHTITLÁN.

Vista aérea del edificio del Parlamento en Ottawa. Canadá.

Corel Stock Photo Library

Ouida. (1839-1908). Seudónimo de la escritora inglesa Marie Louise de la Ramée, autora de más de 40 novelas. Sus mejores libros son *Bajo dos banderas*, *Strathmore*, *Polillas* y, en otro género, *Bimbi*, relatos para niños. Fue ardiente adversaria de la vivisección y en Florencia, donde vivía, inició, asimismo, una campaña en pro del mejoramiento de la clase campesina.

ouija. Juego de mesa en el que dos jugadores plantean preguntas y reciben respuesta de una fuente aparentemente sobrenatural. El tablero, que contiene letras y números impresos en su superficie, se coloca sobre las rodillas de los jugadores, a manera de puente. Los jugadores apoyan ligeramente las yemas de los dedos sobre el indicador de mensajes, un instrumento en tripié, con forma de corazón y un amplio visor. Uno de los jugadores plantea una pregunta y lo esperado es que entonces el indicador deletree una respuesta. Originalmente se llamaba *tabla ouija parlante*. El juego fue creado a finales de la década de 1890 por William Fuld.

óvalo. Cualquier curva cerrada con la convexidad vuelta siempre a la parte de afuera, como en la elipse, y simétrica respecto de uno o de dos ejes. Los óvalos propiamente tales tienen la figura de la sección de un huevo, en el sentido del eje o recta que va de una parte a otra, por lo que son de curvatura más abierta por un extremo que por otro.

En geometría se estudia gran variedad de óvalos, y sus figuras son de mucha y frecuente aplicación en las artes.

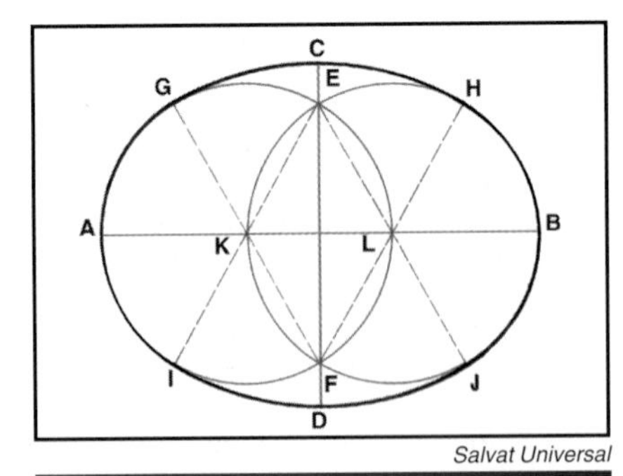

Salvat Universal

Los puntos K,L,F y E son los centros de los arcos de circunferencia GAI, HBJ, GCH y IDJ respectivamente.

Ovalle, Alonso Ortiz de (1601-1651). Historiador chileno. Ingresó en la Compañía de Jesús en la cual se destacó como brillante orador sagrado. Fue profesor de Filosofía y director de la casa del noviciado de su orden en Santiago de Chile. Permaneció varios años en Europa pasando luego al Perú. Dejó numerosas obras entre ellas la *Historia y relación del reino de Chile y de las misiones y misterios que en él exercita la Compañía de Jesús*, publicada en Roma en 1646. Su nombre figura en el *Catálogo de autoridades de la Lengua*, publicado por la Academia Española.

ovario. En la anatomía animal femenina, cada una de las glándulas sexuales pares que producen los óvulos. Los ovarios humanos son órganos ovalados, bastante firmes y de color rosado, del tamaño de una uva grande. A cada lado del útero se encuentra un ovario, el cual tiene dos funciones: produce óvulos, o huevos, y suministra las hormonas femeninas.

El óvulo es la célula simple de mayor especialización en el cuerpo humano. Es la única estructura unicelular que puede ser vista sin ayuda del microscopio. Un óvulo humano mide unos 85 micrones o el equivalente a la cabeza de un alfiler. Cada ovario de una recién nacida contiene de 200,000 a 400,000 células inactivas e inmaduras, llamadas ovocitos primarios, que pueden convertirse en óvulos. La mayoría de los ovocitos degeneran antes de que se alcance la madurez sexual, pero unos 10,000 sobreviven.

Durante el periodo reproductivo de la vida, varios cientos de dichos ovocitos primarios maduran hasta convertirse en óvulos. En el proceso de maduración, el óvulo se ve rodeado de una pequeña cantidad de líquido y se le llama folículo. En intervalos periódicos, uno o más óvulos son liberados de la superficie del ovario. Al desprendimiento de un óvulo maduro del ovario se le llama ovulación. Cáda óvulo es recogido después por las trompas de Falopio y llevado al útero. Tras la ovulación los tejidos ováricos que rodean al folículo tienen una función residual. Éstos se desarrollan en una estructura llamada cuerpo lúteo, el cual segrega progesterona. Esta hormona ayuda a que los tejidos internos del útero reciban un óvulo que ha sido fertilizado por un espermatozoide. El crecimiento del óvulo fertilizado ocasiona el aumento en la producción de estrógeno y progesterona. Si la fertilización no se lleva a cabo, ocurre la menstruación, y un nuevo ciclo de ovulación y de preparación uterina comienza.

Corte longitudinal de un ovario con folículos en diversas fases de su evolución.

Salvat Universal

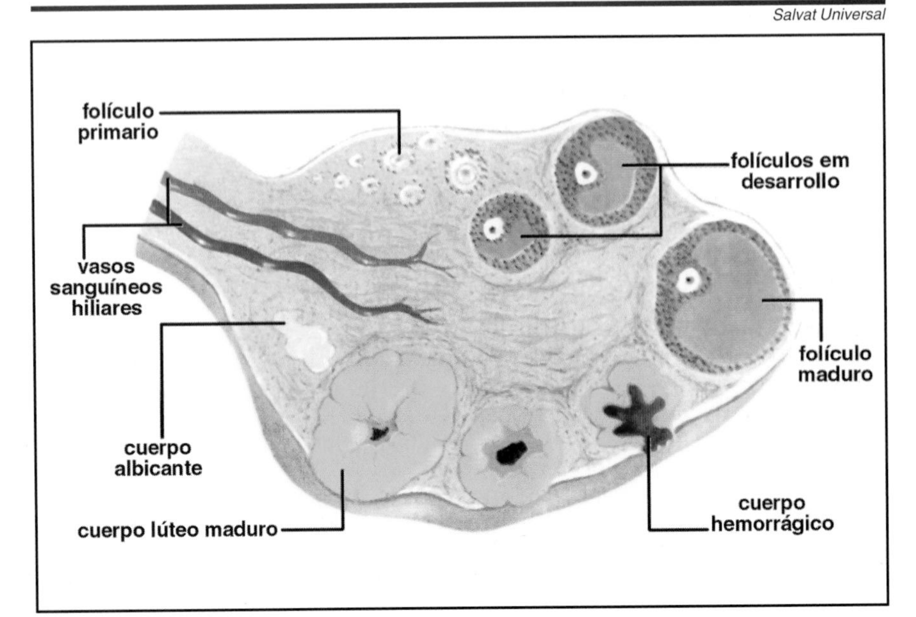

El estrógeno y la progesterona son las hormonas ováricas más importantes. Se combinan con las de la pituitaria, la tiroides y las glándulas adrenales para influir en el tono de la voz, la disposición del vello, el desarrollo de las mamas y los cambios en el útero.

En vista de que la corteza ovárica tiene pocas fibras nerviosas, la ovulación es raramente dolorosa. Por la misma razón, los quistes y tumores de ovario pueden crecer sin causar dolor. El dolor ovárico es ocasionado usualmente por el estiramiento o torcimiento de los ligamentos de los ovarios.

En el desarrollo embriónico de la mujer, los ovarios se originan cerca de los riñones, a partir de los mismos tejidos que en el hombre se convierten en los testículos. Conforme se desarrolla el feto, por lo regular hacia el séptimo mes, los ovarios descienden a la zona pélvica. Uno o ambos ovarios pueden estar ausentes al momento del nacimiento o no madurar. Semejante situación es poco usual. A condición de que el otro ovario sea normal, la ausencia congénita de un ovario no impide el desarrollo adecuado y la menstruación normal. A la extirpación de un ovario se le conoce como ooforectomía. Aun una fracción de ovario produce las hormonas esenciales para desarrollar funciones femeninas fisiológicas saludables.

oveja. Hembra del carnero. La palabra *oveja* se aplica, también, para designar, indistintamente y en sentido general, las diversas especies de rumiantes del género *Ovis.* La oveja es animal de talla media, que mide 70 a 80 cm hasta la cruz, tiene frente aplanada y cóncava, ojos y orejas grandes y cuernos huecos de sección triangular, angulosos y con rugosidades transversales, arrollados en espiral. En algunas razas tienen cuernos los dos sexos, pero en otras la hembra carece de ellos. El peso medio de la oveja es de unos 50 kg, aunque en algunas razas pueda llegar a pesar hasta 100 kg. Los machos son más grandes y pesados llegando a pesar 150 kg. Las patas altas y delgadas son musculosas en la parte superior y se apoyan en el suelo con dos dedos en punta terminados en pezuñas, lo que les da una gran agilidad para marchar y trepar por los lugares escarpados.

En las especies domésticas, a diferencia de las salvajes, la cola es larga, pero casi siempre se les corta por razones de limpieza; hay algunas razas en Asia Menor que almacenan en la cola sustancias grasas haciéndose tan gordas y pesadas que los pastores les colocan unos carritos de dos ruedas tras ellas, para evitar que la cola les pese y arrastre. La boca está especialmente dispuesta para alimentarse de hierbas. No tiene caninos en ninguna de las mandíbulas, ni en la superior hay incisivos, pero en el extremo de la inferior existen ocho incisivos que le sirven para cortar la hierba, que aprisiona entre la lengua y la mandíbula de arriba.

La hierba así cortada es ingerida sin masticar pasando a una de las cuatro partes en que está dividido el estómago, donde se va almacenando hasta que el animal ha saciado el apetito. Esta misma hierba, cuando la oveja está en reposo, es devuelta a la boca donde es triturada al pasar entre los grandes y planos molares que tienen en la parte posterior ambas mandíbulas. Lentos y continuados movimientos laterales de la mandíbula inferior van machacando los alimentos, que esta vez son ingeridos yendo a parar a una parte del estómago donde se inicia la digestión. A esta segunda masticación de las ovejas se la conoce con el nombre de *rumia*, y caracteriza a animales como la vaca, el camello, la cabra, etcétera, que se llaman por ello rumiantes.

La oveja vive aproximadamente unos trece años, siendo apta para la reproducción a partir de su décimo mes de vida, procreando después todos los años al menos un cordero, que amamanta durante tres o cuatro meses, pues no comienza a comer hasta los tres meses de nacer. El cuerpo de la oveja está cubierto de un pelo fino y largo, más o menos rizoso, color blanco o negro rojizo, que es lo que se llama *lana*. En las ovejas que se dedican a la producción de lana, la operación de cortar, que se llama *esquileo* o *esquila*, se realiza una o dos veces por año, según la raza.

La oveja es uno de los animales que primero domesticó el hombre para utilizar sus cueros como abrigo y para servirse de su leche y su carne como alimentos. En algunas regiones también se utilizaron los carneros para el transporte de cargas, análogamente a como los indios andinos emplean aún las llamas. Más tarde fueron obteniéndose razas en que el basto pelo de las especies salvajes se iba transformando en lana fina, lo que permitió su empleo en la hilandería y tejidos. En los dos últimos siglos, la producción de lanas se ha intensificado enormemente como consecuencia del gran desarrollo de las industrias textiles.

Aún existen algunas especies de carneros salvajes, que si bien presentan caracteres muy diferentes a los de las razas domésticas, se supone que es de ellas, o de especies muy próximas extinguidas hoy, de donde se han derivado las ovejas de nuestros rebaños. La mayor de estas especies salvajes es el *argali*, que habita las regiones de Siberia y Mongolia de Asia Central, que mide 1.20 m de alto, armado de cuernos, que alcanzan gran desarrollo a lo largo de la espiral. Otra de las especies salvajes de Asia es el *carnero de Marco Polo o kulja*, que debe su nombre a haber sido descrito por el célebre viajero veneciano. Es más pequeño que el argali y vive en las llanuras de Pamir, siendo curioso por el enorme desarrollo de sus cuernos.

El llamado *carnero azul*, de aspecto muy semejante a las cabras, vive en la región del Tíbet y en esas mismas montañas y en los escarpados montes de Afganistán, habita también el *urial*, que parece ser uno de los antepasados de donde han derivado algunas razas de las actuales ovejas.

El urial vive agrupado en pequeños rebaños que son conducidos por un ágil y vigoroso macho, pastando en regiones muy elevadas y únicamente descienden en invierno en busca de los pastos que han quedado sin cubrir por la nieve. Son ariscos, pero cuando se les atrapa jóvenes, se domestican con facilidad.

Otras razas de ovejas europeas parecen haber derivado de especies salvajes que habitan las regiones montañosas del sur de Europa y norte de África, como el *muflón*, que ha quedado restringido a las montañas de Córcega y Cerdeña, tiene aspecto muy

Corel Stock Photo Library

Familia criadora de ovejas.

Rebaño de ovejas en Nueva Zelandia.

Corel Stock Photo Library

Corel Stock Photo Library

Ovejas cara negra en Waitsfield, Vermont.

similar al de las cabras. Igual sucede con los carneros salvajes de América del Norte (Taye, Bighorn y de Alaska) y los que viven en África, en la región del Gran Atlas, como el *aoudad*, que poseen largos cuernos curvados hacia atrás y una especie de delantal formado por largos y asperos pelos que les nacen desde la barba, por todo el cuello y la parte anterior de las patas.

Gracias a inteligentes cruces y persistentes selecciones, existen hoy numerosas razas de ovejas en las que se han desarrollado al máximo las particularidades que el hombre ha deseado explotar en cada caso. Partiendo de los caracteres que poseían las especies salvajes, se han ido modificando poco a poco, hasta obtener los de las ovejas domésticas de nuestros días.

Existen varios métodos de cría de ganado lanar, que responden a las características de las regiones en que se practican. Uno de los más extendidos es el de pastoreo, que consiste en agrupar las ovejas en rebaños de varios cientos de cabezas, que son conducidas bajo la vigilancia de pastores por grandes extensiones de terreno pagándose a los propietarios de las tierras una cantidad por el derecho de pastar. Las instalaciones para este tipo de explotación son mínimas y el rebaño recorre en cada temporada cientos de kilómetros, para volver a las regiones de origen sólo en las épocas de esquila o nacimiento de las crías.

En algunas regiones de Europa se practica el pastoreo trashumante, que consiste en cambiar de comarca a los ganados según las estaciones del año, llevándolos a los pastos frescos de la montaña durante el verano, para volver durante el invierno a las praderas más abrigadas de las tierras bajas. Otro tipo de explotación es el de las granjas, en las que los rebaños suelen ser menos numerosos y siempre proporcionados a la extensión de terreno de que se dispone. Durante la época de pasto abundante, se les hace pastar de manera rotativa en zonas cercadas de la misma propiedad, manteniéndolos en establos y alimentándolos con forrajes y pastos secos, como el heno, durante la estación de invierno.

La cría del ganado lanar se puede realizar en la mayoría de las regiones de clima templado o frío, aun estando alejadas de los grandes centros de consumo, ya que son mínimos los cuidados y utensilios que se requieren, las ovejas pueden recorrer grandes distancias, resisten mucho tiempo sin beber, y los productos que de ellas se obtienen son fáciles de almacenar y soportan largos transportes. El hecho de que la lana sea uno de los productos que mayor utilidad deja en la cría de ovejas, hace que las mayores explotaciones se instalen en las regiones frías, donde la rudeza del clima contribuye a que el ganado produzca mayor cantidad de lana.

Oveja cría en el rebaño.

Corel Stock Photo Library

Una de las razas de ovejas que más fina y abundante lana producen es la merina. Esta raza de ovejas criada en España desde tiempos antiguos, se la cree originaria de las Serranías de Cuenca. Son animales de talla mediana, hocico ancho y grueso, y una serie de arrugas transversales en la parte alta de la nariz, así como abundante piel en el cuello y los hombros. La cabeza, que en los machos tiene cuernos curvados en espiral, está cubierta como las extremidades y todo el cuerpo, de una lana muy fina y rizada, por lo que han sido siempre muy apreciados. De España, las ovejas merinas fueron llevadas a otros países, entre ellos a Francia, Inglaterra y Alemania, donde sometidas a cuidados adecuados y cruces inteligentes, han producido las mejores razas actuales de ovejas de lana. Son razas derivadas de merino la Delaine y la Ramboullet que producen las más cotizadas lanas, además de fina carne.

Hay otras razas que se caracterizan por producir lanas largas, aunque más ordinarias que las merino, siendo las principales las de Lincoln, Leicester y Cotswold. Las primeras son las más grandes de las ovejas domésticas y los vellones de su lana están formados por fibras de gran longitud. Los cruces de razas han dado ovejas de características muy convenientes para ciertas explotaciones, como la raza Corriedale, en la que se han unido la fineza de la lana merina, con las fibras largas, a la vez que producen corderos de abundante carne. Por estas razones ha alcanzado gran desarrollo en Australia, Estados Unidos y Argentina. Por cruces similares se han obtenido las razas Columbia, Romeldale, Thribble Cross y Targehee.

Además de las razas citadas, existen otras muchas que se dedican principalmente a la producción de carne, su lana corta es en este caso un producto secundario. De las más apreciadas de este tipo son las Hampshire, de gran talla, con cara, orejas y patas negras; las Southdown, que son más bien pequeñas, pero macizas de cuerpo, y las Shrophire que tienen la ventaja de tener frecuentemente corderos gemelos. También son razas que se suelen criar para carne la Cheviot, Columbia y Panamá.

Ovidio Nasón, Publio (43 a. C. 17 d. C.). Poeta latino. Según cuenta él mismo, ya en su juventud no podía hablar o escribir sino en verso. Esta facilidad perjudicó, en cierto sentido, la calidad de su obra, su fantasía y la vivacidad de sus descripciones. Las historias reunidas en su obra *Las metamorfosis* (narración de varios mitos griegos y romanos, en los que cuenta la transformación de hombres y mujeres en animales, plantas o astros) son consideradas aún hoy como verdaderos modelos de cuentos. Otra obra muy famosa son *Los fastos*, especie de calendario de todas las fiestas romanas, con sus orígenes y detalles. Después de una juventud borrascosa Ovidio fue desterrado por el emperador Augusto a la ciudad de Tomi, situada junto al Mar Negro. La excusa invocada fue la publicación del *Arte de amar*. El motivo real fue su conocimiento de la vida familiar de Augusto. Otras obras de Ovidio son *Las tristes*, *El remedio de amor* y los cuatro libros de *Epístolas del Ponto*, escritos en el exilio.

Oviedo. Ciudad de España, capital del Principado de Asturias, situada cerca del río Nalón, en el centro de un dilatado valle y rodeada de montes salpicados de caseríos y pequeños pueblos. Tiene 202,421 habitantes (1997). Es activo centro comercial y bancario. Hay varios palacios del siglo XVIII, como el del duque del Parque, en el que se conserva un *Apostolado* de El Greco, y los de Camposagrado, Llanes y Toreno, entre otros. El convento de San Vicente alberga el museo Arqueológico y Etnográfico Provincial.

ovulación. Desprendimiento del óvulo maduro del folículo ovárico y su paso al oviducto. Habitualmente esto ocurre al final de la primera mitad del ciclo femenino. La ovulación es un estallido folicular debido a la isquemia provocada por acción hormonal y por una acción enzimática de tipo histolítico. Una vez que ha ocurrido, el óvulo se desplaza hasta el tercio superior de la trompa de Falopio donde puede ser fecundado por un espermatozoide. Si no pasa así, el óvulo desciende hasta el útero para ser eliminado con la menstruación. Normalmente la ovulación provoca en la mujer algunos cambios; los más notorios son los aumentos de la temperatura corporal y de la acidez de la saliva. Precisamente, basándose en estos cambios, se han ideado algunos métodos anticonceptivos.

óvulo. También llamado huevo, es la célula reproductiva femenina, célula germinativa o gameto contenida en el ovario y a partir de la cual, después de fecundada, se desarrolla el embrión. En el caso de los humanos se trata de una célula simple de alrededor de 0.1 mm, compuesta de protoplasma, núcleo y nucleolo.

Owen, Daniel (1836-1895). Es considerado como el novelista nacional de Gales. Su estilo, su aliento vital y la creación de algunos memorables personajes han hecho, sin lugar a dudas, que Owen sea para Gales lo que Charles Dickens para Inglaterra. Aunque intentó adiestrarse como ministro metodista, estudiando en la Bala Calvinistic Methodist College, acabó ejerciendo la profesión de sastre en su tierra natal, Mold. Sus obras están escritas en galés dando con esto una consagración definitiva a esta lengua céltica.

Owen, Gilberto (1905-1952). Poeta mexicano. Estudió en la Escuela Nacional Preparatoria y fue condiscípulo de Jorge Cuesta. Perteneció a la generación de Contemporáneos y colaboró en las revistas *Ulises* y *Contemporáneos*. Como diplomático residió en Estados Unidos, Ecuador, Perú y Colombia. Su poesía es desolada, escueta y precisa. Escribió *Perseo vencido* y *Novela como nube*.

Owen, Robert (1771-1858). Industrial, filántropo y sociólogo inglés de ideas socialistas. A los 10 años de edad trabajaba como aprendiz en una tienda de paños y debido a su inteligencia y voluntad, logró crearse una posición independiente, siendo corredor de comercio en Londres, director de una fábrica de tejidos en Manchester y, por último, director y copropietario de la gran manufactura de New Lanark en Escocia. El espectáculo diario de los obreros cuya vida había compartido en su juventud y la consideración de las miserables condiciones en que vivían en aquella época, le sugirieron interesantes observaciones hasta elaborar un proyecto general para el mejoramiento de la clase obrera. Owen se dedicó a predicar con el ejemplo y transformó la fábrica de New Lanark en una colonia trabajadora modelo, redimiendo así a una masa de más de 2,500 obreros y alcanzando un éxito enorme. Más tarde, se trasladó a Estados Unidos, empleó toda su fortuna en fundar la *Nueva Harmonía*, que estableció en el estado de Indiana, adquiriendo terrenos y contrayendo talleres y viviendas capaces para 2,000 personas. La gente que acudió a su llamamiento fueron vagabundos y aventureros, a cuya causa se atribuyó el ruidoso fracaso de ese nuevo ensayo. Tampoco tuvieron éxito las otras colonias que siguió fundando a su regreso a Inglaterra. Fue presidente del primer congreso de las *Trade Unions* –o sindicatos obreros– y fundó diversas cooperativas de cuyo régimen se mostró siempre ardiente defensor. *Véase* SOCIALISMO; SOCIOLOGÍA.

oxálico, ácido. Cuerpo sólido de color blanco, sabor picante, soluble en el agua y venenoso. Ángelo Sala lo obtuvo por primera vez a mediados del siglo XVII, del *Rumex acetosa*; la obtención industrial por acción de los álcalis sobre el aserrín es debida a J. Dale, Possoz y Thorn. Se encuentra en la naturaleza en las acederas y la belladona. El alcohol etílico, el glicol etilénico, el azúcar, etcétera, y casi todas las sustancias orgánicas ricas en carbono, dan ácido oxálico cuando se oxidan con ácido nítrico o con permanganato potásico en solución neutra o alcalina, o cuando se funden con hidróxido de potasio. Antiguamente se obtenía exclusivamente del zumo de las acederas. Hoy se obtiene en gran escala por descomposición de la celulosa o del formiato de sodio. Las soluciones concentradas de ácido oxálico cristalizan en el sistema monoclínico dando agujas incoloras que se emplean en la industria textil para preparar mordentes útiles en el estampado de las telas. Otras aplicaciones del ácido oxálico son la decoloración de la paja, la eliminación de manchas de tinta y de herrumbre, así como el blanqueo del cuero en las tenerías y su aplicación como reactivo en análisis químicos. *Véanse* ACEDERA; ÁCIDO.

Oxford. Ciudad de Inglaterra, capital del condado de su nombre. Es gran centro universitario y está situada entre los ríos Támesis y Cherwell, aproximadamente a 80 km al noroeste de Londres. Población: 116,200 habitantes (1997). Comparte con Cambridge el primer puesto en la educación superior británica. Posee una importante industria de fabricación de automóviles. La primera indicación que se tiene de la existencia de la ciudad procede del año 737, cuando santa Fredeswinda fundó allí un convento de monjas en el sitio que hoy ocupa el Christ Church College. A su sombra surgió una próspera población que incendiaron los daneses en 1010, y volvió a construirse. Formó parte del reino de Wessex y en 1067 fue capturada por Guillermo el Conquistador. Allí nació Ricardo Corazón de León, y el 11 de junio de 1258 sirvió de sede a la reunión de la primera asamblea a que se dio oficialmente el nombre de Parlamento.

La fundación de la célebre Universidad de Oxford se remonta al año 1163. Este gran centro de cultura es un cuerpo colegiado dentro del cual los 21 colegios que lo integran constituyen corporaciones independientes. El funcionario más alto de la universidad es el canciller (cargo vitalicio), que es elegido por el cuerpo de maestros y letrados. Los 21 colegios, que se rigen autónomamente, son los siguientes: University, Merton, Balliol, Exeter, Oriel, Queen's, New, Lincoln, All Souls, St. Mary Magdalen, Brasenose, Corpus Christi, Christ Church, Trinity, St. John's, Jesus, Wadham, Pembroke, Worcester, Keble y Hertford. El más antiguo es el University, fundado en 1249, y el más moderno, Hert-

Corel Stock Photo Library

Vista de una iglesia en Oxford, Inglaterra.

ford, en 1874. Sólo se permitía varones en los estudios hasta 1881, cuando las mujeres fueron admitidas como oyentes; en 1929 se les reconoció la misma participación que a los hombres. La biblioteca universitaria es reconocida como una de las mayores del mundo; posee más de 2 millones de volúmenes, incluyendo manuscritos y obras antiguas ya desaparecidas. Los laboratorios poseen en todo momento los últimos adelantos de su especialidad. Oxford es una de las ciudades inglesas a las que acude mayor afluencia de visitantes y turistas atraídos por sus reliquias arquitectónicas. Las más notables son la torre de la iglesia de San Martín (1034), la torre del Castillo (1071), de la que escapó una noche la allí prisionera emperatriz Matilde, hija de Enrique I, vestida de blanco para no ser descubierta mientras cruzaba el río helado; y la iglesia de Santa María, que es la de la universidad. Sus museos etnográfico y de antigüedades egipcias son otras atracciones de carácter universal. *Véase* UNIVERSIDAD.

oxidación. Combinación de oxígeno con otro elemento o compuesto químico. El hierro común se oxida fácilmente en contacto con el aire, pues en la atmósfera hay oxigeno en abundancia. Muchos otros fenómenos, aparentemente distintos entre sí, no son sino ejemplos de esta combinación. El fuego es una oxidación rápida; el vino avinagrado proviene de una reacción ante el oxígeno y el alcohol (con intervención de una bacteria). En la respiración humana se produce también una oxidación similar a la del fuego, aunque más lenta. Sin embargo, no todos estos procesos tiene su origen en la acción del oxígeno. Los químicos afirman que en los casos en que un átomo pierda partículas negativas (electrones) puede hablarse de que fue oxidado. Estos cambios modifican la capacidad que tienen los cuerpos de combinarse con el hidrógeno, es decir, su valencia. Aquellos que aumentan esa capacidad, los oxidados, pierden electrones. El agente oxidante gana en cambio electrones y su valencia disminuye. Los llamados halógenos (cloro, bromo, yodo y fluor) son, en ese sentido, buenos oxidantes. *Véanse* ÓXIDO; ÓXIDO DE CARBONO; ÓXIDO DE NITRÓGENO; OXÍGENO.

Cabalgata por el campo en Oxford, Inglaterra.

Corel Stock Photo Library

óxido. Compuesto de oxígeno y una sustancia orgánica o metálica. Los óxidos nacen como su nombre lo indica, de la oxidación. El hierro sometido a la acción del oxígeno da origen al óxido férrico, el carbón al quemarse y el hombre al respirar producen el mismo óxido: anhídrido carbónico. El gas hilarante, usado como anestésico, es un óxido de nitrógeno. La arena, el cuarzo, el ópalo, son también óxidos. Estos compuestos suelen ser utilizados para obtener otros, también importantes. De los óxidos de azufre y nitrógeno se obtienen el ácido sulfúrico y el ácido nítrico, compuestos de gran utilidad en diversas industrias. *Véanse* OXIDACIÓN; ÓXIDO DE CARBONO; ÓXIDO DE NITRÓGENO; OXÍGENO.

óxido de carbono. El carbono posee tres óxidos: 1) el monóxido, que es un gas incoloro e inodoro, sumamente venenoso, y se forma en las estufas de carbón o de gas y en los escapes de los motores de gasolina cuando la cantidad de oxígeno es insuficiente para la combustión; 2) el bióxido, recibe el nombre de anhídrido carbónico y es producido por el cuerpo humano, que lo elimina por medio de los pulmones; además, todas las combustiones completas producen bióxido de carbono; 3) el subóxido es un gas tóxico, de importancia práctica mucho menor, que no se puede obtener por síntesis directa.

Las fórmulas de las tres sustancias son, respectivamente, CO, CO_2 y C_3O_2. El monóxido, que es el óxido de carbono por antonomasia, puede provocar la muerte con notable rapidez, pues se une a la hemoglobina de la sangre transformándola en carboxihemoglobina e impidiendo su función transportadora de oxígeno. Cuando una persona se envenena con esta sustancia, debe ser colocada inmediatamente en un sitio bien ventilado, aligerada de ropas, y ser objeto de respiración artificial. El monóxido de carbono tiene una gran importancia en la industria, pues a partir de él se obtienen plásticos, solventes orgánicos, productos farmacéuticos, etcétera. El bióxido de carbono se utiliza como gas incomburente en los extinguidores de incendio, en la gasificación de refrescos envasados, etcétera. El subóxido carece de importancia industrial.

óxido de hierro. Cuando el oxígeno se combina con el hierro, se pueden producir tres clases de compuestos distintos: *óxido ferroso* (FeO), que no se encuentra en la naturaleza y que se obtiene por reducción de los otros dos óxidos restantes. El óxido ferroso tiene propiedades magnéticas. *Óxido férrico-ferroso* (Fe_3O_4), producto natural formado por la asociación de una molécula de óxido ferroso y otra de óxido férrico; recibe el nombre de magnetita por sus propiedades fuertemente magnéticas; este compuesto es una importante materia prima para la obtención del hierro metálico. *Óxido férrico* (Fe_2O_3), producto natural conocido con el nombre de hematites roja debido a su coloración. Se usa como pigmento y en la obtención de hierro. Estos tres óxidos de hierro se pueden obtener por oxidación de otros compuestos naturales, como por ejemplo los sulfuros de hierro.

óxido de nitrógeno. Compuesto químico formado por oxígeno y nitrógeno. Los compuestos oxigenados del nitrógeno son cinco: *óxido nitroso* (N_2O). Gas incoloro de olor dulce, de propiedades comburentes, muy soluble en agua. *Óxido nítrico* (N_2O_2). Gas incoloro que en presencia de oxígeno se oxida espontáneamente transformándose en dióxido de nitrógeno. Su fórmula simplificada es NO y es poco soluble en agua. *Trióxido de nitrógeno* o *anhídrido nitroso* (N_2O_3). Líquido de color verde que al contacto del agua reacciona con ella formando ácido nitroso. *Tetróxido de nitrógeno, dióxido de nitrógeno* o *anhídrido nítrico-nitroso* ($N_2O_4 = 2NO_2$). Gas de color rojizo y olor sofocante que al contacto del agua forma una mezcla de ácido nítrico y de ácido nitroso. *Pentóxido de nitrógeno* o *anhídrido nítrico* (N_2O_5). Sólido cristalino e incoloro que al contacto del agua genera ácido nítrico.

Todos los óxidos del nitrógeno son compuestos endotérmicos que pueden en determinadas condiciones hacer explosión por medio de un detonador. En medicina aplicada, el más importante de todos los óxidos es el óxido nitroso conocido como *gas hilarante* por el efecto eufórico que produce al sistema nervioso durante su inhalación. Esta propiedad fue descubierta a principios del siglo XIX por el químico inglés sir Humphry Davy, junto con la propiedad anestésica demostrada por el mismo gas. La aplicación práctica del óxido nitroso a la medicina tardó casi medio siglo correspondiendo a William I. Green Morton el mérito de haber operado en el anfiteatro del Hospital General del estado de Massachusetts, en 1846, a un enfermo anestesiado con el gas hilarante. Industrialmente el dióxido de nitrógeno es el que mayor importancia tiene, pues por reducción e hidrogenación produce amoniaco; por hidratación es el ácido nítrico su producto final y en química orgánica tiene multitud de aplicaciones.

óxidorreducción. Fenómeno simultáneo de oxidación y reducción que se verifica en gran número de combinaciones químicas. Consiste en la modificación que sufren algunos átomos en el valor de su valencia, durante la realización de una transformación química. Cuando aumenta el valor de la valencia de un átomo, se dice que se oxidó. Cuando disminuye el valor de la valencia de un elemento, durante una reacción química, se dice que el elemento se redujo. El fenómeno simultáneo de la oxidación y reducción encuentra aplicación práctica en el balanceo de ecuaciones químicas. El prototipo de elemento reductor es el hidrógeno y de elemento oxidante, el oxígeno, cuando ambos reaccionan entre sí, el oxigeno es reducido y el hidrógeno es oxidado formándose agua. Otras muchas sustancias tienen propiedades reductoras: el sulfato ferroso, el carbón, el sodio metálico, etcétera. De entre los compuestos oxidantes, podemos mencionar el ácido nítrico, el permanganato de potasio, el cloro, etcétera. En los procesos biológicos la oxidación y reducción tienen una importancia capital; el oxígeno del aire en oxidación lenta va transformando las sustancias energéticas del organismo hasta producir bióxido de carbono y agua, manteniéndose así la temperatura necesaria para la vida.

oxígeno. Elemento químico de molécula diatómica. Los átomos de oxígeno tienen en su núcleo ocho protones (cargas positivas) y ocho neutrones (partículas neutras) estando rodeado este núcleo por ocho electrones (cargas negativas) que giran vertiginosamente formando dos órbitas. El peso atómico del oxígeno es 16 y su símbolo O. La importancía de este elemento es tal que no hay actividad viviente que no dependa de su acción. El aire, el agua, casi todos los cuerpos de la naturaleza, están formados por oxígeno. En la composición química de nuestro planeta el oxígeno representa 46.43%, y una quinta parte de la atmósfera corresponde a este elemento, ocho de cada nueve partes de agua y dos tercios del cuerpo humano están compuestos también por este elemento. La unión del oxígeno con otra sustancia cualquiera da origen a los óxidos que pueden ser básicos o ácidos. El agua, que está formada por oxígeno e hidrogeno, seria en realidad un oxido de hidrogeno. Los minerales, las rocas, se oxidan cuando están expuestas durante mucho tiempo al aire. El vino es alterado por la acción del oxígeno (por medio de una bacteria) y se convierte en vinagre. Los antiguos griegos creían que el fuego era el elemento más importante del universo; hoy sabemos que casi todos los procesos vitales son en realidad una combustión.

En la respiración, por ejemplo, el oxígeno del aire quema los compuestos de carbono e hidrógeno que existen en los tejidos del cuerpo humano. Los productos que nacen de esta oxidación son los mismos que se obtienen cuando se quema un trozo de madera o una hoja de papel: agua y anhídrido carbónico (compuesto de oxígeno y carbono). Esta oxidación engendra también, como en la combustión común, un aumento de temperatura, aunque menor, pues estos procesos no se realizan en el cuerpo humano con la misma intensidad que en el fuego. Todo ser viviente necesita el oxígeno. Los peces están provistos de un órgano especial, las branquias, que les permite extraer el oxígeno disuelto en el agua; las plantas absorben (a la luz el sol) el carbono de un compuesto oxigenado: el anhídrido carbónico. Si a un hombre, un animal o una planta, se les priva de oxígeno mueren rápidamente. El oxígeno es utilizado para salvar la vida de muchos enfermos. Los aviadores que ascienden a grandes alturas, donde el oxígeno es escaso, suelen ir provistos de máscaras con depósitos de este gas.

El oxígeno fue descubierto, como muchas otras cosas, casualmente, durante un experimento. Un sacerdote inglés aficionado a la química, Joseph Priestley, tuvo un día la ocurrencia de calentar un polvo rojo, poco estudiado aún. En seguida pudo observar que en las paredes del tubo de vidrio donde había colocado una sustancia, se depositaban finas capas de mercurio; pero al mismo tiempo un gas desconocido escapaba del recipiente. El polvo rojo era óxido de mercurio que al ser calentado se había dividido en mercurio y oxigeno. Algunos opinan que no fue Priestley sino Carl W. Scheele, un químico sueco, el verdadero descubridor de este gas. En los experimentos de Priestley se había advertido que un cuerpo cualquiera ardía con mayor intensidad ante la presencia del oxígeno. Antoine Laurent Lavoisier estudió esas experiencias y dedujo que toda combustión es en realidad una combinación de oxígeno con un material combustible.

Lavoisier descubrió también que el aire estaba compuesto por dos elementos: uno inerte, el ázoe (palabra griega con la que designó al nitrógeno y que significa *sin vida*) y otro de gran actividad química al que llamó oxígeno o *engendrador de ácido*. Más tarde se demostró que el elemento esencial en los ácidos es el hidrógeno y no el oxígeno. Este gas suele obtenerse en los laboratorios de la evaporación del aire líquido: el nitrógeno se evapora más rápidamente que el oxígeno y éste puede así ser recogido con facilidad.

Se obtiene también oxígeno en estado puro al hacer pasar a través de agua acidulada o alcalinizada una corriente eléctrica; sus dos componentes, el oxígeno y el hidrógeno, se desprenden separadamente en los electrodos. *Véanse* OXIDACIÓN; ÓXIDO.

oxiuro. Gusano nematodo de cuerpo cilíndrico y delgado, comúnmente de color blanco, que vive en el intestino grueso de mamíferos y reptiles. Aunque puede encontrarse en el intestino y en el recto de los adultos, es más común en el de los niños. Su presencia se manifiesta por una intensa picazón. Se expulsa por medio de vermífugos.

Oyuela, Calixto (1857-1935) Escritor argentino. Autor de una copiosa obra poética, publicó asimismo numerosos estudios de crítica literaria sobre la obra de Andrés Bello, Marcelino Menéndez y Pelayo, Rubén Darío y los poetas gauchescos de Argentina. Merecen destacarse especialmente sus *Cantos* y su libro póstumo *Poetas hispanoamericanos*. Fue miembro correspondiente de la Academia Española.

Ozanam, Antonio Federico (1813-1853). Crítico e historiador francés de origen italiano. Dejó importantes estudios sobre la civilización medieval, Dante Alighieri y la poesía mística italiana. Tanto como por su obra literaria, la posteridad lo recuerda por haber fundado y organizado la Sociedad de San Vicente de Paul, para socorro de los menesterosos en su propio domicilio. Fue profesor durante doce años en la Sorbona, y entre sus obras se destacan: *Dante y la filosofía católica en el siglo* XIII, *Estudios germánicos para la historia de los francos* y *Documentos inéditos para la historia de Italia*.

ozono. Gas incoloro que es una forma alotrópica del oxígeno. La molécula de oxígeno está formada por dos átomos, la del ozono por tres. Cuando comenzaron a funcionar las primeras máquinas eléctricas, se advirtió alrededor de ellas cierto olor similar al del cloro, más tarde se supo que era causado por el ozono. En estado natural es un gas que abunda en las capas superiores de la atmósfera, donde la acción de la luz altera fácilmente la composición molecular del oxígeno En los laboratorios pueden emplearse varios métodos para obtener el ozono; uno de ellos es el de someter a grandes presiones y temperaturas el oxígeno puro. Si se hace pasar una corriente de aire ante una lámpara de rayos ultravioletas también se obtiene ozono. Como el tercer átomo de la molécula del ozono no está fuertemente unido con los otros dos, puede desprenderse fácilmente, por lo que su actividad química es muy grande y puede ser aprovechada para purificar los alimentos, el agua o el mismo aire, pues oxida rápidamente las impurezas que puedan contener estas sustancias, es decir, las destruye. El aire puro que parece respirarse en los días claros y brillantes contiene más ozono que el de los días nublados y húmedos. Sin embargo, estos efectos se logran con una cantidad muy pequeña de gas ozono. En las capas bajas de la atmósfera cada cm^3 de ozono se encuentra diluido en 450,000 de aire. Otra de las propiedades del ozono es la de absorber parte de las radiaciones ultravioletas que emite el Sol; sin su acción estos rayos quemarían nuestra piel. *Véanse* OXIDACIÓN; OXÍGENO.

Evolución de la capa de ozono en la Antártida fotografiada desde un satélite de la NASA.

Corel Stock Photo Library

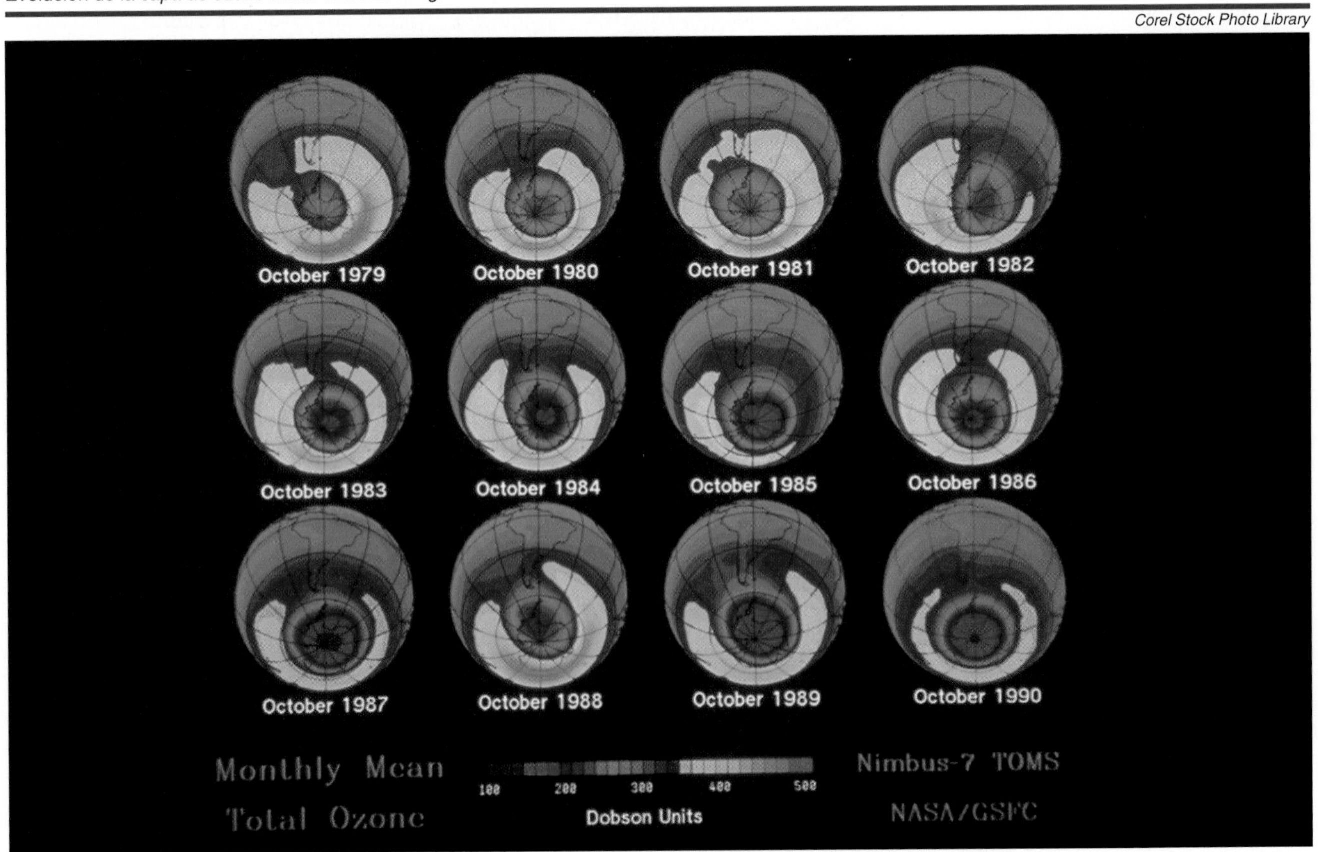

p. Decimonona letra del alfabeto español y decimoquinta de sus consonantes. Su nombre es *pe*, y su articulación, bilabial, oclusiva y sorda. El sonido inicial latino de *pe* ha pasado sin alteraciones al castellano (puerta, de *porta*); en cambio se ha transformado en be cuando se hallaba entre vocales (abeja, de *apiculam*). Parece tener su origen en el alfabeto de los semitas, pueblo que vivía en la península de Sinaí, al norte del Mar Rojo, donde significa boca. En física la *p* minúscula equivale a potencia. La *P* mayúscula es el símbolo químico del fósforo. Entre los romanos fue utilizada como signo numeral. La *P* sola indicaba entonces 400, y con una raya encima 400,000.

Paasikivi, Juho K. (1870-1956). Estadista finlandés. En 1918 asumió el cargo de primer ministro y posteriormente fue embajador en Rusia y en Suecia. En 1940 suscribió en Moscú el tratado de paz que puso término a la guerra con Rusia. Al concluir la Segunda Guerra Mundial fue nombrado presidente del Consejo y dos años después, al renunciar el mariscal Mannerheim, fue elegido presidente de Finlandia, cargo en el que fue reelegido en 1950.

Pablo, san (?- 67?). Llamado el Apóstol de los Gentiles, es la gran figura del cristianismo que predicó la religión de Cristo y organizó su Iglesia. Nació de una familia judía de la ciudad de Tarso, en la Cilicia, y recibió el nombre de Saulo. Su ciudad natal estaba bajo el imperio de Roma y él era ciudadano romano. Sus padres, ricos comerciantes, le enseñaron el oficio de tejedor y lo enviaron a Jerusalén para que estudiara la religión y las tradiciones hebreas con el gran rabino Gamaliel. Asociado al Sanhedrín en Jerusalén, asistió a la ejecución de san Esteban, el primer mártir cristiano. Por aquel entonces, le pidieron sus superiores que se trasladara a Damasco para apresar allí a los judíos cristianos y conducirlos a Jerusalén. Estaba en estos menesteres, camino de Damasco, cuando se le apareció Jesucristo, nimbado de radiante luz. Saulo cayó del caballo y oyó la voz del Maestro que le preguntaba: "¿Por qué me persigues?", milagrosa evidencia que lo convirtió en un nuevo apóstol del cristianismo. En el año 34 se hizo bautizar por Ananías y comenzó a predicar su nueva doctrina en las propias sinagogas, para escándalo de los judíos, que intentaron matarlo. Pero, Saulo, que desde su conversión se llamaba Pablo, huyó hacia Jerusalén donde se afirmó más su fe con las pláticas que mantuvo con san Pedro y allí decidió difundir la religión de Cristo por todo el mundo. Comenzó predicando en Cesarea y toda la Arabia, para regresar a Cilicia y a Tarso, su ciudad natal. Hacia el año 43 estaba de nuevo en Jerusalén y desde allí partió hacia Antioquía para predicar durante un año entre los gentiles y fundar una iglesia cristiana en la ciudad. De nuevo en Jerusalén y hacia el año 47, inició sus tres viajes apostólicos: el primero, en compañía de san Bernabé, lo lleva por toda el Asia Menor, hasta Chipre. En el segundo del año 49 al 52, acompañado por Silas y varios discípulos, recorre desde el Asia Menor hasta Macedonia y Grecia, fundando la iglesia de Filipos, el primer templo cristiano de Europa, y pronunciando sus más célebres discursos en Tesalónica, Atenas y Corinto. En esta ciudad lo encarcelan y Gallio, el hermano del filósofo Séneca lo procesa; lo dejan al fin en libertad y emprende su tercer viaje, del año 53 al 58, en que recorre la Galatia y todos los otros sitios que había evangelizado. Este viaje lo termina en Éfeso donde se queda tres años predicando y ganando cada vez más adictos. Viaja después a Jerusalén, donde una multitud de judíos quiso matarlo, pero Lisias, el comandante de la guarnición romana, le salvó la vida al apresarlo. Quisieron procesarlo en Cesarea y luego en Jerusalén, pero Pablo reclamó sus derechos de ciudadano romano y apeló al César. Hacia el año 60 fue enviado a Roma, donde quedó en libertad y emprendió de nuevo sus misiones. Cuando el emperador Nerón desató la sangrienta persecución contra los cristianos, san Pablo fue apresado y decapitado en el año 67. La Iglesia católica, que celebra la fiesta de san Pablo el 29 de junio, lo tiene por el fundador de la teología cristiana y como el gran predicador y organizador. Las muchas cartas que dejó estaban dirigidas a sus amigos y discípulos en las iglesias que fundó. Todas ellas forman sus *Epístolas* que ocupan un lugar destacado en el Nuevo Testamento y están divididas en cuatro grupos: las que escribió a los tesalonicenses, las de los gálatas, corintios y romanos; las escritas a los fieles de Éfeso y Filipos, y las que dirigió a Timoteo y a Tito. Hay además otro grupo aparte dirigido a los hebreos. Todas estas cartas están escritas en el mismo estilo y estructura: el preámbulo, el cuerpo doctrinal donde habla principalmente de las verdades y reglas del cristianismo y de la forma como se deben aceptar y seguir, y la conclusión en que, por lo general, hace las recomendaciones y distribuye los saludos. Todas, menos las dirigidas a los hebreos, fueron escritas por san Pablo en griego.

Pablo y Antón, Joaquín (? -1830). Guerrillero español más conocido por *Chapalangarra*. Combatió a las órdenes de Francisco Espoz y Mina y de Francisco Xavier Mina durante las guerras de independencia contra la invasión napoleónica y llegó a tener el mando de un batallón con el que causó a los franceses cuantiosas bajas. Luchó después abiertamente contra el absolutismo de Fernando VII y en 1823, siendo gobernador de Alicante, resistió heroicamente a las tropas francesas del duque de Angulema, pero fue vencido y hubo de refugiarse en Londres. Regresó a España en 1830 con José de Espronceda y otros liberales, siendo sorprendidos por los realistas en Valcarlos. Cuando trataba de arengar a sus paisanos, los navarros, una descarga de éstos lo mató.

paca. Mamífero roedor de la familia de los dasipróctidos, de unos 50 cm de longitud, que vive en la América meridional. Tiene cabeza gruesa, hocico ancho, grandes ojos y orejas redondeadas, pelaje espeso y lacio, con hileras longitudinales de manchas claras, igual que el pelo del vientre. Vive en madrigueras, saliendo sólo de no-

Corel Stock Photo Library

Atardecer desde las costas del Pacífico.

che para alimentarse de vegetales; su carne es comestible y puede ser domesticado con facilidad.

Pacífico, océano. División de la hidrósfera que ocupa casi la mitad de la extensión de los mares de la Tierra. Recibió primeramente el nombre de Mar del Sur que le dio su descubridor Vasco Núñez de Balboa, y hoy se le denomina también Gran océano por ser el mayor de éstos. Es al mismo tiempo el más tropical, pues 52% de su superficie se halla entre los trópicos. La masa continental de América y su prolongación por una línea imaginaria hasta la península Antártica lo limitan por el este; y las costas orientales de Asia, la alineación occidental del archipiélago Malayo, de Sumatra a Timor, Australia y el meridiano de Tasmania por el oeste. Al norte, se angosta entre los litorales de América y Asia para comunicarse, por el estrecho de Bering, con el océano Glacial Ártico. El Pacífico meridional confunde sus aguas con las del océano Glacial Antártico; con las del Índico por la masa marítima comprendida entre Tasmania y la Antártida, y con el Atlántico por el estrecho de Magallanes y el paso de Drake.

Existe acentuado contraste entre la configuración del Pacífico Oriental y la del Occidental. En las rocosas costas americanas la plataforma litoral es estrecha, salvo en las costas de Alaska, no formando más golfo bien caracterizado que el de California, contadas islas de reducida extensión (Guadalupe, Revillagigedo, Clipperton, Cocos, Galápagos, San Ambrosio, Juan Fernández) y el arco de las Aleutianas, tendido hacia Asia, pues las islas correspondientes a los litorales de Chile y de Canadá son debidas a la acción erosiva glaciar.

Pero, en el sector occidental el perfil litoral, bordeado por los arcos insulares de las Kuriles, Sajalín, del Japón, Ryu-Kyu, Formosa, Filipinas y el archipiélago Malayo, ha dado origen a varios mares, como los de Bering, Ojotsk, Japón, Amarillo, China, Java, Célebes, Flores, Banda, Arafura, Coral y Tasmán.

Las numerosas agrupaciones de islas esparcidas en el océano Pacífico han sido clasificadas geográficamente en tres grandes divisiones: Melanesia, Micronesia y Polinesia. El área total de este océano suma 180 millones de Km^2, de los cuales unos 15 millones pertenecen a los mares secundarios. Su enorme masa de agua (708.000,000 de Km^3) alcanza en algunos lugares enormes profundidades que pasan de 10,000 m. Se han localizado, entre las Filipinas y las Marianas, las mayores fosas marítimas conocidas. Allí se halla la fosa de las Marianas en la que la sonda desciende a 10,960 m. Merecen también señalarse las fosas de Kermadec (9,142 m) y de Planet (9,148 m) en el Pacífico oeste y las de Aleutianas (7,382 m) y Atacama (7,635 m) en el este. La profundidad media se estima en 4,300 metros.

El fondo es irregular e inclinado de Chile hacia Asia Oriental. En él, la alternancia de las citadas y otras fosas con cuencas de escasa profundidad, al lado de depresiones de suave declive, muestran las dislocaciones y hundimientos sufridos en épocas geológicas pasadas, acción ratificada por las intensas manifestaciones sísmicas y volcánicas que se originan en muchas de las tierras próximas. Enormes corrientes y otras masas de agua, en continuo movimiento entre las lejanas orillas, recorren su extensión. Entre las principales corrientes figuran las de Kuro-Sivo –que es en el Pacífico lo que la del golfo en el Atlántico–, de Oya-Sivo, y la de Humboldt. Son también, de gran importancia la gran Corriente Ecuatorial del Norte, la Contracorriente Ecuatorial y la Corriente Ecuatorial del Sur. Algunas de las corrientes generales no están bien delimitadas y son, por lo tanto, más bien movimientos difusos que verdaderas corrientes.

El carácter tropical del Pacífico hace de él un océano templado en el que adquieren extraordinario desarrollo los archipiélagos madrepóricos –como la Gran Barrera de Australia– con atolones perfectamente formados. Si observamos la distribución de la temperatura se notará que el agua de la superficie de la zona septentrional es, en conjunto, más caliente que la de la meridional y también que a consecuencia de las corrientes marinas la parte oriental es más cálida que la occidental. La calma y el cielo azul paradisíaco que reinan en la región que se denominó Mar del Sur le valió el nombre que actualmente lleva, pero que no corresponde en otros lugares a la realidad.

En las proximidades de la costa australiana, por ejemplo, las bruscas depresiones atmosféricas dan lugar, de la región occidental de Japón al sur de Australia, a devastadores tifones. En el Pacífico occidental se fraguan terribles tempestades, especialmente en el equinoccio de otoño y en el invierno. Además son frecuentes en este océano las olas de traslación u olas libres. Está poblado con miríadas de peces de toda forma y tamaño, algunos, como los de las aguas vecinas al Japón, de maravillosos colores.

La riqueza pesquera es considerable y sus áreas más productivas radican en el hemisferio boreal (Kuriles, península de Kamchatka, Japón, Formosa, Mar de Bering, Alaska, Canadá). Existen ricas pesquerías de ostras perlíferas.

Por el Pacífico circulan innumerables naves que dan lugar a intenso movimiento marítimo. Los intercambios comerciales son activos entre Norteamérica, China, Japón y Filipinas; entre Estados Unidos y Canadá de un lado, y Australia y Nueva Zelanda de otro, entre Asia y estos últimos países, y entre América Septentrional y Meridional.

El Pacífico fue descubierto por Vasco Núñez de Balboa en 1513 y atravesado por primera vez por Magallanes (que le dio el nombre actual) y Juan Sebastián Elcano. Los viajes de López de Villalobos, Juan Fernández, Miguel López de Legazpi, Andrés de Urdaneta, Mendaña de Neyra, sir Francis Drake, Pedro Fernández de Quiró, Abel Janszoon Tasman, Vitus Bering, James Cook, Jean Francois conde de La Pérouse, Marshall, Grove Karl Gilbert,

John Wallis y otros ayudaron a su conocimiento, que ha sido perfeccionado posteriormente por las expediciones oceanográficas de carácter científico llevadas a cabo a fines del siglo XIX por los buques *Challenger, Tuscarora* y *Albatros* y los congresos científicos para el fomento de los estudios geográficos.

En el siglo XX se llevó a cabo en este océano un viaje que recuerda aquellos de los intrépidos marinos del siglo XVI. Seis jóvenes noruegos, con una balsa de troncos de árbol, atravesaron el Pacífico, en 1947, de Perú a las islas Tuamotú (unos 7,000 km) en las mismas condiciones en que pudieron haberlo hecho los indios antes de Colón. Thor Heyerdahl, uno de los marinos citados, cuenta la aventura en su libro *Kon-Tiki.*

pacifismo. Conjunto de doctrinas que tienen por finalidad mantener la paz entre las naciones y solucionar los conflictos internacionales mediante acuerdos. Lo crearon hombres idealistas, y a él se adhirieron cuantos estiman que la guerra es el estado opuesto a la civilización y a los principios más elementales de la vida. La bibliografía dedicada a exponer las doctrinas pacifistas es inmensa y está escrita en todos los idiomas por filósofos, sociólogos, juristas, economistas y escritores en general, quienes han expuesto así sus discrepancias con el armamentismo a que se han entregado las grandes potencias modernas. Para trabajar por la paz se han creado diversas instituciones, entre ellas la del Premio Nobel, en 1901; la Fundación Carnegie para la Paz Internacional, en 1911; la Sociedad de las Naciones con asiento en Ginebra, en 1920, y la Organización de las Naciones Unidas con sede en New York, en 1945.

pacto. Convenio entre dos o más partes en el cual se estipulan las condiciones que las partes se obligan a cumplir, así como el plazo de su duración o las causas que lo darán por caducado. Puede referirse a asuntos de diversa índole y ser concertados por personas, empresas y entidades. También las naciones pueden celebrar pactos entre sí, que tienen carácter internacional. Entre los pactos entre naciones suscritos en el siglo XX y que han tenido repercusiones de importancia mundial, se hallan: el de la extinguida Sociedad de las Naciones suscrito en Versalles (1919), del que nació la primera organización universal; el de *París* (1928), que mereció adhesión casi total, que condenaba la guerra como recurso para la solución de las controversias internacionales y se renunciaba a ella como instrumento político; el llamado del *Eje Berlín Roma* (1936), seguido del *Tripartito* (1940), con la adhesión de Tokio, que unió a Alemania, Italia y Japón, y tuvo tanta trascendencia en la Segunda Guerra Mundial; el de la *Carta del Atlántico* (1941), que fijó las libertades que en dicho conflicto mundial defendían los aliados; el de *Río de Janeiro* (1947), que une a las naciones americanas en una sola entidad en caso de agresión exterior; y el del *Atlántico Norte* (1949), que une a las naciones de Europa occidental y de América del Norte contra cualquier agresión soviética. *Véase* TRATADO.

Pachacámac. Ciudad preincaica del Perú, de la que quedan importantes ruinas. Estuvo situada en el valle de Lurín, a unos 30 km al sureste de Lima. Entre sus ruinas principales se hallan tres templos o adoratorios, en forma de pirámide escalonada. El primero es el templo del dios Pachacámac, divinidad principal de los naturales de la región; el segundo es el templo del Sol, y el tercero de la Luna. En la parte baja de los templos existen ruinas de celdas. Alrededor se encuentran restos de una población extensa, según revelan sus edificios, entre cuyas ruinas se han hallado miles de sepulturas y numerosas momias.

Pachacútec, Inca Yupanqui (? - 1400). Uno de los más brillantes reyes del imperio inca del Tahuantinsuyo (Perú). Extendió sus conquistas hasta los confines de Bolivia y luego penetró en territorios argentinos hasta Tucumán, mientras que por la costa chilena llegó hasta el sur de Tarapacá. En la costa central conquistó los Chinchas y luego avanzó hasta incorporar a su imperio toda la sierra norte del Perú hasta Chachapoyas. En la costa norte conquistó el reino del Gran Chimú y condujo sus armas vencedoras hasta los comienzos del Ecuador.

Pacheco, Gregorio (1823-1899). Político e industrial boliviano. Fue presidente de la República (1884-1888). Durante su gobierno, Bolivia pasó a formar parte de la Unión Postal Universal. Se exploró el Chaco Boreal y se fundó Puerto Pacheco en la margen derecha del río Paraguay. Se inauguró el primer servicio internacional telegráfico La Paz-Lima. Ratificó el tratado de tregua con Chile, que fijó los límites territoriales entre ambos países.

Pacheco, José Emilio (1939-). Escritor mexicano. Poeta, narrador, traductor, ensayista y catedrático en diversas universidades de Estados Unidos, Inglaterra y Canadá. Recibió el Premio Nacional de Poesía en 1969. Está considerado uno de los mejores escritores mexicanos actuales. Su versión de *Cómo es,* de Samuel Beckett, ha sido calificada de excepcional. De su poesía sobresalen los libros *Los elementos de la noche* (1963) y *El regreso del fuego* (1967). Con el título *Tarde o temprano* (1980) recogió toda su obra poética anterior; posteriormente aparecieron *Miro la tierra* (1986) y *El pacto de la luna* (1996); de su narrativa, *Morirás lejos* (1968), *El principio del placer* (1972) y *Las batallas en el desierto* (1981). Es miembro de El Colegio Nacional.

Pachuca de Soto. Ciudad mexicana, capital del estado de Hidalgo. Tiene 220,488 habitantes (1995) y está situada a 2,426 m sobre el nivel del mar, en una estrecha y agreste cañada de la Sierra de Pachuca, a 94 km al noreste de la ciudad de México. Es una interesante ciudad minera de calles estrechas e irregulares debi-

Reunión de mandatarios en la firma de un pacto internacional.

Corel Stock Photo Library

do a lo agreste y accidentado del terreno. Entre sus edificios principales se destacan el templo de San Francisco, las casas coloradas del conde de Regla, y el edificio llamado de Las Cajas. Tiene excelentes vías de comunicación. Es gran centro minero y en sus inmediaciones existen minas de plata de las más antiguas de México, que durante siglos han producido fabulosas riquezas. Se cree que cuando los aztecas dominaron a los toltecas establecidos en la región, las ricas minas de Pachuca fueron trabajadas por aquéllos. Después de efectuada la conquista de México Tenochtitlan (1521), los españoles penetraron en Pachuca y regiones adyacentes, y explotaron activamente la gran riqueza argentífera. En 1557, Bartolomé de Medina inventó en Pachuca el beneficio de metales por amalgamación llamado *método de patio*, que determinó un gran progreso en la industria minera. Beneficiada por la revalorización de la minería (1824), en el siglo XX ha sido el principal productor de plata en México.

Paderewski, Ignacy Jan (1860-1941). Pianista, compositor y estadista polaco, que conquistó fama universal como pianista excepcional e inflamado patriota. Dividió su vida entre el amor al arte y a su patria, nació en la provincia polaca de Podolia, que entonces estaba bajo el dominio de Rusia. Su padre, acaudalado administrador de propiedades que luchaba por la libertad de Polonia y había estado preso en Siberia, era amante de la música e hizo estudiar el piano a su hijo desde los seis años. Como demostrara gran talento, se le envió al Conservatorio de Varsovia a los 12 años y, con otros 6 más de aprendizaje y perfeccionamiento, llegó, siendo muy joven, a profesor en el Conservatorio de Varsovia y en el de Estrasburgo, mientras seguía estudiando tenazmente. En Viena, pasó tres años junto a su famoso maestro Teodoro Leschetizky.

En 1887, considerándose suficientemente preparado, emprendió su brillante carrera de concertista presentándose ante los auditorios europeos, que lo recibieron con entusiasmo. Su presentación en New York en 1891 tuvo gran importancia porque fue en Estados Unidos donde desplegó mayor actividad y acumuló su fortuna. Después de dar 117 recitales en tres meses, Paderewski hizo una breve gira por Europa y, al año siguiente, volvió a Estados Unidos, llegando a cobrar hasta 2,500 dólares por concierto. Durante todos sus años de triunfos tuvo siempre presente la crítica situación de Polonia y se dedicó de lleno a laborar por la independencia de su patria. Al estallar la Primera Guerra Mundial, el pianista trabajó sin cesar en una serie no interrumpida de conciertos destinada a recaudar fondos para los soldados polacos que luchaban en el frente; desplegó enorme actividad para reclutar cien mil compatriotas suyos en Estados Unidos y formar con ellos el mayor de los contingentes polacos que lucharon en Francia.

Al terminar la contienda, Paderewski entró directamente en la política y representó a Polonia en la Conferencia de Paz de Versalles y, luego, en la Liga de las Naciones. En 1919 abandonó su carrera musical, regresó a Polonia y se convirtió en el primer ministro y canciller de un gabinete que, debido a desavenencias políticas, sólo permaneció diez meses en el poder. En 1922 reanudó sus actividades musicales y dio una serie de recitales, principalmente en Estados Unidos, apareció en el cinematógrafo, publicó sus *Memorias* y, al cumplir los 78 años, cuando más de 15,000 personas reunidas en el Madison Square Garden de Nueva York, lo esperaban para ovacionarlo, sufrió un leve ataque al corazón y, enfermo, partió hacia sus propiedades de Suiza donde pasó los dos últimos años de su vida, triste y amargado al ver de nuevo sojuzgada a su querida Polonia por las tropas alemanas. Se negó a dar conciertos en público; pero aceptó que lo nombraran presidente del Consejo Nacional Polaco en el exilio. En 1940, buscando ayuda y amistad para Polonia volvió a Estados Unidos y se radicó en sus propiedades de California, y, en uno de sus viajes a Nueva York murió tras una breve enfermedad, a los 81 años.

La excelencia del ejecutante y el ardor del patriota eclipsan en Paderewski la gloria del compositor, aunque algunas de sus obras obtuvieron gran éxito en el extranjero, principalmente su conocido *Minueto*, el *Concierto para piano* y la *Fantasía polaca* para piano y orquesta, que muestran la ductilidad y la distinción de la técnica de Paderewski y la abundancia de sus ideas musicales. Esas mismas condiciones se advierten en la ópera *Manru* estrenada en 1901 y presentada en Nueva York en 1902, su *Sinfonía polaca* y otras obras más en las que Paderewski concentró las más fuertes expresiones de su ardor nacionalista y patriótico.

Padilla, Juan de (1490-1521). Patriota español, jefe de las comunidades de Castilla en la guerra que éstas entablaron contra la política absolutista de Carlos V y sus ministros flamencos. Toledano, de noble familia, *buen caballero, aunque no muy avisado y medianísimo caudillo de una insurrección*, fue nombrado jefe de las milicias de su ciudad natal en el momento del levantamiento. Más tarde fue capitán general de las tropas comuneras, al frente de las cuales tomó Tordesillas, donde intentó formar un gobierno nacional con la reina doña Juana, y penetró en Valladolid. Sustituido por su inacción por Pedro Girón, volvió a la lucha, después de la traición de éste, al frente de 2,000 toledanos y conquistó Ampudia y Torrelobatón. En esta plaza las divergencias de la Junta de Ávila y la espera de refuerzos le hicieron perder dos meses. Al fin, incorporadas a sus tropas las de Juan Bravo y Francisco Maldonado, salió al campo, pero la caballería imperial lo obligó a refugiarse en Villalar, donde los comuneros perdieron la batalla decisiva. Padilla y sus dos compañeros citados fueron ejecutados al día siguiente.

Padilla, Manuel Asencio (1773-1816). Guerrillero de la independencia de Bolivia. Al mando de un pequeño ejército venció a los realistas en varios combates. Perseguido huyó a Argentina donde se incorporó a las fuerzas patriotas y tomó parte en las batallas de Tucumán y Salta. A su regreso al Alto Perú prosiguió en su lucha por la emancipación y murió en combate. Su esposa, Juana Azurduy, que le acompañaba en la guerra, lo sucedió en el mando de las tropas, y llegó a alcanzar el grado de teniente coronel.

padre. Nombre que se da al varón que ha engendrado, respecto de sus hijos. El padre es el jefe de la familia y como tal tiene la obligación de proveer lo necesario para el mantenimiento del hogar y el sustento y educación de los hijos. Un sentido más amplio le dan los cristianos a esta palabra cuando se refieren a Dios Padre como padre de Cristo y como creador del mundo. En el Antiguo Testamento se designa con el nombre de padres a los patriarcas, sacerdotes, profetas y antepasados ilustres. Más tarde se llamó *padres de la Iglesia* a los obispos insignes y a otros eminentes maestros de los primeros tiempos del cristianismo, notables por su recto juicio y vida ejemplar, llamándose también así a los miembros de algunas órdenes religiosas. Se acostumbra a designar, por otra parte, como padres, a todos los grandes hombres a quienes la humanidad debe, en alguna forma, sus mejores realizaciones. Así, decimos que Homero es el *padre* de la poesía; Hipócrates, el *padre* de la medicina; Galileo, el *padre* de la física; Bach, el *padre* de la música, Herodoto, el *padre* de la historia; Euclides, el *padre* de la geometría, etcétera.

Padre Nuestro. Oración enseñada por Jesucristo a sus apóstoles y discípulos. Es conocida también bajo el nombre latino de Paternoster y ha sido llamada *Oración dominical* o *Plegaria del Señor*. El Evangelio de san Mateo inserta el texto que hoy conocemos en el curso del Sermón de la Montaña, mientras que el de san Lucas contiene una versión más breve, pero esencialmente igual. El Padre Nuestro es, por su origen y contenido, la mejor plegaria oral que puede utilizar el cristiano. San Agustín nos dice que en la sublime concisión de su texto se encierran las siete peticiones que podemos formular a Dios. Las analizaremos empleando la antigua y bella versión castellana que han utilizado muchas generaciones de creyentes. La plegaria se inicia con una invocación: *Padre nuestro que estás en el cielo*, que reconoce la paternidad divina y afirma nuestra condición de hijos del Padre y hermanos en la caridad. Sigue luego la primera petición: *santificado sea tu nombre*, que solicita que Dios sea conocido, alabado y glorificado por toda la humanidad. La segunda: *venga a nosotros tu reino*, pide que el reinado espiritual de Dios se establezca y perdure entre los cristianos; la tercera: *hágase tu voluntad, así en la tierra como en el cielo*, solicita que la Gracia divina corrija las tendencias desordenadas; la cuarta: *dános hoy nuestro pan de cada día*, pide el alimento necesario para mantener la vida del cuerpo y del espíritu; la quinta: *perdóna nuestras ofensas, así como nosotros perdonamos a los que nos ofenden*, implora los dones del arrepentimiento y del perdón; la sexta: *no nos dejes caer en la tentación*, no solicita que las tentaciones desaparezcan, sino que nuestra voluntad logre vencerlas con el auxilio de la Gracia; y la séptima: *y líbranos del mal*, reclama que el pecado no perturbe nuestra marcha hacia la vida eterna. La oración se cierra con la palabra *Amén*, voz hebrea que significa *en verdad*, y que suele ser traducida utilizando la expresión castellana así sea.

El Padre Nuestro apela a la misericordia de Dios para que supla las deficiencias de la fragilidad humana. Desde el siglo II, cuando Tertuliano lo analizó en su tratado *De Oratione*, hasta nuestros días, ha sido objeto de innumerables exégesis e interpretaciones estéticas. La Iglesia católica lo ha incorporado a las partes fijas del Sacrificio de la Misa. No hay instante del día o de la noche en que un sacerdote no repita las sagradas palabras en algún rincón del mundo. El Padre Lorenzo Hervás, ilustre filólogo jesuita del siglo XVIII, recopiló las traducciones del Padre Nuestro a 307 idiomas y dialectos diferentes.

padres de la Iglesia. Doctores de la Iglesia primitiva que más sobresalieron en la organización de la misma y en la defensa de los misterios y doctrinas de la religión cristiana. Fueron las verdaderas columnas del edificio de la Iglesia, que a partir de la muerte del emperador Teodosio (395) empezó a gozar de la paz y tranquilidad necesarias para cumplir la misión que le había señalado su fundador, Jesucristo. Con ellos, la Iglesia se consolida; se universaliza tomando el apelativo de católica, es decir universal; y se reconoce legalmente como potestad eclesiástica, comenzando a promulgar decretos que son reconocidos y confirmados por el poder civil. Y con ellos, la Iglesia inició su desarrollo como corporación jerárquica, acomodando sus ritos y prácticas religiosas a las necesidades de los tiempos sin atentar contra la inmutabilidad del dogma, del que fueron más excelsos defensores: san Anastasio el Grande; san Juan Crisóstomo; san Gregorio Nacianceno; san Basilio; san Jerónimo; san Ambrosio y san Agustín. *Véase* PAPADO.

padrino y madrina. Nombres que reciben, respectivamente, el varón y la mujer que sostienen o presentan en la pila bautismal al que va a ser bautizado. El origen de este testimonio se remonta a los primeros siglos del cristianismo –durante la época heroica y subterránea de las catacumbas–, cuando, bajo constantes persecuciones y para evitar engaños, el neófito debía ser presentado por otro prosélito bien conocido. La Iglesia católica dio luego a esta vinculación el carácter de un parentesco espiritual. Los anglicanos acostumbran designar dos padrinos y una madrina para el varón, y dos madrinas y un padrino para la mujer. También se aplican estos nombres a los que acompañan a alguno en sus momentos solemnes (matrimonio, ordenación, desafíos, certámenes, torneos), a los que dan nombre a alguna cosa (navío, avión) y a los que protegen a alguien. Durante la Primera Guerra Mundial se crearon las madrinas de guerra, que mantenían correspondencia y protegían a los soldados pobres o que carecían de familia en la retaguardia.

Padua. Capital de la provincia italiana de su nombre, a orillas del Bacchiglione, en el Véneto. Es la antigua Patavium del imperio romano, saqueada por el visigodo Alarico y el vándalo Atila. Su fundación se pierde en el origen de los tiempos. Según la tradición, fue erigida por Antenor, compañero de Eneas, poco después de la guerra de Troya. Su universidad, fundada por Federico II en el siglo XIII, fue una de las más importantes de Europa. En ella estuvieron dictando sus disciplinas Galileo y Juan Bautista Morgagni, el fundador de la anatomía patológica. Su biblioteca posee más de 200,000 volúmenes. Por sus aulas pasaron alumnos tan famosos como Dante, Tasso y Petrarca. Estuvo bajo el dominio de Venecia en 1406, perteneció posteriormente a Austria en 1797 y 1814, tras el breve paréntesis del imperio francés napoleónico, integrándose definitivamente a Italia en 1866. Posee bellas reliquias arquitectónicas, entre ellas la catedral, cuyos planos se deben a Miguel Ángel y cuya construcción se inició a mediados del siglo XVI; el palacio de Justicia, y la basílica de San Antonio, en estilo románico-gótico, ambas del siglo XIII. En el palacio de Justicia existen más de 300 frescos del siglo XIV. Frescos de Giotto y pinturas de Andrea Mantegna, Vecellio Tiziano y Paolo Caliari Veronese, se encuentran en distintas iglesias de la ciudad, así como esculturas de Donatello. Fue cuna de Tito Livio. Predominantemente agrícola hasta fines del siglo XIX, Padua se transformó en importante centro industrial y mercantil. Tiene 215,000 habitantes.

paella. Uno de los platos más representativos de la cocina española, típico de la región valenciana. Se compone de arroz seco, carne, pescado y legumbres, y se guisa, sazonándolo con azafrán, en un recipiente denominado *paellera* –especie de sartén con dos asas en lugar de mango– o en una cazuela de barro.

Páez, José Antonio (1790-1873). Militar y político venezolano, primer presidente de su patria al desvincularse ésta de la Gran Colombia. Enrolado en las filas patriotas, destacó rápidamente sus condiciones de bravura, iniciativa y habilidad, y pronto poseía un título que sólo tuvo antes el valiente español José Tomás Boves, el de *jefe de los llaneros*. Formaban éstos un cuerpo de verdaderos centauros, valerosos y temibles, difícil de conducir. Páez consiguió mandarlos y obtener su obediencia absoluta, ganándolos a la causa de la independencia. En 1816 inició su serie de ruidosas victorias: Mata de la Miel, Yagual y Queseras del Medio, pero no reconoció al Libertador Bolívar sino en 1818, secundándolo y acompañándolo lealmente. Ganó la segunda batalla de Carabobo y conquistó Puerto Cabello (1823). Pero difirió de Bolívar en la organización política de los países emancipados. Bolívar constituyó la Gran Colombia (Colombia, Venezuela y Ecuador), y Páez propugnó independencia total para su patria y encabezó una revolución para lograrlo. Triunfó, y el mismo año en que murió Bolívar (1830), Venezuela alcanzó su autonomía y el Congreso eligió a Páez su primer presidente. Organizó el país y fomentó el comercio, la industria, la instrucción y las relaciones internacionales con alto sentido político. Se retiró al cumplir su periodo, pero fue elegido nuevamente (1839-1843). Intervino luego en asonadas y revoluciones propias de la época y fue desterrado. Ocho años después regresó a su patria. Ocupó la presidencia por tercera vez (1861), pero en 1863 renunció al poder ante la anarquía reinante que le fue imposible dominar. Se dirigió a Nueva York, dedicándose allí a escribir, hasta el día de su muerte, sus *Memorias* y otros escritos que constituyen valiosa contribución a la historia de Venezuela.

Paganini, Niccoló (1782-1840). Violinista italiano, nacido en Génova, de habilidad y técnica prodigiosas. Tuvo una vida borrascosa, plena de aventuras. De aspecto extraño, con ojos hundidos y chispeantes, cabellos largos y revueltos y cuerpo anguloso, que se estremecía y vibraba durante sus magistrales ejecuciones. Franz Liszt fue uno de sus más fervientes admiradores. Como compositor ha dejado obras de inmenso valor como la *Campanella, Moto perpetuo* y su inmortal *Concierto número 1, en mi bemol*. Vivió rodeado de una aureola sobrenatural, suponiéndosele brujo por las multitudes supersticiosas de su tiempo.

paganismo. Religión de los gentiles o idólatras, por lo general politeísta. El paganismo puede adoptar formas diversas, pero se aplica principalmente a las formas de idolatría practicadas por los antiguos griegos y romanos. La moderna acepción de la palabra designa a toda secta que se halle fuera del cristianismo o del judaismo, e implica también arcaicas formas de adoración, supersticiones e idolatrías. Fue el paganismo una antigua expresión del sentimiento religioso; cuando las enseñanzas cristianas se extendieron por el mundo, el término se utilizó para designar a quienes se negaron a aceptarlas. Pero no cumple incluir dentro del paganismo a los mahometanos, pues ellos, como los judíos, adoran a un Dios único. *Véase* RELIGIÓN.

pagaré. Documento por el cual una persona se obliga mediante su firma a pagar a otra una cantidad de dinero dentro de un plazo fijo; constituye un instrumento de crédito, puesto que la promesa de hacer efectiva una cantidad de dinero, cuando llegue una fecha determinada, es aceptada como buena. Su finalidad práctica es la de permitir al acreedor demostrar, con la mera posesión de ese sencillo documento, la obligación de pago que ha contraído el deudor.

El pagaré a la orden que proceda de operaciones mercantiles, ha contribuido al incremento y desarrollo del comercio, cuyo mecanismo descansa en la confianza o crédito que se establece entre aquellos que compran para volver a vender contando con el producto o beneficio de esas ventas para saldar sus obligaciones.

La ley exige que los pagarés sean escritos, aun cuando no impone fórmulas especiales del texto, utilizándose comúnmente los documentos impresos que con tal objeto se expenden en el comercio. El acreedor puede endosar su pagaré a un tercero; esto es, hacer que se pague a otra persona, con lo cual dicho documento amplía su función crediticia. Los pagarés se hallan sujetos a la Ley del Timbre o Sellado del Estado, cuya cuantía se halla en relación con el importe.

Pagliaci, Il. *Véase* ÓPERA.

Pagnol, Marcel (1895-1974). Escritor francés. Fue profesor de inglés y fundó las

Corel Stock Photo Library

Pagoda budista en Lijiang, Yunnan, China.

revistas *Cuadernos del Sur* y *Cuadernos del Film*. En 1947 ingresó en la Academia Francesa. Su fama tiene como base una serie de obras de teatro en las que aparecen algunos típicos personajes de la ciudad de Marsella (*Marius*), de las aldeas (*La mujer del panadero*) y algunos otros. Su humor es generalmente acre, con cierto tono satírico. Esto último es más notable en su famosa obra *Topacio*, en la que describió el poder corruptor del dinero.

Pagoda japonesa en una vista nocturna.

Corel Stock Photo Library

pagoda. Templo de los ídolos en algunos pueblos orientales. En China y Japón suelen ser altas torres, de planta circular o poligonal y de varios pisos. En la India, en la Península Malaya y en Indonesia, se compone generalmente de un recinto flanqueado por torres que concluyen en cúpulas, y varios santuarios techados, cuyas paredes aparecen adornadas con las más curiosas esculturas. Entre las pagodas más antiguas, figuran las de Ellora, en la India, grandes templos tallados en la roca viva, con galerías esculpidas y amplias salas sostenidas por columnas. En China, Indochina, Birmania y Tíbet, las hay de ladrillo o de piedra, con incrustaciones de mármol, jaspe, porcelana y hasta de oro. También existen algunas construidas de madera.

paidología. Ciencia auxiliar de la pedagogía y la medicina que estudia el desarrollo físico e intelectual de la infancia. La observación individual del niño, a través de sus actividades y reacciones, permite seguir el proceso de su evolución biológica, psíquica e intelectual. Con los datos así obtenidos, el educador o el médico podrá actuar de acuerdo con los intereses y necesidades del niño, sin forzar su actividad ni interferir sus manifestaciones espontáneas, sino tratando de encauzarlas provechosamente. Los estudios de paidología son fundamentales en la aplicación de la pedagogía moderna.

pailebote. Goleta pequeña, sin gavias, cuyo nombre tuvo origen en la expresión inglesa *pilot boat*, o sea bote del piloto en traducción literal, aunque su verdadero sentido en español sea el de *barco del práctico*. Ello se debe a que los prácticos de puerto solían salir mar afuera, navegando en pequeñas goletas del tipo mencionado, a abordar los buques que debían entrar en puerto bajo la dirección del práctico.

Paine, Tomás (1737-1809). Escritor y político inglés, cuyas obras ejercieron notable influencia sobre el pensamiento político de los propulsores de la independencia de Estados Unidos. De familia pobre, sufrió privaciones en su infancia y juventud. Conoció a Benjamin Franklin en Londres, que le aconsejó se trasladara a América. Paine llegó a Philadelphia en 1774 y las recomendaciones de Franklin le abrieron las puertas de la revista *Pennsylvania Magazine*, de la que llegó a ser editor. Se adhirió al movimiento que propugnaba la independencia, y en 1776 escribió el célebre folleto *Sentido Común*, en el que demandaba la liberación total de las colonias norteamericanas y proponía la creación de una unión federal. La obra fue acogida con interés por George Washington, Thomas Jefferson y otros próceres de la independencia norteamericana. Nuevos escritos políticos salieron de su pluma; peleó en el ejército de patriotas estadounidenses, y fue secretario del Comité de Relaciones Exteriores. Se trasladó a Europa en 1787 y cuatro años después publicó en Londres *Los derechos del hombre*, en defensa de los principios de la Revolución Francesa. En París fue elegido miembro de la Convención; pero por su abierta oposición a los excesos y crueldades revolucionarios y por votar contra la ejecución de Luis XVI fue expulsado de la Convención y encarcelado. En la prisión escribió parte de *La edad de la razón*. Puesto en libertad por las gestiones de James Monroe, a la sazón ministro de Estados Unidos en Francia, Paine regresó tiempo después a la América del Norte y murió en New York, en la oscuridad y la pobreza.

Painlevé, Paul (1863-1933). Matemático y político francés. Famoso sobre todo por sus trabajos sobre la teoría analítica de las ecuaciones diferenciales. Era parisiense y estudió en la Escuela Normal Superior. Doctorado en ciencias matemáticas, fue catedrático de mecánica racional en la Universidad de Lila y después en la Sorbona y en la facultad de ciencias de la Escuela Politécnica. Obtuvo numerosos premios en su especialidad, y entre ellos el de la Academia de Ciencias, en 1890. Miembro de la Academia de Ciencias y secretario perpetuo, es considerado con Poincaré, como uno de los matemáticos de más trascendencia de los tiempos modernos. Intervino activamente en política y desempeñó los ministerios de Instrucción Pública, de la Guerra y de Aviación, y la presidencia del Consejo de ministros.

país. *Véanse* NACIÓN; PATRIA.

paisaje. Pintura o dibujo que representa cierta extensión de terreno. El problema que plantea la pintura de paisaje es, ante todo, el que nace de tener que representar en una superficie de dos dimensiones, la relación que existe entre los objetos cercanos y lejanos, o sea el espacio. Entre los antiguos artistas orientales, una línea horizontal y delgada significaba el horizonte, y unas hojas, un árbol en primer plano. Otras veces se intentaba obtener cierta sensación de profundidad superponiendo los objetos: los más cercanos ocupaban la parte inferior del cuadro, y los más lejanos la parte superior.

Aunque en Europa, durante la Edad Media, los miniaturistas pintaron paisajes, bellamente ingenuos, en los manuscritos iluminados, el arte del paisaje, tal como es entendido en Occidente, surgió en el Renacimiento, es decir, con el estudio de la naturaleza y el descubrimiento de las leyes de la perspectiva. En los cuadros de Giovanni de Paolo, de Matthias Grunewald, de Jerónimo Bosch, de Vecellio Tiziano y de algunos otros, el paisaje adquiere ya mayor importancia. Sin embargo, el género del paisaje sin figuras humanas no es muy popular, como lo prueba el hecho de que un paisajista como Meindert Hobbema tuviera que ganarse la vida como bodeguero, y que Joachim Patinir utilizara su talento para llenar los fondos de los cuadros de algunos de sus colegas. Entre los grandes paisajistas del siglo XVII, se destacan Claude Lorrain, creador de unas obras de evidente carácter poético, y Nicolás Poussin, a quien tanto admiraría Paul Cezánne por la perfección de sus composiciones. Sus continuadores fueron los paisajistas ingleses John Constable y Joseph Mallord William Turner, y los más austeros artistas franceses, Jean Baptiste Camille Corot, Henri Rousseau y Jean Francois Millet.

Corel Stock Photo Library
Obra de la corriente paisajista de Camille Pissarro.

Rollos de paja en un campo de Dinamarca.
Corel Stock Photo Library

Pero, la innovación revolucionaria, que transformaría no sólo la técnica del paisaje sino todo el arte de la pintura, sería la introducida por el Impresionismo francés. Influidos en parte por los paisajistas ingleses, como éstos por el arte de Rubens, los impresionistas, principalmente Claude Monet, fueron en cierto sentido unos realistas exacerbados, que pintaban las cosas tal como aparecen a los sentidos y no según la imagen mental que de ellas se tiene. En la obra de Van Gogh y Gauguin la visión impresionista aparecerá como modificada por el sentimiento interior del artista, y Cezánne, por su parte, tratará de reproducir el orden –según él, geométrico– de la naturaleza. De la obra de los dos primeros nacerá el Expresionismo moderno, y de la de Cezánne, el Cubismo.

Países Bajos. *Véase* HOLANDA.

paja. Cañas o tallos de las plantas gramíneas después de secos y separados del grano (trigo, centeno, avena, cebada, mijo, etcétera), utilizados para la alimentación del ganado, las yacijas y otros usos. La paja de buenas condiciones debe ser seca, estirada y no hallarse mezclada con otros residuos de plantas. Los análisis químicos que se han efectuado para conocer su poder nutritivo han revelado que éstas contienen carbohidratos, celulosa, grasas, calcio, potasio, magnesio, etcétera. La paja sustituye al heno y mezclada con otros alimentos más concentrados (trébol, alfalfa, algarrobas, granos, etcétera), resulta un pienso bastante bueno. La de peor calidad sirve para formar el lecho de los animales en cuadras y establos. En la industria se utiliza para embalajes de objetos frágiles y frutas, para recubrir tuberías que deben preservarse de la temperatura para la fabricación de tejidos, cuerdas, papel y sombreros y en algunos países para hacer techumbres y, a veces, para rellenar colchones.

pájaro. Nombre genérico que comprende toda especie de aves, aunque más especialmente se suele entender por las pequeñas. En la clasificación zoológica el nombre de pájaro se emplea preferentemente para designar a uno de los grandes órdenes de la clase de las aves: el de los *paseriformes*. Es el orden más numeroso de las aves, del que se conocen más de 6,000 especies, la mayor parte de pequeña talla. Las características que distinguen al orden de los pájaros son dos principales: el pico sin cera, aunque de formas y dimensiones variables según la especie; y los dedos que, por lo general, son delgados y en número de tres anteriores y uno posterior. Los pájaros se dividen en dos grandes secciones: los *mesomiodos*, de siringa (laringe inferior) simple, no cantores, aunque pueden emitir sonidos; y los *acromiodos*, de siringe compleja, entre los que se cuentan los cantores. El orden de los pájaros comprende muchas especies diferentes (golondrinas, alondras, gorriones, tordos, oropéndolas, cuervos, etcétera), tan disímiles entre sí que van desde los diminutos pájaros mosca a las majestuosas aves del paraíso. *Véase* ORNITOLOGÍA.

pájaro bobo. *Véase* PINGÜINO.

pájaro carpintero. Ave de la familia de los pícidos que debe su nombre a la costumbre de agujerear el tronco de los árboles con el pico, a fin de obtener sustento y construir su nido. Tiene un pico fuerte, grande, cónico, muy agudo, que está protegido por una sólida capa córnea. La cabeza es relativamente gruesa y pesada, siendo los huesos del cráneo sumamente fuertes y duros. El cuello, macizo y musculoso, le permite dar en la madera picotazos vigoros certeros, que producen un ruido semejante al redoble de un tambor. Al taladrar, se ase fuertemente de los troncos con sus uñas agudas y encorvadas, apoyándose al mismo tiempo con su cola de plumas durísimas. Dos de sus dedos se dirigen hacia adelante y dos hacia atrás, ensanchando así su base de apoyo. Mediante picotazos escudriña en la madera por si hay un gusano o un insecto oculto en una hendija, bajo la corteza o en un lugar donde la madera esté blanda. Merced a su finísimo oído advierte si vive algún insecto en el tronco, por la resonancia especial que se produce al percutir con el pico en los espacios vacíos. Una vez localizado algún bicho, arranca la corteza, astilla por astilla, hasta que penetra en la cavidad el agudo cincel que es su pico. Para sacar los insectos de sus agujeros, se vale del auxilio que le presta la lengua, larga y delgada, que se extiende como un lazo y está provista de numerosos ganchitos en la punta, con los que arponea sus presas; para hacer más seguro su trabajo, la lengua se halla cubierta de una saliva viscosa a la que se adhieren los insectos. Al destruir en esta forma una cantidad de insectos perjudiciales para las plantas, el pájaro carpintero presta buenos servicios al hombre, quien lo recompensa respetando su vida y protegiéndolo.

pájaro culebra. Ave anhíngida a la que en algunos lugares de América se llama *marbella* o *pato aguja*, por lo afilado de su pico. Tiene cabeza pequeña, con pico grande recto y puntiagudo, cuello fino, cuerpo alargado y cola larga, midiendo de pico a cola casi 1 m. El plumaje de la cabeza, cuello, dorso y cola es de un verde metálico y las alas negras. Las patas cortas y robustas están terminadas en cuatro dedos, tres anteriores palmeados y uno posterior libre. Habita pantanos, lagunas y ríos del continente americano. Se suele posar en las ramas de los árboles cercanos al agua, para desprenderse y zambullirse a la menor alarma. Excelente nadador persigue a los peces con el impulso de sus robustas patas palmeadas, manteniendo el cuello totalmente encorvado hasta que tiene la presa a su alcance, entonces estira repentinamente el cuello, atraviesa a la víctima con su agudo pico y se remonta a la superficie para engullirla.

paje. Criado, cuyos deberes consisten en acompañar a sus señores, asistir en las antesalas, servir a la mesa y en otros quehaceres domésticos. Antiguamente se preparaba a los niños para esta función, cosa que ya se practicaba en el antiguo Oriente y entre los romanos, quienes educaban a infantes de casas nobles para el desempeño de cargos distinguidos en los palacios. En la Edad Media la carrera de paje fue una preparación obligada para la profesión de las armas.

Pakistán. Uno de los dos grandes Estados en que se dividió el imperio de la India que estaba bajo dominio británico. En 1947 se promulgó el acta de independencia de la India, mediante la cual se crearon los dos Estados de Pakistán y la India. Pakistán tiene 796,095 km^2 y 137.752,000 habitantes (1997).

Al obtener la independencia, Pakistán quedó formado por dos grandes provincias: Pakistán Oriental y Pakistán Occidental. En 1971 se produjo un movimiento de secesión en Pakistán Oriental, apoyado por la India, que condujo en definitiva a la separación de esa provincia, que se convirtió en el Estado independiente de Bangladesh en 1972.

Pakistán, con costas en el Mar Arábigo, comprende en la actualidad las provincias de Beluchistán, Frontera del Noroeste, el Punjab y el Sind. Su río más importante es

Excavación arqueológica con una antigüedad de 5000 años en Moenjo Daro, Pakistán.

Corel Stock Photo Library

Corel Stock Photo Library

Palacio de Bucaco, Portugal.

el Indo, con 2,879 km de longitud. La capital del país es Islamabad (204,364 h.), y las ciudades principales son: Karachi (9.863,000 h.), Lahore (5.085,000 h.), Lyallpur (1.875,000 h.), Hyderabad (1.107,000 h.) y Rawalpindi (1.290,000 h.). La población es predominantemente musulmana.

En 1973 se aprobó una constitución que confirmó la República Federal Islámica de Pakistán y estableció un régimen parlamentario federal. El poder ejecutivo lo ejerce el presidente asistido por un primer ministro, responsable ante el parlamento. Este se compone de dos cámaras: el senado, cuya función es primordialmente consultiva, y una asamblea nacional.

El idioma oficial es el urdu; el idioma inglés se habla en forma generalizada. La economía se basa principalmente en la agricultura; se produce arroz, trigo, maíz, cebada, algodón, yute y té. Sus principales exportaciones son pescado y productos del mar, textiles de algodón y sintéticos, alfombras, manufacturas básicas, y artículos deportivos. La red de comunicaciones incluye 111,432 km de carreteras; 8,875 km de ferrocarriles y además cuenta con servicios aéreos interiores e internacionales. Su flota mercante alcanza las 507,200 toneladas.

El general Iskander Mirza fue el primer presidente, (1955-1958). En 1958 le sucedió el mariscal Mahammed Ayub Khan, confirmado después por elección en 1960, quien renunció al poder en 1969; asumió entonces la presidencia Mahammed Yahya Khan. A raíz de la secesión de Bangladesh renunció Yahya Khan y fue designado presidente Zulfiqar Alí Bhutto. En 1977, el gobierno de Alí Bhutto fue derrocado por un golpe militar y asumió el poder el general Mahammed Zia Ul-Haq. Alí Bhutto fue juzgado y ejecutado en 1979. Pakistán abandonó la Comunidad Británica de Naciones en 1974.

En los últimos años, Pakistán ha apoyado y otorgado refugio a rebeldes afganos. En 1985 Pakistán establece un acuerdo de no agresión con la India. Tres años después el presidente Zia Ul-Haq muere en un accidente aéreo y Benazir Bhutto es nombrada primer ministro, convirtiéndose en la primera mujer de la historia moderna que gobierna una nación islámica.

En 1989 Bhutto hace una visita oficial a Estados Unidos y, en 1990, el presidente Ghulam Ishaq Kham la destituye acusándola de abuso de poder y la Alianza Democrática derrota al partido de Bhutto.

En cuanto a sus manifestaciones artísticas, tras la Segunda Guerra Mundial, las corrientes paquistaníes siguieron por un lado las tendencias internacionales, mientras por otro proseguían en la investigación del arte popular del país. Entre los artistas contemporáneos cabe mencionar en especial a Shakir Alí, que trabajó en Francia con André Lhote; Zubeida Agha; Gulge, que realizó obras al óleo, en metal, mármol, etcétera; Masood Kohari, investigador del color y el movimiento; Sadeqain, que destaca principalmente por sus murales en diversos edificios públicos; Ahmed Khan, especialista en arte folclórico; Ifaz-Ul-Hasan; Mansoor Aye, interesado por la cinematografía; y Bashir Mirza, entre otros.

palabra. Sonido o conjunto de sonidos articulados que expresan una idea. El hombre habla con palabras, pero no con palabras aisladas, sino unidas entre sí por un nexo lógico que constituye lo que se llama una frase u oración. Algunas palabras son, sin embargo, más independientes que otras, y su contenido naturalmente más amplio. El artículo (*el, la, un, una,* etcétera), por ejemplo, no se utiliza sin alguna palabra que ejerza función sustantiva; esta última tiene en cambio cierto grado de independencia. En el lenguaje diario utilizamos muchas veces las palabras como medios o instrumentos con los que pretendemos alcanzar alguna otra cosa, el objeto al que se refieren las mismas palabras.

palacio. Edificio suntuoso destinado a servir de morada a personas de alcurnia. Su etimología deriva del monte Palatino, de Roma, en el que se edificó la mansión de los emperadores. Muchos palacios se caracterizan por su monumentalidad y belleza arquitectónica. Ciertas corporaciones y organismos públicos establecen su sede en palacios; tal ocurre con la Justicia, el Episcopado, las asambleas deliberantes, los servicios de Correos y Comunicaciones, etcétera. Según la época y el estilo predominante, el palacio se construye en una u otra forma, pero las características que le son mas comunes son: amplitud de sus dependencias, altura de los techos, riquezas de sus salones destinados a banquetes, recepciones y fiestas, gran patio central y, muchas veces, jardines y parques rodeando el edificio. Su decorado, tanto interno como externo, es suntuoso. Durante el Renacimiento se construyeron en Europa un gran número de palacios; ello fue debido al traslado a la ciudad de los señores que hasta entonces habían habitado los casti-

Palacio de Buckingham en Londres, Inglaterra.

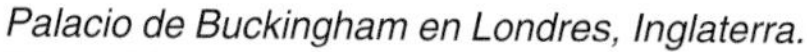

Corel Stock Photo Library

llos feudales y que quisieron imitar, en sus nuevas mansiones, la grandeza y proporciones que tenían aquellos. Entre los palacios más notables citaremos los del Vaticano y Quirinal (en Italia), los de Versalles, Louvre y Luxemburgo (en Francia), los de Westminster y Buckingham (en Inglaterra), y el palacio Real de Madrid y el Alcázar de Sevilla (en España).

Palacio Fajardo, Manuel (1784-1819). Jurista y político venezolano. Fue diputado al Congreso Constituyente de 1811. Desempeñó misiones oficiales en Estados Unidos y en Francia. Fue secretario de Hacienda y Relaciones Exteriores en 1819. Autor de *Bosquejo de la Revolución de la América española.*

Palacio Valdés, Armando (1853-1938) Novelista español, nacido en Entralgo (Asturias) y fallecido en Madrid. Cursó el bachillerato en Oviedo y la carrera de derecho en la capital, donde por corto tiempo explicó en su juventud la asignatura de economía política, como más tarde desempeñó, también brevemente, la cátedra de derecho civil en la Universidad de Leopoldo Alas Oviedo. Fue director de la *Revista Europea* y en 1878 publicó su primer libro *Semblanzas literarias*, en colaboración con Clarín; tres años después apareció su novela *El señorito Octavio*, con la que se inició en el género que habría de colocarle en primera fila entre los escritores de su tiempo. En 1905, cuando había publicado ya buena parte de su obra y obtenido con ella sus éxitos más resonantes, fue elegido miembro de la Real Academia para ocupar la vacante producida por la muerte de otro gran novelista español: José María de Pereda. Entre las más celebradas obras de Palacio Valdés figuran: *Marta y María*, que le encumbra rápidamente, en la que se plantea el problema entre el amor divino y el amor humano; *La hermana San Sulpicio*, donde, sobre un fondo amable de costumbrismo andaluz, se relata la historia de una monja que pudo renunciar a sus votos para contraer matrimonio con el hombre de quien se había enamorado, novela ésta que acaso haya sido su mayor éxito, pues se tradujo a multitud de idiomas y durante mucho tiempo se agotaron de ella más de quince mil ejemplares cada año. Por último, *La aldea perdida*, como la anterior llevada al cine, en la que el autor pinta su aldea natal, cuyo bucólico encanto y pureza de costumbres campesinas quedan rotos al convertirse en zona de explotaciones mineras. Las características más notables de la obra de este gran novelista español son la sencillez y pulcritud de su estilo, su facilidad para sugerir y crear ambientes y personajes –de estos últimos, en especial los femeninos– y el acierto con que sabe mover los hilos de la trama argumental, armonizando el sentimiento con un suave y discreto humorismo. Entre otros destacados títulos de su producción literaria figuran: *Maximina, Los majos de Cádiz, La alegría del capitán Ribot, La novela de un novelista y Testamento literario.*

Corel Stock Photo Library

Palacio representativo de la Rusia zarista, Rusia.

Palacios, Alfredo L. (1880-1965). Jurista, político y profesor argentino. Elegido diputado a los veinticuatro años, pronto se destacó en el Parlamento por sus brillantes dotes de orador, como representante del Partido Socialista. Fue profesor universitario durante muchos años y decano de las facultades de derecho en las universidades de Buenos Aires y de La Plata. Es autor de *Derecho de asilo, El nuevo derecho, Las islas Malvinas, La Corte Suprema ante el Tribunal del Senado*, etcétera.

Palacios, Pedro Benjamín. *Véase* ALMAFUERTE.

paladar. Parte interna y superior de la boca. Pueden señalarse dos porciones distintas: la anterior, de base ósea, que es la bóveda palatina, y la posterior, completamente blanda, que es el velo del paladar. La primera es una lámina ósea recubierta por una membrana mucosa, y constituye el tabique que separa la cavidad bucal de las fosas nasales. Es de forma cóncava, siendo la parte de atrás más ancha que la de delante. Su superficie es rugosa y muy desigual, y está atravesada por vasos y nervios. El velo del paladar es la continuación de la bóveda palatina, a la cual se adhiere íntimamente, prosiguiendo su misma curvatura. El velo, a diferencia de la bóveda, no se halla fijo sino que es como una especie de válvula destinada a interceptar toda comunicación entre la faringe y la cavidad posterior de las fosas nasales. Cuando por alguna enfermedad o accidente el velo del paladar presenta una perforación, ya no puede desempeñar su papel obturador, y en el momento de la deglución, en las comidas, los líquidos salen por la nariz. También altera profundamente el timbre de la voz que se torna gangoso. En general, las lesiones más graves del paladar son aquellas que afectan la parte ósea.

paladio. Elemento químico, de peso atómico 106,7 y símbolo Pd. Es un metal de transición del grupo del platino, llamado así por haber sido identificado poco después del descubrimiento del asteroide Pallas. Lo descubrió William Wollaston en 1803 mientras purificaba una cantidad de platino crudo, metal éste que raramente contiene más de 2% de paladio. Se encuentra también unido al oro y a la plata. Es blanco, ductil y maleable. No lo ataca el oxígeno atmosférico ni la humedad. El paladio esponjoso y en polvo es un activo catalizador, en caliente absorbe volúmenes sorprendentes de hidrógeno, propiedad útil en el análisis de gases y en la purificación de dicho gas. Por sus propiedades de dureza, color y resistencia a la acción de la atmósfera, se utiliza en la fabricación de instrumentos científicos finos, en la manufactura de resortes para reloj y en odontología.

palafito. *Véase* VIVIENDA.

Palafox, José (1776-1847). General español, uno de los más famosos héroes de las guerras españolas de Independencia durante las invasiones napoleónicas del siglo XIX. Nacido en Zaragoza en el seno de una ilustre familia aragonesa –su nombre completo es José Rebolledo de Palafox y Melci–, ingresó muy joven en las Reales Guardias de Corps y tomó parte en la guerra contra Francia en 1794. Más tarde, con el grado de subteniente fue en el séquito de Fernando VII cuando éste se trasladó a Bayona en 1808, y tras algunos inútiles intentos para conseguir que el monarca huyera, Palafox regresó a España y marchó a Zaragoza, donde a solicitud del pueblo y con la subsiguiente confirmación de las Cortes fue nombrado gobernador de Zaragoza y capitán general de Aragón, declarando como tal la guerra a los franceses. Resistió dos terribles asedios en la capital aragonesa, el primero de 61 días (15 de junio a 14 de agosto de 1808) y el segundo de tres meses (20 de noviembre de 1808 a 20 de febrero de 1809). Por último, hallándose gravemente enfermo, la ciudad tuvo que rendirse ante la superioridad numérica del enemigo y la escasez de recursos propios en hombres y pertrechos; Palafox cayó prisionero y fue conducido a Francia, donde permaneció cautivo durante cinco años, bajo las más duras condiciones, en la cárcel de Vincennes. De nuevo en España, Fernando VII lo hizo jefe de su guardia real y le dispensó honores y títulos, como el de grande de España y primer duque de Zaragoza. Durante las guerras civiles se puso de parte de la Constitución, por lo que perdió durante algún tiempo el favor de la Corte. La gloria de su nombre ha quedado vinculada por entero a su heroica defensa de Zaragoza durante los sitios mencionados, habiéndose hecho memorables sus respuestas a los generales franceses que le conminaban a rendirse: a la propuesta del general Verdier "Paz y capitulación", respondió "Guerra y cuchillo", y cuando un parlamentario del general Moncey le habló de rendición, lo despidió secamente con las palabras: "Después de muerto, hablaremos de eso".

palanca. Barra o cuerpo rígido que puede oscilar sobre un punto de apoyo y que sirve para levantar pesos. La palanca se divide en dos partes llamadas brazos, a saber: una sobre la que actúa el esfuerzo o potencia y otra sobre la que gravita el peso o la resistencia. La palanca es uno de los instrumentos más primitivos y fundamentales de la mecánica, hasta el punto que sin su intervención no es posible la existencia de la máquina. La palanca abunda en la naturaleza: el equilibrio de las piedras, la estructura de los árboles, los movimientos de los organismos vivos, son ejemplos evidentes de la influencia que la palanca ejerce en el mundo en que vivimos. La civilización y el progreso hubieran avanzado muy poco sin el auxilio de la palanca, que permitió a los hombres acrecentar su fuerza muscular trasladando grandes piedras, construir sus habitaciones y emplearlas para la guerra (catapultas, arietes, etcétera). Ciertas construcciones monumentales, como las pirámides y los templos, no se explican sin aceptar que para levantarlos se contaba con poderosas palancas destinadas a trasladar los pesados materiales de que se componían.

Toda barra rígida, de madera o de metal, puede ser convertida en palanca con sólo disponerla sobre un punto de apoyo. El esfuerzo que se aplique a uno de sus brazos puede devolverlo el otro brazo multiplicado varias veces. Tal circunstancia fue precisamente la que llenó de entusiasmo a Arquímedes, llegando a hacerle exclamar su famosa frase "Dadme un punto de apoyo y moveré el mundo". Antes que él, sin embargo, Aristóteles se había ya dedicado al estudio de las propiedades de la palanca, descubriendo que cuanto mayor es la longitud del brazo sobre el que se aplica el esfuerzo, mayor será el peso que puede levantarse, cosa que explicaba por el hecho de que el arco que describe el brazo más largo, o sea, el que soporta el esfuerzo, es siempre mayor que el descrito por el otro brazo más corto sobre el que actúa la resistencia. Sin embargo, ni Aristóteles ni Arquímedes concibieron otro tipo de palanca que la rectilínea, debiéndose a Leonardo da Vinci (1452-1519), que además de gran pintor y escultor fue un notable investigador e inventor científico, el estudio de la palanca acodada.

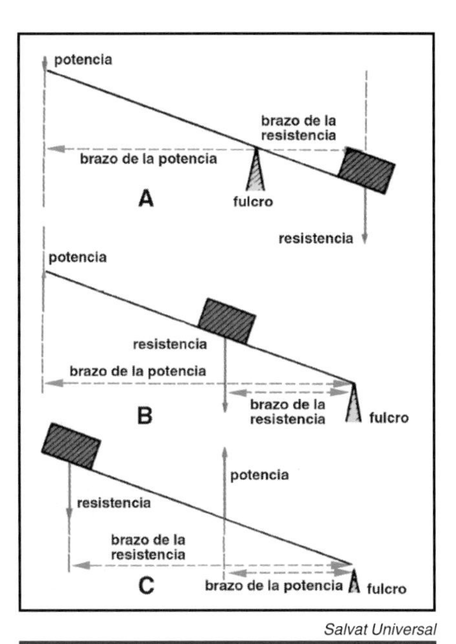

Salvat Universal

Los tres tipos de palanca: de primer género (A), de segundo género (B) y de tercer género (C).

Cuando el punto de apoyo se halla situado entre los brazos en que se ejerce el esfuerzo y en que gravita el peso o resistencia, la palanca se clasifica como de *primer género*, tales son las balanzas, comunes o romanas, las tijeras, los alicates, la polea, etcétera. Cuando la resistencia se halla situada entre la potencia y el punto de apoyo la palanca es de *segundo género*: los remos de una embarcación, el fuelle, el torno, las mandíbulas, son de esta clase. Cuando la potencia se halla situada entre la resistencia y el punto de apoyo, la palanca es de *tercer género*: como las pinzas, una escalera apoyada en un muro, el brazo de una persona extendido sosteniendo un peso con la mano, etcétera.

Las palancas pueden adoptar formas angulares o acodadas, en cuyo caso sus brazos corresponden a cada uno de los lados del ángulo y el punto de apoyo al vértice, y articulaciones o formadas por diversas porciones o segmentos que juegan entre sí. Entre los usos más generalizados de la palanca se hallan las empleadas en los automóviles para los cambios de marcha, las usadas en los ferrocarriles para accionar los desvíos, las que tienen las máquinas de escribir y los pianos para percutir los tipos de escritura sobre el papel o los martillos sobre las cuerdas musicales, las que sirven a las grúas para dragar y transportar objetos, las que ponen en juego los frenos de cualquier vehículo, las que aplican los cirujanos para extraer fragmentos óseos.

palanquín. Especie de andas que se usan en Oriente como medio de transporte, principalmente para grandes personajes. Los hay de varias clases y formas. Los más livianos semejan un lecho de bambú suspendido de una vara que cargan dos individuos por ambos extremos.

Palatinado. Región histórica del sur de Alemania constituida por el Palatinado Renano o Bajo Palatinado, al norte de Alsacia, en la orilla izquierda del Rin, que limita al sur con Francia y al oeste con el Sarre; y el Alto Palatinado, al noreste de Baviera, que limita al este con la Selva de Bohemia. El Palatinado se formó a partir de determinadas posesiones de la casa de Francia cedidas por Federico I Barbarroja a su hermano Conrado.

Palau, islas. Grupo de islas de origen volcánico, situado en el océano Pacífico occidental aproximadamente a 800 km al este de las Filipinas. Está integrado por más de cien islas e islotes que en conjunto tienen 458 km^2 y 17,000 habitantes (1997), quienes viven principalmente de la pesca y de los frutos del trópico. Las islas principales son Babelthuap, Peleliu, Angaur y Koror (la capital). El grupo fue descubierto por Ruy López de Villalobos en 1543 y desde entonces formaron parte del archipiélago de las Carolinas. En 1899 fueron compradas por Alemania a España, junto con las demás de las Carolinas, y después de la Primera Guerra Mundial pasaron bajo mandato a poder de Japón. En 1944 los estadounidenses las ocuparon y, al finalizar la Segunda Guerra Mundial, se convirtieron en fideicomiso de las Naciones Unidas administrado por Estados Unidos. Desde 1980 Palau hizo seis intentos para convertirse en Estado Libre Asociado de este último país, pero su Constitución no lo permitía ya que establecía la desnuclearización del archipiélago, lo que estaba en contra de los intereses de Estados Unidos. Modificada la Constitución (noviembre de 1992), y con la elección de Kuniwo Nakamura como presidente de la República, el contrato de libre asociación con Estados Unidos fue aprobado en referéndum (9 de noviembre de 1993) y entró en vigor el 1 de octubre de 1994, día de la independencia. Ingresó en la ONU en diciembre de 1994. Estados Unidos se comprometió a pagar mil millones de dólares en 50 años a cambio de establecer dos bases militares.

Palencia. Ciudad de España, capital de la provincia del mismo nombre, situada en las márgenes del río Carrión y del Canal de Castilla. Población: 79,867 habitantes (1995). Tiene edificios importantes, entre ellos la catedral, que data del siglo XIV. Desde esta época hasta el siglo XVI, Palencia tuvo gran importancia en Castilla por ser centro de distribución de sus productos regionales. Fue devastada por los visigodos y por los árabes y reconstruida por Sancho *el Mayor*, rey de Navarra y conde de Castilla.

Palencia. Provincia española que limita con las de Santander, Burgos, Valladolid y León; está enclavada entre los Montes Cantábricos, la Sierra del Brezo y cordones de la Cordillera Ibérica. Su superficie es de 8,029 km² y viven en ella, bajo un clima riguroso y seco, 186,035 habitantes (1995). Su vertiente meridional forma, entre otros ríos, el Pisuerga, el Valdavia y el Carrión. En su parte central y meridional se extiende la fértil llanura denominada Tierra de campos, muy próspera en agricultura y ganadería. Carreteras y ferrocarriles unen a Palencia –su capital– con Astudillo, Saldaña, Cervera de Pisuerga y otras poblaciones de su demarcación, de la que son las principales Carrión de los Condes, Astudillo, Barruelo y Dueñas.

Paleogeografía. Arriba: de acuerdo con la teoría del despliegue del suelo submarino la presión de la lava que proviene del interior de la tierra, se escapa por las grietas y al contacto con la superficie del suelo submarino se enfría formando una nueva corteza; abajo: hace 500 millones de años los continentes se encontraban en dos grandes masas continentales, 250 millones de años después colisionaron formando a Pangea, rompiendo las fronteras continentales dando forma a las cadenas montañosas y áreas de actividad volcánica.

Del Ángel Diseño y Publicidad

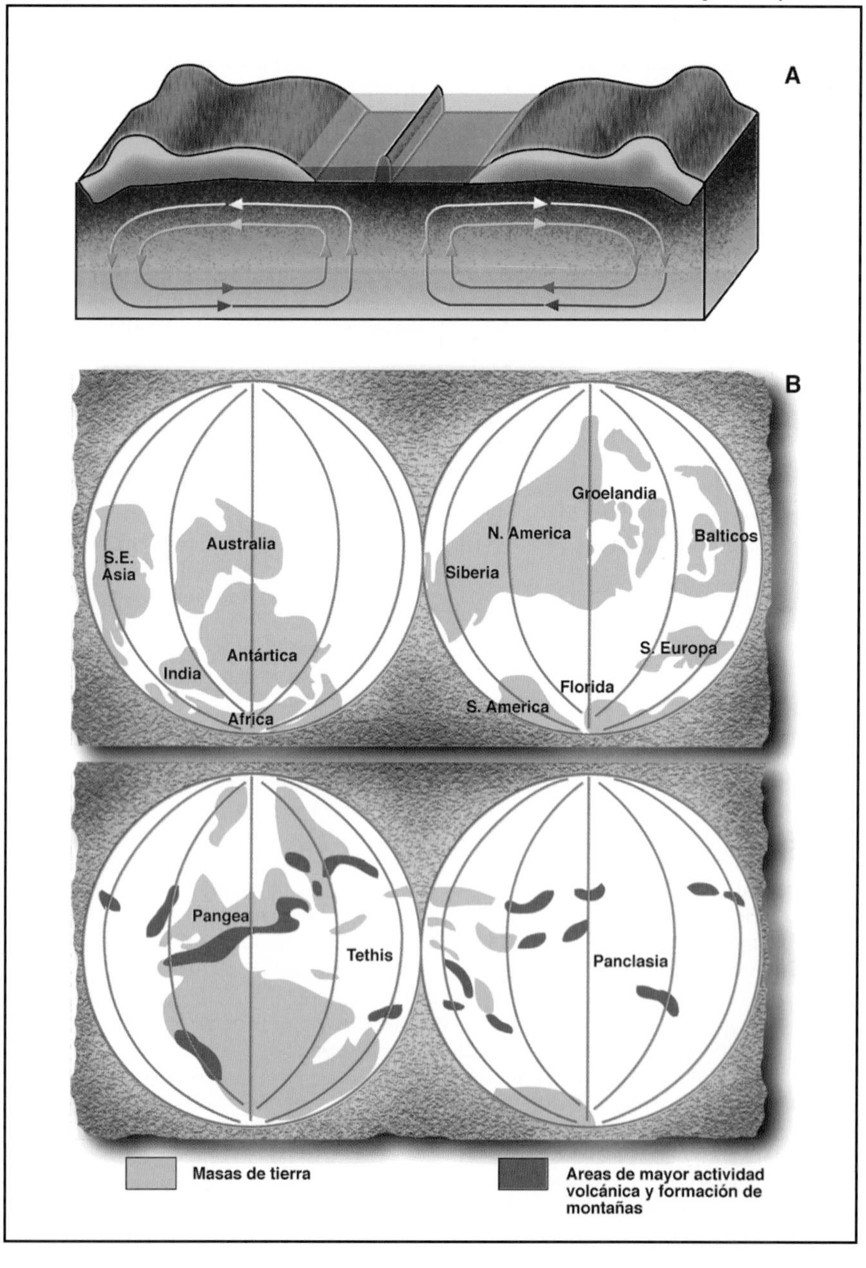

Palenque. *Véase* MAYAS (*Ciudades del Antiguo Imperio*).

paleoceno. *Véase* GEOLOGÍA.

paleografía. Ciencia auxiliar de la historia, la arqueología y la filología, que estudia la escritura y los signos de los antiguos libros y documentos, pudiendo, mediante el análisis de sus características y particularidades, fijar la autenticidad de los mismos y señalar con gran aproximación la época de los que carecen de fecha. Esto es lo que se llama paleografía crítica; la musical estudia las antiguas notaciones musicales, cuando trata del estudio de monedas, se la denomina *numismática*; la que investiga escrituras de lápidas y otras inscripciones, *epigráfica*; *diplomática* es la que estudia las tintas, instrumentos gráficos, sellos pendientes y adheridos, lenguaje, estilo y cláusulas del documento, y la *bibliográfica*, la que estudia las distintas clases de letra empleadas en los libros anteriores a la invención de la imprenta.

paleolítico. *Véase* PREHISTORIA.

paleontología. Ciencia que trata de los seres orgánicos que vivieron en épocas geológicas anteriores a la nuestra y que se basa en el estudio de sus restos fósiles. Éstos sólo se encuentran en rocas sedimentarias y están distribuidos en un cierto orden a través de las diversas capas, de tal modo que si no han sufrido perturbaciones geológicas que alteren su posición y se sigue una capa en sentido horizontal se hallan casi siempre los mismos fósiles, mientras que si se penetra en la tierra verticalmente varían por completo, siendo las diferencias tanto mayores cuanto más profundos están, por ser más antiguos.

La preservación de un fósil es por lo general incompleta, hallándose de preferencia las partes duras, como conchas, esqueletos, dientes, etcétera. Sin embargo, en algunos casos se han encontrado animales enteros en perfecto estado de conservación, como ciertos mamuts enterrados en la helada tundra de Siberia, y también insectos aprisionados en el ámbar de coníferas de la era terciaria.

Algunos animales desprovistos de esqueleto han dejado sus formas impresas en las arcillas blandas, y plantas sin tallo leñoso, como los helechos, se descubren en las formaciones de hulla a que dieron origen, a veces con tanta claridad que puede apreciarse la estructura de los tejidos. Hay casos en que la piedra caliza ha reproducido las finas membranas de los reptiles voladores, y hasta seres tan delicados como las medusas han dejado huellas de su existencia.

Estudio de los fósiles. En la antigüedad se creyó que los fósiles eran caprichos de la naturaleza, y hasta principios del siglo XVI no se conoció su verdadero origen, indicado por Leonardo da Vinci y Bernardo de Palissy. El estudio sistemático de esos restos comenzó con Georges Cuvier.

Clasificación. Los fósiles se clasifican atendiendo al orden de su aparición en las diversas eras geológicas. En la era *arqueozoica* sólo se encuentran vestigios de seres unicelulares; en la *proterozoica* aparecen formas multicelulares primitivas, algas marinas, y, finalmente, animales marinos protegidos por conchas y caparazones.

En la era *paleozoica* los seres orgánicos presentan mayor diversidad. Aparecen las plantas terrestres. Los animales marinos se multiplican y extienden. Hacen su aparición los insectos terrestres, los peces, los anfibios y los reptiles. En la era *mesozoica* surgen las angiospermas o plantas con flores. Aparecen los grandes dinosaurios y los reptiles marinos y los voladores. Hacen su aparición las primeras aves.

La era *cenozoica* se divide en dos grandes periodos: el *terciario* y el *cuaternario*. En el periodo terciario los mamíferos se multiplican, los animales terrestres adquieren mayores dimensiones y aparecen los antecesores de caballos, elefantes y monos. En el periodo cuaternario se propagan el mamut, el rinoceronte y otros grandes animales, y el hombre primitivo se extiende por todos los continentes.

Vegetales. A juzgar por los fósiles hallados, las primeras plantas surgieron en la era *arqueozoica*. Las formas más primitivas fueron plantas marinas cuyas acumulaciones formaron rocas y depósitos calizos y, probablemente, también existieron bacterias. Hacia el fin del periodo *siluriano*, en la era *paleozoica*, aparecieron las primeras plantas terrestres, que en el periodo *devoniano* siguiente forman las primeras selvas. En el periodo carbonífero, esas selvas alcanzan gran extensión, con abundancia de árboles, helechos y arbustos; en la mitad de la era *paleozoica* aparecen las plantas que se reproducen por semilla.

Invertebrados. Son los más numerosos. De todos ellos los más interesantes son los moluscos y los crustáceos, por su abundancia y variedad de especies, algunas totalmente desaparecidas, como las de los amonites y trilobites. Entre los insectos hay también gran variedad. Muchas especies han desaparecido, pero otras, como las hormigas, conservan en la actualidad gran parte de las características de sus remotas antecesoras.

Vertebrados. Los primeros fueron los peces, que se remontan a la era *paleozoica*. Los más primitivos en vez de escamas tenían unas placas duras formando coraza, y el esqueleto interno cartilaginoso.

Corel Stock Photo Library

Arriba: Matríz de fósil en Mali; abajo: concha de ammonita petrificada.

Anfibios. Animales intermedios entre los acuáticos y los terrestres, fueron probablemente los primeros que salieron del mar. Al evolucionar dieron origen a los anfibios actuales y a los reptiles.

Reptiles. Predominan en la era mesozoica. Alcanzaron talla gigantesca. Los había acuáticos y terrestres, y otros desarrollaron alas membranosas que les permitían volar. Algunos, como los ictiosaurios eran vivíparos, aunque la mayoría pertenecían a los ovíparos. Los grandes reptiles: dinosaurios, plesiosauros, ictiosauros, etcétera, se extinguieron al final de la era *mesozoica*.

Aves. Probablemente surgieron de un grupo primitivo de reptiles. Sus fósiles más antiguos se diferencian de aquellos principalmente por tener plumas. Por mucho tiempo conservaron caracteres reptilianos: mandíbula dentada y cola vertebrada. Las primeras aves, antecesoras de las actuales, pertenecen al periodo jurásico en la era *mesozoica*.

Mamíferos. Los antiguos eran animales pequeños y terrestres, aparentemente insectívoros, a juzgar por su dentición. Muy rudimentarios y semejantes en la era *mesozoica*, en la *cenozoica* se subdividen en numerosos grupos y se extienden por toda la tierra. Al principio parecen predominar los roedores, luego aparecen los carnívoros, los rumiantes, los mastodontes –que se extinguen y son reemplazados por el elefante y el mamut–, después los monos, y en los últimos tiempos del periodo terciario o principios del cuaternario, hace su aparición el hombre. *Véanse* BIOLOGÍA; BOSQUE PETRIFICADO; BOTÁNICA; EVOLUCIÓN; GEOLOGÍA; HOMBRE; PREHISTORIA; ZOOLOGÍA.

Paleozoica, Era.

Véase GEOLOGÍA.

Palermo.

Ciudad de Sicilia y capital de la provincia italiana del mismo nombre, situada en la costa occidental del Golfo de Palermo. Está rodeada de una fértil llanura que sustenta una de las más ricas huertas mediterráneas. Tiene 694,749 habitan-

Fósiles de una ammonita y diversas conchas.

Corel Stock Photo Library

tes (1994) y numerosas iglesias, siendo notable la catedral, de bella arquitectura, que data del siglo XII. Palermo fue fundada por los fenicios, que la llamaron *Panormus*, perteneció más tarde a los cartagineses y luego a los romanos. Sucesivamente estuvo en poder de los godos, sarracenos, normandos, franceses y españoles. Éstos la poseyeron desde la conquista de Sicilia por Pedro III de Aragón en 1282, hasta la extinción de la rama española de la casa de Austria por la muerte sin sucesión de Carlos II, en 1700. El tratado de Utrecht (1713) cedió Sicilia a la casa de Saboya, que de acuerdo con Austria trocó dicha isla por la de Cerdeña (1720). De este modo se estableció en Palermo un gobernador austriaco, pero en 1735 Austria aceptó que se formara el reino de la Dos Sicilias (Sicilia y Nápoles) con una dinastía de los Borbones españoles, mas a condición de que nunca se uniera esta corona con la de España. Carlos, el tercer hijo de Felipe V, fue el iniciador de la nueva dinastía, pero al heredar el trono de España a la muerte de su hermano el rey Fernando VI, hubo de traspasar la corona de las Dos Sicilias a su segundo hijo Fernando, cuyos descendientes reinaron hasta 1860, en que Garibaldi incorporó Sicilia al reino de Italia.

De la ciudad antigua se conservan una vasta necrópolis púnica y restos de una casa romana decorada con mosaicos. La mayoría de los monumentos artísticos de la ciudad pertenecen a la época normanda. La catedral fue consagrada en 1185 y reconstruida entre los siglos XIV y XVI; en una de las capillas se encuentran las tumbas reales normandas y suevas (s. XII y XIII). El gótico recibió influencia catalana (iglesia de Santa María della Caterna). Santa Catalina (s. XVI) y San José de los Teatinos (1612), con interiores barrocos. De la dominación aragonesa quedan palacios como el Sclafani (1330). Mateo Carnelivari construyó en el siglo XV los palacios Aiutamicristo y Abbatelli.

Corel Stock Photo Library

Niña palestina en Nazareth, Israel.

Palés Matos, Luis (1898-1959). Poeta puertorriqueño, nacido en Guayama. Uno de los principales exponentes de la llamada poesía negra o afrohispanoamericana, y quizá el mayor poeta de su país. Su libro *Azaleas*, refleja aún los principios del Modernismo. En 1921, en colaboración con José de Diego Padró, fundó un movimiento literario posmodernista al que dieron por nombre Diepalismo, por las primeras sílabas de Diego y Palés. Aunque fue de breve duración, el Diepalismo le sugirió a Palés un nuevo sentido del ritmo que lo llevaría al *verso negro*. *Tuntún de pasa y grifería*, obra clásica dentro del género, fue el resultado de sus experimentaciones con voces y ritmos afroantillanos. Fuera de la tendencia negrista cultivó una poesía íntima y visionaria, de alta sugerencia poética (el amor, el misterio de la muerte, el enigma de la creación artística). El volumen titulado *Poesías* recoge sus mejores versos.

Vista panorámica de la ciudad de Jerusalén.

Corel Stock Photo Library

Palestina. Región del Medio Oriente entre el desierto de Siria, Líbano y el Mediterráneo, que cuenta con 2.534,598 habitantes (1996). El nombre de Palestina correspondía oficialmente a la región puesta bajo el mandato británico después de la Primera Guerra Mundial por el acuerdo secreto franco-británico Sykes-Picot (1916). Fue arrebatada a Turquía en 1918, colocada bajo la autoridad británica (1920-1923) y, por último, en régimen de mandato, confiada a Gran Bretaña por la Sociedad de Naciones (1923). Tras repetidos disturbios por la inmigración de judíos durante la persecución hitleriana, los palestinos, temerosos de ser desplazados, emprendieron la rebelión armada contra los británicos (1935-1939). Durante la Segunda Guerra Mundial, los judíos contribuyeron al esfuerzo bélico aliado con la esperanza de fundar en Palestina un estado independiente; la negativa británica de aceptar las recomendaciones del Congreso Sionista de New York en tal sentido (1942) y la creación de la Liga Árabe (1945) abrieron paso al terrorismo israelí a través del grupo Stern, disidente de la Haganah.

Gran Bretaña renunció a su mandato en 1947 y dejó en manos de la ONU la resolución del conflicto: el territorio fue dividido en dos estados, uno árabe y otro judío (noviembre de 1947) lo que originó el estallido de una guerra civil. Palestina fue dividida entonces en tres sectores (1949): Gaza, ocupada por Egipto, la mayor parte de Judea y la depresión del Jordán, entregada a Jordania; de esta segunda partición resultaba que a Israel le correspondían 5,000 km^2 más que al establecerse la primera. Los países árabes no reconocieron el estado israelí; las guerras de 1956 y 1967 agravaron la situación e hicieron que el número de refugiados se acercase al millón y medio. En 1964 fue fundada la Organización para la Liberación de Palestina (OLP), ésta presentó un frente compacto contra el estado israelí; hasta 1970 en que estalló la guerra civil (20,000 palestinos muertos). Tras la cuarta guerra árabe-israelí (octubre de 1973) la resistencia palestina elaboró un documento (1974) que preveía la posibilidad de aceptar la creación de un estado palestino en los territorios de Gaza y Cisjordania, donde adquirió peso específico la resistencia palestina. A pesar de los distintos planes negociadores en los últimos años, la nueva ofensiva israelí en el Líbano (1978) y los pactos Sadat-Begin que ponían de nuevo a la resistencia palestina a la defensiva, situaron la cuestión en un marco renovadamente explosivo.

Las primeras elecciones palestinas tuvieron lugar el 20 de enero de 1996. Yasser Arafat, líder del partido mayoritario de la OLP, Al-Fatah, fue elegido presidente de la Autoridad Nacional Palestina en unos comicios en los que concurrieron siete formaciones políticas y numerosos candidatos independientes, y que tuvieron también la oposición de grupos extremistas como Hamas, el Frente Popular y el Frente Democrático. El primer Consejo Legislativo palestino quedó dominado por Al-Fatah (50 de los 88 escaños). Tras la victoria del Likud en las elecciones israelíes (29 de mayo de 1996) y el nombramiento de B. Netanyahu como primer ministro, el proceso de paz y de consecución de plena autonomía para Palestina perdió auge, aunque continuó adelante.

Para fines de enero de 1997 se llega a un acuerdo en el retiro de tropas israelíes, sin embargo las tensiones continúan. En 1998 el gobierno de Israel falla en los acuerdos de la Franja del Oeste tomando el control de más territorio argumentando la inseguridad de su pueblo debido a la falta de seriedad en el cambio de poder palestino. Sin embargo el progreso en las negociaciones se lleva a cabo en Washington D.C. por parte de los líderes Netanyahu y Arafat en septiembre de 1998. Un retiro de tropas israelíes de la Franja del Oeste en un 13% del territorio a cambio del cese terrorista de los palestinos. La apertura de un aeropuerto palestino en la franja de Gaza, el retiro de tropas israelíes y la promesa de ayuda económica para los palestinos toman prioridad en la agenda de pacificación del conflicto palestino-israelí. En mayo de 1999 la búsqueda a una solución diplomática permite llegar a la posible creación del Estado Palestino; dichas negociaciones se ven estancadas en 1999, debido al cambio de poderes en el gobierno de Israel, en las cuales el nuevo presidente Ehud Barak despues de una serie de inconsistencias somete a un referéndum el proceso de pacificación.

Palestrina, Giovanni Pierluigi da (1526-1594). Compositor italiano, nacido en Palestrina y fallecido en Roma. Desde 1551 fue maestro de música en la capilla Julia del Vaticano; luego desempeñó el

Corel Stock Photo Library

Comerciantes palestinos en sesión de negocios, Jerusalén.

mismo cargo en las de San Juan de Letrán (1555-1560) y Santa María la Mayor (1561-1567). Por aquel entonces surgió la resolución del Concilio de Trento que criticaba la música sacra de la época por su libertad y complejidad, y Palestrina fue invitado a escribir una misa. En atención a tal pedido compuso la famosa *Misa del Papa Marcelo* (1566?). Volvió a la capilla Julia en 1571, y allí permaneció hasta su muerte. Sus obras se clasifican en varios libros de madrigales, motetes, ofertorios e himnos. Pese a la calidad de sus composiciones y a que se le considera uno de los más importantes compositores de música sacra, ha sido criticado por la falta de dramatismo en sus trabajos.

palimpsesto. Manuscrito antiguo en pergamino, cuya escritura fue raspada para escribir nuevamente sobre ella. *Véase* MANUSCRITOS.

Palissy, Bernard (1510-1589). Ceramista, escritor y sabio francés. Fue aprendiz de pintor de vidrieras en su juventud, durante la cual recorrió su patria, los Países Bajos, Alemania e Italia, trabajando y aprendiendo en las ciudades en que se detenía. Radicóse en Saintes donde se casó y tuvo ocasión de admirar una pieza de porcelana china. Tanto le entusiasmó ésta que se entregó a la tarea de investigar el secreto de su fabricación. Aprendió los rudimentos de la cerámica y durante diez años no se ocupó de otra cosa; vivió en la mayor pobreza, llegando al extremo de tener que mantener el fuego de los hornos quemando los muebles y aun el pavimento de madera de su casa, por lo que tanto su esposa como los vecinos lo tuvieron por loco. Así creó un tipo de cerámica vidriada a la que debe su celebridad. El condestable de Montmorency, que vio el resultado de sus trabajos, brindóle su protección y pronto se hizo famoso en Francia. Lo más característico de su obra son platos ovalados, jarros, fuentes y vasos, a los que aplicaba figuras realistas de peces, reptiles y plantas, pues era a la vez eminente naturalista y fue uno de los primeros que enunció la exacta teoría de los fósiles. En sus producciones sobresalen la delicadeza del modelado, la perfecta nitidez de la manufactura y la riqueza del colorido. Se cree que nunca usó el torno de alfarero, pues sus piezas eran prensadas en un molde y acabadas mediante modelado y aplicación de adornos en relieve. Preso en la Bastilla por hugonote, en 1588, Enrique III le ofreció la libertad a cambio de su retractación, pero rehusó salvarse a tal precio, y condenado a muerte, acabó sus días en uno de los calabozos de la prisión. Es autor de diversos escritos sobre religión, ciencias naturales, filosofía, agricultura, y otras materias.

Palladio, Andrea (1508-1580). Arquitecto italiano nacido en Padua, que se destacó por su magnífica interpretación del clasicismo renacentista, así como por la influencia duradera de sus ideas. En Vicenza realizó la Basílica; Palazzo Chiericatti y La Rotonda. En Venecia levantó san Giorgio Maggiore y algunos palacios del Gran Canal. Escribió *I quattro libri dell' architettura.*

Palma, Ricardo (1833-1919). Escritor y poeta peruano. Estudió en la Universidad de San Marcos, en Lima, y desde joven se dedicó al periodismo y a la literatura. Sirvió en el cuerpo jurídico de la Armada e intervino en política en algunas ocasiones. Participó en una asonada revolucionaria, y al fracasar la rebelión fue desterrado a Chile. Viajó por Francia, Inglaterra, Italia y España. Tradujo a Heinrich Heine, a Henry Longfellow y a Víctor Hugo, y en el periodismo escribió sátiras contra algunos políticos contemporáneos suyos. Desde 1868 a 1872 fue secretario del presidente José Balta y gozó de gran influencia política. Posteriormente fue elegido senador.

Se retiró de la política, en 1876 contrajo matrimonio y desde entonces se dedicó totalmente a su vieja vocación por la literatura En 1884 fue nombrado director de la Biblioteca Nacional de Lima, cargo que desempeñó hasta 1912. Fue también presidente de la Academia Peruana de la Lengua y correspondiente de la Española. En 1886 reunió todas sus poesías en un volumen y les puso un prólogo titulado *La bohemia limeña de 1848 a 1860*, que llamó la atención del mundo literario de entonces. Pero la obra que le dio fama imperecedera es la titulada *Tradiciones peruanas*, cuyo primer volumen apareció en 1872. La segunda serie se publicó en 1874, la tercera un año después, y a partir de entonces fue publicando tomos (seis series) hasta 1915.

Para la evocación histórica se inspiró en el método de Walter Scott, pero pronto su tono y su estilo se fueron apartando de todas las influencias. Las *Tradiciones* comienzan en el momento en que Francisco Pizarro llegó al Perú y se prolongan hasta principios del siglo XX. Su narrativa entronca con la de los grandes satíricos de la lengua española, entre los que hay que citar a Francisco de Quevedo y Villegas, y con otras figuras de la literatura universal, sin que ello desmerezca en nada su enfoque personalísimo. Las *Tradiciones*, breves, jugosas, llenas de frescura idiomática y de amor por las costumbres y la vida en general del pueblo peruano, se inspiran en la leyenda y en la historia.

Ricardo Palma está considerado como el patriarca de las letras peruanas. Él ha sabido recrear un mundo lleno de vida y de hechos, muchas veces pequeños y menudos, pero no menos interesantes para conocer las alternativas de un pueblo. Su gracia, su estilo y su método histórico han inspirado a muchos autores que han pretendido seguir su camino, pero con poca fortuna. Las *Tradiciones peruanas* fueron traducidas a varios idiomas y de ellas se han hecho numerosas ediciones en nuestra lengua en Perú, en España, en México y en Argentina. Su lectura sigue siendo atractiva y provechosa.

Palma, Iacopo d'Antonio Nigretti (1480-1528?). Pintor italiano de la escuela veneciana, apodado *el Viejo*, el más importante de los que tomaron el nombre de Palma en los siglos XVI y XVII. Durante su formación sufrió la influencia de Giovanni Bellini, Vicellio Tiziano y Zorzi de Castel Giorgione. Sus primeras obras muestran cierta severidad; las de su segundo estilo ofrecen un dulce reposo en la expresión de las figuras. Más tarde es el rival de Tiziano por la suavidad de su pincel y el brillo de que hace alarde por ejemplo, en la *Adoración de los pastores* del museo del Prado. Tan buen pintor como dibujante produjo muchas obras capitales por el colorido luminoso y los idílicos paisajes que le sirven de fondo.

Palma de Mallorca. Ciudad española, capital de la provincia insular de Baleares, situada en el oeste de la isla de Mallorca, la mayor de las del archipiélago balear, en el interior de la amplia bahía del mismo nombre. Dispuesta en forma de anfiteatro alrededor de ésta, y circundada de campos primorosamente cultivados, presenta un magnífico aspecto. Es una población rica por su agricultura y comercio. Su puerto, muy animado, exporta productos del campo, principalmente almendra. La abundancia de materias primas ha desarrollado bastantes industrias: paños, tejidos, muebles, calzados, orfebrería, vinos, aguardientes, aceites. La ciudad con sus arrabales cuenta 323,138 habitantes (1995). La parte moderna está bien urbanizada y muestra buenos edificios y hermosos paseos.

Palmas, de Gran Canaria Las. Ciudad capital de la provincia de su nombre, una de las dos en que se dividen las islas Canarias, pertenecientes a España, ubicada en la costa nordeste de la isla principal (Gran Canaria). Está cruzada por el río Guiniguada y posee uno de los puertos insulares más activos y modernos, dotado de magníficas instalaciones. El puerto se halla propiamente en la bahía de la Luz y se une a la ciudad por servicios tranviario y de ómnibus. Clima suave y que atrae constantemente a gran número de turistas. Tiene 373,772 habitantes (1995). La ciudad se enorgullece especialmente de su iglesia de San Antonio Abad, visitada por Cristóbal Colón cuando se dirigía al descubrimiento del Nuevo Mundo. Entre sus principales construcciones destacan la catedral, la obra arquitectónica más antigua y grandiosa de Canarias; el Seminario Conciliar (fundado en 1747), biblioteca, etcétera. La parte antigua está en la zona sur de la ciudad, mientras que en la zona norte se alzan los barrios modernos de grandes construcciones, en rectas calles y amplias avenidas. Industrias: textiles, loza, vidrios, abonos químicos, alfombras y labores de tabaco. En los alrededores hay gran desarrollo agrícola, siendo muy voluminosas las exportaciones de plátano y tomate que se verifican por el puerto de la Luz. La isla de Gran Canaria fue conquistada por el capitán Pedro de Vera, durante el gobierno de los Reyes Católicos, y la fundación de Las Palmas data de 1478. *Véase* CANARIAS.

Palmas, Las. Provincia insular y marítima de España, que comprende las tres islas situadas al este del archipiélago de las Canarias (Gran Canaria, Fuerteventura y Lanzarote) y varios islotes. Tiene una superficie de 4,065 km^2 y una población de 844,140 habitantes (1995). Su capital es Palmas de Gran Canaria situada en la isla que indica su nombre, la más rica y hermosa del archipiélago. Otras ciudades son el concurrido puerto de la Luz, también en Gran Canaria; el Puerto de Cabras, en Fuerteventura y Arrecife, en Lanzarote.

Palmera con cocos en las playas de Jamaica.

Corel Stock Photo Library

palmera. Planta palmácea llamada, también, palma, de gran porte, tronco derecho y raramente ramificado, hojas en penacho, aladas, pinadas o palmeadas. Alcanza alturas hasta más de 30 mm y el grueso de su tronco es muy variable, oscila entre 20 cm a más de un metro. Se propaga por semillas o pequeñas vegetaciones rizosas que nacen alrededor del árbol. Se conocen unas 4,000 especies que viven en las regiones tropicales y en los climas cálidos, con preferencia en los terrenos arenosos, húmedos y salobres, o en las proximidades del mar. Su cultivo exige muy pocos cuidados y enferman raramente. La existencia de la palmera es antiquísima, habiéndose hallado diversos fósiles de ella (frutos, hojas y troncos) en las capas o estratos correspondientes a la época terciaria de determinadas regiones. Entre las especies más conocidas citaremos, en primer lugar, la palmera datilera de 10 a 20 m de altura que se halla extendida por casi todo África y vive también en Arabia, Asia Menor, Mesopotamia, India y España (islas Canarias y bosques de Elche).

El cocotero de 25 a 30 m de alto y tronco algo torcido se cría en las regiones tropicales de todos los continentes e islas de Oceanía. Marco Polo denominaba a esta planta *palmera con nueces* de la India. Otras variedades son el palmiche, el palmito, la rafia y la palmera enana. La palmera es uno de los árboles más útiles (los hindúes suelen decir que el cocotero sirve para 93 cosas diferentes) y desde tiempo inmemorial la población indígena halló en ella uno de los elementos más valiosos para la alimentación, el vestido y la fabricación de todo género de utensilios. Con la madera del tronco, que en muchas especies es muy resistente, se fabrican infinidad de objetos, tales como asientos, bastones, vigas, tallas artísticas, recipientes, etcétera; con sus hojas, debidamente tratadas, se hacen techumbres, abanicos, esterillas, cestas, escudos, sombreros, fibras textiles, mantas, valijas, etcétera, con los ricillos fibrosos que envuelven las cáscaras de sus frutos, pinceles, cepillos y esteras.

Los frutos son muy apreciados y nutritivos por la gran cantidad de grasas, azúcares y alcohol que contienen. Los dátiles maduros se consumen sin preparación alguna, y los verdes ligeramente fermentados. La población pobre de África suele hacer con los mismos una especie de pan, para cuyo fin los trituran y les añaden sal y levadura. En las islas Canarias se sangran las palmeras para obtener la savia que, después de fermentada, produce una bebida ácida y picante. El cocotero, que alcanza 90 a 100 años de vida, empieza a fructificar de los seis a los diez años de haber nacido. Su corteza se usa en la India para curtir y las raíces tienen propiedades curativas, siendo muy indicadas para combatir la disentería. De la cáscara del fruto se obtiene el bonete o fibra de coco que tiene multiplicadad de usos. Después de pulida dicha cáscara se utiliza para vasijas y objetos diversos.

El líquido lechoso que contiene el coco produce, después de fermentado convenientemente, el *arrak,* bebida aguardentosa muy fuerte. La pulpa o la carne del fruto es muy nutritiva, y de ella se obtiene la manteca o aceite de coco, y del residuo se hace un excelente alimento para el ganado. El aceite, muy estimado, se usa en la industria para la fabricación de jabón, bujías, barnices y oleomargarinas. En los trópicos, hay ciertas clases de palmeras que son consideradas como sagradas y sus frutos y hojas constituyen símbolos de victoria y triunfo, cosa que ya se conocía en los tiempos de la Roma Imperial. La Iglesia Romana celebra el domingo de Ramos con hojas blancas de palmera. Como motivo

Corel Stock Photo Library

Conjunto de palmeras en zona tropical.

ornamental, la palmera se ha empleado en arquitectura (zócalos, arcos, frontispicios, etcétera) en numismática (monedas con palmas grabadas en su anverso o reverso) y en condecoraciones (militares, académicas, etcétera). *Véanse* COCO, DÁTIL·

Palmerston, Henry John Temple, Vizconde de (1784-1865). Estadista inglés. Miembro del Parlamento en 1807, ocupó posteriormente los cargos de ministro de la Guerra, de Relaciones Exteriores y del Interior. Fue uno de los jefes del partido liberal. En 1851, aprobó extraoficialmente el golpe de Estado de Luis Napoleón en Francia, antes de consultar con la reina Victoria, por lo que tuvo que renunciar. En 1855, fue designado primer ministro en momentos difíciles para la política exterior británica. Como jefe del gobierno llevó a feliz término para Inglaterra la guerra de Crimea, y robusteció su popularidad con acertadas medidas de gobierno. En 1858, le sucedió en el cargo de primer ministro lord Derby, pero Palmerston regresó al poder al año siguiente y fue jefe del gobierno hasta su muerte. Su política exterior, acertadamente orientada, elevó el prestigio británico.

Palmira. Ciudad antigua de Siria que se presume fue fundada por Salomón con el nombre de Tadmor y que servía de paso a los países de Occidente para el comercio de sedas y otros productos con el Oriente asiático. Sufrió guerras e invasiones, fue destruida en parte por un terremoto. Fue reedificada y fortificada por Justiniano. En 1691 los ingleses exploraron sus ruinas, de las que se conservan algunos vestigios, tales como el Templo del Sol, consagrado a Baal. El viajero y pensador francés, conde de Volney, se inspiró en esas ruinas para escribir, en 1790, su conocido libro *Las ruinas de Palmira.*

La muralla que se conserva pertenece seguramente a los siglos II y III; en está época la ciudad ocupaba una gran extensión; sus potentes defensas estaban dotadas de una torre cada 37 m aproximadamente. La calle principal es la llamada gran *columnata* consistente en una calle central con dos pasillos laterales cubiertos, de más de un kilómetro de longitud, adornados con columnas de estilo corintio, bastante bien conservada.

Palmira. Ciudad colombiana del departamento de Valle del Cauca, cuya población es de 214,400 habitantes. Son importantes la agricultura y la ganadería; produce principalmente arroz, caña de azúcar y excelente tabaco. Tiene una importante estación experimental agrícola: Instituto de Investigaciones Agropecuarias.

Palmira. Municipio del centro de Cuba, provincia de Cienfuegos. Su población es de 27,615 habitantes. Situado al norte de la bahía de Cienfuegos, avenado por los ríos Damují y Salado. Produce caña de azúcar, hortalizas y frutas; cría ganado vacuno. Comunicado por la carretera Cienfuegos-Cruces.

palmito. Planta de la familia de las palmáceas, que vive silvestre en los terrenos secos y cálidos del sur de Europa. Tronco subterráneo del que brotan las hojas, que van acumulando los restos de las vainas, y forman en la parte de arriba una red de fibras que permite a la planta cultivada alcanzar alturas hasta de 5 m. Las hojas son palmeadas, con un largo peciolo leñoso de bordes sembrados de pequeñas espinas, de cuyo ápice parten, en forma de abanico, 15 a 20 foliolos acintados de unos 30 cm de largo. Las flores pequeñas y amarillas, agrupadas en panoja y protegidas por una bráctea coriácea. Los frutos son bayas rojizas, especie de dátiles de inferior calidad, llamados en Andalucía palmiche, muy ásperos al paladar aunque algo azucarados. Se emplean como alimento para cabras y cerdos, pero puestos en maceración se hacen más azucarados, hasta el punto de ser comestibles. La sustancia tierna y dulce contenida en el cuello de las raíces de las plantas nuevas y la existente en la base de las hojas tiernas son también comestibles. Con las hojas se fabrican diversos utensilios como esteras, envases, sombreros, escobas, etcétera, y puestas en maceración, machacadas y peinadas, se obtiene de ellas una fibra textil, llamada crin vegetal, que se utiliza para rellenar butacas, colchones, y para otros usos industriales.

palo borracho o bitaca. Planta arbórea, bombácea, típica de las regiones cálidas del continente sudamericano y muy abundante en Brasil y el norte de Argentina. Es de madera blanda y fofa, con el tronco hinchado, en forma de botella, donde almacena gran cantidad de agua, de la que se sirve en épocas de sequía. Frecuentemente se erizan de grandes espinas el tronco y gran parte de las ramas. Permanece desnudo de hojas durante la estación seca, brotándole las flores, cuando aún está sin hojas, lo que le da un aspecto extraño y muy decorativo. Las flores son grandes, de color blanco amarillento o rosadas, según las especies. El fruto es una cápsula coriácea, que encierra semillas con abundante pilosidad, que en algunos lugares se emplean para rellenar almohadillas y para fabricar ciertos tejidos típicos. Con las flores se hace un condimento que emplean en ciertas regiones contra el dolor de cabeza. También se le conoce con los nombres de *yuchán y samuy.*

palo de campeche. Madera dura, negruzca, de olor agradable, que procede del árbol *Haematoxylon campechianum,* de la familia de las leguminosas. El árbol tiene de 10 a 20 m de altura, ramas espinosas de hojas estipuladas, y flores pequeñas, amarillas y olorosas. Debe su nombre a que crece en las costas del golfo de México, cerca de Campeche, aunque también se encuentra en las Antillas, y en regiones de América Central y del Sur. Del palo de campeche se extrae una materia colorante que recibe el nombre de hemateína, que empleada con diversos mordientes produce hermosos colores principalmente negro, violeta, púrpura y azul, que se utilizan en tintorería y en la fabricación de tintas de escribir.

palo de rosa. Madera procedente de plantas diversas que tienen en común un color más o menos rosado o rojizo y, en ciertos casos, olor parecido al de la rosa. El palo de rosa es muy estimado en ebanistería. Una de las variedades más apreciadas, por su fina textura, es el palo de rosa de las Antillas, que procede de la familia de las borragináceas, de árboles que crecen principalmente en Cuba y Santo Domingo. Otras maderas también llamadas palo de rosa, aunque de distintas familias botánicas, proceden de México, Brasil, Guayana y Argentina.

paloma. Ave de la familia de las colúmbidas. Se caracteriza por la forma de su pico que tiene la porción terminal córnea y ligeramente encorvada, y la parte de la base cubierta de una piel suave que rodea las aberturas nasales. Existen más de 650 especies en todo el mundo, muchas de ellas domésticas. En algunas grandes ciudades, es común verlas en plazas y jardines, mansas, alimentadas por los niños. Las palomas salvajes, cuyas especies más conocidas son las torcazas y las de monte, viven en general en los bosques y campos y se alimentan principalmente de granos y semillas, aunque también comen algunos insectos, hierbas y frutas. En realidad no son perjudiciales para la agricultura, estando compensado el pequeño perjuicio que pueden ocasionar con los beneficios que prestan entre los que se encuentra el de su carne que es bastante apreciada. Son excelentes voladoras, tímidas y ariscas, lo que les permite esquivar a sus enemigos, entre los que se encuentran las aves rapaces y el hombre, que les da caza en todas las latitudes.

La paloma silvestre se alimenta de semillas, insectos y frutas.

Corel Stock Photo Library

Son muy buenas compañeras, citándoselas como ejemplo de fidelidad. Forman generalmente parejas, siendo excepcional encontrar una paloma aislada; hacen un nido tosco pero bastante resistente y ponen dos huevos. Una de las características de las palomas es la alimentación que dan a sus pequeños durante los primeros días; se trata de una sustancia lechosa, segregada por unas glándulas especiales que tienen en el buche, y que depositan en el pico de los pequeñuelos; en cierto modo es comparable a la lactancia de los mamíferos.

Las palomas domésticas eran conocidas de los egipcios y en la Roma antigua fueron objeto de minuciosa atención, llevándose en algunos casos libros detallados de su origen, tal como se hace hoy con animales de raza. Las más conocidas son la romana, la de corbata, la de abanico y la buchona que dilata el buche de un modo tal que forma una bolsa enorme. La más famosa es la mensajera o correo, que ha sido y sigue siendo utilizada por el hombre para transmitir mensajes a grandes distancias aprovechando la extraña habilidad que tienen para volver a su nido desde distancias de centenares de kilómetros. Estas palomas han desempeñado servicios extraordinarios, como en el sitio de París en 1870, en que eran utilizadas para comunicarse con el exterior. Los sitiadores prusianos empleaban halcones para cazarlas en pleno vuelo.

No existe acuerdo sobre los medios de que se vale la paloma mensajera para volver a su palomar; no está demostrado que tenga un sentido especial; pero, tampoco parece probable, por las experiencias realizadas, que lo hagan sólo por aprendizaje, ni guiándose por la vista. Palomas lanzadas desde distancias de 400 o 500 km han vuelto a su nido desde la primera vez sin adiestramiento previo, por lo que puede descartarse la vista como sentido de orientación. De cualquier manera, esta notable facultad es utilizada por el hombre, y numerosos adiestradores se dedican a la cría de estas palomas con esmerado cuidado, pagándose altos precios por ejemplares notables. Los griegos las utilizaban para transmitir el resultado de los Juegos Olímpicos a comarcas alejadas. Entre las cien mil palomas mensajeras utilizadas en la Primera Guerra Mundial, ninguna alcanzó la fama de la llamada *Cher Ami,* que salvó a un batallón perdido en el bosque de Argonne, llevando una petición de auxilio a pesar de haber sido herida en el pecho y en una pata, durante el vuelo. La mayor distancia recorrida por una paloma es la de 12,000 km, que media entre la ciudad francesa de Arras y el territorio chino. *Véase* COLOMBOFILIA.

Palos de la Frontera. Ciudad española de la provincia de Huelva, en las inmediaciones de la desembocadura del río Tinto en el océano Atlántico, llamada usualmente Palos de Moguer por pertenecer al partido judicial de ese nombre. Tiene 6,900 habitantes (1995). Sus principales actividades son el cultivo de la vid y explotación de la ganadería. En el siglo XV, especialmente en sus postrimerías, gozó de importancia en el aspecto marítimo dado que sus moradores, dedicados la mayor parte a la navegación, estaban conceptuados entre los marinos más audaces de España. De Palos de Moguer fueron oriundos los Pinzón, Martín Alonso, Vicente Yáñez y Francisco Martín, que tuvieron parte destacada en la organización del viaje de descubrimiento de América y acompañaron a Cristóbal Colón en su travesía.

Considerando seguramente la capacidad de dicha villa para ello, cuando los Reyes Católicos acordaron otorgar ayuda y apoyo a los planes de Colón, ordenó el Consejo de Castilla, por provisión dictada el 30 de abril de 1492, que los vecinos de Palos proveyeran, en el plazo de diez días, dos carabelas que debían poner a disposición del navegante. De ahí deriva precisamente el renombre histórico de que goza Palos de la Frontera, pues de ella se hicieron a la mar el 3 de agosto de 1492, las naves nombradas *Niña, Pinta y Santa María,* para la aventura que habría de culminar con el descubrimiento del Nuevo Mundo. En el mismo puerto desembarcó Colón el 10 de marzo de 1493, de regreso de su primer viaje.

En la jurisdicción de Palos existe el famoso convento franciscano de la Rábida, cuyos monjes ayudaron tanto a Colón para la obtención del favor real que permitió la realización de su viaje. También Hernán Cortés, el conquistador de México, fue huésped de dicho convento al desembarcar en Palos de regreso de la antigua Tenochtitlan, para dar cuenta a su rey, el emperador Carlos V, de la importancia de su descubrimiento y conquista. El puerto de Palos de Moguer está actualmente cegado por las arenas acumuladas durante siglos.

palta. *Véase* AGUACATE

paludismo. Enfermedad febril caracterizada por recurrentes periodos de escalofrío seguidos de fiebre elevada, por la presencia de microparásitos en los glóbulos rojos, y a veces por ictericia. Es enfermedad muy extendida y recibe muchos nombres; entre ellos los más conocidos son los de malaria, cuartana, fiebre intermitente y fiebre de los pantanos. Abunda en América Central, partes norte y noreste de América del Sur, África Central y Septentrional, Turquía, cuenca del Mediterráneo, Irán, la India, Birmania, China, Indonesia, Filipinas y algunas islas del Pacífico. Se transmite al hombre por la picadura del mosquito anofeles o por transfusión con sangre de persona infectada. Los anofeles a su vez se infectan picando a individuos enfermos. Los microparásitos causantes de la infección que trasmite el anofeles son unos protozoarios del género *Plasmodio.*

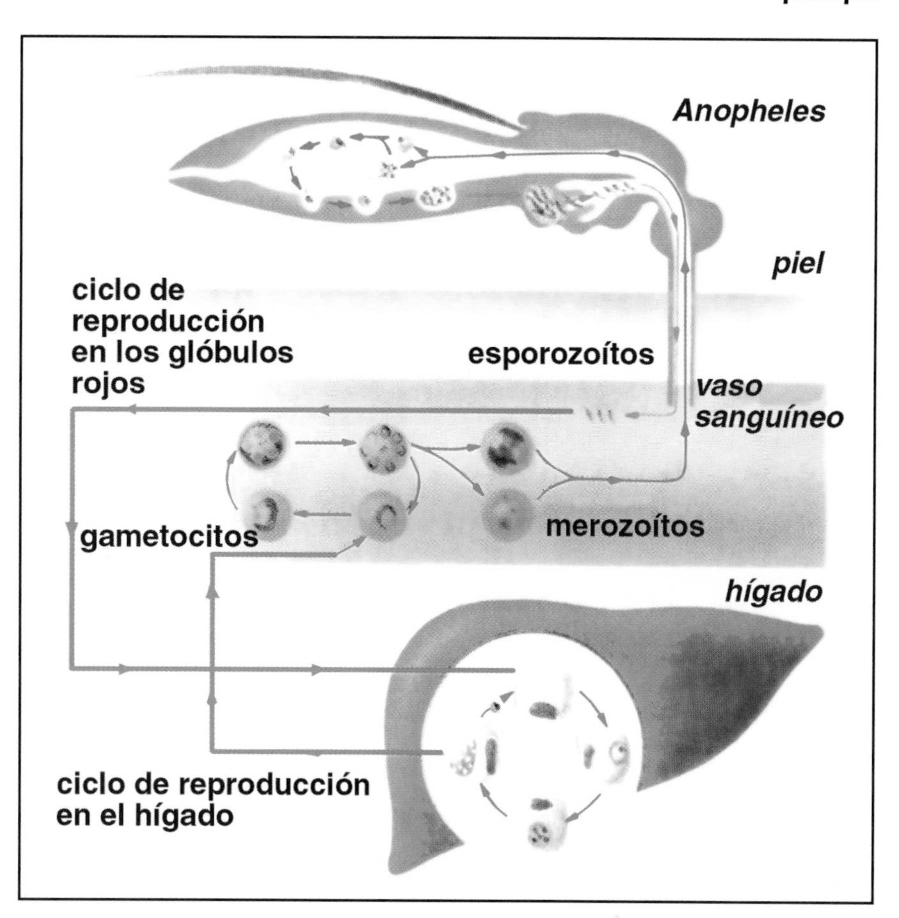

Ciclo biológico del plasmodio del paludismo.

Comienza la enfermedad con escalofríos seguidos de fiebre y sudor, con dolor de cabeza. La fiebre dura de 1 a 8 horas, luego cesa y el paciente se encuentra bien; mas a los dos o tres días, generalmente, se presenta otro acceso febril, que se sucede periódica e indefinidamente. Si estos accesos se repiten durante meses, produciendo una postración y debilitamiento del enfermo, dan lugar al paludismo crónico, anemia, diarrea, dolores articulares y palpitaciones. El paludismo puede originar numerosas y graves complicaciones.

En los países donde abunda la enfermedad, debe emplearse la prevención evitando la picadura del anofeles mediante el uso de líquidos repelentes para el mosquito, de mosquiteros y alambrados finos en puertas y ventanas, o por el exterminio de los mosquitos en los lugares pantanosos. El ataque agudo se combate con quinina, atebrina, sulfadiazina y cloroquina.

Pamir, Meseta de. Llamada también *Techo del mundo,* es una elevada región montañosa del Asia Central que constituye el nudo orográfico más importante del mundo. De él irradian los montes Himalaya, Hindú, Kush, Tien Shan y Kuen Lun, y allí se reúnen las fronteras de Afganistán, Tajikistán, Pakistán, Cachemira y China. Su superficie es de 95,000 km^2 y su altura media de unos 4,000 m. Zona de clima duro, árida y sin vegetación, en gran parte está cortada por profundos abismos y afectada por fuertes vientos. Viven en ella unos 35,000 montañeses dedicados a la agricultura y al pastoreo. Políticamente pertenece a la República de Tajikistán y a Afganistán.

pampa. Extensa llanura con vegetación de plantas herbáceas, anuales o perennes y algunos arbustos, que se extiende en la zona sur de América Meridional, y cuya denominación se ha aplicado erróneamente a otras regiones en América del Norte, Europa y África. *La pampa* es exclusivamente el territorio limitado por la cordillera de los Andes, Brasil y el extremo sur de la Patagonia en su zona este. La propia palabra que la define pertenece a esa región, pues corresponde a la que se usa en los idiomas aymará y quechua para indicar llanura, sabana, plaza, extensión de pertenencia común. Enmarcadas por dichos límites, tres llanuras llevan allí el nombre de pampa: 1) La *pampa de Lampa,* que se extiende en Perú, entre Chiquián y Cajacay, y que cuenta con la laguna de Conococha, a 3,940 m de altura; 2) La *Pampa del Tamarugal,* en la provincia de Tarapacá, en Chile, que corre de norte a sur desde la quebrada de Camarones al río Loa, con anchura de 42 a 50 km y a una altura promedio de 1,200 m y 3) La *pampa argentina,* que se extiende desde la Patagonia hacia el norte, entre la cordillera de los Andes y el Atlántico, comprendiendo las provincias de Buenos Aires, sur y centro de Santa Fe, Córdoba oriental y de la provincia de La Pampa, interrumpida en algunos sectores por ondulaciones montañosas a medida que se interna en la zona norteña, cuando ya pierde su conformación y su auténtica característica. Es la más representativa de estas llanuras.

La pampa argentina, de proporciones considerables, terreno a nivel y sin que a simple vista se distingan accidentes que rompan la línea de un paisaje parejo y siempre igual, causa la impresión de un mar de ilimitado horizonte. Es un terreno apto para el espejismo o miraje. Pueden recorrerse kilómetros sin hallar más punto sobresaliente que algún solitario ombú, árbol que surge como un oasis de sombra en medio de aquel océano de hierbas y algunos pequeños arbustos. Mas, de pronto, aparecen las grandes estancias, las enormes crianzas de ganado con decenas de millares de cabezas y los pueblos y ciudades modernos enlazados por el ferrocarril y las carreteras pavimentadas, las industrias y los establecimientos que impulsan el progreso del país. Luego, desaparece aquello para volver otra vez la *pampa* inmensa e interminable. Habitantes propios de estas llanuras son los ñandúes o avestruces americanos y pequeños animales salvajes, como las vizcachas, zorros, mulitas, etcétera. También hay algunas aves, pero con excepción de los sitios ya colonizados, el mundo animal encuentra allí los inconvenientes de la falta de agua en épocas de sequía.

La *pampa argentina* es hoy uno de los primeros centros de aprovisionamiento que posee el mundo, con su ilimitada posibilidad de producción agrícola, hortalizas, frutales y, particularmente forrajes excepcionales para la población ganadera. La zona este de la pampa argentina es llamada húmeda, y seca la del oeste. La parte más importante de esta rica llanura es la que cubre la región de Buenos Aires a Mendoza, y su fertilidad, riqueza y posibilidades se aprecian al cruzarla en ferrocarril o avión, constituyendo un panorama único. *Véase* ARGENTINA.

Pampa, La. Provincia de la República Argentina, que pertenece a la gran llanura chaco-pampeana. Ocupa 143,440 km^2 y tiene una población de 260,034 habitantes (1995). En su territorio se advierten dos regiones: la del este, fértil y poblada, y la del oeste, árida y semidesértica. Ambas quedan delimitadas por un factor natural: la línea de los 500 mm anuales de lluvia. En las praderas del este pacen tres millones de ovinos y un millón y medio de vacunos; trigo, maíz, alfalfa, cebada y centeno también abundan en esta zona, donde se agrupan las poblaciones de Toay, General Acha, Realicó, General Victorica, Bernasconi y General Pico. Los ferrocarriles, los caminos y los centros poblados se agolpan en las praderas fértiles, dejando en aislamiento casi total al resto de la provincia, sujeto a un permanente proceso de erosión del suelo. La capital es la próspera ciudad de Santa Rosa, con 78,057 habitantes (1995). De la provincia se extraen todos los años 150,000 ton de sal común y 8,000 ton de sulfato de sodio.

Historia. A la llegada de los españoles estaba habitada por un conjunto heterogéneo de pueblos indígenas: pehuelches, tehuelches, quechuas, manzaneros, atigones, etcétera. En 1528 fue explorada parcialmente por Francisco César. La preeminencia que la explotación colonial dio a la agricultura tropical y a la minería relegó a un plano secundario a la Pampa, que fue abandonada a las tribus indias por los españoles. La expansión del mercado del cuero, en la segunda mitad del siglo XVIII, redundó en un creciente interés por las llanuras pampeanas e impulsó una débil penetración inicial a partir de Buenos Aires. La oposición de los indígenas a la colonización blanca y, sobre todo, el obstáculo de las distancias mantuvieron a la Pampa en una situación prácticamente estacionaria durante la primera mitad del siglo XIX. La derrota de los indios en 1852, la construcción de la red ferroviaria (1857) y principalmente la estabilidad institucional adquirida al advenimiento de Bartolomé Mitre al poder (1862), hicieron posible la apertura de la región al flujo inmigratorio y la consiguiente explotación de sus amplias posibilidades agropecuarias. La campaña militar de Julio Roca (1879-83) consolidó la incorporación de las estepas pampeanas a la nación argentina.

pámpano. Nombre que se da en América a un pez comestible que vive en las costas cálidas del Atlántico. Es de cuerpo oblongo y comprimido, lomo de color azul plateado, vientre dorado y amarillentos los costados y pecho. Mide unos 40 cm de largo y pesa hasta 4 kg; su carne es de sabor agradable. No es fácil de atraerle al anzuelo, por lo que se le suele pescar con redes. La mayor de las especies es el *gran pámpano* que llega a medir un metro y vive en las costas del Golfo de México.

Pamplona. Ciudad colombiana del departamento Norte de Santander, cuya población es de 28,300 habitantes (1995). Para sus comunicaciones se sirve de la carretera central del norte. Sus principales industrias son la agricultura, la ganadería y la industria harinera; la comarca en que está enclavada produce principalmente trigo, cebada, papa y arvejas; se explotan minas de carbón. Fue fundada por Pedro de Ursúa en 1549, y obtuvo el título de ciudad en 1555. La fama de sus minas incrementó la inmigración española durante los siglos XVI y XVII, fue reedificada tras los terremotos de 1644 y 1875, que la habían reducido a ruinas.

Pamplona. Ciudad española capital de la Comunidad Autónoma de Navarra, situada en el norte de la Península Ibérica, a la izquierda del río Arga. Es centro industrial y comercial de toda Navarra. Fabrica maquinaria agrícola, abonos químicos, harinas y comercia con cereales. Población: 181,776 habitantes (1995).

La parte vieja de la ciudad tiene edificios notables como la catedral, el palacio de la Diputación Foral y la Cámara de los Comptos. Corresponde a la antigua *Pompaelo* de los romanos, fundada por Pompeyo. Fue una de las posiciones más importantes de defensa de la Península en los Pirineos occidentales.

pan. Alimento básico elaborado ordinariamente con harina de trigo, agua, levadura y sal. Su elaboración comprende las operaciones de amasado, fermentación y cochura. Mediante el amasado se forma una pasta homogénea y sin grumos, mezclando la harina con agua, a la que se añade, para sazonarla, una pequeña cantidad de sal. Las proporciones más usuales son de 30 o más gramos de sal y de 550 o más de agua por cada kilogramo de harina empleada. Durante esta operación se deslíe la levadura, mezclándola progresivamente con la pasta, juntamente con la sal, salvo que ésta se hubiera ya disuelto antes en el agua. Durante mucho tiempo el amasado se efectuó en recipientes de madera construidos en forma de cubeta con paredes de poca altura, llamadas artesas, trabajando la pasta a mano; pero actualmente se ha adoptado, por sus condiciones de economía, rapidez e higiene, la amasadora mecánica, cuyo uso comenzó a divulgarse a partir de fines del siglo XVIII que fueron ensayadas en Viena y Holanda, y que después fueron perfeccionadas notablemente.

La pasta resultante después del amasado es tan compacta y pesada que sería muy difícil de digerir, además de no ser capaz de absorber los jugos gástricos, por lo que se hace necesario su fermentación. Para ello se emplean diversos compuestos llamados levaduras cuya función consiste en actuar química y orgánicamente sobre dicha pasta hasta transformarla en digerible, ligera y esponjosa. La levadura puede prepararse con una pequeña cantidad de harina amasada en agua caliente que se deja reposar unas doce horas en un lugar templado; al cabo de ese tiempo se repite la operación, y luego otra vez más, después de lo cual ya puede ser usada.

La fermentación es un fenómeno de origen alcohólico, provocado por los azúcares de la harina, con el consiguiente desprendimiento de ácido carbónico que abre poros en la pasta. Intervienen asimismo ciertas bacterias como auxiliares de ese proceso, tales como la *Saccharomyces minor,* que contribuyen a dar al pan su sabor agradable. La industria prepara perfectamente esas levaduras y evita los peligros de una dosificación exagerada de ingredientes.

Antes de la cocción de la masa debe procederse a su fraccionamiento y pesado, debiendo tener cada porción un peso mayor del que se desea tenga el pan, puesto que éste al cocerse experimenta una pérdida de peso debido a la evaporación del agua que contiene la pasta. Luego se moldean cada una de dichas porciones dándoles una forma apropiada, que suele variar según el género del pan fabricado y los gustos o costumbres del país en que se elabora espolvoreándolas con harina bien seca para evitar que se adhieren entre sí cuando se dispongan en las planchas o cestos con que habrán de ser llevadas al horno.

El pan se cuece, después, en hornos especiales, por los que entra colocado en una cadena o correa sin fin que pasa desde el extremo más frío hasta el más caldeado, saliendo luego por el otro extremo sin que la mano del obrero lo haya tocado. La cochura tiene por objeto primordial detener la fermentación en el momento preciso que pudiera transformarse en ácida, perjudicando la calidad, para lo cual se utiliza el calor como agente. La pasta fermentada constituye un envoltorio impermeable que retiene en su interior las burbujas del ácido carbónico desprendido o formado en aquel proceso. La cocción dilata esa pasta, evapora el agua, coagula el gluten y la transforma en un cuerpo ligero y esponjoso revestido de una corteza consistente. La temperatura de cocción debe alcanzar, por lo menos, los 200 °C, puesto que con temperaturas menores no sería posible lograr la transformación de los hidratos de carbono. Los hornos de pan se construyen de diversas formas y tipos, influyendo en ellas la clase del combustible empleado: leña, carbón, aceites pesados, gas, vapor o electricidad.

Clases de pan. El pan se elabora de múltiples maneras y no siempre es la harina de trigo, con la cual se hace desde luego el mejor, la base que entra en su composición, pura o mezclada. Hay panes de harina de arroz, cebada, avena, maíz, habas, patatas, salvado, centeno, etcétera. Su valor nutritivo se halla en relación directa con

Corel Stock Photo Library

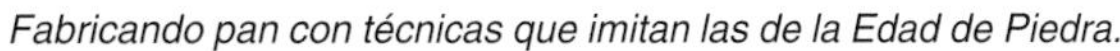

En la elaboración del pan existen múltiples formas.

sus componentes, pudiendo decirse que el más excelente en ese aspecto es el pan llamado *integral* elaborado con todos los elementos del grano y, por lo tanto, conteniendo todas las vitaminas de éste.

Los hombres primitivos desconocían el pan limitándose a comer los cereales crudos y a veces triturados groseramente. Los romanos principiaron por comer el trigo hervido y luego se acostumbraron a triturar sus granos haciendo con ellos una especie de papilla cocida. Más tarde, idearon asar dichos granos, y Numa Pompilio dio tal importancia a ese invento que llegó a instaurar una fiesta pública para conmemorarlo. Por último, adoptaron de los griegos el procedimiento de panificación que éstos, a su vez, habían tomado de los egipcios, los cuales conocían ya el pan aunque elaborado muy rudimentariamente. Las mujeres y los esclavos fueron los encargados durante una larga época de fabricar el pan, labor que implicaba entonces un trabajo penosísimo, tanto en la fase de la obtención de la harina por medio de muelas de piedras toscas, como en la del amasado, operaciones que se efectuaban a brazo con gran dificultad y cansancio de los que intervenían, auxiliados algunas veces con la fuerza de animales de tiro.

Pan.

Dios de la mitología griega. Se le considera como divinidad rural o campesina. De su nombre viene la calificación de *terror pánico* pues, la leyenda señala que atemorizó a los persas en la batalla de Maratón. Sus padres eran Mercurio y la ninfa Penélope. Se le representaba como un hombre barbado y vigoroso, con cuernos en la frente y con piernas y pies como las patas y las pezuñas de un macho cabrío. En Arcadia se ocupó en la crianza de las ninfas. Mercurio tomó a broma el efecto causado por su hijo y con grandes risas lo envolvió en una piel de bestia y lo llevó al Olimpo. Allí, lo extraño de su figura divertía mucho a Baco y a otras divinidades. Sin embargo, la historia mitológica no excluye las amorosas atenciones que provocó en diosas y ninfas. Pan, palabra griega que significa todo, indica que este dios simbolizaba el conjunto de las fuerzas de la Natura-

Fabricando pan con técnicas que imitan las de la Edad de Piedra.

Corel Stock Photo Library

leza. Los romanos, después de los griegos, celebraron fiestas en su honor, sobre todo las *Lupercales,* nombre derivado del lugar donde se creyó que Rómulo y Remo habían sido amamantados por la loba.

panadizo. Inflamación aguda de las partes blandas que rodean los huesos de los dedos, localizada con gran frecuencia a nivel del borde de las uñas. Hay diversas variedades, siendo la más grave el panadizo profundo, que es un verdadero flemón con abundante pus. El tratamiento consiste en fomentos y cataplasmas y en facilitar la supuración, recurriendo a la incisión quirúrgica y a la cura antiséptica.

Panamá. República de América Central, situada en el istmo de su nombre y que une las partes septentrional y meridional del continente americano. Su capital es la ciudad de Panamá. Limita al norte con el Mar de las Antillas, al sur con el océano Pacífico, al este con Colombia y al oeste con Costa Rica. Su superficie consta de 77,082 km². Su población es de 2.674,000 habitantes (1996), su densidad es de 35.4 h./ km². El 60% son mestizos e indígenas. La población rural alcanza 49% del total. La lengua principal es el español y la religión católica la más difundida.

Costas e islas. La costa del Atlántico o Caribe es mucho más abrupta que la del Pacífico, con notables accidentes como la laguna de Chiriquí y los golfos de Mosquitos y San Blas; en la costa sur la bahía de Montijo, la Península de Azuero y los golfos de Chiriquí, Panamá y San Miguel.

Cuenta, además, con innumerables islas de enorme valor estratégico para la defensa del Canal. En el Caribe el archipiélago de las Mulatas o San Blas, con 332 islas; en el Pacífico las islas Coiba y Jicarón y el archipiélago de las Perlas, con las islas del Rey, y Pedro González entre otras.

Hidrografía. A causa de las lluvias abundantes, hay ríos de importancia, pero pocos son navegables. En el Atlántico desembocan 150 ríos, siendo los principales: Sixaola que sirve, en parte, de frontera con Costa Rica, Changuinola, Auyama, Calobéboras, Belén, Coclé del Norte y Concepción, los que son navegables en sus tramos finales. El río Chagres, junto con el lago artificial Gatún, forman la fuente de agua necesaria para la operación del Canal.

En el Pacífico desembocan 350 ríos, entre los que destacan el Tuira, Chucunaque, Congo, Chiman, Bayano, Pacora, Tocumen, Tapia, Juan Díaz, San Pablo, Santa María, Tabasará, David, Chiriquí Viejo y Fonseca.

Clima. El clima de Panamá es marítimo por estar entre dos océanos y ser tan estrecha su faja territorial. Tiene una alta precipitación pluvial, con una estación relativamente seca por influencia de los vientos alisios del Atlántico, entre diciembre y mayo. El resto del año las lluvias son constantes. Hay fluctuaciones en cuanto a la precipitación pluvial, pues en Colón, al norte, el promedio es de 3,184 mm, en Balboa, al lado del Pacífico, la precipitación llega a un promedio de 2,718 mm y se limita de junio a noviembre. En tanto en la zona de Darién, al oriente, las lluvias alcanzan un promedio de 5,000 mm. La temperatura es muy constante y oscila entre los 28 °C y los 34 °C a la orilla del mar y los 19 °C en el centro del país.

Flora y fauna. Las especies neoárticas y las neotropicales se encuentran mezcladas, sobre todo en lo que a peces y aves se refiere.

En la costa del Pacífico hay vegetación de sabana, con bosques de hojas caducas, y en la vertiente del Mar Caribe hay selvas tropicales. El 53% del territorio panameño está cubierto por bosques en los que abundan las orquídeas, que son la flor nacional del país.

Las especies zoológicas son variadas, destacando pumas, osos hormigueros, zorros, jaguares y tigres; entre las aves hay guacamayas, águilas reales, gavilanes, etcétera; y entre las especies acuáticas: tiburones, mantas, delfines, tortugas, cangrejos, langostas, camarones, etcétera.

Economía. Panamá basa su economía en la actividad agrícola, orientada a satisfacer necesidades internas y de exportación. El 8.1% del área está cultivado. Son productos de consumo interno el arroz, maíz, papas, frijoles, caña de azúcar, legumbres, hortalizas y frutas. En cuanto a la exportación, los productos principales son plátanos, cacao y café.

Panamá posee una abundante riqueza forestal, lo que le permite exportar maderas en bruto, así como caucho y la ipecacuana.

En lo que respecta a la ganadería, cuenta con un hato apreciable de ganado vacuno así como con excelente producción porcina. En lo que a pesca se refiere, se ha incrementado notablemente la de camarón y langosta. En el archipiélago de las Perlas se practica la pesca de ostras perlíferas. En minería, Panamá produce pequeñas cantidades de oro y de hierro y hace pocos años se descubrió en Cerro Colorado un importante yacimiento de cobre.

La energía eléctrica es producida en su mayor parte por plantas térmicas y se trata de aumentar la generación para abastecer a todos los puntos del país.

La actividad industrial proporciona artículos alimenticios; hay fábricas de cemento, zapatos, cigarrillos, textilerías y destilerías de alcohol.

El comercio de la zona vecina al Canal se ha desarrollado a partir de la construcción de éste y Panamá se ha convertido en un importante centro financiero internacional que atrae numerosos capitales.

Comunicaciones. Cuenta con 742 km de líneas férreas; el ramal más importante es el que une a Colón con Panamá. Las carreteras suman 9,583 km, entre ellas la transístmica que va de Colón a Panamá. La Panamericana tiene 850 km pavimentados. Su flota mercante es importante: 31,963 ton, aunque en su mayoría es tonelaje de navieros extranjeros abanderados por Panamá.

Educación. Hay numerosas escuelas primarias, centros de segunda enseñanza y dos universidades. La obligatoriedad de la enseñanza abarca a los niños de 6 a 15 años cumplidos. La enseñanza depende del ministerio de Educación en su totalidad, sean escuelas públicas o privadas. La educación superior se imparte en la Universidad Nacional de Panamá, creada por decreto en 1935; depende del ministerio de Educación y está dirigida por el rector, el consejo general universitario y la junta administrativa. Comprende ocho facultades y un instituto politécnico. Desde 1965 funciona también la Universidad Católica de Santa María la Antigua, que consta de cinco facultades.

Gobierno. Es una república unitaria dividida en nueve provincias y tres reservaciones indígenas autónomas. Conforme a la Constitución que rige, el poder Ejecutivo está constituido por el presidente, dos vicepresidentes, elegidos por voto popular directo cada cinco años, y sus ministros; el poder Legislativo corresponde a la Asam-

División política			
Provincias	**Habitantes**	**Capital**	**Habitantes**
Bocas del Toro	88,385	Bocas del Toro	19,953
Coclé	177,070	Penonomé	61,054
Colón	222,577	Colón	137,825
Chiriqui	396,842	David	99,811
Darién	45,020	Chepigona, antes La Palma	26,816
Herrera	108,714	Chitré	37,914
Los Santos	82,810	Las Tablas	21,792
Panamá	1.168,492	Ciudad de Panamá	625,150
Veraguas	224,676	Santiago	68,010
Comarca de San Blas	35,000	El Porvenir	2,357

blea Nacional de Representantes de Corregimientos y el Consejo Nacional de Legislación; el Poder Judicial reside en la Corte Suprema de Justicia, tribunales subalternos y juzgados menores. La capital es Panamá (625,150 h.) Otros centros: Colón, David, Cristóbal, Balboa, etcétera.

Zona del Canal de Panamá. La zona del Canal de Panamá la constituye una franja de 8 km de ancho a cada lado de la vía marítima, con un área total de 1,673 km^2 que el gobierno panameño alquilaba al de Estados Unidos.

Panamá recobrará la soberanía de este territorio a partir de la medianoche del 31 de diciembre de 1999 conforme a lo acordado en los tratados suscritos por el presidente Jimmy Carter y el general Omar Torrijos Herrera, el mandatario panameño, lo que permitió, además, que a partir del 1 de octubre de 1979 Panamá recobrara su jurisdicción sobre el territorio señalado.

El Canal tiene dirección noroeste-sureste, siguiendo los valles del Chagres y del Grande y salva la divisoria de aguas de dichos ríos por un corte a través de la Sierra de Culebra. Su longitud total es de 82 km y su anchura de 105 a 305 m en la superficie y de 90 a 195 m en el fondo. En la parte baja del Atlántico la profundidad es de 12.8 m y en la del Pacífico de 13.7 m. En el lago artificial de Gatún se depositan 5,000 millones de metros cúbicos de agua.

Historia. Panamá ha desempeñado siempre un importante papel en las relaciones y comunicaciones internacionales. Esta estrecha franja de tierra ha sido la ruta natural de los embarques entre una parte de América del Sur y Europa.

Simón Bolívar, el *Libertador de las Américas*, comprendió la importancia futura del pequeño país al invitar a las jóvenes repúblicas americanas a participar en el Congreso de Panamá en 1826. Aludió entonces a Panamá como el emplazamiento lógico para una futura capital del mundo hispánico.

Sus primeros pobladores. Antes de la Conquista, el territorio panameño estaba habitado por diversas tribus indígenas. Las de mayor importancia pertenecían a los grupos Cuna, Guaymí, Choco y Chibcha. Estos indígenas opusieron tenaz resistencia a los españoles. Su civilización era más bien primitiva; se dedicaban a la caza y a la pesca. Algunos utilizaban en sus combates flechas envenenadas. Los Chibchas sabían ya labrar el oro y dominaban el arte de la cerámica.

Para establecer relaciones pacíficas con algunos de estos grupos, los españoles se vieron obligados a concederles gran autonomía. Incluso hoy, los indios de San Blas, que pertenecen al grupo de los Cunas, disfrutan de entera libertad para negar a los extranjeros el permiso de comprar terrenos, establecerse o comerciar en sus territorios. Los Guaymis comprenden también otros grupos que eludieron la dominación europea. Carecen de límites territoriales fijos; se les suele encontrar entre la provincia de Veraguas y la frontera de Panamá y Costa Rica. Los indios Chocos ocupan principalmente las regiones del Darién. Hasta 1654 no fue posible la penetración pacífica de esos territorios.

Descubrimiento y conquista. En 1501, Rodrigo de Bastidas exploró por vez primera la costa panameña, antes aún de que Cristóbal Colón tocara en ellas durante su cuarto y último viaje al Nuevo Mundo. Entonces llegó hasta la llamada Punta de Mosquitos, en la costa del Caribe. Pero Tierra Firme, como se denominó entonces a aquel territorio, tardó en ser colonizada en forma permanente. Siete años después del viaje de Colón, la corona española envió a los primeros gobernadores. Los establecimientos más importantes fundados por ellos fueron Nombre de Dios y Santa María la Antigua.

Vasco Núñez de Balboa. Conquistador español, nacido en Extremadura, llegó a América en 1501 con Rodrigo de Bastidas y se estableció en la Española. Ya conocía la región del Darién y salió, precisamente, de Santa María la Antigua con una expedición organizada por él en busca del otro océano. Alcanzó la cima de las montañas y desde allí pudo divisar el océano Pacífico. Al llegar a la costa, tomó posesión de lo que llamó el Gran Mar del Sur, en nombre del rey de España. Entonces el rey Fernando *el Católico* le dio el nombramiento de Adelantado del Mar del Sur y Gobernador de Panamá. Indispuesto con Pedrarias Dávila, que había sido designado Gobernador de Darién, siguió sus exploraciones en el Pacífico. Fundó un poblado llamado Ancla y allí hizo construir dos naves con las que emprendió un viaje a las Islas de las Perlas, que, con muchas otras islas, forman parte de Panamá. Pero a su regreso, Pedrarias lo apresó en Ancla, lo hizo procesar por traición y ejecutar allí mismo. Tiempo antes, Núñez de Balboa se había casado, por poder, con una de las hijas de Pedrarias Dávila, su victimario. El nombre de Núñez de Balboa queda, en la historia, unido al istmo de Panamá y al descubrimiento del océano Pacífico. La abundancia de perlas encontradas en las islas recorridas por él, atrajo luego a cientos de exploradores.

Estatua a Vasco Núñez de Balboa.

Corel Stock Photo Library

Fundación de ciudades. Después de los establecimientos españoles ya mencionados, Pedrarias, gobernador del Darién, fundó, en 1519, Panamá la Vieja, fuerte que ocupaba un lugar próximo al de la moderna capital de la República. En el mismo año, Hernando de la Cerna fundaba Cruces o Venta Cruz, que en 1530 quedó unida por carretera a Panamá. Esta ciudad, destruida en 1617 por el pirata Henry Morgan, fue reconstruida en 1763 por Alfonso Mercado de Villacorta en el emplazamiento que ocupa en la actualidad. Fue centro comercial de enorme importancia durante la Colonia, pues allí se concentraban los cargamentos de oro, plata y piedras preciosas procedentes de Perú con destino a España. Al ser desviadas estas cargas por el Cabo de Hornos, la ciudad decayó volviendo a cobrar auge con la apertura del Canal. En su tiempo, Panamá llegó incluso a igualarse con Lima, la capital de Perú, por su riqueza y actividad comercial. En 1738, en plena era Colonial, se fundó la ciudad de David, como punto de reunión de los buscadores de oro. Por su importancia es hoy la tercera ciudad de la república; Colón, que ocupa el segundo lugar, es de fundación más tardía.

La Colonia. Panamá ha formado parte de América del Sur durante unos 300 años, aunque en la actualidad se la toma como parte de América Central, con la que se ha ido, paulatinamente, integrando. En 1535 se creó la Real Audiencia de Panamá, que estuvo un tiempo bajo la jurisdicción de la Capitanía General de Guatemala. Después, el territorio pasó a ser una provincia del Virreinato de Perú hasta 1739. Dependió del Virreinato de Nueva Granada hasta 1810. Las minas de oro de Panamá no tuvieron tanta importancia para España como las de Perú, pero el istmo, por encontrarse en la ruta de los galeones españoles que llevaban a la metrópoli las riquezas de aquel país y regresaban cargados de mercancías, desempeñó un papel clave durante la Colonia.

Panamá y la República de la Gran Colombia. Cuando Colombia logró su inde-

Corel Stock Photo Library

Plaza en la ciudad de Panamá.

pendencia y se constituyó, en 1819, en la República de la Gran Colombia, Panamá se unió a ésta con el nombre de Departamento del Istmo. Cuando ésta se disolvió, en 1831, Panamá quedó unida a Colombia.

Tomás Herrera, Precursor de la República. Mientras Panamá formaba parte de la Gran Colombia, cundieron varios movimientos partidarios de la separación. El que tuvo más éxito fue el de 1840 encabezado por Tomás Herrera, el general colombiano, nacido en Panamá y quien logró que ese país fuera independiente durante un año con el nombre de Estado del Istmo. Más tarde, cuando Panamá consiguió, por fin, su total independencia, consideró al general Herrera precursor de la república y lo designó héroe nacional. Después de ser Gobernador de Panamá en 1845 murió luchando contra las tropas del dictador Melo.

La República. Panamá fue la última de las naciones de América Latina que lograron la independencia. Sin embargo, Panamá, después del fugaz éxito de Herrera, había vuelto a pertenecer a Colombia. Declaró su independencia definitiva el 3 de noviembre de 1903, fecha en la que nació la actual república. Entonces se integró una junta de gobierno provisional que eligió presidente al doctor Manuel Amador Guerrero para el periodo 1904-1908. Ya en 1903, Estados Unidos había sido autorizado a ocupar una franja de territorio panameño para la construcción del Canal. También se les permitía intervenir en casos de alteraciones del orden. En los años que siguieron a la proclamación de la República, Panamá conoció una era de gran prosperidad. El Presidente Belisario Porras, hizo progresar en forma extraordinaria el país. Gobernó en tres periodos diferentes durante los cuales se desarrolló el programa de enseñanza y recibieron gran impulso la ganadería y la agricultura. El cultivo del plátano en las costas del Caribe se reveló de suma importancia para la economía del país.

Pero la economía panameña, lo mismo que la política, ha estado unida a la construcción y explotación del Canal.

Otros Gobiernos. Los años de construcción del Canal fueron de rápido progreso y desarrollo para la república panameña. El tratado de 1903, permitía la intervención de Estados Unidos en Panamá durante los periodos difíciles y esta intervención se llevó a cabo varias veces hasta 1936.

Bajo la presidencia de Florencio Arosemena, iniciada en 1932, las consecuencias de la depresión mundial trajeron consigo gran inquietud política y el primer golpe de Estado violento en la historia de la república. El Partido Acción Comunal, integrado por jóvenes nacionalistas derrocó el gobierno del doctor Arnoldo Arias Madrid. A la caída de éste, lo sucedió Ricardo Adolfo de la Guardia. En su periodo hubo una era de prosperidad originada en los proyectos de defensa en la Zona del Canal suscitados por la Segunda Guerra Mundial.

En 1944 se revocó la Constitución de 1941 y en 1946 se proclamó otra. En 1952, tras un periodo de inestabilidad política, el coronel José Ramón fue elegido Presidente, pero murió asesinado en 1955. Ricardo Arias Espinoza ascendió a la presidencia ese mismo año. Aprobó una nueva Ley Electoral, creó el Instituto de Desarrollo Económico y logró que se hiciera una revisión de las claúsulas contenidas en el Tratado del Canal.

En 1956 ocupó la Presidencia Ernesto de la Guardia, a quien sucedieron Roberto Francisco Chiari (1960-1964) y Marco Aurelio Robles (1964-1968). En las elecciones de 1968 fue elegido el doctor Arnulfo Arias, a quien inmediatamente derrocó la Guardia Nacional, dirigida por el coronel Omar Torrijos Herrera, nombrándose una Junta Militar presidida por José María Pinilla. Una nueva Junta de Gobierno, integrada esta vez por civiles y presidida por Demetrio Basilio Lakas fue nombrada en 1969 por el Estado Mayor de la Guardia Nacional. En 1972 entró en vigencia una nueva Constitución bajo la cual se transfirieron los poderes ejecutivos por un periodo transitorio de seis años al general Omar Torrijos, comandante en jefe de la Guardia Nacional y líder máximo de la revolución panameña, en tanto que Demetrio B. Lakas fue electo presidente. Transcurrido el periodo de transición, la Asamblea de Representantes de Corregimientos, eligió presidente, con plenos poderes, a Arístides Royo, quien gobernó hasta 1982, cuando, por divergencias con los mandos militares, presentó su renuncia al cargo. Fue sustituido, de inmediato, por Ricardo de la Espriella, quien en 1984 también dimitió, sucediéndole Jorge Illueca, que se mantuvo al frente del poder hasta las elecciones de 1984, las que fueron ganadas por Nicolás Ardito Barletta en una fuerte contienda con el Dr. Arnulfo Arias Madrid, el expresidente.

El gobierno de Ardito Barletta, sin el respaldo de figuras como el general Torrijos, que pereció en un accidente de aviación, se vio sacudido por el escándalo suscitado por el asesinato del médico y guerrillero Hugo Spadafora, quien había luchado en varias partes del mundo contra gobiernos que no le agradaban, entre otros contra el de Anastasio Somoza Debayle, en Nicaragua. El cadáver de Spadafora, mutilado horriblemente, fue descubierto en territorio costarricense fronterizo con Panamá, acusándose a las autoridades militares panameñas de haberlo asesinado. Para reemplazar al doctor Ardito Barletta fue designado Eric Arturo Delvalle. Delvalle quiso limpiar a las Fuerzas de Defensa de la presencia del general Manuel Antonio Noriega, sobre quien recaían sospechas de estar involucrado en el asesinato de Spadafora y en negocios de narcotráfico. La respuesta fue que la Asamblea Legislativa lo destituyó como presidente en 1988. La misma Asamblea Legislativa designó a Manuel Solís Palma como presidente y desempeñó el puesto hasta las elecciones de 1989, siguiéndolo en el puesto Francisco Rodríguez, al ser anuladas las elecciones que ganara el doctor Guillermo Endara. El 20 de diciembre de 1989, y tras una ola sin precedentes de violencia desatada por los llamados *Batallones de la dignidad*, azuzados por el general Noriega, durante la cual una gran cantidad de políticos y empresarios sufrieron la acción de los miembros de esos grupos paramilitares, las fuerzas armadas de Estados Unidos invadieron Panamá librando intensas luchas contra efectos de las Fuerzas de defensa (nombre que sustituyó al de Guardia Nacional) y los Batallones de la dignidad, logrando al fin obligarlos a deponer las armas y capturando poco más tarde al general Noriega al que, acusado ante tribunales penales en Miami por narcotráfico, se le trasladó a Estados Unidos, en donde se le juzgó, condenó y mantiene en prisión.

A raíz de la invasión fue juramentado como presidente el Dr. Guillermo Endara ya que se dieron por absolutamente buenas las elecciones del 7 de mayo de 1989.

El 14 de febrero de 1992 se ponen en estado de máxima alerta los organismos de seguridad panameños ante la amenaza de presuntos grupos clandestinos de ex militares y civiles de izquierda que están en contra del gobierno de Guillermo Endara. En mayo, Panamá suspende las relaciones diplomáticas con Perú a consecuencia de la crisis democrática que vive ese país. En junio, el presidente George Bush visita Panamá en medio de fuerte abucheo por parte del pueblo.

En las elecciones generales del 8 de mayo de 1994, Ernesto Pérez Balladares, del Partido Revolucionario Democrático (PRD), fue proclamado presidente de la República al derrotar a Mireya Moscoso de Gruber, del Partido Arnulfista. Pérez Balladares asumió sus funciones el 1 de septiembre y renovó la política económica de su predecesor. El nuevo Parlamento, sin mayoría de ningún partido, ratificó la abolición del ejército.

En 1996 se da inicio en esta capital a la 26° Asamblea General de la OEA, que entre sus puntos principales incluye la lucha contra el tráfico de drogas, la corrupción y el terrorismo, así como los avances en la formación de una zona de libre comercio continental hacia el año 2005. En 1997 en correspondencia con los tratados firmados con Estados Unidos para poner fin a la presencia norteamericana en el Canal de Panamá, el Comando Sur del ejército estadounidense se retira de la zona, con lo cual se da otro paso para que el Canal pase totalmente a manos del gobierno panameño en 1999. En 1998 se llevan a cabo elecciones para modificar la constitución panameña con el fin de que el presidente Ernesto Pérez Balladeras pueda ser reelecto en mayo de 1999; dos tercios de los votantes del referéndum rechazan la propuesta. Las elecciones presidenciales de mayo de 1999 fueron ganadas por Mireya Moscoso, viuda por tercera vez siendo su último matrimonio con el presidente panameño Arnulfo Arias. El Canal de Panamá regresó a control panameño el 31 de diciembre de1999.

Corel Stock Photo Library

Iglesia en la ciudad de Panamá.

Literatura. Al producirse la emancipación de España en 1821 se abrió una etapa de cierta actividad cultural, y entre 1830 y 1840 nacen los escritores románticos que formarían la primera generación poética: M. J. Pérez, Amelia Denis, J. M. Alemán, J. Dolores y T. Martín Feuillet. Durante la etapa romántica aparece la primera novela escrita en Panamá, *Virtud triunfante* (1850), de Gil Colunge.

En los primeros años del nuevo siglo, coincidiendo con el nacimiento de la nueva República, independiente de Colombia (1903), cobra fuerza el modernismo hasta convertirse en una de las fases más fecundas de esta literatura. La proclividad a lo fugaz y a los motivos evanescentes son características constantes de la poesía panameña de Rogelio Sinán. El centro orientador y aglutinante del movimiento, fue la revista *El Heraldo del Istmo*, fundada en 1904 por G. Andreve. Representante y precursor de la expresión rubendariana en Panamá, junto a Nicolle Garay, A. Soto, A. García, entre otros, es Darío Herrera, poeta y prosista de tendencia parnasiana. Aunque estos autores comenzaron a escribir antes del cambio de siglo, su obra se difunde en el momento histórico que comienza en 1903, al aparecer formando una unidad literaria con D. Fábregas, E. Geenzier, M. O. de Obaldía, G. O. Hernández y Ricardo Miró, uno de los escritores panameños más reconocidos. Siguiendo la ruta marcada por la revista de Andreve (desaparecida en 1906), Miró fundó *Nuevos Ritos*, publicación que obtuvo difusión a nivel continental. En sus poemas de *Preludios* o en *Caminos silenciosos* hay una sensibilidad romántica y modernista a la vez.

La segunda generación republicana introduce un intento de transición poética, indeciso aún, con la obra de D. Korsi. El rompimiento definitivo con el posmodernismo lo trae en 1929 el libro de poemas *Onda*. Su autor, Rogelio Sinán, inicia la campaña de innovación situándose en la línea vanguardista que seguirán D. Herrera y R. J. Laurenza. Su interés por tratar cuestiones como las del subconsciente y el erotismo en cuentos y novelas lo alejan de la principal corriente criollista que predomina en la narrativa panameña a partir de los años treinta. Un primer grupo constituido por I. J. Valdés, Graciela Rojas, G. B. Tejeira, José Isaac Fábrega, C. Candanedo y R. Ozores intenta un Realismo de corte Naturalista. La generación ubicable entre 1940 y 1950 se concentró en la realidad nacional urbana y rural. *Shumio-Ara*, de J. M. Sánchez, *Luna verde*, de Joaquín Beleño, en la que describe sus experiencias de obrero explotado en la zona estadounidense del Canal, *San Cristóbal*, de H. Jurado, con un Realismo abierto en alguna medida hacia lo poético, son novelas representativas del grupo.

En la década de los sesenta hay dos nombres panameños que se integran a la llamada nueva *narrativa iberoamericana*: P. Rivera y E. Chuez. Rivera ganó el premio Ricardo Miró en 1969 con su colección de cuentos *Pecatta minuta*, que sobresalen por el empleo impecable de las técnicas modernas y su aplicación a una serie de temas genuinamente personales. Chuez combina el criollismo con la experimentación formal en los relatos de *Tiburón y otros cuentos* y en su novela *Las averías*.

De manera general, la orientación de la narrativa panameña a partir de los años sesenta contempla la superación del criollismo a un nivel naturalista o fotográfico. Surgen los nombres de M. A. Rodríguez, C. F. Changmarín, T. Solante, E. A. Chong Ruiz, J. Arroy, B. A. Zachrisson, A. Turpana y D. Lidio Pitty (*El centro de la noche*), entre otros.

En poesía cabe citar figuras como J. de J. Martínez (*Carnac 71*), Moravia Ochoa López, Bertalicia Peralta, R. Oviero, R. Fernández Iglesias y Diana Morán.

Arte. Durante el periodo precolombino, en el territorio de Panamá florecieron diversas e importantes culturas. Entre 2100 y 300 a. C. se desarrolló la cultura de Monagrillo, cuyo complejo cerámico (2100 a. C.) es el más antiguo de Mesoamérica. La cultura de Barriles (300 a. C.-300) produjo esculturas antropomorfas y cerámica funeraria. Entre 500 y 800 se sitúa una cultura cuya típica cerámica roja y negra sobre fondo claro se encuentra en las tumbas de Venado. Entre 800 y 1525 se distinguen cuatro culturas, que reciben su nombre de las provincias en que se hallan localizadas: la de Darién, la de Coclé, extendida además por las provincias de Herrera y Los Santos, en la costa del Pacífico, la de Chiriquí y la de Veraguas.

El periodo colonial supuso la adopción de los estilos europeos, superpuestos a los indígenas. Por circunstancias histórico políticas, el arte panameño no recibió influencias del de Antigua, la capital artística centroamericana. Los siglos XVII y XVIII fueron los de máximo esplendor cultural; predominaron los estilos barroco y mudéjar, adaptados a la actividad sísmica del país. La arquitectura es la disciplina más desarrollada, tanto en su aspecto militar –con los fuertes de San Lorenzo, en Colón, y de David, y las fortificaciones de Panamá y Portabelo, cuya primera planificación fue realizada por J. B. Antonelli– como en el religioso, que es esencial. Para su estudio resulta ejemplar la ciudad de Panamá, pues conserva ruinas de la primitiva fundación de 1519, destruida en 1671 por el pirata Morgan, como la catedral de San Anastasio (1535), las iglesias de San José y Santo Domingo, las murallas y el Puente del Rey. La nueva Panamá, a 9 km de la anterior, alberga edificios fechables desde la reconstrucción de 1673, diseñada por Juan Bertín y Bernardo de Zavallos, entre los cuales descuellan la catedral (1690), de cinco naves y fachada de estilo renacentista, rematada por un frontispicio mixtilíneo típicamente barroco, las iglesias de Santa Ana, San Felipe (1690) y San José, y el Palacio Presidencial. Fuera de la capital cabe destacar la catedral barroca de Colón, el templo de San Francisco de la Montaña, en la provincia de Veraguas, y las iglesias de David, Natá y Ocú (s. XVIII). En el siglo XX es notoria la característica internacionalización del arte, con un gran auge constructivo, plasmada en especial en los conjuntos residenciales y edificios públicos de la capital, destacando el Hospital de la Seguridad Social y el edificio de Radio y Televisión.

Dentro de la pintura panameña, R. Lewis realizó una notable labor en el campo del muralismo a principios del siglo XX. Posteriormente destacaron Manuel Amador, H. Ivaldy, P. Runyan y J. Arosemena, entre otros.

Música. La música de Panamá, aunque muy vinculada a la del resto de América Central y de las Antillas, tuvo unas modalidades propias, como las danzas la *mejorana*, la *cumbia* y el *tamborito*. El folclor está basado en los elementos indígenas, negros e hispánicos. Su instrumental comprende numerosos instrumentos de percusión y de viento. La historia de su música culta es muy reciente. La figura más representativa de la música panameña de la primera mitad del siglo XX es Narciso Garay, autor de *Tradiciones y cantares de Panamá*, creador y fundador de la primera Escuela Nacional de Música en 1911. De esta época hay que destacar también entre otros a Pedro Rebolledo, al músico español Alberto Galimany (autor de la marcha *Panamá*), Ricardo Fábrega, Herbert de Castro, Roque Cordero, etcétera. Entre los músicos sobresalientes de las últimas generaciones cabe señalar a José Luis Cajar y Marina Sainz Salazar. Entre los folcloristas destacan los trabajos de A. de Saint Malo, que fue director del Conservatorio Nacional de Música, y R. Fábrega.

Corel Stock Photo Library

Indígena Kuna en las islas San Blas, Panamá.

Modernos edificios en Panamá.

Corel Stock Photo Library

Panamá. Provincia de la República de Panamá, ubicada en el centro del país con costas al océano Pacífico, que estaba cruzada por la antigua Zona del Canal. Superficie: 12,022 km^2. Población: 1.168,492 habitantes (1995). Sus principales actividades son agrícolas y ganaderas: se produce caña de azúcar, café, cacao, caucho y frutas tropicales; dentro de los límites de la provincia se cría ganado vacuno y porcino. La capital es la ciudad de Panamá, que lo es también de la nación.

Panamá, Ciudad de. Capital de la República de Panamá y de la provincia de su nombre, situada sobre el océano Pacífico, al fondo del Golfo de Panamá y al sudeste del Canal de Panamá. Población: 625,150 habitantes (1995). Destruida en el sitio de su primera fundación, ésta forma hoy uno de sus más atractivos alrededores. Su comercio enfocado al turismo, sus hoteles y centros de diversión son de los más activos e interesantes de la América Hispana, y junto a ellos se alzan joyas históricas y edificios modernos de sugestiva variedad. Su catedral, construida en 1760, tiene recubierto con madreperla el interior de sus cúpulas; también es notable el altar mayor, revestido de oro, del templo de San José. En las ruinas de Panamá la Vieja se mantienen aún en pie los muros de su iglesia, construida hace cuatro siglos y aún es anterior el Puente del Rey, que usaban los conquistadores. El hotel de turismo *El Panamá* es uno de los mejores de su clase. A la ciudad universitaria, levantada sobre una colina, acuden estudiantes de todos los países del Caribe. Se conservan restos de las antiguas murallas que protegían la ciudad, convertidas en hermoso paseo, y en sus cercanías se alza el monumento a Francia. Frente al Pacífico se levanta la grandiosa estatua de su descubridor, Vasco Núñez de Balboa, obra del escultor español Benlliure. Hermosos alrededores y bellas secciones residenciales son orgullo de la ciudad. Circunda la capital la Avenida 4 de Julio, que hasta 1979 fue una curiosa frontera internacional: por el centro de ella iba la línea imaginaria que separaba el territorio panameño de la hoy desaparecida zona del Canal.

Panamá, Zona del Canal de. Territorio reintegrado a la soberanía panameña por Estados Unidos en 1979, a raíz de los nuevos tratados del Canal, de 1977. Era una faja de 16 km de ancho y 1,432 km^2 de superficie, que se extendía a ambos lados del Canal, entre los océanos Atlántico y Pacífico. Gran parte de lo que era la Zona está cubierta de ríos y lagunas, con una extensión de 492 km^2. La Zona comprendía el centro urbano de Balboa, pero no las ciudades de Panamá ni Cristóbal. En la antes Zona del Canal está la vía interoceánica que le dio su nombre, con una longitud de 82 km. Los puertos principales son Cristóbal, en el Atlántico, y Balboa, en el Pacífico. La Zona cuenta con las instalaciones de ingeniería necesarias para la atención del Canal, que sigue una línea central, y las militares para su defensa, así como la línea de ferrocarril que corre junto al Canal y une a las ciudades de sus extremos. Era considerada zona militar y posee todos los servicios necesarios incluyendo el de bomberos.

Fue siempre una aspiración histórica de Panamá recuperar la administración del territorio de la zona. En 1960 Estados Unidos convino en izar la bandera panameña al lado de la estadounidense en la zona del Canal. En enero de 1964 ocurrieron graves disturbios entre panameños y estadounidenses, debido a que no se había izado la bandera panameña en una escuela de la zona. Esta situación fue superada posteriormente y en 1977 Estados Unidos dio satisfacción a las aspiraciones panameñas con la firma de los nuevos tratados sobre el Canal y la zona del Canal. El tratado Carter-Torrijos (1977), que entró en vigor el 1 de octubre de 1979, establecía un plazo de devolución total de la soberanía a Panamá, que alcanzaba hasta el final del siglo XX, aunque Estados Unidos se reservó, incluso para después de esa fecha, el derecho de intervenir militarmente en la zona. En 1982 pasaron a manos panameñas la administración de justicia, las cárceles y la política de la zona del Canal. *Véase* PANAMÁ.

Panamá, Canal de. Curso artificial de agua que atraviesa el istmo de Panamá, y por medio de un sistema de esclusas y lagos une al océano Atlántico con el Pacífico. Tiene una longitud de 82 km y su construcción, comenzada en 1816, se terminó en 1914.

La posibilidad de construir un canal que uniera el Atlántico y el Pacífico a través del istmo de Panamá se tomó en consideración desde el descubrimiento y la exploración de esta zona por los españoles. En 1879 Ferdinand Marie de Lesseps, constructor del Canal de Suez, organizó en París una compañía que inició en 1883 la construcción de un canal a nivel.

En 1887 se consideró que no era factible el canal a nivel, se cambiaron los planes para hacerlo de esclusas y siguieron las excavaciones. En 1889 problemas de índole económica, técnica y sanitaria, obligaron a suspender los trabajos. La compañía quebró y fue liquidada. En 1894 se formó una nueva compañía que prosiguió las excavaciones, pero en 1899 tropezó a su vez con dificultades financieras y los trabajos se redujeron al mínimo.

Corel Stock Photo Library

Compuertas de control del nivel de agua en el Canal de Panamá.

El 13 de noviembre de 1903 el gobierno de Estados Unidos se hizo cargo de la construcción del canal. En un principio se encargó su realización a ingenieros civiles, pero posteriormente los trabajos fueron encomendados al cuerpo de ingenieros del ejército, bajo la autoridad del secretario de guerra. Para dirigir las obras de construcción se designó al coronel George W. Goethals. El costo de las obras se calculó en 190 millones de dólares, aunque a su terminación, en 1914, se habían invertido casi 370 millones de dólares.

Las enfermedades tropicales, que habían constituido prácticamente un obstáculo insalvable y el origen del fracaso de las empresas anteriores, fueron dominadas gracias a la obra del general William C. Gorgas, médico del ejército norteamericano. La lucha de éste contra la fiebre amarilla, el paludismo y la peste bubónica constituye uno de los hechos más sobresalientes y heroicos en la historia de la medicina sanitaria. Los primeros años de construcción

El Canal de Panamá es un vínculo entre los océanos Pacífico y Atlántico.

Corel Stock Photo Library

del canal fueron dedicados a la agotadora tarea de desecar las zonas pantanosas, fumigar poblados enteros y limpiar cientos de kilómetros cuadrados de malezas. Finalmente, en 1913 pudo decirse que las enfermedades antes mencionadas habían sido totalmente erradicadas de esta zona.

La gigantesca tarea de construcción del Canal terminó el 15 de agosto de 1914, cuando se abrió al tránsito marítimo. Sin embargo, durante los seis primeros años de operación el paso de buques tuvo que ser interrumpido frecuentemente debido a los deslizamientos de tierra que ocurrieron en el corte de la Culebra o paso de Gaillard. Con el canal ya funcionando en la práctica, el presidente Woodrow Wilson lo inauguró oficialmente el 12 de julio de 1920, dedicándolo a todas las naciones del mundo.

El paso del Canal. Al entrar un buque por el lado del Atlántico pasa primero frente al moderno puerto de Cristóbal. Continúa luego por sus propios medios en un trayecto de 13 km hasta llegar a las esclusas de Gatún. Aquí el buque se sujeta a unas locomotoras eléctricas pequeñas (llamadas mulas) que ruedan sobre cremalleras a ambos costados de las esclusas y que lo conducen a través de éstas para pasar por las tres etapas de elevación del nivel de agua hasta llegar al lago de Gatún, obra artificial que se halla a 26 m sobre el nivel del mar. Continúa entonces el buque navegando por sus propios medios durante 52 km, en el curso de los cuales atraviesa el lago, sigue el curso del río Chagres y finalmente pasa el famoso corte de la Culebra. Aquí comienza el descenso, pasando primero por la esclusa de Pedro Miguel y luego por las de Miraflores hasta encontrarse nuevamente a nivel de las aguas del Pacífico. Otros 13 km de navegación y el buque se hallará en el anchuroso océano, después de pasar frente a Balboa.

Ventajes del Canal. El uso del canal ha reducido en más de 12,000 km las rutas marítimas entre las costas americanas del Atlántico y del Pacífico. Junto con el Canal de Suez ha modificado las condiciones del tráfico comercial marítimo, el abaratar y acelerar el intercambio entre los puertos orientales de Estados Unidos y los occidentales de Sudamérica, así como entre los europeos y los de Oceanía. Desde el punto de vista militar, el Canal es de suma importancia estratégica para la defensa de las Américas y para celeridad de los buques entre los dos océanos.

panamericanismo. Manifestación del esfuerzo de los países americanos por dar realidad a los sentimientos de paz y prosperidad, de seguridad y de solidaridad que animan a cada uno de los pueblos del continente. Ello se explica por el hecho de que todas esas naciones, en particular las de la América española, nacieron a la vida independiente por la acción mancomunada de sus hijos más ilustres. Si existió una hermandad en la hora de la liberación, es natural que subsista, se afirme y se prolongue en el tiempo mediante las prácticas del ideario panamericano. Desde los primeros años de la independencia sudamericana los pueblos del Nuevo Mundo han tratado de establecer un cuerpo de doctrina política y jurídica con carácter eminentemente americano. De gran significación para el desarrollo del panamericanismo fue la actitud del presidente norteamericano James Monroe en el año 1823, cuando advirtió a los miembros de la Santa Alianza que su país no toleraría la intromisión de ninguna potencia europea en los asuntos internos de los pueblos de América. Con el correr del tiempo el pensamiento de Monroe fue sintetizado en la frase *América para los americanos*, cuyo significado no es del todo fiel al espíritu que lo dictó. En la intención del estadista no estaba el expreso deseo de cerrar las puertas del continente a cuantos hombres quisieran establecerse en él, sino el de poner un dique a las aspiraciones de las potencias del otro lado del océano.

Los propulsores del panamericanismo fueron hombres que escribieron páginas brillantes en la historia de la emancipación americana. Simón Bolívar, José de San Martín, Francisco de Miranda,Fernando de Monteagudo, Juan Martínez de Rozas y otros, dieron forma con su acción y sus ideas a esta nueva modalidad de entendimiento entre los estados que aún no eran soberanos. El gran precursor del pensamiento panamericanista fue Simón Bolívar, quien ya en 1817 se refirió a la América Española como una entidad política y en 1822 firmó con Perú un tratado de unión para prestarse mutuo apoyo en la paz y en la guerra. En 1810 Juan Martínez de Rozas propuso en Chile una confederación de los países de América. En 1826 se celebró el Congreso de Panamá, en la ciudad de este nombre. El espíritu que animó al Congreso, convocado por Bolívar, fue el de solidaridad continental. En el Congreso de Panamá se concertó un pacto de confederación de las naciones americanas, que no llegó a ser ratificado, pero que sirvió para alentar el entonces naciente ideal panamericano. En 1948, más de cien años después, se suscribió en Bogotá la Carta de la Organización de los Estados Americanos (OEA), organismo destinado a estudiar los aspectos políticos, sociales, económicos, jurídicos y estratégicos de los países miembros, con objeto de hallarles soluciones que armonizasen con los intereses de todos, sin herir los de nadie.

Además de la celebración de importantes congresos y conferencias y de la creación de grandes organismos como la OEA, el fortalecimiento de la solidaridad continental, se refleja también en actos como la reunión de los jefes de Estado de América del Norte en 1956. En marzo de ese año, el presidente de México, Ruiz Cortines; el de Estados Unidos, Eisenhower, y el primer ministro de Canadá, Lois Stephen Saint Laurent, se reunieron en White Sulphur Springs y trataron sobre aspectos y problemas de vital interés a esa parte del hemisferio americano.

Para conmemorar el 130 aniversario del Congreso de Panamá, convocado por Bolívar en 1826, se celebró en Panamá, en julio de 1956, una conferencia extraordinaria a la que asistieron los presidentes de 19 repúblicas americanas. Resultado de esa conferencia fue la declaración de principios conocida como la *Declaración de Panamá,* en la que los jefes de Estado manifestaron que "el destino de América es desarrollar una civilización que haga reales y efectivos el concepto de la libertad humana, el principio de que el Estado existe para servir y no para dominar al hombre, el anhelo de que la humanidad alcance niveles superiores en su evolución espiritual y material, y el postulado de que todas las naciones pueden vivir en paz y con dignidad". En el curso de la declaración se reitera que el designio supremo de América es el de "ser baluarte de la libertad del hombre y de la independencia de las naciones".

El ideario panamericanista ha tenido resultados felices y el sentimiento de amigable convivencia ha encontrado ya oportunidad de expresarse bajo la forma de sometimiento a arbitraje en casos de disputas fronterizas entre países americanos, demostrando que la buena voluntad de los pueblos de América tiene sus raíces en un acendrado pacifismo. En el campo político pueden anotarse aspectos muy elocuentes, como la política llamada de *buena vecindad*, iniciada por el presidente estadounidense Franklin D. Roosevelt, y consistente en ayuda económica a los países más necesitados, no intervención en los asuntos internos, incremento de relaciones culturales y defensa común del continente, política que ha sido mantenida por sus sucesores. Los pueblos de América han demostrado que estrechan cada día más sus filas en torno al panamericanismo, que es ideal de paz, de progreso de respeto mutuo y de igualdad entre todos ellos. El panamericanismo ha fructificado en diversos tratados comerciales: quizá el más importante de ellos sea el ALAC firmado en 1963. También en diversas reuniones que tuvieron lugar entre 1985 y 1988 para resolver el problema de la deuda externa de manera conjunta.

panarabismo. Movimiento político de unificación enraizado en el propósito de restaurar el mundo árabe surgido a mediados del siglo XIX; el cual adoptó en Líbano y Siria la forma de un renacimiento cultural. Durante la Primera Guerra Mundial, cuando los pueblos árabes lucharon junto a los aliados para sacudir el yugo turco, dio su primer fruto: la unión de la Arabia Saudita. Durante la Segunda Guerra Mundial, en 1945, se formó la Liga Árabe, integrada por Irak, Siria, Líbano, Jordania, Arabia Saudita, Yemen y Egipto. Posteriormente, se unieron a la Liga, Libia, en 1953, y Sudán, en 1956. Su resistencia a la expansión judía de Palestina aviva la llama del panarabismo. A raíz del desarrollo del fundamentalismo como interpretación religiosa musulmana y del arribo al poder en Irán del ayatola Ruhollah Khomení, el panarabismo se ha convertido en una doctrina política del mundo musulmán. Entre sus principales puntos están formar un bloque árabe que enfrente a Occidente, la defensa en contra de la expansión de Israel, el ascenso de estados religiosos y la defensa de sus riquezas petroleras. Estas últimas representan actualmente la verdadera fuente de su poder político. Sin embargo, la intervención de Israel en el Líbano (1982), la invasión de Kuwait por Iraq (1990) y la guerra del Golfo Pérsico (1991) acentuaron la división de los países árabes. Los acuerdos de paz de Israel con la Organización Liberación de Palestina (OLP) y Jordania (1993 y 1994) no desarmaron a los grupos radicales.

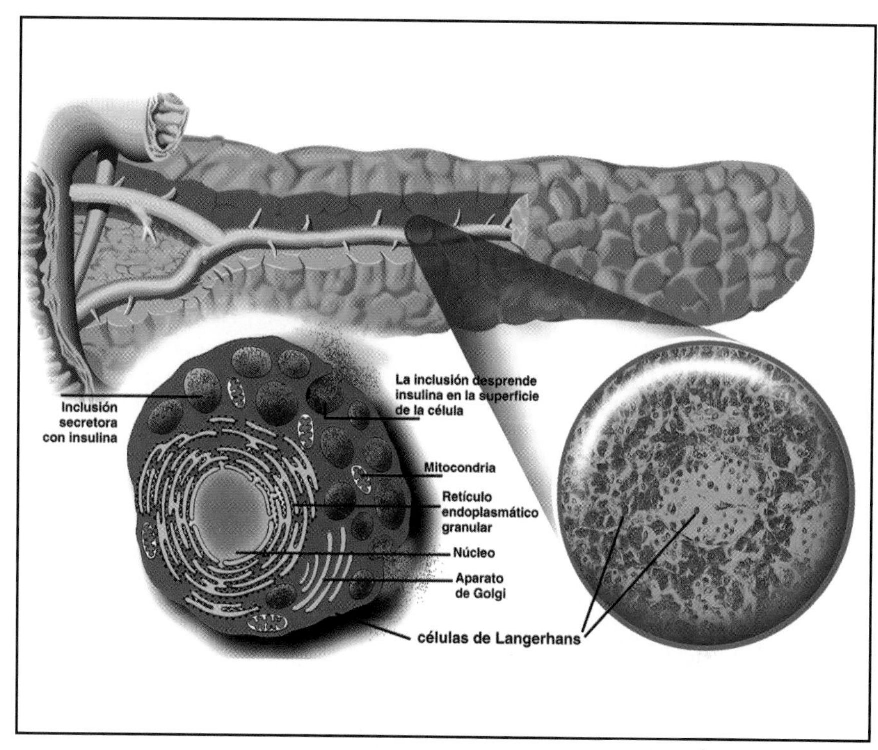

Del Ángel Diseño y Publicidad

Representación gráfica del páncreas; abajo a la derecha, corte histológico teñido del páncreas en el que se distinguen varios ácinos glandulares y un islote de Langerhans.Abajo a la izquierda: islote de Langerhans amplificado

páncreas. Glándula que presenta la forma de un racimo alargado, e interviene en la función digestiva; se encuentra situada detrás del estómago y en relación directa con el bazo y el duodeno. Es de secreción externa e interna. La secreción externa del páncreas pasa al duodeno por el conducto pancreático y entre sus componentes contiene cuatro elementos principales: amilopsina, enzima que efectúa la hidrólisis completa de las sustancias amiláceas en el conducto intestinal; tripsina, fermento digestivo de proteínas; esteapsina o lipasa pancreática, que descompone los alimentos grasos en glicerina o ácidos grasos, y rennina, enzima que produce la coagulación de la leche. La secreción interna la producen pequeños grupos de células suspendidas en la sustancia de la glándula, que reciben el nombre de islotes de Langerhans, los cuales segregan insulina, hormona muy necesaria en el organismo para el control del metabolismo de los carbohidratos; la insulina pasa por los capilares al torrente sanguíneo, y cuando la producción es insuficiente sobreviene la diabetes. La estimulación que provoca la secreción del páncreas se debe a la acción de la secretina, hormona que se origina en las paredes duodenales. La diabetes es una enfermedad que se debe a una deficiencia en el funcionamiento del páncreas, pero hay también otras que atacan directamente a esta glándula, tales como inflamaciones e infecciones agudas y crónicas, quistes, y tumores benignos y malignos.

pancreatina. Sustancia contenida en el jugo elaborado por el páncreas, cuyas propiedades más importantes son desdoblar los glicéridos en ácidos grasos y convertir en maltosas y dextrinas las féculas, haciéndolas asimilables por el organismo. Es líquida, incolora e insípida, se cuaja en una pasta espesa como la jalea y el calor la coagula. Se usa como medicamento para los casos de disminución de los jugos gástricos, raquitismo, anemia, escrofulismo, diabetes, etcétera. El animal que la proporciona con más regularidad es el cerdo, de cuyo páncreas se obtiene.

Panda gigante.

Corel Stock Photo Library

***Panchatantra* (*Pantchatandra*).** Notable colección de fábulas compuesta de cinco series, o sartas, según su título hindú. Su primera referencia procede del siglo VI, cuando se tradujo al persa; y algunos de sus cuentos, todos moralizadores, como *El asno con piel de tigre,* son populares en todos los países. El libro *Calila y Dimna,* vertido del árabe al español, contiene algunas de sus piezas.

panda. Mamífero úrsido exclusivo de Asia del que sólo se conocen dos especies, muy distintas una de la otra. *El panda brillante* está relacionado con el mapache por sus caracteres anatómicos, mientras que *el panda gigante* lo está con el oso. El primero es de unos 60 cm de largo. Está cubierto por un reluciente y espeso pelo largo, lacio y sedoso, de color marrón rojizo con la cola bastante larga, rayada en forma de anillos y la cara blanquecina. Vive en la vertiente sudeste del Himalaya, hacia los

3,000 m de altura y en las zonas boscosas, pues es esencialmente arborícola. Su principal alimento son los frutos, raíces, insectos y huevos. El panda gigante se encuentra en los bosques de China Occidental y del Tíbet. Tiene alrededor de metro y medio de largo, cola muy corta y tupido pelaje de curioso colorido: blanco en su mayoría, pero con las orejas, las patas, un círculo en cada ojo y una faja anular a la altura del pecho, negros. También es muy aficionado a vivir en los árboles y de régimen principalmente vegetariano, aunque a veces come pequeños mamíferos.

pandero. Instrumento rústico de percusión de origen primitivo, muy utilizado en regocijos populares. Está formado por uno o dos aros de madera superpuestos provistos de sonajas o cascabeles y cuyo vano está cubierto por una piel tensa.

Pando. Departamento de Bolivia, limítrofe con los de Beni y La Paz, y las repúblicas de Brasil y Perú. Ocupa una extensión de 63,827 km^2, con 58,000 habitantes (1995). Produce arroz, maíz, caña de azúcar, goma y madera. Abunda en riquezas minerales. Está dividido en 5 provincias, la capital es Cobija.

Pandora. La primera mujer que hubo en la Tierra, de acuerdo con la mitología griega. El dios Hefestos, o sea Vulcano, por expreso mandato de Zeus, que se había irritado sobremanera cuando Prometeo robó el fuego del cielo para darlo a los mortales, formó de la tierra un ser que, con sus encantos, fuera la perdición de los hombres y labrara la ruina del género humano. Hefestos creó a la mujer, todos los dioses y diosas del Olimpo le otorgaron gracias particulares, y por eso la llamaron Pandora, que quiere decir todos los dones. Tenía el conocimiento de las artes que le legó Atenea, la belleza que le dio Afrodita, Hermes la hizo seductora y astuta, y las Gracias la vistieron. Así quedó formada la primera mujer mortal que bajó del Empíreo a la Tierra con una caja que no debía abrir por orden estricta de los dioses. Pandora se casó con Epimeteo, hermano de Prometeo, y poco después abrió la caja y salieron de ella todos los vicios, males, pecados y calamidades que se esparcieron inmediatamente por el mundo. Pandora se apresuró a cerrar la caja, pero sólo pudo atrapar dentro a la Esperanza, lo único que le quedó al hombre para consuelo de sus miserias.

pangolín. Mamífero desdentado de la familia de los mánidos, con el cuerpo y la cola cubiertos de duras escamas, puntiagudas e imbricadas, como las pizarras de un tejado. Tiene cabeza pequeña y alargada, terminada en hocico prominente, por el que proyecta una lengua larga y cilíndrica, de la que se sirve para atrapar las hormigas, que constituyen su alimento. Las patas, largas, están terminadas en fuertes uñas, con las que escarba los hormigueros; la cola es tan larga como el cuerpo, llegando en algunas especies a duplicar la longitud del mismo. Es animal tímido e inofensivo, que sólo sale a cazar de noche y cuando es sorprendido se protege enrollándose en forma de bola con las escamas erizadas. El tamaño de su cuerpo oscila entre 60 y 80 cm, según las especies, y vive en la India, regiones del sudeste de Asia y parte central de África, donde es muy perseguido por su carne comestible.

Paniagua, Cenobio (1821-1882). Compositor mexicano. Residió en Toluca, en ciudad de México y desde 1868 en Córdoba. Obtuvo un gran éxito en *Catalina de Guisa* (1859), la primera ópera mexicana y una de las primeras de Iberoamérica. Autor del oratorio *Tobías*, la cantata *Las siete Palabras,* la ópera *Pietro d'Abano,* valses, marchas y música de salón.

Panizza, Héctor (1875-1967). Compositor argentino. Estudió en el Conservatorio de Milán y realizó una brillante carrera de director musical en los principales teatros italianos. Fue director artístico de la Scala de Milán junto con Arturo Toscanini (1921-1931). Actuó también durante años en el Covent Garden de Londres, en el teatro Colón de Buenos Aires, en las Óperas de New York, Berlín, Madrid y Barcelona. Fue autor de las óperas *Il fifanzato del mare* (1896), *Medioevo latino* (1900), *Aurora* (1908) *y Bizancio* (1939). Escribió obras de cámara y un tema y variación para gran orquesta. Su estética fue la del versismo italiano. Tenía gran dominio de la instrumentación y revisó el *Grand traité d'instrumentation*, de Héctor Berlioz.

Pantagruel. *Véase* GARGANTÚA Y PANTAGRUEL.

pantalón. *Véase* VESTIDO.

pantano. *Véase* EMBALSE.

Panteísmo. Doctrina filosófica que identifica a Dios con todas las cosas. Puede dividirse en materialista, según la cual Dios es la simple materia del universo, e idealista, que hace de todos los seres manifestaciones de un espíritu universal. La religión de los hindúes asiáticos es panteísta. En Occidente ha habido diversas escuelas panteístas, pero no han influido en las religiones. Los filósofos Baruch Spinosa y Friedrich Hegel sostuvieron, aunque de modo distinto, esta doctrina. *Véase* BARUCH SPINOSA.

panteón. Monumento destinado a sepultura de hombre célebres, reyes, príncipes e individuos de una familia. Panteones mundialmente famosos son el de la abadía de Westminster, en Londres; el de la iglesia de la Santa Cruz en Roma; el de la iglesia de Santa Genoveva, en París; el del Escorial y el de la Basílica de Atocha, en Madrid. En la antigüedad se llamaba así a los edificios dedicados a los dioses (panteón es una palabra griega que significa *todos los dioses*). El más célebre es el que hizo edificar en Roma, Agripa, yerno de Augusto, el año 25 a. C. El de Atenas, construido en tiempo de Adriano, era notable por sus 120 columnas de mármol precioso. El de Roma fue convertido en templo católico por el Papa Bonifacio IV el año 607. Hoy se le conoce con el nombre de Santa María de la Rotonda. Es un edificio circular, con un pórtico sostenido por columnas corintias de granito de 14 m de altura y de una sola pieza. La cúpula forma un hemisferio de 43 m de diámetro. Subsiste tal como quedó desde que fue restaurada por el emperador romano Adriano. El pintor Rafael dejó al morir un legado para una nueva restauración y tiene en él su sepulcro. *Véase* ESCORIAL, EL.

pantocrátor. Visión apocalíptica de Cristo Todopoderoso sentado en un trono, con un libro en la mano izquierda, en actitud de bendecir, rodeado casi siempre de los símbolos de los evangelistas y contemplado por los 24 ancianos, aunque generalmente se prescinde de ellos. Representado el arte bizantino y el romántico, el Todopoderoso aparece dentro de una aureola ovalada (mandorla), símbolo del resplandor apocalíptico. Se encuentra representado en los tímpanos románicos (Vézelay, Autun, Moissac, Chartres, Estela, Santiago); en la decoración pictórica de los ábsides (San Clemente de Tahull, San Isidoro de León, Maderuelo, San Angelo in Formis), y en algunos frontales de altar y libros miniados.

pantógrafo. Instrumento usado para la copia, ampliación o reducción de planos y dibujos. Se basa en la ley geométrica de la correlación de los ángulos en el paralelogramo y consiste en cuatro varillas, de hierro o madera, articuladas en sus vértices respectivos y formando esa figura. En el extremo de una de sus armas o lados se dispone un punzón con el que se siguen las sinuosidades del dibujo y en la correspondiente al ángulo directamente opuesto, un lápiz o tiralíneas para la reproducción. Al aumentar o disminuir así el área del paralelogramo se logra variar el tamaño del dibujo en la proporción que indica la escala que marcan las varillas. En mecánica se usa para amplificar los movimientos de piezas articuladas.

Pantoja de la Cruz, Juan (1553-1608). Pintor español que nació y murió en Madrid. Amigo y discípulo del gran artista Sánchez Coello, hizo tan rápidos progresos al lado de éste, que Felipe II lo nombró pintor y ayuda de cámara cuando aún era muy joven. Felipe III lo mantuvo en dichos cargos. Sobresalió muy especialmente en la pintura de retratos, entre los cuales figuran como más notables: el de Ruy Pérez de Ribera, el del organista Francisco Salinas, los de Carlos V, Felipe II, la emperatriz María y doña Juana de Austria. Menos expresivo, quizá, que su maestro, Pantoja fue, sin embargo, un excelente colorista, muy preocupado por la corrección en el dibujo y por la minuciosidad en todos los detalles. Puede verse, como un buen exponente de su estilo, el retrato de Felipe II, en el que aparece este monarca ante un vago fondo de paisaje.

pantomima. Representación mediante figuras y gestos, sin intervención de la palabra. Espectáculo en que los actores expresan sin hablar todo género de acciones y pasiones por medio de gestos, movimientos y actitudes corporales. En las sociedades primitivas constituyó una especie de rito; las danzas religiosas y guerreras de aquellos pueblos son el origen de la pantomima, que nació en Oriente. Como espectáculo debió tener su origen en la imposibilidad de hacerse oír los actores por todo el público de los grandes teatros grecorromanos, lo que probablemente obligó a sustituir la voz por el gesto y la actitud. Los romanos la cultivaron con pasión y gran maestría durante siglos. En la Edad Media y el Renacimiento se empleó en los festejos públicos y en la conmemoración de sucesos relevantes. Estuvo muy en boga en la España del siglo XVI; en Italia nació de la comedia popular, y en Francia apareció en forma de ballet en tiempo de María de Médicis. Sus personajes más característicos son el grotesco Pantalón, Colombina, Arlequín y Pierrot.

pantoténico, ácido. Sustancia orgánica que contiene nitrógeno y pertenece al grupo hidrosoluble integrado por el complejo vitamínico B. Abunda en el hígado, la yema de huevo, la levadura, la leche, el brécol y la melaza. Puede obtenerse por síntesis. Es esencial para la nutrición, estimula el crecimiento, y su carencia o deficiencia en el organismo origina dermatitis neuritis, diarrea y canicie.

panucho. En México, emparedado o pastel que se hace con una tortilla de maíz a la que se le desprende la piel de la cara superior de la inferior, dejándola unida en una parte del borde. En el hueco que queda entre las dos caras, se pone un relleno de frijoles y se le añaden distintos aderezos. Esa es la forma más común del panucho que se hace en la península de Yucatán de donde es originario. Al extenderse su consumo a otras regiones de México, surgieron variaciones en la manera de prepararlo, como la de hacer el panucho con dos tortillas de maíz, unidas por los bordes, entre las cuales se pone el relleno, que puede ser de frijoles, pollo, pescado, u otros manjares suculentos.

paños y telas. Productos de la industria textil, fabricados con fibras hiladas, naturales o artificiales. En general se llaman paños todos los tejidos gruesos y tupidos, y telas los más livianos

Desde los tiempos primitivos el hombre utilizó tejidos más o menos rudimentarios para protegerse de las inclemencias del tiempo. Empleó primero anchas fibras vegetales sin hilar que cortaba en tiras, secaba, y después entretejía hasta formar una especie de tela. También usó pieles de animales, raspadas y machacadas para impedir su descomposición, que cosía luego para adaptarlas a su cuerpo. Mucho más tarde su genio lo llevó a idear la rueca y el huso, invento extraordinario que le permitió fabricar hilos flexibles y resistentes, bastante largos para poder tejerlos. Otro gran paso fue el invento del telar, con ayuda del cual se comenzaron a fabricar telas por medio de laboriosos entrecruzamientos y anudados. La habilidad de los operarios manuales llegó a tal extremo que todavía hoy pueden competir con las mejores producciones de la industria textil mecánica. Ejemplo son las magníficas estofas que se fabricaron en España, Italia y Francia hasta principios del siglo XIX. Como los tejidos que producían esos telares eran de una anchura limitada, se ideó unir varias bandas hasta lograr la amplitud conveniente. Los famosos chales de *Cachemira* eran confeccionados con tal procedimiento.

Arriba: patatas amarillas; abajo patats rojas.

Corel Stock Photo Library

Entre las telas principales de la industria textil moderna mencionaremos los tafetanes, formados por una urdimbre de hilos paralelos y una trama sencilla constituida por hilos que pasan alternativamente por encima y por debajo de los de la urdimbre. Esta clase de tejido da lugar a un grupo de telas que varían según el grosor de las fibras y el número de hilos, tales como muselinas, reps, gasas, percales, crespones, etcétera. En las sargas los hilos de la trama no pasan por encima y debajo de todos los de la urdimbre, sino por algunos de ellos, formando un dibujo en diagonal. En los rasos y satenes las ligaduras se hallan completamente aisladas unas de otras. Los tejidos en que interviene más de una urdimbre o más de una trama se llaman compuestos. Son telas múltiples superpuestas y acopladas en toda su anchura y longitud por medio de un ligamento de unión, formando una sola pieza uniforme. Con este procedimiento se fabrican los paños. Los terciopelos y las felpas son tejidos con dos urdimbres: una floja o de pelo y otra de tensión fuerte o de base que produce en los haces de la tela una suerte de círculos o anillos uniformes. Según éstos se corten o no, se obtienen terciopelos rizados o cortados. Las telas estampadas son tejidos con dibujos que se fijan por procedimientos semejantes a los de la imprenta, utilizando rodillos en los que se hallan grabados los diseños correspondientes.

Existen muchas clases de fibras textiles. Las naturales pueden ser de origen vegetal (lino, algodón, cáñamo, esparto), animal (lana, seda crin) o mineral (oro, plata, vidrio, amianto, etcétera). Las fibras artificiales o sintéticas, productos de la industria química, suelen ser más resistentes que las naturales, aunque carecen de algunas de sus ventajas. Las prendas confeccionadas con ellas se secan rápidamente y casi no necesitan ser planchadas. Excelentes resultados se obtienen mezclándolas con fibras naturales, pues así el producto retiene las mejores condiciones de ambas. *Véanse* COSTURA; MODISTERÍA; TEJIDOS; TEXTILES.

pañuelo. *Véase* VESTIDO.

papa o patata. Planta herbácea anual, llamada, también, patata, de la familia de las solanáceas. En su aspecto exterior se parece a la planta del tomate. Tiene tallos ramosos, hojas partidas de color verde oscuro, flores pequeñas, blancas, moradas o amarillas y los frutos en bayas carnosas de un color amarillento. En algunas variedades las semillas se desarrollan dentro de

Corel Stock Photo Library

Variedad de patatas.

cápsulas muy semejantes a pequeños tomates. Estos receptáculos pueden llegar a contener más de doscientas semillas que son usadas por lo común para la obtención de nuevas variedades de la planta. En los extremos de las raíces fibrosas se encuentran las papas propiamente dichas. Las papas o patatas son tubérculos redondeados, carnosos, compactos, de color pardo por fuera y amarillento o rojizo por dentro. En condiciones normales son relativamente pequeños, se hallan muy cerca de la superficie de la tierra e incluso sobre ella. En este último caso adquieren un color verdoso y sabor picante que las torna incomibles y nocivas. El tubérculo, que es la única parte comestible de la papa, puede usarse también para la reproducción de nuevas plantas, pues posee cierto número de yemas fértiles repartidas en toda la superficie. Para usarlo en la reproducción, se corta la pieza en varios pedazos, que pueden contener cada uno hasta tres brotes. Luego se plantan a unos 8 o 10 cm bajo tierra, dejando de veinte a treinta centímetros entre una y otra.

De todos los tubérculos conocidos la papa es, sin duda, el más importante; principalmente por su alto poder nutritivo. No sólo no falta en ningún país civilizado de las zonas templadas, sino que en ellos figura siempre entre los principales cultivos. Son muchas y muy diversas las variedades de la papa. Pueden clasificarse en tres grandes grupos: papas de huerta o alimenticias, forrajeras e industriales. Las primeras son las destinadas a la alimentación del hombre y, por lo tanto, las más comunes y numerosas. Son las que más cuidados y estudios han merecido por parte de los investigadores. Las forrajeras son aquellas capaces de producir la mayor cantidad posible de tubérculos por hectárea sembrada. Como estas variedades se destinan principalmente a la alimentación del ganado, no se atiende tanto a la calidad de los tubérculos y su capacidad de conservación como en las anteriores. Finalmente, las papas destinadas a usos industriales, deben reunir dos condiciones: ser muy feculentas y no echarse a perder con facilidad. La papa posee gran valor alimenticio debido a la gran cantidad de carbohidratos que contiene. De fácil digestión, es rica en vitaminas, especialmente en vitamina C.

Castillo de los papas, Avignon, Francia.

Corel Stock Photo Library

La papa requiere de 90 a 110 días para completar su crecimiento. Al cabo de este tiempo los tubérculos entran en el periodo de maduración que concluye cuando los tallos adquieren un color amarillento y empiezan a marchitarse. La papa no prospera en climas excesivamente fríos, pero crece bien en temperaturas inferiores a 30 grados centígrados y mejor aún con temperaturas entre 15 y 20 grados centígrados.

Entre las numerosas enfermedades que atacan a la papa debe mencionarse el hongo conocido con el nombre *de enfermedad de la papa,* que hace terribles estragos en las cosechas al destruir los tubérculos. La enfermedad de *la mancha,* originada por un gusano, es capaz de destruir un plantío en una sola noche: la *roña* no ataca directamente el tubérculo, pero impide su desarrollo, pues destruye los tallos y hojas de la planta.

Los principales países productores de papas son: Rusia, Ucrania, Alemania, Polonia, Francia, Estados Unidos y la Gran Bretaña. La papa se emplea también en la fabricación de almidón y para la obtención de alcohol. A veces se usa harina de papa para la fabricación de pan y pastas alimenticias.

La papa no era conocida en Europa antes del descubrimiento de América. Fue llevada al Viejo Mundo en la segunda mitad del siglo XVI por los conquistadores españoles que habían visto el provecho que de ella obtenían los incas, que en esa época la cultivaban en Perú. Se cree que fue España el primer país de Europa donde se introdujo esta planta. De allí pasó a Italia, Flandes y Alemania y, hacia el final del siglo, a Inglaterra. Los europeos se resistieron al principio a aceptar la papa como alimento atribuyéndole propiedades tóxicas. A mediados del siglo XVIII se cultivó la papa en Alemania. En Francia fue necesario que el propio rey, inducido por Antonio Parmentier, pusiera de moda la flor de papa en la corte, para obligar a los nobles a cultivarla en sus posesiones. Fue la escasez de alimentos en los años que precedieron a la Revolución Francesa, lo que concluyó por imponer el cultivo de la papa en ese país. En América del Norte fue introducida por los españoles durante el siglo XVII.

papado. Dignidad de papa y tiempo que dura. También reciben este nombre la sucesión de los papas, el sistema de gobierno de la Iglesia católica apostólica Romana y su continuidad en la historia. En los albores del cristianismo, Jesucristo, según el Evangelio de san Mateo, se dirigió al apóstol san Pedro y le dijo: "Tú eres Pedro y sobre esta piedra edificaré mi iglesia; y las puertas del infierno no prevalecerán contra ella. Y a ti daré las llaves del reino de los cielos; y todo lo que ligares en la tierra será ligado en los cielos; y todo lo que desatares en la tierra, será desatado en los cielos". Lo que se interpreta como la institución del papado por Jesucristo, en su carácter de cabeza suprema de la Iglesia, que designó a Pedro como representante suyo en la tierra, para que fuese la cabeza visible de la Iglesia y la rigiese y gobernase. De esa manera, san Pedro recibió directamente de Jesucristo el primado de jurisdicción, que se trasmite a sus sucesores, y estableció en Roma la sede de la Iglesia. El papa es, pues, el sumo pontífice romano, vicario de Cristo, sucesor de san Pedro en el gobierno universal de la Iglesia católica, de la cual es cabeza visible y padre de todos los fieles.

El papa es el legislador supremo de la Iglesia, ejerce todos los derechos necesarios para la conservación de la unidad eclesiástica, y decide exclusivamente sobre la erección de obispados, la constitución, ordenación y deposición de obispos, y la confirmación o supresión de órdenes religiosas. Además, el papa está investido de los derechos y funciones de obispo de Roma, patriarca de Occidente, primado de Italia y arzobispo de las diócesis cercanas a Roma. El papa está dotado de infalibilidad cuando habla *ex Cathedra* sobre materias de fe y de costumbres, para lo cual se requiere que sus definiciones sean dogmáticas y declaren lo que deba ser creído o lo que deba ser rechazado y condenado por ser contrario a la fe y a las costumbres.

Los vastos intereses espirituales bajo el cuidado del papa han hecho necesario establecer una gran organización eclesiástica, llamada Curia Romana que ha demostrado su eficacia a través de los siglos. La Curia Romana es el cuerpo de instituciones eclesiásticas que secundan al papa en el gobierno de la Iglesia y entre sus principales instituciones y organismos se cuentan los siguientes:

El *Sacro Colegio*, integrado por el cuerpo de cardenales, viene a ser como el Senado de la Iglesia católica. Los cardenales se dividen en tres órdenes: cardenales obispos, cardenales presbíteros y cardenales diáconos. Entre las funciones más importantes que incumben a los cardenales figura la de elegir al papa. Cuando sobreviene el fallecimiento del pontífice, el cardenal Camarlengo, jefe de la casa pontificia, comprueba y atestigua la muerte del papa, y asistido por otros tres cardenales procede a preparar las solemnes exequias y a organizar el cónclave en que se elegirá al sucesor. Se celebra una reunión de los cardenales que se encuentren en Roma y se leen las normas y reglas a las que se ajustará el cónclave, las que se comprometen a observar mediante juramento. Se fija la fecha de apertura del cónclave, el que se celebrará en un ala del Vaticano especialmente preparada para ello, con un departamento de tres habitaciones para cada cardenal, que acudirá acompañado de un secretario y un asistente. Una vez en el cónclave, los cardenales quedan totalmente aislados del mundo exterior. En 1922, el Papa Pío XI decretó que el cónclave se convocara para celebrarse quince días después de la muerte del Pontífice, con el propósito de que pudieran asistir a él los cardenales residentes en países lejanos. El voto es secreto y son necesarias las dos terceras partes de los votos para ser elegido papa. Solamente los cardenales tienen derecho a votar y a ser elegidos. Durante el cónclave las elecciones se celebran diariamente hasta obtener el número de votos necesarios. Cuando algún cardenal lo obtiene, la elección se ha consumado y los cardenales presentes rinden reverente homenaje al nuevo Pontífice.

La *Secretaría de Estado* la desempeña el Cardenal Secretario, con funciones que equivalen a ser el primer ministro del Pontífice. Tiene a su cargo las relaciones diplomáticas, los asuntos políticos, los negocios de estado, y de él dependen las nunciaturas. *El Consejo de Relaciones Públicas de la Iglesia* está encargado, por medio de un ministro de relaciones exteriores, de atender, recibir y deliberar con los representantes diplomáticos extranjeros acreditados ante la Santa Sede.

Las *Congregaciones* son como ministerios que atienden, estudian y resuelven los diversos asuntos que corresponden a la esfera de actividad de cada una. Cada congregación está presidida por un cardenal, y otros cardenales son miembros de la misma. Los diversos departamentos de cada congregación están a cargo de asesores y especialistas que son eclesiásticos de diversas categorías. *La Curia Romana* cuenta con 10 congregaciones *La Congregación de la Doctrina de la Fe* (antes del *Santo Oficio*) tiene a su cargo todo lo relacionado con la fe y las costumbres. *La Congregación de las Iglesias Orientales* se ocupa de los ritos orientales. *La Congregación de los Obispos* (antes *Consistorial*) se ocupa de la designación de los obispos y de otros dignatarios eclesiásticos y de recibir los informes de los obispos sobre la situación de sus diócesis. *La Congregación para la Disciplina de los Sacramentos* se encarga de todo lo relacionado con los Sacramentos. El cargo de la antigua *Congregación de los Ritos* ha sido transferido a la *Congregación del Culto Divino* y a la *Congregación de los santos*. La *Congregación del Clero* (antes *del Concilio*) trata los asuntos de diáconos y sacerdotes que prestan sus servicios en la diócesis. La *Congregación de Institutos Religiosos y Seculares* supervisa la vida y el trabajo de los hombres que viven en comunidades. La *Congregación de Educación Católica* (antes de *seminarios y universidades*) y la *Congregación de la Propagación de la Fe*, también llamada *Evangelización de las Naciones*, está encargada de la organización y establecimiento de misiones.

De gran importancia son los *Tribunales*: el *Supremo Tribunal de la Signatura Apostólica* actúa sobre resoluciones de otros tribunales, la *Sagrada Rota Romana* dictamina sobre las apelaciones que envían los tribunales episcopales a la Santa Sede, y la

Papa Benedicto XIII en su residencia (1394), mosaico en Sevilla, España.

Corel Stock Photo Library

Corel Stock Photo Library

Estatua del papa, ciudad de Guatemala, Guatemala.

Sagrada Penitencia Apostólica otorga absoluciones y dispensas.

Extendida por todos los países y naciones en que existen fieles católicos, la jerarquía eclesiástica comprende altos dignatarios como arzobispos, metropolitanos y patriarcas, que ejercen su jurisdicción eclesiástica sobre obispos y diócesis sufragáneas. Los obispos, a su vez, tienen a su cargo los sacerdotes, parroquias, curatos, etcétera, que integran las diócesis episcopales. *Véanse* CARDENAL; CATOLICISMO; CÓNCLAVE; CONCORDATO; CONSISTORIO; CRISTIANISMO; CURIA; IGLESIA; RELIGIÓN; VATICANO, CIUDAD DEL.

LISTA CRONOLÓGICA DE LOS PAPAS Y ANTIPAPAS

Las fechas indican los años de comienzo y terminación de cada pontificado

Pedro	41?-67?
Lino	67?-76?
Anacleto	76?-88?
Clemente I	88?-97?
Evaristo	97?-105?
Alejandro I	105?-115?
Sixto I	115?-125?
Telésforo	125?-136?
Higinio	136?-140?
Pío I	140-155?
Aniceto	155?-166?
Sotero	166?-175?
Eleuterio	175?-189
Víctor I	189-199
Ceferino	199-217
Calixto I	217-222
Hipólito antipapa	*217-235*
Urbano I	222-230
Ponciano	230-235
Antero	235-236
Fabián	236-250
Cornelio	251-253
Novaciano antipapa	*251-258*
Lucio I	253-254
Esteban I	254 257
Sixto II	257-258
Dionisio	260-268
Félix I	269-274
Eutiquiano	275-283
Cayo	283-296
Marcelino	296-304
Marcelo I	308-309
Eusebio	309-310
Melquíades	311-314
Silvestre I	314-335
Marcos	336
Julio I	337-352
Liberio	352-366
Felix II antipapa	*355-365*
Dámaso I	366-384
Ursino antipapa	*366-367*
Siricio	384-399
Anastasio I	399-402
Inocencio I	402-417
Zósimo	417-419
Bonifacio I	419-422
Eulalio antipapa	*418-419*
Celestino I	422-432
Sixto III	432-440
León I, Magno	440-461
Hilario	461-468
Simplicio	468-483
Félix II (o III)	483-492
Gelasio I	492-496
Anastasio II	496-498
Simmaco	498-514
Lorenzo antipapa	*498, 501-505*
Hormisdas	514-523
Juan I	523-526
Félix III (o IV)	526-530
Bonifacio II	530-532
Dioscuro antipapa	*530*
Juan II	533-535
Agapito I	535-536
Silverio	536-537
Virgilio	537-555
Pelagio I	556-561
Juan III	561-574
Benedicto I	575-579
Pelagio II	579-590
Gregorio I, Magno	590-604
Sabiniano	604-606
Bonifacio III	607
Bonifacio IV	608-615
Adeodato I	615-618
Bonifacio V	619-625
Honorio I	625-638
Severino	640
Juan IV	640-642
Teodoro I	642-649
Martín I	649-655
Eugenio I	654-657
Vitaliano	657-672
Adeodato II	672-676
Dono I	676-678
Agatón	678-681
León II	681-683
Benedicto II	684-685
Juan V	685-686
Conón	686-687
Teodoro antipapa	*687*
Pascual antipapa	*687*
Sergio I	687-701
Juan VI	701-705
Juan VII	705-707
Sisinio	708
Constantino (I)	708-715
Gregorio II	715-731
Gregorio III	731-741
Zacarías	741-752
Esteban II (III)	752-757
Paulo I	757-767
Constantino antipapa	*767-769*
Felipe antipapa	*768*
Esteban III (IV)	768-772
Adriano I	772-795
León III	795-816
Esteban IV (V)	816-817
Pascual I	817-824
Eugenio II	824-827
Valentín	827
Gregorio IV	827-844
Juan antipapa	*844*
Sergio II	844-847
León IV	847-855
Benedicto III	855-858
Anastasio antipapa	*855*
Nicolás I	858-867
Adriano II	867-872
Juan VIII	872-882

Marino I (o Martín II)	882-884
Adriano III	884-885
Esteban V (VI)	885-891
Formoso	891-896
Bonifacio VI	896
Esteban VI (VII)	896-897
Romano	897
Teodoro II	897
Juan IX	898-900
Benedicto IV	900-903
León V	903
Cristóbal antipapa	*903-904*
Sergio III	904-911
Anastasio III	911-913
Landón	913-914
Juan X	914-928
León VI	928
Estaban VII (VIII)	928-931
Juan XI	931-935
León VII	936-939
Esteban VIII (IX)	939-942
Marino II (o Martín III)	942-946
Agapito II	946-955
Juan XII	955-964
León VIII	963-965
Benedicto V	964-966
Juan XIII	965-972
Benedicto VI	973-974
Bonifacio VII antipapa	*974, 984-985*
Benedicto VII	974-983
Juan XIV	983-984
Juan XV	985-986
Gregorio V	996-999
Juan XVI antipapa	*997-998*
Silvestre II	999-1003
Juan XVII	1003
Juan XVIII	1004-1009
Sergio IV	1009-1012
Benedicto VIII	1012-1024
Gregorio antipapa	*1012*
Juan XIX	1024-1033
Benedicto IX	1032, 1044, 1045, 1047, 1048
Silvestre III	1045
Gregorio VI	1045-1046
Clemente II	1046-1047
Dámaso II	1048
León IX	1047-1054
Víctor II	1055-1057
Esteban IX (X)	1057-1058
Benedicto X antipapa	*1058-1059*
Nicolás II	1059-1061
Alejandro II	1061-1073
Honorio II antipapa	*1061-1064*
Gregorio VII	1073-1085
Clemente III antipapa	*1080, 1084-1100*
Víctor III	1086-1087
Urbano II	1088-1099
Pascual II	1099-1118
Teodorico antipapa	*1100*
Alberto antipapa	*1102*
Sivestre IV antipapa	*1105-1111*
Gelasio II	1118-1119
Gregorio VII antipapa	*1118-1121*
Calixto II	1119-1124
Honorio II	1124-1130
Celestino II antipapa	*1124*
Inocencio II	1130-1143
Anacleto antipapa	*1130-1138*
Victor IV antipapa	*1138*
Celestino II	1143-1144
Lucio II	1144-1145
Eugenio III	1145-1153
Anastasio IV	1153-1154
Adriano IV	1154-1159
Alejandro III	1159-1181
Victor IV antipapa	*1159-1164*
Pascual III antipapa	*1164-1168*
Calixto antipapa	*1168-1178*
Inocencio III antipapa	*1179-1180*
Lucio III	1181-1185
Urbano III	1185-1187
Gregorio VIII	1187
Clemente III	1187-1191
Celestino III	1191-1198
Inocencio III	1198-1216
Honorio III	1216-1227
Gregorio IX	1227-1241
Celestino IV	1241
Inocencio IV	1243-1254
Alejandro IV	1254-1261
Urbano IV	1261-1264
Clemente IV	1265-1268
Gregorio X	1271-1276
Inocencio V	1276
Adriano V	1276
Juan XXI	1276-1277
Nicolás III	1277-1280
Martín IV	281-1285
Honorio IV	1285-1287
Nicolás IV	1288-1292
San Celestino V	1294
Bonifacio VIII	1294-1303
Benedicto XI	1303-1304
Clemente V	1305-1314
Juan XXII	1316-1334
Nicolás V antipapa	*1328-1330*
Benedicto XII	1334-1342
Clemente VI	1342-1352
Inocente VI	1352-1362
Urbano V	1362-1370
Gregorio XI	1370-1378
Urbano VI	1378-1389
Bonifacio IX	1389-1404
Inocencio VII	1404-1406
Gregorio XII	1406-1415
Alejandro V	1409-1410
Juan XXIII	1410-1415
Martín V	1417-1431
Eugenio IV	1431-1447
Félix V antipapa	*1439-1449*
Nicolás V	1447-1455
Calixto III	1455-1458
Pío II	1458-1464
Paulo II	1464-1471
Sixto IV	1471-1484
Inocencio VIII	1484-1492
Alejandro VI	1492-1503
Pío III	1503
Julio II	1503-1513
León X	1513-1521
Adriano VI	1522-1523
Clemente VII	1523-1534
Paulo III	1534-1549
Julio III	1550-1555
Marcelo II	1555
Paulo IV	1555-1559
Pío IV	1559-1565
Pío V	1566-1572
Gregorio XIII	1572-1585
Sixto V	1585-1590
Urbano VII	1590
Gregorio XIV	1590-1591
Inocencio IX	1591
Clemente VIII	1592-1605
León XI	1605
Paulo V	1605-1621
Gregorio XV	1621-1623
Urbano VIII	1623-1644
Inocencio X	1644-1655
Alejandro VII	1655-1667
Clemente IX	1667-1669
Clemente X	1670-1676
Inocencio XI	1676-1689
Alejandro VIII	1689-1691
Inocencio XII	1691-1700
Clemente XI	1700-1721
Inocencio XIII	1721-1724
Benedicto XIII	1724-1730
Clemente XII	1730-1740
Benedicto XIV	1740-1758
Clemente XIII	1758-1769
Clemente XIV	1769-1774
Pío VI	1775-1799
Pío VII	1800-1823
León XII	1823-1829
Pío VIII	1829-1830
Gregorio XVI	1831-1846
Pío IX	1846-1878
León XIII	1878-1903
San Pío X	1903-1914
Benedicto XV	1914-1922
Pío XI	1922-1939
Pío XII	1939-1958
Juan XXIII	1958-1963
Paulo VI	1963-1978
Juan Pablo I	1978
Juan Pablo II	1978-

papafigo. Ave del orden de los pájaros, llamada chimbo de higuera en algunas regiones de España. De color pardo verdoso en el dorso, tiene la cabeza negra en el macho y rojiza en la hembra, con el vientre grisáceo y el pico y las patas pardos oscuros. Mide unos 15 cm de pico a cola y 25 de envergadura, siendo animal inquieto que mueve continuamente alas y cola. El macho canta en primavera desde el amanecer, con trinos agradables. Se alimenta de insectos y frutas, como los higos, de donde le viene el nombre, y soporta fácilmente la cautividad.

papamoscas. Pájaro muscicápido fácilmente domesticable y llamado así por alimentarse principalmente de insectos, en particular de moscas. Tiene unos 15 cm de largo. El color del plumaje varía según la especie y la estación, y es generalmente pardo o gris con partes blancas y negras. Todos los individuos son muy vivaces y cantarines. Construyen los nidos allí donde hallan huecos o salientes propicios, y otras veces en las enramadas. La hembra deposita hasta media docena de huevecillos que tienen un color verdoso, empollándolos alternativamente el macho y la hembra, hasta que pasados quince días salen las crías a la luz, las cuales, a las tres semanas, se hallan ya en disposición de valerse por sí solas. Sólo por excepción se alimentan de bayas o cáscaras de frutas; su manjar predilecto son las moscas y los mosquitos.

papaya. Fruto del papayo de forma semejante al melón, carne amarilla, dulce y aromática, y cuya parte interior es hueca y está llena de pequeñas semillas negras del tamaño de guisantes comunes. El papayo es un árbol caricáceo (*Carica papaya*), de 4 a 7 m de altura y de tronco blando, parecido a la palmera, oriundo de la América tropical. Su fruto, la papaya, es de sabor agradable y muy apreciado. Del fruto verde se extrae una leche de gran eficacia como vermífugo y la *papaína*, enzima similar a la pepsina, que ayuda a la digestión y a curar la dispepsia. La papaína también se usa para suavizar ciertas carnes antes de guisarlas.

La papaya es un fruto de tierras cálidas.

Corel Stock Photo Library

papel. El papel, propiamente dicho, vio la luz en China hacia el siglo I, cuando un alto funcionario del imperio llamado Tsai-Lun, atareadísimo en escribir los largos rollos chinos sobre tela de seda y cortezas de bambú, fabricó verdadero papel desmenuzando la madera de ciertos árboles, especialmente la morera, remojándola y golpeándola hasta hacer con las fibras estrujadas una lámina delgada y consistente, apta para la escritura. El propio *Tsai-Lun*, alentado por el éxito de su empresa y con la colaboración de otros funcionarios del imperio, siguió el mismo procedimiento para hacer papel con trapos de algodón y de seda, fibras de cáñamo y hasta con restos de redes de pescar.

Se tiene entendido que cuando los árabes entraron en contacto con los chinos, conocieron aquellos el papel y lo adoptaron, llevándolo consigo hacia el Cercano Oriente y, por el año 795 se había establecido en Bagdad una fábrica. Mientras tanto en Europa, donde el papiro había compartido su dominio con el pergamino, se conocía la existencia del papel desde el siglo V aunque era muy escasa la cantidad que recibía del Oriente, por lo que los europeos se conformaron con el pergamino hasta que los árabes, conocedores del procedimiento de fabricación del papel, se acercaron a Europa y al penetrar en España trajeron consigo el papel de algodón y muy pronto lo fabricaron en la propia Península Ibérica, aprovechando los excelentes linos del reino de Valencia. Las fábricas europeas más antiguas de que se tenga noticia son las de Játiva, en Valencia. El rey Alfonso X *el Sabio* propagó el uso del papel en Castilla; se conservan aún cartas de aquel soberano escritas en papel. En tiempos de san Luis pasó este material de España a Francia, de allí a Inglaterra y muy pronto se extendió por toda Europa.

Durante muchos siglos, el papel se hizo a mano, de la pasta fibrosa obtenida de los trapos de lino y algodón, mediante un procedimiento muy sencillo; pero al crecer la demanda hubo necesidad de hacer intervenir una serie de operaciones que aumentaban la producción aunque, en sustancia, seguían los mismos procedimientos seculares y daban como resultado hojas de papel de resistencia y calidad uniformes.

A mediados del siglo XVII aún se hacía papel con trapos de lino y algodón elegidos según su finura y su color, porque en ellos la celulosa se encuentra casi pura y su tratamiento resulta muy sencillo; pero con la difusión cada vez mayor del arte de la imprenta y el aumento enorme en la demanda, se recurrió también al cáñamo, el yute, el esparto, la paja de arroz y varias clases de maderas. Durante todo el tiempo que se fabricó el papel a mano, la pasta o pulpa de celulosa se obtenía en los morteros y grandes cubas mediante un largo proceso de molienda, lavado y golpeado. En 1750 se inventó en Holanda una máquina que reducía considerablemente el tiempo necesario para convertir los trapos o las fibras en papilla. Esta pasta se vertía en grandes pilas provistas de agitadores y ruedas que la trituraban y diluían hasta hacerla muy fina. En el líquido se introducía la llamada *forma,* un simple rectángulo de tela metálica fina, preso en un bastidor, que determinaba la forma, el tamaño y el grueso de la hoja de papel. Cuando toda el agua se había escurrido por la tela metálica quedaba sobre ésta una capa delgada de pasta que, apenas endurecida, se colocaba sobre fieltros de lana y éstos, amontonados unos sobre otros, se prensaban. Las hojas de papel, bien escurridas, se secaban al aire y se bañaban después en una especie de gelatina que al secarse dejaba lisa y tersa la superficie, haciéndola menos absorbente a la tinta. Asimismo, la hoja se satinaba con rodillos de metal.

En 1797, Louis Robert, en Francia, inventó una máquina para hacer papel en rollos continuos en lugar de hojas, con lo que el proceso general debía apresurarse. Comenzaron a usarse las fibras de las plantas que abundaban mucho más que los trapos, aunque con ello se complicaron las cosas, porque las fibras, a diferencia de los trapos de lino y algodón, no contienen la celulosa pura, sino muy mezclada con la lignina y otras materias que es necesario eliminar.

En 1840, Keller inventó en Alemania una máquina para moler las fibras y la madera; en Estados Unidos, el químico Tilghman descubrió en 1867 que las fibras de la madera y de los tallos podían separarse de las impurezas tratándolas con una solución de ácido sulfuroso. Varios químicos europeos mejoraron el proceso y, para 1882, la pulpa de la madera o de tallos fibrosos, materia prima del papel, se hacía con procedimientos que sirvieron de base a los que actualmente se utilizan.

Las nuevas máquinas y los tratamientos químicos producen cuatro clases principales de pulpa o pasta de madera y fibras vegetales que se emplean, solas o mezcladas, para fabricar distintos tipos de papel. La primera es sencillamente madera molida o desmenuzada en la que las fibras de celulosa van mezcladas con todas las impurezas: el papel de diario se compone casi exclusivamente de madera molida. Otro de los tipos de pasta es la llamada de bisulfito de calcio que, además de disolver las gomas y resinas, separa y blanquea las fibras. El papel que se obtiene con este proceso sirve especialmente para la impresión de los libros. La tercera clase se conoce como pasta de sosa porque las fibras desmenuzadas se hierven a muy alta presión, por lo general en autoclaves, con una solución de sosa cáustica, lo que produce una pasta esponjosa y suave de uso extenso para dar mayor flexibilidad a ciertos tipos de papel para libros. La cuarta y última clase produce la pasta de sulfato, que se obtiene mediante el tratamiento del material con sulfato de sodio y otros productos químicos, quedando las fibras enteras y fuertes, de color más oscuro y aptas para la fabricación del papel de envoltorios o embalajes, gruesos y resistentes.

El batido de la pasta, es decir, el proceso en el que se estrujan, separan y deslíen las fibras, es el más importante de toda la operación. Casi siempre se hace en las llamadas pilas holandesas que son grandes tinas ovaladas con un rodillo provisto de cuchillas que va moliendo y estrujando la pasta contra una plataforma que hay en el fondo, también provista de cuchillas. Se vacían las pastas en cantidades y proporciones distintas según la calidad del papel y es allí donde se blanquea la pasta con los productos químicos y donde se le agregan los materiales que requiera para obtener el grado de finura o dureza, resistencia, flexibilidad y consistencia que se deseen. Asimismo, en la pila holandesa se disuelve el colorante que se quiera.

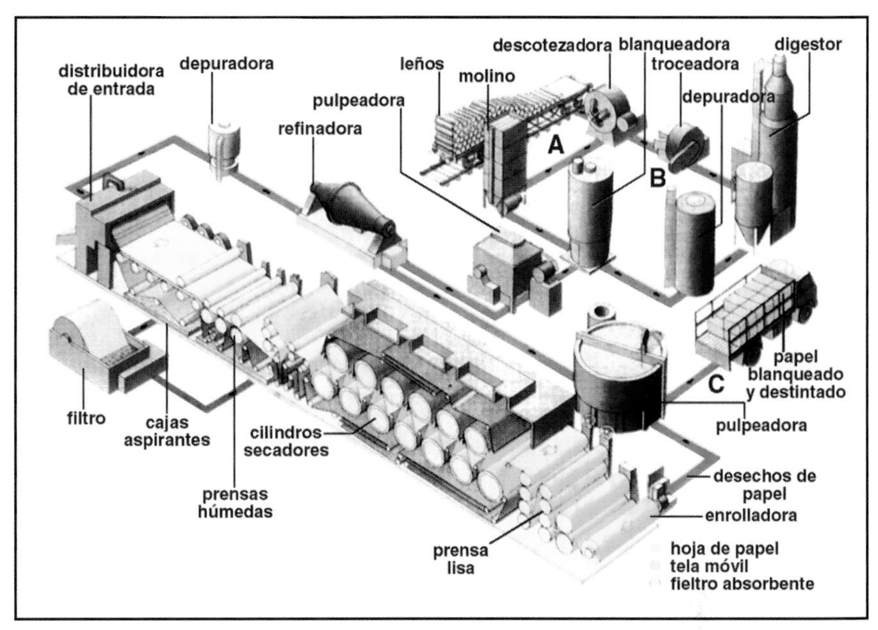

Salvat Universal

Diagrama del proceso de fabricación de papel. Se han representado tres procedimientos de obtención de pasta de papel: disgregación mecánica (A), disgregación química (B) y papel reciclado (C).

Cuando la pasta está bien mezclada y diluida, pasa a la máquina de papel continuo, complicado mecanismo de grandes dimensiones, que se basa en los principios descubiertos a principios del siglo XIX por los hermanos ingleses Henry y Sealy Fourdrinier y que, aunque muy perfeccionada, todavía se conoce con el nombre de sus creadores. En esta máquina se vierte la pasta diluida sobre un tamiz oscilante que retiene los grumos que hayan podido quedar y distribuye esta papilla tamizada en una capa continua, fina y uniforme, sobre una banda de tela metálica donde sigue escurriéndose y filtrándose el agua, ayudada por varias cajas de succión sobre las que pasa la banda. Esta cinta sin fin deja la capa de pasta bien escurrida entre la primera prensa de rodillos de fieltro que la pasa, ya más firme y dura, a otra banda de fieltro que la lleva por una serie de prensas de rodillo y tambores secadores, de donde sale ya seca y formada en una lámina regular, para caer sobre otra banda que la hace pasar por una segunda serie de rodillos metálicos que adelgazan y satinan el papel.

Fábrica de papel.

Corel Stock Photo Library

A los papeles así obtenidos se les clasifica en cinco grandes grupos que son: 1) papel fino de escritura, que se hace con trapos; 2) papeles de impresión para libros y periódicos, este último hecho exclusivamente con fibra molida, mientras que el otro lleva la pasta de bisulfito o la de sosa cáustica: 3) el papel de envoltorio y embalaje que se obtiene de la pasta de sulfato; 4) los cartones y papeles varios, entre los que se incluye el llamado de seda, los papeles para dibujo, y una larga serie de papeles para distintos usos que se fabrican con procedimientos especiales.

El papel de todas clases y calidades tiene grandísimo valor para el hombre, que lo utiliza en gran cantidad. Tan sólo del papel llamado de diario, que sirve para imprimir los periódicos, se consumen en Estados Unidos y Canadá, cada año, cantidades suficientes para circundar la tierra con una cinta de más de 80 km de ancho. Por doquier se encuentra el papel en mil usos diferentes que van siempre en aumento. En la segunda década del siglo XX, la producción mundial de papel y cartón de todas clases, pasó de 50 millones de ton anuales, a pesar de lo cual, resultaba inferior a la demanda. *Véanse* LIBRO; PAPIRO; PERGAMINO.

papel moneda. El que por autoridad pública sustituye al dinero en metálico y tiene curso como tal. Consiste en un rectángulo de papel de fabricación especial, cuidadosamente grabado, para evitar o hacer difícil su falsificación. Lleva impresa la denominación o valor que se le asigna como moneda y se utiliza como medio de cambio de curso legal. Puede ser *convertible o inconvertible*. En el primer caso, a su presentación en el banco central de la nación que lo emite, puede ser cambiado por la moneda de oro o plata cuyo valor representa. En el segundo caso, no puede ser cambiado, y su circulación y aceptación descansan en la confianza pública que inspire el gobierno que lo respalda y en la necesidad de contar con un instrumento fiduciario que haga posible la circulación, intercambio y adquisición de bienes, mercancías y servicios. El papel moneda convertible dejó de serlo pocos años después de la Primera Guerra Mundial, principalmente a partir de 1930, cuando las dificultades económicas de los Estados y la escasez y disminución de sus reservas en oro y plata, los obligaron a suspender los patrones metálicos en que descansaban sus sistemas monetarios, lo que significó la supresión de la convertibilidad de las emisiones del papel moneda en circulación.

Papel moneda europeo y estadounidense.

Corel Stock Photo Library

Papen, Franz von (1879-1969). Político, militar y diplomático alemán. Después de dirigir con maestría el espionaje alemán en América durante la Primera Guerra Mundial, se incorporó a la Dieta Prusiana como representante del Partido del Centro, movimiento político de inspiración católica. Con habilidad eliminó al canciller Heinrich Brüning y a otros miembros de su propio partido, y secundado por un grupo de industriales ayudó a Adolfo Hitler en su ascenso al poder, siendo nombrado vicecanciller. Diplomático de sobresalientes condiciones, fue el gestor principal de la conquista de Austria. Al concluir la Segunda Guerra Mundial fue encartado por el tribunal de Nuremberg pero quedó en libertad, porque, en opinión de los jueces, "sus ofensas contra la moralidad política no eran de carácter criminal". En 1947 el tribunal de desnacificación lo condenó a ocho años de trabajos forzados, así como a la confiscación de sus bienes. A los dos años se le concedió la libertad y la devolución de sus posesiones y sólo se le impuso una multa de 30,000 marcos. Sus *Memorias* se publicaron en 1957.

paperas. Enfermedad contagiosa causada por un virus que ataca e inflama las glándulas parótidas situadas debajo de los oídos y detrás de la mandíbula inferior. Los síntomas consisten en dolor en la región cercana al oído, dificultad en masticar y tragar e hinchazón progresiva de las glándulas parótidas. La enfermedad puede extenderse a otras glándulas del cuello y la cabeza y de otras regiones del cuerpo. El periodo de incubación es, aproximadamente, de quince días y su estado agudo de cuatro a ocho días, que puede estar acompañado de fiebre, escalofríos y dolor de garganta y oídos, después de lo cual sobreviene la curación si no existen complicaciones. El tratamiento consiste en reposo, dieta ligera, escrupulosa limpieza de la boca y, si el médico lo considera necesario, el empleo de antibióticos. La enfermedad ataca, preferentemente, a niños y adolescentes, entre las edades de cinco a quince años.

Papin, Denise (1647-1712). Físico e inventor francés. Fue doctor en medicina, pero se dedicó a las ciencias físicas y matemáticas por las que sentía gran afición. Por ser calvinista, salió en 1675 de Francia, huyendo de las persecuciones que lo amenazaban y se refugio en Inglaterra donde Robert Boyle lo asoció a sus trabajos sobre la naturaleza del aire. Ingresó en la Real Sociedad de Londres con una memoria en la que anunciaba la invención del aparato que se llamó luego *marmita de Papin*. En 1687 obtuvo en Marburgo (Alemania) una cátedra de matemáticas y física. A partir de ese año datan sus ensayos más eficaces sobre la aplicación de la fuerza motriz del vapor de agua. Hacia 1690 construyó la primera máquina de vapor con cilindro y émbolo. Otro notable invento suyo fue un bote dotado de una rueda hidráulica y paletas que hacían las funciones de remos. Papin regresó a Inglaterra en 1707, donde vivió hasta su muerte, y dejó diversos escritos sobre el vapor de agua, la máquina neumática, las propiedades del aire, el movimiento continuo y otros temas.

Papini, Giovanni (1881-1956). Escritor italiano. Su preparación inicial fue autodidacta. Nació en Florencia y fue allí donde fundó la revista *Leonardo*, que tuvo influencia en el movimiento estético italiano y cierta resonancia europea. Después de haber defendido en obras irónicas (*Crepúsculo de los filósofos*) un individualismo nacionalista y de mostrarse iconoclasta en su libro *Stroncature*, se convirtió al catolicismo y publicó la *Vida de Cristo*. Colaboró asiduamente en revistas de varios países sobre temas muy diversos, pero especialmente los referentes a ideas filosóficas. Además de las mencionadas, entre sus obras se destacan *La piedra infernal, Dante vivo, San Agustín y Gog*.

Papiniano, Emilio (140-212). Jurisconsulto romano que ocupó diversos cargos públicos durante el imperio de Marco Aurelio y Septimio Severo, quien lo nombró prefecto del Pretorio, siendo condenado a muerte por Caracalla a quien no quiso defender, ante el Senado, por el crimen de haber asesinado a su hermano. Escribió numerosas obras, entre las que descuellan las *Cuestiones* y las *Respuestas*, todas sobre temas de derecho y administración, las cuales fueron durante muchos años textos clásicos en las facultades de leyes de todo el mundo. Muchos de los fragmentos de sus obras fueron aprovechados para la redacción del *Digesto*, cuerpo legal recopilado por Justiniano en el siglo VI. Se caracterizó por una conducta honorable y una vida privada intachable, gozando de gran prestigio y autoridad entre sus colegas. Fue original en muchas de sus concepciones jurídicas, distinguiéndose por su lenguaje profesional, lleno de espontánea elegancia por lo que resultaba extremadamente sencillo y asequible.

papión. Véase MONO.

papiro. Los egipcios ya aplicaban el papiro a usos de escritura 4,000 a. C. Es una planta de la familia de las ciperáceas, que crece en las orillas de los ríos y lagunas o en los terrenos pantanosos. Tiene tallo en forma de caña de 2 a 3 m de altura y 10 cm de grueso, con hojas largas y estrechas que crecen muy espaciadas entre sí, sobre todo en la base del tallo. En el extremo superior de la caña hay un penacho de espigas, con muchas flores pequeñitas y verdes, apretadas en ramas muy delgadas que se abren hacia abajo como las varillas de un paraguas. Esta planta, que antaño crecía en abundancia en la región del Bajo Egipto, se halla ahora en ciertas regiones de Etiopía y del Alto Nilo, Asia Menor y Sicilia.

Relata Plinio, el antiguo historiador romano, cómo los egipcios se valían del papiro para obtener su material de escritura, y dice cómo iban separando láminas del tallo, cortándolas en tiras muy delgadas que luego colocaban una junto a otra para que formaran una capa o superficie continua. Sobre esta capa se colocaba otra con las tiras en dirección opuesta, y la lámina así obtenida se empapaba en las fangosas aguas del Nilo o se pegaba con un engrudo hecho de harina y agua, golpeándose después con piedras y prensándola, antes de dejarla secar al sol. Las hojas tenían la consistencia y flexibilidad del papel y con ellos, unidas entre sí, formábanse largas tiras que luego se enrollaban.

En aquella época remota, el papiro constituía una exclusiva riqueza comercial de Egipto, y su producción y exportación eran monopolio del Estado. En rollos de papiro se encuentran los documentos y escritos más importantes de la antigüedad. Del siglo V a. C. datan rollos con las diversas escrituras usadas en suelo egipcio; posteriormente aparecieron los rollos griegos, con escritos de Sófocles y Aristóteles y las bulas pontificias, que por tradición se escribían todavía en papiro en el siglo XI.

Corel Stock Photo Library

Joven de las islas Trobriand, Papua Nueva Guinea.

Paap, Desiderio (? -). Físico checoslovaco contemporáneo que ha adquirido reputación internacional por sus investigaciones sobre los meteoritos y la consiguiente comprobación de la existencia de microorganismos en ellos, lo que favorece la hipótesis de que es posible que puedan existir formas de vida en otros planetas. Al producirse la Segunda Guerra Mundial, Papp se estableció en la República Argentina, trabajando en el observatorio de física cósmica de san Miguel. Algunas de sus obras, además del libro de divulgación *El porvenir de la Tierra*, son *La vida en el cosmos, Más allá del Sol* e *Historia de la física.*

Una joven huli en traje tradicional, Tari, Papua Nueva Guinea.

Corel Stock Photo Library

Papua Nueva Guinea. Estado de la Melanesia, miembro independiente de la Comunidad de Naciones. Su territorio comprende la mitad oriental de Nueva Guinea (462,840 km^2) –la occidental pertenece a Indonesia– y las islas adyacentes del Almirantazgo, New Britain, New Ireland, Lavongai, Bougainville, Buka, D'Entrecasteaux, Trobriand y Woolark, así como el Archipiélago de las Louisiade (en total 66,925 km^2). Tiene una población de 4.405,000 habitantes (1997), en su mayor parte melanesios. La cadena de sierras que divide la isla de noroeste a sureste, con excepción de las indonesias y de las de Blucher, Karius y Owen Stanley, situadas en la región papú, se localizan todas en el norte, dentro del territorio del antiguo mandato australiano de Nueva Guinea. En esta parte, las únicas zonas bajas son el amplio valle del Sepik y la estrecha franja costera del Golfo de Huon, en el este. Papuasia, en cambio, al sur, es predominantemente llana y se encuentra bañada por una mayor cantidad de ríos. Entre estos se destaca por su dilatadísimo valle el Fly, que desemboca en el Golfo de Papua tras servir brevemente de límite con Indonesia y cruzar en diagonal todo el sudoeste de la región. La temperatura es húmeda y elevada durante todo el año, dividido en dos estaciones principales: la del monzón del noroeste (diciembre a marzo) y la del monzón del sudeste (mayo a octubre). Los recursos más valiosos del país son los minerales: cobre, oro, plata y petróleo. El primero, concentrado en Bougainville, proporciona la mayor parte de los ingresos nacionales. Entre los productos agrícolas se destacan el té, la copra, el cacao, el caucho, el café y el aceite de palma. La capital es Port Moresby (193,242 h.), en Nueva Guinea. Papua fue un protectorado británico entre 1884 y 1903, año en que pasó a ser administrado por Australia. Nueva Guinea nororiental, una colonia alemana desde 1884, se convirtió en un mandato australiano de la Sociedad de Naciones en 1921. Durante la Segunda Guerra Mundial, los japoneses la ocuparon, pero en 1946 las Naciones Unidas volvieron a encomendar a Australia la administración, ahora en fideicomiso, del territorio. Nueva Guinea y Papua fueron unificadas administrativamente en 1949. En 1963 se instituyó la primera asamblea legislativa electiva, y el país obtuvo la independencia en 1975. Idiomas: lengua franca melanesia e inglés. Papua Nueva Guinea pertenece a la ONU.

En 1976, la isla de Bougainville recibe la autonomía interna y, en 1978, el gobierno declara el límite de 200 millas de la costa como zona económica y toma el control del lecho marino y la pesca. En 1982, supuestas incursiones de tropas indonesas en territorio de Papua Nueva Guinea provocan fricciones entre ambos países. En 1984, el papa Juan Pablo II visita el país. En 1987, los gobiernos de Papua Nueva Guinea e Indonesia firman un acuerdo que delimita las zonas fronterizas entre los dos países. En 1990, al morir asesinado el líder del Ejército Republicano de Bougainville por miembros radicales, el gobierno toma medidas para extender el Estado de sitio en esa región.

Tras las elecciones generales en junio de 1992 Paias Wingti volvió a ocupar el cargo de primer ministro, pero en septiembre de 1994 el Parlamento, ante el descontento general por su política, le destituyó de su cargo y nombró en su lugar a Julius Chan. El ejército tuvo que intervenir en Bouganville en 1992.

paquidermo. Nombre que en ciertas clasificaciones geológicas se daba a diversos mamíferos de piel gruesa, no rumiantes, y que agrupaba a animales tan diferentes como el elefante, tapir hipopótamo, rinoceronte, cerdo y caballo. Esa clasificación fue sustituida por otras de mayor precisión y rigor científico y los animales incluidos anteriormente entre los paquidermos pasaron a integrar otros grupos y divisiones zoológicas.

par. Igual o semejante totalmente y, también, conjunto de dos personas o cosas de la misma especie. Otra acepción de par es la de título de alta dignidad que se confería en algunos países. En el origen del sistema feudal designó a los vasallos inmediatos de un señor que, por su calidad y posición, eran iguales entre sí. Famosos en la historia son los doce pares de Francia, guerreros esforzados que constituían la guardia de honor de Carlomagno, y cuyas legendarias hazañas fueron perpetuadas en romances y canciones de gesta. En el siglo XIV los doce vasallos principales del rey de Francia recibieron el nombre de *pares* y ocuparon un lugar de honor en la jerarquía feudal.

Pará o Grão Pará. Estado del noroeste de Brasil, cuyo litoral baña el Atlántico. Superficie: 1.246,833 km^2 (1995) y población de 5.510,849 habitantes (1997). Su suelo está cruzado por el curso inferior del Amazonas y sus dos grandes afluentes: el Tapajoz y el Xingú, y también por el Tocantins. Esencialmente agrícola y ganadero, produce cacao, nuez de Brasil, caucho, algodón, tabaco, caña de azúcar, maíz, arroz, miel y marfil vegetal. Importantes fábricas de sombreros de paja, curtiembres, saladeros de carne y pescado, etcétera. Capital: Belém, con 1.144,312 habitantes (1997). Entre sus ciudades importantes figuran Obidos, Santarem y Cametá.

En 1613 el francés La Ravardière recorrió la región de Pará, y en 1614 el portugués F. Caldeira con el fin de expulsar a los franceses y someter a los amerindios exploró el río Pará. A lo largo del siglo XVII, franceses, ingleses y holandeses compitieron con los portugueses por establecer factorías, cultivar plantaciones y adueñarse de indios. A principios del siglo XVIII la hegemonía portuguesa se había impuesto. Tras la independencia de Brasil (1822) formó parte de la nueva nación.

parábola. Narración de un suceso fingido del que se deduce, por comparación o semejanza, una verdad importante o una enseñanza moral. Se confunde con el mito, la fábula y la alegoría, formas gemelas de expresión que exigen de quien las emplea una imaginación rica y brillante. La parábola se encuentra en los más antiguos monumentos de todas las literaturas, especialmente en las de los pueblos orientales, y de éstos principalmente en la hebrea. La Biblia tiene parábolas bellísimas, lenguaje en que los profetas se dirigían a los príncipes y al pueblo. Cristo se sirvió de ellas para divulgar su doctrina y captar adeptos; en los Evangelios hay numerosas parábolas, entre las cuales figuran las de la cizaña, el piadoso samaritano, el fariseo y el publicano, el hijo pródigo, el rico avariento, la oveja perdida, los trabajadores de la viña, las vírgenes prudentes y las locas, etcétera. Este modo de enseñar ha sido empleado por los sabios y filósofos de Oriente; en la India, Persia y China, las parábolas se llamaron *apólogos y fábulas*, pero en tono del relato, su arquitectura emblemática y su fondo moral eran idénticos. Durante la Edad Media cultivaron la parábola los trovadores, y en los tiempos modernos, algunos poetas, como los alemanes Lessing, Herder y Krummacher. No obstante su aparente sencillez, es género sumamente difícil.

Paracaidismo en la playa Seven Mile, isla Gran Caimán.

Corel Stock Photo Library

parábola. Curva plana y abierta que se extiende indefinidamente. Cada uno de sus puntos equidista de un punto fijo, llamado *foco*, y de una recta fija, llamada *directriz*. En la figura 1 el punto F es el foco, y la recta AB la directriz, siendo iguales las distancias PF y PM del punto P de la parábola a su foco y a su directriz. La perpendicular FE desde el foco a la directriz es el eje de la curva, la cual resulta simétrica respecto de éste, y la recta que une el foco con un punto cualquiera de la curva recibe el nombre de *radio vector*.

Esta curva se puede construir por un movimiento continuo colocando una escuadra (figura 2) de tal manera que uno de los catetos coincida con la directriz, fijando uno de los extremos de un hilo –que tenga la longitud del otro cateto de la escuadra– en el foco F y el otro extremo en el vértice V de la escuadra; deslizando ésta a lo largo de una regla cuyo borde coincida con una recta AB, que será la directriz de la parábola, la punta del lápiz con que se trace pondrá el hilo tirante y se tendrá en todo momento $PF = PM$, de acuerdo con la definición de esta curva.

La trayectoria parabólica de un móvil es la resultante de una fuerza instantánea y otra continua, y así, por ejemplo, es la forma que adopta la trayectoria de un proyectil lanzado horizontalmente, la del chorro de un caño, también horizontal, etcétera.

La parábola tiene la notable propiedad de que si en el foco geométrico de un espejo parabólico se coloca un foco luminoso, los rayos reflejados llevan una trayectoria paralela al eje de la parábola. Esta propiedad se explica también diciendo que la línea bisectriz del ángulo formado por un radio vector y la tangente en ese punto, es siempre paralela al eje de la parábola. Esta característica se aplica al diseño y construcción de los reflectores parabólicos utilizados en los faros de los automóviles.

paracaídas. Artefacto hecho de tela resistente que al extenderse en el aire toma la forma de una sombrilla grande. Se usa para moderar la velocidad de caída de las personas u objetos que se arrojan desde las aeronaves. La idea del paracaídas es tan antigua como el deseo de volar. Leonardo da Vinci (1495), el veneciano Venanzio, el inglés Mastyn y los franceses Sébastien Lenormand y Blanchard (1783) diseñaron o experimentaron aparatos para amortiguar la caída de un cuerpo sobre el suelo. Un experimento notable fue el del aeronauta francés André Garnerin (1797), que se lanzó desde un globo a más de 600 m de altura con un paracaídas de su invención. El paracaídas es de forma casi semiesférica y se hace con tela muy resistente, generalmente de seda o nilón, aunque también pueden ser de rayón, algodón, etcétera. Tiene un orificio (chimenea) en la parte superior para dar salida al aire y evitar las oscilaciones. La tela del casquete va dividida en segmentos unidos por fuertes costuras. En el borde del casquete se anudan las cuerdas de suspensión, que se agrupan en dos grandes haces, que mediante dispositivos apropiados se sujetan al cuerpo del paracaidista. Los paracaídas para personas suelen tener de 8 a 9 m de diámetro, de 48 a 60 m cuadrados y pesan de 7 a 10 kg. Van cuidadosamente plegados y guardados en una especie de saco que unas veces se coloca en la espalda, otras en la parte delantera y otras en el asiento de la persona que ha de servirse de ellos.

El paracaídas libre debe ser abierto por la persona, después de algunos segundos de descenso; el automático se abre por sí al iniciarse la caída, por lo cual lleva en la parte superior un pequeño paracaídas denominado piloto. Al maniobrar el paracaidista el dispositivo de apertura, el piloto sale fuera de la envoltura y se abre instantáneamente, facilitando así el funcionamiento del paracaídas de tamaño normal. Una vez abierto éste, el descenso se realiza a una velocidad uniforme (de 5 a 7 m por segundo) hasta el contacto con el suelo. La operación más delicada del paracaidismo es la llegada al suelo que debe efectuarse con el cuerpo en forma de bola para amortiguar el golpe, haciéndolo recaer sobre todo el cuerpo. Con los paracaídas libres la altura de seguridad exigida era de 350 m. El automático puede ser útil a sólo 30 m. La gran velocidad de algunos aviones exige que éstos vayan provistos de unos asientos que, mediante un dispositivo de lanzamiento, proyectan al paracaidista fuera del avión en el momento preciso.

Los paracaídas se utilizan, también, para abastecer de lo necesario a los lugares que por cualquier circunstancia tienen cortadas sus comunicaciones ordinarias. Se practica, además, como deporte. Los soldados de distintas armas adiestrados para realizar desde un avión saltos con paracaídas se denominan paracaidistas. Su misión es combatir al llegar al suelo, sorprender al enemigo por la retaguardia, conquistar terrenos o aeródromos para el aterrizaje de los aviones de transporte o dar golpes de mano sobre puentes, nudos de comunicaciones, etcétera. Estas formaciones sólo pueden integrarlas jóvenes muy robustos, después de haberse realizado un examen médico severo del corazón y los pulmones. En el periodo que medió entre la primera y la segunda guerras mundiales, los principales ejércitos del mundo ensayaron el empleo de paracaídas en las operaciones militares. En Rusia se efectuaron notables pruebas y experimentos. Alemania organizó batallones de paracaidistas en 1933. Sin embargo, hasta la Segunda Guerra Mundial no se sobrepasó verdaderamente la fase experimental, demostrándose entonces la eficacia de su actuación, no sólo situando a los soldados y a su equipo, sino lanzando vehículos ligeros (*jeeps*), material de artillería, etcétera.

Los alemanes utilizaron batallones de paracaidistas en la invasión de Bélgica y Holanda y de la isla de Creta, causando destrucciones y apoderándose de aeródromos y nudos de comunicaciones. Pero, correspondió a los aliados el uso más efectivo de estas tropas, que se distinguieron especialmente durante el desembarco de las fuerzas aliadas en Normandía; un gran ejército de paracaidistas, coordinado con las fuerzas de aire, mar y tierra, fue lanzado por sorpresa sobre el enemigo, el 6 de junio de 1944, facilitando dicha operación de desembarco.

Corel Stock Photo Library

El paracaídas amortigua la caída del cargamento arrojado por un avión militar C-130 Hercules.

Paracas. Península y bahía de Perú, en el departamento de Ica, situadas al sur de Pisco en el océano Pacífico. En la bahía

Al fondo, zona arqueológica en Candelabra, Paracas, Perú.

Corel Stock Photo Library

desembarcó el ejército de José de San Martín, el 8 de septiembre de 1820. En 1925 dos científicos, el doctor Julio Tello, peruano, y el doctor Lothrop, estadounidense, descubrieron, en tierras de Paracas, tumbas y restos de una civilización que databa de unos tres mil años. Entre los objetos hallados en las tumbas figuraban tejidos y prendas de vestir artísticamente trabajados y teñidos de bellos colores, que han permanecido inalterables hasta nuestros días. La confección de las telas se hacía de lana y algodón hábilmente entretejido. Entre las antiguas culturas de la costa de Perú, la de Paracas sobresale en arte textil por su dominio en la técnica de la fabricación, teñidos y dibujos.

Paracelso, Felipe Aurelio Teofrasto Bombast von Hohenheim (1493-1541). Médico y químico suizo. Su padre tenía también esas profesiones y de él recibió las primeras nociones de química. Fue profesor en la Universidad de Basilea, donde también había sido alumno; pero, pronto fue despedido por declarar públicamente su desprecio por la ciencia antigua. Su gran conocimiento de los metales, aunque confundido con las supersticiones de la alquimia, procedía de los estudios que había hecho en las minas del Tirol, su patria. Sus numerosos y largos viajes le hicieron conocer muchos remedios entonces ignorados y con su uso logró más tarde considerable fama.

A él se atribuye la aplicación de los conocimientos químicos a la medicina, pues empleaba como remedios azufre, sulfato de cobre, mercurio, arsénico, opio, tinturas y extractos alcohólicos y recomendaba los baños minerales. En sus obras menciona diversos metales como el cinc y el cobalto, y varios productos químicos.

Algunos suponen que descubrió el hidrógeno y que debe ser también considerado como uno de los precursores de la higiene moderna. Su independencia y carácter violento le valieron gran número de enemigos, y según una versión, se cree que murió al ser arrojado por ellos desde una ventana.

paradoja. Figura de pensamiento que consiste en presentar unidas y conciliadas dos ideas al parecer contrarias: *Con estas deshonras me honrasteis, con estas acusaciones me defendisteis, con esta sangre me lavasteis.* Utiliza, pues, el artificio de enlazar dos ideas opuestas, pero que llegan a conciliarse a fuerza de ingenio, o porque su contraste extremado establece entre ellas cierto contacto. Cuando Nicolás Boileau dice "estéril abundancia", refiriéndose a algunos escritores tan malos como fecundos, expresa una paradoja. Asimismo, se suele llamar paradoja a la especie contraria a la opinión o al sentir común. La teoría del movimiento de la Tierra fue considerada como tal en otros tiempos.

parafernales. Bienes que la mujer aporta al matrimonio sin incluirlos en la dote, o los que adquiere después de constituida. Esta institución del derecho romano ya no existe en aquellas legislaciones que consideran que la dote de la mujer está formada por los bienes que traiga al matrimonio y los adquiridos durante él por herencia, donación o legado. En los países en que subsiste, la mujer tiene el dominio de estos bienes y conserva su administración, pudiendo transferir ésta al marido, en cuyo caso los frutos no pueden aplicarse a las cargas del matrimonio.

parafina. Nombre genérico de la serie homóloga de hidrocarburos saturados de cadena lineal. Los primeros miembros de la serie son gaseosos o líquidos, después del nonadecano (hidrocarburo saturado de diecinueve átomos de carbono) todos los demás son sólidos. La parafina del petróleo es un residuo que se obtiene durante la destilación del petróleo crudo, su aspecto es la de un sólido cristalino, de color blanco, insoluble en agua y flota en ésta. La parafina tiene una gran estabilidad química y es fusible a baja temperatura (entre 33 y 60 °C). Se emplea profusamente en la industria para manufacturar ceras para pisos, productos farmacéuticos y de tocador, en la fabricación de discos fonográficos, como aislante eléctrico en la elaboración de condensadores, como impermeabilizante de telas y papel, como material combustible en la manufactura de velas, etcétera. La parafina en casi todas sus aplicaciones industriales se usa mezclada con otros materiales que complementan la función deseada. Véase VASELINA.

paragoge. *Véase* FIGURAS DE LENGUAJE.

Paraguarí. Departamento de Paraguay. Tiene una superficie de 8,255 km² y 247,589 habitantes (1997). Su principal riqueza es la ganadería, la agricultura y la exportación de maderas. La capital es Paraguarí, con 5,724 habitantes (1996). En este lugar, el 15 de enero de 1811, se desarrolló la batalla de Paraguarí en la cual los paraguayos lucharon contra los porteños después de la independencia de Argentina.

paraguas. *Véase* SOMBRILLA Y PARAGUAS.

Paraguay. República de América del Sur que toma su nombre del río que la atraviesa. Limita al norte y noroeste con Bolivia, al este y noreste con Brasil; y al sur, suroeste y sureste con Argentina. Los límites con Argentina están definidos por los ríos Paraguay, Paraná y Pilcomayo; con Brasil están constituidos en gran parte por los ríos Paraguay y Apa. La extensión territorial de Paraguay es de 406,752 km² y tiene 5.093,000 habitantes (1997), muchos de los cuales son de origen indígena. El territorio paraguayo del Chaco alberga tan solo 7% de la población total. Las zonas de mayor densidad humana se hallan en la parte meridional. El río Paraguay atraviesa el país de norte a sur y lo divide en dos regiones bien definidas: la oriental y la occidental.

En la zona oriental está lo que es Paraguay propiamente dicho y en la occidental, el Chaco paraguayo. En el oriente la altura

Las cascadas de Iguazú en Paraguay.

Corel Stock Photo Library

de las montañas no pasa de los 700 m. Entre los ríos Paraguay y Paraná se forma una cadena montañosa que es prolongación de la meseta elevada del Mato Grosso brasileño. En sus rebordes sobresalen las sierras de Amambay, que se extienden de norte a sur y alcanzan una elevación máxima de 700 m en el cerro de Punta Porá. La sierra de Mbacarayú, prolongación orográfica también del sistema brasileño, se extiende de oeste a este; al cruzar el río Paraná forma el famoso salto de Guayra. Siguen en importancia a estas dos cadenas las sierras que forman la cordillera de Caaguazú, y otros grupos de serranías de menor importancia que dan origen a los cerros de Piedras Partidas, Itapacú-guazú, Quince Puntas, Tacuarí y la llamada cordillera de Villarica. El Chaco, en la parte occidental, es una gran llanura que desciende gradualmente hacia el río Paraguay. Hay en esta región extensas sabanas interrumpidas por trechos selváticos de variada intensidad. El río Paraguay recoge en su recorrido las aguas de numerosos afluentes y desemboca en el río Paraná.

División política				
Distrito	**Capital**	**Habitantes**	**Capital**	**Habitantes**
	Asunción	502,426		
	Departamentos			
I	Concepción	183,280	Concepción	61,897
II	San Pedro	323,608	San Pedro	30,040
III	La Cordillera	215,565	Caacupé	10,280
IV	Guayra	173,070	Villarrica	21,420
V	Caaguazú	435,461	Coronel Oviedo	64,616
VI	Caazapá	140,696	Caazapá	2,948
VII	Itapúa	422,988	Encarnación	68,962
VIII	Misiones	97,273	San Juan Bautista de las Misiones	14,451
IX	Paraguarí	247,589	Paraguarí	5,724
X	Alto Paraná	562,216	Ciudad del Este	133,893
XI	Central	1.124,583	Ypacaraí	507,700
XII	Ñeembucú	84,470	Pilar	27,997
XIII	Amambay	123,788	Pedro Juan Caballero	76,682
XIV	Canendiyú	128,985	Salto de Guairá	6,650
XV	Presidente Hayes	75,177	Pozo Colorado	
XVI	Alto Paraguay	13,553	Fuerte Olimpo	1,867
XVII	Chaco	300	Mayor Pablo Lagerenza	
XVIII	Nueva Asunción	300	Gral. Eugenio A. Garay	
XIX	Boquerón	34,205	Dr. Pedro P. Peña	

Flora, fauna y clima. Debido a la situación geográfica del país, la flora paraguaya es de origen subtropical. El trópico de Capricornio pasa por Concepción y las tres cuartas partes del territorio paraguayo están comprendidas dentro de la zona templada. En la parte oriental hay extensos bosques de quebracho, curupay, urundú y otros. Abundan también los bejucos y las flores de vistosos colores; habiendo regiones cubiertas de alta y espesa vegetación herbácea. En esta parte del país también crece la yerba mate o *Ilex paraguatensis*, una de las principales fuentes de ingresos de Paraguay. En la zona occidental o llanura del Chaco, crecen bosquecillos de palmeras yutay. Entre la fauna sobresalen el armadillo, el oso hormiguero, el tatú, el tamandúa y varias especies de desdentados. El clima es en general templado con una temperatura promedio de 23 °C. Existe mucha humedad ambiente, con precipitaciones pluviales entre 1,000 y 2,100 mm al año. En el Chaco las lluvias tienen un promedio de 1,300 milimetro anuales.

Recursos económicos. Las riquezas naturales de Paraguay son considerables, pero no han sido todavía suficientemente explotadas. La extraordinaria fecundidad de la tierra, regada por lluvias abundantes e innumerables arroyos y ríos, constituye la fuente principal de riqueza agraria del país. El suelo paraguayo está cubierto en grandes zonas por una espesa capa de humus que favorece todos los cultivos propios de esta zona. Los pastos se dan abundantes y de buena calidad, lo que ha contribuido a que la ganadería se haya desarrollado notablemente. El país exporta grandes cantidades de carne congelada; lo mismo que carne vacuna seca, llamada tasajo. También se aprovechan los cueros de los animales sacrificados, exportándolos ya sea frescos o preparados. El Paraguay cuenta con 4.2 millones de cabezas de ganado vacuno, unas 273,000 de ganado caballar y 208,000 de ganado ovino. La mayor dificultad con que tropieza el desarrollo agrícola es la falta de vías de comunicación.

Se cultivan en gran escala la caña de azúcar, el arroz, la mandioca, las papas, el algodón y el maíz. El tabaco paraguayo se considera como de excelente calidad en el mercado exterior. La yerba mate constituye otro de los importantes recursos económicos de este país y se ha impuesto como una especie de té de excelente calidad en varios países de América, particularmente en Argentina, que absorbe casi la totalidad de su producción. Este producto es de origen paraguayo y su cultivo e industrialización se ha extendido hasta el sur de Brasil y norte de Argentina. La madera de los grandes bosques paraguayos es aprovechada industrialmente, lo mismo que la corteza de quebracho colorado. Maderas indígenas de gran valor son también el lapacho, el guatambú, el raulí y la quina.

Existe diversidad de plantas tintóreas y frutales, entre estas últimas especialmente las auranciáceas. La naranja paraguaya goza de preferencia en el mercado sudamericano. De las exportaciones de este país 3.9% corresponde a productos forestales, 16.9% a productos ganaderos y 39% a productos agrícolas. La minería paraguaya no está desarrollada en proporción a la abundante riqueza del subsuelo. Hay yacimientos de hierro, manganeso, cobre, plomo, cinc, cuarzo, gas, bismuto y caolín, entre otros. La industria está principalmente circunscrita a la carne refrigerada, la elaboración de azúcar de caña y el aserramiento de maderas, fuera de las pequeñas industrias de toda clase que abastecen las demandas del consumo interno. Paraguay exporta principalmente algodón, yerba mate, carne conservada, extractos de carne y de corteza de quebracho, maderas, naranjas y tabaco. En los últimos años, Paraguay se ha convertido en importante exportador de energía (26%) gracias a los complejos hidroeléctricos de Acaray e Itaipú.

Vías de comunicación. No teniendo vías naturales propias para su comunicación con el exterior, Paraguay debe necesariamente utilizar las vías fluviales argentinas del sistema formado por los ríos Paraguay-Paraná. En general el sistema interno de vías de comunicación en Paraguay deja bastante que desear. El país tiene un total de 441 km de vías férreas. El ferrocarril más importante es el que comunica Asunción con Buenos Aires. Cuenta con un total de unos 12,000 km de carreteras, de los cuales 3,000 son pavimentados. Las comunicaciones aéreas con el exterior están servidas por líneas internacionales; existe una sola compañía aérea nacional para el servicio interno.

División política y organización estatal. El país está dividido en 19 departamentos.

Educación, idioma y religión. La enseñanza primaria es obligatoria, gratuita y laica en su ideología. La educación secundaria no es obligatoria. Existen más de 4,400 escuelas primarias a las que concurren aproximadamente 656,900 alumnos por año. Cuenta con una Universidad del Estado y una Católica.

Patrimonio cultural. La expresión artística e intelectual paraguaya refleja el aislamiento cultural que padeció el país durante algunos años por razones políticas y económicas. Este aislamiento trajo consigo el despertar de un importante sentimiento nacionalista y la conservación del idioma indígena *guaraní*. Por esto en la literatura paraguaya han dominado temas de tipo histórico, geográfico y filológico. En el siglo XVII destacan las crónicas de Ruy Díaz Guzmán y los tratados de Antonio Ruíz de Montova. En el siglo XVIII se registra un vacío cultural que llega hasta 1811 con la independencia. En el periodo siguiente, Mariano Molas, Juan Andrés Gelly y Juan Emilio O'Leary figuran como importantes escritores e historiadores paraguayos. Manuel Ortiz Guerrero fue, a principios del siglo XX, el poeta más sobresaliente del idioma guaraní, mientras que en español sobresalieron Blas Garay, Cecilio Baéz, Manuel Gondra, Eloy Fariña Núñez, Gabriel Casaccia y Arnaldo Valdovinos; en la generación de los años 40, Fulgencio R. Moreno, Josefina Plá y Herib Campos Cervera; en la generación de los años 60 destacan principalmente Augusto Roa Bastos, Miguel Ángel Fernández, Roque Vallejos y Elvio Romero. Otros contemporáneos, Juan Natalicio González, Carlos R. Centurión y Justo Pastor Benítez.

Durante la década de los sesenta Gabriel Casaccia publicó la novela *La llaga* (1963) y *Los exiliados* (1966). Jorge Rodolfo Ritter, en *El pecho y la espalda* (1962) y en *La hostia y los jinetes* (1969), muestra una visión crítica de la realidad. Sustentándose ya en una tradición literaria, al menos embrionariamente, dos novelistas se iniciaron con vigor a la vuelta de los años sesenta: Lincoln Silva, con *Rebelión después*, y Juan Bautista Matto, autor de *Yvypora. El fantasma de la tierra*.

En cuanto a las demás artes, la arquitectura paraguaya alcanza su etapa de esplendor durante los siglos XVII y XVIII con las construcciones jesuitas, ahora en ruinas, dirigidas por arquitectos europeos. Los inicios de la escultura se remontan a la Colonia, con el italiano José Brasonelli.

Historia. Los indios guaraníes fueron los primeros pobladores de Paraguay. Este territorio fue descubierto hacia 1521 por Alejo García, un náufrago de la expedición de Juan Díaz de Solís. Sucediéronse otras expediciones y finalmente en 1537 Juan de Salazar fundó el fuerte de Nuestra Señora de la Asunción a orillas del río Paraguay. Desde aquí partieron importantes expediciones, entre otras la que contribuyó a la fundación de la ciudad de Buenos Aires. En 1544 fue nombrado gobernador el español Domingo Martínez de Irala, hombre de iniciativa y prestigio. Su gobierno se caracterizó por la gran obra civilizadora que emprendió entre los indios. En 1617 fueron separadas las provincias de Paraguay y Río de la Plata, quedando para la primera las ciudades de Asunción, Villarica, Guayra y Jerez. Distinguióse como gobernante el criollo Hernando Arias de Saavedra (Hernandarias), a quien se debe la introducción de las misiones jesuitas en América. La obra de los jesuitas en las reducciones o misiones fue beneficiosa para los indios, aunque en gran parte quedó anulada al producirse la expulsión de los misioneros en el siglo XVIII. En 1717 se produjo una gran sublevación, llamada de los Comuneros, que se prolongó hasta 1731 y sumió al país en el caos. En 1776 el rey Carlos III creó el Virreinato del Río de la Plata, compuesto por las gobernaciones de Buenos Aires, Tucumán y Paraguay. En 1810 los patriotas paraguayos no quisieron someterse a las decisiones de la junta de gobierno que acababa de formarse en Buenos Aires. Finalmente en mayo de 1811 los paraguayos proclamaron su independencia y obtuvieron que Buenos Aires reconociera el nuevo estado. Se formó una Junta de Gobierno presidida por Fulgencio Yegros, en la que figuraba también el doctor Gaspar Rodríguez de Francia, quien en 1814 se proclamó dictador. Gobernó por el terror y la persecución hasta 1840. Se aisló en Asunción y rodeó al país de una especie de inviolabilidad que lo sumió en el letargo, privándolo de las corrientes vivificadoras del exterior. En 1844 ascendió a la presidencia Carlos Antonio López, quien asumió también poderes dictatoriales hasta el fin de su vida. Le sucedió en 1862 su hijo Francisco Solano López, quien reforzó aún más la posición de dictador con el deseo de crear un gran Paraguay a costa de los países vecinos. Organizó un numeroso ejército para sostenerse en el poder, y en 1864 apresó un barco brasileño con el gobernador del Matto Grosso a bordo. Esto provocó conflictos con Brasil y López solicitó permiso al presidente argentino Bartolomé Mitre para atravesar Corrientes y atacar a Brasil desde varios puntos. Argentina se lo negó, y López entonces se apoderó de dos buques de este país. Mitre declaró la guerra a López en marzo de 1865. Uruguay se solidarizó con Brasil y Argentina y así Paraguay se vio envuelto en la guerra que la historia ha llamado de la Triple Alianza. Después de varios triunfos y reveses, en los que el ejército paraguayo demostró gran valor y disciplina, especialmente en la tenaz defensa de la línea de Humaitá, el ejército aliado entró en Asunción, y López, que se negó a rendirse, pereció en acción de guerra en marzo de 1870 cuando apenas le quedaba un puñado de soldados. Al salir el país de tan desastrosa campaña, se reunió la Asamblea y se dictó la Constitución Democrática de 1870. Durante el resto del siglo XIX, Paraguay fue escenario de numerosos alzamientos y motines, y los cambios de régimen político fueron también frecuentes. En 1932, la guerra del Chaco, que se prolongó hasta 1935, significó una verdadera sangría para Paraguay, pero le dio las tres cuartas partes del territorio del Chaco. En 1939 fue elegido presidente el general José Félix Estigarribia, héroe de la guerra del Chaco, que falleció en septiembre del año siguiente en un accidente de aviación. De 1940 a 1948, ocupó la presidencia el general Higinio Moriñigo. Sobrevino una etapa de turbulencias políticas y pasaron brevemente por la presidencia, Juan Manuel Frutos, Juan Natalicio González, Raimundo Rolon, Felipe Molas, Federico Chávez y Tómas Romero Pereira. En 1954 una rebelión militar dio el poder al general Alfredo Stroessner, quien, por ocho sucesivas reelecciones se puso al mando del gobierno paraguayo hasta el año de 1989, en que un golpe de Estado dirigido por el general Andrés Rodríguez lo expulsó del poder. El 3 de febrero de 1989, el general Rodríguez gana las elecciones presidenciales. En mayo, la Cámara de diputados ratifica el Pacto de San José sobre los Derechos Humanos adoptado por la Organización de Estados Americanos. En 1990 se promulga un nuevo código electoral que, entre otras cosas, prohibe la afiliación de los miembros de las fuerzas armadas y la policía a los partidos políticos. En 1991 los presidentes y los ministros de

Iglesia jesuita en la antigua Misión de Jesús, Paraguay.

Corel Stock Photo Library

Asuntos Exteriores de Argentina, Brasil, Uruguay y Paraguay se reúnen en Asunción para firmar un acuerdo formal que crea un mercado común que será conocido como Mercosur. En diciembre de 1991 se crea una Convención Nacional Constituyente que en junio de 1992 revisa la Constitución. En junio de 1992 el presidente Andrés Rodríguez jura acatar y defender la nueva Constitución, pues se exponía a juicio político si no lo hacía. En las elecciones presidenciales del 9 de mayo de 1993, resultó electo Juan Carlos Wasmosy (40%), del Partido Colorado, derrotando a D. Laino. Wasmosy es el primer civil elegido libremente en los 182 años de independencia del país.

En 1994 se lleva a cabo la primera huelga general del país en 35 años. Los huelguistas exigen aumentos de salarios y un alto programa de privatización e integración en el Mercosur. En 1996 bajo cargos de alzamiento contra el orden público y la autoridad nacional, es arrestado en Asunción el ex general Lino César Oviedo. La decisión es adoptada después de que el presidente Juan Carlos Wasmosy acusara al general Oviedo ante el Congreso por rebelión militar y desmintiera las acusaciones sobre un supuesto plan de autogolpe. En 1997 un tribunal de Asunción ordena la detención del ex presidente Alfredo Stroessner, exiliado en Brasil desde 1989, y lo acusan de delitos contra los derechos humanos durante su gobierno. En 1998 Raúl Cubas, candidato del Partido Colorado, es elegido presidente mediante elecciones generales. En 1999 es asesinado el vicepresidente Luis María Argaña, este crimen profundiza la crisis política que el país vive ya que se inicia un juicio de destitución al presidente por mal desempeño en sus funciones y bajo acusaciones de responsabilidad en el crimen, por esta razón el presidente Cubas se refugia en Brasil.

Paraguay, río. Importante curso de agua en la región meridional de América del Sur, de 2,500 km de largo. Nace en la meseta brasileña y después de atravesar la República del Paraguay, pasando por Asunción, desagua en el río Paraná, del cual es su principal afluente por tres bocas: Paso de la Patria, Boca de Humaitá y Boca de Atajo, formando entre estas dos últimas la isla del Cerrito. Río de llanura, es navegable en una extensión de 1,500 km, salvo durante las grandes pendientes en el paso Angostilla, 50 km al sur de Asunción. Sus principales afluentes son el Pilcomayo, Bermejo, Negro, Aquidabau y Tebicuary. En una parte de su curso sirve de línea divisoria entre Argentina y Paraguay.

Paraíba. Estado marítimo del noreste de Brasil, con 56,282 km^2 y más de 3.305,616 habitantes en 1997. En su costa está Cabo Branco, el punto americano más cercano a las costas africanas. Cuenta con grandes bosques que suministran excelente madera para la construcción. La agricultura y la ganadería son de gran importancia. Produce abundante café, caña de azúcar, algodón y árbol de Brasil. Su subsuelo encierra bismuto, columbita, tantalita, tungsteno, fluorita, hierro, etcétera. Las industrias principales comprenden la fabricación de azúcar, alcohol y melaza. Exporta algodón, ron, azúcar, tabaco y café. Capital João Pessoa, que contaba con 549,363 habitantes (1997). Aunque alguna vez fue la región con la mayor producción cafetera, la eventual erosión del suelo, aunada a la abolición de la esclavitud (1888), provocó un descenso en esta producción.

paraíso. Mansión donde los justos gozan de la felicidad eterna ante la presencia de Dios. Con el vocablo *paraíso* se designaba, desde tiempos inmemoriales, a un lugar encantador y delicioso donde el hombre podía hallar la dicha que siempre ha buscado. Los antiguos reyes persas tenían vastos jardines maravillosos y sitios de solaz y recreo que llamaban *paraíso* y, por lo tanto, los traductores del Antiguo Testamento llamaron así a *aquel lugar muy ameno y delicioso* donde puso Dios a Adán y Eva luego de crearlos. Así fue como el *Jardín del Edén* se conoció como *Paraíso Terrenal*. Más tarde, el propio Jesucristo le dijo al *buen ladrón* que murió con él en la cruz: "En verdad te digo que hoy estarás conmigo en el Paraíso" y desde entonces, se usó la palabra para indicar el sitio donde se encuentra el trono de Dios y donde viven los ángeles y los bienaventurados gozando de su presencia.

Escritores y poetas han tomado la palabra y todo cuanto significa como tema de sus obras y así Dante, en el tercer libro de su *Divina Comedia*, que tituló precisamente *El Paraíso*, relata como después de haber atravesado el infierno y el purgatorio acompañado por Virgilio, sube al cielo donde se encuentra con su adorada Beatriz que lo conduce por los senderos luminosos de las *esferas celestiales* hacia el trono de Dios, cuyo intenso brillo deslumbra al poeta. Por su parte, el escritor inglés John Milton, tituló *El paraíso perdido* a su poema inmortal en el que cuenta como Satanás y los otros ángeles caídos, urdieron la tentación en que cayeron Adán y Eva, desobedeciendo a Dios y describe los castigos que sufrieron y las consecuencias que esta desobediencia acarreó a toda la humanidad. Con versos armoniosos y tono heroico trata de explicar el poeta la conducta de Dios para con los hombres. Milton escribió también otro poema muy inferior al primero y que tituló *El paraíso reconquistado*.

Paraíso, El. Departamento de la República de Honduras, lindante con Nicaragua, que tiene una superficie de 7,218 km^2 y una población de 254,295 habitantes. Zona montañosa, se destaca por su producción minera, especialmente de oro, plata y cobre. La agricultura y ganadería son importantes. Produce frutas, caña de azúcar y maderas. Su capital es Yuscarán, con 2,000 habitantes (1979).

paralaje. Es el ángulo que forman las visuales que se dirigen a un objeto, desde dos puntos diferentes. Se suele emplear para mediciones topográficas y astronómicas. Para calcular la distancia a un objeto inaccesible *O*, se eligen dos puntos *A* y *B*, separados entre sí por una distancia conocida; desde cada uno de ellos dirigimos una visual al objeto y medimos el ángulo que forman entre sí, o sea el ángulo de paralaje. Con la base *AB* conocida, se obtienen por fáciles fórmulas trigonométricas, las distancias *AO* y *BO*. Los astrónomos se sirven del ángulo de paralaje para calcular las distancias a que están los astros de la Tierra. Cuando se trata de astros del sistema solar, como la Luna, se emplea como base la distancia entre dos puntos del mismo meridiano terrestre. Cuando se desea determinar la distancia de alguna estrella, se utiliza como base un diámetro de la órbita que describe la Tierra alrededor del Sol, para lo cual se observa la estrella con telescopio, en dos fechas, como el 21 de marzo y el 21 de septiembre, en que la Tierra pasa por los extremos de un meridiano solar. La paralaje de la estrella Alfa de Centauro, o sea el ángulo con que se vería desde la estrella el diámetro de la órbita terrestre, es de 0.76 de segundo de grado a pesar de ser la estrella más próxima a nosotros.

paralelas. *Véase* LÍNEA.

paralelepípedo. *Véase* ORTOEDRO.

paralelogramo. Cuadrilátero cuyos lados opuestos son paralelos, los cuales se llaman indistintamente *bases* del paralelogramo, cuya altura es la distancia entre ambas bases, es decir, la longitud del segmento rectilíneo perpendicular a las dos; *vértices* son los puntos de intersección de cada par de lados, los cuales forman los ángulos del paralelogramo; *diagonales* son los segmentos que unen cada par de vértices no situados en el mismo lado, llamándose centro el punto de intersección de las dos diagonales. Los ángulos y lados opuestos de un paralelogramo son iguales y también las partes en que mutuamente se cortan las diagonales, de donde resulta que el paralelogramo es una figura simétrica respecto del centro (figura 1).

Un paralelogramo queda determinado sin ambigüedad por dos lados y el ángulo comprendido, de modo que, para construirlo, basta formar dicho ángulo y, a partir del vértice, tomar sendos segmentos iguales a los lados dados y por sus extremos trazar paralelas a los otros dos lados. Si sólo nos dan dos lados, el paralelogramo es *indeterminado*, puesto que se puede deformar constituyendo el que se llama *paralelogramo articulado* de gran aplicación en los mecanismos que exigen mantener paralelas dos rectas sin fijar la posición de las mismas (figura 2).

Paralelogramo de fuerzas. Si dos fuerzas actúan sobre un mismo punto y por los extremos de cada una se traza la paralela a la otra, se tiene el *paralelogramo de fuerzas*, cuya diagonal produce, ella sola, el mismo efecto que las dos fuerzas, y se llama *resultante* de las mismas (figura 3). Esta propiedad fue enunciada a fines del siglo XV por Simon Stevin, matemático holandés.

Área. Si por los dos vértices de un lado de un paralelogramo se trazan sendas perpendiculares al lado opuesto, resultan los dos triángulos rayados de la figura, que son iguales, y, por tanto, el área del paralelogramo *ABCD* es igual a la del rectángulo *ABEF* obtenido suprimiendo el triángulo *ACE* y sumando el *BDF*; luego son iguales ambas áreas y, por consiguiente, la del paralelogramo es el producto de su base por su altura (figura 4).

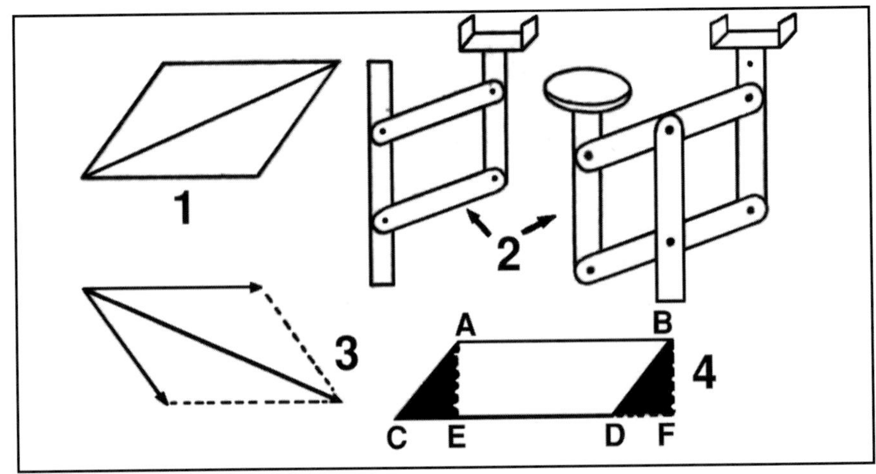

Paralelogramo.

paralelos.

Círculos imaginarios, trazados en planos paralelos perpendiculares al eje de la Tierra, que dividen a ésta en *latitudes*. El círculo máximo pasa por la línea ecuatorial y divide al planeta en hemisferio norte y hemisferio sur. Conforme los paralelos van alejándose del Ecuador disminuyen en tamaño hasta llegar a cero en los polos. No puede haber dos paralelos iguales a un mismo lado del Ecuador. Las distancias de los paralelos al Ecuador (latitud) se cuentan de 0° a 90° en cada uno de los hemisferios septentrional y meridional. Los paralelos más importantes son: el Ecuador (0°), el Trópico de Cáncer (23° 27' latitud norte), el Trópico de Capricornio (23°27' latitud sur), el Círculo Polar Ártico (66°33' latitud norte) y el Círculo Polar Antártico (66°33' latitud sur). Estos paralelos separan cinco zonas definidas de la superficie de la Tierra: una tórrida, dos templadas y dos glaciales. Los paralelos, juntamente con los meridianos, sirven para determinar la posición de un punto cualquiera de la Tierra. Se da el nombre de paralelos de declinación a aquellos que imaginariamente pasan por cada grado, minuto y segundo del meridiano entre el horizonte y el cenit.

parálisis.

Privación o disminución de la sensibilidad y del movimiento de una o varias partes del cuerpo. Entraña la abolición o reducción, notable y persistente, de la contractilidad muscular y la imposibilidad de contraer voluntariamente ciertos músculos. Es debida a una lesión, primitiva o secundaria, del sistema nervioso central o periférico. Su localización es variable. La hemiplejía es la parálisis de un solo lado del cuerpo. La paraplejía es la parálisis de la mitad inferior del cuerpo. Monoplejía es la parálisis de un solo miembro. Cuando la parálisis es incompleta se denomina paresia. Con frecuencia la parálisis es seguida de una rigidez muscular que constituye la contractura; o bien de un adelgazamiento más o menos pronunciado, que constituye la atrofia. Su tratamiento varía según la causa que la determina. Hay una forma grave de la poliomielitis que produce paraplejía o monoplejía. *Véase* PARESIA.

parálisis infantil.

Véase POLIOMIELITIS.

Paramaribo.

Capital y puerto del estado de Surinam, sobre el río Surinam, a 2 km de su desembocadura en el Atlántico. Fue residencia del representante de la corona holandesa y es importante centro comercial que exporta azúcar, ron y caucho. También exporta bauxita y productos forestales. Su población se eleva a 201,000 habitantes. Tiene modernos edificios y calles anchas y bien cuidadas.

Paraná, río.

Río de América del Sur que nace en la conjunción de los ríos Grande y Paranaíba, en la sierra Mantiqueira del sur de Brasil. Este río es el segundo en América del Sur por su recorrido de 4,500 km a través de enmarañadas selvas, rocosos suelos y extensas llanuras. Lleva finalmente sus aguas al gran estuario del Río de la Plata, donde forma un anchuroso delta. Varios de sus numerosos afluentes sirven de límites a Brasil, Paraguay y Argentina. En la primera parte de su recorrido, que llega hasta cerca de la ciudad de Corrientes (Argentina), se llama *Alto Paraná*, y por un lecho granítico corre velozmente, como deseando escapar al estrangulamiento de las altas barrancas que lo circundan. En la frontera paraguayo-brasileña, donde la vegetación es tropical e intrincada, el río forma el salto de la Guayra. Más adelante, al unírsele el Iguazú, crean las maravillosas cataratas que, hasta de 70 m de altura, arrojan sus irisadas aguas al lecho pedregoso para continuar su accidentado camino, formando cascadas y rápidos como los de Corpus y Aripe, provechosas fuentes de energía hidroeléctrica. En este primer tramo, donde la navegación es prácticamente imposible, los afluentes que recibe son numerosos; en Brasil, el Tieté, Sucuruí, Verde, Pardo, Amambai, Paranapanemá e Iguazú; en Paraguay, el Itambay, Acaray, Monday, Limoy, Pirapó, Aguapey; en Argentina, Marambas y Piray-Guazú, entre otros. Hasta la desembocadura del río Carcarañá, que desagua próximo a Rosario (Argentina), toma el nombre de *Paraná Medio*; ya no es encajonado y estrecho: corre ahora libre en una planicie, haciéndose cenagoso y extendido sobre su margen derecha, mientras por la izquierda continúa la alta barrera rocosa. Alcanza aquí 7 km de ancho, cuando hasta entonces sólo tuvo de 1 a 4 km, y durante este trecho arrastra sedimentos que acumula en frecuentes y pintorescas islas, mientras agiganta su caudal con los aportes de los ríos Santa Lucía, Corrientes, Guayquiraró, Feliciano, Gualeguay, Salado y Carcarañá, que bañan tierra argentina, y con el del grandioso Paraguay. *El Paraná Inferior* lo constituye el tramo que corre entre el sureste de Santa Fe, noreste de Buenos Aires y suroeste de Entre Ríos, y su gran delta de más de 200 km^2, formado por la enorme cantidad de material que hasta allí arrastra el Paraná Medio en su continua obra de construcción y destrucción. Estas fértiles islas en las puertas mismas de Buenos Aires, ataviadas con profusión de color y alegradas por gran variedad de pájaros, son surcadas por innúmeros canales navegables; los más importantes son el Paraná Miní, Paraná Guazú y Paraná de las Palmas. El río Paraná es de gran importancia económica pues su extensa longitud facilita el comercio fluvial de varios países y también entre las prósperas ciudades que en sus márgenes han florecido. Navegable hasta Encarnación y Posadas, establece conexiones entre Buenos Aires, Rosario, Paraná, Santa Fe y Corrientes. Con menor calado, la navegación se extiende hasta el Iguazú y el Guayra.

Paraná. Ciudad y puerto argentino sobre la margen izquierda del río Paraná, casi enfrente de Santa Fe. Capital de la provincia de Entre Ríos, es centro del gobierno provincial y una de las ciudades más hermosas del país, de tipo europeo, con sus calles bien trazadas y sus amplias y bellas avenidas. Tiene una población de 206,848 habitantes. Se destaca como centro cerealista y cuenta con excelentes comunicaciones fluviales. Entre sus edificios descuellan la catedral, de líneas severas, la escuela de profesores, el observatorio meteorológico y el palacio de Gobierno. Fue fundada en 1730 por el cabildo de Santa Fe, con el nombre de Bajada de Paraná; en 1813 adquirió la categoría de villa y pasó a denominarse simplemente Paraná. Durante la lucha por la independencia quedó bajo la hegemonía de José Artigas, hasta que en 1817 quedó integrada a Argentina, como capital de la provincia entrerriana. Sede del caudillaje de Justo Urquiza, fue de 1853 a 1861 capital de la Confederación Argentina.

Paraná. Estado marítimo de Brasil, limítrofe con Argentina y Paraguay, que cubre una superficie de 200,857 km^2 y cuenta con 9.003,804 habitantes. Situado en la meseta brasileña, su suelo ofrece dos características distintas, el litoral llano de clima caluroso y húmedo, y el interior alto, frío y seco. Está cruzado por la Serra do Mar y la Serra do Orgãos. Produce madera, maíz, avena, trigo, plátanos y viñas que dan excelentes vinos, en la zona alta; y mandioca, café, arroz, caña de azúcar, tabaco, cereales y legumbres en los llanos. Capital: Curitiba, con una población de 1.476,253 habitantes.

Las primeras exploraciones de la región las llevaron a cabo expediciones españolas. Sebastián Cabot, en 1527, remontó el río Paraná, pero su ocupación corrió a cargo, a partir del siglo XVIII, de los portugueses. Tras la independencia (1822), el gobierno brasileño fomentó la inmigración de colonos europeos (alemanes desde 1825 e italianos desde 1870). El despegue económico y demográfico del estado de Paraná se produjo a comienzos del siglo XX, cuando sus comarcas septentrionales se convirtieron en una de las principales zonas de la expansión cafetera; ello, unido al desarrollo del cultivo de yerba mate y la explotación minera, ha hecho del Paraná una de las zonas de mayor crecimiento de Brasil en el actual siglo.

paranoia. *Véase* DEMENCIA.

parapsicología. *Véase* METAPSÍQUICA.

pararrayos. Aparato destinado a proteger los edificios y otras construcciones de los efectos destructores que causan las descargas eléctricas de la atmósfera. La invención del pararrayos se debe al estadounidense Benjamin Franklin, que ideó facilitar un paso al rayo, de suerte que, al canalizarlo, se evitasen las peligrosas consecuencias de su dispersión a través de los distintos cuerpos conductores que halla a su alrededor. En electricidad se denomina acción eléctrica de las puntas a la propiedad que tienen los extremos de cualquier conductor aguzado para aumentar en alto grado la densidad eléctrica y con ello iniciar la rasgadura del dieléctrico o medio aislante que separa los cuerpos entre los cuales existe una diferencia de potencial. En ese principio está basada la teoría del pararrayos, cuya acción da lugar a dos fenómenos de índole distinta pero, que se complementan. El primero, de efecto *repulsivo*, consiste en que en el mismo momento en que pasa por el área del pararrayos una nube electrizada, un efluvio o chorro eléctrico invisible de signo contrario se desprende de la punta metálica y se establece así un circuito que neutraliza la carga eléctrica de la nube. El segundo o *atractivo* consiste en que la punta del pararrayos atrae hacia sí todas las descargas que se producen dentro de su campo electrostático y las conduce a tierra directamente, sin que los demás cuerpos que lo rodean y a los que protege, hagan de conductores.

Como se comprende, la función del pararrayos estriba en cerrar un circuito franco entre la atmósfera y la tierra, y como la electricidad se halla sometida a la ley general de la menor resistencia, las descargas se canalizan por el pararrayos que es el que les ofrece esta menor resistencia. Un pararrayos se compone de tres partes: a) una barra de hierro de 2 a 5 m sujeta por una armadura a la superficie más elevada del lugar que se desea proteger; b) un cable de cobre o hierro (de 25 a 50 mm de diámetro) que conecte dicha barra con la toma de tierra; c) una toma de tierra que se efectúa soldando el extremo de dicho cable a un tubo, placa o reja que se sumerge en un pozo o en tierra en una zona lo bastante húmeda para asegurar su contacto permanente, teniendo en cuenta que la superficie de dicho contacto no debe ser menor de 1 m^2 en el suelo, y de .5 m^2 en los pozos o cursos de agua. *Véase* RAYO.

parásito. Ser que vive a expensas de otro, ya sea durante toda su vida o transitoriamente. Huésped es el organismo del cual el parásito se nutre. La acción del parásito es sumamente nociva para el otro organismo, salvo raras excepciones, y por esta razón ha nacido una rama especial de la ciencia, llamada parasitología, que tiene por objeto el estudio de los parásitos y los modos de combatirlos. Hay parásitos en el hombre, en los animales y en los vegetales, que provocan la muerte del organismo en que se alojan o por lo menos le ocasionan graves perjuicios. Antes de alojarse en el huésped definitivo, algunos parásitos pasan un periodo en un huésped intermediario, como sucede en el paludismo, en que la hembra del mosquito *Anopheles* transmite la enfermedad al hombre al inocularle los parásitos que se encuentran en su saliva. Dentro del huésped intermediario los parásitos se hallan en forma de larvas, gusanos o quistes, y al pasar al huésped definitivo se desarrollan y llegan a la

Izq. pararrayos de línea eléctrica, der. instalación de un pararrayos doméstico.

Salvat Universal

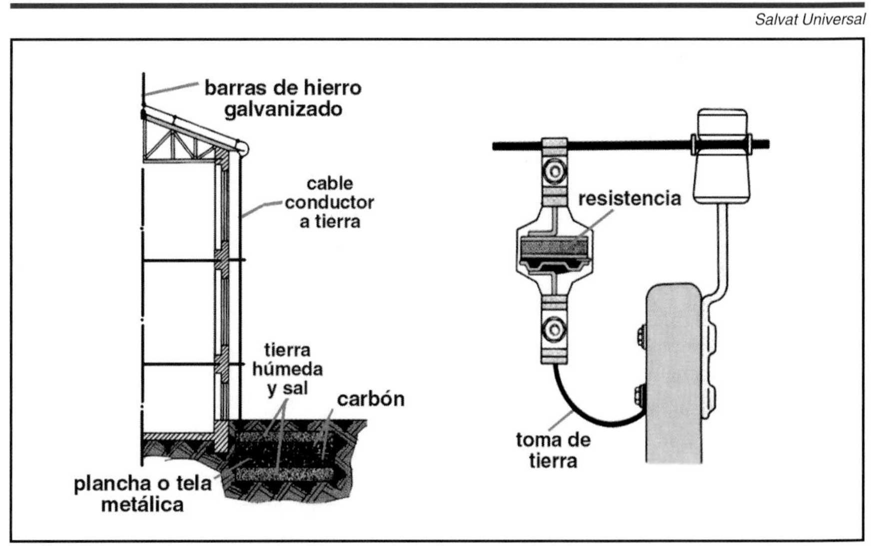

Corel Stock Photo Library

Pez limpiador removiendo parásitos del ojo de un pez mero.

forma adulta. Hay parásitos comunes a varios animales y otros específicos de uno solo. Entre los vegetales sucede lo mismo, pues hay plagas comunes a varias plantas, como la cuscuta, que ataca principalmente las grandes áreas sembradas; en cambio, la filoxera de la vid afecta únicamente a ésta.

Según el sitio que eligen para alojarse los parásitos se clasifican en externos e internos. Los primeros se localizan en la superficie del cuerpo y cavidades en comunicación con el exterior, tal es el caso de los piojos, pulgas y chinches. Los parásitos internos son generalmente microscópicos y permanentes, ubicándose en los órganos, tejidos, sangre, etcétera. Esta ubicación no es accidental, ya que cada parásito tiene un órgano o tejido de su predilección donde le resulta más fácil la vida y la obtención de alimentos.

En el parasitismo hay distintos grados, pues existen parásitos *temporarios,* es decir, que lo son en determinados momentos, como el mosquito al procurarse el alimento; *periódicos,* o sea en una etapa de su vida, como las larvas de ciertas moscas, y por último *permanentes,* aquellos que lo son durante toda su vida. Cuanto más completo es el parasitismo más rudimentaria es la organización del parásito; en algunos casos llega a tal grado, que desaparecen algunos órganos por ser innecesarios y otros, en cambio, adquieren gran predominio, como los de la reproducción, lo que los hace extraordinariamente fecundos; la tenia del hombre, por ejemplo, puede producir 150 millones de huevos. Además, la adaptación a la vida parasitaria crea nuevas formas de reproducción y de defensa, así los huevos del ascáride tienen una cáscara tan gruesa que se mantiene la vitalidad del embrión aunque permanezcan durante años en el agua. Cuando los parásitos se encuentran en el estado de huevos, quistes o esporos, resisten mucho más eficazmente que en el estado adulto las altas temperaturas, la desecación y las condiciones desfavorables del ambiente.

Numerosos son los parásitos que atacan al hombre y le ocasionan graves enfermedades, no sólo cuando se alimentan sino porque segregan toxinas. A veces, sin embargo, suele inocularse deliberadamente una enfermedad parasitaria para combatir otra. La terapéutica vegetal es la ciencia que estudia las maneras de combatir las plagas que afectan a la agricultura, ya sea con insecticidas u otros medios, o fomentando el desarrollo de sus enemigos naturales, tales como los animales predadores, insectívoros y epiparásitos, llamados así por ser parásitos de parásitos. Los parásitos vegetales pueden ser del reino animal, como cochinillas, chinches, orugas, caracoles, arañas, crustáceos, etcétera, o bien, otros vegetales como la cuscuta, las bacterias y los carbones u hongos que causan grandes perjuicios a las plantas útiles. *Véanse* PALUDISMO; TENIA.

Parcas. Diosas de la mitología romana, conocidas en la griega como *Moiras,* y con el nombre de *Normas* en la escandinava, que establecían la duración de la vida humana. Eran tres hermanas que se llamaban Cloto, Láquesis y Átropos. La primera hilaba el hilo de la vida. Láquesis determinaba la longitud y Átropos lo cortaba. Nada las conmovía en su inexorable voluntad y todos estaban sujetos a sus decisiones; las alabanzas, como las imprecaciones, no alteraban en nada sus imperturbables designios. A estas tres pálidas ancianas, que silenciosamente fijaban los destinos de los mortales, el arte las representó sosteniendo los instrumentos de su profesión: rueca, hilo y tijeras.

pardillo. Pájaro pequeño de cuerpo esbelto y pico recto, de la familia de los fringílidos, que habita en algunas regiones del hemisferio norte. El macho, de colores más vivos que la hembra, tiene el dorso y los costados de color pardo canela, manchado de rayas oscuras. En primavera y verano las plumas de la cabeza y del pecho son de color rojo. Es de vuelo largo y se cierne en círculos antes de posarse en las ramas de los árboles. Cría dos y hasta tres veces por año, poniendo cada vez 4 o 5 huevecillos de color azul, punteados de rojo pálido. El macho tiene un canto muy agradable y soporta fácilmente la cautividad.

Pardo, Manuel (1834-1878). Presidente de Perú. Fue oficial mayor del Ministerio de Hacienda, director de la Beneficencia, alcalde de Lima y el primer presidente civil que tuvo Perú de 1872 a 1876. Encontró el país en difícil situación económica debido a los enormes gastos verificados en la construcción de ferrocarriles y los fuertes intereses que se tenían que pagar por los empréstitos y se vio obligado a sanear los presupuestos. Celebró un tratado de defensa mutua con Bolivia, prestó gran atención a los trabajos de estadística, mejoró la educación pública, estableció la Escuela Naval en El Callao; y fundó el partido civil, en oposición al militar que venía gobernando. Terminó su periodo en 1876. Fue elegido presidente del Senado y murió asesinado por un militar que se oponía a su política.

Pardo Bazán, Emilia, Condesa De (1851-1921). Escritora española nacida en La Coruña que se destacó como primera figura femenina de la literatura de su época. Su primera obra fue un pequeño tomo de versos que no circuló. Se dió a conocer con *Estudio crítico de las obras del Padre Feijoo,* que obtuvo un premio. Después de asimilar los principales autores universales, estudió la novela española. Bajo el influjo de Pedro Antonio de Alarcón y Valera se inició en el género, en el que había de sobresalir dentro de la escuela naturalista, con estudios de costumbres que en su momento parecieron osados. Al publicar *La tribuna* se enemistó simultáneamente con liberales y conservadores. En *San Francisco de Asís* da testimonio de una profunda crisis religiosa. En París trató a Víctor Hugo y otros grandes escritores. Tradujo a numerosos autores franceses e ingleses. Su obra *Los pazos de Ulloa* constituye su triunfo literario más sólido y perdurable. La vida familiar de los protagonistas, las fiestas populares, los acontecimientos políticos y militares, están descritos con mano maestra. Casi no hubo género literario que no cultivara con maestría. Algunas de sus obras son: *La madre naturaleza* (1887), *La revolución y la novela en Rusia* (1887), *Cuentos de Marineda* (1892), *Cuentos de amor* (1898) y *Un destripador de antaño* (1900).

Paré, Ambroise (1510-1590). Médico y cirujano francés. De familia pobre, trabajó como aprendiz de barbero, estableciéndose luego como barbero y sangrador. La cirugía era en su tiempo profesión baja e innoble, pero a nadie debe más que a este hombre que actuó muchos años como cirujano militar, que acompañó en sus campañas a los ejércitos de cuatro sucesivos monarcas franceses y que, entre el fragor de las batallas, leyó y aprendió, haciéndose una sólida cultura y sentando las bases del arte quirúrgico. Descubrió la ligadura de arterias y venas en sustitución del cauterio, abandonó el empleo del aceite hirviendo en el tratamiento de las heridas, creó miembros y ojos artificiales, renovó los métodos operatorios. Los médicos de la época, repletos de citas latinas y saber libresco, se burlaban de él, pero cuando se estableció en París alcanzó éxito sin igual, fue cirujano real, y de tal manera ganó el aprecio de la corte que, aun siendo hugonote, por orden real se libró de la matanza de la noche de San Bartolomé. Entre sus obras se destacan *Monstruos terrestres y marinos*, su *Cirugía* en diez tomos, *Viajes por diversos lugares* en donde narra sus andanzas con los ejércitos de Francisco I, y otras sobre anatomía, obstetricia y medicina legal. Su carácter bondadoso y compasivo, su valor y su sentido común le hicieron gozar del afecto de todos.

paréntesis. *Véase* PUNTUACIÓN.

Parera, Blas (1777- ?). Músico español. Llegó a Buenos Aires en 1797. En 1813, por encargo de las autoridades puso música a los versos de Vicente López y Planes. Aprobada la obra por la Asamblea General Constituyente, fue consagrada himno nacional argentino. Se casó con una argentina y en 1817 regresó a España. Se ignoran las circunstancias posteriores de su vida y la fecha de su muerte.

paresia. Parálisis incompleta y temporal. Puede localizarse en cualquiera de los miembros superiores o inferiores o en uno de los dedos. Las causas pueden ser muy variables: microbianas, traumáticas, alcohólicas, cerebrales, etcétera. En general no poseen un pronóstico grave que ponga en peligro la vida. Adecuada medicación, masajes diarios y la cura por la electricidad o electroterapia, devuelven al paciente parésico la normalidad de su función muscular. *Véase* PARÁLISIS.

pargo. Nombre vulgar dado en América al pez acantopterigio, de la familia de los espáridos, entre cuyas especies se halla el pargo común (*Pargus vulgaris*), muy semejante al pagel, aunque de doble tamaño y con el hocico obtuso. Se le conoce también con el nombre de *pagro*, y se le encuentra asimismo en aguas del Mediterráneo. Se pescan grandes ejemplares en fondos de roca, en profundidades de unos 30 metros. Su carne es excelente.

parhelio. Fenómeno luminoso poco común que consiste en la aparición simultánea de dos o más imágenes del Sol que se ven al lado de éste, reflejadas en las nubes y dispuestas simétricamente sobre un halo. Aparecen a la misma altura del verdadero Sol en el horizonte. Las imágenes solares están situadas a distancias de 22 y 46 grados del Sol, y el halo presenta los colores del arco iris, con el rojo en el borde interior. Cuando se observan además otras formaciones parhélicas, alejadas del Sol a distancias de 180 y 120 grados, se llaman antihelios y parantihelios. El fenómeno se debe a la reflexión de la luz del Sol en los cristales de hielo suspendidos en las altas capas de la atmósfera.

Paricutín. Volcán de México, en el estado de Michoacán. Nació en una tierra de labor, cercana al pueblo de Paricutín, en una región de carácter volcánico. Después de un prolongado periodo preliminar de fenómenos sísmicos locales: temblores, explosiones y ruidos subterráneos, el 20 de febrero de 1943 se agrietó el suelo y brotó la primera corriente de lava, acompañada de humo y fuego, a las cinco de la tarde, ante el terror y el asombro de un campesino que labraba su tierra a poca distancia del punto en que apareció el volcán. Tres días después el cono volcánico tenía 40 m de alto, y mes y medio más tarde 200 m, para alcanzar unos 460 m de altura en 1946. Por su cráter principal y por otro secundario, que apareció ocho meses después del primero y por varias bocas, arrojaba humo, gases, lava incandescente, cenizas, bombas volcánicas, rocas y masas pétreas, en imponentes y continuas erupciones que sepultaron el pueblo de Paricutín y el de Parangaricutiro, cubrieron de lava y cenizas ardientes grandes extensiones y arruinaron una vasta comarca agrícola. Después de un periodo de máxima intensidad las erupciones fueron disminuyendo y se extinguieron en 1952. Durante sus nueve años de actividad, fue un imponente espectáculo que, sobre todo de noche, causaba pavoroso asombro a los millares de espectadores que acudían a presenciarlo. La gran importancia del Paricutín consiste en que es el primer volcán que ha podido someterse a observación científica casi desde su nacimiento.

La torre Eiffel en París.

Corel Stock Photo Library

París. Ciudad capital de Francia y del departamento del Sena, y centro principal de la industria, el comercio y la vida intelectual de la nación. Tiene 2.188,918 habitantes que unidos a los de las poblaciones comprendidas en su área metropolitana, se elevan a 10.997,770. Se extiende a ambas orillas del Sena y con sus suburbios ocupa la mayor parte del departamento de ese nombre, o sea una extensión de 480 km^2. El río Sena atraviesa la ciudad de sureste a noroeste y la divide en dos partes. En el centro del río se encuentran las islas de la Cité y de San Luis, comunicadas entre sí y con las orillas por medio de puentes. La isla de la Cité es el núcleo histórico en que tuvo su origen la ciudad, y en ella se levantan la catedral de Nuestra Señora (*Notre Dame*), la Santa Capilla y el Palacio de Justicia.

En el sector de la ciudad que se extiende en la orilla derecha del Sena se admiran edificios y lugares famosos como la plaza de la Bastilla, el museo del Louvre, que atesora maravillas de arte, los jardines de las Tullerías y la plaza de la Concordia, en la que se alza el obelisco de Luxor, colosal monolito egipcio de 23 m de altura. De la plaza de la Concordia, parte la magnífica avenida de los Campos Elíseos, en torno a la cual se levantan las residencias particulares más suntuosas de la ciudad. Al fondo se yergue el Arco del Triunfo, en la plaza de la Estrella, en la que convergen varias grandes avenidas. También en la ori-

Corel Stock Photo Library

El Arco del Triunfo en París.

lla derecha se levantan la iglesia de la Magdalena, la plaza Vendome, el Palais Royal, la Ópera y la Bolsa, edificios grandiosos que delimitan la sección en que se aglomeran los bancos, comercios de lujo, joyerías, perfumerías, tiendas de modas y muchos otros comercios suntuosos, que gozan de renombre en todo el mundo.

En la orilla izquierda del Sena están la Sorbona, el suntuoso palacio del Luxemburgo, sede del Senado, y el palacio Borbón, de la Cámara de Diputados. No lejos se alza el Panteón, sepulcro de los hombres ilustres, y en los Inválidos, la tumba de Napoleón. En un extremo del Campo de Marte, la torre Eiffel domina la ciudad con sus 300 m de altura. En esa orilla está el famoso Barrio Latino, donde se reúnen estudiantes de todas las razas. Otros densamente poblados, como el de Montmartre, albergan a empleados y obreros, en tanto que Meudon, Saint-Cloud, Saint-Cyr, Montmorency, etcétera, se distinguen como lujosos barrios residenciales.

Las grandes industrias se refugian en los suburbios de Billancourt, Saint-Denis, Aubervilliers, Pantin e Ivry, donde se fabrican automóviles, maquinaria, productos químicos y alimenticios, muebles y vestidos, y se editan libros. Varias líneas de trenes subterráneos enlazan todos los puntos de la ciudad. La atracción de París es inmensa, y a ella acuden todos los años millones de viajeros. Su encanto depende de muchas cualidades intangibles allí acumuladas. La vida intelectual alterna con la alegría mundana; la libertad de espíritu no se opone a la cortesía; las ideas vigorosas hallan inteligente comprensión o tolerancia, y el ambiente es extraordinariamente propicio a toda clase de actividad.

París debe su nombre a los *parisii*, tribu gala que pobló y fortificó la isla de la Cité, pero en los primeros tiempos de su historia se le conocía con el nombre de Lutecia. En el año 52 a. C., sus habitantes se unieron a las huestes de Vercingetorix en su fracasado intento de liberar las Galias, y Lutecia fue quemada por los vencedores. Reconstruida, no tuvo mayor importancia bajo los romanos. San Dionisio predicó el cristianismo en ella en el año 250, y un siglo después fue coronado allí el emperador Juliano, quien amuralló la ciudad. En 451 Atila, rey de los hunos, invadió las Galias pero respetó a París, hecho atribuido a las plegarias y virtudes de la santa monja Genoveva, desde entonces patrona de la ciudad. En el siglo VI Clodoveo conquistó el sur de Francia merced a su victoria sobre los visigodos, e hizo de París su capital. En 886 los normandos invadieron la zona, defendida con tanto denuedo por el carde Eudes que los parisienses lo hicieron rey, preparando así el advenimiento de la dinastía de los Capetos.

La iglesia del Sagrado Corazón en París.

Corel Stock Photo Library

En la isla de la Cité comenzó a construirse en 1163 la catedral de Nuestra Señora. Se multiplicaron los puentes y la ciudad empezó a extenderse por las riberas del Sena. Felipe Augusto fundó en 1200 la Universidad de París, que pronto volvieron ilustre hombres como Alberto el Magno y santo Tomás de Aquino. Acudieron estudiantes de toda Europa y la orilla izquierda se pobló de eruditos que hablaban latín, de donde le vino al barrio el nombre de Latino que aún conserva. San Luis construyó en 1248 la Santa Capilla, joya de la arquitectura gótica. Felipe IV de Francia siguió embelleciendo la ciudad. Carlos el Prudente fortificó a París con la Bastilla y fundó la Biblioteca Real. Desde entonces empezaron a surgir por todas partes palacios y castillos. En el siglo XIV la ciudad tenía más de 150,000 habitantes. En 1418 fue ocupada por los ingleses y en vano Juana de Arco trató de recuperarla en 1429. Sólo siete años más tarde pudo entrar en ella el rey Carlos VII.

Las dos reinas de origen florentino, Catalina y María de Médici, trajeron artistas italianos que colaboraron en la construcción del Luxemburgo, las Tullerías y el Cours-la-Reine. Se reglamentó la altura y el aspecto de los edificios en ciertas calles. Luis XIII impuso el estilo francés, y Luis XIV agregó el Panteón, el Campo de Marte, la columnata del Louvre y las puertas de San Dionisio y San Martín. La ciudad tenía entonces medio millón de habitantes. Los revolucionarios de 1789 destruyeron la Bastilla y otros símbolos del poder absoluto. Napoleón I comenzó el Arco del Triunfo de la Estrella y construyó el del Carrousel, la columna Vendome y la iglesia de la Magdalena, todo en estilo neoclásico. De esa época son también los puentes de lena y Austerlitz y la Bolsa. Las derrotas de 1814 y 1815 no afectaron mayormente a la ciudad, que siguió progresando bajo la monarquía burguesa de Luis Felipe.

Cambios de importancia, que plasmaron la fisonomía del París moderno, tuvieron lugar bajo Napoleón III. Por iniciativa del barón Georges Haussmann se abrieron avenidas de perspectivas grandiosas, se comenzó la ópera, se construyó un vasto sistema de cloacas, y los bosques de Boulogne y Vincennes fueron convertidos en parques para uso de la población, que alcanzó entonces el millón de habitantes. Después de la derrota de Sedán, la Tercera República aportó un periodo de prosperidad. Exposiciones universales, para las cuales se construyeron el Trocadero y la torre Eiffel, atrajeron enorme afluencia de turistas. París, lo mismo que otras ciudades de Francia, sufrió comparativamente pocos destrozos materiales durante la Segunda Guerra Mundial, por lo que, a la terminación de ese conflicto, la capital de Francia, con sus bellos e históricos edificios, sus incomparables museos, sus amplias avenidas y sus hermosos jardines, volvió a ser uno de los grandes centros de atracción para los turistas de todas partes del mundo.

París, Tratados de. En la capital francesa se han suscrito numerosos tratados internacionales que se conocen en la Historia con el nombre de *tratados de París.* Los más importantes se mencionan a continuación:

1259. Después de derrotar a Enrique III de Inglaterra, San Luis firma con éste un acuerdo justo y equitativo. Francia entrega las provincias de Périgord y Limousin; los ingleses abandonan, por su parte, las pretensiones que abrigaban sobre Normandía, Maine y Poitou.

1763. Dando término a la guerra de Siete Años entre Gran Bretaña, Francia y España, Francia entrega a los británicos el Canadá y las islas del Príncipe Eduardo y de Cabo Bretón; de su imperio americano sólo quedan las minúsculas islas de Saint Pierre y Miquelón, en los bancos de Terranova, y algunas islas de las Antillas. Todos los territorios que poseía en el continente norteamericano, con excepción de la parte de Luisiana al oeste del Mississippi y la zona de New Orleans, también pasan a poder de los británicos. En Asia, los franceses pierden también las posesiones que tenían en algunos sitios de la India, salvo las plazas de Pondichery y Chandernagor. España, su aliada, debe entregar la Florida a Inglaterra; Francia le cede, en compensación, en virtud de un acuerdo previo, las riquísimas praderas de Louisiana con la zona de New Orleans, que los españoles perderán antes de mucho tiempo, haciendo la retrocesión a Francia en 1800 para que ésta las vendiera a Estados Unidos tres años después.

1783. Para concluir la guerra de independencia de Estados Unidos, Franklin, Jay y Adams firman en París la paz con Inglaterra. Ésta reconoce la soberanía norteamericana sobre todas las tierras situadas al este del Mississippi y al sur del paralelo 45 (frontera con el Canadá). Ambos países reconocen la libre navegación del Mississippi. El gobierno norteamericano promete devolver las tierras quitadas a los individuos que se mantuvieron leales a la corona británica, medida que nunca habrá de cumplir. También suscribieron el tratado Francia y España, que habían intervenido en la guerra contra Inglaterra; recibió la primera la isla de Tobago y el territorio africano del Senegal; España obtuvo el reconocimiento de su soberanía sobre Menorca y la Florida, que había recuperado por las armas.

1814. Napoleón Bonaparte acaba de ser derrocado por primera vez. Sus enemigos reducen el territorio francés con algunas variantes a sus fronteras de 1792 y convocan el Congreso de Viena.

1815. Después de su efímero retorno, Napoleón es aniquilado por Arthur Colley duque de Wellington en Waterloo. La coalición antinapoleónica obliga a Francia a pagar setecientos millones de francos en concepto de daños y perjuicios. El territorio francés queda ocupado durante cinco años, mediante el establecimiento de guarniciones de los aliados en setenta plazas estratégicas. También se hicieron algunas rectificaciones en las fronteras que señalaba el tratado anterior, concesión de varias plazas a Prusia, la Confederación Germánica, Holanda y Piamonte.

1856. Rusia ha sido derrotada por los ejércitos de Gran Bretaña, Francia, Turquía y Cerdeña en la guerra de Crimea. Los vencedores le obligan a firmar un tratado que tiene gran importancia en la historia del derecho internacional. El Mar Negro queda abierto, a perpetuidad, a la navegación de buques mercantes de todos los países, pero cerrado para los barcos de guerra. El río Danubio queda sujeto a la fiscalización de una comisión internacional. Turquía es reconocida como potencia europea y las grandes potencias prometen respetar su independencia. Se emite una famosa declaración sobre la neutralidad, conocida hoy como *Declaración de París.* En este documento se declara abolida la piratería, se dan reglas sobre el bloqueo marítimo, se establece que los buques neutrales pueden navegar libremente en tiempo de guerra, siempre que no lleven contrabando bélico, y se fijan otras normas sobre la guerra en el mar.

1898. El tratado de paz firmado en París, termina la guerra entre España y Estados Unidos, en la que éstos resultan victoriosos. España reconoce la independencia de Cuba y entrega a Estados Unidos las islas Filipinas, Guam y Puerto Rico. En compensación Estados Unidos le entrega a España veinte millones de dólares.

1919. Para poner término a la Primera Guerra Mundial, se reúnen en París los estadistas Thomas Wilson, estadounidense; David Lloyd George, británico; Vittorio Orlando, italiano, y Georges Clemenceau, francés, a quienes acompañan los representantes de 32 naciones. En diversos lugares históricos cercanos a París se celebran conferencias y se redactan cinco tratados con las potencias vencidas: el de Versalles, con Alemania; el de Saint-Germain, con Austria; el de Neuilly, con Bulgaria; el de Trianón, con Hungría, y el de Sèvres, con Turquía.

Paris. Héroe mitológico griego que, según relata Homero en la *Ilíada,* causó la guerra de Troya al raptar a Helena, la esposa del rey de Esparta. Fue hijo de Príamo, rey de Troya. Su madre, Hécuba, soñó que el hijo que iba a tener era como una tea encendida. Los agoreros interpretaron el sueño vaticinando que el hijo de Príamo acabaría por destruir el reino de su padre y por eso, al nacer, se intentó matarlo, salvándolo su madre que lo abandonó en el monte Ida. Allí lo recogieron y criaron unos pastores convirtiéndose en un joven de tan singular belleza y fuerza física que conquistó el amor de Oenona, hija de un dios. Un día Zeus recurrió a Paris para que pronunciara su famoso juicio sobre la hermosura de las diosas Hera (Juno), Atenea (Minerva) y Afrodita (Venus), que se disputaban la *manzana de la Discordia.* Paris decidió que la más bella era Afrodita y se atrajo así el odio de Hera y Atenea que, al sentirse desairadas, juraron destruir a Troya. Paris se trasladó a Troya donde, tras vencer a sus hermanos, fue reconocido por Casandra como hermano, y Príamo, olvidando el sueño de su esposa, recibió gozoso a su hijo, al que envió en un viaje a Grecia. En este viaje, Paris entró en el palacio de Menelao, rey de Esparta, y al conocer a su esposa Helena quedó prendado de ella, y tras seducirla la raptó, llevándosela a Troya. Como le siguiera el iracundo monarca con un ejército para rescatar a su mujer, se encendió la guerra. Paris, con la ayuda de Afrodita, luchó heroicamente en las batallas, pero al fin sucumbió a los dardos de Filoctetes.

Park, Mungo (1771-1806). Explorador escocés que tras cursar los estudios de medicina llegó a ponerse al servicio de la Asociación Africana de Londres, quien lo designó para continuar las exploraciones de Houghton en el río Níger. Después de visitar Bondu y recorrer varias comarcas, fue reducido a prisión por un jefe moro, y si bien logró escapar y continuar su viaje por el Níger, éste se vio nuevamente interrumpido a causa de una grave enfermedad que lo tuvo postrado durante varios meses. Llegó finalmente a Pisania y a mediados de 1797 regresó a Inglaterra. En 1805 el gobierno lo envió nuevamente a África y por el Níger llegó hasta Bamako, descendió después hasta Bussa donde fue atacado por los negros y pereció ahogado junto a sus compañeros de expedición. Publicó interesantes relaciones de sus viajes bajo los títulos: *Viajes por el interior de África,* un *Diario* y también algunos escritos de ictiología.

Parkinson, enfermedad de. Trastorno de la función motora, caracterizado fundamentalmente por debilidad de los movimientos voluntarios, rigidez, temblor de reposo y amimia. La enfermedad de Parkinson se debe a la lesión de las masas grises, particularmente de la sustancia negra y del *pallidum*. Las manifestaciones clínicas más importantes son pérdida de la mímica facial, ausencia de parpadeo y movimientos voluntarios lentos, sobre todo los más dístales. La palabra se vuelve monótona, con defectos de pronunciación. La escritura adopta caracteres pequeños. El temblor de reposo que suele ser el primer signo ostensible de la enfermedad se manifiesta en algún miembro superior; igual ocurre con la rigidez, que por lo general aparece después. Aunque existe tratamiento médico, si es posible, debe intervenirse al paciente con métodos de estereotaxia, que ofrecen alentadoras perspectivas.

parlamento. *Véase* LEGISLATIVO, PODER.

Parménides (515-450? a. C.). Filósofo griego que nació en la colonia griega de Elea (Italia), a quien se considera el fundador de la Escuela Eleática. Hijo de familia ilustre fue discípulo de Jenófanes y desempeñó en su ciudad natal importantes cargos. A los 65 años llegó a Atenas con su discípulo Zenón, para predicar su teoría del ideal absoluto. Sustentaba el principio de que la verdad sólo podía alcanzarse por medio de la razón, que era la única que conoce la esencia del Ser eterno e inmutable.

Coincidió con Jenófanes en la unidad del mundo, tomando por base el Ser. Se le considera autor de un código para su ciudad, que era tan perfecto, que todos los años, sus ciudadanos juraban observarlo. Su doctrina opuesta a la de la eterna movilidad de Heráclito fue expuesta en un poema en hexámetros, titulado *De la Naturaleza*, dividido en un proemio y dos partes: una que trata de la *verdad* y otra de la *opinión*. Sólo se conservan de él 160 versos.

Parmentier, Antonio Agustín (1737-1813). Agrónomo, farmacéutico y químico francés, que estudió las propiedades alimenticias de la patata y trató de generalizar su cultivo, hasta entonces limitado en su país al consumo por los animales, por creerse que era nociva para el hombre. Durante su cautiverio en Prusia, como consecuencia de la guerra de Hannover, había comprobado personalmente las ventajas del mismo y, así, luchó hasta dar por tierra con tales prejuicios. También estudió, entre otras cosas, el maíz y la castaña, habiendo publicado un formulario farmacéutico para uso de los hospicios y las prisiones, un tratado de *Economía rural y doméstica* y un *Manual del panadero*. Sus trabajos se inspiraban en un ferviente anhelo de bienestar para la humanidad.

Parnaso. Montaña griega de dos picos, que se eleva en la Fócida. Fue considerada, lo mismo que los montes Olimpo y Taigeto, lugar predilecto de algunos dioses, bacantes y ninfas. La ciudad de Delfos extendíase a sus pies y en ella la Pitonisa anunciaba sus célebres oráculos. Para los antiguos griegos era el Parnaso sagrado y fuente de inspiración poética y musical. En una de sus cumbres habitaba Apolo y en la otra moraban las Musas; las ninfas de los bosques buscaban solaz en el famoso manantial de Castalia, de aguas cantarinas. En el arte, el Parnaso tuvo gran significación; pintaron bellas alegorías del Parnaso Rafael Sanzio y Nicolás Poussin y en la poesía aún conserva su sugerencia inspiradora.

Corel Stock Photo Library

Carrusel en un parque.

Parque Roundhay *en Leeds, Inglaterra.*

Corel Stock Photo Library

Parnell, Carlos Stewart (1846-1891). Político y legislador irlandés. Miembro de la Cámara de los Comunes, fue en ella jefe del partido irlandés, haciendo una oposición sistemática al gobierno inglés, al que mantuvo en permanente inquietud, creándole grandes dificultades. Fue fundador y primer presidente de la Liga Agraria irlandesa y toda su vigorosa actuación política se concentró en conseguir la autonomía política de Irlanda.

parodia. Imitación burlesca de una obra seria de literatura, del estilo de un autor, e inclusive de todo un género determinado. Consiste en satirizar por medio de hábiles sustituciones el fondo del asunto, de modo que se presente un ambiente de gran magnificencia, desnaturalizado por una acción trivial y a nada conducente. Así la epopeya burlesca no es más que una parodia del poema épico. Deben evitarse el ridículo y lo chocante, de modo que resulte una crítica fina, cuyas únicas finalidades sean las de instruir y divertir.

parótida. La más voluminosa de las glándulas secretoras de saliva. Pesa de 25 a 30 g y su volumen es algo mayor de 30 cm^3. Se halla situada debajo y algo delante de las orejas, una a cada lado de la cara, debajo de la piel y del músculo masetero. Comunica con la boca por un canal llamado de Stenon, por el cual circula la saliva segregada por la glándula. Su inflamación constituye la parotiditis, que se llama generalmente paperas. *Véanse* PAPERAS; SALIVA.

parotiditis. *Véase* PAPERAS.

parque de atracciones. Lugar de esparcimiento, generalmente al aire libre, donde se hallan instalados artificios destinados a recreo y espectáculo. Las diversiones que se encuentran en esta clase de parques pueden ser: de destreza (tiro al blanco, juego de maza, anillas, pim-pam-pum, pesca mágica, etcétera); de sorpresa (casa encantada, laberinto, tubo de la risa, gruta misteriosa, etcétera); de locomoción (montañas rusas, carrusel, triciclos acuáticos, tiovivos etcétera), y de espectáculo (danzas exóticas, exhibiciones acrobáticas y de fenómenos, faquires y adivinos, museos, etcétera). Para entrar en su recinto suele ser necesario obtener una entrada llamada de acceso, corriendo a cargo de los visitantes el pago ulterior de cada atracción que disfruten. En las atracciones de destreza es costumbre regalar premios, consistentes en juguetes, *bibelots* (artículos decorativos) u otros objetos, a los ganadores.

parques. Lugares con árboles y plantas ornamentales, generalmente cercados, que se dedican al recreo y al reposo. En los parques particulares y urbanos la mano del hombre combina las diversas especies vegetales para lograr un conjunto atrayente y variado. Traza caminos y senderos, abre perspectivas, y suele realzar la sugestión del paisaje con obras de arte, estanques y surtidores. Privilegio en otro tiempo de reyes y grandes personajes, los parques son ahora el desahogo indispensable del pueblo, que cada vez en mayor número acude a ellos en busca de esparcimiento. La aglomeración humana en las ciudades hizo imprescindible esos espacios abiertos, llamados con razón pulmones de la urbe. Célebres son el Tiergarten de Berlín, el Central Park de New York, el Hyde Park de Londres, el Retiro de Madrid, el Bois de Boulogne en París, etcétera. En muchos de ellos se organizan fiestas deportivas, audiciones musicales y representaciones teatrales al aire libre. Los niños hallan columpios, trapecios, toboganes y piscinas, mientras para los mayores suelen instalarse bibliotecas públicas cuyas obras pueden leerse en la paz de los rincones sombreados. Para contribuir a hacer frente a los grandes gastos que la conservación de un parque origina, los municipios suelen arrendar parcelas de terreno destinadas a restaurantes o a juegos diversos.

El aspecto de los parques varía según los países y la época en que fueron diseñados. Durante la época del Renacimiento los arquitectos italianos trazaron sus jardines en forma geométrica, como los de Frascati y Scipione Borghese, y supieron sacar gran partido de los accidentes del terreno, que realzaban con graderías, grutas y cascadas. Esa tendencia la introdujo en Francia André Le Nôtre, pero magnificándola con grandiosas perspectivas, cuya formalidad clásica refleja la opulencia de ese periodo. Versalles es el más acabado ejemplo de su arte, y también se le atribuyen los jardines del Vaticano. En el sur de España predominó la influencia árabe; ya en Aranjuez es evidente la renacentista. Desde fines del siglo XIX, los parques siguen de preferencia el trazado inglés, con amplios espacios cubiertos de césped recortado, y grupos dispersos de árboles cuyos diversos tonos de follaje se combinan para obtener variedad y armonía. *Véase* JARDINERÍA.

Corel Stock Photo Library

Parque Eilenreide *en Hanover, Alemania.*

parques nacionales. Son vastas extensiones que el Estado toma a su cargo con objeto de amparar especies vegetales y animales a veces en trance de desaparecer, y también de conservar intactas y hacer accesibles a todos bellezas naturales como cascadas, geiseres, grutas, etcétera. El fin principal que se persigue es dejar a la naturaleza en absoluta libertad, sin que el hombre intervenga para nada, pues su acción se limita a construir caminos y refugios que permiten al turista admirar cómodamente los más hermosos panoramas.

Los parques nacionales tuvieron su origen en Estados Unidos. El primero fue el de Yellowstone, en Wyoming, creado por ley en 1872, y en el cual se encuentran cientos de geiseres o columnas de agua hirviendo que surgen del terreno y algunos de los cuales alcanzan alturas de unos 100 m, cráteres de barro en ebullición, rocas, lagos, bisontes, alces, antílopes, pumas, carneros salvajes, osos, etcétera. En el mismo país son famosos el de Yosemite, en plena Sierra Nevada, California, con bellos paisajes, árboles gigantes e imponentes cascadas con caídas de más de 500 metros; el del Gran Cañón, el del Glaciar y el del Monte Rainier. Entre los parques europeos citaremos el de Bialowieza, en Polonia, con manadas de bisontes; el Gran Paradiso y el de los Abruzos, en Italia; el de La Vanoise y el de Port-Cros en Francia; el del Distrito de los Lagos, en Reino Unido; el de Peneda Gerez, en Portugal; y en España, los de Covadonga, Valle de Ordesa y Coto Doñana, este último el más rico en aves de toda Europa.

En el Canadá, se destacan el Parque Nacional de Wood Buffalo, el de Jasper y el de Banff. El primero posee más de 1,500 bisontes de bosque. Entre los parques mexicanos, es preciso mencionar los de Miguel Hidalgo, Iztaccíhuatl-Popocatépetl, Sian Ka'an y Bosencheve; entre los guatemaltecos, los de Atitlán y Río Dulce. En las Antillas, particular interés ofrece el bosque nacional de Luquillo en Puerto Rico con unas 170 especies forestales. Otros parques importantes en América son el Henri Pittier y el Alejandro de Humboldt en Venezuela; el de las Islas Galápagos, en Ecuador, y el de Nahuel Huapí, en Argentina.

Parra Pérez, Coracciolo (1888-1964). Historiador, estadista y diplomático venezolano. Desempeñó importantes cargos en el gobierno y el cuerpo diplomático de su país. Fue autor de estudios históricos que plantean aspectos revisionistas de la época colonial. Entre sus principales obras se destacan *El régimen español en Venezuela* y *Miranda y la Revolución Francesa.*

Parrasio. Famoso pintor griego, contemporáneo de Sócrates, que vivió en Atenas, cuatro siglos a. C. Muchos relatos legendarios de su época lo muestran como un artista de extraordinaria maestría. Se refiere que su rival Zeuxis lo desafió a medirse con él, triunfando el que presentara la obra más realista. Zeuxis exhibió un cuadro con uvas pintadas con tal perfección que los pájaros volaban a picarlas. Parrasio le mostró otro con una cortina y cuando su opositor le dijo que la corriera para ver lo que había hecho respondió que la aparente cortina era todo el cuadro. Aunque todas sus obras se han perdido, se sabe que pintó a Prometeo encadenado, obteniendo una sorprendente expresión de dolor después de torturar durante varios días a un prisionero. Una representación del Demos –símbolo del pueblo ateniense– fue la obra más famosa de este artista excéntrico y arrogante, que usaba una túnica purpúrea y una corona de oro. Se cree que fue el primer pintor que introdujo la sensación del volumen en sus obras.

párroco. *Véase* SACERDOTE.

Parry, sir William Edward (1790-1855). Navegante y explorador inglés. Efectuó numerosas comprobaciones astronómicas y náuticas, publicadas en un tratado que contiene reglas para determinar la altura del Polo por observación de las

Corel Stock Photo Library

Fachada del Partenón en Atenas, Grecia.

estrellas fijas. Como navegante, efectuó importantes exploraciones en las regiones árticas. Llegó al estrecho de Lancaster, descubriendo el canal del Príncipe Regente, el estrecho de Barrow, el canal de Wellington y la isla de Melville, explorando el archipiélago que lleva su nombre. En 1827, alcanzó los 82° 45' latitud norte, que fue la latitud más alta alcanzada por el hombre en aquella fecha. Publicó el *Diario del viaje para el descubrimiento del paso del Noroeste* y *Narración de un intento para llegar al Polo Norte. Véanse* EXPLORACIONES POLARES; PASO DEL NOROESTE.

Parsifal. *Véase* ÓPERA.

parsis. Adeptos de la religión de Zoroastro que viven en la India. Son descendientes de los antiguos persas que abandonaron su patria y se refugiaron en la India desde principios del siglo VIII, después que los árabes conquistaron a Persia. Los parsis son unos 100,000 y el mayor número se estableció en Bombay. Figuran entre los grupos más cultos y de más elevadas normas morales de la India.

partenogénesis. Reproducción mediante la cual las hembras pueden producir descendencia sin haber sido previamente fecundadas por el elemento macho o espermatozoide. La partenogénesis es un fenómeno raro en los vertebrados, aunque puede producirse en huevos vírgenes, pero éstos generalmente abortan. En cambio es muy frecuente en invertebrados, especialmente en insectos, y más aún en insectos sociales como lo son las abejas, las hormigas y las termes, donde los diferentes tipos o castas (reinas, obreras, zánganos, soldados, etcétera), que forman la colonia, nacen de huevos que pueden desarrollarse con o sin intervención del elemento masculino.

Partenón. Templo del más puro estilo dórico que los antiguos griegos dedicaron a su diosa protectora Atenea Parthenos. Fue un edificio de belleza y grandiosidad incomparables, cuyas ruinas aún se admiran en la Acrópolis de Atenas. Durante el siglo de Pericles, hacia el año 447 a. C., los arquitectos Ictino y Calícrates, que habían diseñado el templo, iniciaron su construcción y solicitaron la colaboración del insigne escultor Fidias. En la construcción del templo se emplearon diez años.

El Partenón era de planta rectangular. El cuerpo central del edificio estaba rodeado por un peristilo de 70 m de largo, 30.50 de ancho y 18 de altura. Todo él era de mármol pentélico y constaba de una serie de columnas altas que lo rodeaban y sostenían el techo. Las columnas exteriores tenían 11.50 m de altura y había ocho en cada extremo del edificio y 15 a los costados.

Fidias hizo para el Partenón las esculturas que se consideran hasta hoy como las más perfectas salidas de la mano del hombre. Los bajorrelieves de los frisos que circundaban todo el templo representan la procesión de las Panateneas. En el gran espacio triangular de cada uno de los dos frontones, se levantaban los admirables grupos escultóricos ejecutados por Fidias. El del frontón del este representaba el nacimiento de Atenea y el del oeste la disputa entre Atenea y Poseidón por el predominio del Ático.

El cuerpo interior del Partenón, también rectangular, estaba dividido en cuatro secciones: el *pronaos* o pórtico, en que se depositaban las ofrendas; la *cela* o santuario, en el que estaba la estatua de Atenea; el *partenón* o cámara interior, y el *opistodomo* o cámara posterior.

De este templo maravilloso, que ha sido siempre la mayor gloria de Atenas y de toda Grecia, quedan sobre la Acrópolis algunas columnas y parte de los frisos y el peristilo, que todavía dan una idea cabal de cómo era el edificio entero. Después de venerarse en él durante cerca de mil años a la diosa Atenea, se consagró allí, por el año 500, una iglesia cristiana, y, posteriormente, durante la invasión de los turcos, fue el Partenón una mezquita. Convertido después en polvorín, el edificio se mantuvo en buen estado hasta que los venecianos intentaron conquistar Atenas en 1687. Los invasores bombardearon el Partenón y, al hacer explosión el polvorín, se derrumbó toda la parte central del edificio.

Gran parte de las esculturas del frente y restos de los frisos se hallan en el museo británico de Londres adonde los transportó lord Thomas Bruce Elgin a principios del siglo XIX. Otros fragmentos y esculturas se conservan en los museos del Louvre y de Copenhague. El gobierno griego ha efectuado algunas excavaciones, encontrando otras esculturas valiosas que se conservan en Atenas. Muchos de los grandes arquitectos de la antigüedad y de los tiempos modernos, que siempre tuvieron el Partenón como un modelo único, han copiado el estilo, la forma y las dimensiones del templo, sin igualar nunca la magnificencia y la pureza de líneas de aquel edificio. *Véase* ACRÓPOLIS.

partes de la oración. *Véase* ORACIÓN GRAMATICAL.

participación en los beneficios. Sistema que siguen algunas empresas para premiar los esfuerzos de aquellos que trabajan en las mismas, mejorando los ingresos individuales a la par que fomentan el interés del obrero por todas aquellas labores que realiza. Este sistema, que ha sido considerado como uno de los modos equitativos para lograr socialmente el reparto de las riquezas, consiste en hacer participar al obrero en los beneficios del negocio, sin ligarlo a las pérdidas. El obrero participa en tales beneficios ya directamente, por medio de entregas en efectivo que percibe ordinariamente al final de cada ejercicio, ya indirectamente por medio de acciones, bonos o resguardos suscritos por la empresa y con los cuales va constituyendo, paulatinamente, un capital. De una u otra forma el obrero se siente asociado a la marcha del negocio y, como consecuencia, pone todo su empeño en hallar los procedimientos más prácticos, económicos y convenientes para procurar que la industria rinda lo máximo posible. En ciertas empresas comerciales la participación se calcula sobre las utilidades netas obtenidas; en otras, sobre la cifra real de ventas, entregando un porcentaje (que se asemeja mucho a la comisión) a todos aquellos que intervienen en esas operaciones. Las legislaciones sociales en algunos países tienden a estimular, regular y a hacer obligatoria dicha participación y se adoptan diversas normas y escalas como, por ejemplo, las primas a la producción. Participan en ellas todos aquellos obreros que producen una cantidad determinada de artículos dentro del tiempo fijado de antemano, y se premia, además, el cuidado y esmero puestos en la elaboración, el buen estado y conservación de los útiles, máquinas y herramientas usadas en los procesos de fabricación, la economía en los materiales empleados, la puntualidad y asiduidad en la asistencia, etcétera.

participio. Parte de la oración que unas veces tiene el carácter de verbo y otras el de adjetivo. Como este último, hace en ocasiones el oficio de nombre. Cuando el participio denota, en sentido gramatical, acción, se denomina *activo o de presente* y si denota pasión, *pasivo* o *de pretérito*. El primero se forma añadiendo al radical del verbo las terminaciones *ante* si se trata de verbos de la primera conjugación (*amante*) y *ente* o *iente* si de verbos de la segunda o tercera (*conducente, pudiente*). Muchos verbos carecen de este participio, que ha perdido en ciertos casos su significación verbal para transformarse en adjetivo o sustantivo (*presidente, escribiente*). El participio pasivo de la primera conjugación castellana corresponde al de la primera conjugación latina en *ado* (*hablado*); los de la segunda y tercera se derivan de la cuarta latina en *ido* (*debido, oído*). Subsisten, en español, algunos participios latinos fuertes en *to, so, cho,* (*apertum-abierto, dictum-dicho*), a los que se considera como irregulares (*cubierto, hecho, preso*). Hay verbos que tienen dos participios pasivos (*corromper: corrompido* y *corrupto*). Algunos participios suelen tomar significación activa (*atrevido*, el que se atreve). El participio pasivo se utiliza para formar los tiempos compuestos de la conjugación (*Los paisajes que hemos visto*). Entonces es invariable. Usado con ser o estar, concuerda con el sujeto (*Los libros fueron impresos*). Forma proposiciones de participio análogas a los ablativos absolutos latinos (*Hechas las investigaciones, partieron*). *Véase* CONJUGACIÓN.

partida doble. *Véase* CONTABILIDAD.

partidas, las. Código jurídico compuesto por el rey de Castilla Alfonso X el Sabio. Se cree que su título original fue el de *Libro de las leyes* aunque posteriormente se conoció como *Código de las Siete Partidas* y en forma abreviada *Las Partidas*. La redacción de este monumento jurídico dio comienzo en 1251 del calendario romano, que corresponde al 1256 del nuestro. Se cree que se terminó nueve años después.

El Código se divide en siete partes o *partidas* a las que debe su nombre. La primera partida trata del derecho natural, las leyes, el uso, la fe católica, las inmunidades y privilegios del clero; la segunda trata del derecho público del reino, las clases y categorías de los dignatarios y servidores del estado, el derecho de sucesión a la corona y la enseñanza pública; la tercera expone el sistema completo de procedimientos, el dominio, la posesión y la prescripción; la cuarta trata de los esponsales y el matrimonio, la patria potestad, los vasallos y los feudos; la quinta está dedicada a las diversas obligaciones y constituye un tratado magistral de los contratos; la sexta trata de las sucesiones, la tutela y curaduría y la guarda de huérfanos; la séptima es el complemento de la legislación criminal, y tiene aclaraciones a las reglas del derecho aplicables a todo el cuerpo de la obra.

Esta obra es el monumento jurídico más importante de la Edad Media. El rey Sabio tuvo a sus órdenes varios colaboradores y todos se inspiraron en el derecho romano, en Aristóteles, en Séneca, en san Isidoro y en las leyes publicadas por el padre y antecesor del rey Sabio, san Fernando. Sobresale en toda la obra un espíritu eminentemente español y muy tolerante para la época. Por causas ajenas a la voluntad del rey Sabio, el código de las *Siete Partidas* no entró en vigor durante su reinado. Lo promulgó Alfonso XI en 1348 cuando en el *Ordenamiento de Alcalá*, así llamado por haber sido aprobado en las Cortes reunidas en Alcalá de Henares, dispuso la vigencia de las *Partidas* con carátcer supletorio, en defecto de los preceptos del *Ordenamiento* y de los fueros en uso. El Código está escrito con las usuales fórmulas jurídicas, pero tiene expresiones de elegancia idiomática y está salpicado de majestuosidad y belleza, que atestiguan la afición que el rey sentía por la poesía y el arte.

Partido Blanco. Partido político de Uruguay. Tomó su nombre de los listones blancos con que adornaban sus sombreros los seguidores del presidente Manuel Oribe. Se originó en la década de 1830 y, a partir de 1865, cuando el opositor Partido Colorado se consolidó en el poder, se convirtió en un partido de caudillos. En 1917 estableció el voto secreto y la representación proporcional como sus postulados fundamentales. Durante muchos años su principal representante fue Luis Alberto de Herrera, llamado *El caudillo civil*, creador de la corriente llamada *herrerismo*, que se enfrentaba a la del *batllismo*, propia del Partido Colorado. Después de 97 años de gobierno colorado, en 1958 el Partido Blanco triunfó en las elecciones generales. Ganó de nueva cuenta en 1962, pero, fue derrotado en 1966 y 1971. Quedó suspendido por órdenes del presidente Juan M. Bordaberry después del golpe de Estado del 27 de junio de 1973.

Partido Judicial. En la división administrativa y política de España, territorio que comprende varios pueblos de una provincia. Se llama partido judicial porque en la población designada como cabecera tiene su asiento un juez de instrucción y primera instancia encargado de administrar la justicia. En algunos países de América hispana también existe el partido judicial con organización similar al de España.

partido político. Grupo de personas unidas por una ideología y un conjunto de aspiraciones o de intereses que se propone conquistar o conservar el poder, para lo cual dispone de una organización permanente. Las funciones principales de los partidos políticos son las siguientes: canalizar y cristalizar determinadas corrientes de la opinión pública, presentar candidaturas para cargos de gobierno y realizar una crítica constructiva que impida los excesos de los gobernantes.

Ventajas de los partidos. Cuando un partido predomina en los poderes Ejecutivo y Legislativo puede dar unidad a la tarea de gobierno fiscalizando la sanción y aplicación de las leyes, mientras los opositores actúan como saludable freno para ambiciones excesivas. En un país donde exista libertad de expresión, esta división del electorado es valiosísima para el adecuado funcionamiento de las instituciones democráticas. Además, las campañas que realizan los partidos, y los discursos y debates, suministran al pueblo una visión de los problemas colectivos. Por otra parte, pueden proteger eficazmente los intereses de las minorías raciales, lingüísticas o religiosas, que al incorporarse a ellos mejoran su situación. Por último, elaboran planes de gobierno, llamados *plataformas*. Estos programas contienen los puntos básicos de su ideario, desarrollado por especialistas de las distintas ciencias sociales.

Inconvenientes de los partidos. Con frecuencia estos ideales son olvidados, y los partidos tienden a convertirse en una *maquinaria* electoral manejada por individuos poco escrupulosos. Entonces atraen al pueblo con promesas que no piensan cumplir, hacen fraude en las urnas y sólo buscan satisfacer intereses mezquinos.

En los países donde la instrucción pública se ha difundido y existe cierto nivel de cultura general, los electores de la nación, aunque pertenezcan a distintos partidos, tienen un común denominador de civismo que les sirve para discernir y opinar sobre los problemas políticos.

La existencia y el libre juego de los partidos políticos son elementos necesarios en las naciones democráticas. *Véanse* CIVISMO, GOBIERNO; LEGISLATIVO, PODER; VOTACIÓN.

parto. Mecanismo fisiológico por el cual los animales vivíparos nacen al término de la gestación. Se logra mediante la acción coordinada de la madre y el feto viable, para que este último salga de la cavidad uterina al exterior, donde el recién nacido empieza su vida extrauterina con ayuda de su madre o de una nodriza.

A pesar de que existen diferencias de especie muy grandes en cuanto al tipo de placenta, duración de la preñez y número, tamaño y madurez relativa de las crías, en la mayoría de las especies de mamíferos los cambios fisiológicos que conducen al parto tienen mucho en común. El factor dinámico del parto es muy similar en todas las especies y está constituido por las contracciones uterinas y la contracción de los músculos abdominales. Las contracciones uterinas son involuntarias, rítmicas, intermitentes y de frecuencia e intensidad progresivas hasta el alumbramiento. Las contracciones de los músculos abdominales comprimen al útero hacia abajo y atrás e incrementan la presión intraabdominal al coordinarse con el cierre de la epiglotis. Estas contracciones son en parte voluntarias y en parte reflejas.

En la mujer, para efectos clínicos y para su estudio, el parto esta dividido en dos periodos: el de borramiento y dilatación del cérvix, y el de expulsión. El primer periodo empieza con el borramiento y termina con la dilatación completa del cuello uterino, y puede durar entre 5 y 10 horas en promedio. En este periodo, como resultado de las contracciones uterinas, aparece por la vulva una mucosidad sanguinolenta. Las contracciones se van volviendo cada vez más regulares, frecuentes, enérgicas y dolorosas. Al final de la dilatación se rompe el saco amniótico liberando el líquido hacia el exterior; a ésto se le conoce comúnmente como *ruptura de la fuente*. El periodo de expulsión comprende desde la dilatación completa del cérvix hasta la expulsión del feto, lo cual en un parto normal puede durar entre 15 y 60 minutos. Aquí las contracciones uterinas se hacen acompañar por la contracción de los músculos abdominales y el cierre de la epiglotis, lo que produce fuertes pujidos que ayudan al proceso de expulsión al incrementar la presión intraabdominal.

La duración del trabajo de un parto normal depende de varios factores, el número de partos anteriores (una mujer multípara, en promedio, tiene partos más rápidos), las dimensiones del canal pélvico, el tamaño del feto y la fuerza de las contracciones uterinas y abdominales.

Los factores que dan inicio al parto son muy complejos y no están completamente definidos, pero se sabe que la distención uterina y los cambios hormonales producidos en la unidad feto-placenta-madre cuando el feto llega a la madurez, son los principales responsables del inicio del parto. El cambio en los niveles hormonales ha sido el foco de atención de muchas investigaciones, ya que éstos se alteran radicalmente conforme se acerca el momento del parto. En la mayoría de las especies de mamíferos estudiadas, cuando madura el feto, a través del axis hipotálamo-hipófisis-corteza adrenal, se desencadena toda una serie de alteraciones en la producción de hormonas que son iniciadas por un incremento en la producción de cortisol, el cual a su vez altera la síntesis de progesterona sustituyendo a ésta por estrógenos. Estas modificaciones, a su vez, estimulan la producción de prostaglandinas, las cuales por un lado inhiben aún más la producción de progesterona y, por otro, junto con los estrógenos, hacen que el miometrio sea más sensible a la oxitocina. En muchas especies se produce un incremento en la producción de elastina, la cual es responsable de hacer que los ligamentos que unen a los huesos de la cavidad pélvica, así como el cérvix y los otros tejidos blandos que forman el canal del nacimiento, sean mucho más elásticos, lo que facilita la salida del feto y reduce el riesgo de que ocurra un desgarramiento de tejidos durante el parto.

El músculo del útero, o miometrio, esta formado por muchas células musculares y éstas, para que puedan lograr la expulsión del feto, deben producir contracciones potentes y de manera coordinada. La hormona responsable de las contracciones uterinas es la oxitocina, pero para que las contracciones ocurran con la potencia adecuada es necesario que el útero se capacite. Esta capacitación consiste en la creación de receptores de oxitocina en las células musculares del útero, lo cual sólo ocurre bajo la influencia del incremento de estrógenos. Por otro lado, también a nivel de las células musculares del útero, se produce un aumento del número de *uniones comunicantes*, que son unas estructuras especializadas que sirven para incrementar la capacidad de comunicación entre las células y de esta manera lograr que las contracciones se efectúen de manera altamente coordinada.

Parto múltiple. Los partos múltiples son raros entre los seres humanos y otros mamíferos grandes. Más de 98% de todos los embarazos humanos tienen como resultado un solo hijo; 2% restante son los partos múltiples que ocurren con una frecuencia que decrece rápidamente y aún más mientras más grande sea el número de hijos. Sin embargo, un aumento en el número de dichos partos se ha observado desde que se introdujeron los llamados tratamientos de fertilidad en la década de1960. Estos tratamientos hormonales tienden a causar una poliovulación en las mujeres (liberación de más de un huevo a la vez para la fertilización). Casi todos los embarazos múltiples tienen como resultado bebés prematuros. Sin tratamiento, las mujeres mayores tienen más probabilidad de tener embarazos múltiples que las mujeres jóvenes.

Los nacidos de partos múltiples pueden ser idénticos, fraternales o (en otros casos

Bebé recién nacido, después del parto.

Corel Stock Photo Library

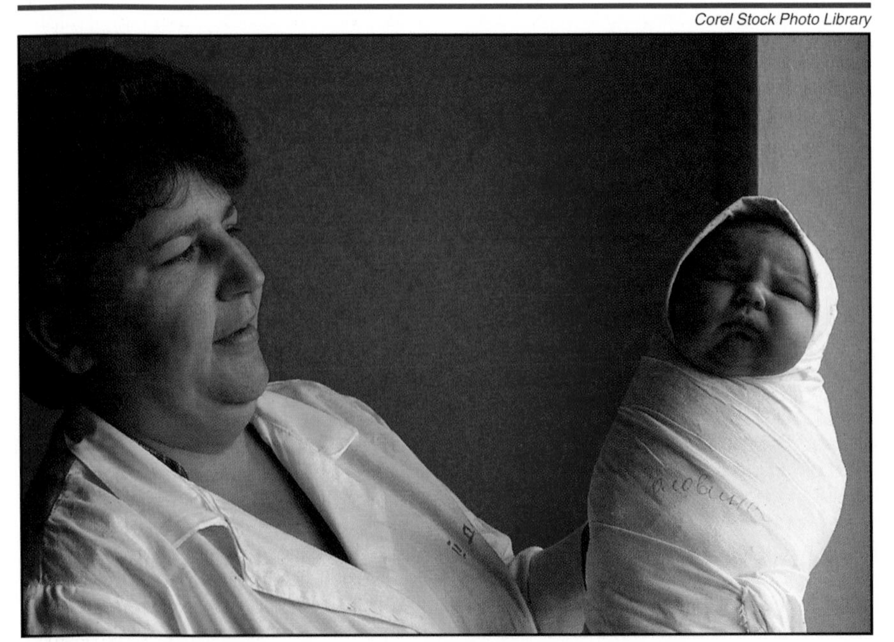

distintos de los gemelos) alguna combinación de éstos. Los nacimientos idénticos son monocigóticos, es decir, que nacen de un mismo huevo fertilizado (cigoto) que en un momento dado del desarrollo se separa en dos o más embriones. (Los gemelos siameses vienen de una división tardía e incompleta). Dichos nacimientos comparten el mismo material genético y son siempre del mismo sexo. Los nacimientos fraternales son policigóticos: nacen de dos o más huevos fertilizados y pueden ser de cualquier sexo.

Dado que los gemelos idénticos son genéticamente equivalentes y son relativamente comunes, comparado con los partos múltiples, han sido frecuentemente objeto de estudio en campos tales como la genética, la conducta y la inteligencia. Estos estudios prueban la importancia relativa de las influencias culturales y genéticas que determinan las características de los individuos.

parvovirus. Es la más conocida de las enfermedades infecciosas del perro, aunque otros parvovirus afectan también al ganado vacuno, a los cerdos y a los seres humanos. Conocida también como enteritis parvovial canina, la enfermedad ataca al recto intestinal y es fatal, a menos que se le trate. Hay una vacuna disponible y se recomiendan vacunas anuales para su prevención.

pasa. Uva desecada por procedimientos naturales o artificiales. El procedimiento natural consiste en cortar las uvas bien maduras y colocar los racimos al sol sobre tablas o cañizos, poniéndolas de noche a cubierto para que no se humedezcan. Así se secan las pasas de Málaga por lo que se las llama también *pasas de sol*. En los países en que el sol no es fuerte, se desecan en hornos, utilizando muchas veces los de pan a mediana temperatura, haciéndolas pasar en ellos toda la noche y rociándolas a la mañana con mosto. También se suele activar la desecación con lejía. Se colocan en este caso las uvas en una espumadera sumergida en un recipiente con lejía poco concentrada, a gran temperatura. Después de escaldadas se extiende en esteras, donde al cabo de 4 o 5 días han perdido la humedad; luego se las embala en cajas de madera. Se emplean también estufas, donde una corriente continua de aire caliente va pasando entre las uvas, dejándolas pasas en pocas horas. Para convertirlas en pasas se eligen uvas de piel fina y si es posible sin semilla. Son célebres las de Málaga y Corinto. *Véase* VID.

pasacalle. Marcha popular de compás vivo que se toca generalmente con guitarras y bandurrias. Data del siglo XVI y tiene su origen en la costumbre española de pasear la calle en plan de serenata. Compositores como Johann Sebastian Bach, Friedrich Haendel y otros, lo introdujeron, alterando su ritmo, en la música para órgano y clave. Aún cuando ya no figura en el repertorio artístico, no ha desaparecido del popular, pues se cultiva aún en algunas regiones del centro y norte de España.

Corel Stock Photo Library

Diferentes tipos de pasas.

pasaporte. Documento de identidad que se exige a todas aquellas personas que salen de un país para pasar a otro. Antes de la Primera Guerra Mundial, en muchos países los pasaportes no eran prácticamente necesarios; pero, poco después, los peligros cada vez más crecientes de las migraciones política y socialmente sospechosas, hizo restablecer la costumbre de dicho documento, como único medio para que los estados pudieran verificar el control de la población extranjera, cerrando el paso a los elementos considerados como perturbadores y evitando la crisis de trabajo producidas por una aglomeración excesiva de mano de obra emigrada. El pasaporte contiene los datos y señas personales del interesado, incluso su fotografía, y forma una especie de cuaderno provisto de diversas hojas destinadas a consignar los visados consulares para viajar. Surte todos los efectos de un documento de identidad en cuanto al nombre, edad, estado civil y demás circunstancias del sujeto y acredita la nacionalidad. Los pasaportes caducan dentro de un plazo determinado, siendo preciso renovarlos antes de su expiración.

Colección de insectos.

Corel Stock Photo Library

pasatiempo. Diversión, entretenimiento. Las tareas que realizamos en las horas libres, al margen de nuestra actividad o profesión permanente, son también una forma de pasatiempo o diversión. Esta clase de ocupación voluntaria puede proporcionar descanso, satisfacciones, conocimientos, amistades y hasta dinero. Al permitirnos relajar la tensión física o mental de nuestras tareas cotidianas, equilibra el esfuerzo del trabajo con el descanso que suministra un juego o una diversión. Esta manera de emplear las horas de ocio, muy extendida en los países de habla inglesa, se designa en esa lengua con el vocablo *hobby*.

Las tareas que se efectúan por diversión o pasatiempo son tan antiguas como la humanidad, porque responden a una necesidad de nuestra naturaleza. Su número es prácticamente ilimitado: unas se realizan al aire libre y otras en salones; unas exigen gran esfuerzo físico y otras requieren concentración mental; unas carecen de valor práctico, mientras que otras proporcionan conocimientos o riquezas; unas no requieren dinero, pero otras obligan a gastar grandes fortunas; unas, por último, son solitarias mientras que otras ayudan a forjar compañerismo. Pueden clasificarse en algunas de estas cuatro categorías: 1) juegos y deportes, 2) coleccionismo, 3) construcción, 4) estudio.

Juegos y deportes. Esta amplia categoría, es la más común en nuestra civilización. Comprende dos grandes clases: los juegos que exigen un esfuerzo especialmente mental y los que obligan a un despliegue de energías físicas. Entre los primeros se hallan los juegos de salón, entre los segundos, los deportes individuales y colectivos. Los deportes atléticos, de antiquísimo origen, fortalecen el organismo y preservan la salud si son practicados en forma metódica y sin exageración. Muchos campeones famosos comenzaron practicando un deporte por afición y descubrieron que poseían condiciones excepcionales para su ejercicio.

Coleccionismo. El segundo grupo proviene del instinto de propiedad y dominio, uno de los más poderosos de la especie humana. Algunas personas forman colecciones de objetos cuya utilidad no es ostensible: cajas de fósforos, boletos de tranvía, tapitas de botellas, botones, etcétera. Pero, otras tienen un valor estético económico o simbólico que puede ser enorme: colecciones de estampillas, de monedas antiguas, de cuadros. El número de objetos que pueden ser motivo de colección es casi ilimitado. Las hay de mariposas, huevos de pájaros, antigüedades, porcelanas, cristalería, libros, autógrafos, minerales, muñecas, láminas, mapas, caracoles, etcétera. Las colecciones más famosas e interesantes son las de estampillas (sellos de correos). El rey Jorge V, de Gran Bretaña, y el presidente Franklin Delano Roosevelt, de Estados Unidos, tenían dos valiosas colecciones filatélicas a las que consagraban sus escasas horas de ocio.

Las colecciones de arte suelen tener valor incalculable. Son célebres las de Rothschild, Mellon, Pierpont Morgan, Frick y Freer, donadas por sus propietarios a varios museos europeos y norteamericanos. Entre los coleccionistas más famosos de la historia cabe recordar a Carlos V rey de España y emperador de Alemania, que logró reunir una magnífica colección de relojes y a Henry Ford, el famoso constructor de automóviles, que reunió una valiosísima colección de objetos utilizados por el pueblo norteamericano a través de su historia.

Construcción. Mientras algunas personas prefieren las aficiones que exigen actuación, y otras se abstraen en el pequeño universo de sus colecciones, no faltan las que dan salida a su instinto creador construyendo cosas. Los hombres y mujeres que realizan tareas mentales suelen hallar descanso en trabajos manuales. Los más variados materiales (madera, cueros, cemento, vidrio, jabón, plásticos, arcilla, cera, metales, etcétera) sirven para construir modelos de vehículos, diseñar muebles, encuadernar libros, decorar interiores o construir implementos domésticos. Otras tareas que no son exclusivamente manuales, como la cocina, la costura y la pintura, pueden ser emprendidas por simple afición y conducir a resultados insospechados.

El aeromodelismo es un pasatiempo predilecto de muchos jóvenes. Desarrolla el espíritu creador, aguza la capacidad de observación y enseña útiles conocimientos aeronáuticos. Sus adictos diseñan desde minúsculos *micromodelos* hasta grandes aparatos con motor de explosión que compiten en torneos internacionales. Menos popular, pero también interesante, la construcción de modelos de buques tiene larga y honrosa historia.

Estudio. Más de un estudiante sonreiría ante la posibilidad de que el estudio pueda convertirse en diversión. Sin embargo, el caso es muy frecuente, el pasatiempo suministra excelentes resultados y se adapta a las inquietudes de personas que realizan una tarea monótona, desprovista de esfuerzos intelectuales. Las ciencias físicas y naturales atraen a muchas personas, que a veces descubren en ellas la verdadera vocación de su vida. Un empleado que realiza una tarea rutinaria puede consagrar sus horas libres, al salir de la oficina, al estudio de un idioma. Las academias de corte y confección atraen a innumerables jóvenes, que a menudo logran destacarse como diseñadores o modistas. Estas diversiones de tipo intelectual han prestado incalculables servicios al progreso de nuestra civilización. Isaac Newton, descubridor de las leyes de la gravitación universal, se interesó por la ciencia después de juguetear en sus primeros años con diversas maquinarias. Jaime Watt, a quien se atribuye la invención de la máquina de vapor, era un mecánico que supo estudiar física en las horas libres. El cultivo de una afición determinada puede cambiar el curso de una vida; prueba de ello es el caso de S. W. Burnham, un abogado de Chicago que cierto día compró un manual de astronomía para leer en un viaje. El tema lo apasionó de tal modo que empezó a construir un telescopio y a estudiar a fondo la ciencia del universo. Varios años más tarde era la primera autoridad mundial sobre estrellas dobles y dirigía, olvidada la abogacía, uno de los observatorios más grandes del globo. Luigi Pirandello, uno de los renovadores del teatro moderno, empezó a escribir después de los 50 años y después de haber considerado esta actividad como pasatiempo.

La medicina moderna ha descubierto que las actividades recreativas ayudan a curar las enfermedades físicas y mentales. Un entretenimiento adecuado tiene incalculable valor para toda persona que debe permanecer en cama o en una silla de ruedas. Al concentrar su atención sobre un objeto ajeno a sí mismo, el enfermo otorga menos importancia a sus dolencias; ello puede facilitar la curación.

El modelismo es uno de los pasatiempos más populares del orbe.

Corel Stock Photo Library

Pascal, Blaise (1623-1662). Físico, matemático y filósofo francés. Desde muy niño sobresalió por su gran inteligencia; su padre quiso dedicarlo al estudio de las lenguas, pero investigando y aprendiendo por su cuenta, descubrió y aprendió por sí solo la geometría, cuando apenas tenía doce años de edad. A los 16 años llamó la atención de Descartes con su libro sobre las secciones cónicas. A los 18 años inventó una máquina calculadora. Hizo importantes investigaciones sobre la teoría de las probabilidades, en unión de Pedro de Fermat, y sobre la teoría del cicloide.

Entre sus aportaciones a la ciencia se destaca el llamado *principio* de *Pascal*, relativo a la presión de los líquidos y su equilibrio, base de la prensa hidráulica, el ascensor hidráulico, las bombas de presión, etcétera. Hacia 1655 buscó refugio en el monasterio de Port Royal. Como escritor fue uno de los más altos exponentes de las letras francesas, en obras como *Cartas provinciales*. En los últimos años de su vida se dedicó a escribir una apología de la religión cristiana que no pudo terminar, fragmentos de la cual están contenidos en su célebre libro *Pensamientos*, publicado ocho años después de su muerte.

Pasco. Departamento de Perú, situado en el centro del país, con una extensión de 25,320 km^2 y una población de 290,000 habitantes (1996). De suelo sumamente quebrado se halla emplazado sobre el nudo orográfico de su nombre, del cual parten las grandes ramificaciones andinas de las cordilleras Central y Occidental. Posee yacimientos de plata, bismuto, cobre, carbón de piedra, etcétera. Tiene ricos pastos que mantienen a muchos millares de cabezas de ganado. La agricultura, en estado floreciente, produce principalmente cereales. Su capital es Cerro de Pasco (74,000 habitantes).